ALBER REIHE KOMMUNIKATION

Über dieses Buch:

Die Briten halfen 1945 maßgeblich dabei, in Deutschland einen neuen, demokratischen Journalismus aufzubauen. Ist die englische Presse auch heute noch ein Vorbild? Das Buch bietet einen systematischen Vergleich des britischen und deutschen Journalismus – von seinen historischen Wurzeln bis zu seinen aktuellen Problemen. Die Arbeit verfolgt drei Ziele: Erstens das komplexe Handlungsfeld der britischen und deutschen Journalisten mit ihren relevanten Einflußbereichen (u.a. Pressetradition, Marktdynamik, Presserecht, Medienpolitik, Berufsethik, Selbstverständnis, Standesorganisationen, Nachwuchsausbildung, Redaktionsabläufe und -zwänge) zu beschreiben und vergleichend zu analysieren. Zweitens darzustellen, was der Journalismus des einen Landes vom anderen lernen kann, vor allem in redaktionsorganisatorischer Hinsicht. Drittens diejenigen Einflußkräfte herauszuarbeiten, die dem britischen und deutschen Journalismus seine spezifische nationale und kulturelle Identität verleihen. Dazu gehören das Verhältnis der Presse zum Staat und zu absoluten Werten sowie das Verständnis von Öffentlichkeit, Parteilichkeit, Meinung und von journalistischer Freiheit. Erst das strikt international vergleichende Vorgehen verhilft zu spannenden, häufig überraschenden Erkenntnissen.

This book:

In 1945 the British provided substantial help in developing a new, democratic journalism in Germany. Is the English press still a model today? Esser offers a systematic comparison of British and German journalism – from their historic roots to their current problems. The book has three goals: The first goal is to describe the complex area of action of journalists and their associated areas of influence. The second is to show what journalists from one country can learn from those of another country. The third goal is to determine those influencing forces, which give British and German journalism their specific national and cultural identity. The strict, international and comparative approach – in these dimensions without precedent – leads to exciting and frequently surprising findings.

Der Autor:

Dr. Frank Esser, geb. 1966 in Neuss, Wissenschaftlicher Assistent am Institut für Publizistik der Johannes Gutenberg-Universität Mainz. Studium in London (Journalistik-Diplom) und Mainz (Magister, Promotion), arbeitete als wissenschaftlicher Mitarbeiter an den Universitäten Mannheim und München. Buch- und Zeitschriftenveröffentlichungen zu den Themen Massenmedien und fremdenfeindliche Gewalt, Journalismus im internationalen Vergleich, Skandale. Mitglied der Deutschen Gesellschaft für Publizistik- und Kommunikationswissenschaft und der International Communication Association.

Frank Esser

Die Kräfte hinter den Schlagzeilen

Alber-Reihe Kommunikation

Herausgegeben von
Hans-Bernd Brosius
Hans Mathias Kepplinger
Elisabeth Noelle-Neumann

Band 23

Frank Esser

Die Kräfte hinter den Schlagzeilen

Englischer und deutscher Journalismus im Vergleich

Verlag Karl Alber Freiburg / München

Die Deutsche Bibliothek – CIP-Einheitsaufnahme

Esser, Frank :
Die Kräfte hinter den Schlagzeilen :
Englischer und deutscher Journalismus im
Vergleich, Frank Esser. –
Freiburg (Breisgau) ; München : Alber, 1998
(Alber-Reihe Kommunikation ; Bd. 23)
ISBN 3-495-47882-5

Gedruckt auf alterungsbeständigem Papier
Printed on acid-free paper

Einbandgestaltung: Eberle & Kaiser, Freiburg
Umschlagfoto: Titelseite der Sun (vgl. S. 173)
Einband gesetzt in der Rotis SemiSerif von Otl Aicher
Satz: SatzWeise, Trier
Druck: Difo-Druck, Bamberg 1998
ISBN 3-495-47882-5

Vorwort

Das vorliegende Buch ist eine überarbeitete Fassung meiner Dissertationsschrift, die am Fachbereich Sozialwissenschaften der Mainzer Johannes Gutenberg-Universität eingereicht wurde. Obwohl mich die Idee für diese Arbeit einige Lebensstationen (London, Mainz, Mannheim, München) begleitete, riß die Begeisterung für das Thema nie ab – im Gegenteil, sie wuchs beständig. Mein besonderer Dank gilt vor allem zwei Personen, von deren Förderung ich sehr profitierte. Zum einen bedanke ich mich bei Professor Hans Mathias Kepplinger, der den Anstoß zur vorliegenden Untersuchung gab und das Promotionsverfahren betreute. Er gewährte mir in der Entstehungsphase großzügige Freiheit und trug in der Schlußphase mit wertvollen Ratschlägen erheblich zum Gelingen des Projektes bei. Zum anderen gilt mein Dank Professor Hans-Bernd Brosius, der mir die Begeisterung für unser Fach Kommunikationswissenschaft vermittelte und mich als Kollege und Freund stets nach Kräften unterstützte. Die vorliegende Arbeit hätte ohne die bereitwillige Kooperation der analysierten Zeitungen *Birmingham Evening Mail, Wolverhampton Express & Star* und *Koblenzer Rhein-Zeitung* nicht realisiert werden können. Den Chefredaktionen dieser Blätter danke ich daher ebenfalls sehr herzlich.

F. E. Mainz, im September 1997

Inhalt

Liste der Schaubilder

Liste der Tabellen

1. Einführung

1.1 Ziele der Arbeit

In abwechselnden Perioden blicken Deutsche nach Großbritannien oder Briten nach Deutschland, um aus dem Vergleich Lehren für das eigene Verhalten zu ziehen. Beispielsweise gab Walter A. Mahle im Zuge der Einführung des Privatfernsehens in Deutschland einen systematischen Überblick über das duale Rundfunksystem in Großbritannien. Seine Frage *Großbritannien – Ein Modell für die Bundesrepublik?* (1984) verneinte er nach eingängigem Studium des dortigen Fernsehsystems. Ein Jahr später verglich Renate Köcher das Rollenverständnis deutscher Journalisten mit dem ihrer britischen Kollegen. Sie gelangte zu dem Ergebnis, daß sich britische „Spürhunde" und deutsche „Missionare" als Vertreter gegensätzlicher professioneller Kulturen diametral gegenüberstehen. Die Briten blicken auch nach Deutschland. So riet Giles Radice in dem Buch *The new Germans* (1995) seinen Landsleuten zur Übernahme der Bundesbank, der Tarifpartnerschaft, des Ausbildungssystems und des Föderalismus. Will Hutton analysierte in *The state we're in* (1995) die wirtschaftlichen und politischen Probleme Großbritanniens und empfahl seinen Lesern den deutschen Mittelstand, die Bausparkassen, die Mitbestimmung und die Kreditanstalt für Wiederaufbau. Im Gegenzug pries der *Spiegel* angesichts der deutlich geringeren Lohnkosten, flexibleren Arbeitszeiten, geringeren Unternehmenbesteuerung und des Wahlsieges von Tony Blairs *Labour Party* das „Modell Großbritannien" an (Heft 17 und 19/1997). In seiner treffenden Diagnose *Die Kreuzung und der Kreisverkehr* führt Thomas Kielinger (1997) das komplizierte, wechselseitige Verhältnis auf die fundamentalen Mentalitätsunterschiede zurück. Paradoxerweise erwachse die besondere Nähe beider Länder aus ihren tiefen Gegensätzen.

Die vorliegende Arbeit möchte das britische und deutsche Journalismussystem systematisch vergleichen und unter anderem die Frage beantworten, ob der britische Pressejournalismus noch ein Vorbild für Deutschland bietet. Genau gesagt verfolgt die Arbeit zwei Ziele: Aus *praktischer Perspektive* erfolgt eine vergleichende Analyse der konkreten Arbeitsbedingungen und Arbeitsweisen im britischen und deutschen Pressejournalismus. In diachronischer und synchronischer Betrachtung werden die Parallelen und Unterschiede zwischen britischem und deutschem Journalismus herausgearbeitet, diskutiert und erklärt. Aus dieser Perspektive liefert die vorliegende Arbeit auch einen Beitrag zur aktuellen Diskussion über Möglichkeiten und Grenzen der publizistischen Qualitätsverbesserung und des Redaktionsmanagements. Hierzu richtet die Arbeit ein besonderes Augenmerk auf die Arbeits- und Kontrollprozesse innerhalb der Redaktion. Ausführlich und praxisnah werden Arbeitsabläufe, Redaktionsstrukturen und Tätigkeitsprofile im britischen Journalismus dargestellt und analysiert. Es zeigt sich, daß die Arbeitsweisen in Deutschland von denen in angelsächsischen Ländern differieren. Die unterschiedlichen redaktionellen Konzepte werden gegenübergestellt und unter der Leitlinie diskutiert: Was läßt sich voneinander lernen?

Aus *theoretischer Perspektive* werden die relevanten Einflußfaktoren identifiziert, die dem Journalismus jedes Landes seine nationale und kulturelle Identität verleihen. Erst im internationalen Vergleich wird deutlich, welche Einflußfaktoren für das journalistische Handeln prägend und konstitutiv sind, in welchem Verhältnis diese Faktoren zueinander stehen und wie sie zu gewichten sind. Journalismus wird hierbei als ausdifferenziertes gesellschaftliches Teilsystem begriffen. Im Gegensatz zu vielen jüngeren Arbeiten[1] soll dieses Teilsystem allerdings nicht aus einer rein systemtheoretischen Perspektive betrachtet werden, sondern die Arbeit will system-, organisations- und akteurstheoretische Überlegungen verbinden. Dies wird dem Untersuchungsgegenstand besser gerecht. So läßt sich auf gesellschaftlicher Ebene (System) untersuchen, welchen Einfluß unterschiedliche historische Erfahrungen auf das Selbstverständnis der Presse als „Vierte Gewalt" genommen haben. Auf redaktioneller Ebene (Organisation) kann gezeigt werden, daß die hiesigen Regelungen und Routinen weder die einzig möglichen, noch notwendigerweise die besten sind. Eine Optimierung redaktioneller Regeln, beispielsweise zur publizistischen Qualitätsverbesserung, setzt jedoch die Kenntnis von Alternativen voraus. Dieses Wissen möchte die vorliegende Arbeit unter anderem bereitstellen. Auf individueller Ebene (Akteur) kann gezeigt werden,

[1] Vgl. u.a. Rühl (1980), Spangenberg (1993), Marcinkowski (1993), Blöbaum (1994), Schmidt (1994), Weischenberg (1994a), Luhmann (1996); vgl. dazu auch die zusammenfassende, kritische Würdigung von Görke & Kohring (1996).

daß sich weniger die deutschen und britischen Journalisten unterscheiden als vielmehr die Strukturen, in denen sie arbeiten. Allerdings darf die mehr oder weniger begrenzte Fähigkeit einzelner Akteure, ihren subjektiven Interessen Geltung zu verschaffen, nicht ausgeblendet werden. Dies wird in Kapitel 1.2 näher erläutert. Insgesamt zeigt die Untersuchung, daß Journalismus in demokratischen Gesellschaften sehr unterschiedlich geregelt sein kann. Aus der Fülle der Unterschiede (und Parallelen) werden sieben zentrale, identitätsstiftende Einflußkomplexe herauskondensiert, von denen der Freiheitsbegriff der übergreifendste ist (s. Kapitel 13).

Eine international vergleichende Studie birgt Gefahren. Als Feldforscher im fremden Land betrachtet man seinen Untersuchungsgegenstand durch die Brille des Ausländers und bewertet das Wahrgenommene nach den Maßstäben seines Heimatlandes. Das kann zu Mißverständnissen, vorschneller Kritik oder Glorifizierung führen. Letzteres mag besonders für Großbritannien gelten, da die Briten neben den US-Amerikanern maßgeblich den westdeutschen Nachkriegsjournalismus beeinflußt haben. Bei Kriegsende war England für liberale Deutsche das, was es schon im 18. Jahrhundert für deutsche Republikaner war: das fortschrittliche Vorbild für die eigene, die „verspätete Nation" (vgl. Plessner 1959). Fünfzig Jahre später hat sich das Bild gewandelt. Deutschland ist heute fest in der westlichen Wertegemeinschaft integriert und England für die Deutschen einer von vielen Staaten in Europa. In diesem Licht betrachtet treten auch die Mängel des britischen Systems deutlich hervor. Wir assoziieren mit dem angelsächsischen Journalismus *Faktengenauigkeit, Trennung von Nachricht und Meinung* und *Objektivität.* Diese Normen sind im Bewußtsein der britischen Journalisten unverändert verankert. Allerdings sind die Briten viel zu pragmatisch, um diese Norm zu verabsolutieren. Das entspricht ihren zentralen Charaktereigenschaften, zu denen ein ausgeprägter Individualismus, ein Sinn fürs Praktische, Kompromißbereitschaft und Humor gehören. Dagegen verachten sie Pedanterie, Ordnungsliebe und Gehorsam – Eigenschaften, die den Deutschen nachgesagt werden (vgl. Gelfert 1995). Dieser Verweis auf den britischen Volkscharakter kann die Auswüchse ihrer Boulevardpresse selbstverständlich nicht erklären, macht aber auf den unsentimentalen Pragmatismus der Briten aufmerksam, der sich auch im Journalismus zeigt.

Diese Arbeit verfolgt auch das Anliegen, einer unangemessenen Mythenbildung über den britischen Journalismus vorzubeugen. Eine Ursache für verklärende Darstellungen mag dem Bedürfnis entspringen, den deutschen Journalisten ein nachahmenswertes

Vorbild zu *konstruieren*, um sie zu neuen Anstrengungen anzuspornen.[2] Ein solcher pädagogischer Impetus liegt dem Verfasser fern. Wenn die Arbeit dennoch von kritischer Sympathie für den britischen Journalismus getragen ist, mag dies an den angenehmen Erfahrungen liegen, die er während seines Studiums und der journalistischen Arbeit in London machte. Die vorliegende Arbeit konzentriert sich, ausschließlich auf den Zeitungsjournalismus, da eine Ausweitung auf andere Medienbereiche den Umfang mindestens verdoppelt hätte. Dagegen wird an vielen Stellen auf die Situation in den USA verwiesen – entweder um die Gemeinsamkeiten des britischen und amerikanischen Journalismus herauszustellen, oder um wichtige Unterschiede zwischen diesen beiden Ländern zu betonen.

Ein Wort zur Verwendung der Begriffe Großbritannien/britisch und England/englisch. Großbritannien umfaßt die historischen Länder England, Schottland und Wales. Nordirland bleibt in dieser Arbeit ausgeblendet, da diese Region in dem ansonsten sehr einheitlichen Zentralstaat immer eine Sonderstellung einnahm. Die Begriffe „britisch" und „englisch" werden nicht nur von Deutschen, sondern auch von Engländern häufig synonym gebraucht (vgl. Marwick 1994). Das liegt vermutlich daran, daß England aufgrund seines dominierenden Bevölkerungsanteils und der überlegenen Wirtschaftskraft immer eine Vorrangstellung im britischen Staatsverband einnahm. Von den 56 Millionen Briten sind 46 Millionen Engländer, also rund 80 Prozent. Ebenso kommen 80 Prozent aller britischen Journalisten aus England.[3] Allein aufgrund dieser Zahlenverhältnisse liegt ein natürlicher Schwerpunkt auf England, selbst wenn von gesamtbritischen Strukturen die Rede ist. Die Bezeichnung „angelsächsisch" wird verwendet, wenn es um britisch-amerikanische Gemeinsamkeiten geht.

1.2 Entwicklung eines journalismustheoretischen Modells

In der Kommunikatorforschung lassen sich zwei Ansätze unterscheiden. Die Nachrichtenforschung beschäftigt sich mit dem *Auswahlaspekt*, also der Analyse jener Faktoren, die die Selektion, Prä-

[2] Vgl. hierzu auch Ruß-Mohl (1994, S. 29–46) über die deutschen Mythen vom amerikanischen Journalismus.

[3] Vgl. Delano & Henningham (1995). Umfassende Darstellungen zu Land, Kultur und Politik Großbritanniens liegen von Kastendiek, Rohe & Volle (1994) sowie Händel & Gossel (1994) vor.

sentation und Konstruktion von Medienaussagen bestimmen. Die Journalismusforschung beschäftigt sich mit dem *Einflußaspekt*, also der Analyse jener Faktoren, die das Selbstverständnis und das journalistische Handeln des Berufsstandes und der einzelnen Medienakteure bestimmen. Eng verbunden mit diesen beiden Aspekten ist die Medienwirkungsforschung, die dem *Wirkungsaspekt* nachgeht, also der Frage nach den Konsequenzen der Berichterstattung für Rezipient und Gesellschaft. Verglichen mit dem Auswahl- und Wirkungsaspekt ist die Frage der Einflußfaktoren im Journalismus immer noch wenig untersucht. Ausgangspunkt dieser Forschungsrichtung (und auch dieser Arbeit) ist die Erkenntnis, daß der Journalismus eines jeden Landes durch die allgemeinen gesellschaftlichen Rahmenbedingungen, historische und rechtliche Grundlagen, ökonomische Zwänge sowie die professionellen und ethischen Standards seiner Akteure geprägt wird. Wie die Journalisten ihre Aufgabe erfüllen können, hängt von konkreten ökonomischen, organisatorischen, technischen und anderen Bedingungen ab. Das Handlungssystem Journalismus wird demnach durch eine Vielzahl von Einflußfaktoren bestimmt, die die Journalisten des jeweiligen Landes bei der Ausübung ihres Berufes lenken. Diese Einflußfaktoren bestimmen wiederum ihre Selektionsentscheidungen, somit die Medieninhalte und damit auch die potentiellen Medienwirkungen.

Es hat verschiedene Versuche gegeben, diese Einflußfaktoren zu identifizieren und klassifizieren.[4] Eine einfache Weise zur Klassifikation dieser Einflußfaktoren ist die „Zwiebel-Metapher". Wir vergleichen den Journalismus – auf eine Idee von Maxwell McCombs zurückgehend – mit einer Zwiebel, wobei die einzelnen Schalen, die das journalistische Handeln beeinflussen, für die einzelnen Faktoren stehen.[5] Siegfried Weischenberg griff diese Metapher auf und bemüht sich im Rahmen seiner Journalismus-Konzeption darum, Luhmanns und Rühls Systemfunktionalismus sowie den Radikalen Konstruktivismus an die Journalismusforschung anzubinden (vgl. Weischenberg 1992a, 1994a, 1995a). Dies hat sich als theoretisch recht problematisch herausgestellt (vgl. Baum 1994, S. 361–390; Neuberger 1996, S. 185–240; Scholl 1998). Die Zwiebel-Metapher selbst hat sich jedoch als sehr taugliches, heuristisches Konstrukt erwiesen, das durch seine Mehrebenenstruktur die systematische Einordnung und Interpretation des empirischen Materials erleich-

[4] Vgl. Donsbach (1987), Kepplinger (1989), Weischenberg (1990a, 1994a), Shoemaker & Reese (1991), Ettema, Whitney & Wackman (1987).
[5] Vgl. McCombs (1992, S. 817 f.) und Weischenberg (1990a, S. 51 f.).

tert. Für die ländervergleichende Analyse ist es allerdings notwendig, Weischenbergs Zwiebel-Konzept inhaltlich zu überarbeiten, wie die weitere Darstellung zeigen wird. Zunächst ist jedoch eine theoretische Fundierung des dieser Arbeit zugrundeliegenden Modells geboten.

Auch wenn die Diskrepanz zwischen der Fülle empirischer Untersuchungen und dem Mangel theoriegeleiteter Auseinandersetzungen in der Journalismusforschung immer offensichtlicher wird, sollte dies nicht dazu verleiten, den Untersuchungsgegenstand vorschnell an vorhandene Meta-Theorien anzubinden, die sich bei näherer Betrachtung als ungeeignet herausstellen. Supertheorien wie Luhmanns Systemtheorie dürfen nicht mit empirischen Theorien mittlerer Reichweite verwechselt werden. Supertheorien können zwar Anregungen für empirische Forschung geben, sind aber selbst nicht (bruchlos) in empirische Forschung überführbar (Scholl 1998). Gerade in dem theoretisch schwer zu fassenden Bereich Journalismus setzen überzeugende Analysen eine präzise empirische Kenntnis des Forschungsgegenstandes voraus. Dieses erfordert eine gegenstandsbezogene, offene Herangehensweise im Sinne einer „Grounded Theory" (Glaser & Strauss 1967; Strauss & Corbin 1996).[6] Grounded Theories werden aus dem konkreten Datenmaterial heraus und in direkter Bezugnahme auf die soziale Realität gewonnen („grounded" = auf dem Boden beobachteter Fakten, in der Empirie verankert). Es handelt sich nicht um einen theorieprüfenden, sondern einen theorieentwickelnden Ansatz. Die so entwickelten *gegenstandsbezogenen* Theorien bilden erst die Vorstufe zu allgemeinen, *formalen* Theorien. Die vorliegende Arbeit plädiert dafür, gerade im Bereich Journalismus den zweiten Schritt nicht vor dem ersten zu tun. Erst wenn der Untersuchungsgegenstand hinreichend identifiziert und analysiert ist, macht eine Anbindung

[6] Die Grounded Theory ist eine qualitative Forschungsmethodologie, die eine Reihe systematischer Analyseverfahren benutzt, um eine induktiv abgeleitete, gegenstandsverankerte Theorie über ein Phänomen zu entwickeln. Sie wurde von dem Lazarsfeld-Schüler Barney Glaser (Columbia University) und dem eher qualitativ geprägten Anselm Strauss (University of Chicago) entwickelt. Im Gegensatz zum logisch-deduktiven Vorgehen werden bei Grounded Theories die Daten nicht erst im Nachhinein zur Bestätigung oder Widerlegung einer Theorie herangezogen, sondern die Überprüfung findet schon ständig im Forschungsprozeß selbst statt. Diesem rein induktiven Vorgehen schließt sich die vorliegenden Arbeit jedoch nicht an. So erfolgen die Beobachtungsbeschreibungen im Rahmen der Theorieentwicklung nicht völlig unabhängig vom bisherigen Forschungsstand, sondern durchaus „im Lichte von Theorien" (Popper). Zur Theorieentwicklung der vorliegenden Untersuchung wurden vielmehr induktive und deduktive Verfahren kombiniert.

an formale Universaltheorien Sinn. Die vorliegende Arbeit versteht sich als ein solcher „erster Schritt“ und verwendet ein gegenstandsbezogenes Journalismusmodell. Sie nutzt die systemtheoretische Logik in erster Linie zur systematischen Ordnung der empirischen Befunde.

Die zentrale Methode zur Entwicklung von Grounded Theories ist die komparative Analyse (Glaser & Strauss 1967, S. 1). Gerade zum Verständnis des Systems Journalismus ist der internationale Vergleich unerläßlich. Erst er ermöglicht die Feststellung von Verallgemeinerungen und Spezifizierungen. Nur der Vergleich erlaubt eine Klärung darüber, ob wir es mit länderunabhängigen, universell geltenden Phänomenen oder mit landesspezifischen Besonderheiten zu tun haben. Weiterhin geht der Grounded Theory-Ansatz bei der Analyse seiner Untersuchungsgegenstände – ähnlich der Zwiebelschalen-Metapher – von einem Mehrebenen-Modell der Einfluß-faktoren aus (vgl. Strauss & Corbin 1996, S. 136). Die Individuen im Innern sind von verschiedenen, auf konzentrischen Kreisen angeordneten Bedingungsfaktoren umgeben, die die Interaktionen, Handlungen und Prozesse innerhalb des Systems mitbestimmen. Das Grounded Theory-Prinzip erlaubt des weiteren die Integration verschiedener Theorieansätze auf unterschiedlichen Analyseebenen, wenn es der Untersuchungsgegenstand erfordert. Diese Merkmale lassen das Grounded Theory-Prinzip als geeigneten Ausgangspunkt für die Entwicklung eines Theoriemodells des Journalismus erscheinen.

Die vorliegende Arbeit geht ebenfalls von einem Mehrebenen-Modell der Einflußfaktoren im Journalismus aus, ergänzt jedoch die bisher übliche rein systemorientierte Betrachtungsweise um institutions- und akteursorientierte Überlegungen auf den inneren Systemebenen.[7] Der Mangel einer isoliert verwendeten Systemtheorie liegt darin, daß sie die Herkunft eines Systems ebenso wenig erklären kann wie kurzfristige Veränderungen.[8] Dazu bedarf es der

[7] Zur Verbindung von system-, institutions- und akteurstheoretischen Überlegungen siehe die grundlegenden Arbeiten von Uwe Schimank (1985, 1988, 1996). Gerhards (1994) und Neuberger (1996) griffen Schimanks Argumentation bereits auf. Auch Armin Scholl (1997a, S. 137 f.) plädiert für einen pluralistischen Ansatz, da die Systemtheorie – im Gegensatz zu den ursprünglichen Erwartungen (vgl. Weischenberg, Löffelholz & Scholl 1993, S. 23) – doch „kein Erklärungsmonopol“ in der Journalismusforschung beanspruchen könne. Weischenberg räumte dies schon früher ein (vgl. Weischenberg 1995a, S. 373 f.).

[8] Zu weiteren ungelösten Fragen der Systemtheorie gehören die System/Umwelt-Grenzlegung, die Festlegung der spezifische Funktionsleistung des Teilsystems Massenmedien, sowie die Frage der empirischen Überprüfbarkeit; vgl. Görke & Kohring (1996), Scholl (1997b, 1998).

Berücksichtigung handelnder Akteure. Geht man davon aus, daß die soziale Welt eine von Akteuren und ihren Handlungen gestaltete Welt ist, dann muß die Systemtheorie durch eine Akteursperspektive ergänzt werden.

Ebenso wie eine rein systemtheoretische wäre allerdings auch eine rein akteurstheoretische Betrachtung unangemessen. Innerhalb der Kommunikationswissenschaft werden solche akteurstheoretischen Sichtweisen unter anderem Elisabeth Noelle-Neumann, Hans Mathias Kepplinger und Wolfgang Donsbach zugeschrieben (vgl. Böckelmann 1993, S. 23). Diese Autoren haben die Aufmerksamkeit besonders auf die persönlichen Merkmale der Journalisten gerichtet. Die systemisch-strukturellen und organisatorischen Beschränkungen erschienen dann häufig nur noch als neutraler Arbeitsrahmen.[9] Ganz herausdefinieren, wie es beispielsweise Rühl fordert,[10] darf man die akteurstheoretische Perspektive aus der Journalismusforschung freilich nicht, wie viele Untersuchungen gezeigt haben (Böckelmann, ebd.). So läßt sich beispielsweise nachweisen, daß Journalisten in Konfliktphasen überwiegend diejenigen Argumente und Informationen veröffentlichen wollen, die ihre eigene Einstellung stützen.[11] Auch weitere am Kommunikationsprozeß beteiligte Akteure wie Politiker oder PR-Strategen verfolgen aktiv eigene Interessen.[12] Gesellschaftliche Akteure lassen sich durch drei Merkmale charakterisieren, die theoretisch berücksichtigt werden müssen (Schimank 1988): Erstens weisen sie bestimmte Ziele auf, zweitens haben sie das Potential zur Beeinflussung von Situationen und drittens verfolgen sie bestimmte Handlungsstrategien zur Umsetzung ihrer Interessen. Schimanks Vorschlag zur Integration von System- und Akteurstheorie lautet nun, diejenigen

[9] Die Erkenntnis, daß die strukturellen und organisatorischen Bedingungen journalistischer Arbeit unbedingt stärker berücksichtigt werden müssen, war der Ausgangspunkt für ein Forschungsprogramm von Hans Mathias Kepplinger (1991), in dessen Rahmen die vorliegende Arbeit entstand. Näheres in Kapitel 1.6.

[10] „Individuelle Akteure als Gesamtpersonen [sind nicht] Bestandteile der Zeitungsredaktion“, legt Rühl (1979, S. 70) fest. „Als Handlungssystem besteht die Redaktion grundsätzlich aus Handlungen und nicht aus Menschen schlechthin.“ Noch pointierter hatte er es in der Erstauflage seines Buches formuliert: „Die *ganze* Person [gilt] als systemextern, als Umwelt“ (Rühl 1969, S. 37). Vgl. hierzu auch Rühl (1980).

[11] Vgl. Kepplinger (1989a, 1989b, 1994), Kepplinger, Brosius, Staab & Linke (1989), Hagen (1992). Siehe zur aktiven Rolle der Journalisten beispielsweise auch Flegel & Chaffee (1971), Barth & Donsbach (1992), Patterson (1994), Iyengar & Reeves (1997).

[12] Vgl. Nissen & Menningen (1977), Baerns (1985), Kepplinger (1992, 1994), Rossmann (1993), Patterson (1994).

strukturellen Beschränkungen, Einflüsse und Zwänge zu beschreiben, die das (journalistische) Handeln der Akteure situationsübergreifend prägen. Dieser zentralen Frage, inwieweit *handlungsfähige* Akteure *handlungsprägenden* Systemeinflüssen ausgesetzt sind,[13] folgt auch die vorliegende Arbeit. Neben der System- und Akteursebene ist hierbei ergänzend die Institutionsebene zu beachten, die zwischen diesen Ebenen liegt.[14] Hier ist die Redaktionsorganisation angesprochen, also die Verteilung redaktioneller Aufgaben und Kompetenzen, die Struktur redaktioneller Arbeitsabläufe sowie die Mechanismen redaktioneller Kontrolle und Entscheidungsfindung.

Auf der Grundlage der kritischen Auseinandersetzung mit Weischenbergs Journalismus-Konzeption, den Prinzipien zur Theorieentwicklung von Glaser und Strauss sowie dem integrativen Ansatz Schimanks entstand im Rahmen der vorliegenden Arbeit das in Schaubild 1 dargestellte journalismustheoretische Modell. Es hat vier Analyseebenen: Gesamtgesellschaft, Medienstruktur, Redaktionsorganisation und Akteure. Wichtig ist, daß keine der Schalen als geschlossenes System, sondern – in Anlehnung an Schimank (1996, S. 243 ff.) – als offene „Orientierungshorizonte" zu verstehen sind. Der Versuch, eine eindeutige äußere Grenzlinie des Journalismussystems festzulegen, wurde also bewußt nicht unternommen. Journalismus definiert sich nach dieser Konzeption als Schnittmenge spezifischer Einflußkräfte.

Zur inhaltlichen Ausgestaltung wurde auf Befunde der international vergleichenden Journalismusforschung, der Redaktions- und Kommunikatorforschung zurückgegriffen (siehe Kapitel 1.3 und 1.4). Die äußere Schale ist die historisch-kulturelle Rahmenebene der Gesamtgesellschaft *(Gesellschaftssphäre)*. Insbesondere die international vergleichenden Untersuchungen von Schudson (1978, 1996), Köcher (1985), Ernst (1988), Donsbach (1990b, 1993b, 1993c), Requate (1995), Redelfs (1996) und Pritchard & Sauvegeau (1997) haben die prägende und identitätsstiftende Bedeutung dieser historisch-kulturellen Faktoren herausgestellt: Geschichte der Presse und der Pressefreiheit und das sich daraus entwickelte Selbstverständnis der Presse im Staat; die journalistischen Traditionen und der philosophisch-erkenntnistheoretisch entwickelte Objektivitätsbegriff; soziale Werte und politische Kultur. Die nächste Schale ist die rechtlich normative und ökonomische Ebene *(Medienstruktursphäre)*. Diese wendet sich den aktuellen Strukturen des (mit an-

[13] Schimank (1985, S. 430), Schimank (1988, S. 630).

[14] Zum Zusammenhang der drei Ebenen siehe Schimank (1996, S. 243–252).

deren gesellschaftlichen Teilsystemen vielfältig vernetzten) Handlungssystems Journalismus zu. Die hier wirkenden Zwänge, Normen, Erwartungen und Interessen stellen den Orientierungsrahmen für die Entscheidungen und Handlungen der Akteure dar: die ökonomischen Bedingungen des Medienmarktes; die presserechtlichen Bestimmungen; Mechanismen der Presseselbstkontrolle und berufsethische Grundsätze; der Einfluß von Mediengewerkschaften und Berufs- und Verlegerverbänden; das System der Journalistenausbildung.

Die nächste Schale beleuchtet das organisatorische Umfeld des journalistischen Arbeitsplatzes *(Institutionssphäre)*: Berufsbilder und Tätigkeitsprofile; Organisationsstruktur und Kompetenzverteilung in Redaktion und Verlag; redaktionelle Arbeitsabläufe sowie Mechanismen der redaktionellen Kontrolle und der Sozialisierung; Redaktionstechnologie. In diesem Bereich haben Studien über Japan (Muzik 1996) oder die USA (Bonnenberg 1994; Neumann 1997) gezeigt, daß sich redaktionelle Arbeit auch völlig anders organisieren läßt. Leider sind diese Arbeiten rein deskriptiv und verzichten auf eine theoriegeleitete vergleichende Analyse mit Deutschland. Eingeschlossen in der innersten Schale finden wir die individuellen Medienakteure *(Subjektsphäre)*: ihre subjektiven Werte und politischen Einstellungen, ihre Berufsmotive und ihr Rollenselbstverständnis, der Grad ihrer Professionalisierung und ihre soziodemographischen Merkmale.

Auch die in diesem Modell wirkenden Kräfte sind – als untersuchungsleitende Annahmen – im Schaubild berücksichtigt. Die Einflußfaktoren der äußeren Schalen prägen einerseits das Selbstverständnis und konkrete Handeln der Akteure im Innern, behindern andererseits die Möglichkeiten, daß sich die subjektiven Überzeugungen der Akteure ungefiltert in den Medieninhalten niederschlagen können. Weiterhin sind Einzel- und Kollektivakteure in der Lage, die äußeren Bedingungsfaktoren zu beeinflussen.[15] Die verschiedenen Ebenen stehen in einem engen Interaktionsverhältnis, sie beeinflussen sich gegenseitig, kein Einzelfaktor wirkt isoliert, sondern entwickelt seinen Einfluß erst im Verbund mit anderen Kräften. Diese vier Sphären prägen das journalistische Handeln. Sie stellen die Kontexte dar, in denen das britische und deutsche Handlungssystem Journalismus agiert. Diese verschiedenen Kontexte gilt es zu untersuchen, um Unterschiede erkennen

[15] Man denke hier im Falle Englands an Murdochs Rolle bei der Zerschlagung der Gewerkschaften (Kapitel 8.2) oder an die Rolle der *Sun* beim Ausgang von Parlamentswahlen (Kapitel 4.6).

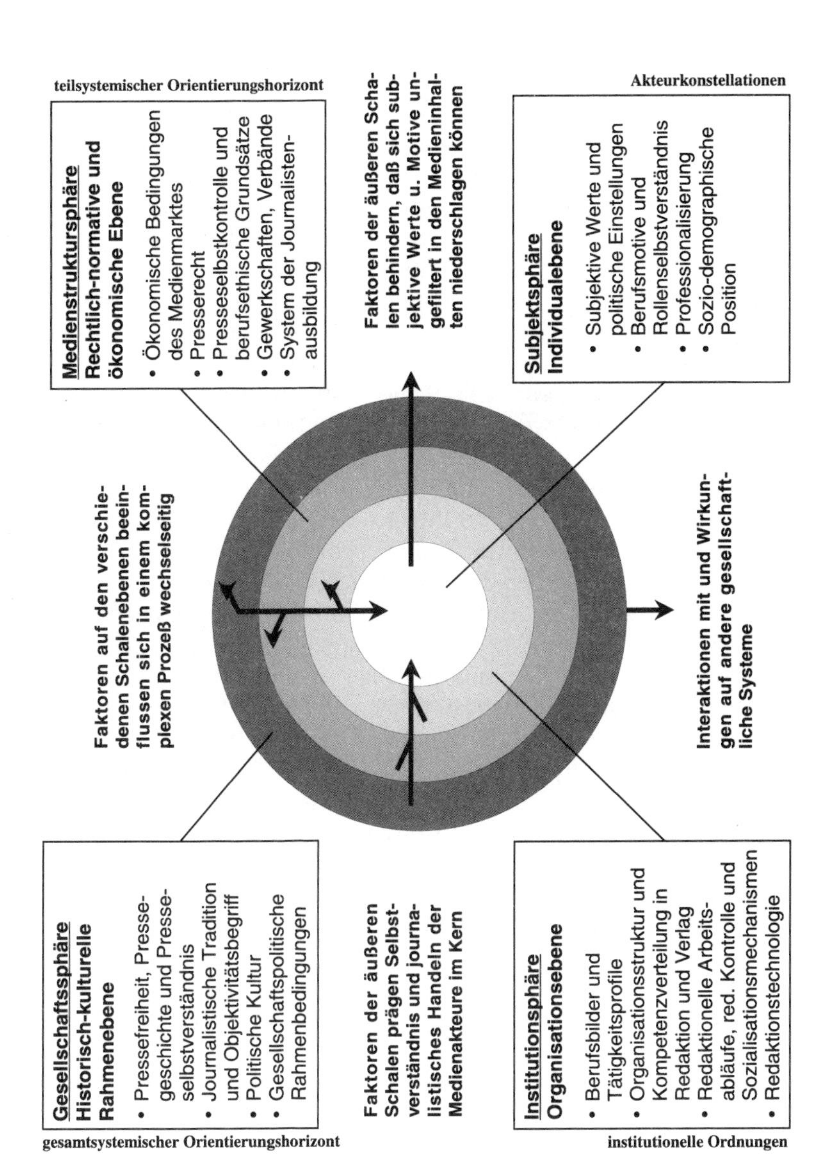

Schaubild 1: Einflußfaktoren im Journalismus – Integratives Mehrebenen-Modell

und erklären zu können. Zentrales Anliegen ist es, die relevanten Einflußfaktoren zu bestimmen, die dem britischen und deutschen Journalismus seine nationale, kulturelle Identität verleihen. Dabei geht die Arbeit davon aus, daß sich weniger die einzelnen Journalisten unterscheiden, als vielmehr die Strukturen, unter denen sie arbeiten – und dadurch natürlich wiederum ihr Denken und Handeln prägen. Gemäß dieser Konzeption gliedert sich die Arbeit in vier große Teile. Teil I umfaßt die Kapitel 2 bis 3 und schildert den Einfluß der *Gesellschaftssphäre* auf das Handeln heutiger Journalisten sowie auf die Kultur des britischen und deutschen Journalismus. Teil II umfaßt die Kapitel 4 bis 9 und analysiert den Einfluß zentraler Komplexe der *Medienstruktursphäre* auf die Akteure sowie auf das Journalismussystem insgesamt. Teil III umfaßt die Kapitel 10 bis 12 und untersucht den Einfluß der *Institutionsphäre* auf die Arbeitsweisen der Akteure und ihre Konsequenzen für die Identität des jeweiligen Journalismus. Teil IV behandelt die Auswirkungen auf die *Subjektsphäre* und das *journalistische System* insgesamt. Dazu führt die Schlußdiskussion in Kapitel 13 alle Teile wieder zusammen und schildert die Wechselbeziehungen zwischen den Ebenen. Konsequenzen für die Journalismustheorie und die Diskussion um publizistische Qualitätsverbesserungen werden aufgezeigt. Um die theoretische Klammer zu festigen, sind mehrere Zwischenbilanzen eingefügt (s. Kapitel 3.4, 9.6, 12.4), in denen die Einflußfaktoren der *Gesellschafts–*, *Medienstruktur-* bzw. *Institutionssphäre* noch einmal im Zusammenhang dargestellt werden.

Im folgenden werden die verschiedenen Forschungsgebiete vorgestellt werden, die bei der Konzeption der Arbeit und des verwendeten journalismustheoretischen Modells eingeflossen sind.

1.3 International vergleichende Journalismusforschung

Angesichts des Erklärungspotentials komparativer Studien ist es verwunderlich, daß bisher nur wenige international vergleichende Studien über den Journalismus vorliegen. Einen ersten Ansatz bot die von McLeod & Hawley (1964) initiierte Studie über die professionelle Orientierung von Journalisten. Auch wenn sich die Diskussion über die Professionalisierung des Journalismus als theoretisch wenig fruchtbar erwies (Kepplinger & Köcher 1990), erbrachte die Untersuchung von McLeod & Hawley zum Teil aufschlußreiche Ergebnisse über Berufsmotive und Werte von Journalisten in verschiedenen Ländern.

Den ersten unmittelbaren empirischen Vergleich journalistischer

Berufseinstellungen in verschiedenen Ländern stellt die deutsch-britische Journalistenbefragung aus dem Jahr 1980 dar. Renate Köcher (1985, 1986) analysierte die Befragungen von zwei annähernd gleich großen Stichproben der gleichen Grundgesamtheit mit einheitlichem Fragebogen zu Motiven, Einstellungen und Aufgabenverständnis. Initiiert wurde die Untersuchung von Elisabeth Noelle-Neumann, die eine Kooperation mit Jim Halloran herstellte, der den britischen Teil leitete. Von Bedeutung ist diese Studie nicht nur, weil hier erstmals deutsche und britische Journalisten vergleichend befragt wurden, sondern weil nachfolgende Journalistenbefragungen Frageformulierungen aus der Köcher-Studie übernahmen.[16] Auf diese Studien wird in Kapitel 3 zurückzukommen sein. Es wird sich unter anderem zeigen, daß die Köcher-Studie heute nur noch begrenzte Aussagekraft besitzt und für eine Idealisierung des britischen Journalismus, wie sie bei Köcher durchklang, nur noch wenig Veranlassung besteht. Die zweite international vergleichende Journalistenbefragung stellt das Projekt *Media and Democracy* dar, das unter Leitung von Thomas E. Patterson und Wolfang Donsbach berufliche Einstellungen, Nachrichtenentscheidungen und Strukturen redaktioneller Arbeit in fünf verschiedenen Ländern untersuchte.[17] Bei der Entwicklung des Fragebogens wurde darauf geachtet, daß er in jedem Untersuchungsland (USA, Deutschland, Großbritannien, Italien und Schweden) angewendet werden konnte. Wie die Köcher-Studie ist auch diese Journalistenbefragung nicht für alle Journalisten repräsentativ. Patterson und Donsbach befragten nur festangestellte, tagesaktuell arbeitende Redakteure der Ressorts Politik und Zeitgeschehen; Köcher befragte vor allem leitende Journalisten der Ressorts Politik, Wirtschaft, Kultur, Sport und Lokales. Die besondere Bedeutung der Studie von Patterson und Donsbach liegt in ihren Fragen zu den innerredaktionellen Arbeitsabläufen (Kapitel 11 und 12 dieser Arbeit).[18]

Interessante Erkenntnisse über die Beziehungen zwischen Jour-

[16] Vgl. Wilhoit & Weaver (1986, 1996), Delano & Henningham (1995), Weischenberg, Löffelholz & Scholl (1994a, 1994b), Schönbach, Stürzebecher & Schneider (1994), Donsbach & Patterson (1992).

[17] Vgl. Patterson & Donsbach (1996), Donsbach & Patterson (1992), Donsbach (1992, 1993a, 1993b). Mittlerweile wurde der Fragebogen auch von Forschern anderer Länder übernommen.

[18] Ergänzend sei in diesem Zusammenhang die Studie von Pritchard & Sauvageau (1997) genannt, die bei einer Befragung von 554 kanadischen Journalisten zwei unterschiedliche journalistische Kulturen zwischen den englischsprachigen und französischsprachigen fanden sowie die Studie von Schütte (1996), der 64 deutsche und amerikanische Fernsehjournalisten zur Produktion und Präsentation von Fernsehnachrichtensendungen befragte.

nalisten und Politikern im internationalen Vergleich bietet auch die Dissertation von Hans-Friedrich von Rohland (1989). Von Rohland analysierte in seiner eher explorativen Studie die Angaben von je 20 deutschen und französischen Journalisten sowie je 20 deutschen und französischen Politikern über ihre Kontakte in Bonn bzw. Paris. Für Deutschland weist von Rohland unter anderem auf die große Bedeutung von Parteipräferenzen für persönliche und berufliche Kontakte zwischen Journalisten und Politikern hin sowie auf die geringe Distanz und die große Homogenität der beiden Gruppen. Manfred Redelfs (1996) hat sich in seiner Dissertation mit dem investigativen Journalismus in den USA auseinandergesetzt. Er führte Experteninterviews mit 48 US-Journalisten und Medienwissenschaftlern und wertete das Archiv der *Investigative Reporters and Editors*-Vereinigung (IRE) aus. Zu den wesentlichen Faktoren, die die Herausbildung eines investigativen Journalismus amerikanischen Stils in Deutschland verhindern, zählt Redelfs Unterschiede in der journalistischen Tradition, der politischen Kultur, der Struktur des Medienmarktes, des Presserechts, des Rechercheverhalten, der Rollendifferenzierung und der Journalistenausbildung. Der Schwerpunkt liegt allerdings nicht auf der ländervergleichenden Analyse, sondern auf den Strukturen des investigativen Journalismus in den USA. Ergänzend ist in diesem Zusammenhang auch die Dissertation von Jörg Requate (1995) zu nennen, der eine Sozialgeschichte des deutschen Journalismus im 19. Jahrhundert vorlegte und sie mit der Entwicklung in Großbritannien, USA und Frankreich verglich. Auch hier steht die vergleichende Analyse nicht im Mittelpunkt, dennoch hält die Arbeit aus geschichtswissenschaftlicher Perspektive interessante Erkenntnisse für die internationale Journalismusforschung bereit (s. Kapitel 2).

International vergleichende Inhaltsanalysen der Medienberichterstattung liegen ebenfalls nur in geringer Zahl vor. Beachtenswert sind hier vor allem die Untersuchung der britischen und amerikanischen Wahlkampfberichterstattung in Presse und Fernsehen von Semetko, Blumler, Gurevitch, Weaver, Barkin & Wilhoit (1991) sowie die vergleichende Analyse der Politikdarstellung in britischen, deutschen und amerikanischen Nachrichtenmagazinen *(Economist, Spiegel, Time)* von Ernst (1988).[19]

[19] Siehe auch die international vergleichenden Inhaltsanalysen von Hart (1966) und Gaunt (1990) über Auslandsberichterstattung; Hurwitz, Green & Segal (1976/77) über Nixon; Pollock & Guidette (1980) über politische Krisen; Ludwig (1984) über die Weltinformationsordnung; Muller (1988) über Kernenergie; Müller (1988) über SDI; Wright (1992) über Gentechnik; Schumicht (1993) über

Gemeinsam ist den referierten Studien der große Stellenwert, den sie der Gesellschaftssphäre als identitätsprägendem Einflußkontext zuschreiben. Insgesamt handelt es sich bei der international vergleichenden Journalismusforschung jedoch um einen jungen, noch wenig untersuchten Forschungszweig. Daher erschien es bei der Konzeption der vorliegenden Arbeit sinnvoll, an einem Teilbereich weiterzuarbeiten, zu dem bereits Vorarbeiten vorlagen, nämlich dem Ländervergleich Deutschland / Großbritannien. Ein weiterer Schwerpunkt der Arbeit liegt in der Redaktionsforschung, also der Frage, inwieweit es den Medienakteuren trotz organisatorischer Beschränkungen möglich ist, ihre Subjektitvität in die Berichterstattung einfließen zu lassen.

1.4 Redaktionsforschung

Der Stellenwert der *Subjektsphäre* war mehrfach Gegenstand lebhafter Debatten innerhalb der Kommunikationswissenschaft. Die zentrale Frage lautet: Schlagen sich die Selbstauskünfte der Journalisten über ihre politischen Einstellungen, Berufsmotive, Aufgabenverständnis und Publikumsbild tatsächlich in der Berichterstattung nieder? Oder sind die Einflußkräfte der übrigen „Zwiebelschalen" so groß, daß die Subjektivität der einzelnen Journalisten kaum eine Chance hat, sich im Produkt auszuwirken? In den USA ist dieser Streit vor allem zwischen S. Robert Lichter und Herbert J. Gans ausgetragen worden. Ausgangspunkt war, daß Lichter als Ergebnis einer Journalistenbefragung Amerikas Medienelite als politisch links und als entfremdet von der übrigen Gesellschaft charakterisierte. Die subjektiven Ansichten und Einstellungen der Journalisten schlügen sich auch in ihrer Berichterstattung nieder, meinten Lichter, Rothman & Lichter (1986, S. 294). Dies unterstrich Robert Lichter im Septemberheft 1987 der *Washington Journalism Review*: „Wir sagen selbstverständlich nicht, daß Einstellungen alles sind und daß Journalisten Ideologen sind. Wir sagen ganz einfach, daß Nachrichtenbewertung subjektiv ist und Entscheidungen über Quellen, Nachrichtenkontext und Formulierungen teilweise das

Maastricht; Fellinger (1993) über Argumentationsstrukturen und Klein (1995) über 50 Jahre D-Day. Die umfangreichste international vergleichende Inhaltsanalyse ist die UNESCO-Nachfolgestudie unter Leitung von Robert Stevenson (Chapel Hill, USA) und Annabelle Sreberny-Mohammedi (Leicester, GB), in der Fernsehnachrichten aus über 30 Ländern analysiert wurden (laufendes Projekt).

Weltbild des Journalisten widerspiegeln."[20] Im selben Heft antwortete ihm Herbert J. Gans, daß die Beschränkungen der *Institutionssphäre* verhinderten, daß sich die persönlichen Sichtweisen und Meinungen der Journalisten in der Berichterstattung niederschlagen könnten. Professionelle Normen und strukturelle Vorkehrungen in der Redaktionsorganisation schlössen dies weitgehend aus.[21] Dennoch belegten verschiedene Studien – Experimente oder Kombinationen aus Befragung und Inhaltsanalyse – eine Parallelität von Journalistenmeinung und Medieninhalten (Flegel & Chaffee 1971; Rothman & Lichter 1982; Kepplinger, Brosius, Staab & Linke 1989) bzw. eine Parallelität von Kommentierung und Nachrichtengebung (Schönbach 1977; Kepplinger 1989a, b, c).

Eine Fülle von Journalistenbefragungen widmete sich Anfang der neunziger Jahre der ausführlichen Analyse der Subjektsphäre der deutschen und britischen Journalisten.[22] Kaum geklärt, geschweige denn aus vergleichender Perspektive analysiert, wurde der Stellenwert der Redaktionsorganisation. Hier handelt es sich um einen Teilbereich, der nach Rühl (1989, S. 262) seit längerem stagniert. Daß den Aspekten der Redaktionsorganisation eine wichtige Erklärungskraft zukommt, betonten bereits Kepplinger & Köcher: „Die redaktionellen Strukturen haben wahrscheinlich einen bedeutsamen Einfluß auf das Endprodukt ..., obwohl dieser Aspekt bislang nicht systematisch untersucht wurde."[23] Auch Weaver & Wilhoit wiesen in ihrer Untersuchung *The American Journalist* mehrfach auf die große Bedeutung der organisatorischen Faktoren hin. Sie schrieben: „Der wichtigste Befund lautet, daß Faktoren der Organisationsstruktur – im Gegensatz zu Erziehung und sozialem Hintergrund – die größte Vorhersagekraft für das journalisti-

[20] In dem Beitrag „Face-Off" in *Washington Journalism Review*, Heft September 1987, S. 31, schrieb Lichter im Original: „We are certainly not saying that attitudes are everything, nor that journalists are ideologues. We're simply saying that news judgement is *subjective* and decisions about sources, news pegs, and the use of language will partly reflect the way a journalist perceives and understands the social world."

[21] Vgl. den Beitrag „Face-Off" in *Washington Journalism Review*, a. a. O. Ausführlicher hatte Gans seinen Standpunkt bereits zuvor in dem Beitrag „Are U. S. journalists dangerously liberal?" in *Columbia Journalism Review*, Heft November/Dezember 1985, S. 29–33, dargelegt.

[22] Vgl. Köcher (1985, 1986), Delano & Henningham (1995), Donsbach (1992, 1993a, 1993b), Weischenberg, Löffelholz & Scholl (1994a), Weischenberg (1995a, S. 415–489), Schneider, Schönbach & Stürzebecher (1993a, 1993b, 1994), Schönbach, Stürzebecher & Schneider (1994).

[23] Kepplinger & Köcher (1990, S. 292) schrieben im Original: „The editorial structures probably have a significant impact on the final product ..., although this aspect has not yet been systematically investigated."

sche Rollenverständnis hatten. … [Auch] bei Fragen des Nachrichtenwerts tendieren die meisten Journalisten dazu, die Organisationsstruktur als wichtigste Einflußgröße wahrzunehmen. … Der Redaktionskontext ist außerordentlich bedeutsam bei ethischen Entscheidungen."[24] Ein anschauliches Beispiel für den Stellenwert redaktioneller Strukturen lieferte bereits die Studie von Rodney W. Stark (1962). Er hielt sich zwei Jahre bei einer amerikanischen Zeitung auf, die ungewöhnlicherweise auf die in angelsächsischen Redaktionen übliche Arbeitsteilung zwischen „reporters" und „rewrite men" verzichtete. Stark zeigt in seiner „organizational analysis", daß dieser Verzicht zu einer Polarisierung der Redaktionsangehörigen in zwei politische Lager, zu dysfunktionalen Arbeitsabläufen und zu einer qualitativ minderwertigen Berichterstattung führte.

Die ersten empirischen Studien in der Kommunikationswissenschaft operierten mit dem Idealbild eines organisationsunabhängigen Persönlichkeitsjournalismus: Untersucht wurden die individuellen Entscheidungen isoliert arbeitender Journalisten, ohne daß sie erkennbar in redaktionelle Strukturen oder Entscheidungsprozesse eingebunden waren. Charakteristisch hierfür ist die „Gatekeeper"-Studie von David Manning White (1950). Dieser Ansatz wurde von Gertrude Joch Robinson einer gründlichen Kritik unterzogen. In ihrer Synopse *25 Jahre Gatekeeper-Forschung* (1973) unterschied sie zwischen individualistischen, institutionalen und kybernetischen Nachrichtenauswahl-Studien. Sie argumentiert, daß die Vorstellungen der individualistischen Untersuchungen (wie White 1950) im Lichte aktuellerer Foschung nicht mehr haltbar seien. Die weiterführenden institutionalen Untersuchungen hätten gezeigt, daß die Journalisten „nicht die unabhängigen, eigenverantwortlichen Persönlichkeiten [sind], für die man sie urspünglich hielt" (Robinson 1973, S. 355). Statt dessen seien Journalisten in erheblichem Maße fremdgesteuert und bei ihren Selektionsentscheidungen an professionelle Kriterien und organisatorische Zwänge gebunden.

Bereits 1955 hatte Warren Breed die Aufmerksamkeit auf organisatorische Einflüsse, die den Journalisten in seiner Entscheidungsfreiheit beschränken, gerichtet. Seine Untersuchung *Social Control*

[24] Weaver & Wilhoit (1986, S. 117, 126, 137) schrieben im Original: „The most significant finding [is] that factors in the organizational environment – as opposed to education and background – were most predictive of journalistic role orientation. (…) The organizational context tends to be perceived by most journalists as the most influential factor with regard to newsworthiness. (…) The newsroom context is extremely important in ethical decision making." Auch ihre Nachfolgestudie thematisiert an verschiedenen Stellen die Bedeutung organisatorischer Strukturen; vgl. Weaver & Wilhoit (1996, S. 49–176).

in the Newsroom über Kontroll- und Sozialisationsmechanismen in der Zeitungsredaktion gilt als Grundstein der empirischen Redaktionsforschung. Breed ging der Frage nach, wie Zeitungsorganisationen eine einheitliche politische Grundhaltung durchsetzen, obwohl die Redaktionsmitglieder persönlich oft anderer Meinung sind. Er identifizierte verschiedene „Sozialisationsmechanismen", die eine Anpassung der Redaktionsmitglieder an die redaktionellen Regeln bewirkten. Dies geschah zum einen dadurch, daß der Neuling vom Chefredakteur und anderen Kollegen, durch Redaktionskonferenzen und Hausbroschüren „auf Linie" gebracht wurde. Zum anderen dadurch, daß er mehr oder weniger unbewußt durch Lektüre der eigenen Zeitung, durch Redaktionsklatsch und durch eigene Beobachtungen die in der Redaktion geltenden Normen übernahm. Diese Mechanismen funktionieren nach Breed deshalb, weil Journalisten ihre Anerkennung nicht von Lesern, Hörern oder Zuschauern beziehen, sondern von Arbeitskollegen und Vorgesetzten.[25]

Organisationen formalisieren die Austragung von Konflikten. Eine große Rolle spiele hierbei die arbeitsteilige Organisation des Nachrichtenproduktionsprozesses, schreibt Leon Sigal (1973, S. 21). Auch Tunstall (1971, S. 42–49) betont, festgelegte Routinen und die organisatorische Struktur von Medienunternehmen seien dafür verantwortlich, daß es nur selten zu offenen Konflikten zwischen Redaktionsmitgliedern über professionelle oder politische Fragen komme. Nachrichtengebung wird aus dieser Perspektive als ein organisatorischer Prozeß verstanden, der Kontrolle notwendig macht, um innerredaktionellen Konflikten wirksam vorbeugen zu können (zusammenfassend Shoemaker & Reese 1991, S. 115–146).

Neben der Formalisierung von Konfliktregelungen erfüllt die Redaktionsorganisation eine zweite Funktion: Sie ermöglicht eine Routinisierung der Arbeit. Standardisierte, routinisierte Arbeitsabläufe sind nach den Untersuchungen von Gaye Tuchman (1972, 1973, 1977, 1978) die einzig mögliche Reaktion der Journalisten, um die tägliche Informationsflut zu bewältigen. Tuchman (1973) definiert Journalismus als „Routinisierung des Unerwarteten". Die Aufgabe von Medienunternehmen sei es, ihrem Publikum trotz

[25] Breeds Befunde zur Redaktionsforschung zog Klaus Schönbach in seiner Studie *Die Trennung von Nachricht und Meinung* (1977) heran, um die Vermischung von Nachrichtengebung und Kommentierung in deutschen Zeitungen zu erklären. Eine derartige Vermischung wies er vor allem bei kleineren Zeitungen, Boulevardblättern und als einseitig geltenden Zeitungen nach und begründet sie mit Mechanismen der sozialen Kontrolle und des innerredaktionellen Konformitätsdrucks (vgl. Schönbach 1977, S. 129–158).

zeitlicher, räumlicher und finanzieller Beschränkungen jeden Tag ein zufriedenstellendes Produkt zu präsentieren. Erst institutionalisierte Abläufe und professionelle Regeln gewährleisten die effiziente Erfüllung dieses Organisationsziels, obwohl dadurch die einzelnen Journalisten in ihrer Freiheit zum Teil erheblich eingeschränkt werden. Andererseits dienten diese Routinen den Journalisten auch als Schutzmechanismen gegen Kritik an ihrer Arbeit, vor allem bei Klagen wegen angeblich nicht objektiver Berichterstattung (vgl. Tuchman 1972). Tuchman (1977, S. 48) weist darauf hin, daß ein Journalist als um so professioneller gilt, je routinierter er arbeitet (schreibt, ausfragt, Quellen ermittelt, Ereignisse kategorisiert). Mark Fishman, der die Arbeitsroutinen und Methoden der Informationsbeschaffung von amerikanischen Lokalzeitungsreportern untersucht hat, hebt hervor, die Vorgesetzten achteten genau auf die Einhaltung dieser Routinen und würden ihre Verletzung sofort ahnden – bis hin zur Kündigung (Fishman 1980, S. 42). Im Fernsehbereich müßte laut Bantz, McCorkle & Baade (1980) aufgrund der noch stärkeren, mediumspezifischen Zwänge sogar von „Fließbandarbeit" gesprochenen werden; hier seien die Routinen zum einzwängenden Diktat geworden (zusammenfassend Shoemaker & Reese 1991, S. 85–114).

Auch nach Ansicht von Gertrude J. Robinson (1973, S. 354 f.) sind Redakteure in Organisationssysteme eingebunden, in denen die Nachrichtenauswahl nach vorgegebenen, formalen Strukturmerkmalen erfolgt. Das heißt, Nachrichtenauswahl ist nicht von den subjektiven Vorlieben individueller Gatekeeper abhängig, sondern von vorgegebenen Sollgrößen (z. B. bestimmtes Verhältnis Inlands-/Auslandsmeldungen, positive/negative Meldungen, bestimmter Themenmix, stark nachgefragte Themen verstärkt anbieten, etc.). Nachrichtenauswahl erfolgt demnach nicht *kausal*, sondern *final* auf einen bestimmten Zweck, auf ein Ziel hin ausgerichtet.[26] Redaktionen werden hierbei als rückgekoppelte, selbstregulierende Systeme begriffen.[27]

Im deutschen Sprachraum steckt die Redaktionsforschung noch in den Anfängen (vgl. Rühl 1989). Es fehlt an Grundlagenforschung, um redaktionelle Strukturen und Arbeitsabläufe transparenter und besser verstehbar zu machen. In den USA wird dagegen

[26] Weitergeführt wurde dieser „finale" Erklärungsansatz der Nachrichtenauswahl von Kepplinger (1989a) und Staab (1990).

[27] Robinson hat das kybernetische Modell bei ihrer Untersuchung der jugoslawischen Nachrichtenagentur Tanjug selbst anzuwenden versucht. Die Studie zeigt, in welch geringem Maße die Aussagenentstehung von individuellen Gatekeepern beeinflußt wird; vgl. Robinson (1970).

seit einiger Zeit versucht, die bisher für den Journalismus kaum erschlossenen Erkenntnisse der Management-Wissenschaften Journalisten zugänglich zu machen und dabei die besonderen Arbeitsbedingungen von Redaktionen im Auge zu behalten. Diese Ansätze wurden von der deutschen Kommunikationswissenschaft bislang nicht aufgegriffen (vgl. Ruß-Mohl 1995). Als Begründer der empirischen Redaktionsforschung in Deutschland gilt Manfred Rühl, der 1969 mit seiner Arbeit *Die Zeitungsredaktion als organisiertes soziales System* an die von Breed eingeführte organisationssoziologische Perspektive anknüpfte. Die von Breed erstmals thematisierten Faktoren wie Sozialisation, Bürokratie und Macht innerhalb der Redaktion analysierte Rühl – ähnlich wie Robinson – aus systemtheoretischer Perspektive. Rühl knüpfte hierbei vor allem an systemtheoretische Arbeiten Niklas Luhmanns an. Für Rühl ist eine Redaktion nicht mehr ein „Aggregat einzelner Journalisten", sondern ein „soziales System" mit spezifischen „Funktionen". Der Personenbegriff des Redakteurs wird in die Strukturen „Status" und „Rolle" aufgelöst, wobei „Rolle" weiter unterteilt wird in „Arbeitsrolle" und „Mitgliedsrolle". Die „Mitgliedsrolle" ist bei Rühl das zentrale Kriterium für die Formalisierung redaktioneller Arbeit (Rühl 1979, S. 240–246). Jede redaktionelle Entscheidung, die mit der täglichen Zeitungsproduktion zusammenhängt, wird nach Rühl (1979, S. 272–281) auf der Grundlage von zwei verschiedenen Routinen getroffen: dem „Konditionalprogramm" und dem „Zweckprogramm". Diese Routineprogramme dienen der Entlastung der Redaktionsmitglieder, da sie Komplexität und Unsicherheit reduzieren. Das Ergebnis ist ein „organisatorischer Journalismus" (Rühl 1980, 1989), aus dem Journalisten als selbstbewußt handelnde Subjekte nicht zuletzt deshalb herausdefiniert werden, weil ihre unkalkulierbare Individualität eine Gefahr für die Funktionsfähigkeit des Systems wäre.[28]

Seit Rühl hat es verschiedene Versuche gegeben, redaktionelles Handeln systemtheoretisch zu begreifen, ohne daß dies jedoch überzeugend gelang.[29] Böckelmann (1993, S. 22f.) bezweifelt generell, ob die Redaktion ein geeignetes Anwendungsobjekt für Luhmanns Systemtheorie sei. Nach seiner Einschätzung überfordere sie

[28] Wilke (1987, S. 239) kritisiert an Rühls Ansatz: „Irgendwie scheinen hier Grenzen der systemtheoretischen Analyse zu liegen: Zum einen entleert sie den Journalismus von normativen Elementen und ‚entpersönlicht' ihn, was zumindest psychologisch fragwürdig ist. Zum anderen wird die Erhaltung und das Funktionieren des Systems selbst zu einer Norm erhoben, die von der ‚Person' verletzt werden kann." Siehe hierzu auch die Kritik Baums (1994, S. 323–361).

[29] Benninger (1980) und Koller (1981) bemühten sich bei ihren Redaktionsanaly-

die Instrumente der Beobachtung und der Befragung, die nun einmal die Handwerkszeuge der empirischen Sozialforschung seien. Der gewaltige methodische Aufwand stünde in keinem Verhältnis zum Ertrag. Die vorliegende Arbeit versteht sich als empirischer Beitrag zur vernachlässigten Redaktionsforschung, verzichtet jedoch aus den oben genannten Gründen (Kapitel 1.2) auf eine rein systemtheoretische Betrachtung. Sie arbeitet statt dessen mit einem offenen Systembegriff, den wir in Anlehnung an Schimank als „Orientierungshorizont" bezeichnen. In diesem Sinn prägt das Teilsystem Journalismus und das Subsystem Redaktion zwar das in ihm stattfindende Handeln, andererseits sind die eingebundenen Akteure zu selbstbewußtem Handeln fähig.

Auch andere Redaktionsforscher wie Ilse Dygutsch-Lorenz (1971) und Rüdiger Schulz (1974, 1979) arbeiteten mit offeneren Systemvorstellungen als Rühl. Schulz untersuchte anhand einer repräsentativen Redakteursbefragung all jene Aspekte, die allgemein unter dem Terminus „innere Pressefreiheit" zusammengefaßt werden: das Entscheidungsprogramm der Redaktion (Konferenzen, Gespräche); den Einfluß von Verleger, Chefredakteur und Ressortleiter (Richtlinienkompetenz, Weisungsrechte, angeordnetes und freiwilliges Gegenlesen); Entscheidungsspielraum des einzelnen Mitarbeiters (Themenwahl, Selektion) und schließlich die Einstellung der Redaktionsmitglieder zu den bestehenden Autoritätsbeziehungen. Die Ergebnisse zeigten, daß deutsche Redakteure einen großen Entscheidungsspielraum haben und nur geringe Einschränkungen der publizistischen Gestaltungsfreiheit hinnehmen müssen. Sie können ihre Themenvorschläge in der Regel realisieren, die redaktionellen Entscheidungsprozesse werden von ihnen als kollegial bezeichnet. Relativ häufig lassen sie ihre Beiträge gegenlesen, aber eine direkte Kontrolle durch andere in der Redaktion findet so gut wie nicht statt.[30] Dies weist bereits auf einen wichtigen Befund der vorliegenden Arbeit hin, daß der deutsche Journalismus nämlich vergleichsweise gering formalisiert ist.

Der wichtigste Beitrag zur Redaktionsforschung in Großbritan-

sen um eine Übertragung der Methodologie Rühls, kamen jedoch beide um die vielgescholtene individuenzentrierte Perspektive nicht herum, so daß Koller am Ende auf jegliches Systemdenken verzichtete (vgl. Baum 1994, S. 330 f.). Auch Görke & Kohring (1996), Ruß-Mohl (1997), Langenbucher (1993), Haller (1998) und Weischenberg (1992a, S. 298 f. u. 324 f.; 1995a, S. 106 ff.) melden Vorbehalte an.

[30] R. Schulz wertete hierfür die Erste Presse-Enquete des Instituts für Demoskopie Allensbach aus. Seine Befunde wurden durch die Zweite Allensbacher Presse-Enquete im wesentlichen bestätigt (vgl. Noelle-Neumann 1977b).

nien stammt von Tunstall (1971).[31] Tunstall befragte 1968 insgesamt 207 britische Journalisten, die als „special correspondents“ in London oder im Ausland arbeiteten. Hierbei handelt es sich um Elitejournalisten, die aufgrund ihres besonderen Tätigkeitsprofils ein hohes Maß an Autonomie genießen. Dies gilt für „normale“ Redaktionsmitglieder (z. B. Reporter) weit weniger. In seinem zweiten Kapitel gibt Tunstall (1971, S. 9–73) eine heute noch lesenswerte Einführung in die Redaktionsorganisation britischer Zeitungen, die auf Interviews und Beobachtungen in elf Zeitungsredaktionen basiert. Für eine spätere Publikation baute er diese Erkenntnisse aus und konzentrierte sich mehr auf die Rolle des Chefredakteurs (Tunstall 1977). In einem seltenen Fall wissenschaftlicher Kontinuität griff Tunstall zwanzig Jahre später diese Befunde wieder auf und befragte rund 200 leitende Journalisten nach den Veränderungen zwischen den sechziger und den neunziger Jahren (Tunstall 1996). Ansonsten ist der Stand empirischer Forschung über den britischen Journalismus mager.[32] Es gibt starke neo-marxistisch und kultursoziologisch geprägte Schulen, die sich ausdrücklich von der sozialwissenschaftlich orientierten, empirischen Kommunikationsforschung der USA abgrenzen (Curran 1990b; Jäckel & Peter 1997). Als John Henningham nach erfolgreichen Journalistenbefragungen in Hawaii und Australien nach Großbritannien kam, um dort die erste repräsentative Journalistenbefragung in der Geschichte des Landes durchzuführen (Delano & Henningham 1995), stieß er auf enorme Schwierigkeiten. Journalisten und Verleger waren sehr verschlossen, bis auf die Studie von Tunstall (1971) existierte kaum wissenschaftliche Forschung.[33]

1.5 Qualitätsforschung

Anfang der neunziger Jahre setzte in Deutschland eine breite Diskussion um journalistische Qualität und redaktionelle Qualitätssicherungsstrategien ein, die sich in einer Vielzahl von Publikationen niederschlug.[34] Hierbei besonders hervorzuheben ist Stephan

[31] Siehe hierzu auch Tunstall (1972) und Elliott (1977).

[32] So urteilen Tunstall (1971, S. 5), Snoddy (1992, S. 188), Negrine (1993, S. 2). Jüngere Veröffentlichungen legen den Eindruck nahe, daß sich dies langsam ändert.

[33] Vgl. die entsprechenden Ausführungen in Henningham & Delano (1994) und Delano & Henningham (1995).

[34] Zur Qualitätsdebatte im Printjournalismus siehe u. a. Ebert (1995), Wallisch (1995), Rager, Hase & Weber (1994), Schröter (1992, 1995), Pfeifer (1993),

Ruß-Mohls Buch *Der I-Faktor. Qualitätssicherung im amerikanischen Journalismus – Modell für Europa?* (1994). Ruß-Mohls Kernthese lautet, das Überleben der Tageszeitung sei von Investitionen in publizistische Qualität abhängig. Er unterscheidet zwischen innerredaktionellen, produktionsbegleitenden Qualitätssicherungsmechanismen einerseits und außerredaktionellen Infrastrukturen andererseits. Ruß-Mohl (1992a, 1993, 1994a) betont, innerredaktionelle Strukturen allein seien für eine langfristige, wirkungsvolle Qualitätssicherung nicht ausreichend. Statt dessen weist er den externen Infrastrukturen (daher I-Faktor) einen zentralen Stellenwert zu. Unter diesen qualitätssichernden Infrastrukturen versteht er eine Art Netzwerk. Hierzu zählt er Kritik und Selbstkritik des Journalismus (also ein funktionierender Medienjournalismus), niveauvolle Journalistenausbildung, Weiterbildungseinrichtungen für Redaktionsmitglieder, Ombudsleute, Journalistenpreise, Erkenntnisse der Medienforschung sowie den Einfluß von Branchen- und Berufsverbänden. Erst die Interaktion dieser Teilsysteme – ergänzt durch innerredaktionelle Bemühungen – ermöglicht nach Ruß-Mohl (1994a, S. 302–313) publizistische Qualitätssicherung. Er kommt zu dem Schluß, daß „entgegen landläufiger Mythen nicht der Journalismus in den USA grundlegend anders ist als in Deutschland, sondern eher die Infrastrukturen, die ihn stützen, flankieren, überhaupt erst ermöglichen“ (ebd., S. 304).

1.6 Methode

Ausgangspunkt der vorliegenden Untersuchung ist die Vermutung, daß organisatorische und rechtliche Rahmenbedingungen einen größeren Einfluß auf das journalistische Handeln einnehmen, als dies in der bisherigen Diskussion berücksichtigt wurde. Methodisch folgt sie dem Prinzip der „cross-examinations“: Mit verschiedenen Methoden werden unterschiedliche Datenquellen erschlossen, die sich gegenseitig ergänzen und kontrollieren (Kern 1982, S. 61, 76, 155). Gerade für Systemanalysen hat sich die Kombination aus Feldforschung und Dokumentenanalyse besonders bewährt (Bortz & Döring 1995, S. 362 f.). Um die *Gesellschafts-* und *Medienstruktursphäre* des britischen und deutschen Journalismus (Kapitel 2 bis 9) zu beschreiben und analysieren, wurden neben der Dokumentenanalyse (Journalistenbefragungen, Statistiken, Fachliteratur, Bran-

Bammé, Kotzmann & Reschenberg (1993), Ruß-Mohl (1992a, 1992b, 1993, 1994a, 1994b, 1995), McQuail (1992), Neuberger (1996).

chenpresse) auch Expertengespräche geführt. Die Beschreibung und Analyse der redaktionellen Arbeitsweisen beruht auf Beobachtungen und Befragungen in zwei britischen und einer deutschen Zeitungsredaktion (*Institutionssphäre*; Kapitel 10 bis 12). Abgeglichen werden diese Einzelfallbefunde mit Angaben aus Fachliteratur, Branchenpresse und Expertengesprächen, um die Aussagekraft der Ergebnisse zu erhöhen. Von Anfang an war die Analyse der redaktionellen Strukturen als explorative Fallstudie konzipiert. Folglich erheben diese Befunde keinen Anspruch auf statistische Repräsentativität. Das der Redaktionsanalyse zugrundeliegende Forschungsdesign wurde von Hans Mathias Kepplinger entwickelt.[35]

Die teilnehmende Beobachtung gilt in der empirischen Sozialforschung als eine „weiche" Methode. Sie ermöglicht es dem aufmerksamen Beobachter jedoch, ein systematisches Verständnis von Strukturen und Interaktionen zu bekommen, über die zu Beginn der Untersuchung noch wenig oder gar nichts bekannt ist. Man kann sie daher, bei allen methodologischen und technischen Beschränkungen, als ein durchaus innovatives Verfahren bezeichnen. Vor allem für die Erforschung redaktioneller Abläufe und Entscheidungen hat sich die teilnehmende Beobachtung als wertvoll erwiesen.[36] Unterstützt und ergänzt wird sie durch Leitfadeninterviews mit Redaktionsmitgliedern.[37]

In England wurden die Redaktionen der *Birmingham Evening Mail* und des *Wolverhampton Express & Star* untersucht. Die teilnehmenden Beobachtungen umfaßten drei Wochen im Juni 1992.

[35] Vgl. Kepplinger (1991). Das dreizehnseitige Untersuchungskonzept bestand aus sechs Teilen: Rechtliche Grundlagen der Rechte und Pflichten von Journalisten; Berufe und Tätigkeitsprofile; Organisationsstrukturen und Kompetenzen; Arbeitsabläufe; Berufsständische Organisationen; Berufsregeln. Dieser Arbeitsplan wurde auch von Katharina Bonnenberg für die Untersuchung einer amerikanischen Zeitungsredaktion und – indirekt – von Michael Muzik für die Untersuchung einer japanischen Zeitungsredaktion angewendet (Bonnenberg 1994, Muzik 1996). Das Konzept wurde für die vorliegende Fassung um den Vergleich mit Deutschland, die Berücksichtigung zusätzlicher Einflußgrößen und eine neue theoretische Einbettung erweitert.

[36] Vgl. beispielsweise die Studien von Breed (1955), Rückel (1969), Dygutsch-Lorenz (1971), Tunstall (1971, 1977), Epstein (1973), Sigelman (1973), Tuchman (1977, 1978), Rühl (1979), Gans (1979), Fishman (1978, 1980), Bantz, McCorkle & Baade (1980), Benninger (1980), Koller (1981), Engwall (1981), Mast (1984), Hetherington (1985), Gaunt (1990), Hummel (1990), Hienzsch (1990), Wilke & Rosenberger (1991), Steg (1992), Berkowitz (1992), Wilke (1993b).

[37] Siehe zu den verwendeten Methoden die Ausführungen von Friedrichs (1980, S. 224–236 u. 288–308), Roth (1984, S. 124–172) und Schnell, Hill & Esser (1992, S. 389–409). Zu den praktischen Problemen siehe Schlesinger (1980).

Die Auflage des *Wolverhampton Express & Star* von 197500 machte ihn zur größten und die der *Birmingham Evening Mail* von 191700 zur zweitgrößten Regionalzeitung Großbritanniens (Stand 1996). Beide Blätter sind Nachmittagszeitungen mit mehreren Lokalausgaben. Der Schwerpunkt der Untersuchung liegt auf der *Birmingham Evening Mail*, die an zwölf Tagen besucht wurde.[38] Der *Wolverhampton Express & Star* wurde an zwei Tagen besucht, um festzustellen, ob die bei der Birminghamer Zeitung beobachteten Strukturen typisch sind. Bei der *Birmingham Evening Mail* wurden 15 formell vereinbarte Leitfadeninterviews mit Redaktionsmitgliedern geführt, beim *Wolverhampton Express & Star* sieben. Die Interviews dauerten zwischen 30 Minuten und zwei Stunden, wurden mit einem Handdiktiergerät aufgezeichnet und transkribiert. Zusätzlich flossen in die Auswertung Informationen aus unzähligen informellen Kurzgesprächen mit Redaktionsmitgliedern ein. Bei beiden Blättern stieß der Verfasser auf große Offenheit, Hilfsbereitschaft und Auskunftsfreude, die sich auch bei späteren brieflichen Nachfragen in zügigen, ausführlichen Antworten zeigten.

Das Verlagshaus der *Birmingham Evening Mail*, „Midland Independent Newspapers“, hat 775 Angestellte und bringt insgesamt drei Zeitungen heraus: die Nachmittagszeitung *Birmingham Evening Mail* (das Untersuchungsobjekt), die Morgenzeitung *Birmingham Post* und die Sonntagszeitung *Sunday Mercury*. Die Redaktion der *Birmingham Evening Mail* zählt 120 Mitglieder. Der *Wolverhampton Express & Star* erscheint im Verlagshaus „Midland News Association“, das in der Nachbarstadt noch die Schwesterzeitung *Shropshire Star* herausbringt. Das Verlagshaus hat 920 Angestellte, die Redaktion des *Wolverhampton Express & Star* zählt 160 Journalisten. Beide Zeitungen werden in den Kapiteln 10 bis 12 ausführlich beschrieben und analysiert.

Birmingham ist mit einer Million Einwohnern nach London die zweitgrößte Stadt Großbritanniens. Sie gilt als städtebaulich unattraktiv, aber vergleichsweise wohlhabend. Die Wirtschaftsunternehmen dieser Region (Midlands) schalteten 1990 für umgerechnet 450 Millionen Mark Anzeigen in den örtlichen Zeitungen. Birmingham und das östliche Umland stellen das Verbreitungsgebiet der *Birmingham Evening Mail* dar. Sie sieht sich selbst als „metropolitian paper“, als Großstadtzeitung. Dreißig Kilometer entfernt im

[38] Die Wahl fiel auf die *Birmingham Evening Mail* als Untersuchungsobjekt nach einem Informationsgespräch mit dem Lehrpersonal des Centre of Journalism der City University in London. Es empfahl die *Evening Mail* als eine typische, für Großbritannien repräsentative Zeitung.

Westen liegt Wolverhampton mit 250 000 Einwohnern. Das Verbreitungsgebiet des *Wolverhampton Express & Star* ist viel größer und reicht von der walisischen Küste über die ländlichen Regionen und Industriebezirke der West Midlands bis nach Birmingham. Der *Wolverhampton Express & Star* wagte 1992 eine City-Ausgabe für Birmingham, was die *Evening Mail* als Kampfansage verstehen mußte. Der *Wolverhampton Express & Star* verkaufte anfangs 1 500 Exemplare in Birmingham, nach wiederholten Abo-Werbeaktionen und Inserentenrabatten stieg die Auflage in zwölf Monaten auf 3 500. Die verschärfte Wettbewerbssituation zur Zeit der Redaktionsbesuche wirkte sich nicht auf die vorliegende Untersuchung aus.

In Deutschland wurde die *Koblenzer Rhein-Zeitung* untersucht.[39] Sie erschien erstmals am 20. April 1946. Im ersten Quartal 1997 hatte sie eine Auflage von 246 400 Exemplaren, von denen in Koblenz-Stadt 21 000 Exemplare verkauft werden. Die *Rhein-Zeitung* ist wie der *Wolverhampton Express & Star* eine Flächenzeitung. Ihr Verbreitungsgebiet ist eher ländlich geprägt und erstreckt sich von Betzdorf an der Sieg bis Idar-Oberstein, von Nord nach Süd auf rund 200 Kilometer. Zum Zeitpunkt des Feldaufenthaltes hatte sie 17 Lokalausgaben, mit denen sie im Westerwald, Rhein-Lahn-Kreis, Raum Koblenz, Eifel, Hunsrück und Rhein-Nahe-Gebiet täglich etwa 930 000 Leser erreichte. Die *Rhein-Zeitung* zählt zu den großen und umsatzstarken regionalen Tageszeitungen in Deutschland,[40] ihre redaktionelle Linie gilt als bürgerlich-liberal[41]. Sie wird im „Mittelrhein-Verlag" publiziert, dem außerdem mehrere kostenlose Anzeigenblätter, verschiedene Zeitschriften *(Wild und Hund, Deutsche Jagdzeitung, Fisch und Fang),* zwei tschechische Tageszeitungen (Auflage 100 000 und 220 000) und das Softwarehaus Cicero gehören. Im „Mittelrhein-Verlag" der *Rhein-Zeitung* arbeiten rund tausend Angestellte, davon 140 Redakteure für die *Koblenzer*

[39] Die Wahl auf die *Koblenzer Rhein-Zeitung* als Untersuchungsobjekt fiel nach einem dreistündigen Beratungsgespräch mit Vertretern der IFRA. Die IFRA (INCA-FIEJ Research Association) ist die internationale Vereinigung für Zeitungs- und Medientechnologie mit Sitz in Darmstadt. Gesucht wurde nach einer möglichst typischen, repräsentativen deutschen Regionalzeitung, deren Auflage derjenigen der britischen Zeitungen entspricht.

[40] Mit einem Jahresumsatz von 471 Millionen Mark rangierte die Verlagsgruppe „Mittelrhein" 1995 auf Platz 25 in der Liste der 50 größten deutschen Verlagshäuser; vgl. Auflistung der Medienzeitschrift *Horizont* unter http://www.horizont.net.

[41] So die Autoren der Beiträge „In Mainz droht ein Zeitungskrieg auf dem Rükken der Beschäftigten" in *die feder*, Heft 11/1987, S. 4; „Fataler Anstoß" in *Journalist*, Heft 19/1995, S. 15 sowie „Abbau mit System" in *Journalist*, Heft 4/1996, S. 13.

Rhein-Zeitung. Die *Rhein-Zeitung* wurde vom Verfasser zwischen November 1994 und März 1996 an acht vollen Tagen besucht. Die redaktionelle Struktur wird in Teil III dieser Arbeit näher beschrieben. Einen Eindruck vom Erscheinungsbild der untersuchten Zeitungen vermitteln die abgedruckten Titelseiten.

BIRMINGHAM
Evening Mail

C2E BRITAIN'S NEWSPAPER OF THE YEAR · TUESDAY, JULY 21, 1992 · 25p

TV PAGE 16 SPONSORED BY Tyre Sales MOTORIST CENTRES

BLAZE DOCTOR FALLS TO DEATH

By JUDY REES AND PHIL BANNER

DETECTIVES were today investigating the mystery death of a children's eye specialist who plunged 120 feet from a blaze in an 11th-floor flat in Birmingham.

Dr Munawar Hussain, aged 53, was cornered on the balcony of the flat in Warwick Crest, Arthur Road, Edgbaston, last night.

Firemen were seconds too late to save him. As they arrived at the door just before 10pm, Dr Hussain plummeted to the ground. He landed just three feet from a fireman standing below.

Flames trap city man 11 floors up

Det Insp Peter Smith, of Belgrave Road police station, said: "I suspect that unfortunately the doctor completely panicked. There is a possibility that he may have tried to hang over and reach the balcony below to escape.

"There is no doubt that if he had remained on the balcony of his flat he would still be alive."

It was believed that a discarded cigarette or a match in an armchair caused the blaze.

Det Insp Smith added: "Apparently, Dr Hussain was a non-smoker so that means that he probably had a visitor.

"We are now appealing for that person to come forward to help us put together all the facts. But there is nothing I have seen to make me think there was anything suspicious from a criminal point of view."

One of the first firemen on the scene, Station Officer Keith Richards, said he thought Dr Hussain must have become confused by the heat, smoke and danger.

"If he had stopped to think there were safe places in the flat he could wait. He must have been able to see we were there," he said.

Distance

"It is possible he was trying to swing himself on to the balcony of the flat below. That wouldn't have been easy, but it would make more sense than jumping that distance.

"If he had landed three feet further over he would have killed one of my men, too."

Dr Hussain of Woodbourne Road, Edgbaston, owned the flat, which was normally let out to tenants.

It was not occupied and it was understood that Dr Hussain was trying to

● TURN TO PAGE 2

■ TRAGIC PLUNGE: Warwick Crest, Edgbaston, and the 11th floor flat from which Dr Hussain fell to his death

Pit bull kills boy

A PIT BULL terrier savaged to death a six-year-old boy in the Netherlands.

The boy was playing with a neighbour's pit bull in the central town of Amersfoort.

It brings the total of deaths caused by pit-bulls in the country to three in as many years.

The Netherlands has no breeding ban on pit bulls but in some towns the dogs must wear a muzzle in public.

In Britain, the 1991 Dangerous Dog Act banned breeding and trade in "fighting dogs" and said they must be muzzled and leashed.

Booster for jobs as M&S splash out £5m

ONE of Birmingham's top department stores is set for a £5 million expansion.

Marks and Spencer will begin work on converting stock rooms and offices above its existing menswear department into a new sales floor in September.

The basement food hall will also be extended in the project, due for completion by next Easter and set to create up to 100 jobs at the High Street store.

By CLINTON MANNING
Business Editor

A new central escalator will be installed to serve all four floors and new staff and office accommodation will be built.

The recession is forcing other firms to reduce investment, but an M&S spokesman said: "You have got to continue investing for the future, or you simply don't have a future.

"We invested a record £305 million last year and we will be spending around the same amount this year.

"Things may be depressed at the moment, but we have no doubt they will pick up and the Birmingham store is a key operation."

The store's 400-strong workforce is due to rise to 575 in the run-up to Christmas.

Cyclist impaled

A MIDLAND boy cyclist was impaled on a railing after veering out of a car's path.

The 13-year-old from Derby panicked after a car did a high-speed U-turn and drove towards him in Southport, Lancs, last night. He was treated for a chest wound.

WIN CHAMPAGNE SEATS AT THE CINEMA! PLUS: £1,000 OF FURNITURE TO BE WON - PAGE 15

Titelseite der Birmingham Evening Mail

Town Final

Express & Star

Telephone (0902) 31 31 31 — Monday, July 20, 1992 — Price 25p

New rape charges

A Wolverhampton man accused of raping three women has been charged with two further rapes, four years ago.

David Williams, aged 32, of no fixed address, is alleged to have raped an 18-year-old girl in St Ives, Cornwall, in August 1988.

He is further charged with raping a 17-year-old girl on Cannock Chase, Staffordshire, in December of the same year.

Williams, a tyre fitter, appeared before Wolverhampton magistrates today and was remanded in custody for three days.

He has previously been charged with raping three young women in Wolverhampton between August and December last year and also faces a charge of attempted rape and two charges of indecent assault.

140 steel jobs to go

British Steel is axing 140 jobs – more than half the workers – at Oldbury-based Cold Drawn Tubes. Union convenor Brian Miles described the news as "devastating".

The company is closing the part of its Birmingham Road complex which makes small-diameter tubes.

Children escape arson attack

The sleeping children of a Wolverhampton off-licence owner – who has been dogged by violent threats and attacks – narrowly escaped injury from a petrol bomb today.

Three men were jailed last month for a violent raid on the Low Hill shop owned by Mr Jasbinder Banga in which he was assaulted.

Mr Banga's children, aged two and four, were asleep in their bedroom above the Fourth Avenue shop when a petrol bomb was hurled at the window at 1am.

The blazing device smashed the window above Low Hill Wines and Spirits but failed to explode and bounced back in the path of the arsonist.

Hospitals

Police were today hunting the attacker who is understood to have been burned by his own bomb.

But a police spokesman said: "Routine checks in hospitals in Wolverhampton area have so far not turned anything up."

Mrs Sally Lawrence, of Fourth Avenue, is the wife of one of the men jailed for smashing up the off-licence last year.

She said today: "It's terrible, I can't believe something like this has happened again.

"I heard all the police cars and the fire engine but didn't actually see the bomb or anyone running away."

It came out at the Wolverhampton crown court trial last month that young men from the area threatened, attacked and stole from Mr Banga because he was considered a "soft touch".

£80,000 BILLS BONUS AFTER BT BLUNDER

NEARLY 9,000 British Telecom customers in Walsall have been overcharged for two years because of a wiring fault at the exchange, the company admitted today.

Now BT is to hand back £80,000 in refunds on bills sent out later this month, with an average credit of £10.

Embarrassed officials said the fault was first spotted in Southampton and a survey of 280 other similar exchanges was ordered.

It revealed 14 had the wiring fault, including Walsall, but the only other one in the West Midlands was at Bedworth.

Some 8,700 phone users in the Walsall area have been affected by the fault.

Public relations manager Roger Westbury said bills would be sent out over the next few days and the average refund would be about £10.

He added: "We apologise for this. I have never heard of it happening before. Our measuring equipment if usually reliable."

REPLACED

BT commissioned an independent study which found that customers were over-charged by 4.6 per cent between October 1989 and September 1991.

Those affected were those with the numbers 640000 to 649999. These were served by an electro-magnetic exhange which is now being replaced.

It was impossible to calculate the over-charge to specific customers but a refund was calculated on average bills.

Meanwhile, BT has shed more than 100 operators' jobs at its Walsall exchange.

This was achieved by early retirement, redeployment and voluntary redundancies.

The service, which is separate to directory inquiries, will be provided by other exchanges in the West Midlands.

An Oftel spokesman said they had been informed of the matter, and were gratified BT was paying compensation.

Cliff Richard, left, after unveiling his wax lookalike

Cliff waxes on – with wrinkles

Cliff Richard today unveiled a wax model which shows him at 51 with wrinkles and crow's feet, and shuddered at the thought of being a teenager again.

He said: "I would much rather be 51 than 18 because I remember what it was like and it's not as good. Life is better now."

The waxwork joins an earlier version of the chart topper at London's Rock Circus, which depicts him as a teeny-bop idol in 1958.

Cliff admits he is delighted with the way he has weathered, despite a few grey hairs.

The man dubbed the Peter Pan of pop said: "My advice to 18-year-olds is just to stick with it and you will soon be 50.

"It's difficult to be that age and once you go through it life is really nice. I feel more comfortable.

"If I can keep going for another 25 years, they may do another model of me."

Cliff is one of only four performers represented twice at Rock Circus. The others are Elvis, the Beatles and Michael Jackson.

The new model took four months to complete and cost £15,000.

Major backs minister in 'love affair' disclosures

By John Hipwood

John Major today vowed to stick by his close friend David Mellor over newspaper allegations that the Minister of Fun has had an affair with a Spanish actress.

And Mr Mellor today arrived at his offices and declared: "It's business as usual."

A smiling but strained Mr Mellor, aged 43, who was linked at the weekend with out-of-work actress Antonia de Sancha told reporters he was particularly concerned about his two children.

The National Heritage Secretary paused briefly at the steps of his department and said: "I made all the comment I'm going to make.

"Obviously, it's a very difficult time. We have made a statement and that is all I'm going to say.

David Mellor

"As far as I am concerned, my concern now is to be able to sort things out privately. I am particularly concerned about my two young children."

A National Heritage Department spokesman said Mr Mellor had been delayed in his Government chauffeur-driven Rover Sterling by traffic on his trip down from the Midlands, where he had been staying last night.

Cabinet

Mr Mellor is said to have been seeing 31-year-old Miss de Sancha at two flats in London.

The National Heritage Secretary will not lose his Cabinet post or responsibility for regulation of the Press, Downing Street emphasised.

The Prime Minister refused Mr Mellor's offer to resign on Saturday night, shortly before the story of his affair hit the streets.

And his office made it clear today that Mr Major will not countenance losing Mr Mellor from his Cabinet, even if public opinion turns against the minister.

The issue was discussed briefly at a meeting at 10 Downing Street today between Mr Major, Tory Party chairman Sir

● TURN TO PAGE 5

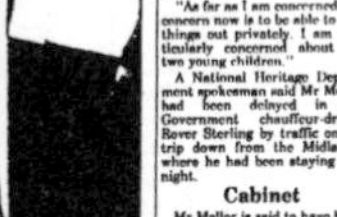

Boosting the Telethon appeal in Wolverhampton are Worzel Gummidge and Sinitta

Telethon truck tragedy

ITV's Telethon appeal raised more than £15 million – but celebrations today were marred after a father-of-three died following a 13-ton lorry pull.

Colin North, aged 38, collapsed in front of his wife and sons seconds after helping workmates to pull the truck.

His distraught wife Tina, aged 34, said: "Colin was thrilled to bits at having completed the pull. There was a big smile on his face.

"Then he said he felt dizzy. He couldn't breath and fell to the ground."

● TURN TO PAGE 6

■ TONIGHT AND TOMORROW: WIN THE CHANCE TO BLOW UP A MOTORWAY BRIDGE ■

Titelseite des Wolverhampton Express & Star

Rhein-Zeitung

Unabhängige Westdeutsche Landeszeitung

SONDERDRUCK

Kurz informiert

Eine Gemeinschaft gegen den Hunger

Die Leser und ihre Zeitung: Gemeinsam sind sie eine starke Gemeinschaft gegen Hunger und Elend auf der Welt. Mit „HELFT UNS LEBEN", der großen Hilfsaktion der Rhein-Zeitung und ihrer Heimatausgaben, konnten seit 1980 viele Menschen rund um den Erdball unterstützt werden. (Siehe Seite 2)

Die Redaktionen: Am Puls der Zeit

32 Redaktionen und die Koblenzer Zentralredaktion sorgen jeden Tag für eine aktuelle Berichterstattung. Während in der Nachrichtenredaktion überregionale Themen aufbereitet werden, richten die Lokalredakteure ihr Augenmerk auf Berichtenswertes aus den Städten und Gemeinden des überwiegend ländlich geprägten Verbreitungsgebietes. (Siehe Seite 3)

„High Tech" zog ins Druckhaus ein

Die moderne Technik - gerade im Druckhaus hat sie sich bewährt. Die Rotationsmaschinen werfen mit rasanter Geschwindigkeit die fertigen Zeitungen aus. Jede Nacht werden dabei 47 Tonnen, am Wochenende sogar 113 Tonnen Papier verbraucht und eine Tonne Druckfarbe. Trotz automatischer Herstellung arbeiten im Druckbereich noch 111 Mitarbeiter. (Siehe Seite 6)

Anzeigenmagnet

Mit einer Auflage von knapp 250 000 Exemplaren bietet die Rhein-Zeitung ein attraktives Forum für Anzeigenkunden. Der RZ-Anzeigenservice Informa pflegt im ganzen Bundesgebiet und besonders in Rheinland-Pfalz den Kontakt zu großen und kleinen Firmen, die mit der Rhein-Zeitung und ihren Heimatausgaben etwa 900 000 Leser erreicht. (Siehe Seite 7)

10 576 Kilometer

Wenn die RZ-Leser im Bett liegen, fahren am Koblenzer Druckhaus die Vertriebsfahrzeuge vor und laden die frisch gedruckten Zeitungspakete auf. 10 576 Kilometer werden jede Nacht zurückgelegt, wenn die Fahrer das nördliche Rheinland-Pfalz mit der Rhein-Zeitung und ihren Heimatausgaben beliefern, die 3200 Zusteller vor Ort verteilen. (Siehe Seite 7)

Für die Umwelt

Nicht nur über Umweltschutz reden, auch aktiv Natur und Menschen schützen. Das ist die Maxime des Mittelrhein-Verlages. Im technischen Bereich wie in den Redaktionen hat der ökologische Gedanke längst Fuß gefaßt. So kann durch den Einsatz neuer Technik zum Beispiel weitgehend auf Lösungsmittel verzichtet werden. Anfallende Abfälle werden getrennt gesammelt und entsorgt. (Siehe Seite 8)

Viele Gesichter

Zeitung, das ist mehr als Redaktion, Anzeigenabteilung und Rotation. Zahlreiche Werkstätten befinden sich auf dem Gelände des Druckhauses Koblenz. Neben den Beschäftigten in der Kfz-Werkstatt arbeiten hier Klempner, Schlosser, Schreiner und Elektriker. Auch eine Malerwerkstatt gehört zu den Nebenbetrieben des Mittelrhein-Verlages. (Siehe Seite 8)

Leichtes im Trend

Wer arbeitet, der hat Hunger. Um das leibliche Wohl der Beschäftigten im Druckhaus Koblenz kümmert sich die Mannschaft in der Kantine. Etwa 200 Essen gehen hier mittags über die Theke. Ein Tip: Leichtes liegt im Trend. (Siehe Seite 8)

Die Rhein-Zeitung und ihre Heimatausgaben erreicht täglich bis zu 930 000 Menschen – Service und Information

Leser befinden sich in guter Gesellschaft

Ein Nachrichten- und Unterhaltungsangebot mit Pfiff – Über 1000 Beschäftigte produzieren die Heimatzeitung

Als Leser der Rhein-Zeitung befinden Sie sich in bester Gesellschaft. Knapp 250 000 Abonnenten und Käufer beziehen Tag für Tag ihre Heimatzeitung. Das macht im Schnitt etwa 930 000 Menschen, die sich täglich in ihrer Zeitung informieren.

Ob Sie nun die Rhein-Zeitung und ihre Heimatausgaben von vorn oder von hinten aufschlagen - stets ist das Blatt prall gefüllt mit aktuellen Beiträgen aus der Heimat und aus aller Welt. Über 1000 Beschäftigte - vom Drucker bis zum Verwaltungsangestellten, vom Redakteur bis zum Anzeigenvertreter - sorgen dafür, daß dem Leser sechsmal in der Woche eine Zeitung auf den Tisch „flattert". Zum Frühstück, in der Arbeitspause oder zum Schmökern nach Feierabend.

Was ist geschehen in der Welt? Korrespondenten, Nachrichtenagenturen und natürlich unsere Redakteure vermitteln Ihnen auf den ersten Seiten aktuelle Informationen aus Politik und Gesellschaft. Dazu die Vielfalt der Meinungen einer engagierten Redaktion in Kommentar und Standpunkt. Schlagzeilen und kurze Infos auf einen Blick? Kein Problem: Gleich die erste Seite bietet große Geschehnisse in kleinen „Happen".

Würze in Kürze ist auch Bestandteil der „Rheinland-Pfalz"-Seite. Infos aus dem Verbreitungsgebiet haben hier ebenso ihren Platz wie landespolitische Themen, das große Lotto-Glück oder ein schweres Unwetter. „Panorama" - hier geht's bunt und rund zu, vom Mordfall zur Mode, von der Umwelt bis zur Liebesromanze.

Leser-Service pur - eine Seite täglich ist speziell unseren Lesern gewidmet. Tips und Trends, Diskussionen und das Wetter finden Sie hier. Noch Fragen? Das Service-Telefon der Redaktion steht Ihnen zur Verfügung. Ruf doch mal an . . .

Fit wie ein Turnschuh

Analysen, Kommentare, Interviews. Die Sportredakteure der Rhein-Zeitung und ihrer Heimatausgaben sind engagiert bei der Sache. Natürlich dürfen auch Spielberichte sowie Tabellen nicht fehlen. Ob sportliche „Highlights" oder das breitgefächerte lokale Geschehen - unsere „Sportler" sind fit wie ein Turnschuh.

Apropos Turnschuh: auf der Kulturseite herrscht kein Frackzwang. Neben Konzert, Ausstellung und Theater haben hier auch Pop, Jazz, Kino und Kabarett ihren Stellenwert. Und im Roman heißt's sechsmal die Woche: „Fortsetzung folgt".

Trockene Zahlen leicht und lesbar dargestellt - das ist die Wirtschaftsseite Ihrer Heimatzeitung. Steuern, Sparkonten, Aktien und Prognosen werden hier kompetent aufbereitet und analysiert.

„Haben Sie den Gottschalk gesehen?" Klar, haben wir. Und auf der Fernseh-Seite schreiben wir, wie's uns gefallen hat. Dazu Infos, Tips, Einschaltquoten und die Programmübersicht. Doch „Fernsehen" ist nur eine von vielen Seiten, die in der „Journal"-Redaktion gefertigt wird. Gute „Schreibe", Witz und Information sind hier Trumpf. Ob im Reisejournal mit seinem Angebot von der „Traumreise" bis zur Wanderung in der Region, auf der Seite für den lesenden Nachwuchs oder in der großen Reportage. Nicht zu vergessen das Rätsel: Tausende sind hier wöchentlich dabei. Gibt's ein großes Preisrätsel, können's auch mal 30 000 bis 40 000 Ratefüchse sein.

Zu enträtseln gibt's in der lokalen Berichterstattung nichts. Bürgernähe ist in den 17 Ausgaben der Rhein-Zeitung und ihrer Heimatblätter angesagt. Neuigkeiten aus Vereinen, Entscheidungen der Stadt- und Ortsgemeinderäte oder das besondere Hobby des Nachbarn - da darf es schon mal ein Blick über den Gartenzaun sein.

Angebot für Leser

„Ja, aber . . .", mag manch einer einwerfen, „da fehlt doch 'was!" Recht hat er. Auch Anzeigen sind Teil des Angebots für unsere Leser. Sie suchen ein Auto oder eine Wohnung, möchten sich beruflich neu orientieren oder einfach nur beim Einkaufen ein Schnäppchen machen - bei der Rhein-Zeitung und ihren Heimatausgaben sitzen Sie in der ersten Reihe. Und wer selbst eine Annonce aufgeben möchte, für den bietet die RZ den Service von 24 Geschäftsstellen im gesamten Verbreitungsgebiet.

Das RZ-Team - alle Mann an Bord

Zeichnung: Klaus Wilinski

Modernes Standbein

Rhein-Rechenzentrum

Das Rhein-Rechenzentrum (RRZ) gehört zum modernsten Standbein, das sich die Rhein-Zeitung geschaffen hat. Alle Rechendienstleistungen des Mittelrhein-Verlages werden von hier aus gesteuert.

Die hochqualifizierten Mitarbeiter des Unternehmens - Informatiker und Fachleute aus dem Verlagswesen - entwickelten unter anderem das hauseigene Textverarbeitungsprogramm „Cicero", das den Redakteuren zum unentbehrlichen Arbeitswerkzeug geworden ist.

Mehr als 20 Verlage in ganz Europa arbeiten heute mit dem RRZ-Programm; die Suche nach Lösungen für andere Zeitungsverlage gehört daher mit zu den Aufgaben des RRZ. Natürlich bemühen sich die Mitarbeiter um eine ständige Weiterentwicklung der Programme im Redaktions-, Anzeigen- und Produktionsbereich.

Das High Tech-Unternehmen ist noch einen Schritt weitergegangen. Es schafft Lösungen für lokale Netzwerke und bietet sie der mittelständischen Industrie an. Beratung bei Produktauswahl, Installation und Serviceleistungen gehören dazu.

In der Zukunft sollen auch Lösungen für die Abonnentenbetreuung, die Blattdisposition und für ein Anschlußnetz im gesamten Versandraum gefunden werden.

Von Kasematten auf dem Asterstein zum modernen Druckhaus:

Tradition und Fortschritt

Mutige Männer schufen 1948 eine Basis für die Verlagsentwicklung

Tradition und Fortschritt. Wie ein roter Faden ziehen sich die beiden Vokabeln durch die Verlagsgeschichte. 5. Mai 1948. Die erste Rhein-Zeitung erscheint. Drei mutige Männer sind es, die das Wagnis „Zeitung machen" eingehen: Oskar Richardt, Walter Twer und Michael Weber. Ihnen wird am 28. April 1948 eine vorläufige Lizenz zur Herausgabe der Rhein-Zeitung erteilt. Erich Schneider und Joachim Ulrich führen die Geschäfte.

Es war ein abenteuerlicher Weg, der damals in den Kasematten auf dem Asterstein begann. Zeitungmachen war gerade damals eine doppelte Herausforderung: Zum einen galt es, in den redaktionellen Beiträgen den Menschen der Region Grundlagen an die Hand zu geben, ein neues, politisches Selbstverständnis zu entwickeln. Zum anderen mußte man die wirtschaftlichen Voraussetzungen schaffen.

Die Vergrößerung des Verlages ist dafür ein augenfälliger Beweis:

Von den kleinen Anfängen nach dem Zweiten Weltkrieg über die Zeiten des „Wirtschaftswunders" entwickelte sich die Rhein-Zeitung bis heute zu einem modernen Unternehmen.

1960 konnte in der Koblenzer Schloßstraße ein neues Verlagsgebäude bezogen werden. Neun Jahre später ging es dann in den heutigen Hauptsitz des Verlages: ein 20 000 Quadratmeter großes Grundstück im Koblenzer Industriegebiet.

Der Verlag hatte sich zu einem starken Wirtschaftsunternehmen „gemausert". 1958 betrug die Auflagenstärke der Rhein-Zeitung 170 000 - heute sind es knapp 250 000. Das Werk der Väter wurde von den Söhnen fortgeführt. Walterpeter Twer entwickelte den Verlag in den 70er und 80er Jahren zu einem vielseitigen Zeitungsbetrieb. Auch die Flut neuer Medien konnte die Attraktivität der Rhein-Zeitung nicht mindern. Die Abonnenten finden - im Gegensatz zu den elektronischen Medien - gerade in ihrem Heimatblatt eine ausführliche Berichterstattung zu Themen, die sie bewegen.

Drei selbständige Gesellschaften sind in den vergangenen Jahren unter dem Dach der Rhein-Zeitung entstanden.

Standpunkt

Forum und Kontrollorgan

Kaum jemand ist hierzulande anzutreffen, der mit dem Wort „Zeitung" nichts anzufangen wüßte. Mögen viele das Aufkommen elektronischer Medien als Indiz für das schwindende Interesse am Medium „Zeitung" gewertet haben, so steht dies doch im Widerspruch zu Reichweite und Nutzung der Tagespresse: mehr als 34 Millionen Bürger der alten Bundesländer über 14 Jahre lesen täglich mindestens eine Zeitung.

Gutenbergs Erfindung der Druckkunst war die wichtigste technische Voraussetzung, die zur Entstehung der Zeitung geführt hat. Heute ist die Tageszeitung unentbehrliches Mittel der Information, der Meinungsbildung und der Unterhaltung.

Im freiheitlichen System der Bundesrepublik will die Zeitung primär Öffentlichkeit herstellen, ein Forum bieten, ohne daß der demokratische Rechtsstaat nicht funktionstüchtig wäre. Eine weitere wichtige Funktion erfüllt die Zeitung als Kontrollorgan, indem sie das gesetz- und rechtmäßige Handeln von Regierung, Parlament, Verwaltung, Rechtsprechung und von Institutionen im öffentlichen Raum überwacht. Sie nimmt damit, so steht es in verschiedenen Landespressegesetzen, eine „öffentliche Aufgabe" wahr, „indem sie in Angelegenheiten von öffentlichem Interesse Nachrichten beschafft und verbreitet, Stellung nimmt, Kritik übt oder auf andere Weise an der Meinungsbildung mitwirkt".

In der modernen Industriegesellschaft hat die Zeitung als Mittel der sozialen Integration besondere Bedeutung. Trägt sie doch dazu bei, die immer komplizierter werdenden Vorgänge der Umwelt zu durchleuchten und den Zugang zu ihnen zu eröffnen. Zugleich kann sie dem Menschen Verhaltenssicherheit für ein Zusammenleben mit anderen geben. (Red)

Titelseite der Koblenzer Rhein-Zeitung

I. Einflüsse der Gesellschaftssphäre

2. Journalistische Traditionen bis 1945 in Großbritannien und Deutschland

Dieses und das nächste Kapitel analysieren die Einflußfaktoren der *Gesellschaftssphäre* (s. Schaubild 1, Kapitel 1.2). Zentrale Gemeinsamkeit der wenigen international vergleichenden Journalismusstudien ist der große Stellenwert, den sie historisch-kulturellen Faktoren zuschreiben. Wie sonst wären die Unterschiede zwischen deutschem und angelsächsischem Journalismusideal zu erklären, die den alliierten Presseoffizieren 1945 auffielen, als sie als „Lehrer" nach Deutschland kamen. Wir werden zunächst die damals festgestellten Unterschiede rekapitulieren und sie daraufhin historisch erklären.

2.1 „The clash of cultures": Britische Journalisten als Lehrer im Nachkriegsdeutschland

Deutsche und britische Journalismustraditionen stießen in der Wiederaufbauphase 1945–49 direkt aufeinander. Die britischen und amerikanischen Mitarbeiter der für den Aufbau der deutschen Presse zuständigen Planungsabteilung *Publicity and Psychological Warfare Division* wollten beim Neuaufbau bewußt nicht auf deutsche Traditionen zurückgreifen, sondern im „Jahre Null" beginnen und die Presse von Grund auf neu gestalten. Britische Journalisten wurden beurlaubt und nach Deutschland entsandt, deutsche Journalisten wurden zu Redaktionsbesuchen nach England eingeladen. Kurse über Organisation, Geschichte und Methoden der Presse im Ausland wurden abgehalten und neugegründete deutsche Zeitungen von herumreisenden Presseoffizieren – sogenannten Wanderpredigern – besucht (Koszyk 1986, S. 164–169, 228, 396 f.). Die von den Briten im April 1946 gegründete Zeitung *Die Welt* sollte als Vorbild für einen modernen, demokratischen Journalismus dienen. Als Korrektiv zu den größtenteils parteipolitisch orientierten Lokalzeitungen sollte *Die Welt* – nach dem Modell der Londoner *Times* – überparteilich, wahrheitsgetreu und objektiv über deutsche, britische und internationale Ereignisse berichten und ein faires und freies Diskussionsforum für alle Meinungen darstellen (Fischer 1978). Mit dem Aufbau der *Welt* wurde der vom englischem *Daily Express* beurlaubte Journalist Sefton Delmer beauftragt, der nichts Geringeres als eine „journalistische Revolution" in Deutschland durchführen wollte. Deutsche Zeitungen waren für ihn „unlesbar" und „so geschwollen geschrieben und unverdaulich aufgemacht, daß die große Masse des deutschen Publikums weder gewillt noch in der Lage [ist] aufzunehmen, was ihr darin geboten wurde". Über die deutsche Lokalpresse meinte Delmer, daß sie schon lange vor Hitler „mit kriecherischer Servilität vor den jeweiligen Machthabern auf dem Bauch gelegen" hätte (Delmer 1963, S. 642–646; Koszyk 1986, S. 198–200, 204f.). Auch die amerikanischen Presseoffiziere kritisierten, daß die deutsche Presse schon vor der Nazizeit ihrer demokratischen Aufgabe nicht genügt hätte. Der alte deutsche Journalismus erschien ihnen zu parteiisch, zu doktrinär und Autoritäten und mächtigen Interessengruppen gegenüber zu liebedienerisch (Hurwitz 1972, S. 40f.). Die Briten waren erschrocken, daß bald nach Kriegsende die deutschen Parteien, Regierungs- und Verwaltungsstellen schon wieder versuchten, Einfluß auf die Presse zu nehmen (Koszyk 1988, S. 69). Auf verschiedenen Wegen bemühten sich die Briten, diese unerwünschte Entwicklung zu korrigieren. So achteten sie beim Aufbau des Rundfunkwesens strikt auf eine binnenplurale und parteien- und regierungsferne Organisationsstruktur. Bei der Presse beabsichtigten sie die Herstellung außenpluraler Vielfalt, indem in den regionalen Zentren jeweils drei oder mehr Zeitungen lizensiert werden, die jeweils den Standpunkt und das geistige Gedankengut einer Partei vertreten sollten, keinesfalls aber reine Parteiorgane sein sollten. Das Angebot der in jeder Region verfügbaren Blätter sollte das politische Spektrum spiegeln und auf diese Weise Meinungsvielfalt und Ausgewogenheit bieten (Koszyk 1986, S. 135–139, 160). Dies gelang jedoch nicht hinreichend.[1] Ab 1948 bemühten sich die Briten darum, das Angebot der Lizenzblätter durch die Zulassung einiger überparteilicher Zeitungen auszugleichen (Koszyk 1986, S. 167f., 235, 245).

Der zweite Aspekt, der den angelsächsischen Presseoffiziere –

[1] Zum einen waren die britischen Abgesandten vor Ort mit dieser Aufgabe überfordert, zum anderen bedeutete der Mangel an Druckmaschinen, Papier sowie geeigneten, unvorbelasteten Verlegern und Journalisten, daß sich das anvisierte außenpluralistische Pressesystem von Anfang an nicht in gewünschtem Maße realisieren ließ (vgl. Koszyk 1978, Jürgensen 1997).

neben der traditionell mangelnden Unabhängigkeit von Staat, Politik und Regierung – am deutschen Journalismus negativ auffiel, war die Neigung zur Gesinnungspublizistik, zur Vermischung von Nachricht und Meinung. In einem Memorandum der britischen Kontrollkommission vom 14. Juli 1945 hieß es, die Besiegten sollten lernen, die gefährliche Mischung von Information und tendenziösem Kommentar aufzugeben, die bis dahin typisch für die Berichterstattung der deutschen Zeitungen während der letzten 60 Jahre gewesen sei. Der Leser solle einen genauen, objektiven, interessanten und lesbaren Überblick über das Weltgeschehen gewinnen. Nachrichten sollten einzig nach ihrem Nachrichtenwert ausgewählt oder weggelassen werden, nicht aus politischen Motiven (vgl. Koszyk 1986, S. 132 f.). Diese Position hat Harold Hurwitz in *Die Stunde Null der deutschen Presse* (1972) anschaulich beschrieben. Hurwitz hatte als amerikanischer Zivilbeamter beim Wiederaufbau der deutschen Presse mitgewirkt und später als Professor für Soziologie an der FU Berlin gelehrt. Die zentralen Unterschiede zwischen dem deutschen und dem angelsächsischen Journalismusideal charakterisiert Hurwitz folgendermaßen: „Von einer guten amerikanischen Zeitung wird die strikte Trennung von Berichterstattung und Kommentar verlangt. Man geht davon aus, die wichtigste Funktion einer Zeitung bestehe darin, den Leser mit allen Tatsachen vertraut zu machen, so daß er sich seine Meinung bilden kann. Der Redakteur hat das Recht, seine eigenen Ansichten vorzutragen, doch ist er gleichzeitig dazu verpflichtet, entweder in den Nachrichten oder den Kommentaren Raum für gegenteilige Meinungen zu lassen. In Deutschland waren die besten Zeitungen politisch engagiert. Der im 19. Jahrhundert ausgefochtene Konflikt zwischen dem Obrigkeitsstaat und den unabhängigen Publizisten führte dazu, daß unabhängige Redakteure die Zeitungen hauptsächlich als Tribünen der Meinung, der Analyse und notfalls auch der Polemik ansahen und weniger als Informationsquelle. Daraus war eine Tradition des unabhängigen Journalismus entstanden, die brillante Resultate aufweisen konnte. Der politische Leitartikler war oft zugleich Chefredakteur und eine angesehene, zuweilen auch respekteinflößende Persönlichkeit. In deutschen Zeitungen aller politischer Schattierungen bestand die Hauptaufgabe nicht so sehr in der neutralen Berichterstattung der Tatsachen und Ereignisse. Die Kommentierung des Tagesgeschehens galt als wesentlicher. Die politische Anschauung prägte offenkundig die Nachrichtenwiedergabe. Natürlich haben gute Zeitungen in Deutschland vor 1933 sich bemüht, den Unterschied von Nachricht und Kommentar sichtbar werden zu lassen, und für eine klare und tatsachengetreue Darstellung der Ereignisse gesorgt. Im Gegensatz zum amerikanischen Journalismus geschah das aber nicht systematisch nach einem strengen, überschaubaren Schema." (Hurwitz 1972, S. 41)

Die Briten hatten jedoch große Mühe, die deutsche Tradition der Wertschätzung der Kommentierung und Geringschätzung der Berichterstattung aufzuweichen. So konnten sie sich nur schwer mit der nach 1945 sogleich wieder aufgegriffenen deutschen Gewohnheit anfreunden, den Leitartikel auf die Titelseite zu plazieren. Dies wertete nach ihrer Überzeugung die Hauptfunktion der Presse, die objektive Nachrichtenberichterstattung, ab. Der deutsche Journalist Uwe Vorkötter erinnert sich an die reeducation-Bemühungen bei der *Stuttgarter Zeitung*: „Es gab damals sogar eine ausdrückliche Anweisung der amerikanischen Besatzungsmacht, daß ein Leitartikel gefälligst nicht auf der ersten Seite der Zeitung zu erscheinen habe, weil auf der ersten Seite die Meinung der Redaktion nichts zu suchen habe. Die Verleger der *Stuttgarter Zeitung*, die Lizenzträger damals, haben deutlich gemacht, daß sie dies für eine völlig unzumutbare Auflage halten, und sie haben bereits in der ersten Ausgabe … den Leitartikel auf die erste Seite plaziert."[2] Neben der stärkeren Akzentuierung der Kommentare mußten die Alliierten auch lernen, das Feuilleton zu akzeptieren, da beides eben „den deutschen Gebräuchen entsprach" (Hurwitz 1972, S. 276). Das Feuilleton, mit dem Briten und Amerikaner bis heute nicht recht etwas anzufangen wissen, hatten die Deutschen im 19. Jahrhundert von den Franzosen übernommen.[3]

Zwar waren viele deutsche Nachkriegsjournalisten sehr bemüht, dem angelsächsischen Objektivitätsideal[4] zu folgen und sich im Nachrichtenteil auf die bloße Wiedergabe der Fakten zu beschränken und von der früher üblichen Praxis abzugehen, Nachrichten mit Werturteilen zu vermengen, allerdings stießen die alliierten Bemühungen nicht überall auf Zustimmung. So plädierte der Vorsitzende

[2] Zit. n. Erbring (1988, S. 80). *Süddeutsche* und *Welt* verbannten ihren Leitartikel erst 1970 von der Titelseite, *Frankfurter Allgemeine* und viele Regionalzeitungen präsentieren ihn noch heute auf der ersten Seite.

[3] Karl Kraus schrieb in seinem berühmten Essay „Ohne Heine kein Feuilleton" in der *Fackel* vom April 1910: „Das ist die Franzosenkrankheit, die er bei uns eingeschleppt hat. (…) Die impressionistischen Laufburschen melden heute keinen Beinbruch mehr ohne die Stimmung und keine Feuersbrunst ohne die allen gemeinsame persönliche Note."

[4] Die Presseoffiziere definierten Objektivität als eindeutige Quellenangabe („clear sourcing of all news"), saubere Zitierung („quoting of competent authority for every statement") und scharfe Trennung von Meinung und Fakten („sharp divorce between editorial opinion and factual reportage"). So die *Guidance Notes for Press Control Officers*, zit. n. Koszyk (1986, S. 51).

des Deutschen Journalisten-Verbandes (DJV), Erich Klabunde, 1951 für eine völlige Abkehr „von jenem Zeitungs- und Journalistentyp, den die Besatzungsmächte in Deutschland zu züchten versuchten“. Sein Nachfolger Helmut Cron erklärte: „Wir sehen mit großem Kummer, daß eine Tendenz in unserer deutschen Presse besteht, von der Meinungspresse abzugehen und sich hinzuwenden zur sogenannten meinungslosen Presse.“ Der DJV habe sich „viel Mühe gegeben, an die alte, solide und vielbewunderte Tradition des deutschen Journalismus wiederanzuknüpfen“. Dem DJV kam es vor allem auf die „Entfaltung der journalistischen Persönlichkeit“ an, zu der nicht zuletzt auch die Verbreitung seiner eigenen politischen Werturteile gehöre.[5] Die Position der Journalistengewerkschaft dju war nicht anders. In ihrem Organ *die feder* hieß es, die Presse sei „in hohem Maße berufen ..., die öffentliche Meinung zu formen und zu gestalten“. Die Sache der Journalisten sei „nicht etwa die sklavische Formulierung dessen, was der Mann auf der Straße bisher wirklich gesagt hat“, sie sollten vielmehr die Zeitung als „geistiges Führungsinstrument gebrauchen“.[6]

Inwieweit die Aussagen repräsentativ für das Selbstverständnis des deutschen Nachkriegsjournalismus sind, ist schwer zu sagen. Festzuhalten bleibt aber, daß sowohl den angelsächsischen Presseoffizieren, als auch den deutschen Journalisten der Unterschied zwischen den beiden Traditionen bewußt wurde. Koszyk (1978, S. 10) kommt zu dem Schluß, daß die reeducation-Bemühungen der Briten auf dem Gebiet der Presse zwar erfolgreicher waren als auf anderen Gebieten, „ohne jedoch einen völlig neuen Journalismus herbeiführen zu können“. Dazu „reichte die Trennung von Nachricht und Meinung (...) als bloß formales Kriterium keineswegs aus“. Zusammenfassend läßt sich festhalten, daß die beiden wesentlichen Traditionslinien der deutschen Presse bis etwa 1945 einerseits in der autoritären Bevormundung bzw. mangelnden Unabhängigkeit von Staat, Parteien und Regierung lagen, andererseits in einer ausgeprägten Gesinnungs- und Meinungslastigkeit. Das erste Charakteristikum läßt sich u.a auf die unterschiedliche Geschichte der Pressefreiheit, der Staatsform und der Marktorientie-

[5] Das Klabunde-Zitat entstammt der *Journalist*-Sonderausgabe „Das erste Jahr Deutscher Journalistenverband“ (1951, S. 28); das Cron-Zitat entstammt der *Journalist*-Sonderausgabe „10 Jahre Deutscher Journalisten-Verband 1950–1960“ (1960, S. 6); das dritte Zitat dem *Journalist*, Heft 1/1954, S. 3. Sämtlich zit. n. Langenbucher & Neufeldt (1988, S. 260).

[6] Das erste Zitat entstammt *der feder*, Heft 11,12/1958, S. 152; das zweite Zitat entstammt *der feder*, Heft 5/1960, S. 92. Sämtlich zit. n. Langenbucher & Neufeldt (1988, S. 262).

rung der Presse zurückführen. Der zweite Aspekt, die Gesinnungs- und Meinungslastigkeit, läßt sich u.a mit der unterschiedlichen Bedeutung der Partei- und Massenpresse sowie dem unterschiedlichen Objektivitätsverständnis in beiden Ländern erklären. Schaubild 2 stellt die wesentlichen Einflußfaktoren im Zusammenhang dar. Dem Schaubild läßt sich auch die Gliederung der weiteren Darstellung entnehmen. Die Bündelung der Einzelaspekte zu drei Faktorenkomplexen erfolgte nach inhaltlichen, nicht chronologischen Gesichtspunkten. Dabei läßt sich ebenfalls erkennen, daß die Faktoren nicht isoliert voneinander betrachtet werden können, sondern vielfach untereinander zusammenwirken.

Schaubild 2: Historische Faktoren, die den britischen und deutschen Journalismus bis (mindestens) 1945 prägten

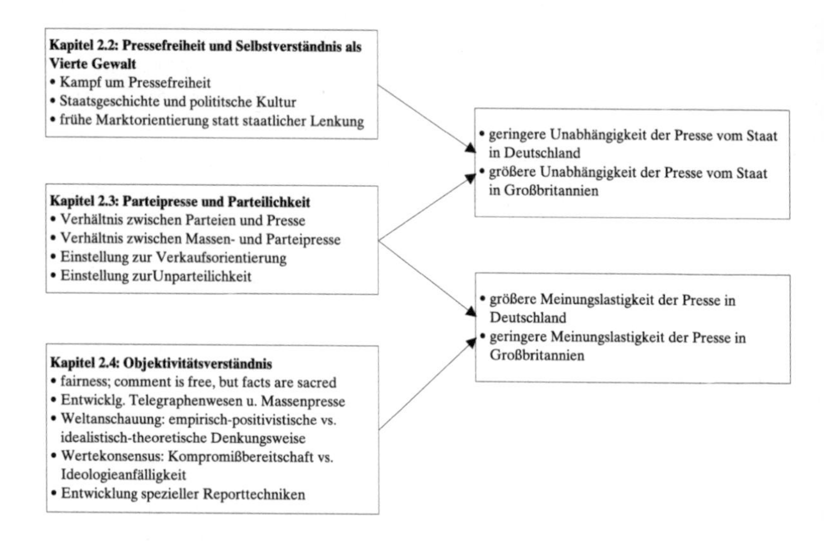

2.2 Pressefreiheit und Presseselbstverständnis

2.2.1 Geschichte der Pressefreiheit

Eine wesentliche Traditionslinie der deutschen Presse war ihre lange Unfreiheit. Sie hemmte nicht nur die Presseentwicklung insgesamt, sondern begründete auch die spezifisch deutsche Tradition, nach der Presse und Journalismus als ein Bereich angesehen wurde, der der Kontrolle des Staates zu obliegen hatte. Zwar ist Deutschland das Ursprungsland der Zeitung, hinsichtlich der Pressefreiheit gilt es jedoch als „verspätete Nation“.[7] Der Kampf für Pressefreiheit und gegen Zensur setzte in Deutschland erst über hundert Jahre später als in England ein. England gilt daher als Mutterland der Pressefreiheit. Eröffnet wurde dort der Kampf durch John Milton, der 1644 mit der *Areopagitica* die erste große Streitschrift für die Pressefreiheit veröffentlichte.[8] Bereits drei Jahre zuvor, 1641, hatte die englische Regierung das Sternkammer-Gericht („Star Chambers“) abgeschafft, das eine der wichtigsten staatlichen Einrichtungen zur Unterdrückung von politischer Opposition war. Als Folge der von Milton mitausgelösten öffentlichen und parlamentarischen Diskussion fand „the freedom of speech“ Eingang in die *Bill of Rights* von 1689. Als das britische Parlament 1695 die fällige Erneuerung des *Licencing Act* ablehnte, war in England die Pressefreiheit praktisch hergestellt. Im gleichen Jahr 1695, in dem in England die Zensur abgeschafft wurde, verteidigte der Hamburger Kaspar Stiehler in seinem Hauptwerk *Zeitungs Lust und Nutz* noch die absolutistische Kontrolle des Pressewesens durch den deutschen Kaiser. Etwa zu der Zeit, als in England die Stempelsteuer abgeschafft wurde (1850), wurde sie in Deutschland eingerichtet.

Nachdem in England mit der Aufhebung der Vorzensur 1695 der Einfluß des Staates auf die Presse stark beschränkt wurde, wurde 1792 mit dem *Fox's Libel Act* auch der Einfluß der Gerichte reduziert. Bei Klagen wegen Beleidigung, Verleumdung, Störung der öffentlichen Ordnung oder scharfer Kritik an gesellschaftlichen Institutionen fällen seither nicht mehr königliche Richter das Urteil gegen eine Zeitung, sondern eine Laienjury aus Vertretern der Öffentlichkeit. Ein weiterer Markstein im Kampf um die Pressefreiheit war 1772 die Öffnung des Parlamentes für die Berichterstattung der Presse. 1859 verfaßte John Stuart Mill seine Schrift *On Liberty*, das wohl bedeutendste Manifest des Liberalismus in England, in dem der freie Austausch von Meinungen nach dem Prinzip von Rede und Gegenrede als wesentlicher Beitrag zum Fortschritt der Menschheit gepriesen wird.

Ganz anders die Situation in Deutschland. Hier wurde die Erfahrung rigider staatlicher Zensur zu einer historischen Sondererfah-

[7] Vgl. Wilke (1984, 1994a, 1995). Die ersten Zeitungen der Welt erschienen in Deutschland: Unter dem Namen *Relation* wurde 1605 in Straßburg die erste Wochenzeitung publiziert, 1609 folgte der *Aviso* in Wolfenbüttel.

[8] Sie enthält viele Argumente, die auch später zur Verteidigung der Pressefreiheit vorgebracht wurden. Flammend forderte Milton darin: „Gebt mir, vor allen anderen Freiheiten, die Freiheit zu denken, zu reden und meinen Standpunkt zu vertreten, so, wie mein Gewissen es mir befiehlt.“ („Give me the liberty to know, to utter and to argue freely, according to conscience, above all liberties.“)

rung. Erste bemerkenswerte Forderungen nach Meinungs- und Pressefreiheit in Deutschland finden sich erst in den siebziger Jahren des 18. Jahrhunderts, 130 Jahre nach Miltons *Areopagitica.*[9] Bis dahin wurde Pressefreiheit allenfalls als fürstlicher Gnadenerweis oder aus Gründen der Zweckdienlichkeit gewährt. Die Erfahrungen der Französischen Revolution führten in Deutschland zu einer Verschärfung der (gelegentlich gelockerten) Zensurbestimmungen. Durch Napoleons Besatzungszeit lernte man ein Überwachungssystem kennen, das von „unerhörter Gewalttätigkeit und unübertroffenem Raffinement war" (Groth 1929, S. 42). Nach den Befreiungskriegen gegen Napoleon führte ein Teil der deutschen Einzelstaaten erstmals Formen von Pressefreiheit ein, in zwei Dritteln der Bundesstaaten herrschte 1818 allerdings immer noch eine auf Polizeigesetzen basierende Vorzensur. Mit den *Karlsbader Beschlüssen* vom 20. September 1819 verhängten die restaurativen Regierungen Preußens und Österreichs wieder eine strenge staatliche Vorzensur für alle Zeitungen und sonstigen Druckwerke bis zum Umfang von 20 Bogen. Die Zensurmaßnahmen, die 1832 noch verschärft wurden, blieben bis zur Märzrevolution von 1848 in Kraft. Die Zeit zwischen 1819 und 1848 wurde damit zu „einer fast dreißigjährigen Polizeiaktion gegen die Presse" (Schneider 1966, S. 247). Die *Karlsbader Beschlüsse* warfen die Presseentwicklung in den deutschen Staaten weit hinter England, Frankreich und die USA zurück (Requate 1995, S. 245). Erst das im Dezember 1848 von der Nationalversammlung in der Frankfurter Paulskirche verabschiedete *Gesetz betreffend die Grundrechte des deutschen Volks* bedeutete das Ende staatlicher Zensur und garantierte erstmals in Deutschland Pressefreiheit in umfassender Weise. Allerdings folgte schon bald eine neue Phase der rechtlichen, fiskalischen und inhaltlichen Reglementierung und Einflußnahme.[10]

Das Reichspressegesetz vom 1. Juli 1874 hob die nach Landesrecht bestehenden Beschränkungen der Pressefreiheit wieder auf, allerdings blieben die Sonderregelungen für Zeiten „innerer Unruhe (Aufruhr)" in Kraft. Dies ermöglichte Bismarck 1878 den Erlaß der Sozialistengesetze, mit denen er gegen die sozialdemokratische Presse vorging. In einer Zeit, in der in England die Rolle der Presse als ein „public watchdog" längst akzeptiert war (Lee 1976, S. 210), hatte der deutsche Reichskanzler Bismarck nicht weniger als tausend Strafanträge gegen Zeitungen und Zeitschriften gestellt. In

[9] Vgl. zum folgenden Schneider (1966, S. 146 ff.), Wilke (1984), Wilke & Noelle-Neumann (1994).

[10] Näheres bei Wilke (1984, S. 30) u. Pürer & Raabe (1996, S. 54).

dieser pressekritischen Einstellung stand ihm Kaiser Wilhelm I. nicht nach. „Ihre Aversion gegen jegliche Kritik in der Öffentlichkeit wurzelte in der Tradition des Obrigkeitsstaates", so Wetzel (1982, S. 136). „Ein allgemeines Recht der Tagespresse, vermeintliche Übelstände öffentlich zu rügen, … existiert nicht", zitiert Wetzel aus einem Grundsatzurteil des Reichsgerichts vom 16. Dezember 1881. Von einem politisch liberalen Klima, wie es zu dieser Zeit in England herrschte, kann in Deutschland kaum gesprochen werden.

Während des Ersten Weltkrieges wurde die Pressefreiheit durch eine rigide Militärzensur ersetzt. Perfektioniert wurde die Idee der Zensur schließlich von den Nationalsozialisten, die die Presse in ihrem Sinne neu ordneten. Sie sahen die Presse als „Mittel zur Erziehung der Volksgemeinschaft im Geiste des Nationalsozialismus" und als „Führungsmittel im Dienste des Staates und der Nation" (so Pürer & Raabe 1996, S. 55). Die Idee der Meinungs- und Pressefreiheit wurde von Joseph Goebbels als „politischer Wahnsinn" bezeichnet und strikt abgelehnt.[11] Binnen weniger Jahre organisierten die Nationalsozialisten die deutsche Zeitungslandschaft fast völlig um. Das Ziel war die Monopolisierung und totalitäre Beherrschung der öffentlichen Kommunikation. Für den Journalismus hatte dies verheerende Folgen: Ab Mitte der dreißiger Jahren mußte jede Form publizistischen Widerspruchs aufgegeben werden; politische Nachrichten verloren ihre Orientierungsfunktion.[12]

Als Fazit bleibt festzuhalten, daß England das Mutterland des frei geschriebenen und frei geprochenen Wortes ist. England wurde deswegen im 19. und 20. Jahrhundert für viele Deutsche zum Gast- und Exilland. Eine staatlich verordnete Zensur war nach der „Glorious Revolution" von 1688, die das Parlament als gleichberechtigten Partner neben den König stellte (und ihn bald an Bedeutung übertreffen sollte), nicht mehr durchsetzbar. Die anderen Länder Europas hinkten in ihrer politischen und gesellschaftlichen Ent-

[11] Goebbels schrieb, es sei „ein politischer Wahnsinn, einem einzelnen Individuum eine Meinungsfreiheit dergestalt zuzubilligen, daß es in der Lage ist, mittels dieser Freiheit alles und jedes zu vertreten". Joseph Goebbels, Das deutsche Schriftleitergesetz, in *Zeitungswissenschaft* 8 (1933), S. 337–341, hier S. 337f.; zit. n. Wilke (1984, S. 36).

[12] So Frei & Schmitz (1989, S. 23, 50). Die Presse sollte zum einen der Massenbeeinflussung und Erziehung der Deutschen im Sinne der nationalsozialistischen Ideologie dienen; zum anderen sollte sie zur Manipulation der öffentlichen Meinung hinsichtlich des Deutschlandbildes im Ausland instrumentalisiert werden; vgl. Wilke & Noelle-Neumann (1994, S. 441–452), Pürer & Raabe (1996, S. 63–78).

wicklung weit hinterher. England war hier Vorbild für die übrige Welt (Händel & Gossel 1994, S. 265).

2.2.2 Politische Kultur: Parlamentarismus vs. Absolutismus

Die unterschiedliche Stellung der Presse in Deutschland und England war in den Augen ausländischer Beobachter ein Beleg für die unterschiedliche politische Kultur. Während die Öffentlichkeit in England schrittweise ihre Teilnahme am politischen Leben erstritt, die Presse sich ihren Platz erkämpfte und eine moderne, aufgeklärte Staatsbürgerkultur entstand, wurde Deutschland noch bis vor wenigen Jahrzehnten jenen Ländern zugerechnet, in denen eine Untertanenkultur dominiert (Almond & Verba 1965). Heute kann davon keine Rede mehr sein (Gabriel 1994), für den Großteil der deutschen Geschichte traf dies jedoch zu. Vergleicht man die deutsche Staatsgeschichte mit der anderer Länder, so fällt auf, daß sich Deutschland – im Gegensatz zu England 1688 oder Frankreich 1789 – der absolutistischen Monarchie nie entledigte. Sie schwand 1918 einfach dahin. Der letzte kaiserliche Reichskanzler Prinz Max von Baden übergab sein Amt an Friedrich Ebert, nachdem sich Kaiser Wilhelm II. in die Niederlande begeben hatte. „Fast ist man versucht zu sagen, daß bei uns obrigkeitsstaatliche Gewalt zum ersten Mal mehrheitlich mit Erfolg 200 Jahre nach der Französischen Revolution abgelehnt wurde, und zwar 1989 in der damaligen DDR", bilanziert der Zeitgeschichtler und frühere Botschafter Hans Schauer (1997, S. 3). Die Amerikanische und Französische Revolution hinterließen in Deutschland keine tiefgreifenden Spuren. Die absolutistische Monarchie blieb unangetastet, von Demokratisierung wollte die preußische Regierung nichts wissen. Während in England seit der Bill of Rights (1689) das Parlament im Mittelpunkt der politischen Entwicklung steht, war der deutsche Reichstag bis 1918 nicht souverän (Schauer 1997). Was bedeuteten die völlig unterschiedlichen politischen Kulturen[13] für die Presseentwicklung?

In England, dem Mutterland des Parlamentarismus, hatten sich bereits Ende des 17. Jahrhunderts politische Vereinigungen gebildet. Die *Whigs* standen für die Rechte des Parlaments und traten für religiöse und politische Toleranz und Meinungsfreiheit ein. Die *Tories* standen für die Rechte der Krone, in der sie das eigentliche Zentrum des politischen Lebens sahen; sie hätten nichts gegen eine Wiederherstellung der Stuart-Monarchie gehabt. Mitte des 19. Jahr-

[13] Vgl. Niedhart (1992), Döring (1993, 1994), Schröder (1994), Händel & Gossel (1994), Gelfert (1996), Schauer (1997).

hunderts kam es, trotz erkennbarer ideologischer Verbindungslinien, zur Neugründung einer *Liberal Party* und einer *Conservative Party*. Verglichen mit den Adelsgruppen der *Whigs* und der *Tories* waren nun echte parlamentarische Parteien entstanden, die gesellschaftliche Gruppen vertraten (Rohe 1994). In dieser Zeit instabiler Mehrheiten und Loyalitäten sowie wechselnder Ziele erschien es den Parteien wichtig, Presseorgane zu besitzen, durch die sie ihre Ansichten und Pläne wirksam und verläßlich verbreiten konnten (Koss 1981, S. 9). Die parlamentarischen Aktivitäten wurden umfangreicher, das Wahlrecht wurde ausgeweitet und die Presse nahm in der sich weiterentwickelnden Demokratie einen festen Platz ein. Journalisten und Verleger wurden hofiert und fühlten sich durch die plötzliche Bedeutungszuweisung der Politiker geschmeichelt. In dieser Zeit entstand unter den englischen Pressevertretern die Idee der Vierten Gewalt („Fourth Estate“): Die Presse als ein unabhängiger Spiegel der öffentlichen Meinung, der die Regierung informiert und berät (Boyce 1978; Wilke 1994a). Nachdem die staatliche Zensur bereits 1695 aufgehoben worden war, gelang es nun der Presse mit Hilfe der *Liberal Party*, auch die letzten Instrumente staatlicher Einflußnahme zu beseitigen. Der entscheidende Markstein war die Aufhebung der sogenannten Intelligenzsteuern („taxes on knowledge“): In drei raschen Schritten erwirkten die *Liberals* im Parlament die Aufhebung der Anzeigensteuer (1853), der Stempelsteuer (1855) und der Papiersteuer (1861). Dadurch konnten die Verleger/Drucker den Verkaufspreis ihrer Zeitungen drastisch senken; neue und schnellere Herstellungs- und Vertriebstechniken erlaubten größere Auflagen; im Zuge der verbesserten Schulausbildung verlangten immer größere Bevölkerungskreise Lesestoff und Nachrichten; eine florierende Wirtschaft fand einen attraktiven Werbeträger für ihre Produkte. Der Historiker Ivon Asquith schrieb über diesen wichtigen Transformationsprozeß: „Es war das steigende Anzeigeneinkommen, das die materielle Grundlage für den Wandel von der unterwürfigen zu einer unabhängigen Presse darstellte. (…) Es ist wahrscheinlich keine Übertreibung zu sagen, daß der Anstieg der Anzeigeneinnahmen der wichtigste Einzelfaktor dafür war, daß sich die Presse zur Vierten Gewalt im Königreich entwickeln konnte.“[14] Die günstige Kombination von Pres-

[14] „It was the growing income from advertising which provided the material base for the change of attitude from subservience to independence. (…) It is perhaps no exaggeration to say that the growth of advertising revenue was the most important single factor in enabling the press to emerge as the Forth Estate of the realm“; zit. n. Curran & Seaton (1991, S. 7 f.).

sefreiheit, Parlamentarismus und liberalem politischen Klima ermöglichte der Presse eine frühe Marktorientierung. Seit Mitte des 19. Jahrhunderts wurde die Presse nicht mehr vom Staat, sondern zunehmend von Markt- und Leserinteressen beeinflußt.

2.2.3 Die Vorstellung der Presse als Vierte Gewalt

Der selbstbewußt erhobene Anspruch der englischen Presse, ein von Regierung und Parteien unabhängiger „Fourth Estate" zu sein, wurde in der zweiten Hälfte des 19. Jahrhunderts immer populärer. Als erste Zeitung war es *The Times*, die seit etwa 1850 das Selbstbild pflegte, ein von Regierungseinfluß unabhängiger „Fourth Estate" zu sein.[15] Ihr langjähriger Leitartikler Henry Reeve begründete diesen Anspruch damit, daß die Presse viel näher am Volk sei als das Parlament. Das Parlament tagte nur sechs Monate im Jahr, wurde nur von einer Minderheit der Bürger gewählt und war aufgrund seiner Zusammensetzung nicht repräsentativ für die Gesamtbevölkerung. Nicht nur spiegele die Presse die Interessen des Volkes besser wider, so Reeve, sie könne die Regierung auch besser über dessen Interessen informieren. Er schloß mit dem selbstbewußten Postulat: „Journalism is now truly an estate of the realm, more powerful than any other estate. (…) It is indeed the ‚Fourth Estate' of the Realm."[16] Mit diesem Anspruch identifizierten sich in der Folgezeit mehr und mehr Chefredakteure. Allerdings entsprach er nicht ganz der Realität. Die neuere Forschung hat den Mythos der frühen Unabhängigkeit der britischen Presse stark korrigiert, andererseits gleichwohl hervorgehoben, daß die Schaffung dieses Mythos durchaus seine Wirkung tat. Obwohl die britische Presse in Wahrheit noch bis in die 1920er Jahre unter parteipolitischen Einflüssen stand (s. Kapitel 2.3), errang sie bereits Mitte des 19. Jahrhunderts hohes

[15] Bereits die großen liberalen Kämpfer für die Pressefreiheit, Jeremy Bentham (1748–1832) und John Stuart Mill (1806–1873), überzeugten das Parlament von der Abschaffung der „taxes on knowledge" nicht zuletzt mit dem Argument, daß sich die öffentliche Meinung Großbritanniens nur durch eine freie Presse ausdrücken könne. Eine freie Presse sei das wichtigste Instrument, mit dem die Öffentlichkeit ihre Interessen und ihre Unzufriedenheit mit der Regierung artikulieren könne. Weil jedoch den meisten Menschen die für sachgerechte Kritik notwendigen Informationen fehlten, habe die Presse quasi das Mandat, als eigenständige gesellschaftliche Kraft im Sinne der Öffentlichkeit aktiv zu werden. Die Presse als „Fourth Estate" stelle dementsprechend die Verbindung zwischen öffentlicher Meinung und den Regierungseinrichtungen dar; vgl. Boyce (1978, S. 21f.).

[16] Henry Reeve: The newspaper press, in *Edinburgh Review*, Vol. CII (October 1855), S. 470–498; hier zit. n. Boyce (1978, S. 23f.).

Ansehen und einen Stellenwert im politischen System Großbritanniens, der es ihr erlaubte, sich aus der regierungsamtlichen Kontrolle zu befreien. Es gelang ihr, das Image einer unabhängigen Vierten Gewalt glaubhaft zu verkörpern, indem sie trotz vielfältiger Abhängigkeiten ihre Funktion als „Fourth Estate" erfüllte: politische Maßnahmen zu initiieren, zu kritisieren, die Exekutive zu kontrollieren und als Organ der öffentlichen Meinung zu agieren.[17] Bei Deutschlands Journalisten entwickelte sich aufgrund der völlig anderen politischen und kulturellen Bedingungen kein vergleichbares, identitätsstiftendes Bewußtsein der Vierten Gewalt (s. Kapitel 2.3).

Der britischen Presse half dabei eine zunehmend konsequentere Marktorientierung. Anders als in Deutschland wurde in den angelsächsischen Ländern die Verkaufsorientierung der Presse nicht negativ, sondern positiv bewertet. Sie galt als wichtiger Schritt zur journalistischen Unabhängigkeit. Kommerzialisierung bedeutete für englische Zeitungen erstens das Erreichen eines möglichst großen Publikums, zweitens den Schwerpunkt auf eigenständige Recherche von Nachrichten anstatt auf Räsonnement und Indoktrination zu setzen, drittens den Anspruch auf Unparteilichkeit und Unabhängigkeit rasch einzulösen.

2.3 Parteipresse und Parteilichkeit

Für die von den Alliierten 1945 festgestellten Charakteristika der deutschen Presse – mangelnde Unabhängigkeit und übertriebene Meinungslastigkeit – spielt als zweiter Einflußkomplex die unterschiedliche Rolle der Parteipresse eine entscheidende Rolle. Eine ausführlichere Betrachtung dieses Komplexes ist nicht zuletzt deshalb geboten, weil britische Pressehistoriker in jüngeren Untersuchungen nachgewiesen haben, daß die enge Verzahnung von Presse und Politik in Großbritannien länger andauerte, als gemeinhin angenommen.[18] Danach war die englische Presse in der zweiten Hälfte des 19. und der ersten Hälfte des 20. Jahrhunderts zwar weniger unter dem Einfluß von Regierung, Parteien und Konfessionen als in Deutschland, aber dennoch spürbar politischer als beispielsweise die amerikanische. Mit anderen Worten: Die britische Presse war

[17] So Boyce (1978, S. 27f.). Ganz unumstritten war dieses Konzept innerhalb des journalistischen Berufsstandes allerdings nicht, weil einige Chefredakteure sehr weitreichende Ansprüche daraus ableiteten; vgl. Boston (1988).

[18] Vgl. Seymour-Ure (1974), Lee (1976), Boyce (1978), Koss (1981, 1984), Brown (1985), Baylen (1992).

in jener Zeit parteilicher als die amerikanische, allerdings waren die deutsche und französische (kontinental-europäische) parteilicher als die amerikanische und britische (angelsächsische).[19]

Die Zeitungen aus den USA haben etwa hundert Jahre vor Deutschland und 50 Jahre vor Großbritannien damit aufgehört, sich in den Dienst einer bestimmten politischen oder weltanschaulichen Partei zu stellen. Den Anfang nahm die amerikanische Entwicklung in den dreißiger Jahren des 19. Jahrhunderts mit der Entstehung der „penny press". Sie führte dazu, daß die amerikanische Presse zwar nicht sofort objektiver, aber egalitärer und demokratischer wurde, weil mehr Zeitungen mit mehr Themen mehr Leser ansprachen.[20] Benjamin Day gründete 1833 die *New York Sun*, die auf politische Meinung verzichtete und sich auf Sensationsnachrichten und Polizeiberichte konzentrierte. Animiert zu diesem Konzept wurde Day vom Erfolg des englischen *Penny Magazine*, das ein Jahr zuvor in London gegründet worden war.[21] Die billigen Massenblätter verdrängten in kurzer Zeit die teuren parteipolitisch orientierten Blätter mit dem Effekt, daß es 1870 in den USA kaum noch parteipolitische Zeitungen gab. Dieser Prozeß hat sich in Großbritannien langsamer entwickelt.

[19] Vgl. Lee (1976, S. 204). Nimmt man beispielsweise das Jahr 1870, um den Stand der Presse in verschiedenen Ländern zu vergleichen, zeigt sich, daß der Anteil der Nachrichten in den Londoner Zeitungen größer war als in den New Yorker Zeitungen und viel größer als in den Pariser Blättern. Amerikanische Zeitungen waren bereits sichtbar sensationsheischender als die englischen, dagegen spielte in den englischen Zeitungen die politische Kommentierung eine größere Rolle. Im Gegensatz zur französischen war die angelsächsische Presse informationsorientiert mit Nachrichtenmeldungen und Anzeigen als den Hauptelementen der Zeitung. Die Presse Frankreichs dagegen war meinungsorientiert. Die deutsche Presse wird als vergleichsweise rückständig beschrieben, sowohl hinsichtlich des redaktionellen Inhalts, der kommerziellen Basis und der staatlich gewährten Pressefreiheit (vgl. Roach 1960, S. 121–133; Lee 1976, S. 224–233). Während die Presse in England und den USA längst schon durch ökonomische Imperative bestimmt war, waren es in Deutschland politische. Sowohl die Kontrolle der Regierung als auch die Verbindung zu politischen Parteien waren ausgeprägter.

[20] Vgl. Schudson (1978) und Schiller (1981). Auf die lange Tradition der Parteipresse als ein Wesensmerkmal der deutschen Presse haben v. a. Donsbach (1987, 1990b) und Köcher (1985, 1986, 1992a, 1992b, 1992c) immer wieder hingewiesen.

[21] Eine knappe, informative Darstellung des englischen *Penny Magazine* findet sich bei Cox (1978, S. 238–246).

2.3.1 *Die Entwicklung in Großbritannien*

Die durch die Aufhebung der Intelligenzsteuern geförderte Kommerzialisierung und Entpolitisierung der Presse schlug sich in Großbritannien zunächst nur in den neu entstehenden Sonntagszeitungen nieder. Die populäre Sonntagspresse, die leichte Unterhaltung statt politischer Traktate bot, „nahm eine wichtige Zwischenstufe in der Entwicklung der modernen Massenpresse ein", so Berridge (1978, S. 247). Sie nahm viele Elemente vorweg, die sich in der britischen Tagespresse erst einige Jahrzehnte später voll durchsetzen sollten. Während die sensationsorientierte *penny press* in amerikanischen Städten wie New York bereits seit 1850 die Tagespresse beherrschte, war dieser Journalismustypus in Großbritannien noch auf die Sonntagszeitungen beschränkt. In Großbritannien kam der entsprechende Durchbruch erst 1896 mit Gründung der *Daily Mail* durch Lord Northcliffe.

Die meisten britischen Zeitungen in der zweiten Hälfte des 19. Jahrhunderts waren politischen Parteien verbunden, vornehmlich der *Liberal Party*, die sich – wie erläutert – im Parlament für ihre Interessen stark machte. Großbritanniens führender Pressehistoriker Stephen Koss schreibt über diese prägende Phase: „In der zweiten Hälfte des 19. Jahrhunderts war Parteilichkeit das dominierende Charakteristikum der Zeitungen; sie wurde nicht nur als Recht, sondern sogar als Pflicht betrachtet. Freiheit der Presse wurde zu jener Zeit verstanden als die Freiheit, sich zwischen den politischen Parteien entscheiden zu können; später wurde sie dann als die Freiheit verstanden, sich politischer Einflußnahme zu widersetzen – die allerdings sowieso im Verschwinden begriffen war."[22] Nur 20 Prozent der englischen Regionalzeitungen waren nicht einer der beiden großen Parteien verbunden.[23] Betrachtet man das *gesamte*

[22] Koss (1981, S. 3) schreibt im Original: „During the Victorian heyday, partisanship was the dominant characteristic of newspapers, recognized not only as their right, but also as their obligation. Freedom of the press, which was then construed as the freedom to make a political choice, later came to be regarded as the freedom to resist political intrusion which, in any case, was already on the wane."

[23] Dies gilt für den Zeitraum 1868–1895. Mit der Jahrhundertwende änderte sich das Bild jedoch. Ab 1895 stieg die Zahl der neutralen und unparteilichen Blätter deutlich an. Auch in der Hauptstadt war die Situation ähnlich. Ab ca. 1880 nahm die Zahl der parteinahen Blätter in London ab, während die neutralen beständig zunahmen. Bei letzteren handelt es sich im wesentlichen um sogenannte „class and trade papers", die sich dem wirtschaftlichen Handel und nicht der Politik widmen (vgl. hierzu die differenzierten tabellarischen Darstellungen in Lee 1976, S. 287ff.).

Tages- und Wochenzeitungsangebot Englands im Jahre 1887, ergibt sich, daß von insgesamt 2046 Zeitungen 38 Prozent eine parteipolitische Richtung vertraten.[24] Auch bestand zwischen Journalisten und Parlamentsabgeordneten ein enger personeller Austausch: Nicht wenige Gentlemen begannen als Journalisten, um dann in die Politik zu gehen oder begannen als Politiker, um dann für Zeitungen zu schreiben. So stieg die Zahl der Journalisten unter den Abgeordneten im House of Commons von elf im Jahr 1880 auf 49 im Jahr 1906 beständig an. Zu der Zeit waren sie, nach Juristen und Beamten, die drittgrößte Berufsgruppe. Die Zahl der Zeitungsverleger im Parlament stieg im selben Zeitraum von 14 auf 30 an.[25] Zu ihnen suchten die Parteien jener Zeit aufgrund deren Reichtums und Einflusses besonders engen Kontakt, was eine nicht geringe Zahl von Ordensverleihungen und Adelstiteln erklärt.[26] Zwar sagen derartige Zahlenverhältnisse noch nichts über Einfluß, sondern nur etwas über Nähe aus, aber in der Zeit um 1880 begriffen sicherlich nicht wenige Journalisten ihren Beruf als „Spielart einer politischen Karriere“. Koss (1981, S. 10) schreibt über das Verhältnis von Journalisten und Politikern jener Zeit in England: „Lange hatte man angenommen, daß ein erfolgreicher Journalist so ähnlich zu agieren hatte wie ein Politiker; ebenso hatte man angenommen, daß politischer Erfolg von der Beherrschung der Presse abhängt.“[27] Dies steht nicht unbedingt in Einklang mit dem seit etwa 1850 erhobenen Anspruch der Presse als unabhängiger „Fourth Estate“.

Der Großteil der britischen Presse wurde jedoch seit Ende des 19. Jahrhunderts von einem neuen Journalismus, dem *New Journalism*, beeinflußt. Er berücksichtigte eine Entwicklung, die die poli-

[24] Vgl. Lee (1976, S. 290 f.). Siehe hierzu auch Baylen (1992, S. 39 f.), Curran & Seaton (1991, S. 45 f.), Koss (1981, S. 23 f.).

[25] Vgl. die differenzierten tabellarischen Darstellungen in Lee (1976, S. 287 ff.).

[26] Vgl. Koss (1981, S. 10 f.), Boyce (1978, S. 28 f.) und das Kapitel „The press and the politicians“ in Lee (1976, S. 197–209). Negrine (1989, S. 51) weist in diesem Zusammenhang darauf hin, daß sich 1979 57 und 1983 45 Journalisten, Autoren und Verleger ins House of Commons haben wählen lassen.

[27] „It had long been understood that a successful journalist had to operate as something of a politician; it equally became assumed that political success depended on a mastery of the press.“ Koss illustriert diese These mit dem Buch von Kennedy Jones, in dessen Titel *Fleet Street and Downing Street* (1919) das enge Verhältnis von Regierung und Presse deutlich wird. Jones, der zuerst Journalist und später Parlamentsabgeordneter war, schreibt darin, wenn er einmal uneingeschränkt herrschen dürfte, würde er eine Verordnung erlassen, daß niemand Chefredakteur werden dürfe, wenn er nicht für mindestens eine Sitzungsperiode Mitglied des Parlaments war und daß niemand Parlamentsabgeordneter werden dürfe, wenn er nicht für mindestens ein Jahr Chefredakteur war (vgl. Jones 1919, S. 329 f., hier zit. n. Koss 1981, S. 10).

tischen Journale nicht wahrhaben wollten: Die zeitunglesende Öffentlichkeit nahm zwar rasch zu, war aber politisch weniger interessiert. Sie war zufrieden mit den erreichten Freiheiten und von der Fixierung auf Parlament und Politik in den Zeitungen gelangweilt. Ab etwa 1880 war die britische Presse durch einen Niedergang der Institution ‚Parteizeitung' gekennzeichnet (Lee 1976, S. 181). Ende des 19. Jahrhunderts fand man den erzieherisch-aufklärerischen Journalismus fast nur noch in der wöchentlichen Meinungspresse und kaum noch in der Tagespresse. „Newspapers are read nowadays for their news, not for their views", notierte ein Politiker 1895 resigniert. Auch die Verleger erkannten, daß die Leser in erster Linie parteiunabhängige Zeitungen mit „more news and less opinion" wollten. Lee kommt zu seinem vielzitierten Fazit: „Auf den einfachsten Nenner gebracht ist die Presse zu einem Wirtschaftszweig geworden. Sie ist heute fast nur noch ein Geschäft und kaum noch eine politische, staatsbürgerliche und soziale Institution."[28]

Der *New Journalism*[29] in der wichtigen Umbruchphase zwischen 1880 und 1914 brachte auf drei Gebieten entscheidende Änderungen: erstens in Typographie und Layout, zweitens im Inhalt und drittens in seiner Kommerzialisierung.[30] Die Änderungen in Aufmachung und Typographie wurden in erster Linie durch amerikanische Blätter wie Joseph Pulitzers *New York World* beeinflußt. Hier ist die Verwendung von Über- und Zwischenüberschriften, Zeichnungen, Illustrationen und Bildern sowie ein lebendigerer, unmittelbarer Schreibstil gemeint. Meinungsartikeln wurde bedeutend weniger Platz eingeräumt, statt dessen gewann die „human interest story" stark an Gewicht. Nachrichten rückten auf die Titelseite (auf der früher Anzeigen und amtliche Mitteilungen standen) und wurden deutlich von Kommentaren getrennt. Leitartikler traten im Status zurück zugunsten von Reportern („descriptive writers") und Korrespondenten, deren Aufgabe die zügige und effiziente Berichterstattung über nationale und internationale Ereignisse war. Die Kluft zwischen den akademisch ausgebildeten Leitartiklern und

[28] „In the simplest of terms, the press had become a business, not only first, but increasingly a business almost entirely, and a political, civil and social institution hardly at all." Dieses und die vorigen Zitate bei Lee (1976, S. 189–191, 220, 232).

[29] Die Epochenbezeichnung *New Journalism* (1880–1914) darf nicht mit der journalistisch-literarischen Modeströmung verwechselt werden, die um 1970 in den USA von Tom Wolfe, Truman Capote, Norman Mailer und anderen propagiert wurde. Hier handelt es sich um zwei unterschiedliche Dinge mit demselben Namen.

[30] Die folgenden Ausführungen zum britischen *New Journalism* basieren auf Wiener (1988), Schalck (1988), Goodbody (1988) und Lee (1976, S. 117–130).

den Fußsoldaten des Gewerbes, also den Reportern, verschwand zusehends. Der Zeitungsstil des *New Journalism* wurde von Großverleger Northcliffe als „news recording machine“ bezeichnet, die schnell und akkurat über die Weltnachrichten berichtete und sie sorgfältig ausgewählt präsentierte (vgl. Wiener 1988, S. 53).

Auf inhaltlicher Ebene vollzog sich eine Verlagerung weg von der Politik- und Parlamentsberichterstattung hin zu Sport, sensationellen Polizei- und Verbrechensmeldungen wie den *Jack the Ripper*-Morden, Klatschkolumnen, Frauenthemen, Comics, Fortsetzungsromanen und natürlich Sex. Aus Amerika wurden neue Darstellungsformen wie Interviews und Sozialreportagen übernommen. Nachwuchsjournalisten wurde empfohlen, nicht eine Karriere als politischer Kommentator, sondern als Sportberichterstatter anzustreben (ebd. S. 54).

Während die Auflage der meisten politischen Zeitungen recht gering war und sukzessive sank, war die 1896 von Northcliffe gegründete *Daily Mail* das erfolgreichste Blatt des *New Journalism*. Es erreichte innerhalb von vier Jahren eine Auflage von einer Million Exemplare.[31] Mit der zunehmend kommerziellen Ausrichtung des Zeitungsgeschäftes war auch ein Wandel der Eigentumsverhältnisse verbunden: weg vom Familienbetrieb, hin zum Großunternehmen. Die *Daily Mail* bot ihren Lesern bereits wenige Jahre nach der Gründung Aktien an. Zur Auflagensteigerung wurden Verlosungen und Gewinnspiele veranstaltet. Bei einer Aktion des *Pearson Weekly* gewann der Leser mit dem längsten Namen einen Preis und *Tit Bits* schenkte der Familie desjenigen Lesers, der mit der Zeitung unterm Arm starb, eine Lebensversicherung. Der Verlagsdirektor der *Times*, Moberly Bell, bedauerte, daß das „ideal of modern journalism“ gleichbedeutend mit dem „ideal of modern business“ geworden sei (ebd., S. 57).

Personifiziert wird dieser Wandel durch Großverleger Lord Northcliffe, von dem gesagt wird, daß er den Journalismus als Profession vorfand und als Wirtschaftszweig verließ (ebd.). Northcliffe kreierte den populären Massenjournalismus, der sich weniger für politische und soziale Themen und mehr für Auflage und Profit interessierte. Er bot den Lesern kurze, lebendige Berichte ohne festverankerte politische Richtung: „Politics play no part whatever in

[31] Der 1903 gegründete *Daily Mirror* bot mehr und qualitativ bessere Fotos und weniger Text und übertraf ab 1911 die Auflage der *Daily Mail*. Da Sonntagszeitungen die hier beschriebenen Stilmittel schon viel früher aufgegriffen hatten als die Tagespresse, hatte *Lloyd's Weekly Newspaper* die mythische Grenze von einer Million Leser bereits 1886 übertroffen.

the management of this newspaper“ (zit. n. Goodbody 1988, S. 158 f.). Das Flaggschiff in seinem Zeitungsimperium, die *Daily Mail*, war eine harte Konkurrenz für etablierte Blätter wie *The Times* und *Daily Telegraph*. Auf dem Höhepunkt von Northcliffes publizistischer Macht 1921 gehörten ihm die *Daily Mail, The Times, Sunday Dispatch* und *London Evening News*; seinem Bruder Lord Rothermere gehörte der *Daily Mirror, Sunday Pictorial, Daily Record, Glasgow Evening News* und *Sunday Mail*. Zusammen mit ihrem Bruder Lester Harmsworth, der eine Zeitungsgruppe im Südwesten Englands besaß, kontrollierte das Trio eine Gesamtauflage von über sechs Millionen Zeitungsexemplaren, womit sie nach Schätzung von Curran & Seaton (1991, S. 50 f.) zu jener Zeit wahrscheinlich den größten Pressekonzern der westlichen Welt besaßen. Politiker hielten es für ratsam, zu den Pressebaronen engen Kontakt zu unterhalten.

Seit der Jahrhundertwende ist es unbedingt notwendig, auf dem britischen Pressemarkt zwei Gattungen zu unterscheiden: Zum einen die neuen, schnell wachsenden, auflagenstarken Blätter des *New Journalism*, die sich konsequent am Publikumsgeschmack orientierten und Parteilichkeit ablehnten. Zum anderen die alte, schrumpfende, auflagenschwache Qualitätspresse, die von Anbeginn eng mit dem politischen System verbunden war (z. B. *The Times, Morning Post, Daily Telegraph, Daily Chronicle, Daily News, Pall Mall Gazette, Guardian, Observer, The Star*). Ihre Gesamtauflage lag zur Jahrhundertwende bei unter einer Million. Britische Politiker und Parteien betrachteten die Entpolitisierung der Presse mit großer Sorge (vgl. Baylen 1992, S. 34 f.). Durch die rasant steigende Zahl der Zeitungsleser einerseits und die Ausweitung des Wahlrechts (1884, 1918) andererseits sahen sie in der Presse ein immer bedeutsameres Instrument zur Beeinflussung der Öffentlichkeit. Sie suchten daher gezielt die Freundschaft zu Verlegern und Chefredakteuren, die sich durch die Aufmerksamkeit der politischen Führungselite geschmeichelt fühlten.[32] Dies führte dazu, daß in der Übergangsphase 1900 bis 1920 die Chefredakteure der füh-

[32] Politiker aller Couleur bemühten sich ab etwa 1880, in regelmäßigen Hintergrundgesprächen ein Vertrauensverhältnis zu ausgesuchten, einflußreichen Chefredakteuren und Verlegern aufzubauen. Für gute Dienste wurden sie mit Orden und Adelstiteln belohnt. Premierminister Lloyd George ging soweit, die Pressebarone Lord Northcliffe, Lord Beaverbrook und Lord Rothermere in die Regierung einzubinden: als Minister für auswärtige Propaganda, Informationsminister und Luftfahrtsminister. Kritiker bezeichneten dies als Perversion des politischen Journalismus, zumal die drei neun Zehntel der britischen Presse kontrollierten; vgl. Baylen (1992).

renden politischen Qualitätszeitungen nach außen zwar den Mythos als unabhängige Vierte Gewalt pflegten, nach innen jedoch eng mit dem politischen System verflochten waren. Laut Stephen Koss war die „unsichtbare Teilhabe am politischen Prozeß das zentrale berufliche Kennzeichen“ der politischen Chefredakteure jener Zeit.[33] Verdeckt auf der Hinterbühne vertrauten sich Politiker den Chefredakteuren und Journalisten von *The Times, Guardian, Observer, Westminster Gazette, Pall Mall Gazette* und *Daily Chronicle* an, während diese im Gegenzug versprachen, die anvertrauten Informationen und ihre Quellen geheimzuhalten. Dieses pragmatische Vorder- und Hinterbühnenspiel ist für den politischen Journalismus Großbritanniens bis heute charakteristisch (s. Kapitel 3.2.3).

Viele politische Qualitätszeitungen, die trotz solcher Verbindungen ihre „Fourth Estate“-Funktionen erfüllten, sahen sich jedoch aufgrund der massiven Konkurrenz durch die *New Journalism*-Blätter (Leser, Anzeigen) gezwungen, finanzielle Unterstützung zu suchen – entweder von Parteien oder Pressebaronen (vgl. Boyce 1978, S. 28f.). Einige dieser politischen Zeitungen wurden durch Parteien unterstützt,[34] andere durch Politiker[35]. Dies ist erst in der neueren pressegeschichtlichen Literatur ausführlicher thematisiert wor-

[33] Es war ein „Golden Age of Editors“, in dem ihre „unseen participation in public affairs [especially in London] was a professional landmark“; hier zit. n. Baylen (1992, S. 42).

[34] Zwischen 1911 und 1915 unterstützten die Unionisten, eine Abspaltung der *Liberal Party*, die Zeitungen *Observer, Standard, Globe* und die *Pall Mall Gazette*. Eine der *Conservative Party* nahestehende Gruppe kaufte 1924 die *Morning Post*. Zu den parteinahen Zeitungen zählte auch die *Reynold News* (1850–1967), später unbenannt in *Sunday Citizen*, die mit der *Labour Party* organisatorisch verbunden war. Das beste Beispiel für eine britische Parteizeitung im 20. Jahrhundert ist der *Daily Herald* (1912–1964), der Anfang der dreißiger Jahre sogar die auflagenstärkste Tageszeitung Großbritanniens war. Ansonsten gab es nur noch eine weitere echte Parteizeitung nach der Jahrhundertwende in Großbritannien: den *Morning Star*, der sich als Organ der Kommunistischen Partei mit 7000 Exemplaren (1992) bis heute über Wasser halten konnte.

[35] C. P. Snow, langjähriger Chefredakteur und Herausgeber des *Guardian*, war von 1885–1905 Parlamentsabgeordneter für die *Liberal Party*. Lloyd George erwarb 1923 nach seiner Amtszeit als Premierminister den *Daily Chronicle* und behielt ihn für drei Jahre. Lord Beaverbrook war Verleger *(Daily Express, Sunday Express, Evening Standard)* und Politiker der *Conservative Party*. Auch Lord Burnham, Besitzer des *Daily Telegraph*, war Abgeordneter der *Conservative Party*. Das gleiche galt für Colonel Astor während seiner Zeit als Verleger von *The Times* und für Brendan Bracken, der von 1941 bis 1945 Informationsminister war und danach die *Financial Times* übernahm. Die der *Liberal Party* verbundene Cadbury-Familie besaß die einflußreiche *Daily News*, die 1960 geschlossen wurde.

den.[36] Intensiv diskutiert wurde dagegen von Anfang an die Rolle der Pressebarone. Allerdings hat hier eine wichtige Umbewertung stattgefunden. Die Pressebarone Lord Northcliffe, Lord Beaverbrook, Lord Rothermere, Camrose und Kensley spielten eine ambivalente Rolle.[37] Einerseits nutzten sie einige ihrer Zeitungen rücksichtslos zur Verfolgung ihrer subjektiven Überzeugungen, andererseits erlaubte erst die von ihnen konsequent verfolgte Kommerzialisierung, daß die britische Presse ihre ständig behauptete Unabhängigkeit vom politischen Apparat endlich vollends vollziehen konnte. Alle Pressebarone teilten die Überzeugung, daß Profite wichtiger waren als Politik. Ihre wegweisende, aber lange verkannte Leistung bestand darin, die Presse endgültig aus dem Einflußbereich der Parteien befreit zu haben. „Der Anspruch einer Vierten Gewalt, der verfrüht schon Mitte des 19. Jahrhunderts erhoben worden war, entsprach während der Ära der Pressebarone sehr viel stärker der Realität", schreiben Curran & Seaton (1991, S. 59). „Das Besondere der Pressebarone lag darin, daß sie ihre Zeitungen nicht als Druckmittel in innerparteilichen Auseinandersetzungen benutzten, sondern als Machtinstrument gegen die Parteien" (S. 58).

Nicht alle dominierten ihr Zeitungspersonal so selbstherrlich wie Lord Northcliffe. Er stand an der Schnittstelle zwischen dem ‚alten', erzieherisch-parteilichen Journalismus des 19. Jahrhunderts, dem ‚neuen', massenattraktiven *New Journalism*, dessen Elemente keiner so konsequent und erfolgreich einsetzte wie er. Während er viele moderne Praktiken vorwegnahm, behielt er andererseits viele alte Angewohnheiten bei, zum Beispiel, seine Blätter auch als politische Propagandainstrumente zu nutzen. Das machte ihn, wie Koss (1981, S. 7) formuliert, zum naheliegenden Kandidaten für Charakterisierungen von „supreme newspaper genius" bis „corruptor of English journalism". Aber auch die anderen Großverleger wurden zur Zielscheibe prominenter Kritik, was vermutlich zur Überschätzung ihrer politischen Macht beitrug. Premierminister Stanley Baldwin warf ihnen in einer berühmten Wahlkampfrede 1931 Machtmißbrauch vor: „Die Zeitungen von Lord Rothermere und Lord Beaverbrook sind keine Zeitungen im üblichen Sinne. Es sind Propagandamaschinen für die ständig wechselnden politischen An-

[36] Vgl. zum vorherigen die Angaben bei Koss (1984, S. 5f.), Koss (1981, S. 6, 412f., 421), Seymour-Ure (1974, S. 162f.), Boyce (1978, S. 28f.), Curran & Seaton (1991, S. 58f.).
[37] Zu den besten Darstellungen über die Ära der Pressebarone (1919–1939) zählen Jones (1992) und Curran & Seaton (1991, S. 49–69).

schauungen, Sehnsüchte, Neigungen und Abneigungen dieser beiden Männer. Wonach diese beiden Verleger streben ist Macht, aber eine Macht ohne jede Verantwortung – und das war durch die Jahrhunderte immer das Vorrecht der Hure."[38] Sogar noch Ende der vierziger Jahre, als Lord Beaverbrook von der Ersten Königlichen Pressekommission (1949) nach seinen Motiven für die Herausgabe des *Daily Express* befragt wurde, gab er die provokative Antwort: „Ich halte die Zeitung mit der alleinigen Absicht, Propaganda zu machen".[39]

Die wichtigste Neuerung des von den Pressebaronen forcierten *New Journalism* ist die Fusion von Unterhaltung (als Element der neuen Massenpresse) und Aufklärung (als Element der alten Politpresse). Sie legte den Grundstein für den heutigen Journalismus Großbritanniens. Die überaus wichtige Phase des *New Journalism* drängte in Großbritannien und den USA[40] in einem quasi natürlichen, marktwirtschaftlichen Prozeß die Parteipolitik aus weiten Teilen der Presse hinaus. Parteiblätter wurden entweder zur Aufgabe oder zur Modifikation ihrer Inhalte gezwungen, indem sie auf die veränderten Rezeptionsbedingungen und Lesererwartungen einzugehen hatten, um ökonomisch überleben zu können. Mit Ende des Zweiten Weltkrieges hatten sich die Verbindungen zwischen Presse und Parteien jedoch endgültig aufgelöst: „By 1947, the party attachments of newspapers – as they had been understood to operate over the preceding hundred years – were effectively abandoned", so Koss (1984, S. 642). Die redaktionellen Linien von vielen, heute noch existierenden Zeitungen lassen sich aus dieser Zeit erklären. Bis heute ist es ist für britische (und amerikanische) Zeitungen Brauch, sich vor einer Parlamentswahl in einem „endorsement" für eine politische Partei auszusprechen. Dies geschieht jedoch aus einer eher pragmatischen Haltung heraus und das „endorsement" ist nicht unbedingt dieselbe wie bei der letzten Wahl.[41] Die britische Lokalpresse berichtet seit Beginn des 20. Jahrhunderts politisch neutral.

[38] Zit. n. Snoddy (1992, S. 77 f.). Das Originalzitat lautet: „The papers conducted by Lord Rothermere and Lord Beaverbrook are not newspapers in the ordinary acceptance of the term. They are engines of propaganda for the constantly changing policies, desires, personal likes and dislikes of the two men. What the proprietorship of these papers is aiming at is power; but *power without responsibility* – the prerogative of the harlot throughout the ages."

[39] „I run the paper purely for the purpose of making propaganda, and with no other motive"; zit. n. *Royal Commission* (1949, S. 25 f.).

[40] Zum *New Journalism* in den USA siehe Sloan (1991, S. 199–212) und die dort angegebene Literatur.

[41] Vgl. Koss (1984, S. 12, 642, 658 f.), Seymour-Ure (1974, S. 165). Auch für die

2.3.2 *Die Entwicklung in Deutschland*

Aufgrund der bis 1918 fortbestehenden absolutistischen Monarchie war der deutsche Reichstag im Gegensatz zum britischen Parlament nicht souverän (Schauer 1997). Bismarck regierte jahrelang ohne Rücksicht auf die Verfassung und ließ die Presse scharf zensieren. Er bekämpfte im „Kulturkampf" die katholische Zentrumspartei und mit dem „Sozialistengesetz" die sozialdemokratische Arbeiterpartei. Während die deutsche Presse in relativer Unfreiheit fast das gesamte 19. Jahrhundert hindurch in die Kämpfe um die Organisation der Gesellschaft verwickelt war, herrschte in Großbritannien und den USA längst ein stabiles demokratisch-parlamentarisches System. Die deutsche Presse hatte bis 1945 nie genügend Freiraum, sich von den politischen Kräften und Konflikten zu lösen, Eigendynamik zu entwickeln und durch kommerziellen Erfolg politische Eigenständigkeit zu suchen.

Nach Koszyk stand das Jahrzehnt von 1850 bis 1860 im Zeichen der konservativen Presse, das Jahrzehnt von 1860 bis 1870 im Zeichen der liberalen Presse und das Jahrzehnt von 1870 bis 1880 im Zeichen der Zentrumspresse (vgl. ausführlich Koszyk 1966, S. 127–209). Im Unterschied zu England kühlten die Beziehungen nach der Jahrhundertwende allerdings nicht ab – im Gegenteil: Die Bedeutung der Parteipresse nahm immer weiter zu. Einige Zahlen sollen die Unterschiede illustrieren: Im Jahr 1911 besaß die SPD 94 Parteizeitungen mit einer Gesamtauflage von 1,5 Millionen, die englische *Labour Party* dagegen eine einzige Parteizeitung, den *Daily Herald.* Im selben Jahr bekannten sich von den etwa 4000 deutschen Zeitungstiteln 870 als konservativ oder national, 580 als liberal oder im weitesten Sinne demokratisch und 480 standen dem Zentrum nahe (Koszyk 1972, S. 448). Auch zwanzig Jahre später, 1930, war der Einfluß weltanschaulich geprägter Organisationen auf die deutsche Presse massiv: Der katholischen Kirche und der katholischen Zentrumspartei gehörten zusammen 312 und der Sozialdemokratischen Partei 169 Tages- und Wochenzeitungen, 120 Zeitungen galten 1932 als nationalsozialistisch. Anfang der dreißiger Jahre wurden in Deutschland etwa 4700 Zeitungen herausgegeben. Die Hälfte von ihnen bestand aus Kleinzeitungen, die direkt oder indirekt eine politische Partei unterstützten: 976 bekannten sich als parteioffiziöse oder -offizielle Zeitungen, 1267 vertraten eine politische

Parlamentswahl 1997 änderten viele britische Zeitungen ihre redaktionelle Linie, s. Kapitel 4.5 und 4.6.

Grundrichtung und standen einer Partei nahe.[42] Dies veranlaßte Frei & Schmitz (1989, S. 24) zu dem Kommentar: „Von Forumszeitungen, die ihre Leser möglichst umfassend informieren und ein Spektrum von Meinungen präsentieren, konnte man in der Weimarer Provinz nur träumen. Kaum ein Heimatblatt, das sich nicht dezidiert einer Partei verschrieben hatte und dieser dann nicht auch durch dick und dünn folgte. Nachrichten über den politischen Gegner zu unterschlagen, zumal wenn diese ihn in positivem Licht gezeigt hätte, galt im Grund als normal."

Auch die Entwicklung der Massenpresse verlief in Deutschland völlig anders als in Großbritannien. Die Massenpresse entwickelte sich Ende des 19. Jahrhunderts vor allem in Berlin, wo man mit Hugo Friedrich Scherl, Rudolf Mosse und Leopold Ullstein ähnliche Pressezaren wie in London traf, nur von kleinerem Format. Sie kopierten vor allem englische und amerikanische Vorbilder. 50 Jahre nach Gründung des Londoner *Penny Magazine* entstand 1883 in Berlin Scherls *Lokalanzeiger*, der erste reine Generalanzeiger in der Hauptstadt. Dieses zunächst kostenlose und nur aus Anzeigen finanzierte Blatt wurde von Chefredakteur Hugo von Kupffer geleitet, der bei Reuters in London und beim *New York Herald* die angelsächsische Massenpresse kennengelernt hatte.[43] Mosse und Ullstein nutzten – wie auch die englischen Pressebarone – ertragreiche Massenzeitungen zur Unterstützung unrentabler, aber publizistisch angesehener Tageszeitungen innerhalb des Unternehmens *(Vossische Zeitung, Berliner Tageblatt)*.[44] Die deutsche Generalanzeigerpresse wandte sich ebenfalls mit einem niedrigen Verkaufspreis, der durch hohes Anzeigenaufkommen und moderne Drucktechnik erreicht wurde, an ein großes, mittelständiges Publikum. Spezielle Beilagen bedienten die Bedürfnisse von Frauen und jungen Lesern. In drei wichtigen Punkten unterschied sich die deutsche Generalanzeigerpresse aber von der britischen Massenpresse. Erstens durch ihre starke Betonung lokaler Nachrichten und lokaler Anzeigen: Die Blätter der britischen Hauptstadt berichteten über Großbritannien, die Blätter der deutschen Hauptstadt über Berlin. In Deutschland blieb die Presse dezentralisiert und regional orientiert. In Großbritannien war die Londoner Presse die nationale Presse; die Lokalpresse folgte den Hauptstadtzeitungen mehr oder minder

[42] Vgl. Kieslich (1963, S. 275), Rothman (1979, S. 348), Rothman (1992, S. 38–40), Humphreys (1990, S. 16), Wilke & Noelle-Neumann (1994, S. 440).

[43] Vgl. Koszyk (1966, S. 291), Koszyk (1995, S. 309).

[44] Vgl. Koszyk (1966, S. 307 f.), Nipperdey (1990, S. 799 f.), Wilke & Noelle-Neumann (1994, S. 435 f.).

blind.[45] Der zweite Unterschied lag im Vertriebsweg. Während in Großbritannien seit jeher Straßenverkauf dominierend ist, herrscht in Deutschland Abonnementverkauf vor. Das mag mit ein Grund dafür gewesen sein, daß die Aufmachung deutscher Zeitungen vergleichsweise eintönig und weniger aktuell blieb. Emil Dovifat bemerkte, daß Deutschland „als letztes Land der zivilisierten Welt seine Zeitungen bis in die Kriegsjahre hinein in seltener Ruhe in Text und Aufmachung, ja gelegentlich noch in philosophischer Gründlichkeit herauszubringen pflegte".[46] Der dritte Unterschied betraf schließlich die politische Ausrichtung bzw. die Parteilichkeit: Die deutsche Generalanzeigerpresse war nicht – wie in Großbritannien – der Grundstein für einen kommerziellen, unabhängigen Journalismus, wie er sich im anglo-amerikanischen Raum im Laufe des 20. Jahrhunderts entwickelte. Die Generalanzeiger nahmen ihre anfänglich versprochene Unparteilichkeit seit der Jahrhundertwende zunehmend zurück, die ursprüngliche Unparteilichkeitsbehauptung verkam zum Lippenbekenntnis. Dieser pressehistorisch bedeutsame Prozeß ist erst durch die Dissertation von Jörg Requate (1995) aufgedeckt worden:

Die Verleger der deutschen Generalanzeiger hatten ihre Redakteure anfänglich ausdrücklich aufgefordert, die Propagierung politischer Interessen und Unterstützung einzelner Parteien aufzugeben. Davon erhofften sie sich – wie auch die englischen Verleger – einen größeren wirtschaftlichen Erfolg ihrer Blätter. Mit diesem Unparteilichkeitsanspruch der Verleger waren die deutschen Redakteure jedoch nicht einverstanden, wie Requate an vielen Beispielen nachweisen kann. Nach seinen Befunden waren es die deutschen Redakteure, die eine Politisierung der Generalanzeiger wollten: „Zu einem Ausbau einer Position journalistischer Unabhängigkeit und Unparteilichkeit kam [es in der deutschen Presse] nicht, im Gegenteil: Viele der mit einem Unparteilichkeitsanspruch angetretenen Zeitungen begannen nach und nach wieder stärker, mehr oder stärker explizit Partei zu ergreifen und sich einer politischen Richtung oder Partei zuzuordnen. (...) Das Maß des Engagements für eine politische Richtung oder Partei hing jedoch im wesentlichen von den Redakteuren ab. (...) So läßt sich an einer Reihe von Zeitungen zeigen, daß es die dort tätigen Redakteure waren, die den seitens der Verleger ursprünglich erhobenen Unparteilichkeitsanspruch hinter eine offene politische Parteinahme zurück-

[45] Vgl. Lee (1978, S. 128), Koss (1981, S. 21f., 424), Koss (1984, S. 3).
[46] Emil Dovifat: Auswüchse der Sensationsberichterstattung, Stuttgart 1930, S. 5f.; hier zit.n. Koszyk (1966, S. 274f.).

drängten“ (Requate 1995, S. 373, 375, 380). Als Motiv für die Politisierungsbestrebungen der deutschen Redakteure sieht Requate die lange Zensurerfahrung. In der zweiten Hälfte des 19. Jahrhunderts – nachdem das Gesetz betreffend die Grundrechte des deutschen Volkes (1848) mit seiner umfassenden Garantie der Pressefreiheit verabschiedet war – habe sich bei vielen Journalisten ein „Nachholbedürfnis“ entwickelt, endlich ihre Überzeugungen frei auszudrücken. „Die Verbreitung von Gesinnung wurde zum zentralen Anliegen ihrer Tätigkeit und zu einer Art Berufsethos“, schreibt Requate (1995, S. 270). Sie empfanden den von den Verlegern geforderten Unparteilichkeitsanspruch als ärgerliche Einschränkung ihrer Arbeit (ebd., S. 289). Dagegen sahen sie es als Befreiung an, nach der langen Phase restriktiver Pressekontrolle nun die eigenen Anschauungen nicht mehr zurückhalten zu müssen. Daher, so Requates Fazit, lag den deutschen Journalisten bis in die Weimarer Republik die loyale Unterstützung einer Partei oder Ideologie näher als die Stärkung und Etablierung der Presse als eigenständige Institution, als unabhängiger „Fourth Estate“ (ebd. S. 405).

Diese empirischen Befunde Requates stimmen mit frühen Einschätzungen von Emil Dovifat überein. In Deutschland, so schrieb Dovifat (1927, S. 212), sei „bis heute noch die Gesinnungszeitung, die sich auf ein ganz bestimmtes geistiges Programm festlegt, für dieses Programm wirbt und kämpft“, charakteristisch. Die politisch farblosen Generalanzeiger hätten sich zwar bemüht, von den amerikanischen Massenblättern zu lernen, sich allerdings nicht behaupten können. Dovifat (1927, S. 213) weiter: „Die überwiegende Mehrheit aller Generalanzeiger hat eine politische Grundrichtung angenommen, die meist auch kämpfend verfochten wird. Die dem amerikanischen Typ äußerlich am nächsten stehenden Berliner Spätabendblätter haben sogar eine ganz ausgeprägte politische Farbe. Es scheint also, daß der Deutsche den Meinungsstreit auch dann nicht läßt, wenn ihm die Nachricht noch so grell entgegenleuchtet.“ Dovifat wollte dies jedoch nicht als Kritik am deutschen Journalismus verstanden wissen, denn für ihn stand die „Gesinnungsarbeit“ deutlich über der „rein nachrichtentechnische[n] Arbeit wie in Amerika“. Das Berufsideal in Deutschland sei „nicht der rasende Reporter (…) sondern der führende Publizist“ (ebd., S. 213). Dovifat hielt damals eine Übernahme angelsächsicher Prinzipien weder für wünschenswert, noch für wahrscheinlich, denn: „Die Freude des Deutschen am Meinungskampfe und damit an der Geistigkeit der Zeitung ist viel zu vertieft, als daß sie bleibend umschlagen könnte in ein leeres Nachrichtenbedürfnis“ (ebd., S. 214). Er forderte von den deutschen Journalisten Sendungsbewußtsein, Wille zu öffentlicher Wirkung und Meinungsführung. Sein Presseideal war eine Art Gesinnungsdemokratie, in der hart aber fair mit publizistischen Waffen gekämpft wird. Das sah er als typisch für das deutsche Geistesleben an, während er die für den angelsächsischen Journalismus typischen ökonomischen Einflüsse auf das Presseprodukt als im Grunde „wesensfremd für die deutsche Publizistik“ ansah (vgl. Hachmeister 1987, S. 88–115). Auch Koszyk (1966, S. 24) unterstreicht diese besondere deutsche Tradition: „Der bewußte Wille, Meinung zu machen, ist seit Görres [Gründer des *Rheinischen Merkurs* 1814] nicht mehr aus der deutschen Publizistik wegzudenken. Die großen deutschen Publizisten sind niemals nur Reporter von Fakten oder farblose Informanten gewesen, sondern stets zugleich Bekenner einer Weltanschauung.“

Während der Weimarer Republik spitzten sich die politischen Verhältnisse in Deutschland dramatisch zu.[47] Die Notverordnungen der Regierung „zur Wiederherstellung der öffentlichen Ordnung“ waren eine Reaktion auf die zunehmende Radikalisierung der Gesellschaft, die auch in der Presse ihren Niederschlag fand. Nationalsozialistische, kommunistische und deutschnationale Organe führten einen erbitterten Kampf gegen die Republik, ihre Institutionen und führenden Repräsentanten, wobei Beleidigungen, Verleumdungen und unwahre Darstellungen zu den üblichen publizistischen Methoden gehörten. Journalistisch niveauvolle Blätter wie die *Frankfurter Zeitung*, *Vossische Zeitung* oder das *Berliner Tageblatt* hatten eine viel zu geringe Auflage, um den demokratiefeindlichen Tendenzen wirkungsvoll begegnen zu können. Ab Hitlers Machtergreifung war dann der Beruf des Journalisten nicht mehr derselbe wie vor 1933, genaugenommen existierte er nicht mehr. Der rigorose Anspruch des NS-Regimes auf totale Kontrolle der öffentlichen Meinung ließ keinen Raum mehr für kritische Berichterstattung.[48] Bereits 1935 auf dem Reichspressetag in Köln sah Propagandaminister Joseph Goebbels sein Ziel erreicht. Der Presse „unter national-

[47] Die im Reichspressegesetz von 1874 gewährte Pressefreiheit galt in der Weimarer Republik nur noch sehr eingeschränkt; der 1921 als Reaktion auf wiederholte Umsturzversuche von rechts verhängte Ausnahmezustand wurde nur noch für jeweils kurze Perioden aufgehoben. Vgl. Wilke & Noelle-Neumann (1994, S. 439f.) und Koszyk (1972, S. 338f., 448–453).

[48] Neben erzwungener Gleichschaltung gab es unter Deutschlands Journalisten allerdings auch freiwillige Selbstanpassung, Opportunismus, begeistertes Mitmachen – ebenso wie bewußte Distanzierung und „Widerstand zwischen den Zeilen“; vgl. Frei & Schmitz (1989, S. 7f.), Köpf (1995, S. 13–22).

sozialistischer Führung" bescheinigte er eine „vorbildliche Disziplin".[49] Die deutsche Presse war dem Staat untergeordnet.

2.4 Grundlagen des Objektivitätsverständnisses

Objektivität als abstraktes philosophisches Ideal ist im angelsächsischen Journalismus ebensowenig realisierbar oder überprüfbar wie im deutschen. „Eben darum", so Erbring (1988, S. 77), „haben sich dort in der Praxis, ganz im Einklang mit einer eher pragmatischen Kulturtradition, eine Reihe von prozeduralen Hilfsregeln entwikkelt, die das substantielle Ideal von seinem unverbindlich-abstrakten Podest in die Niederungen des konkreten journalistischen Alltags herunterholen und in praktische Arbeitsrichtlinien umsetzen."

Zu diesen praktischen Arbeitsrichtlinien gehören nach Erbring das Prinzip der Fairneß und das Prinzip der Trennung von Nachricht und Meinung. Das Prinzip der Fairneß („fair play") spielt nicht nur in den britischen Medien, sondern in allen Bereichen der britischen Gesellschaft eine zentrale Rolle. Es verkörpert idealtypisch das Prinzip des Gerichtsverfahrens, in dem alle Parteien und alle Gesichtspunkte Gehör finden sollen. Der Richter ist nur der Schiedsrichter, der über die Einhaltung der Spielregeln wacht und zwischen den Konfliktparteien Kompromisse ermöglichen soll. Es ist nicht, wie beim deutschen Richter, seine Hauptaufgabe, die Wahrheit zu finden (Münch 1986, S. 206 f.). Auch von der deutschen Auffassung der Gleichheit und Gerechtigkeit setzt sich der englische Fairneß-Gedanke ab. Englische Fairneß sucht nicht in einem übergeordneten, allgemeingültigen Standpunkt die Lösung des Problems, sondern in der geregelten Repräsentation verschiedener partikularer Positionen (Münch 1986, S. 246). Im Medienbereich hat sich dieses Prinzip am anschaulichsten im öffentlich-rechtlichen Rundfunk (BBC) niedergeschlagen, den die Briten nach 1945 auch in Deutschland durchsetzten.

Das zweite Prinzip, die Trennung von Nachricht und Meinung, definiert Klaus Schönbach in seinem gleichnamigen Buch (1977, S. 177) mit den Worten: „Aus den angelsächsischen Ländern 1945 nach Westdeutschland importierte journalistische Norm: Nachrichten sollen meinungsfrei und ohne Bewertung formuliert werden." Diese Norm geht auf den Herausgeber des *Manchester Guardian*, C. P. Scott, zurück, der den Ausspruch prägte: „Comment is free

[49] Goebbels Rede ist abgedruckt in *Deutsche Presse* 48/1935, S. 1; hier zit. n. Köpf (1995, S. 21).

but facts are sacred."[50] Bei dieser von Scott geprägten Regel geht es keineswegs um eine bloß räumliche Trennung von Nachrichten und Kommentaren in der Zeitung. Es geht vielmehr um eine klare *inhaltliche* und *personelle* Trennung von Nachricht und Meinung bzw. Nachrichtenredaktion (news department) und Meinungsredaktion (editorial department). Die Tatsache, daß dies im deutschen Journalismus weniger üblich ist als in den angelsächsischen Ländern, wird in den Kapiteln 11 und 12 ausführlich beschrieben und analysiert.

Seltsamerweise gibt es in Großbritannien kaum kommunikationswissenschaftliche Literatur zum Themenkomplex Objektivität und Einseitigkeit.[51] Brian McNair (1996) hat sich jedoch kürzlich in seinem Buch *News and journalism in the UK* mit dem Objektivitätskonzept beschäftigt. Es beruhe auf der Prämisse, daß man „den Behauptungen einer Person über die Welt dann vertrauen kann, wenn sie bestimmten Erkenntnisregeln unterworfen wurden, die innerhalb einer Profession als gesichert gelten".[52] Die zentrale Annahme des Objektivitätskonzepts lautet, so McNair weiter, daß Fakten Behauptungen über die Welt sind, die man unabhängig und selbständig überprüfen kann und die auch jenseits des verzerrenden Einflusses individueller Wahrnehmung existieren. Werte und Wertungen seien dagegen bewußte oder unbewußte Wunschvorstellungen darüber, wie die Welt sein sollte. Der Glaube an Objektivität bedeute „ein Vertrauen in Fakten, ein Mißtrauen in Werte und die Verpflichtung, beides voneinander zu trennen".[53] McNair nennt

[50] Scott übernahm 1872 im Alter von 25 Jahren den Chefredakteursposten des *Guardian*, um dann im Laufe seiner 57jährigen Amtszeit aus dem Lokalblatt eine angesehene linksliberale Qualitätszeitung zu machen. Zum hundertjährigen Bestehen des Blattes schrieb er am 5. Mai 1921 in einem Leitartikel die legendären Worte: „Ihre Hauptaufgabe [der Zeitung] ist das Sammeln von Nachrichten. Unter allen Umständen muß sie darauf achten, daß das Angebot makellos ist. Weder bei dem, was sie berichtet, noch bei dem, wie sie nicht berichtet, noch bei der Art der Aufmachung darf sie das Bild der reinen Wahrheit verfälschen. Das Kommentieren ist frei, aber die Fakten sind heilig …" („Its primary office is the gathering of news. At the peril of its soul it must see that the supply is not tainted. Neither in what it gives, nor in what it does not give, nor in the mode of presentation, must the unclouded face of truth suffer wrong. Comment is free but facts are sacred"; vgl. Elliot 1978a, S. 183 u. Hetherington 1985, S. 25).

[51] Siehe aber aus marxistischer Perspektive die Arbeiten der Glasgow University Media Group (1976, 1980, 1987, 1993), die den Medien vorwerfen, in ihrer Berichterstattung nur die Werte der besitzenden und herrschenden Klasse zu vermitteln und damit den gesellschaftspolitischen Status quo zu stützen.

[52] McNair beruft sich in seiner Darstellung des angelsächsischen Objektivitätsideals maßgeblich auf die Werke von Schudson (1978) und Schiller (1981). Zum Zitat siehe McNair (1996, S. 25) bzw. Schudson (1978, S. 7, 9).

[53] Schudson (1978, S. 6), zit. n. McNair (1996, S. 25).

drei Faktoren, die für die Herausbildung des Objektivitätsideals in der angelsächsischen Welt maßgeblich waren. Der erste Faktor ist die Entwicklung des Telegraphenwesens und der Nachrichtenagenturen, die ein ideologisch neutrales, rein faktenorientiertes Informationsangebot liefern mußten, um für einen großen, heterogenen und möglichst wachsenden Kundenstamm akzeptabel zu sein. Dies war bei dem 1849 in Berlin gegründete Wolff'schen Telegraphischen Bureau allerdings weniger der Fall als bei der amerikanischen AP (1848 gegründet) oder der englischen Agentur Reuters (1851). Das WTB kam bereits 1865 unter Regierungseinfluß und galt seitdem als offiziöse Institution, dessen Nachrichtenangebot dem seiner englischen und amerikanischen Konkurrenten an Qualität weit unterlegen war. Ende 1933 wurde es mit Deutschlands zweiter Nachrichtenagentur, der zum rechtsextremen Hugenberg-Imperium gehörenden Telegraphen-Union, vereinigt. Ergebnis der Zwangsfusion war das von Goebbels' Propagandaministerium kontrollierte Deutsche Nachrichtenbüro DNB (vgl. Basse 1991).

McNairs zweiter Faktor ist die in Großbritannien und den USA viel früher entstandene Massenpresse. Dieser marktorientierte Journalismus förderte das Rollenbild des unparteiischen Beobachters, der es dem Leser selbst überläßt, sich eine Meinung zu bilden. Wie eng dieser neu entstehende Journalismus mit der Objektivitätsnorm verknüpft war, illustriert folgende Rollenbeschreibung des „reporter“ aus dem Jahr 1855: „Ein Reporter sollte sich, trotz aller redaktionellen Vorschläge und Vorgaben, auf die rein mechanische Wiedergabe beschränken. Er sollte keinen Herrn kennen, sondern nur seine Pflicht – und die lautet, die präzise Wahrheit zu liefern. Falls er diesen Kurs verläßt, fügt er damit nicht nur sich selbst eine Verletzung zu, sondern auch seinem Berufsstand und dem Publikationsorgan, für das er arbeitet.“[54] In der zweiten Hälfte des 19. Jahrhunderts wurden – zuerst in den USA, dann in Großbritannien – die Trennung von Nachricht und Meinung und die faktenorientierten W-Fragen „wer, was, wie, wann, wo“ zu festen Grundregeln des

[54] „A reporter should be as a mere machine to repeat, in spite of editorial suggestion or dictation. He should know no master but his duty, and that is to give the exact truth. (…) If he departs from his course, he inflicts an injury on himself, on his profession, and on the journal which employs him.“ Das Zitat entstammt der Biographie von James Gordon Bennett, dem Gründer und Herausgeber des *New York Herald*, der mit diesem „penny paper“ der *New York Sun* von Benjamin Day Konkurrenz machte. Vgl. Isaac C. Pray: *Memoirs of James Gordon Bennett and His Times*, New York: Stringer and Townsend (1855, S. 472); hier zit. n. Schiller (1981, S. 89).

Journalismus.[55] Daß die Entwicklung der deutschen Massenpresse in Deutschland nach anderen Prämissen verlief, zeigte Kapitel 2.3.

Als dritten Faktor nennt McNair (1994, S. 26) den Realismus, der seinen Ursprung einerseits in der Erfindung der Fotographie[56], andererseits in der Erkenntnistheorie des Positivismus hatte, der im 19. Jahrhundert die Natur- und Geisteswissenschaften Englands und der USA durchdrang. Der Glaube an Rationalität, Realismus und Empirismus hat in der angelsächsischen Welt die Überzeugung einer objektiv erfahrbaren und beschreibbaren Welt gefördert.

Während für England die empirisch-sensualistisch geprägte Denkungsart seit jeher bestimmend war, steht Deutschland eher in der Tradition der idealistisch-theoretischen Denkweise.[57] Die englischen Empiriker Bacon, Locke, Hume, Hobbes und Bentham akzeptierten nur solche Erkennntis, die durch Erfahrung und Sinneswahrnehmung gewonnen wurde. Für Kant hingegen war der Mensch nicht nur ein Naturwesen, wie es die Empiriker und Naturalisten behaupteten, sondern auch ein Vernunft- und Geistwesen. Auf dem Boden der Kantschen Kritik entstand der „deutsche Idealismus“: Fichte, Schelling und Hegel knüpften an Kants Entdeckung der schöpferischen Kraft des Geistes an, gingen jedoch weit über die Grenzen der Vernunft hinaus, die Kant noch zu ziehen bemüht war. Vor allem mit Hegel erreichte das „spekulative Denken“ in Deutschland seinen Höhepunkt (vgl. Wuchtel 1986, S. 139–162). Inzwischen galten die Engländer den Deutschen als „erbärmliche Empiriker“ (Gelfert 1995, S. 151). Zum Schlüsselbegriff des „spekulativen Denkens“ wurde die Dialektik, was zunächst nur ein anderes Wort für Spekulation war, bevor Hegel daraus einen Begriff für die innere Struktur des Denkens machte. Mit der Dialektik, so Gelfert, koppelten die Deutschen das Denken von der empirischen Wirklichkeitserfahrung ab und verwandelten es in ein Reich grenzenloser Freiheit. Die ideologischen Gründe dieser Flucht sind nach Gelfert leicht erkennbar: Das vom Absolutismus geknebelte, danach von Napoleon besetzte und dann von Preußen und Metter-

[55] Vgl. hierzu auch Bentele (1982, S. 114–119), Bentele (1988, S. 199–205).

[56] Die Erfindung der Fotographie mit ihrem hohen Authentizitätsgehalt und ihrer (scheinbar) exakten Wiedergabe der Realität nahm einen so tiefgreifenden Einfluß auf das journalistische Selbstverständnis, daß viele Zeitungen in den vierziger und fünfziger Jahren des 19. Jahrhunderts plötzlich den Anspruch formulierten, die Welt spiegelbildlich abzubilden und den Lesern „a daily ‚photograph‘ of national life“ zu liefern; vgl. Schiller (1979, S. 49) und Schiller (1981, S. 88–95).

[57] Vgl. Hirschberger (1981), Wuchtel (1986), Dunn, Urmson & Ayer (1992), Störig (1997).

nich in das Korsett der Restauration geschnürte Deutschland hatte kein anderes Reich der Freiheit als eben das des Geistes. Und das blieb so, mit der kurzen Unterbrechung durch die Weimarer Republik, bis zum Ende des Zweiten Weltkrieges.[58]

Auf freiheitliche Staaten wie Großbritannien oder die USA wirkten solche Theoriegebäude fremd. Für sie war nach Gelfert klar, daß sich der geschichtliche Entwicklungsprozeß nicht im „Willen des Weltgeistes“ (Hegel), sondern direkt erfahrbar im Parlament und in der freien Marktwirtschaft ausdrückt, während alles übrige (nicht-politische und nicht-ökonomische) kausal nach Naturgesetzen abläuft. In England, so ließe sich folgern, ist durch diesen starken Bezug zum „common sense“ ein Journalismus mit einer eher unhinterfragten Objektivitätsvorstellung gefördert worden, der sich am Ideal der neutralen Vermittlung der Wahrheit orientierte. Dagegen hat der deutsche Journalismus traditionell eher den Akzent auf engagiert vorgetragene Meinungen gelegt, der sich im Einzelfall nicht so sehr an der empirisch erkennbaren Welt, sondern an der dahinter liegenden Wirklichkeit orientiert. In England, so folgert beispielweise Hans Wagner (1989, S. 49 f.), entwickelte sich das Journalismusideal des Aufklärers, der auf die Information setzt und dafür alle entscheidenden Fakten liefert, in Deutschland dagegen ein Journalismusideal, das „die Fakten einer allgemeinen Aufklärungsidee unterwirft und die Informationen dafür passend zurechtschleift.“

Eng verbunden mit der Geistesströmung des Empirismus ist der vierte Faktor, der die Entwicklung einer an Objektivität orientierten Journalismuskultur in Deutschland verhindert oder zumindest erschwert hat. Dies hat unter anderem Stanley Rothman herausgearbeitet, indem er den Blick auf die politische Kultur in Großbritannien, Deutschland und den USA lenkte. In den USA habe ein breiter Wertekonsensus unter den Gesellschaftsmitgliedern das Entstehen einer einheitlichen, nicht weiter hinterfragten Weltsicht gefördert. Liberalismus (als demokratische Staatsform) und Kapi-

[58] Siehe zustimmend auch Kielinger (1997, S. 74 ff., 241 ff.). Die Mentalitätsunterschiede zwischen beiden Ländern gehen wesentlich auf den Zeitpunkt der Aufklärung zurück: In England waren die großen, freiheitsstiftenden Umwälzungen in Politik und Gesellschaft der Aufklärung *vorausgegangen*. Entsprechend waren die Philosophen Empiriker, die einen Zustand beschrieben, wie sie ihn vorfanden. In Deutschland kam die politische Befreiung erst *nach* der Aufklärung und so entwickelte sich das Denken in eine andere Richtung: zum Spekulativen, Geistigen. Jemand fragte Hegel: „Was ist denn nun, wenn Ihre Theorien nicht mit der Wirklichkeit übereinstimmen?“ Darauf Hegel: „Um so schlimmer für die Wirklichkeit.“

talismus (als Wirtschaftsform) wurden universell anerkannt; größere links- oder rechtsextreme Gruppen konnten sich in den USA nicht etablieren. Es entstand eine individualistische Gesellschaft, die Parteigründungen ideologischer Gruppen keine Chance gab. Dieser allgemeine Wertekonsens hat es zur Selbstverständlichkeit werden lassen, daß es nur *eine* Welt und *eine* Sicht der Dinge gibt, die man unvoreingenommen beschreiben und journalistisch objektiv wiedergeben kann. Die angelsächsischen Journalisten des 19. und frühen 20. Jahrhunderts haben sich nach Rothman (1992, S. 40) keine Gedanken über die Subjektivität der persönlichen Wahrnehmung gemacht, „the facts were merely the facts“. Ganz in diesem Sinne stellt auch Tunstall (1983, S. 6) fest: „We simply tell the truth. That is the British tradition.“ In Kontinental-Europa sei man sich dagegen immer des subjektiven Einflusses bei der Wahrnehmung und Beschreibung von Wirklichkeit bewußt gewesen.[59]

Wie Rothman haben viele Autoren betont, daß Großbritannien – noch mehr als die USA – eine vom Kompromiß gekennzeichnete Gesellschaft ist.[60] Eine die Grundnormen der Gemeinschaft in Frage stellende Opposition hat es in der Geschichte Großbritanniens nicht gegeben. Kaum eine Gesellschaft ist so stark von Kontinuitätsbewußtsein, Traditionsbejahung und Bemühen um Konsens gekennzeichnet wie die englische; revolutionäre Ideen haben in Englands Kultur keinen fruchtbaren Boden gefunden. Der vor den Nazis nach London geflohene Karl Popper nahm England als das liberale Gegenmodell zu Deutschland wahr, das seine Grundkonflikte früher als andere europäische Staaten gelöst hat. Was die englische Geschichte seit dem ausgehenden 17. Jahrhundert unterscheidet und auszeichnet, ist die Absage an Ideologien und totalitäre Utopien. Die spezifische Leistung der englischen politischen Kultur liegt in der Fähigkeit, Kompromisse zu schließen und in dem Verzicht auf Freund-Feind-Schablonen. Ralf Dahrendorf, der deutsche Soziologe mit britischem Paß, sieht in der „Tatsache, daß Großbritannien im wesentlichen einig geht mit seiner Geschichte“, eine „seiner grundlegenden Stärken“. Der „Preis der Stunde Null“, wie sie im Bewußtsein der Deutschen existiert, sei „zu hoch“. Dem gegenüber sei der Segen historischer Kontinuität vorzuziehen.[61] Über die Bedeutung des Konsenses schreibt der Soziologe Richard

[59] Vgl. Rothman (1979, S. 349f.), Rothman (1992, S. 38–40), auch Schudson (1978, S. 3–11) und Schiller (1981, S. 76–95).

[60] Vgl. stellvertretend Münch (1986, 181–251), Niedhart (1992), Gelfert (1995, S. 53–56).

[61] So Dahrendorf im Januar 1977 in einem Interview mit der *Financial Times*, hier zit. n. Niedhart (1992, S. 28).

Münch (1986, S. 203): „Die Bereitschaft zur Kompromißbildung ist den Engländern heiliger als irgendeine besondere Idee. Konflikte werden nicht ideologisiert, sondern auf der Ebene von unterschiedlichen Standpunkten und Interessen ausgefochten. (…) Der faire Kompromiß wird gesucht, nicht die gewaltsame Durchsetzung der eigenen Vorstellungen."[62] Die große Bedeutung von Konsens und Kompromißbereitschaft fand im Sport ihren Niederschlag in der „fair play"-Maxime und im Journalismus in der „balance"-Maxime.

Auf einen fünften, für die Herausbildung des Objektivitätsideals in Großbritannien scheinbar nebensächlichen Faktor, weist Anthony Smith (1978) hin: die Erfindung der Stenographie. Stenographie („shorthand") sei die erste berufsspezifische Technik des Journalismus gewesen, die die Tätigkeit des Berichtens in eine Art Wissenschaft verwandelt habe. Sie habe wesentlich dazu beigetragen, daß sich der Reporter als eigenständiges Berufsbild etablieren konnte und gab ihm zugleich „eine Aura der Neutralität". Erfunden 1750 und festes Reporterhandwerk seit etwa 1840, erlaubte die Kurzschrift dem Reporter, die Realität vollständiger und verläßlicher wiederzugeben. Smith (1978, S. 161) schreibt: „Ein Reporter, der Stenographie vollständig beherrschte, schien eine beinahe überirdische Macht erworben zu haben. (…) Indem er dem Leser die wortwörtliche Wiedergabe des Gesagten präsentierte, schien es, als böte seine Berichterstattung ein wirklichkeitsgetreues Spiegelbild der Realität."[63] Nach Smith (1978, S. 162) bedeutete die Technik der Stenographie eine Verschmelzung von Journalismus und exakter Naturwissenschaft. In den Händen des Reporters sei sie ein Instrument gewesen, das ihm erlaubte, „den Status eines Physikers oder Philosophen anzustreben". Stenographie ist heute noch im Curriculum des *National Council for the Training of Journalists* enthalten[64] und wird in journalistischen Ausbildungsstätten gelehrt[65], obwohl

[62] Das änderte sich durch die Politikphilosophie Margaret Thatchers. Ihr Regierungsstil brach bewußt mit dem Nachkriegs-Konsens in der britischen Gesellschaft. Pragmatismus und Mäßigung, die für Großbritanniens politische Kultur lange als charakterisch bezeichnet wurden, wichen in den achtziger Jahren einer verstärkten Ideologisierung. Darum ist Thatchers Stil auch als unbritisch bezeichnet worden.

[63] „A fully competent shorthand reporter seemed to have acquired an almost supernatural power. (…) By presenting the reader with the ipsissima verba of speech, it seemed at first that reporting was capable of providing a true mirror of reality."

[64] Der *National Council for the Training of Journalists* (NCTJ) ist der für die Journalistenausbildung in Großbritannien zuständige Zentralverband (s. Kapitel 9).

[65] So ist beispielsweise am Centre for Journalism an der City University London

wir im Zeitalter der Aufnahmerekorder, Pressemappen und vorab verteilten Redemanuskripte leben. Von deutschen Journalisten sind Stenographiekenntnisse nie verlangt worden.

2.5 Zusammenfassung und Fazit

Die wesentlichen Traditionslinien der deutschen Presse bis 1945 waren ihre lange Unfreiheit und die große Neigung zur Gesinnungspublizistik. So charakteristisch diese beiden Aspekte für den deutschen Journalismus waren, so sehr wichen sie vom angelsächsischen Ideal ab. Für die mangelnde Unabhängigkeit der Presse vom Staat und die ausgeprägte Meinungslastigkeit wurden zwölf Einzelfaktoren identifiziert (s. Schaubild 2, Kapitel 2.1), die hier einmal zusammengeführt werden sollen. Im Vergleich zu England war Deutschland in mehrfacher Hinsicht eine verspätete Nation – sowohl was die Entwicklung des Parlamentarismus, als auch die Gewährleistung der Pressefreiheit angeht. So setzte der Kampf für Pressefreiheit in Deutschland erst 130 Jahre später ein als in England (1770ff. gegenüber 1644), die Zensur wurde erst 150 Jahre später aufgehoben (1848 gegenüber 1695). Politische Freiheiten waren in Deutschland aufgrund der absolutistischen Regierungsform generell schwerer durchzusetzen als in England und erlebten immer wieder herbe Rückschläge (z. B. die Karlsbader Beschlüsse und Bismarcks Versuche der Presselenkung). Als die britische Presse bereits von der Regierung als eigenständige Kraft anerkannt und hofiert wurde, wurde die deutsche zensiert und verfolgt.

Nachdem im englischen Parlament auch die letzten Instrumente staatlicher Einflußnahme („taxes on knowledge") beseitigt wurden, konnte sich die englische Presse frei und orientiert an den Interessen ihrer Leser entwickeln. Dies verhinderte in Deutschland nicht nur der geringere Grad politischer und journalistischer Freiheit, sondern auch die weit verbreitete Ablehnung einer konsequenten Verkaufsorientierung der Presse. Dies wiederum führte dazu, daß die deutschen Zeitungen die zur Unabhängigkeit notwendige finanzielle Eigenständigkeit schwerer erreichten. Allerdings war das Bedürfnis nach Unabhängigkeit von politischen Institutionen in der deutschen Presse generell geringer ausgeprägt. Während sich englische Zeitungen seit etwa 1850 zunehmend als ein von parteipoliti-

der Stenographie-Kurs nicht nur weiterhin Pflichtveranstaltung, sondern es sind im Rahmen der Abschlußprüfung sogar Geldpreise ausgesetzt: £ 50 für 80 Wörter pro Minute, £ 100 für 100 Wörter pro Minute.

schen und staatlichen Einflüssen freier „Fourth Estate" begriffen, überwog bei den meisten deutschen Journalisten das Bedürfnis nach Gesinnungstreue und Parteiloyalität. Die deutschen Redakteure empfanden den von ihren Verlegern geforderten Unabhängigkeitsanspruch als ärgerliche Einschränkung ihrer Arbeit (Requate 1995). Dies trug dazu bei, daß die Bedeutung der Parteipresse in Deutschland nach der Jahrhundertwende immer weiter zunahm, während sie in England drastisch abnahm. Die nationalsozialistische Machtergreifung hatte schließlich eine – teils erzwungene, teils freiwillige – vollständige Unterordnung der deutschen Presse zur Folge.

Aber die unterschiedlichen journalistischen Traditionen in Großbritannien beruhten nicht nur auf verschiedenen gesellschaftspolitischen Rahmenbedingungen, sondern auch auf weltanschaulich-kulturellen. Letztere bedingten ein unterschiedliches Objektivitätsverständnis in beiden Ländern. In England führten die positivistisch-empirische Denkungsart, die kompromißsuchende und ideologieablehnende Mentalität und der daraus resultierende breite Wertkonsens in der Gesellschaft zu der Überzeugung, daß es nur *eine* Welt und *eine* Sicht der Dinge gibt, die man unvoreingenommen beschreiben und journalistisch objektiv wiedergeben kann („We simply tell the truth. That is the British tradition"). In Deutschland haben Idealismus, Ideologieanfälligkeit und gesellschaftliche Diskontinuität die Herausbildung eines solchen Objektivitätsverständnisses erschwert. Aufgrund des traditionell geringeren Stellenwerts der Nachricht im deutschen Journalismus haben sich auch verschiedene professionelle Grundwerte kaum etablieren können: das Fairneß-Gebot, das Gebot der Trennung von Tatsachen und Meinungen sowie spezifische Reportertechniken zur wirklichkeitsgetreuen Wiedergabe (Stenographie).

Es ist jedoch vor einer Idealisierung des englischen Journalismus zu warnen. Die britische Pressegeschichtsschreibung ist von vielen Mythen geprägt (Tunstall 1983, S. 1). So stand der von englischen Zeitungen früh erhobene Anspruch, ein vom Staat unabhängiger „Fourth Estate" zu sein, im Widerspruch zu den lang andauernden, engen Verschränkungen zwischen politischer Presse und Parteien. Erst die neuere Forschung konnte das etwas idealisierte Image der britischen Presse korrigieren. Obwohl die Presse fast das gesamte 19. Jahrhundert hindurch nicht frei von parteipolitischen Einflüssen war, errang sie jedoch in der Öffentlichkeit hohes Ansehen und einen Stellenwert im politischen System, der es ihr erlaubte, sich selbstbewußt von regierungsamtlicher Repression zu lösen. Das hohe Ansehen verdankte sie der Tatsache, daß sie den Erwartungen an ihre Rolle voll entsprach und die Funktionen eines „Fourth Estate“ erfüllte.[66] Mythos und Realität vermischten sich unentwirrbar.

Auch die Pressebarone wurden Gegenstand der Vermischung von „fact“ und „fiction“. Dem Mythos nach handelte es sich um selbstherrliche Verlegermagnaten, die ihre Journalisten tyrannisierten und ihre publizistische Macht für persönliche politische Feldzüge mißbrauchten. Dies entspricht nach neueren Erkenntnissen nicht der Realität. Aus pragmatischer Sichtweise erscheint dies jedoch nicht schwerwiegend, denn beide Mythen erfüllten die gewünschte Funktion: Erst aus dem Mythos von der angeblichen Unabhängigkeit resultierte eine Stärke, die der Presse das Erreichen ihrer tatsächlichen Unabhängigkeit ermöglichte. Erst aus dem Mythos von der angeblichen Manipulation der öffentlichen Meinung durch die Pressebarone erwuchs eine Debatte über Pressekonzentration und Vielfalt, die zur Einrichtung mehrerer Untersuchungskommissionen führte und die Aufmerksamkeit für diese Probleme wachhielt (*Royal Commissions on the Press* 1949, 1962, 1977).

Fest steht jedoch, daß den britischen Zeitungen schon sehr viel früher als den deutschen klar war, daß der Erfolg und die Glaubwürdigkeit eines Mediums von der Unparteilichkeit abhängen. Das Bewußtsein für professionelle Werte wie Neutralität, Faktizität und Trennung von Tatsachen und Meinungen war bei angelsächsischen Zeitungen viel früher ausgeprägt. Nach Deutschland kamen sie erst mit den „Care“-Paketen. Dies veranlaßt Chalaby (1996) zu der Aussage, daß Journalismus eine angelsächsische Erfindung ist, wohingegen Länder wie Frankreich und Deutschland ihn erst von den amerikanischen und britischen Pionieren erlernten.

[66] Nämlich politische Maßnahmen zu initiieren, zu kritisieren, die Exekutive zu kontrollieren und als Organ der öffentlichen Meinung zu agieren (so Boyce 1978, S. 27f.). Allerdings war dieser Anspruch eines „Fourth Estate“ keineswegs unumstritten (vgl. Boston 1988).

3. Journalistische Entwicklung seit 1945 in Großbritannien und Deutschland

Im vorliegenden Kapitel soll vor allem die Frage im Mittelpunkt stehen, ob die beiden Hauptkritikpunkte der angelsächsischen Presseoffiziere 1945 – die ausgeprägte Meinungslastigkeit sowie die mangelnde Unabhängigkeit von Staat, Regierung und Parteien – in der gegenwärtigen deutschen Presse noch eine Rolle spielen oder nicht mehr. Dabei wird die Entwicklung des modernen deutschen Journalismus mit der des britischen verglichen. Zunächst wird der aktuelle Stellenwert des Objektivitätsideals (Kapitel 3.1) und anschließend der des Investigativjournalismus in beiden Ländern analysiert (3.2). Nach einem zusammenfassenden Fazit (3.3) werden die wesentlichen Einflußfaktoren der *Gesellschaftssphäre* rekapituliert (3.4).

3.1 Der Stellenwert des Objektivitätsideals

Bei der Frage, ob die Tradition der Meinungspublizistik heute noch eine Rolle spielt, gibt es in der deutschen Kommunikationswissenschaft zwei divergierende Positionen. Köcher (1985, 1986, 1992a, b, c) und Donsbach (1992, 1993a, b, c) vertreten die Position: Ja, es exisistieren weiterhin zwei grundsätzlich verschiedene professionelle Kulturen, die Tradition des deutschen Gesinnungspublizisten ist immer noch lebendig. Dagegen kommen Weischenberg, Löffelholz & Scholl (1994) sowie Schönbach, Stürzebecher & Schneider (1994) zu dem Schluß: Nein, Anfang der neunziger Jahre sind derartige Unterschiede nicht mehr festzustellen, es hat eine Angleichung an den angelsächsischen Journalismus stattgefunden. Gehen wir auf die relevanten Untersuchungen näher ein. In der 1980/81 durchgeführten Befragung von Renate Köcher gaben 450 deutsche und 405 britische Nachrichtenjournalisten übereinstimmend an, daß sie die in der Objektivitätsnorm angestrebte Fähigkeit zu einer genauen, tatsachengetreuen Berichterstattung für „sehr wichtig“ halten (96 und 94 Prozent). Hier zeigten die deutschen Journalisten, daß sie ihre Reeducation-Lektion gelernt haben. Die aufgrund der verschiedenen Traditionen zu erwartenden Unterschiede kamen erst bei einer Nachfrage zum Vorschein: 63 Prozent der deutschen, aber nur 37 Prozent der britischen Journalisten hielten die „Fähigkeit, einen Beitrag so zu schreiben, daß die Leute sehen, wie ein Ereignis zu interpretieren ist", für wichtig. Köcher (1985, S. 112) interpretierte dies als „erste[n] Beleg für die Lebendigkeit der Tradition einer engagierten Meinungspublizistik in der Bundesrepublik". Müller-Schöll & Ruß-Mohl (1994, S. 281) hingegen erklären diese Unterschiede zumindest zum Teil mit der abweichenden Formulierung der deutschen und englischen Fragestellung.[1] In einem dritten Schritt fragte Köcher die Journalisten nach ihrem Verhalten in konkreten Situationen. Hier zeigten sich Unterschiede zwischen den Gruppen nicht nur um zehn oder zwanzig, sondern um dreißig bis vierzig Prozentpunkte.[2] So sahen es nahezu alle deutschen Befragten, aber nur die Hälfte der englischen Befragten (90 gegenüber 53 Prozent) als ihre Aufgabe an, eine „gefährliche Partei" mit journalistischen Mitteln zu bekämpfen. Hierbei wäre in Deutschland jeder zweite, in England dagegen nur jeder fünfte Journalist bereit, sein Urteil in seine Berichterstattung einfließen zu lassen, indem er über eine solche Partei nicht „wie über andere auch" („according to news value") berichtet, sondern in der Berichterstattung „ständig auf ihre Gefährlichkeit hinweist". Es fällt auf, daß dies bei deutschen Journalisten selbst dann gilt, wenn sie sich zum Rollenbild eines „neutralen Berichterstatters" bekennen. Der gleiche Länderunterschied zeigte sich auch bei der Frage, wie man über den Jahreskongreß einer Partei berichten würde, deren Kurs man für gefährlich hält. Englische Journalisten würden zu 70 Prozent neutral berichten und es den „Lesern überlassen, die Gefahr selbst zu erkennen", Deutsche hingegen nur zu 32 Prozent. Viel häufiger als englische Journalisten würden deutsche Journalisten „vor allem die gefährlichen Aspekte schildern und hervorheben", so daß die Leser „klar erkennen, daß ich sie warne" (Deutsche zu 53, Engländer zu 22 Prozent). Aus diesen und anderen Befunden entwickelt Köcher (1985, S. 208) das Bild zweier entgegengesetzter Berufsverständnisse: des am Ideal des Vermittlers orientierten britischen Journalisten, den

[1] Im englischen Fragetext ist nach Ansicht von Müller-Schöll & Ruß-Mohl eindeutig nach der Fähigkeit gefragt, wertend zu schreiben, („The ability to put a point of view in a report or story so that people will see how they should interpret the event"), im deutschen aber von der Fähigkeit, verständlich zu schreiben („Fähigkeit, so zu schreiben, daß die Leute sehen, wie ein Ereignis zu interpretieren ist"). Zudem sei im Englischen von „report", im Deutschen aber von „Beitrag" die Rede, worunter schließlich auch der Kommentar falle.

[2] Vgl. zum folgenden Köcher (1985, S. 114–120).

vor allem die aufregende Tätigkeit des Reporters reizt, und des engagierten, missionarischen deutschen Publizisten, den vor allem die intellektuelle Tätigkeit des Redakteurs reizt.

In der zweiten international vergleichenden Studie von Thomas Patterson und Wolfgang Donsbach wurden 338 deutsche, 216 britische, 292 italienische und 278 amerikanische Nachrichtenjournalisten befragt. Donsbach & Klett (1993) werteten die Fragen zum Objektivitätsverständnis aus. Sie erhielten auf die Frage „Wie wichtig sollte es Ihrer Ansicht nach für Journalisten sein, so objektiv wie möglich zu berichten", ähnliche Ergebnisse wie Köcher zehn Jahre zuvor: Für 81 Prozent der deutschen und 83 Prozent der britischen Journalisten ist es „sehr wichtig". Dieser Befund spricht für eine Angleichung der Traditionen seit 1945. Unterschiede ergaben sich aber bei der Nachfrage, was unter dem Objektivitätsbegriff zu verstehen sei. Den Journalisten wurden fünf Begriffsumschreibungen vorgegeben – bei dreien stimmten Deutsche und Briten gleichermaßen zu, bei den restlichen beiden unterschieden sich die Antworten deutlich.[3] Die Aussage „Gute Nachrichtenberichterstattung gibt in fairer Weise wieder, was jede Seite in einer politischen Auseinandersetzung sagte" war für 31 Prozent der britischen, aber nur für 21 Prozent der deutschen Journalisten die treffendste Objektivitätsbeschreibung von den fünf Vorgaben. Noch deutlicher unterschieden sich die Ansichten bei der Aussage „Gute Nachrichtenberichterstattung geht über die Stellungnahmen von Konfliktparteien hinaus und berichtet über die harten Fakten einer politischen Auseinandersetzung". Das war für 42 Prozent der deutschen, aber nur für 28 Prozent der britischen Journalisten die treffendste Umschreibung des Objektivitätsbegriffs.

Donsbach & Klett interpretieren diese Unterschiede so, daß deutsche Journalisten bei der Suche nach der Wirklichkeit *hinter den Kulissen* gerne ihre persönliche Sichtweise der Realität liefern, während sich die angelsächsischen Journalisten auf die Wiedergabe des *tatsächlich Gesagten* konzentrieren. Diese Interpretation stützen die Autoren auf weitere Auswertungen: Danach stimmten der

[3] Übereinstimmend antworteten die britischen und deutschen Journalisten auf die Frage, inwieweit folgende drei Aussagen ihrem Verständnis des Begriffs Objektivität am nächsten kommen: „Gute Nachrichtenberichterstattung beruht auf einer gleichermaßen gründlichen Überprüfung der Standpunkte beider Seiten in einem Konflikt" (22 bzw. 19 Prozent); „Gute Nachrichtenberichterstattung vermeidet es, daß die eigenen politischen Ansichten des Journalisten die Darstellung des Sachverhaltes beeinflussen" (19 bzw. 17 Prozent); „Gute Nachrichtenberichterstattung macht deutlich, welche Seite in einer politischen Auseinandersetzung den besseren Standpunkt hat" (1 bzw. 1 Prozent).

von den deutschen Journalisten allgemein geschätzten Ansicht „Gute Nachrichtenberichterstattung geht über die Stellungnahmen von Konfliktparteien hinaus …“ in anderen Ländern vor allem diejenigen Journalisten zu, die politisch links stehen, sich Medienunternehmen mit ausgeprägten politischen Linien wünschen und für die Objektivität weniger wichtig ist.[4] Hier zeigen sich – so Donsbach (1993b, S. 310f.) auch an anderer Stelle – die „zwei verschiedenen professionellen Kulturen“ im deutschen und angelsächsischen Journalismus, die sich durch die unterschiedlichen historischen Traditionen erklären ließen. Noch mehr als der britische sei jedoch der amerikanische Journalismus als Antipode des deutschen Journalismus zu verstehen, da dort das Rollenbild des neutralen Vermittlers noch ausgeprägter sei.

In der dritten international vergleichenden Studie aus dem Jahr 1987 wurden nicht Journalisten, sondern Journalistikstudenten aus 22 Ländern befragt (Sparks & Splichal 1989, Splichal & Sparks 1994). Interessante Unterschiede zwischen den befragten 183 deutschen und 96 britischen Journalistikstudenten ergaben sich bei der Frage: „Welches sind Ihrer Ansicht nach die wichtigsten Eigenschaften eines guten Journalisten?“ Während Briten „Genauigkeit“ als erstes und „Objektivität“ als zweites nannten, rangierte „Genauigkeit“ bei den Deutschen nur auf dem vierten und „Objektivität“ auf dem dritten Platz. Dafür maßen die deutschen Journalistikstudenten der „Kritikfähigkeit“ (zweiter Rangplatz) größere Bedeutung bei.[5] Obwohl die britischen Nachwuchsjournalisten sich politisch als viel weiter links einstuften als die deutschen, waren nur 19 Prozent der Meinung, „daß ein Journalist politisch engagiert sein muß“. Von den deutschen Befragten meinten dies 29 Prozent. Auf der Basis dieser Befunde charakterisiert Donsbach (1990a, S. 424) den deutschen Journalistennachwuchs als politisch engagierter und stärker an subjektiven Werten orientiert, wohingegen für angelsächsische Journalistikstudenten (für amerikanische stärker als britische) professionelle Berufsnormen wichtiger seien.

Vor allem die erste dieser drei Studien, die Untersuchung von Köcher (1985), ist hinsichtlich ihrer weitreichenden Interpretationen mehrfach kritisiert worden.[6] Jüngere Untersuchungen kamen

[4] Vgl. im einzelnen Donsbach & Klett (1993, S. 66f., 74, 76).

[5] Die britischen Journalistikstudenten nannten 1. Genauigkeit (73 Prozent), 2. Objektivität (57 Prozent), 3. Allgemeinbildung (41 Prozent) und 4. Kritikfähigkeit (32 Prozent). Die deutschen Journalistikstudenten nannten 1. Allgemeinbildung (64 Prozent), 2. Kritikfähigkeit (54 Prozent), 3. Objektivität (43 Prozent) und 4. Genauigkeit (36 Prozent); vgl. Donsbach (1990a, S. 419).

[6] Vgl. Weischenberg (1989a); Weischenberg, Löffelholz & Scholl (1994a);

zu dem Schluß, daß der von Köcher festgestellte „Missionseifer" im deutschen Journalismus an Bedeutung verloren hat. Dagegen hat das berufliche Selbstverständnis als „neutraler Vermittler" seit Köchers Erhebung 1980/81 an Bedeutung gewonnen. Es muß allerdings betont werden, daß diese jüngeren Journalistenbefragungen von Schönbach, Stürzebecher & Schneider (1994) und von Weischenberg, Löffelholz & Scholl (1994a, 1994b) mit anderen Stichproben und Erhebungsmethoden arbeiteten, und daher nicht ohne weiteres mit Köchers Studie verglichen werden können.[7] Läßt man sich dennoch auf den Vergleich ein, zeigt sich, daß Köchers Thesen nicht vollständig widerlegt werden. So ergab die 1992/93 von Schneider, Schönbach & Stürzebecher durchgeführte Befragung von 983 westdeutschen und 477 ostdeutschen Journalisten, daß für die *ostdeutschen* Journalisten missionarisch-idealistische Ideale immer noch wichtige Anziehungspunkte für den Journalistenberuf sind: Die „Möglichkeit, Mißstände aufzudecken und zu kritisieren", die „Möglichkeit, sich für Werte und Ideale einzusetzen", die „Möglichkeit, meine Überzeugungen vielen anderen mitzuteilen" und die „Möglichkeit, politische Entscheidungen zu beeinflussen" werden von ostdeutschen Journalisten im Durchschnitt um 25 Prozent häufiger genannnt als von ihren Westkollegen. Auch die Untersuchung von Weischenberg, Löffelholz & Scholl (1994a, 1994b), bei der 1498 west- und ostdeutsche Journalisten befragt wurden, kommt zu dem Ergebnis, daß sich Ost-Journalisten wesentlich stärker der advokatorisch-erzieherischen Aufgabe verpflichtet fühlen.[8]

Für die größere Bereitschaft zur Parteilichkeit und die geringere Bereitschaft zur objektiven Vermittlerrolle unter ostdeutschen Journalisten sind zwei Erklärungen denkbar: Entweder hat bei ihnen die historisch gewachsene nationale Eigentümlichkeit des deutschen Gesinnungspublizisten bis heute fortgewirkt oder es handelt sich um das Ergebnis eines 40jährigen Sozialisationsprozesses

Schneider, Schönbach & Stürzebecher (1993a); Schönbach, Stürzebecher & Schneider (1994).

[7] Köcher befragte vornehmlich Journalisten größerer, tagesaktueller Medienorganisationen, darunter viele leitende Redakteure, und nur Angehörige der klassischen Ressorts. Die Interviews waren persönlich (face-to-face). Schönbach et al. und Weischenberg et al. befragten – anders als Köcher – repräsentative Stichproben mit Journalisten aller Medien und aller Ressorts, Schönbach zudem nicht persönlich, sondern telefonisch. Ein direkter Vergleich mit Köchers Studie wird möglich, wenn Weischenberg et al. ihre Stichprobe auf das Niveau von Köcher herunterbrechen.

[8] Vgl. Schneider, Schönbach & Stürzebecher (1993b, S. 368 u. 379); Schneider, Schönbach & Stürzebecher (1994, S. 204–212); Schönbach, Stürzebecher & Schneider (1994, S. 144–151); Weischenberg, Löffelholz & Scholl (1994b, S. 12 f.).

im DDR-Staat, der den Journalisten die Aufgaben der Agitation und Propaganda quasi gesetzlich verordnet hatte.[9] Allerdings ist auffällig, daß es sich bei vielen „missionarisch“ eingestellten Ost-Journalisten um ehemalige West-Journalisten handelt, die nach dem Fall der Mauer zu einem ostdeutschen Medium gegangen sind (vgl. Schneider, Schönbach & Stürzebecher 1993b, S. 368, 380).

Zusammenfassend läßt sich sagen, daß das Objektivitätsideal in Deutschland zwar viel größere Schwierigkeiten hatte, sich durchzusetzen, heute jedoch der Anteil der reinen „Vermittler“ deutlich in der Mehrheit ist. Unter den West-Kollegen schlägt heute nur noch bei den über 50jährigen das alte, parteilich-pädagogische Aufgabenverständnis durch. Unter den Ost-Kollegen fällt auf, daß sie insgesamt etwas weniger neutral informieren und eher ihre eigene Meinung präsentieren wollen. Schönbach, Stürzebecher & Schneider (1994) können in der Gesamtschau ihrer Ergebnisse jedoch „alles in allem“ keine Bestätigung mehr dafür finden, daß der deutsche Journalismus „eingangs der 90er Jahre“ noch missionarisch sei. Donsbach (1993a, 1993b, 1994a) hingegen, der – wie Köcher – vor allem Journalisten tagesaktueller, politischer Nachrichtenmedien befragte und seine Untersuchung – wie Köcher – international vergleichend anlegte, vertritt auf der Basis seiner Befunde die Auffassung, daß die traditionellen Unterschiede zwischen deutschem und angelsächsischem Journalismusideal weiterhin gültig sind.

Wie lassen sich die gegensätzlichen Standpunkte von Donsbach und Köcher auf der einen und Schönbach et al. und Weischenberg et al. auf der anderen Seite erklären? Die Lösung liegt vermutlich darin, daß die Unterschiede zwischen den Ländern nur noch sehr klein sind und es darauf ankommt, wieviel Gewicht man den geringen Abweichungen zumißt (vgl. zum folgenden Patterson & Donsbach 1996). Objektivität und Unparteilichkeit sind heute universal anerkannte Leitmaximen der Journalisten westlicher Länder. Allerdings sind ihre politischen Einstellungen überall leicht ins linke Spektrum verschoben. Auch findet man bei Journalisten aus Deutschland, Großbritannien, den USA, Italien und Schweden durchgehend den Befund, daß die beruflichen Nachrichtenentscheidungen von ihren persönlichen Ansichten beeinflußt werden. Das heißt, obwohl Objektivität als professioneller Leitwert allgemein anerkannt wird, läßt sich überall eine moderate Subjektivität nachweisen. Bei diesem – vermutlich unbewußten – subjektiven Einfluß

[9] Die erste Auffassung vertreten Köcher (1992c, S. 115) und Kepplinger (1992, S. 87), die zweite Auffassung vertreten Scholl (1993, S. 83f.) und Schönbach, Stürzebecher & Schneider (1994, S. 146).

sind die Länderunterschiede sehr gering (dies entspricht der Sichtweise von Schönbach et al. und Weischenberg et al.), aber dennoch identifizierbar (dies betont Donsbach): Bei den deutschen Nachrichtenmedien ist die Parteilichkeit etwas größer als bei den britischen und amerikanischen (vgl. Patterson & Donsbach 1996, S. 465).

3.2 Der Stellenwert des investigativen Journalismus

Weischenberg, Löffelholz & Scholl (1994a, S. 165 f.) schreiben zutreffend, daß es zwar eine „Konvergenz im Journalismus der Demokratien westlichen Typs" gebe, diese aber nicht für alle Bereiche gelte. Unterschiedliche Objektivitätsauffassungen gibt es kaum noch, wie sieht es aber mit dem Verhältnis der Presse zu Staat und Regierung aus? Welche Rolle spielt Machtkontrolle und Recherche im britischen und deutschen Journalismus? Sowohl Großbritannien als auch Deutschland haben den Investigativjournalismus von amerikanischen Vorbildern übernommen, die Engländer allerdings sehr viel früher. Wo liegen die weiteren Unterschiede?

3.2.1 Investigativjournalismus in Großbritannien

Investigativjournalismus ist geprägt von einer aktiven Reporterrolle und einer intensiven Recherchearbeit. Er zielt auf Mißstände im politisch-sozialen, nicht im privat-intimen Bereich ab. Hierin unterscheidet sich der Investigativjournalismus vom unterhaltungsorientierten Sensationsjournalismus, der in Großbritannien „tabloid journalism" genannt wird.[10] Während es in Deutschland weder für den Investigativ- noch für den Sensationsjournalismus eine starke Tradition gibt, entstanden in Großbritannien beide in der Phase des *New Journalism* (1880–1914). Die Pioniere des britischen Investigativjournalismus waren Frederick Greenwood und William Thomas Stead, die beide Chefredakteure der *Pall Mall Gazette* waren. In der zweiten Hälfte des 19. Jahrhunderts rüttelten sie mit ihren aufwendig recherchierten Sozialreportagen aus den Londoner Armenvierteln die englische Öffentlichkeit auf.[11] Der *New Journa-*

[10] Eine ausführliche Begriffsbestimmung des Investigativjournalismus bietet Redelfs (1996, S. 26–52).

[11] Zu den bekanntesten Berichten Greenwoods in der *Pall Mall Gazette* zählen „A night in a workhouse" (1866) und „Baby farming and infanticide" (1868–70). Stead wurde v. a. durch seine Artikelserie „The maiden tribute to modern Babylon" (1885 ff.) berühmt. Um nachzuweisen, daß vermögende Herren der engli-

lism war nicht nur die Geburtsstunde des sozial-politisch motivierten Investigativ-, sondern auch des human-interest-orientierten Sensationsjournalismus. Obwohl beide Gattungen unterschiedliche Zielsetzungen haben (soziale vs. private Enthüllung), sich aber ähnlicher Methoden bedienen (hartnäckige Recherche und rücksichtslose Publikation), wird in Großbritannien bis heute bei vielen Enthüllungen diskutiert, ob es sich um eine legitime investigative Leistung oder eine fragwürdige, voyeuristisch und ökonomisch motivierte Verfehlung handelt (vgl. Leapman 1992; Snoddy 1992). Medienjournalisten stellen seit den achtziger Jahren zunehmend die Frage, ob die klassische Unterscheidung zwischen Qualitäts- und Boulevardpresse angesichts der verwendeten Methoden und Themen überhaupt noch aufrechterhalten werden kann.[12] Trotz jüngerer Grenzverwischungen hält die vorliegende Darstellung an der getrennten Behandlung der Gattungen fest, um den Vergleich mit Deutschland anschaulich zu halten.

Nach 1945 wurde die *Sunday Times* zum Vorbild für investigativen Journalismus in Großbritannien (Doig 1992; Linklater 1993). Sie gründete 1963 ein investigatives Reporter-Team, das unter dem Ressort-Namen „Insight" einen festen Platz im Blatt erhielt und zu großem Ruhm kommen sollte. Die Blütezeit des investigativen Journalismus in Großbritannien begann unter Harold Evans, der 1966 Chefredakteur der liberalen *Sunday Times* wurde. Mit „Insight" wollte er an die engagierten Reportagen über Ausbeutung und soziales Elend der *Pall Mall Gazette* anknüpfen. Evans wollte, wie er mit den Worten seines Vorbildes W. T. Stead sagte, der Presse „die Macht des Argus-Auges zurückgeben".[13] „Zurückgeben" insofern, als daß der Investigativjournalismus zwischen 1945 und 1960 in Großbritannien etwas außer Mode gekommen war, nachdem die Presse während des Zweiten Weltkriegs noch durchaus regierungs-

schen Oberschicht in den Arbeitervierteln minderjährige Mädchen über Zwischenhändler regelrecht kauften, um sie sich als Sex-Sklavinnen zu halten, spielte Stead unter falschem Namen einen solchen Gentleman und kaufte tatsächlich ein 13jähriges Mädchen, freilich abgesichert durch die Zusammenarbeit mit einem Anwalt, einer Ärztin und der Heilsarmee. Wegen einer seiner Enthüllungen kam Stead für drei Monate ins Gefängnis. Vgl. Diamond (1988), Wiener (1988), Boston (1988).

[12] Vgl. Sampson (1996) sowie die Beiträge „Papering over the cracks" von Matthew Engel im *Guardian* vom 3.10.1996 und „Gossip or news: Who can tell" von Michael Leapman im *Independent on Sunday* vom 8.9.1996, die sich beide mit der These Sampsons auseinandersetzen, die Grenze zwischen Qualitäts- und Boulevardpresse habe sich aufgelöst.

[13] Über die geistige Verwandtschaft der Chefredakteure Evans und Stead siehe Boston (1988, S. 97) und Evans (1983, Kap. 1).

kritisch berichtet hatte (Curran & Seaton 1991, S. 70–83). Aufgrund der Papierknappheit sah sich die britische Regierung jedoch gezwungen, zwischen 1940 und 1956 das Zeitungspapier zu rationieren. Die Nachkriegszeitungen waren sehr dünn und Journalisten daran gewöhnt, auf dem geringst möglichen Raum die wichtigsten Nachrichten lebendig und anschaulich zu präsentieren. Dies begünstigte einen eher reaktiven, faktenbezogenen Journalismus nach dem strengen Wer-wo-was-wie-warum-Schema. Diese strukturellen Beschränkungen behinderten den investigativen Journalismus. Erst die *Sunday Times* mit ihren „Insight"-Seiten (erstmals am 17. Februar 1963) sorgte für einen „radikalen Wandel im bislang gängigen journalistischen Ansatz". Sie wurde „mit ihren großen Enthüllungen zu *dem* Rollenvorbild der Zeit" und „setzte den Standard für innovativen, investigativen Journalismus". Nun galten „eine beharrliche Natur, überzeugende Telefonrhetorik und die Fähigkeit, aus offiziellen Dokumenten, Firmenbilanzen und Datenkolonnen die entscheidenden Informationen herauszulesen", als wichtige Charakterzüge eines guten Journalisten.[14] Ein junges Team recherchewilliger Journalisten deckte in der Folgezeit eine Reihe von Mißständen, Unglücksursachen, Affären und Hintergründen auf.

Zu den großen investigativen Erfolgen des „Insight"-Teams der *Sunday Times* gehörte die Aufklärung des Absturzes einer DC 10 am 3. März 1974 mit 346 Toten auf dem Weg von London nach Orly. Eine weitere spektakuläre Enthüllung betraf Doppelagent Kim Philby: Die *Sunday Times* deckte am 30. September 1967 auf, daß Philby 1945 vom britischen Geheimdienst zum Leiter der Anti-Sowjet-Abteilung gemacht wurde, obwohl Hinweise vorlagen, daß Philby seit 1933 Agent der Russen war. Philby tauchte 1963 unter mysteriösen Umständen nach Moskau ab, wo er bis zu seinem Tod 1988 als Generalmajor für den KGB tätig war. Die britische Regierung bemühte sich mit verschiedenen Mitteln, die Blamage unter Verschluß zu halten und die Publikation der *Sunday Times*-Recherchen zu verhindern. Eine dritte Eigenrecherche klärte über die Nebenwirkungen des Schlafmittels Thalidomid, dem Contergan-Wirkstoff, auf. Die *Sunday Times* deckte exklusiv auf, daß die Einnahme

[14] „Insight … represented … a radical shift in the conventional approach to journalism" (Leapman 1992, S. 19); „Insight was *the* role model of the period, with huge investigations …" (Doig 1992, S. 46); „the *Sunday Times* … setting the standard for innovative, investigative journalism in its Insight pages" (Leapman 1992, S. 68); „here was a new heroism [in journalism] in which anybody could take part, given a doggedly persistent nature, a persuasive telephone manner and an ability to extract vital information from documents such as official and company reports and columns of figures" (Leapman 1992, S. 24).

des Medikaments Thalidomid bei Schwangeren schwere Mißbildungen bei mindestens 450 Neugeborenen zur Folge hatte, der Pharma-Hersteller Distillers jedoch nur zur Zahlung lächerlich geringer Schmerzensgeldsummen verpflichtet war. Diese Berichte bewirkten unter anderem, daß der Contempt of Court Act – ein sehr wichtiges Gesetz für die Berichterstattung über Strafverfahren – geändert wurde, weil er gegen Artikel 10 (Meinungsfreiheit) der Europäischen Konvention der Menschenrechte verstieß (s. Kapitel 5.6). Die drei erwähnten Fälle, für die *Sunday Times*-Chefredakteur Harold Evans mehrere Journalistenpreise erhielt, sind in seinem Buch (Evans 1983) ausführlich beschrieben. Der erste Erfolg war dem „Insight"-Reporterteam bereits wenige Wochen nach seiner Gründung mit der Profumo-Affäre im Frühsommer 1963 beschert worden. Während die anderen Zeitungen noch unsicher waren, welche Informationen sie über diesen für die Regierung peinlichen Polit-Sex-Skandal veröffentlichen konnten, brachte die *Sunday Times* eine zweiseitige Gesamtdarstellung mit allen Implikationen. Später wurde daraus das erste von vielen weiteren „Insight"-Büchern: *Scandal '63* (vgl. Leapman 1992, S. 21–25).

Anfänglich gab es gegen diesen Berichterstattungsstil, der ein Flair von „heldenhaftem" Journalismus ausstrahlte, Vorbehalte. Sogar *Sunday Times*-Kollegen kritisierten, daß dieser Kampagnenstil zu politisch sei und die Zeitung zu sehr in eine bestimmte Richtung lenke, anstatt distanziert und überparteilich zu bleiben.[15] Diese Kritik wiesen die „Insight"-Mitarbeiter jedoch entschieden zurück. Ihre Hauptmotivation habe nicht in dem politischen Bedürfnis gelegen, überall Korruption und Verschwörung zu wittern und mit ihren Veröffentlichungen die Gesellschaft zu verändern, sondern in der Absicht, den Lesern zu zeigen, daß die Dinge nicht notwendig so sein müssen, wie sie auf den ersten Blick scheinen (ebd., S. 24). Die Vorstellung, daß bei Recherche oder Berichterstattung die politische Linie des Blattes eine Rolle gespielt habe, sei abwegig. „Fakten waren wichtiger als Propaganda, Fragen zu stellen war wichtiger als Antworten zu geben, die der redaktionellen Linie entspra-

[15] Vgl. Leapman (1992, S. 24). Am größten waren die Vorbehalte bei *The Times*, die in der Nachkriegszeit zunehmend zu einem Organ des Establishments – der wohlhabenden, konservativen Oberschicht – geworden war. Basierte der Ruf der *Times* im 19. Jahrhundert noch darauf, am schnellsten mit Neuigkeiten von den entlegensten Ecken der Welt und des Regierungsviertels zu sein, sahen die *Times*-Journalisten der Nachkriegszeit ihre Aufgabe weniger im bloßen Berichten und mehr im pfeife-rauchenden Abwägen und Interpretieren der politischen Lage (ebd, S. 48–52).

chen."[16] Mit Meinungsjournalismus habe dieser Investigativ-Stil nichts zu tun gehabt. Chefredakteur Harold Evans „war immer und zu allererst von der glühenden Leidenschaft getrieben, die Fakten einer Nachricht zu ermitteln, was sehr viel schwieriger ist als nur Meinungen abzusondern".[17] Die Phase des wiedererstarkten Investigativjournalismus war von einem ausdrücklichen Unparteilichkeits- und Qualitätsstreben gekennzeichnet. Nach Churchills Rücktritt 1955 erlebte Großbritannien unter den Premierministern MacMillan, Heath und Wilson eine 20jährige Periode konsensorientierter Politik, die auch als „the golden age of British journalism" bezeichnet wird.[18]

In dieser Zeit war das „Insight"-Schema stilbildend für den britischen Journalismus. Nicht nur Qualitätszeitungen übernahmen dieses Konzept (der *Observer* mit „Daylight", der *Sunday Telegraph* mit „Close-up" und „Telescope"), sondern auch Boulevardzeitungen. So gründete der *Daily Mirror* die Rubriken „Mirrorscope", „World Spotlight" und „Inside Page". Der *Daily Mirror* verkaufte in den Nachkriegsjahrzehnten täglich fünf Millionen Exemplare und war durch seine anspruchsvolle, professionelle Machart die erfolgreichste Boulevardzeitung Großbritanniens. Sie diente Axel Springer als Vorbild für die *Bild*-Zeitung (Müller 1968, S. 73–126). Auch die 1964 gegründete *Sun* setzte mit „Probe" auf das Investigativ-Konzept, allerdings weniger erfolgreich als der *Mirror*. 1969 kaufte Rupert Murdoch zunächst die *Sun*, dann die *News of the World* und setzte konsequent auf ein neues Konzept: weg vom sozialpolitisch motivierten Investigativjournalismus, hin zum Klatsch- und Sensationsjournalismus. Mit Nacktfotos, schrillen Exklusivmeldungen, privaten Geschichten über Prominente, nationalistischem Hurra-Patriotismus und massiven Werbekampagnen überholte die Auflage der *Sun* in kurzer Zeit alle Mitkonkurrentinnen. Dies zwang die übrigen Boulevardzeitungen ebenfalls zu einer Veränderung der Berichterstattungsschwerpunkte. In den sechziger Jahren leisteten sich die Boulevardzeitungen *Daily Express, Daily Mail*

[16] Der frühere „Insight"-Mitarbeiter Magnus Linklater (1993, S. 18) zitiert hier seinen früheren Kollegen Hugo Young. Die *Sunday Times* bevorzugte „evidence over propaganda … asking questions rather than supplying a pattern of answers linked to an editorial line".

[17] „Harry was always driven first and foremost by a burning desire to etablish the facts of a story, which is a lot harder than spouting opinions", so das frühere „Insight"-Mitglied Bruce Page in dem Beitrag „Still crazy after all these years" von R. Brown im *Independent* vom 2. 6. 1997.

[18] Vgl. Tunstall (1983, S. 8–13, 81–88), Leapman (1992, S. 34–54), Tunstall (1996, S. 244 f.).

und *Daily Mirror* noch ein internationales Korrespondentennetz und räumten der in- und ausländischen Politik breiten Raum ein. Ihre Verleger wandten sich in diesem „golden age of British journalism“ noch ausdrücklich gegen billigen Sensationalismus und glaubten, Verantwortung und Profit unter einen Hut zu bekommen. Sie vertrauten auf den Grundsatz „Erfolg durch Qualität“ (Tunstall 1983, S. 81 f.; Leapman 1992, S. 39 f.). Erst Murdochs *Sun* verzichtete weitgehend auf Auslandsberichterstattung und setzte gezielt auf „shock, horror and sex“, was billiger war und rasch neue Käuferschichten ansprach (s. hierzu auch Kapitel 4.2, 4.4 und 6.2).

Der britische Investigativjournalismus vollzog sich in mehreren Phasen. Mitte der siebziger Jahre ebbte er wieder ab und fand Anfang der neunziger einen neuen Höhepunkt. „Die nationale Presse“, schreibt Tunstall (1996, S. 230), „scheint ihre angebliche ‚watchdog‘-Aufgabe auch für einige Jahre vergessen zu können, dann aber nach einem längeren Dornröschenschlaf gestärkt aufzuwachen und einen aggressiven Hunger auf rohes Politikerfleisch zu verspüren.“ Nach seiner Überzeugung können die politischen Journalisten Großbritanniens in verschiedenen Phasen unterschiedliche Rollen einnehmen: als zahme Schoßhunde, aufmerksame Wachhunde oder scharfe Kampfhunde (ebd., S. 256). Drei besonders aggressive Phasen erlebten die Premierminister Harold MacMillan 1963, Harold Wilson 1967–68 und John Major 1993–94.[19] Die Regierungszeit von Margaret Thatcher (1979–1990) war hingegen von einem bemerkenswerten Verzicht auf kritischen, investigativen Pressejournalismus gekennzeichnet (Franklin 1994; Doig 1992). Diese „zahme“ Phase war gleichzeitig mit einer ungewöhnlich drastischen Parteilichkeit zugunsten Thatchers verbunden (Seymour-Ure 1996; Tunstall 1996; McNair 1996). Den Rückgang regierungskritischer und die Zunahme regierungsfreundlicher Berichterstattung seit Ende der siebziger Jahre führt Tunstall (1996, S. 240–255) auf mehrere Gründe zurück. Die Zeitungsmanagements fühlten sich seit langem von den Gewerkschaften erpresst und waren von Thatchers entschlossenem Kampf gegen die Gewerkschaftsmacht begeistert

[19] MacMillan wurde von der nationalen Presse angegriffen wegen der Vasall-Krise, der Profumo-Krise und seiner Handlungsunfähigkeit während eines langen Krankenhausaufenthaltes. Wilson wurde angegriffen wegen einer Pressezensurmaßnahme mit einer sogenannten D-Notice, der Pfund-Devaluierung und seiner Führungsschwäche. Major wurde angegriffen wegen Großbritanniens Ausschluß aus dem Europäischen Währungskursmechanismus, seiner ‚Back to Basics‘-Werte-Kampagne und der Enthüllung, daß einige seiner Parteifreunde Bestechungsgelder entgegengenommen hatten. Vgl. hierzu ausführlicher Tunstall (1996, S. 301–312).

(s. Kapitel 8.2). Für die durch Thatcher möglich gewordene „Wapping-Revolution“ verspürten sie große Dankbarkeit, weil sie die Profitabilität des Zeitungsgeschäfts enorm erhöhte (s. Kapitel 4.4). Auch Thatchers Privatisierungs- und Deregulierungspolitik kam den expandierenden Medienunternehmen sehr gelegen. Die *Labour Party* schlug Anfang der achtziger Jahre dagegen einen dezidiert links-sozialistischen Kurs ein, den nicht nur die Verleger ablehnten. Die breite Unterstützung für Thatcher wurde durch die zunehmende Boulevardisierung der Zeitungen erleichtert (s. Kapitel 4.2, 6.3). Der Meinungs- und Kampagnenjournalismus verstärkte sich und wurde durch den Zuwachs von Kolumnisten noch unterstrichen. Von besonderer Bedeutung waren jedoch die engen persönlichen Verbindungen, die Thatcher zu Chefredakteuren verschiedener Boulevardzeitungen unterhielt. Diese waren von der Richtigkeit ihrer Politik zutiefst überzeugt und ihr persönlich loyal ergeben. Besonders wichtig war ihre Verbindung zu Großverleger Rupert Murdoch, mit dem sie eine Art geistiger Verwandtschaft verband. Ohne die Unterstütung der Murdoch-Zeitungen *Sun*, *News of the World*, *The Times*, *The Sunday Times* und *Today* hätte Thatcher vermutlich eine geringere Akzeptanz in der Öffentlichkeit und größere Probleme bei der Durchsetzung politischer Maßnahmen gehabt (s. Kapitel 4.5, 4.6). „Mrs Thatcher erfuhr wahrscheinlich mehr Verherrlichung durch die nationale Presse als jeder andere britische Premierminister seit 1945“, schreibt Tunstall (1996, S. 247). Er betont, daß sich diese Unterstützung vor allem auf ihre Persönlichkeit, nicht so sehr auf ihre Partei bezogen hätte. Insgesamt sei diese extrem personenbezogene Loyalität eine Ausnahmeperiode in der britischen Pressegeschichte gewesen (ebd., S. 235, 241, 253).

Daß sich die Unterstützung der meisten britischen Zeitungen auf Thatcher, nicht aber die *Conservative Party* bezog, mußte ihr Nachfolger John Major (1990–1997) bitter erfahren. „Kein anderer konservativer Premierminister ist seit dem Zweiten Weltkrieg so umfassend und drastisch attackiert worden.“[20] Seit Major ist die britische Politikberichterstattung wieder kritischer und investigativer geworden. Tunstall (1996, S. 253 f., 276 ff.) führt dies auf sechs Gründe zurück: Politische Fehler, mit denen Major Kompetenz

[20] „No other Conservative Prime Minister had been attacked so extensively and in such terms since before the Second World War“, so Colin Seymour-Ure (1994b, S. 416) in seiner Analyse des Verhältnisses von John Major zur Presse. Siehe hierzu auch die ähnlich lautenden Berichte im *Observer* vom 25.6.1995, S. 27 und *Economist* vom 8.7.1995, S. 38.

und Glaubwürdigkeit verspielt hätte; das schlechte Gewissen einiger Journalisten, zu Thatcher-freundlich gewesen zu sein; den gestiegenen Konkurrenzdruck unter den Parlaments-Korrespondenten, deren Zahl sich in den vergangenen zwanzig Jahren verdoppelt hat; der extreme Konkurrenzdruck der Zeitungen um die Gunst der Leser; die in Meinungsumfragen ermittelte Unpopularität Majors bei den Bürgern; die Unfähigkeit Majors, mit der Presse umzugehen.[21] Besonders nachteilig wirkten sich die investigativen Kampagnen von *Sunday Times, Guardian* und *Independent* gegen unmoralisches, korruptes Verhalten („sleaze") in Regierung und konservativer Partei aus.[22] Der Hauptvorwurf lautete, daß sich konservative Parlamentarier der Vorteilsnahme schuldig machten, indem sie Gelder von Wirtschaftsunternehmen entgegennahmen und sich im Gegenzug für deren Firmeninteressen stark machten. Zur Aufdeckung dieser Praktiken bedienten sich Qualitätszeitungen auch fragwürdiger Methoden. So gab sich beispielsweise der Chefredakteur des *Guardian*, Peter Preston, auf einem Fax als der konservative Parlamentarier Jonathan Aitken aus und bat ein Pariser Hotel, in dem Aitken auf Kosten eines Industriellen übernachtet hatte, um eine Kopie der Hotelrechnung. In einem anderen Fall boten als Geschäftsleute getarnte *Sunday Times*-Reporter verschiedenen Abgeordneten Geldbeträge dafür an, daß sie Gegenleistungen erbringen. Angehörige der *Conservative Party* akzeptierten, Angehörige der *Labour Party* nicht. Während die Qualitätszeitungen vor allem Fälle von „financial sleaze" (verdeckte Entgegennahme von Geldzahlungen) aufdeckten, konzentrierte sich die Boulevardpresse auf Fälle von „sexual sleaze" (Ehebruch, Affären). In den drei Jahren nach John Majors Wahlsieg 1992 mußten 14 Regierungspolitiker aufgrund eines „Skandals" zurücktreten: sieben aufgrund ihres sexuellen Verhaltens, sieben aufgrund finanzieller Unregelmäßigkeiten. Beides schadete Majors Ansehen sehr und war für seine Wahlniederlage im Mai 1997 mitverantwortlich.[23]

In den achtziger Jahren während Thatchers Regierungszeit war investigativer Journalismus fast nur noch im Fernsehen zu finden.

[21] Schon 1983 hatte Tunstall (1983, S. 13–20) festgestellt, daß die Lobby-Journalisten einer Regierung solange fair und aufgeschlossen gegenüberstehen, bis es zu Kontroversen innerhalb der Regierung oder zwischen Regierung und Parlament kommt. Dann würde der Schoßhund zum hartnäckigen Bluthund.

[22] Vgl. Doig & Wilson (1995), Mortimore (1995), Oliver (1995), Ridley & Doig (1996), Vulliamy & Leigh (1997) sowie *The Guardian* vom 21., 22. und 24. März 1997.

[23] Vgl. Tunstall (1996, S. 310) sowie die Titelgeschichte „The inside story of Tony Blair's big victory: How He Won" in *Newsweek* vom 21.5.1997

Das Fernsehen erschien Investigativjournalisten politisch unabhängiger, redaktionell freier und finanziell besser ausgestattet als die meisten Zeitungen.[24] Die *Sunday Times* hatte ihren Vorbildcharakter verloren. Wesentliche Ursache dafür war das Zerwürfnis zwischen Verleger Murdoch und Chefredakteur Harold Evans. Murdoch hatte 1981 sowohl die liberale *Sunday Times* wie die konservative *Times* erworben. Er bat den linksliberalen Evans, als Chefredakteur von der *Sunday Times* zur *Times* zu wechseln, um die verlustbringende *Times* wieder attraktiver zu machen. Evans nahm die Herausforderung an, bezeichnete dies jedoch später als größten Fehler seiner Karriere.[25] Er scheiterte innerhalb eines Jahres und wanderte 1982 in die USA aus. Sein 1983 veröffentlichter Bestseller *Good Times, Bad Times* geriet zu einer harten Abrechnung mit Murdoch, die Murdochs Image in Großbritannien bleibenden Schaden zufügte. Evans warf dem Verleger politisch motivierte Eingriffe in seinen Kompetenzbereich und eine bewußte Boulevardisierung der beiden Qualitätszeitungen *Times* und *Sunday Times* vor (s. Kapitel 4.4, 7.7). Weitere liberale Journalisten verließen die *Sunday Times*, viele aus dem „Insight"-Team. Politische Affären der achtziger Jahre wie die Erschießung unbewaffneter IRA-Mitglieder durch die Sondereinheit SAS der britischen Armee wurden nicht mehr von der Presse, sondern vom Fernsehen aufgedeckt. Hier verfolgte die *Sunday Times* die Regierungslinie. Murdochs neuer Chefredakteur Andrew Neil ordnete sogar an, den Fernsehsender *Thames Television*, der die SAS-Aktion ans Licht gebracht hatte, unter die Lupe zu nehmen. Die Reporterin Rosie Waterhouse kündigte aus Protest gegen die Verfälschung ihrer Rechercheergebnisse bei dieser Affäre durch die Chefredaktion.[26] Seit dem Besitzerwechsel galt die *Sunday Times* vielen Journalisten nicht mehr als kritisch-investigatives Leitmedium, sondern als regierungsnahe, harmlos-leichte Sonntagslektüre.[27] Die entstandene Lücke im politisch-aufklärerischen Investigativjournalismus füllten verschiedene Fernsehprogramme (*Cook Report, That's life, World in Action, This Week*, neben dem Klassiker *Panorama*). Dies führte zu harten Konfrontationen zwischen Thatcher und Fernsehverant-

[24] Vgl. Doig (1992), Snoddy (1992, S. 57 f.), Northmore (1994b) sowie die Berichte „Turning up the heat" in *UK Press Gazette* vom 4.7.1994 und „Fast and loose" im *Guardian* vom 12.8.1996, S. 13.

[25] Vgl. hierzu Evans' verändertes Vorwort in der zweiten Auflage seiner Memoiren (Evans 1994).

[26] Leapman (1992, S. 159–161), Doig (1992), Shawcross (1993, S. 457).

[27] Vgl. hierzu die quellenreiche Darstellung in Shawcross (1993, S. 230–265).

wortlichen. 1985 protestierte Thatcher scharf gegen einen *Panorama*-Beitrag über Straßensperren im Nordirland-Krisenherd Crickmore; wenige Monate später erwirkte sie eine Verschiebung und Neubearbeitung der Sendung *Real Lives* über nordirische Politiker; 1987 ließ sie sämtliche Unterlagen aus BBC-Redaktionsräumen beschlagnahmen, mit denen die Fernsehreihe *Secret Society* vorbereitet wurde; 1988 versuchte die Regierung die Ausstrahlung der Fernsehsendung *Death on the rock* zu verhindern, in der die regierungsamtliche Darstellung der Erschießung von drei IRA-Terroristen in Gibraltar widerlegt wurde.[28]

In den neunziger Jahren hat die britische Presse zu ihrer alten Kraft zurückgefunden. Tunstall beschreibt sie als eine eigenständige, ungewöhnliche mächtige gesellschaftliche Kraft. „Zeitungen werden aller Voraussicht nach das politisch interessierteste, politik-orientierteste, parteilichste und machtvollste Massenmedium bleiben."[29]

3.2.2 Investigativjournalismus in Deutschland

Während der Investigativjournalismus bereits 1880 – nicht zuletzt inspiriert durch amerikanische Vorbilder – nach England kam, erreichte er Deutschland erst nach dem Zweiten Weltkrieg (vgl. Wiener 1988; Boventer 1994). In England fungierte die *Sunday Times* als Leitmedium, in Deutschland der *Spiegel*. Er gilt bis heute als Pflichtlektüre unter Deutschlands Journalisten. Die im Frühjahr 1993 befragten 1498 Journalisten gaben zu zwei Dritteln an, jeden Montag den *Spiegel* zu lesen (66,7 Prozent). Er gilt als das „mit weitem Abstand wichtigste Orientierungsmedium" und als „innerjournalistischer Meinungsführer" (Weischenberg, Löffelholz & Scholl 1994, S. 163). Der *Spiegel* wurde als „schlagkräftigstes Instrument des Enthüllungsjournalismus in der Bundesrepublik" bezeichnet.[30] Johannes K. Engel, 26 Jahre Chefredakteur des Blattes, nannte es die „politisch einflußreichste Publikation der Bundesrepublik"[31], sein Nachfolger Werner Funk „ein Kampfblatt der Aufklärung"[32]

[28] Vgl. Franklin (1994, S. 76–78), McNair (1996, Kap. 4).

[29] „The leading newspapers in Britian will continue to be extremely powerful (...) newspapers are likely to remain the most politically interested, most policy focused, most partisan, and most potent of the mass media." Tunstall (1996, S. 427; vgl. auch 1–4, 239, 312).

[30] Kuby (1987, S. 70).

[31] Zit. n. Kuby (1987, S. 64).

[32] Zit. n. „Kampfblatt oder Omas Spiegel", in *Neue Medien*, Heft 4/1988, S. 10–46, hier S. 23.

und Augstein selbst sprach vom „Sturmgeschütz der Demokratie“[33].

Als Vorbilder für den *Spiegel* haben Augstein und andere immer wieder das englische Magazin *News Review* und das amerikanische Magazin *Time* bezeichnet. Augstein erinnert sich: „Ein ‚news magazine‘, ein Nachrichtenmagazin, tat not, so meinten die drei [britischen] Uniformträger 1946. Was das sei? Nun eben ein Nachrichtenmagazin. Sie zeigten eines vor, es hieß *News Review*, wurde in England gedruckt und lebte nicht mehr lange. Sie übersetzten uns einige Artikel und sagten: So etwa. Und natürlich: Objektive Nachrichten, um der besseren Lesbarkeit willen in Handlung eingebettet, mit Ursache, Ablauf, Wirkung. Und unter besonderen Betonung des Persönlichen: Alter, Schlips, Haarfarbe, verstanden? Okay, sagten wir.“[34] Neuen *Spiegel*-Mitarbeitern legte Augstein *Time*-Stories als Arbeitsgrundlage vor und übernahm Passagen des *Time*-Gründungsprospekts fast wortwörtlich für das sogenannte *Spiegel*-Statut.[35] Auch das „research and checking system“ der Archiv- und Dokumentationsabteilung wurde von *Time* übernommen, das Konzept des *Spiegel*-Gesprächs hingegen von *U. S. News & World Report*.[36] In äußerer Aufmachung und inhaltlicher Konzeption versuchten die *Spiegel*-Gründer eine Kopie angelsächsischer Nachrichtenmagazine.

Daraus sei jedoch nicht viel geworden, behauptet der in Amerika lebende Politologe Josef Ernst. Er verglich die Berichterstattung von *Spiegel, Economist* und *Time* und fand grundlegende Unterschiede, die er maßgeblich auf die spezifischen kulturellen und journalistischen Traditionen in Deutschland, Großbritannien und den USA zurückführt. Entgegen der weitverbreiteten Ansicht, der *Spiegel* sei ein angelsächsisches Produkt, kommt Ernst zu dem Ergebnis, daß es sich eher um ein typisch deutsches Produkt handelt. Nach Ernst (1988, S. 118f.) ist das Konzept des *Spiegel* der politischen Li-

[33] Zit. n. Brumm (1980).

[34] Vorwort von Augstein im *Spiegel*-Jahrgang 1947, Reprint. Wiederabgedruckt in Brawand (1987, S. 217–220, hier S. 217).

[35] Vgl. Just (1967, S. 14). Ähnlich auch Enzensberger (1962, S. 65): „*Time* und *Newsweek* haben bei der Entstehung des *Spiegel* Pate gestanden. Diese Patenschaft erkennt das Blatt in seinem Untertitel deutlich an. Er lautet: ‚Das deutsche Nachrichtenmagazin‘ und ist dem von *Time* (‚The weekly News Magazine‘) nachgebildet. Auch die programmatischen Erklärungen, die das amerikanische Journal in einer Jubiläumsnummer zu seinem fünfundzwanzigjährigen Bestehen abgab, decken sich in den meisten Punkten mit dem sogenannten *Spiegel*-Statut, das die Arbeitsweise der Redakteure und Mitarbeiter festlegt.“

[36] Vgl. Just (1967, S. 17, 48, 86). Siehe hierzu auch die *Spiegel*-Sonderausgabe 1947–1997 zum 50. Geburtstag des Magazins (Januar 1997), S. 11, 136, 150.

teratur der deutschen Aufklärung entlehnt. Zwischen ihr und dem *Spiegel*-Stil sieht Ernst mehr Parallelen als zwischen *Spiegel* und den angelsächsischen Magazinen. *Time* und *Economist* seien von einem stärker funktional-faktizistischen Tonfall gekennzeichnet. *Time* geht es nach Ernst darum, Tatsachen rational nachvollziehbar zu schildern. *Time* neige zwar, mehr als der *Economist*, zur Vereinfachung. Beide Magazine seien aber um Erklärung und Erhellung des politischen Prozesses bemüht. Sie seien in ihrer Politikdarstellung um Konstruktivität, um das Benennen möglicher Lösungen bemüht. Der *Spiegel* dagegen berichte rhetorisch und polemisch, mit wechselnden Perspektiven und Ebenen, die das Verständnis erschweren und den politischen Prozeß eher verschleiern und mystifizieren.

Während sich *Time* und *Economist* als Teilnehmer und Ratgeber im politischen Prozeß sähen, würde der *Spiegel* aus einer selbstgefälligen Position der Allmacht und in leicht despotischer Manier sagen, was das Volk zu denken habe. Im Vergleich zu den beiden anderen Magazinen berichte der *Spiegel* weniger demokratisch und mehr autokratisch. Er „erwartet die unterwürfige Mitarbeit der Leser".[37] Der *Spiegel* trage nicht zur politischen Reifung der Leser bei, weil nicht die Analyse der Politik, sondern eine Distanzierung von Politik im Mittelpunkt stehe. Der *Economist* sei von einem zupackenden „Let's do"-Berichterstattungsstil gekennzeichnet, *Time* durch einen amerika-zentrierten „Things are going right"-Stil, der *Spiegel* hingegen von einem „We have a problem but, you see, there is nothing we can do"-Stil.[38] Dem *Spiegel* geht es nach Ernst, genauso wie *Time*, um Fakten und um Überprüfen, Aufdecken, Erkunden, Nachgraben, Hinterfragen. Der *Spiegel* tue dies jedoch mit einem aus der Tradition der deutschen Aufklärung spezifischen Selbstverständnis. Er leide unter dem Komplex, daß sich die Presse in Deutschland nie aus eigener Kraft einen gleichgerechtigten Platz im politischen Prozeß erkämpft hat. Daraus erkläre sich seine oppositionelle, destruktive Haltung. Abgesehen von der *Spiegel*-Affäre habe das Magazin „die politische Reife seiner Leserschaft kaum beeinflußt", nicht zuletzt aufgrund des Negativismus seiner Politikberichterstattung.[39]

Wie schon Dieter Just (1967, S. 186 f.) ist auch Erich Kuby (1987, S. 84 f.) der Ansicht, daß die Annahme, „der *Spiegel* sei deshalb vom Start weg so erfolgreich gewesen, weil er eine Kopie angelsächsi-

[37] Vgl. Ernst (1988, S. 31–46 u. 110–140, Zitat S. 115).
[38] Ernst (1988, S. 128, 137); ähnlich Ehmig (1991).
[39] Vgl. Ernst (1988, S. 119 u. 126–138, Zitat S. 137).

scher Magazine war", falsch sei. Der *Spiegel* habe zwar angelsächsische Qualitäten aufgegriffen, in der Weimarer Republik aber, synchron mit der Gründung von *Time* (1923), wäre er ein Pleiteunternehmen geworden. Daß der *Spiegel* in den ersten Nachkriegsjahren so erfolgreich war, verdankte er laut Kuby (1987, S. 86) allein der Pressepolitik des Nationalsozialismus. Die Bevölkerung habe die totalitäre Meinungsdiktatur gründlich satt gehabt. Der respektlos-freche Tonfall des jungen Augstein habe ihr gefallen. Auch der weitere Erfolg des Blattes ist nach Kuby (1987, S. 89) ausschließlich „deutsch" zu erklären. Es sei die Zeit des ideologisch motivierten Anti-Adenauerkampfes, der politischen Aggression, der versuchten Meinungsmache gewesen: „Über den innenpolitischen Teil des *Spiegel* ergoß sich eine missionarische Dynamik" – was nicht gerade zum Konzept angelsächsischer Nachrichtenmagazine paßt – „und siehe da, sie schadete seinem Image überhaupt nicht in gewissen Teilen des Volkes" (ebd.). Heute (1987) sei das Blatt in der dritten Phase, „gleichsam Gottes Wort [zu] verkünden, nämlich die Wahrheit und nichts als die Wahrheit", so Kuby (1987, S. 90). Das Archiv- und Detailprüfsystem sei so weit verabsolutiert worden, daß der Leser die Illusion erhalte, durch den *Spiegel* „in einen intimen Kontakt mit der Weltwirklichkeit zu kommen" (ebd., S. 91). Für Kuby besteht dennoch kein Zweifel, daß der *Spiegel* große Verdienste für die Demokratisierung einer durch und durch undemokratischen Bevölkerung geleistet habe, die Recht und Freiheit vor 1945 nur in kurzen, ferienhaften Perioden erlebt hätte.

Die Frage, die hier zu beantworten ist, lautet: Ist der *Spiegel* – das Vorbild für investigativen Journalismus in Deutschland – ein dem Konzept nach angelsächsisches Nachrichtenmagazin oder nicht? Zwei typisch angelsächsische Qualitäten hat es vortrefflich und nachahmenswert übernommen: die detailgenaue, hartnäckige Recherche und die Respektlosigkeit gegenüber Autoritäten.[40] Allerdings kamen seit den Gründerjahren zwei weitere Qualitäten hinzu, die mit dem Konzept angelsächsischer Nachrichtenmagazine nur schwer vereinbar sind: Erstens die durchgehende Tendenz zur Verschleierung und Mystifizierung des politischen Prozesses: Die Story-Doktrin des *Spiegel* ist nicht auf Objektivität oder Orientierung,

[40] Dies anerkennt auch der britische Journalist und Deutschlandkenner Neal Ascherson (1987, S. 17f.): „Dem *Spiegel* haftet immer noch etwas Ungermanisches, Angelsächsisches an. (...) Deutsche Journalisten, einschließlich der Redakteure der vornehmen *Zeit*, sind ‚verantwortungsbewußt'. Fragt man sie, wozu Zeitungen da seien, werden sie sofort antworten: zur ‚Meinungsbildung'. Der *Spiegel* hingegen nimmt die alte Haltung der Fleet Street ein, daß eine gute Story genau das ist, was der eine oder andere am liebsten unterdrücken möchte."

sondern einzig auf Effekt angelegt. Das mittlerweile verselbständigte Story-Prinzip ist durch einen für angelsächsische Magazine untypischen, wortgewaltigen Jargon gekennzeichnet, der den Informationscharakter des Blattes erheblich mindert. Kuby (1987, S. 77f.) spricht provozierend von einer „Fälscherwerkstatt", die dem Leser mehrfach überprüfte Fakten-Puzzleteilchen zuwerfe, aus denen sich jedoch kein kohärentes Weltbild rekonstruieren lasse. Die Spezialisten im *Spiegel*-Archiv seien im Grunde die einzigen, die aufgrund ihres langen Trainings in der Lage sein, den Informationsgehalt der einzelnen Artikel zu erkennen, um diese Faktenpartikel im Rahmen der Schlußkontrolle zu überprüfen. Der *Spiegel* ist zwar außerordentlich recherchierfreudig, unterscheidet sich aber von angelsächsischen Magazinen dadurch, daß er sich nicht als Teilnehmer und Berater im politischen Prozeß sieht, den er dem Leser erklären will, sondern eher als polemisch beobachtender Außenseiter, der die Misere schonungslos enthüllt und den Leser mit dem Eindruck zurückläßt: Die Republik ist kaputt, aber ändern kann man nichts.[41]

Der zweite Punkt, der den *Spiegel* von angelsächsischen Nachrichtenmagazinen unterscheidet, ist seine Ideologisierung. Hierbei geht es nicht darum, ob der *Spiegel* „links" oder „rechts" ist – fast jede britische und amerikanische Zeitung spricht sich vor einer Wahl offen für die eine oder andere Partei aus (s. Kapitel 4.5). Es geht um das, was der langjährige Leiter der Hamburger Journalistenschule, Wolf Schneider, als ein Mißverständnis von politischem Journalismus bezeichnete. Er illustriert dies mit einem Zitat von Rudolf Augstein. Augstein schrieb im *Spiegel*: „Ich wollte Strauß aus der Bundesregierung Konrad Adenauers herauskatapultieren ... Es ging darum, ihn als Bundesverteidigungsminister zu kippen, und eben das klappte. (...) Als Verteidigungsminister, Außenminister und erst recht als Nachfolger des Bundeskanzlers mußte er unmöglich gemacht werden."[42] „Ist das die Sprache eines Journalisten?", fragt Schneider, und fährt fort: „Ich habe die ernste starke Meinung, daß es sich eher um die Sprache eines Politikers handelt – eines Politikers, der ... den *Spiegel* als Sturmgeschütz auf Strauß

[41] Wie Ernst (1988) kam auch schon Enzensberger (1962, S. 83) zu dem Fazit: „1. Die Sprache des *Spiegel* verdunkelt, wovon sie spricht. 2. ‚Das deutsche Nachrichtenmagazin' ist kein Nachrichtenmagazin. 3. Der *Spiegel* übt nicht Kritik, sondern deren Surrogat. 4. Der Leser des *Spiegel* wird nicht orientiert, sondern desorientiert." Auch Just (1967, S. 157–167) kritisierte die „tendenzgeladene Sprache" und die „Perversion der Informationsfunktion". Er sah die Gefahr, daß „der Leser keinen freien Zugang zu den Fakten mehr findet" und die Klarheit darüber verliert, „was er nun eigentlich denken soll".

[42] Augstein-Kommentar „Deutscher Berlusconi" in *Spiegel*, Heft 15/1994, S. 26.

ansetzte."[43] In diesem Punkt wirft Schneider dem *Spiegel* und insbesondere Augstein eine Fortsetzung der alten deutschen Tradition des missionarischen Journalismus vor.[44] Es gehe im Politikjournalismus um den Dienst am Gemeinwesen, nicht um das Mitregieren ohne Wählerauftrag. „Kenntnisse zu erarbeiten, zu analysieren und weiterzugeben heißt die Aufgabe und nicht: eine Millionenauflage zur Selbstdarstellung zu mißbrauchen und nach eigenem Gusto den Politiker X zur Zielscheibe für die Katapulte der Redaktion zu machen."

Augstein hatte den *Spiegel* immer als Instrument politischen Handelns begriffen. Die „besondere gesellschaftskritische Funktion" des Blattes sah Augstein darin, daß „Kehrseiten beleuchtet, politische Illusionen zum Platzen gebracht werden" (zit. n. Just 1967, S. 43). Claus Jacobi, von 1962 bis 1968 Chefredakteur des Blattes, beschrieb die Formel des *Spiegel* so: „Rudolf Augstein hat der Redaktion die negative Kritik als Sittengesetz vorgegeben. Halbgötter zu demaskieren, Tempel einzureißen, Denkmäler zu stürzen, Großes kleinzuhacken und zu zerstören ist dem Blatt Lust und Bedürfnis zugleich, mal zu Recht, mal zu Unrecht."[45] Allerdings verfolgte Augstein im politischen Diskurs immer auch eine eigene Position. Er vertrat mit seinem Magazin eine konsequent nationalliberale Position – *gegen* die Idealisierung der Europäischen Gemeinschaft, *gegen* die Westbindung (also das Politik- und Militärbündnis mit USA und Großbritannien) und *für* einen eigenständigen deutschen Nationalstaat nach einer Aussöhnung mit Moskau. „Augsteins *Spiegel* hat durch die Geschichte der Bundesrepublik hin eine Position verkörpert, die es sonst im Parteiengefüge nicht gab", schreibt der deutsch-britische Soziologe Ralf Dahrendorf. Für diese konsequente Haltung lobt er ihn zwar, allerdings habe Augstein – trotz seiner britischen Presse-Lizenz – nie ganz verstanden, was ‚angelsächsisch' eigentlich bedeutet.[46]

[43] Schneiders Abschiedsrede als Leiter der Henri-Nannen-Journalistenschule, in der er sich mit dem *Spiegel* auseinandersetzte, ist unter der Überschrift „Haltungsfehler" abgedruckt in *Medium Magazin*, Heft 2/1995, S. 18–21.

[44] Schon Just (1967, S. 188) schrieb: „Vor allem war es das politische Engagement seiner Redakteure, das die abweichende Entwicklung des *Spiegel* [von seinen amerikanischen Modellen] bewirkte."

[45] Zit. n. „Augsteins letzte Schlacht" in *Die Woche* vom 16.12.1994, S. 3.

[46] Ralf Dahrendorf: Der letzte Nationalliberale, in *Spiegel* Special zum 70. Geburtstag Rudolf Augsteins (November 1993), S. 28. Ebenso Ralf Dahrendorf: „Die wahre Revolution", in *Spiegel*-Sonderausgabe 1947–1997 zum 50. Geburtstag des Magazin (Januar 1997), S. 112–123. Das frühere FDP-Vorstandsmitglied Dahrendorf schreibt: „Ich bin in einem entscheidenden Punkt anderer Meinung als Rudolf Augstein. Meine eigene Position ist emphatisch westlich, angelsäch-

Die besondere Stellung des *Spiegel* basierte nicht nur auf seiner eigenständigen politischen Position, sondern auch auf seiner nahezu unangefochtenen Monopolstellung als Investigativorgan. Die Presse der Adenauerzeit sah ihre Rolle vor allem darin, eine integrative Rolle zu spielen. Hier mag die traumatische Erfahrung der Weimarer Republik, daß politische Polarisierung der demokratischen Entwicklung schade, eine Rolle gespielt haben. Im internationalen Vergleich bedeutsamer dürfte aber gewesen sein, daß es eine aus der journalistischen Tradition abgesicherte Funktion der Presse mit einem spezifischen Unabhängigkeitsselbstverständnis in Deutschland nicht gab. Das oberste Handlungsmotiv der Nachkriegsjournalisten war die Sicherung der wiedergewonnenen Demokratie. Die Presse, so schreiben Frei & Schmitz (1989, S. 191), „gefiel sich in der bereitwillig übernommen Rolle des maß- und verantwortungsvollen Begleiters der im Wachsen und Werden begriffenen Demokratie". Riese (1984, S. 184) geht noch einen Schritt weiter mit seiner Behauptung, daß sich in jenen Nachkriegsjahren das spezielle Bewußtsein der Presse in der Bundesrepublik herausgebildet hätte, ihre Funktion weniger in der Kontrolle der machtausübenden Gruppen zu sehen als in der Mitverantwortung für die Funktionstüchtigkeit des Staates. Redelfs (1996, S. 316ff.) sieht hierin den Grund dafür, daß sich in Deutschland ein „Journalismus der Machtkontrolle" kaum entwickeln konnte. Diese Ansicht teilt auch Weischenberg (1995b, S. 125): In Deutschland sprächen historische und strukturelle Faktoren eher gegen einen respektlosen Investigativjournalismus. Die obrigkeitsstaatliche Tradition werfe einen langen Schatten. Redelfs und Weischenberg wollen beide nur dem *Spiegel* eine solche Berichterstattungspraxis zuschreiben. Vor dem Debakel der Hitler-Tagebuch-Affäre galt auch der *Stern* als ein Magazin, das sich um aufdeckende Recherche bemühte. Im Fernsehen machten verschiedene Magazine wie *Panorama, Report* und *Monitor* durch Enthüllungen auf sich aufmerksam, allerdings kritisierten amerikanische Beobachter die unangelsächsische, tendenziöse Machart.[47]

sisch zudem. Trotz der britischen Lizenz hat der bedeutende Journalist nie ganz verstanden, was das bedeutet. (…) Daß der Herausgeber und Gründer seine Position mit soviel Witz und Weisheit verfochten hat, macht ihn, den Nationalliberalen, am Ende doch zu einem der großen Zeitungsmacher der westlichen Welt."

[47] Der amerikanische Journalistik-Professor Lynn Packer beobachtete die deutsche Fernsehberichterstattung und schrieb unter anderem: „Und Sendungen wie *Monitor* und *Report*? Es wurde mir oft gesagt, daß solche Sendungen Meinungssendungen und nicht nur Informationssendungen sind. Das kann ich nicht akzeptieren, weil diese Sendungen bereits in der Informationsaufbereitung kommentieren. Ich glaube, es wäre besser, Informationsmagazine zu senden, die immer noch kritisch sein können, kontroverse Themen aufgreifen und darstellen, aber

Der Mangel an kritischen Organen mag den Hang zum Negativen beim *Spiegel* verstärkt haben. Just (1967, S. 116) meint, daß sich der *Spiegel* deshalb immer stärker „auf die Suche nach Fehlern, nach menschlichem und institutionellem Versagen" konzentriert habe, weil solche Themen „in der übrigen Presse überhaupt nicht oder nur oberflächlich behandelt werden". Seit der Wiedervereinigung hat der *Spiegel* an Profil, Ziel und Einfluß verloren.[48]

Im Vergleich zu Großbritannien fallen mehrere Unterschiede auf. Während in Großbritannien viele Zeitungen das Investigativkonzept der *Sunday Times* aufgriffen, blieb unter den deutschen Printorganen der *Spiegel* nahezu alleine. „Investigativer Journalismus steht hoch im Kurs in Großbritannien", schreibt Luc Jochimsen, „Zeitungen und Fernsehsender scheuen weder Geld noch Mühen". In Deutschland sei der *Spiegel* zwar „immer noch Enthüllungsmedium Nummer 1", es ist laut Weischenberg jedoch „ein Märchen zu behaupten, in Deutschland … habe knallharter Recherchejournalismus Konjunktur".[49] Desweiteren unterschieden sich *Sunday Times* und *Spiegel* in ihrer Motivation: Während Augstein den *Spiegel* als Instrument politischen Handelns begriff, um damit eine eigenständige deutschlandpolitische Position zu propagieren, die im Parteienspektrum kaum präsent war, läßt sich dies bei der *Sunday Times* nicht feststellen. Die britische Nachkriegsgesellschaft war sehr viel mehr in gewachsenen Strukturen verfestigt als die deutsche. Die Hauptstoßrichtung der investigativen Kam-

dabei höchsten journalistischen Maßstäben entsprechen." Lynn Packer: Vom anderen Planeten, in *Journalist*, Heft 3/1991, S. 55–57, hier S. 56. Ernst Elitz meint, daß die deutschen TV-Politikmagazine vermutlich deshalb in erster Linie Meinungsmagazine seien, weil aus finanziellen und personellen Beschränkungen ihre Recherchemöglichkeiten gegenüber Printmedien geringer sind. Ernst Elitz: Real-Satire. Investigativer Journalismus: Die Bedingungen, in *epd/Kirche und Rundfunk*, Nr. 86 vom 1.11.1989, S. 18–22. Für einen Vergleich der deutschen mit französischen Fernsehmagazinen vgl. Isabelle Bourgeois: Der eine sagt's, der andere nicht. Kritischer TV-Journalismus in Deutschland und Frankreich, in *epd/Kirche und Rundfunk*, Nr. 54 vom 12.7.1995, S. 3–7. Für einen Vergleich der deutschen mit britischen Fernsehmagazinen vgl. Luc Jochimsen: Maulwürfe. Der investigative Journalismus in Großbritannien, in *epd/Kirche und Rundfunk*, Nr. 86 vom 1.11.1989, S. 16–18.

[48] So Augstein: Fünfzig Jahre *Der Spiegel*, in *Die Zeit* vom 9.1.1997, S. 3. Vgl. hierzu auch Claus Koch: Die Demokratiemaschine, in *Süddeutsche Zeitung* vom 11.1.1997, Wochenendbeilage, S. 1. Eine zusammenfassende Einschätzung des politischen Einflußes des *Spiegel* auf die deutsche Nachkriegspolitik versucht Klaus Bölling: Einer gegen sechs, in *Spiegel*-Sonderausgabe 1947–1997 zum 50. Geburtstag des Magazin (Januar 1997), S. 20–32.

[49] Luc Jochimsen: Maulwürfe, Der investigative Journalismus in Großbritannien, in *epd/Kirche und Rundfunk*, Nr. 86 vom 1.11.1989, S. 16–18; Weischenberg (1995b, S. 117).

pagnen der *Sunday Times* war deshalb weniger politisch orientiert, als auf soziale Gerechtigkeit sowie vollständige Offenlegung von gesellschaftlichen Ereignissen und politischen Prozessen ausgerichtet. Die nahezu konkurrenzlose Stellung des *Spiegel* und eine deutsche Nachkriegsgesellschaft, deren politische Kultur nicht mit der angelsächsischer Länder verglichen werden konnte,[50] begünstigte die Herausbildung verschiedener Besonderheiten beim *Spiegel*, die für britische und amerikanische Nachrichtenmagazine eher ungewöhnlich sind. Diese Besonderheiten in Zielsetzung und Darstellungsstil dürften einerseits auf die spezifische Persönlichkeit seines Herausgebers, zum anderen auf spezifisch deutsche Wurzeln wie „die Tradition bürgerlicher Aufklärung aus dem Preussen des 18. Jahrhunderts, in welcher sich z. B. der *Spiegel* zweifellos immer noch sieht“ (Weischenberg 1995b, S. 119), zurückzuführen sein. Sehr erfolgreich hat er jedoch die detailgenaue, hartnäckige Recherche und die Respektlosigkeit gegenüber Autoritäten übernommen. Im Vergleich zur britischen und amerikanischen fehlt der deutschen Presse vermutlich noch immer etwas an Selbstbewußtsein, das sich aus einer Tradition früher Unabhängigkeit und langer Pressefreiheit schöpft.

3.2.3 Das strukturelle Verhältnis von Presse und Politik in beiden Ländern

Für das ausgeprägte Selbstbewußtsein britischer Journalisten lassen sich viele Beispiele finden. Jeremy Paxman, prominenter Interviewer der BBC 2-Sendung *Newsnight*, meint, daß ein Journalist gegenüber Politikern denselben Grad an Respekt zeigen sollte wie ein Hund gegenüber Laternenmasten. Richard Littlejohn, Kolumnist der *Sun*, sieht seine Aufgabe darin, im Hintergrund zu sitzen und Flaschen auf die Bühne zu werfen. Sein bevorzugtes Ziel sind Politiker, weil sie mit öffentlichen Geldern eine ganze PR-Maschinerie finanzieren, um sich so vorteilhaft wie möglich präsentieren zu können. Littlejohn sehe seine Aufgabe keinesfalls darin, „die Egos kleiner Leute aufzublähen“ (vgl. Franklin 1994, S. 3, 15). Die *Sunday Times* schrieb am 26.7.1992, Veröffentlichungen über das Privatleben von Politikern seien eine legitime Angelegenheit, vor allem in Zeiten, in denen Politiker sich bemühen, das Image eines

[50] Vgl. zur politischen Kultur im Nachkriegsdeutschland neben Sontheimer (1990, 1993) auch die Beiträge von Christian Graf von Krockow und Ralf Dahrendorf in *Spiegel*-Sonderausgabe 1947–1997 zum 50. Geburtstag des Magazin (Januar 1997).

glücklichen Familienmenschen zu verbreiten, um sich bei den Wählern einzuschmeicheln. Schon in den sechziger Jahren erklärte der Chefredakteur des mittlerweile eingestellten *Daily Herald*, daß die Beziehungen zwischen Regierung und Presse schlecht seien, noch schlechter werden würden und sich unter keinen Umständen verbessern dürften. Hinter dieser Rhetorik steht das Selbstverständnis der Presse als einer unabhängigen Vierten Gewalt, die als eine Art Wachhund die Mächtigen zu kontrollieren habe (vgl. Franklin 1994, S. 3). Daß dieses Selbstverständnis zum Teil auf einem historischen Mythos beruht, zeigte Kapitel 2. Obwohl die britische Presse in den neunziger Jahren wieder zur alten Aggressivität zurückgefunden hat, zeigen jedoch die Erfahrungen der achtziger Jahre, daß das Selbstbild einer unabhängigen Vierten Gewalt nicht angemessen ist.

Für das Verhältnis Regierung-Presse ist in Großbritannien das sogenannte „Lobby System" von großer Bedeutung.[51] Jeder Journalist, der von seiner Zeitung mit der Parlamentsberichterstattung beauftragt wird, muß seinen Namen beim Seargant at Arms[52] hinterlegen und wird damit offizielles Mitglied der Lobby. Nur diese haben Zugang zu jenem legendären Lobby-Raum, in dem alle wesentlichen Pressekonferenzen stattfinden, der aber auf dem offiziellen Gebäudegrundriß des House of Commons noch nicht einmal eingezeichnet ist, so geheim ist er. Dort finden täglich um 11 und 16 Uhr Pressekonferenzen der Regierung und einmal pro Woche Pressekonferenzen der Fraktionsvorsitzenden und des Oppositionsführers statt.[53] Thatchers Geheimwort für Lobby-Treffen war „Celestial Blue", Kinnocks Wort war „Red Mantle".[54]

Das Lobby-System wurde 1885 eingeführt. Ihm gehörten 1970 etwa 120 und 1995 etwa 230 Journalisten an. Die verbindlichen Verhaltensregeln wurden 1956 in einem streng vertraulichen Dokument („Lobby rules – private and confidential") für die akkreditierten Journalisten schriftlich niedergelegt, aber von Tunstall (1970, S. 124–128) veröffentlicht. Das Regelwerk unterscheidet zwischen Vieraugen-Gesprächen mit Abgeordneten („individual lobbying")

[51] Vgl. zum folgenden Tunstall (1970), Leapman (1992, S. 241–251), Franklin (1994, S. 82–95), Ingham (1994), Scammell (1995, S. 165–201), Tunstall (1996, S. 256–280).

[52] Der Seargant at Arms ist Assistent des Speaker of the House of Commons. Der Speaker ist vergleichbar mit dem deutschen Bundestagspräsidenten.

[53] Es gibt natürlich auch Parlamentsberichterstatter ohne Lobby-Privilegien, dazu gehören beispielsweise auch die Auslandsberichterstatter. Sie dürfen nur auf die sogenannte Press Gallery, nicht aber an den Lobby-Treffen teilnehmen.

[54] Vgl. Scammell (1995, S. 193), Franklin (1994, S. 87).

und Pressekonferenzen („collective lobbying"). Die wichtigsten der dort formulierten Regeln lauten: Erstens, die Journalisten dürfen ihren Lesern und anderen Nicht-Mitgliedern unter keinen Umständen etwas von der Existenz des Lobby-Systems und den behaglichen Geheimtreffen von Presse- und Regierungsvertretern mitteilen.[55] Zweitens, grundsätzlich darf der Name eines politischen Gesprächspartners unter keinen Umständen veröffentlicht werden, außer er erlaubt dies ausdrücklich.[56] Drittens, Informationen, von denen der Journalist im Parlamentsgebäude auf anderem Wege als durch ein Lobby-Gespräch zufällig erfährt, dürfen unter keinen Umständen veröffentlicht werden.[57]

Vor allem die Regierung Thatcher nutzte dieses Instrument zur Lenkung der Presse erfolgreich. Amerikaner reagierten ausgesprochen skeptisch darauf. Anthony Lewis, Londoner Korrespondent der *New York Times*, kritisierte schon 1968, daß das Lobby-System zu einer kritiklosen Hofberichterstattung geführt hätte: „In den Nachrichtenspalten der national verbreiteten Zeitungen wird viel zu viel für bare Münze genommen, was Politiker sagen und viel zu selten hinreichend nachgebohrt. (...) Er ist für einen Ausländer zweifellos anmaßend, es so zu formulieren, aber der zentrale Mechanismus Ihrer Politikberichterstattung ist nicht in Ordnung. Daß ein ausgesuchter Zirkel vertrauenswürdiger Korrespondenten auf vertraulicher Basis Zugang zu den Spitzenvertretern der Regierung hat, klingt vernünftig, führt aber allzuoft dazu, aus den Reportern Gefangene zu machen. Ohne jede Quellenangabe schreiben sie, daß dieses und jenes glorreiche Ereignis passieren wird, obwohl das in Wahrheit nur die Meinung von jemandem aus der Regierung ist. (...) Dinge werden als absolute Wahrheiten, als für Normalsterbliche unanfechtbar dargestellt. (...) Auf die Gefahr hin, Sie vor den Kopf zu stoßen, muß ich Ihnen sagen, daß Sie Ihrem Land

[55] Es heißt: „Members of the Lobby are under an obligation to keep secret the fact that such meetings are held, and to avoid revealing the sources of their information. (...) Do not talk about Lobby meetings BEFORE and AFTER they are held. If outsiders appear to know something of the arrangements made by the Lobby, do not confirm their conjectures ...". Zit. n. Tunstall (1970, S. 126).

[56] Es heißt: „It is the Lobby correspondent's primary duty to protect his informants, and care must be taken not to reveal anything that could lead to their identification (...). Sometimes it may be right to protect your informant to the extent of not using a story at all. This has often been done in the past, and it forms one of the foundations of the good and confidential relationship between the Lobby and members of all parties." Zit. n. Tunstall (1970, S. 125).

[57] Es heißt: „NEVER, in ANY circumstances, make use of anthing accidentally overheard in any part of the Palace of Westminster." Zit. n. Tunstall (1970, S. 127).

mit dieser Art der Berichterstattung keinen Dienst erweisen und ich es für einen Skandal halte."[58] In den USA verlaufen die (Lobby-) Treffen mit dem Regierungssprecher völlig offen und werden sogar häufig live im Fernsehen übertragen.

In den achtziger Jahren begehrte erstmals eine Zeitung gegen dieses System auf: Die 1986 neugegründete Qualitätszeitung *The Independent* verkündete, daß ihr Lobby-Korrespondent in Zukunft mit Quellenangaben aus den Treffen zitieren würde. Das System geriet ins Wanken. Im Oktober 1986 kam es zu einer Abstimmung sämtlicher Lobby-Journalisten, bei der sich jedoch eine Mehrheit von 76 zu 55 für die Beibehaltung des bestehenden Systems aussprach. *The Independent* boykottierte daraufhin demonstrativ die täglichen Lobby-Treffen, gefolgt vom *Guardian* und *Scotsman*. Die Qualität ihrer Politikberichterstattung litt nicht, obwohl die Regierung Thatcher sämtliche Informationskanäle zu den rebellischen Blättern kappte. Mit dem Premierminister John Major entspannte sich das Verhältnis wieder etwas und alle Zeitungen kehrten in die Lobby zurück. Franklin faßt die Ära Thatcher so zusammen: „Tatsächlich hat sich beim Lobby-System nur wenig verändert. Die Geheimhaltung, die lächerlichen Rituale, die Exklusivität der Mitgliedschaft, der privilegierte Zugang zu Regierungsinformationen, das so geförderte Aufgabenverständnis eines ‚Faulenzer'-Journalismus – all das gilt weiterhin."[59] Tunstall kommt für die Ära Major hingegen zu dem Urteil, daß die Zahl der „Schoßhunde" unter den Lobby-Korrespondenten zurückgegangen und die der „Wach- und Kampfhunde" gestiegen sei.[60] Der seit April 1997 regierende Tony Blair traf in den ersten Monaten jedoch auf eine deutlich wohlwollendere Behandlung als sein Vorgänger.

Durch die große Expansion des Medien- und Regierungsapparates hat sich auch der Stellenwert des Lobby-Systems gewandelt, es ist aber weiterhin eine zentrale Einrichtung für den politischen Journalismus (Tunstall 1996, S. 256–280). Man kann das vertrauliche Lobby-System einerseits als pragmatisches, typisch britisches

[58] Übersetzt n. Lewis (1974, S. 267 f.).

[59] Franklin (1994, S. 90) schreibt: „In truth, little has changed in Lobby briefings (…) – the secrecy of the organization, its trivial rituals, the exclusiveness of its membership, the privileged access to government information it enjoys, the ethos of ‚lazy' journalism if fosters – is intact." Thatchers Regierungssprecher Bernhard Ingham dagegen beklagt einen Verfall der Lobby-Prinzipien unter Major. Früher sei die Lobby Gleitmittel („lubricant") im politischen Prozeß gewesen, nun entwickle sie sich zum Hemmschuh („spanner"); vgl. Ingham (1994).

[60] Tunstall (1996, S. 280) schreibt: „There are not only fewer lapdogs, but there are also many more watchdogs and fighting dogs."

Vorder- und Hinterbühnen-Spiel interpretieren: Auf der Vorderbühne vor Publikum gelten für Journalisten und Politiker die normativen Erwartungen der reinen Lehre. Sie leiten die Selbstdarstellung und werden in öffentlichen Statements imagebewußt beschworen. Auf der Hinterbühne, im Dunklen, gelten andere Regeln. Zwischen Journalisten und Politikern bestehen enge Beziehungen, die für die Öffentlichkeit nicht ohne weiteres erkennbar sind. Dieses Muster haben wir schon im 19. Jahrhundert kennengelernt (Kapitel 2). Andererseits ist das Lobby-System nur mit der typisch britischen Geheimniskrämerei erklärlich. Britische Journalisten beklagen sich seit Jahrzehnten über Informationstabus, Nachrichtensperren, Verschlußsachen, Geheimhaltungsgesetze und drakonischen Regeln der Amtsverschwiegenheit, die auf ausländische Besucher fremd wirken (s. Kapitel 5.5). David Steel erklärte 1985 im Parlament: „Die amtliche Geheimhaltung hat in Großbritannien ein Ausmaß erreicht, das ernsthaft die Gesundheit der Demokratie gefährdet".[61] Dadurch sind die Journalisten auf die Lobby-Informationstreffen angewiesen. Allerdings scheint das Bewußtsein, einer regierungsamtlichen Informationskontrolle und pressefeindlichen Rechtssprechung ausgesetzt zu sein, zu verschärfter Aggressivität anzuspornen. Der Chefredakteur der Qualitätszeitung *The Guardian*, Alan Rusbridger, erklärte im Mai 1997 vor Kollegen: „Laßt uns zugeben, daß wir daran gewöhnt worden sind, in einem Bunker zu leben. Solange ich in diesem Gewerbe bin, gehen wir Journalisten – häufig zurecht – davon aus, daß es eine Art Verschwörung gibt, die uns die Ausübung unseres Berufes erschweren soll. Wir leben mit grotesken Geheimhaltungsbestimmungen, anachronistischen D-Notice-Komitees, einem manipulativem Lobby-System und der wohl drakonischsten Ehrenschutzregelung *(libel)* in der zivilisierten Welt." Britische Journalisten würden daraus die Schlußfolgerung ziehen, nahezu jeden ethischen Verstoß zu akzeptieren und ihn sogar mit Verweis auf die angeblich bedrohte Pressefreiheit entschlossen zu verteidigen.[62] Ethische Standards und Überein-

[61] Luc Jochimsen: Maulwürfe. Der investigative Journalismus in Großbritannien, in *epd/Kirche und Rundfunk*, Nr. 86 vom 1.11.1989, S. 16–18. Vgl. hierzu auch Ponting (1990)

[62] „Let us confess that we are used to living in the bunker. We have, for as long as I have worked in this business, assumed – often with justification – that there was a conspiracy to make our working lives as difficult as possible. We have lived with ludicrous official-secrecy laws, anachronistic D-Notice committees, manipulated lobby systems and one of the most draconian libel laws in the civilised world. (…) The result is that we have, effectively, been driven to defend the indefensible. We have stood by and watched a decade of intrusive stories published and meekly held our silence." Vortrag von Alan Rusbridger bei der James Cameron Memo-

künfte freiwilliger Zurückhaltung, die in Deutschland anerkannt sind, gelten in Großbritannien kaum noch (s. Kapitel 3.2.5 und 6). „Wenn wir eine offenere, ehrlichere Regierung und zugänglichere Behörden hätten", erklärt ein Boulevardjournalist, „wären Zeitungen wahrscheinlich auch weniger daran interessiert, mit wem Politiker ins Bett steigen."[63]

Inhaltsanalysen bestätigen, daß Presseberichte über Skandale und Verfehlungen von Politikern stark zugenommen und Parlamentsberichte stark abgenommen haben. Die Thematisierung von Politiker-Verfehlungen („sleaze") verzehnfachte sich zwischen 1990 und 1995, während die Berichterstattung über Parlamentsdebatten zwischen 1988 und 1992 auf ein Fünftel zurückging.[64] Die zunehmende Trivialisierung des politisches Prozesses beklagen nicht nur viele Journalisten,[65] sondern auch viele Politiker. In einer von 50 Parlamentariern unterzeichneten Petition vom 7. Juni 1996 heißt es: „Das House of Commons bedauert den steilen Rückgang ernsthafter Berichterstattung und Analyse politischer und aktueller Themen in Großbritannien. Dieser Rückgang hat sich in jüngerer Zeit beschleunigt. Personen werden stärker betont als politische Inhalte, Trivialitäten stärker als Substanz. Dies steht in zunehmendem Kontrast zur Vergangenheit des britischen Journalismus und zu vielen Qualitätszeitungen anderer Länder. Die Chefredakteure jener Zeitungen, die einen bedeutsamen Beitrag zur öffentlichen Meinungsbildung leisten wollen, sollten einen ernsthafteren und weniger personalisierten Ansatz wählen und sich um eine ausgewogenere Berichterstattung und Kommentierung öffentlicher Streitfragen und politischer Prozesse bemühen."[66] Die bewußte „Ent-Elitisie-

rial Lecture am Centre for Journalism der City University London; hier zit. n. *Guardian* vom 24. 5. 1997 („The freedom of the press"). Zur Rechtslage der britischen Presse siehe Kapitel 5.

[63] Littlejohn (1994, S. 10) schreibt: „Perhaps if we had more honest, open government and more accountable institutions, the newspapers might not be quite so interested in who the MPs were sharing their beds with."

[64] Vgl. Dunleavy, Weir & Subrahmanyam (1995, S. 605) und Franklin (1996, S. 301). Bis 1988 widmete die *Times* der Berichterstattung aus dem Parlament 400–800 Druckzeilen, der *Guardian* 300–700. Vier Jahre später begnügten sich beide Blätter mit weniger als 100 Zeilen. 1996 war die Parlamentsberichterstattung in der Qualitätspresse fast nicht mehr vorhanden

[65] Unter Londons führenden Journalisten beklagen viele einen Verfall der Qualitätsstandards in der Politikberichterstattung, für den sie den von Murdoch forcierten Wettbewerbsdruck verantwortlich machen; vgl. Franklin (1996) sowie Kapitel 4.4.

[66] „That this House deplores the steep decline in serious reporting and analysis of politics and current affairs in the United Kingdom; notes that this decline has

rung" hat den Qualitätszeitungen jedoch steigende Attraktivität und Auflagen beschert.[67]

In Deutschland bestand bislang kein Anlaß, eine Trivialisierung der Politikberichterstattung in vergleichbarer Form zu beklagen.[68] Auch eine dem britischen Lobby-System vergleichbare Einrichtung gibt es in Bonn nicht. Allerdings gibt es auch die komplementäre Aggressivität der britischen Journalisten gegenüber dem regierungsamtlichen Apparat nicht. Die intensive „love-hate-relationship" zwischen britischen Journalisten und Politikern einerseits und das spannungsfreiere Verhältnis in Deutschland schlagen sich auch in den beruflichen Zielen und Kommunikationsabsichten der Journalisten nieder (Tabelle 1). Hier werden die längere Tradition des Investigativ- und human-interest-Journalismus deutlich. Rollenselbstbeschreibungen, die für den Informationsjournalismus charakterisch sind, werden von den britischen Befragten als deutlich wichtiger bezeichnet (die obersten vier Items). Aktualitätsdruck, Vermittlungsbedürfnis und Publikumsorientierung scheinen in Großbritannien größer zu sein. Dies bestätigt auch frühere Befunde von Köcher (1985). Einen Hinweis darauf, daß die Klage über gesunkene Qualitätsstandards im britischen Journalismus berechtigt ist, geben die Items fünf und sechs: Britische Journalisten sind – vermutlich aufgrund des Konkurrenz- und Exklusivitätsdrucks (s. Kapitel 4 und 6) – eher bereit, nicht bestätigte Meldungen zu publizieren. Ebenso messen sie den intellektuellen und kulturellen Interessen der Leser geringere Bedeutung bei als ihre deutschen Kollegen. Besonderes Augenmerk verdienen in diesem Zusammenhang jedoch die untersten drei Items der Tabelle: Selbstbeschrei-

gathered pace in recent times, with increasing emphasis on personalities rather than policies, and on trivia rather than substance; notes the growing contrast both with the past in British journalism and with certain high quality newspapers in other countries; and suggests that the editors of those national papers that aim to contribute significantly to opinion-forming should demonstrate a more serious and less personal approach, and seek to achieve a more balanced coverage and comment in relation to public issues and political development." So die von Tim Renton, Tom King und David Howell verfaßte „Early Day Motion", die von 43 Abgeordneten der regierenden *Conservative Party* und sieben der Opposition unterzeichnet wurde; hier zit. n. *Guardian* vom 17.6.1996 („Seriously though, folks"). Siehe zum Hintergrund auch „We should read their lips" im *Daily Telegraph* vom 21.6.1996.

[67] Vgl. die Beiträge „How the broadsheets stooped to conquer" im *Guardian* vom 12.5.1997 und „Do the figures ad up?" im *Guardian* vom 10.2.1997. Autor Roy Greenslade verteidigt hierin die Strategie der Qualitätszeitungen.

[68] Selbstverständlich gibt es dafür aber erste Hinweise. Ein Indikator dafür sind die Titelbilder/-geschichten des *Spiegel*, die seit Einführung des Privatfernsehens und der Focus-Konkurrenz immer häufiger unpolitische Themen aufgreifen.

bungen, die auf eine Kontrollfunktion, auf Journalismus als „Fourth Estate“ hinweisen, finden bei den Briten sehr viel größere Zustimmung. Während der investigative Journalismus, also ein Journalismus der Machtkontrolle, in Deutschland auf wenige Medien beschränkt ist, scheint er in Großbritannien breite Anerkennung zu genießen. In den britischen Nennungen wird das größere Selbstbewußtsein, aber auch die größere Aggressivität deutlich, die sich aus einer Tradition früher Unabhängigkeit und langer Pressefreiheit schöpfen. Daß das in öffentlichen Stellungnahmen demonstrierte Selbstbild einer unabhängigen Vierten Gewalt zum Teil auf einem historischen Mythos beruht, wurde bereits hervorgehoben. Dessen ungeachtet scheint es ein zentraler Aspekt der Selbstidentifikation britischer Journalisten zu sein. Bei der Interpretation der britischen Befragungsdaten ist zu beachten, daß sie zu einem Zeitpunkt erhoben wurden, an dem die Popularität der Major-Regierung einem Tiefpunkt erlangt hatte. Viele Journalisten schlugen nach einer langen Phase regierungsfreundlicher Berichterstattung während der Thatcher-Ära in den neunziger Jahren aus Überkompensation einen regierungskritischen Kurs ein. Neben dem „Mythos-Bonus“ und dem „Major-Effekt“ sind die durchgehend höheren britischen Werte vermutlich zum Teil auch auf einen „Telefon-Bonus“ zurückzuführen: Im britischen Telefon-Interview wurden sämtliche Vorgaben, die man den deutschen Journalisten im persönlichen Interview als Kartensatz schriftlich vorlegte, erwartungsgemäß häufiger genannt. Schließlich ist auf die unterschiedliche Stichprobenzusammensetzung hinzuweisen. Diese methodischen Einschränkungen können jedoch den grundsätzlichen Unterschied zwischen den Rollenselbstbildern britischer und deutscher Journalisten nicht aufheben – die Abweichungen sind zu deutlich (s. Tabelle 1).

Als zentrales Problem des deutschen Politikjournalismus ist immer wieder die große Nähe zwischen Korrespondenten und Politikern im weltfernen „Raumschiff Bonn“ bezeichnet worden. „Nirgendwo sonst verschmelzen Politik und Presse so wie in Bonn“, schreibt Dirk Kurbjuweit in der *Zeit* vom 6. Mai 1994. Er zitiert den britischen Journalisten David Marsh, der bis 1991 Deutschlandkorrespondent der *Financial Times* war: „Der kleinstädtische Charakter der Stadt Bonn ist ein beträchtliches Hindernis für die westdeutsche Presse. Die Zusammenballung von Politikern und Journalisten in einer Stadt ohne urbane Kultur und fast ohne Kontakt zu Handel und Industrie erzeugt Engstirnigkeit und spießige Geselligkeit.“ Dies fördere Kungelei und unter Korrespondenten das Gefühl, Teil der Macht zu sein. Andererseits haben die leitenden Redakteure in den Zentralredaktionen in Hamburg, München

Tabelle 1: Selbstbeschreibung der journalistischen Aufgaben im internationalen Vergleich

	Anteil derjenigen, die „voll und ganz" zustimmen bzw. Aufgabe als „very important" bezeichnen, Prozentangaben	
	Großbritannien (1995)	Deutschland (1993)
dem Publikum (möglichst) schnell Informationen vermitteln	88	40
komplexe Sachverhalte erklären und vermitteln	83	39
dem Publikum Unterhaltung und Entspannung bieten	47	19
sich auf Nachrichten konzentrieren, die für das weitest mögliche Publikum interessant sind	45	17
Nachrichten nicht bringen, deren faktischer Inhalt nicht bestätigt wurde	30	37
intellektuelle und kulturelle Interessen des Publikums ansprechen	20	30
Aussagen und Stellungnahmen der Regierung recherchieren und untersuchen	88	12
sich als Gegenpart zu offiziellen (politischen) Stellen verstehen	51	14
sich als Gegenpart zur Wirtschaft verstehen	45	8
Anzahl der befragten Journalisten	N = 726	N = 1498

Anmerkung: Die deutschen Daten wurden von Armin Scholl, die britischen von Tony Delano zur Verfügung gestellt. Zum Hintergrund siehe Weischenberg, Löffelholz & Scholl (1994a) und Delano & Henningham (1995). Erhebungsmethode GB: Telefoninterviews, D: persönliche Interviews. Stichprobenzusammensetzung GB und D ähnlich, in D sind aber zusätzlich Mediendienste, Zeitschriften und Stadtmagazine berücksichtigt, die in der GB-Stichprobe fehlen.

oder Frankfurt zwar die notwendige Distanz, für viele blieb Bonn jedoch peinliche Provinz. Die Bereitschaft, sich mit den Interessen und Motiven der dort Handelnden auseinanderzusetzen, war gering: „Von Hamburg oder München aus mochte man dem Bonner Treiben wohlwollend oder geringschätzig zusehen; ein patronisierendes Verhältnis zur politischen Anstrengung der in Bonn domizilierenden Verfassungsorgane war nicht unnatürlich; ein Sitz oder Erscheinungsort Bonn steigerte kein Prestige, sondern minderte es. Für Berlin wird gemach das Umgekehrte gelten."[69] Während in London sämtliche Medienorganisationen ihren Stammsitz haben, hat es das in Bonn nie gegeben. Diese kuriose Situation einer korrumpierenden Nähe einzelner Korrespondenten und einer überheblichen Distanz der Chefredaktionen von führenden Medienor-

[69] Gross (1995, S. 94), ähnlich Jarren, Grothe & Rybarczyk (1993, S. 24).

ganisationen war lange Zeit prägend für die innerdeutsche Politikberichterstattung.[70] Ob das Londoner Beziehungsgefüge jedoch dem Bonner vorzuziehen wäre, erscheint zweifelhaft.

3.2.4 Recherchebereitschaft

Verschiedene Autoren gingen der Frage nach, ob die unterschiedlichen journalistischen Traditionen auch Auswirkungen auf die Bereitschaft zur Faktenrecherche und Anwendung harter Investigativmethoden genommen haben. Die international vergleichende Studie von Thomas Patterson und Wolfgang Donsbach ergab, daß deutsche Journalisten weniger recherchieren als ihre angelsächsischen Kollegen. In Deutschland verbringen nur 21 Prozent der Journalisten „sehr viel Zeit mit Berichten auf der Grundlage persönlicher Recherche". In Großbritannien und den USA sind es mehr als doppelt so viele (48 bzw. 44 Prozent). Besonders recherchefaul sind offensichtlich ostdeutsche Journalisten: Nur acht Prozent von ihnen verbringen den Großteil ihrer Arbeitszeit mit Recherchieren.[71] Eine wichtiger Grund für geringe Recherchebetätigung in Deutschland dürfte darin liegen, daß sich die Berufsrolle des „reporter" hier nie in demselben Maße durchsetzte wie in den angelsächsischen Ländern (s. Kapitel 10.3.3). Auch auf die Frage „Welche Informationsquellen haben Sie in Ihrem letztem Bericht genutzt?", zeigte

[70] Vgl. zum Bonner Journalismus Jochen Buchsteiner: Über Kümmeltürken, richtige Säue und das Zusammenspiel von Politik und Journalismus, in *Die Zeit* vom 11.7.1997; Hans Peter Schütz: Raumschiff Tulpenfeld, in *Journalist*, Heft 7/1993, S. 32–34; Jürgen Leinemann: Ritchie, Rita und ich, in *Spiegel* Special 1/1995 (Themenheft: Die Journalisten), S. 76–79; Felix Kuballa: Wer umarmt wen? ARD, 23.3.1986, 20.15 Uhr; Siegfried Weischenberg: Diener des Systems, in *Zeit* vom 27.3.1987, S. 13–17; Rudolf Augstein: „Vertrauen Sie dieser Sache Ihre beste Feder an", in *Spiegel*, Heft 52/1984, S. 36–44; Kristina v. Winter: Konferenz IV, in *Kursbuch* Die Medien, November 1987, S. 148–151; Peter Zudeick: Ein Schmiergeld namens Nähe. Die politischen Wahlverwandschaften der Bonner Journalisten, in *Transatlantik*, Heft 1/1987, S. 25–29; Hanns H. Schumacher: Umgangsformen, in *Medium Magazin*, Heft 6/1993, S. 48–49; Klaus-Peter Schmid: Eine Flasche Rotwein mit Nobi. Politiker und Journalisten in Bonn: eine enge Beziehungskiste, in *Zeit* Nr. 13/1991, S. 87–88; Ernst Ney: Bonn – Jahrmarkt der Nachrichten, in *Der Beamtenbund*, Heft 11/1984, S. 14–15; Claus Heinrich Meyer: Wissen ist Ohnmacht – Wie aus gut unterrichteten Kreisen verlautete, in *Merian*, Heft 9/1979, S. 62–63; Klaus Broichhausen: Der Bonner Markt: Lobbying, in *PR-Magazin*, Heft 3/1991, S. 10–14; Jürgen Leinemann: Die Gemütlichkeit ist hin, in *Spiegel*, Heft 28/1977, S. 42–44; sowie Meyer (1980), Herles (1984), Köhler (1989), Riehl-Heyse (1989), Boventer (1988, 1993), Hauenschild (1985), Bresser (1992).

[71] Vgl. Donsbach (1993a, S. 146f.) und Schneider, Schönbach & Stürzebecher (1994, S. 171).

sich bei angelsächsischen Journalisten eine höhere Recherchebereitschaft als bei deutschen. Britische und amerikanische Journalisten hatten häufiger Gespräche mit Experten geführt, Interviews mit Augenzeugen, Gespräche mit Sprechern von Organisationen, Straßeninterviews und Umfragedaten genutzt. Diese verschiedenen „Eigenrecherche"-Aktivitäten erreichten bei den Briten einen addierten Wert von 199 Prozent, bei den Amerikaner von 221 Prozent, bei den Deutschen dagegen nur 164 Prozent. Die deutschen Journalisten hatten dagegen häufiger Agenturmeldungen und Pressemitteilungen benutzt: 57 Prozent gaben an, sich in ihrem letzten Bericht auf Agenturen verlassen zu haben. Bei den Briten waren es nur 24 und bei den Amerikanern 29 Prozent (vgl. Donsbach 1993c, S. 73). Auch auf die Frage, was einem Orientierungshilfen bei den täglichen Nachrichtenentscheidungen gebe, sagen die deutschen Journalisten deutlich häufiger als ihre amerikanischen Kollegen (89 zu 64 Prozent), die Nachrichtenagenturen seien „sehr" oder „ziemlich wichtig" (vgl. Donsbach 1993b, S. 289).

Diese Befunde decken sich mit Beobachtungen angelsächsischer Journalisten. Der Deutschland-Korrespondent von *The Times*, Roger Boyles, sagt: „Deutsche Zeitungsjournalisten scheinen sehr abhängig zu sein von den Presseagenturen. Viele Artikel, die unter ihrem Namen erscheinen, sind identisch mit dpa- oder deutschen AP-Reports vom Vortag. Wenn es einen Unterschied gibt, dann den, daß der Journalist seine Meinung hinzugefügt hat – ohne eigene Recherche." Auch Anna Tomforde vom Londoner *Guardian* kritisiert die Agenturgläubigkeit und Beamtenmentalität der deutschen Journalisten: „Die deutschen Journalisten gehen pünktlich nach Hause und arbeiten selten spät oder am Wochenende. Über Weihnachten, ob Sturmflut oder Hungersnot, haben die Agenturen Hochkonjunktur. Nachrichten sind das Stiefkind des deutschen Journalismus, und sie kommen oft erst einen Tag später ins Blatt." Brendon Mitchener von der *International Herald Tribune* stimmt zu: „Sehr viele Zeitungsartikel beinhalten keine eigene Recherche, sondern sind weitgehend unkritisch. Mit wenigen Ausnahmen halte ich die Journalisten für zu passiv und vielleicht auch etwas faul. Sie sind immer gut informiert, aber auch obrigkeitshörig. Ausnahmen sind *Spiegel* und *Bild*, die sich auf ganz unterschiedliche Weise bemühen, ihren Lesern mehr zu bieten."[72] Die *Spiegel*-Redakteure Jochen Bölsche und Hans Werner Kilz (1988, S. 145 f.) beklagen ebenfalls den geringen Stellenwert der Recherche in Deutschland: „Im

[72] Alle drei Statements zit. n. *Sage & Schreibe* special, Heft 2/1994 (Themenheft: Journalisten in Deutschland: Was sie denken, wie sie arbeiten), S. 3 u. 27.

bundesdeutschen Journalismus sind investigative Recherche und kritische Berichterstattung, die bilanzsichere Dokumentation unsauberer politischer Vorgänge, viel zu wenig entwickelt. Die Deutschen sind Weltmeister im Meinungsjournalismus, der Leitartikel wird als Ausweis höchster Kompetenz angesehen. (...) Aber die Zeitungen beschäftigen nur wenige Rechercheure, die Enthüllungsstories liefern – die Sparte ist unterbesetzt." Dem stimmt auch die „Gallionsfigur des investigativen Journalismus in Deutschland", Hans Leyendecker, zu: „Geehrt werden die warm und trocken sitzenden Feuilletonisten und Leitartikler, die Dichter und Denker." Recherche sei hier kein großes Thema, der recherchierende Journalismus eher anrüchig.[73]

Nicht nur investieren deutsche Journalisten weniger Zeit in Eigenrecherche, sie lehnen harte, investigative Methoden auch viel stärker ab als ihre angelsächsischen Kollegen. Tabelle 2 zeigt die entsprechenden Befunde im Überblick. Gemäß der journalistischen Tradition Großbritanniens nimmt die Faktenbeschaffung dort einen zentralen Stellenwert ein. Aus dem britischen Antwortverhalten spricht das unerschütterliche Selbstbewußtsein, sich als „Fourth Estate" zu verstehen. Wie auch die nordamerikanischen sind britische Journalisten viel eher als deutsche bereit, hart und skrupellos zu recherchieren. „Methoden des investigativen Journalismus scheinen im deutschen Journalismus nach wie vor auf Zurückhaltung zu stoßen", schreibt Weischenberg. „Im internationalen Vergleich erweisen sich die deutschen Medienakteure bei ihren Einstellungen zu Recherchemethoden als geradezu ängstlich und schüchtern" (Weischenberg 1995a, S. 463; 1995b, S. 125). Deutsche Journalisten entscheiden sich im Zweifelsfall immer noch für ethische Normen. Ob man ihre auffallende Zurückhaltung bei der Recherche bedauern oder begrüßen soll, hängt vom Standpunkt des Betrachters und den gesellschaftlichen Maßstäben ab. Angelsächsi-

[73] So Leyendecker in dem Bericht „Der Enthüller", in *Die Woche* vom 5.7.1996, S. 39. Siehe hierzu auch Leyendeckers Beiträge „Wer im Schmutz wühlt", in *Spiegel*-Sonderausgabe 1947–1997 zum 50. Geburtstag des Magazin (Januar 1997), S. 48–55 sowie „Die im Dreck wühlen" in *Spiegel* Special, Heft 1/1995 (Themenheft: Die Journalisten), S. 140. Die *Süddeutsche Zeitung* vom 8.11.1993, S. 3, schrieb: „Hans Leyendeker gilt als Gallionsfigur des investigativen Journalismus in Deutschland. Abgesehen von den Machenschaften bei der gewerkschaftseigenen ‚Neuen Heimat' und beim Lebensmittelkonzern ‚co op AG' gab es in den vergangenen zwölf Jahren keinen Skandal in der Republik, an dessen Aufdeckung Leyendecker nicht beteiligt gewesen wäre." Auch der *Kress Report* vom 21.3.1997 nannte ihn einen „der besten investigativen Journalisten Deutschlands". Leyendecker war von Januar 1979 bis Juni 1997 beim *Spiegel* und arbeitet seither für die *Süddeutsche Zeitung*.

Tabelle 2: Einstellungen zu umstrittenen Recherchemethoden im internationalen Vergleich

	Anteil derjenigen, der die Methode für vertretbar hält (%)			
	Großbritannien (1995)	Deutschland (1993)	Deutschland/West (1992)	USA (1992)
Sich als Mitarbeiter in einem Betrieb betätigen, um an interne Informationen zu kommen	80	22	46	63
Vertrauliche Regierungsunterlagen verwenden	86	27	75	81
Informationsquellen unter Druck setzen	59	2	6	49
Private Unterlagen wie Briefe und Fotos ohne Erlaubnis veröffentlichen	49	2	10	47
Sich durch Geldzuwendungen vertrauliche Unterlagen zu beschaffen	65	19	28	20
Sich als eine andere Person ausgeben, falsche Identität benutzen	47	19	28	22
Informationsquellen Vertraulichkeit zusagen, aber nicht einhalten	9	0	3	5
Anzahl der befragten Journalisten	N = 726	N = 1498	N = 983	N = 1156

Anmerkung zu GB und USA. Fragetext: „Journalists have to use various methods to get information. If it was an important story, which of the methods that I read out do you think may be justified on occasion and which would you not approve under any circumstances?" Methode: Jeweils Telefoninterviews. Quelle: Delano & Henningham (1995), Weaver & Wilhoit (1996, S. 157).

Anmerkung zu Deutschland (1993). Fragetext: „Da es oft sehr schwierig ist, an wichtige Informationen zu kommen, helfen sich viele Journalisten auch mit ungewöhnlichen Vorgehensweisen. Bitte sagen Sie mir zu jeder Vorgehensweise auf der Karte, ob Sie Ihrer Meinung nach voll und ganz, überwiegend, teils teils, weniger oder überhaupt nicht vertretbar ist?" Methode: Persönliche Interviews; in Stichprobe zusätzlich Mediendienste, Zeitschriften und Stadtmagazine berücksichtigt, West- und Ostdeutschland, Antwortvorgaben ‚voll und ganz' und ‚überwiegend' zusammengefaßt; Quelle: Weischenberg (1995a, S. 464).

Anmerkung zu Deutschland (1992). Fragetext: „Weil es oft sehr schwierig ist, an wichtige Informationen zu kommen, helfen sich Journalisten öfter mit ungewöhnlichen Methoden. Welche der folgenden Methoden halten Sie für vertretbar. und welche billigen Sie auf keinen Fall?" Methode: Telefoninterviews, ähnliche Stichprobenzusammensetzung wie GB und USA, nur Westdeutschland. Quelle: Schneider, Schönbach & Stürzebecher (1993, S. 25).

sche Journalisten verstehen sich viel stärker als Anwälte der Öffentlichkeit, die auch vor Enthüllungen aus dem Intimleben eines Politikers nicht halt machen. Allerdings wird hier das Dilemma des Enthüllungsjournalismus zwischen politischer Notwendigkeit und ethisch fragwürdigem, wettbewerbsmotiviertem Sensationalismus deutlich. In der britischen Presse herrschen mittlerweile andere

Vorstellungen über die politische Relevanz bestimmter Enthüllungen als in der deutschen, wie die folgende Darstellung zeigt.

3.2.5 Das Privatleben von Politikern in der Presse

Tabus, die unter deutschen Journalisten kaum in Frage gestellt werden, gelten in Großbritannien nicht mehr. Das trifft vor allem für das Privatleben von Politikern, ihre Affären, Ehekrisen und sexuelle Neigungen zu. In Deutschland wird das Gebot, über Privates nicht zu schreiben, bis heute weitgehend befolgt.[74] „Wenn man hier die Regeln durchbricht und aus der Privatsphäre berichtet, wird man sofort von den berühmten Hintergrundkreisen ausgeschlossen", erklärt eine Insiderin der Bonner Szene.[75] Theo Waigel hatte sich in vertraulichen Gesprächen mit Chefredakteuren das Versprechen geben lassen, über ihn und seine Lebensgefährtin Irene Epple nicht zu berichten, solange er noch verheiratet war. Aus britischer Sicht undenkbar, aber die deutschen Medien hielten sich daran. Ein ähnlicher Berichterstattungsverzicht gilt für das Privatleben von Helmut Kohl.[76] Die *New York Times* staunt: „Seit Jahren sind deutsche Journalisten die diskretesten der westlichen Welt. Sie nehmen öffentliche Flirts ihrer Politiker normalerweise wortlos zur Kenntnis. Sie wissen oft viel mehr, als sie schreiben."[77] Erst die Berichterstattung über die Affäre zwischen Ministerpräsident Gerhard Schröder und *Focus*-Redakteurin Doris Köpf wurde erstmals als Bruch mit diesem Tabu bezeichnet: „Damit fällt vielleicht auch in Bonn eine der letzten Schranken, vor denen Politiker aller Parteien und Journalisten aller Couleur bislang stoppten. Traditionell wird nichts veröffentlicht, was der Betroffene nicht will. (…) Doch jetzt, da die von den Schwarzen zugelassenen privaten Sender in scharfer Konkurrenz zu anderen Medienapparaten überall nach unterhaltsam Menschelndem stöbern, ist der Bonner Burgfrieden in

[74] Vgl. hierzu ausführlich *Spiegel* Special 5/1995, Themenheft Liebe, S. 123–125 („Bonn amour"); *Stern*, Heft 9/1996, S. 28–40 („Bonn amour"); *Spiegel*, Heft 11/1996, S. 22–24 („Dallas, Denver, Hannover") sowie Kepplinger, Eps, Esser & Gattwinkel (1993).

[75] So eine Kolumnistin der Münchner *tz* im *Stern*, Heft 9/1996, a. a. O., S. 36.

[76] So änderte die *Bunte* mitten im Druck ihre Titelgeschichte „Politikerehen – Der Schein trügt" (Heft 17/1993, S. 14–18), um eine Bemerkung über die Kohls zu entschärfen, über die der Bundeskanzler sehr verärgert war. Kurz darauf wurde Chefredakteurin Wedekind beurlaubt. Zum Hintergrund siehe *Spiegel*, Heft 19/1993, S. 19 f.

[77] Zit. n. *Die Welt* vom 2. 4. 1996, Sonderbeilage 50 Jahre *Die Welt*, S. G40 („In Washington und London ist Skandalwäsche tägliche Pflichtübung").

Gefahr."[78] Wie in Großbritannien wird auch hier der Abschied von Tabus und ethischen Normen mit der zunehmenden Medienkonkurrenz in Deutschland begründet (s. Kapitel 6).

Die britische Öffentlichkeit erwartet bei Berichten über ihre Politikern einen hohen investigativen Impetus. Sie toleriert das Einmischen der Presse in das Privatleben von Politikern in wachsendem Maße: Während dies 1989 noch 32 Prozent für gerechtfertigt hielten, stimmten 1992 schon 40 Prozent zu. Die Bereitschaft der britischen Öffentlichkeit, Verletzungen der Privatsphäre durch die Presse zu tolerieren, hat zwar für alle gesellschaftlichen Gruppen zugenommen, für Politiker ist sie aber am höchsten (Mortimore 1995). Vor allem die Boulevardzeitungen unterscheiden nicht zwischen Verfehlungen im Amt und im Privatleben. Diese Verwischung der Trennlinie zwischen Beruflichem und Privatem hat in der Politikberichterstattung generell zugenommen.[79] In den fünf Jahren zwischen 1990 und 1995 gab es nach Zählung des *Independent on Sunday* 34 Affären um konservative Politiker, eine um einen liberaldemokratischen und vier um *Labour*-Politiker. Bei mindestens einem Viertel dieser 39 Fälle war Sex involviert, sechs Regierungsmitglieder mußten aus diesem Grund zurücktreten.[80] Diesen intimen Enthüllungen schrieben die Boulevardzeitungen grundsätzlich eine *politische* Bedeutung zu, wie folgende Beispiele verdeutlichen.

Wenige Tage, nachdem der für die Medien zuständige britische Kulturminister David Mellor eine Untersuchung über das ethische Verhalten der Presse in Auftrag gegeben hatte (*Review of Press Self-Regulation 1993*; s. Kapitel 6.3), berichtete die Sonntagszeitung *The People* in ihrer Ausgabe vom 19. Juli 1992 über die außereheliche Affäre des Ministers Mellor mit der arbeitslosen spanischen Schauspielschülerin Antonia de Sancha. Der zweifache Familienvater Mellor wurde zu jener Zeit als möglicher Nachfolger von Premierminister John Major gehandelt. Viele Zeitungen machten sich über den Politiker mit zum Teil frei erfundenen Berichten über obskure Liebesspiele lustig (so soll er beim Sex ein Trikot seines Lieblingsfußballclubs FC Chelsea getragen haben). Zurücktreten mußte Mellor erst über den sehr viel ernsteren Vorwurf, sich aus PLO-nahen Kreisen Familienurlaube finanziert haben zu lassen. Die Boule-

[78] *Spiegel*, Heft 11/1996, S. 24 („Dallas, Denver, Hannover"). Siehe hierzu auch *Observer* vom 17.3.1996, S. 22 („Voyeurs watch as Germany's Clintons split").

[79] Dieser Punkt wurde weiter oben bereits angesprochen. Siehe hier Mortimer (1995, S. 582 f.), Doig & Wilson (1995, S. 571 f.).

[80] *Independent on Sunday* vom 23.7.1995 („Sleaze: a guide to the scandals of the Major years") sowie Tunstall (1996, S. 310).

vardpresse berichtete über den Rücktritt jedoch wieder mit Verweis auf seine außereheliche Affäre.[81] Die Chefredakteure wissen, daß sich mit einem politischen Sex-Skandal mehr Zeitungen verkaufen lassen als mit einem Bericht über politische Korruption. Nach ihrer Ansicht sind solche Berichte auch deshalb im „öffentlichen Interesse“, weil es sich um Volksvertreter handelt, die gerade vor Wahlen ihr angeblich intaktes Familienleben zu Wahlkampfzwecken einsetzen.

Eine willkommene Rechtfertigung dafür, sexuelle Entgleisungen von Parlamentariern als politisch bedeutsam darzustellen, bot die „Back to Basics“-Kampagne. Im Oktober 1993 forderte Major auf dem Parteitag seiner *Conservative Party* zu einer Rückbesinnung auf Grundwerte wie Anstand und Moral auf. Dies nahm die Presse als Anlaß, besonders aufmerksam nach Fällen von Doppelmoral ihrer Politiker zu schauen. Schon Jahre zuvor hatte *Sun*-Chefredakteur Kelvin MacKenzie Politikern den legendären Satz zugerufen: „Wenn Du nicht in der Zeitung stehen willst, behalte Deine Hosen an“.[82] Eine Serie politischer Sex-Skandale brach im Anschluß an den Parteitag herein. So mußte Verkehrsminister Lord Caithness am 9. Januar 1994 zurücktreten, nachdem die Presse über den Selbstmord seiner Frau mit einem Jagdgewehr berichtet hatte. Sie konnte, wie die Schwiegermutter der Presse erklärte, die außerehelichen Affären ihres Mannes nicht mehr ertragen. Nur wenige Tage später trat auch der 48jährige Umweltminister Tim Yeo zurück, der neben seiner Ehe eine Liason mit der 34jährigen Anwältin Julia Stent unterhielt, aus der mittlerweile eine sechs Monate alte Tochter erwachsen war. Als er in einem Zeitungsinterview noch eine zweite uneheliche Tochter aus seiner Studentenzeit in Cambridge einräumte, drängten ihn die Parteifreunde zum Rücktritt. In der selben Woche berichtete die Presse von dem konservativen Abgeordneten David Ashby, der nach 28jähriger Ehe seine Frau verließ und zu einem Freund zog, mit dem er sich im Frankreichurlaub ein Bett teilte, weil das angeblich billiger sei. (Er verklagte die *Sunday Times* auf Ehrverletzung und verlor.) Die Medien stellten Majors Moralkampagne endgültig als Farce dar, als sein Parteifreund Stephen Milligan, ein aussichtsreicher Minister-Kandidat, am 7. Februar 1994 tot im Wohnzimmer aufgefunden wurde. Der 45jährige Oxford-Absolvent lag auf dem Fußboden, trug einen schwarzen Spit-

[81] Vgl. *Sunday Times, Observer* und *Independent on Sunday* vom 26.7.1992, 13.9.1992 und 27.9.1992.

[82] Hier zit.n. *epd/Kirche und Rundfunk*, Heft 9 vom 5.2.1994, S. 67–69 („Unternehmensziel Revolver TV“).

zen-BH, Rüschen-Slip und Strapse. Über seinen Kopf war eine Plastiktüte gestülpt, um den Hals ein Stromkabel geschnürt, im Mund eine geschälte Orange und eine Kapsel mit der Sex-Droge *Poppers*.[83] Schon vor dem Parteitag war Premierminister John Major am 27. Januar 1993 Thema eines sehr persönlichen Presseberichts geworden. Die traditionsreiche Wochenzeitschrift *New Statesman & Society* veröffentlichte einen dreiseitigen Artikel über Gerüchte, daß Major ein außereheliches Verhältnis mit der 41jährigen Party-Service-Unternehmerin Clare Latimer unterhalte, die in Downing Street No. 10 ein und aus gehe. Der Artikel trug zusammen, was seit zwei Jahren in Anspielungen in anderen Zeitungen zu lesen und in der satirischen Politpuppen-Show „Spitting Image" zu sehen war. Major, der die Presseberichterstattung über seinen Parteifreund David Mellor damals scharf kritisiert hatte, klagte mit einstweiliger Verfügung auf Unterlassung und erwog einen Verleumdungsprozeß, zog aber seine Klage am 6. Juni 1993 auf Anraten seiner Anwälte zurück.[84]

Diese Grenzverwischung der Presse zwischen politischen und privaten Verfehlungen ist nicht ohne Konsequenzen geblieben.[85] Die Regierung sah sich – auch wegen anderer Enthüllungen – gezungen, das Verhalten der Parlamentarier durch einen Untersuchungsausschuß prüfen zu lassen.[86] Als Folge parteiinterner Streitigkeiten über die Empfehlungen des Untersuchungsberichts stellte Major im Sommer 1995 die Vertrauensfrage als Parteivorsitzender. John Redwood trat gegen ihn an und erklärte vor der Abstimmung, er würde alle potentiellen Minister seiner Regierung über ihr Privatleben ausfragen, denn „ein Mann, der bereit ist, seine Frau zu betrügen, ist ebenso bereit, sein Land zu betrügen". Das Bemühen, gegen „sleaze" (Verdorbenheit) vorzugehen, wurde zu einem zen-

[83] Milligan war offensichtlich ein „gasper", der einen Orgasmus nur am Rande des Erstickens erreicht. Er starb an Herzversagen. Alle Angaben entstammen der englischen Tagespresse.

[84] Vgl. *Sunday Times, Observer* und *Independent on Sunday* vom 31.1.1993 und *The Economist* vom 10.7.1993.

[85] Vgl. Smith (1995, S. 556f.), Doig & Wilson (1995, S. 570f.), Mortimer (1995, S. 583f.).

[86] Zunächst nahm im Oktober 1994 das sogenannte Nolan-Committe seine Arbeit auf mit dem Auftrag „to examine current concerns about standards of conduct of all holders of public office" und berichtete im Mai 1995. Anschließend übernahm im November 1995 das sogenannte Downey-Committee die Fortsetzung der Untersuchung und berichtete im März 1997; vgl. Oliver (1995), Doig & Wilson (1995) sowie *Guardian* vom 21. März 1997 (Sonderbeilage).

tralen politischen Thema.[87] Major verfügte, jeder Politiker sollte in Zukunft rasch zurücktreten, falls in der Presse Affären über ihn bekannt würden.[88]

Ein vergleichbarer Umgang mit Politikern in der deutschen Presse ist bisher undenkbar. Eine Untersuchung des Instituts für Demoskopie Allensbach aus dem 1993 gibt Auskunft, was der deutschen Bevölkerung als skandalös erscheint. Danach lösen *finanzielle* Unregelmäßigkeiten von Politikern sehr viel größere Empörung aus als *sexuelle*.[89] Nicht nur die deutsche Öffentlichkeit, auch Deutschlands Journalisten zeigen Zurückhaltung bei sehr privaten Themen. In einer Umfrage unter 492 westdeutschen Journalisten aus dem Jahr 1989 gaben 47 Prozent an, daß der Persönlichkeitsschutz Vorrang vor dem Informationsinteresse der Öffentlichkeit habe, nur 32 Prozent lehnten dies ab.[90] Damit befinden sie sich in Übereinstimmung mit Deutschlands Politikern, die dies genauso sehen. In einer Umfrage für das Wirtschaftsmagazin *Capital* gaben 56 Prozent der politischen Führungskräfte an, daß es zu weit gehe, wenn die Presse beim Aufdecken und Anprangern von Mißständern die Intimsphäre verletzt; nur 36 Prozent waren anderer Ansicht und meinten, das Aufdecken von Mißständen gehe grundsätzlich vor.[91] Während deutsche Journalisten also immer noch recht sensibel beim Umgang mit Normalbürgern und Politikern sind, werden britische Journalisten um so aggressiver, je öffentlicher das Amt der Person ist. Schließlich geht es um die Glaubwürdigkeit der Volksvertreter. Inwieweit diese Aggressivität Ausdruck einer anderen, längeren Tradition der Pressefreiheit oder nur Ausdruck eines verschärften Geschäftsinteresses ist, ist schwer zu beantworten.

Auch der Umgang der britischen Presse mit dem Königshaus hat sich grundlegend gewandelt.[92] Ein krasses Beispiel dafür, wohin

[87] Vgl. Smith (1995). Redwood sagte „if a man is prepared to betray his wife, he is equally likely to betray the country“; zit. n. Smith (1995, S. 556 f.).

[88] Vgl. Brazier (1994, S. 440, 445) sowie *Independent* vom 3.6.1996 („Welsh minister quits over sex scandal“).

[89] So erschienen die Ruhegeldbezüge Lafontaines aus seinem früheren Amt als Oberbürgermeister erheblich mehr Befragten als skandalös (52 Prozent) als seine angeblichen Kontakte zum Rotlichtmilieu (29 Prozent). Vgl. IfD-Umfrage 5081, Juni 1993, auszugsweise abgedruckt in dem Beitrag von Elisabeth Noelle-Neumann „Lügen werden verziehen, aber beim Geld hört der Spaß auf“ in *Frankfurter Allgemeine Zeitung* vom 14.7.1993, S. 5.

[90] Vgl. Lang, Kepplinger, Lang & Ehmig (1989).

[91] Vgl. den Bericht „Presse – die vierte Macht“ in *Capital*, Heft 10/1993, S. 113–116.

[92] Vgl. Ziegesar (1993), Leapman (1992, S. 221–238) und Tunstall (1996, S. 313–338).

schonungsloser Wettbewerb führen kann, war die Veröffentlichung des mitgeschnittenen, privaten Telefongesprächs von Princess Diana mit ihrem Jugendfreund James Gilbey. Zwei Jahre lagerten die Bänder im Redaktionssafe der *Sun* und wurden erst veröffentlicht, als das Konkurrenzblatt *Daily Mirror* mit der Publikation der Nacktfotos von Sarah Ferguson und ihrem „Finanzberater“ John Bryant einen substantiellen Auflagegewinn erringen konnte.[93]

3.3 Zusammenfassung und Fazit

In Großbritannien und Deutschland herrschen kaum noch unterschiedliche Objektivitätsvorstellungen. Hier haben die Deutschen ihre reeducation-Lektion gelernt. Dennoch gibt es in anderen Bereichen weiterhin deutliche Unterschiede, so daß zurecht von verschiedenen journalistischen Kulturen gesprochen werden kann. Für den Investigativ- bzw. Recherchejournalismus gibt es in Deutschland keine starke Tradition. In Großbritannien entwickelte er sich in der Phase des *New Journalism* (1880–1914). Diese Wurzeln griff die *Sunday Times* in den sechziger Jahren wieder auf und wurde mit ihrem „Insight“-Konzept stilprägend für den gesamten britischen Pressejournalismus. Wie die *Sunday Times* in Großbritannien wurde der *Spiegel* in Deutschland zum investigativen Leitmedium, allerdings blieb er mit seinem enthüllenden Berichterstattungsstil weitgehend alleine. Im Gegensatz zu Großbritannien griffen andere Zeitungen das Konzept nicht auf.[94] Daher werden Rollenselbstbeschreibungen, die auf eine Kontrollfunktion der Presse hinweisen, von deutschen Journalisten weniger akzeptiert als von britischen. „Aussagen und Stellungnahmen der Regierung zu recherchieren und untersuchen“ halten 88 Prozent der britischen, aber nur 12 Prozent der deutschen Journalisten für „sehr wichtig“. Hier wird das große Selbstbewußtsein der britischen Journalisten, das sich aus einer Tradition früher staatlicher Unabhängigkeit und langer Pressefreiheit speist, deutlich. Dieses in öffentlichen Statements demonstrierte Selbstbild einer Vierten Gewalt beruht allerdings nicht nur historisch (s. Kapitel 2), sondern auch gegenwärtig auf einer mythi-

[93] Vgl. *UK Press Gazette* vom 7.9.1992 („Is accuracy too high a price to pay?“).

[94] „Dem ‚Leithammel‘ aus Hamburg hoppeln viele Angsthasen aus der Provinz hinterher“, schreibt Weischenberg etwas hämisch über Deutschlands Journalisten; vgl. „Vom Leithammel und den Angsthasen“ in *Spiegel* Special, Heft 1/1995 (Themenheft: Die Journalisten), S. 20–22.

schen Verklärung der tatsächlichen Verhältnisse. Aufgrund des international einmaligen Lobby-Systems sind britische Journalisten stark dem Informationsmanagement der Regierung ausgesetzt. Thatcher verstand es hervorragend einzusetzen, Major überhaupt nicht. Das Lobby-System trug dazu bei, daß britische Journalisten in manchen Phasen zahme Schoßhunde, in anderen scharfe Kampfhunde waren. Eine permanente, latente Aggressivität wird durch eine andere internationale Einmaligkeit wachgehalten, nämlich die typisch britische Geheimniskrämerei offizieller Stellen (daher auch die Faszination der Briten für Krimi- und Spionage-Romane). Der neue Premierminister Tony Blair traf nicht zuletzt deshalb auf eine wohlwollende Presse, weil er im Gegensatz zu seinen konservativen Vorgängern die Einführung eines „Freedom of Information Act" versprochen hat (s. Kapitel 5.5).

In Deutschland fehlt ein Pendant zum Lobby-System ebenso wie die übertriebene Neigung offizieller Stellen zu Informationstabus und Nachrichtensperren. Insbesondere die vielen presserechtlichen Privilegien erklären die geringere Aggressivität deutscher Journalisten: Sie sind bei der Materialbeschaffung in einer deutlich günstigeren Position als ihre britischen Kollegen (s. Kapitel 5). Weil es daher in Deutschland seltener vorkommt, daß Journalisten die Anwendung harter Recherchemethoden vor sich und anderen rechtfertigen müssen, bestand kein konkreter Anhaltspunkt für die Herausbildung eines Legitimationsmusters als „Vierter Gewalt". Unabhängig davon fehlt der deutschen im Vergleich zur angelsächsischen Presse ein auf Kontinuität beruhendes Selbstbewußtsein. Pressefreiheit und Demokratie wurden in der Bundesrepublik nicht erkämpft, sondern von den Besatzungsmächten „verliehen". Weder die Verfassung, noch die Organisation der Medien sind eine deutsche Eigenleistung. Dies hat auf politischer wie journalistischer Seite Unsicherheit über die Legitimität gesellschaftlicher Machtansprüche ausgelöst. So gibt es in Deutschland aus politikwissenschaftlicher und presserechtlicher Sicht – zu Recht – große Vorbehalte, die Medien als eine eigenständige Vierte Gewalt zu begreifen, während in Großbritannien und den USA mit diesem Begriff sehr viel unbefangener umgegangen wird (vgl. Redelfs 1996, S. 54–58).

Der deutsche Journalismus, da sind sich ausländische Beobachter weitgehend einig, ist demokratisch, aber ihm fehlt es etwas an Fleiß und Ehrgeiz. Angelsächsische Journalisten sind davon überzeugt, mit Politikern härter umzugehen als ihre deutschen Kollegen. Beispielsweise sei das in Bonn übliche Autorisieren-lassen von Zeitungsinterviews in Großbritannien undenkbar.[95] Überraschungen scheint man *Spiegel* und *Bild* zu überlassen. Der *Spiegel* hat mit einer Mischung aus angelsächsischen und deutschen Elementen einen eigenen Berichterstattungsstil entwickelt, der bei einer Million Käufern und zwei Dritteln der deutschen Journalisten eine hohe Glaubwürdigkeit genießt. Die detailgenaue, hartnäckige Recherche und die Respektlosigkeit gegenüber Autoritäten hat der *Spiegel* von angelsächsischen Nachrichtenmagazinen übernommen. Allerdings hat er aufgrund seiner Jahrzehnte währenden Monopolstellung, der dominierenden Persönlichkeit seines Herausgebers und der politischen Kultur im Nachkriegsdeutschland, die mit der in Großbritannien und den USA nicht zu vergleichen war, einige Besonderheiten entwickelt. Sein investigatives Konzept macht ihn zum Vorbild, die Art seiner Politik- und Realitätsdarstellung dagegen nicht. Die allgemein geringe Recherchebegeisterung dürfte neben der historischen Neigung zur Meinungspublizistik (s. Kapitel 2) auch auf das völlig unterentwickelte Berufsbild des Reporters (s. Kapitel 10.3.3) zurückzuführen sein.

Die in Großbritannien ebenfalls starke Tradition des Sensationsjournalismus hat in jüngerer Zeit unter den Bedingungen zunehmender Konkurrenz zu einer Grenzverwischung zwischen der Enthüllung politisch-sozialer und privat-intimer Mißstände geführt. Während das Privatleben von Politikern in Deutschland weiterhin Tabu ist, sofern die Betroffenen dies wünschen, gibt es solche freiwillige Selbstbeschränkung in Großbritannien längst nicht mehr. Die Maßstäbe dessen, was „im öffentlichen Interesse" oder „politisch relevant" ist, unterscheiden sich mittlerweile in beiden Ländern sehr. Für das ethisch konformere Verhalten der deutschen Presse dürfte – neben dem geringeren Wettbewerbsdruck, den ungewöhnlichen „Bonner Verhältnissen" und der vergleichsweise günstigen presserechtlichen Absicherung – auch ein anderes Verhältnis der Deutschen zum Staat und seinen Repräsentanten verantwortlich sein. Vielsagenderweise genießen deutsche Politiker einen „besonderen Ehrenschutz", während für britische noch nicht einmal ein allgemeines Persönlichkeitsschutzrecht zur Verfügung steht (s. Kapitel 5.7). § 187a StGB schützt deutsche Politiker besser gegen üble Nachrede als Normalbürger. Mit diesem etwas patriarchalischen Paragraphen wurde laut Pross (1980, S. 112) „im Prinzip das Majestätsverbrechen in die Gegenwart gerettet". Hierin dürfte

[95] So der Deutschland-Korrespondent des *Independent*, Imre Karacs, am

ein Grund für die Selbstbeschränkung deutscher Journalisten liegen (so auch Nolte 1992, S. 234–258).

3.4 Zwischenbilanz: Einflußfaktoren der Gesellschaftssphäre

Aus theoretischer Perspektive sind damit die wesentlichen Faktoren der *Gesellschaftssphäre* genannt, die die Identität des britischen und deutschen Journalismus auf historisch-kultureller Ebene ausmachen. Die äußere Schale unseres integrativen Modells der Einflußfaktoren im Journalismus (s. Schaubild 1 in Kapitel 1.2) ist damit aus international vergleichender Perspektive hinreichend beschrieben. Sowohl im Falle Großbritanniens, das auf eine weitgehend ungebrochene journalistische Tradition zurückblicken kann, als auch im Falle Deutschlands, das sich 1945 um einen grundsätzlichen Neubeginn bemühte, zeigt sich, daß man Identität und Selbstbild des jeweiligen Journalismus nicht ohne eine Analyse der historisch-kulturellen Faktoren greifen kann. So können, wie erläutert, Ergebnisse aktueller Journalistenbefragungen ohne eine spezifische Kenntnis der gesellschaftskulturellen Rahmenebene kaum sinnvoll interpretiert werden. Die wesentlichen Einflüsse der *Gesellschaftssphäre* seien hier nochmals zusammenfassend genannt:

Kapitel 2.2 erläuterte die unterschiedliche Geschichte der Pressefreiheit, Staatsverfassung und politischen Kultur und zeigte die Konsequenzen auf, die sich daraus für die Herausbildung eines Selbstverständnisses der Presse als Vierter Gewalt ergaben. England war hinsichtlich Bürger- und Pressefreiheit, Parlamentarismus und Demokratie der europäische Schrittmacher, Deutschland der Nachzügler. Kapitel 2.3 stellte dar, warum sich Unparteilichkeit als professioneller journalistischer Wert in Großbritannien früher und erfolgreicher durchsetzen konnte als in Deutschland. Verkaufsorientierung und Unparteilichkeitsanspruch wurden in England positiver als in Deutschland bewertet. Kapitel 2.4 erklärte die unterschiedlichen historischen Grundlagen des Objektivitätsverständnisses in beiden Ländern und zeigte die Bedingungen auf, die die Durchsetzung des angelsächsischen Ideals in Deutschland behinderten. Für England war die praktische, fallorientierte, empirische Denkweise, für Deutschland die theoretische, abstrakte, idealistisch-spekulative Denkweise typisch. England steht für Kontinuität, Kompromiß und Ideologieferne, Deutschland für nationale Zersplitterung, totalitäre Utopien und Extreme. Kapitel 3.1 legte dar, daß die ursprünglich großen Unterschiede hinsichtlich der Akzeptanz des Objektitätsideals heute keine gravierende Rolle mehr spielen. Auf anderen Gebieten sind jedoch weiterhin auffallende Unterschiede festzustellen, wie Kapitel 3.2 demonstrierte. Dafür sind zum Teil die unterschiedlichen journalistischen Traditionen, zum Teil die konkreten politischen und rechtlichen Rahmenbedingungen der jungen Bundesrepublik verantwortlich. Hier sind insbesondere die schwach ausgeprägte Recherchebereitschaft, die große Erwartungshaltung gegenüber dem Staat und das daraus resultierende rücksichtsvolle Verhältnis zu seinen Repräsentanten sowie ein unangelsächsisches Öffentlichkeitsverständnis zu nennen. Letzteres scheint auf dem journalistischen Konsens zu beruhen, daß es viele Informationen nicht wert sind, ihnen nachzuspüren und sie der Öffentlichkeit mitzuteilen. Der hier aufgespannte „gesamtsystemische Orientierungshorizont" (Kapitel 1.2) ist – als äußere Schale unseres Modells – notwendigerweise noch etwas vage und wird durch die weitere Analyse spezifiziert. Kapitel 9.6 wird die identitätsstiftenden Faktoren der *Medienstruktursphäre* zusammenfassen, ihr Verhältnis zu denen der *Gesellschaftssphäre* klären und dazu direkt an das vorliegende Kapitel anknüpfen. Die Integration in die Gesamtkonzeption erfolgt in Kapitel 13.

II. Einflüsse der Medienstruktursphäre

4. Der Pressemarkt in Großbritannien und Deutschland

In den folgenden sechs Kapiteln werden die Bedingungen der *Medienstruktursphäre* im britischen und deutschen Journalismus analysiert. Die deutsche und britische Tagespresse sind im europäischen Vergleich auflagenstark und vielfältig. Vor der deutschen Vereinigung, als beide Länder mit rund 58 Millionen Einwohnern gleich groß waren, wurden in der Bundesrepublik von 1000 Bürgern 400 Tageszeitungen gekauft und in Großbritannien 480 (Stand 1989). Damit hatten die Briten die höchste und die Deutschen die zweithöchste Zeitungsdichte in Europa. 35 Jahre zuvor war der Unterschied größer: 1954 kauften die Briten täglich 573 Zeitungen pro 1000 Einwohner und waren damit das pressefreudigste Land der Welt. Die Deutschen lagen seinerzeit mit 277 Exemplaren weit abgeschlagen an 17. Stelle.[1] In Großbritannien und Westdeutschland (ohne neue Bundesländer) arbeiten etwa gleichviele Pressejournalisten: In Großbritannien rund 11400, in Westdeutschland rund 12400 (Tabelle 3). Dabei bestehen wesentliche Unterschiede, deren Hintergründe im folgenden erläutert werden. So arbeiten auffallend viele britische Journalisten für national verbreitete Zeitungen. Auch gibt es in Großbritannien deutlich mehr Agenturjournalisten, also neutralitätsorientierte Informationsvermittler. Andererseits arbeiten in Großbritannien 5500 weniger Rundfunkjournalisten als im gleichgroßen Westdeutschland. Offensichtlich ist der deutsche öffentlich-rechtliche Rundfunk viel wohlhabender (die Rundfunkgebühren in Großbritannien sind niedriger, zudem hat die BBC keine Werbeeinnahmen), andererseits bieten die privaten Rundfunkunternehmen in Deutschlands vermutlich mehr Arbeitsstellen.

[1] Vgl. das BDZV-Jahrbuch *Zeitungen '94* und Dovifat (1960, S. 93).

Tabelle 3: Gesamtheit der hauptberuflich und tagesaktuell arbeitenden Journalisten in Großbritannien und Deutschland, aufgeschlüsselt nach Mediengattungen

<table>
<tr><th></th><th colspan="2">Großbritannien 1995</th><th colspan="2">Westdeutschland 1993</th><th colspan="2">Ostdeutschland 1993</th></tr>
<tr><th></th><th>Anzahl</th><th>Prozent</th><th>Anzahl</th><th>Prozent</th><th>Anzahl</th><th>Prozent</th></tr>
<tr><td>Nationale Zeitungen</td><td>3282</td><td>22</td><td rowspan="2">12374</td><td rowspan="2">59</td><td rowspan="2">3241</td><td rowspan="2">74</td></tr>
<tr><td>Regionale Zeitungen</td><td>8140</td><td>54</td></tr>
<tr><td>Nachrichtenagenturen</td><td>1600</td><td>11</td><td>789</td><td>4</td><td>295</td><td>7</td></tr>
<tr><td>Fernsehen + Hörfunk</td><td>2053</td><td>14</td><td>7662</td><td>37</td><td>838</td><td>19</td></tr>
<tr><td>Gesamt</td><td>15075</td><td>101</td><td>20825</td><td>100</td><td>4374</td><td>100</td></tr>
</table>

Daten für Großbritannien geschätzt von Delano & Henningham (1995); Daten für Deutschland ermittelt von Schneider, Schönbach & Stürzebecher (1993b, S. 355). Nicht berücksichtigt sind Zeitschriftenjournalisten.

4.1 Regionale und nationale Zeitungen

Pressetypologisch wird das Tageszeitungsangebot nach national und lokal verbreiteten Zeitungen sowie nach Qualitäts- und Boulevardzeitungen unterschieden.[2] Zum ersten Punkt: Für Deutschland ist eine lokal verbreitete, für England eine national verbreitete Presse charakteristisch. Die Lokalgebundenheit der deutschen Presse ist Ergebnis der territorialen Zersplitterung: Bis zur Reichsgründung 1870/71 bestand Deutschland aus 28 Einzelstaaten und Fürstentümern. In den zahlreichen (Klein-)Staaten und Städten bestand man darauf, über jeweils eigene Zeitungen zu verfügen. Daher wurde die bodenständige, überwiegend regional und lokal verbreitete Abonnenmentzeitung zum Grundtyp des deutschen Pressewesens (Wilke 1990). Ganz anders Großbritannien, das ein hochgradig zentralisiertes, ganz auf die Hauptstadt London ausgerichtetes politisches System hat. Die Dominanz Londons und die Vernachlässigung der Regionen zieht sich durch alle gesellschaftlichen Bereiche. Mehr als zwei Drittel der im *Who's Who* erwähnten Briten leben im Umkreis von 75 Meilen um London.[3]

Als eine Auswirkung der territorialen Zersplitterung erscheinen in Deutschland 381 Tageszeitungen, von denen aber nur sechs eine

[2] Die folgenden Ausführungen zum deutschen Pressemarkt basieren auf Wilke (1994b), Pürer & Raabe (1996, S. 112–230) und Schütz (1996a, b). Die Darstellung des britischen Pressemarktes basiert auf Tunstall (1983, S. 69–88), Brynin (1988), Negrine (1989, S. 67–94), Curran & Seaton (1991, S. 84–127), Franklin & Murphy (1991), McNair (1994, S. 123–185), Franklin (1994, S. 27–49), Sparks (1995), Seymour-Ure (1996, S. 1–58), Tunstall (1996, 7–75).

[3] Rose (1989, S. 57); zum Hintergrund Green (1994).

nationale Verbreitung zugeschrieben werden kann. In Großbritannien erscheinen dagegen zehn national verbreitete Tageszeitungen (die elfte wurde 1995 eingestellt). Zusätzlich erscheinen zehn nationale Sonntagszeitungen, aber nur 86 Lokalzeitungen (s. Tabelle 4). Alle zwanzig national verbreiteten Blätter werden in der Hauptstadt London herausgegeben; die fünf deutschen dagegen verteilen sich über die Republik (München, Frankfurt, Hamburg, Berlin). Bonn spielte als Zeitungsstadt nie eine Rolle. Die hohe Bedeutung des Lokalen in Deutschland wird dadurch unterstrichen, daß die 381 Tageszeitungen 1600 verschiedene Ortsausgaben herausgeben (Schütz 1996a, b).

Zu den national verbreiteten Titeln zählen *Bild, Frankfurter Allgemeine Zeitung, Süddeutsche Zeitung, Welt, Frankfurter Rundschau* sowie die Berliner *tageszeitung*. Überregionale Bedeutung reklamieren daneben noch das PDS-Organ *Neues Deutschland* (70000) und das Düsseldorfer *Handelsblatt* (128000), das samstags nicht erscheint. Da die beiden Blätter in Auflage und Stellenwert nicht mit den in Großbritannien als national geltenden Tageszeitungen verglichen werden können, werden sie im folgenden nur am Rande berücksichtigt. Auch bei einigen der etablierten überregionalen Blätter ist umstritten, ob sie diesen Titel zurecht tragen. Weil die *Süddeutsche Zeitung* nur 25 Prozent ihrer Auflage außerhalb Bayerns verkauft, versuchte die *FAZ*, ihr den Titel „überregionale Zeitung" auf dem Rechtswege streitig zu machen.[4] Auch die *Frankfurter Rundschau* verkauft nur 30 Prozent ihrer Auflage außerhalb Hessens. Sogar die *Bild*-Zeitung beugt sich der Lokalorientierung und erscheint in 35 Regionalausgaben. Die *tageszeitung* kämpft seit Jahren mit verzweifelten Abo-Werbe-Aktionen ums Überleben.

In Großbritannien sind die nationalen Zeitungen die größten des Landes, in Deutschland ist das nicht so. *Bild* steht mit 4,4 Millionen Exemplaren zwar als auflagenstärkstes Blatt auf Platz 1, die *Süddeutsche Zeitung* aber nur auf Platz 6, die *Frankfurter Allgemeine* auf Platz 7, die *Welt* auf Platz 23, die *Frankfurter Rundschau* auf Platz 30, die *tageszeitung* um Platz 200. Auf den Plätzen 2 bis 5 stehen Regionalzeitungen: die *Westdeutsche Allgemeine* aus Essen, die *Freie Presse* aus Chemnitz, die *Mitteldeutsche Zeitung* aus Halle und die *Sächsische Zeitung* aus Dresden (Schütz 1996a). In Großbritannien stellen die nationalen Titel 86 Prozent des Zeitungsangebotes, in Deutschland nur 31 Prozent (s. Tabelle 4). Die große Überlegenheit der nationalen Londoner Zeitungen hat dazu geführt, das britische Lokalzeitungen seit der Jahrhundertwende hinsichtlich ihrer

[4] Vgl. *Focus* 1/1995, S. 118f. und *Die Zeit* vom 24.2.1995, S. 59.

publizistischen Aussage (von wenigen Ausnahmen abgesehen) stark an Bedeutung verloren.[5] In ihrem Berichterstattungstenor richten sie sich in hohem Maße nach den Londoner Blättern. Das starke Vordringen der nationalen Zeitungen in die Regionen ist zeitweilig mit Sorge betrachtet worden, weil dadurch wenige Zeitungshäuser die Meinungsbildung breiter Bevölkerungskreise beeinflussen könnten.[6] Anders als in Deutschland erscheinen die meisten britischen Lokalzeitungen nicht morgens, sondern nachmittags und abends. Sie mischen lokale, nationale und internationale Nachrichten im gesamten Blatt und bringen Lokalberichte in der Regel auf der Titelseite.

Tabelle 4: Eckdaten des deutschen und britischen Pressemarktes

	Deutschland		Großbritannien	
	Anzahl	Ges.-auflage	Anzahl	Ges.-auflage
nationale Tageszeitungen (1997)	6[a]	5,7 Mio.	10[b]	13,8 Mio.
regionale Tageszeitungen (1996)	375	19,3 Mio.	84	4,7 Mio.
nationale Sonntagszeitungen (1997)	2	2,9 Mio.	10	15,1 Mio.
Gesamt	383	27,9 Mio.	104	33,6 Mio.

Anmerkungen: a = *Bild, FAZ, SZ, Welt, FR, tageszeitung*. b = *Today* (Aufl. 595000) als elfte Tageszeitung wurde 1995 überraschend eingestellt. Quelle: Deutsche Daten nach IVW 1/1997 und Schütz (1996a, b); britische Daten laut Audit Bureau of Circulations in *Media Week* vom 28.3.1997 und 13.6.1997.

Die Idee eines „Mantels", der vorwiegend nationale und internationale Politik, Wirtschaft, Kultur und Sportberichte bringt und durch einen zweiten Zeitungsteil mit Lokalberichten ergänzt wird, ist in Großbritannien unbekannt. Ebenso ist es unüblich, daß eine große Regionalzeitungen zahlreiche kleinere Ausgaben (wie etwa die *Westdeutsche Allgemeine* mit 44 lokalen Ausgaben) herausgibt, die zwar alle den Mantel der *Westdeutsche Allgemeine* übernehmen, aber mit eigenem Lokalteil unter anderem Zeitungsnamen erscheinen. Dieses Vorgehen hat auf Briten lange seltsam gewirkt, wird allerdings seit Anfang der neunziger Jahre ebenfalls praktiziert. Der Fachterminus dafür lautet „editionizing". Der Anteil der nationalen und internationalen Nachrichten ist in den britischen Regionalzeitungen so weit zurückgegangen, daß mehrere Großverlage 1993 entschieden, auf den umfangreichen, aber teuren Dienst der

[5] Vgl. Koss (1981, S. 21ff., 424), Koss (1984, S. 3), Franklin & Murphy (1991), Tunstall (1996, S. 60–75).

[6] Seit 1923 verkaufen die nationalen Zeitungen aus London täglich mehr Exemplare als die gesamte britische Regionalpresse. 1945 war die Gesamtauflage der nationalen Presse bereits doppelt so hoch (vgl. Tunstall 1983, S. 76).

innerbritischen Nachrichtenagentur *Press Association* (PA) zu verzichten.[7]

Tabelle 5: National verbreitete Tageszeitungen: Gründungsjahr und Auflage (1997)

Deutsche Qualitätszeitungen	Deutsche Boulevardzeitungen	Britische Qualitätszeitungen	Britische Boulevardzeitungen
Süddeutsche Zeitung (1945): 404 000	Bild (1952): 4,4 Mio.	Daily Telegraph (1855): 1,1 Mio.	Sun (1969): 3,8 Mio.
Frankfurter Allgemeine (1949): 400 000		The Times (1785): 757 000	Daily Mirror (1903): 3,1 Mio.*
Welt (1946): 217 000		The Guardian (1821): 429 000	Daily Mail (1896): 2,2 Mio.
Frankfurter Rundschau (1945): 188 000		The Independent (1986): 264 000	Daily Express (1900): 1,2 Mio.
tageszeitung (1979): 62 000		Financial Times (1888): 319 000	Daily Star (1978): 655 000

Tabelle 6: National verbreitete Sonntagszeitungen: Gründungsjahr und Auflage (1997)

Deutsche Qualitäts zeitungen	Deutsche Boulevardzeitungen	Britische Qualitätszeitungen	Britische Boulevardzeitungen
Welt am Sonntag (1948): 381 000	Bild am Sonntag (1956): 2,5 Mio.	Sunday Times (1822): 1,3 Mio.	News of the World (1843): 4,4 Mio.
		Sunday Telegraph (1961): 911 000	Sunday Mirror (1963): 2,2 Mio.
		Observer (1791): 480 000	People (1881): 1,9 Mio.
		Independent on Sunday (1988): 278 000	Mail on Sunday (1982): 2,1 Mio.
			Sunday Express (1918): 1,2 Mio.
			Sunday Sport (1986): 288 000

* Inklusive schottischer Schwesterzeitung Daily Record (Aufl. 651 000). Quelle: IVW 1/1997 und Audit Bureau of Circulations May/1997 laut *Media Week* vom 13.6.1997.

Die Zahl der regionalen Morgentageszeitungen sank in Großbritannien von 66 im Jahr 1900 auf 16 im Jahr 1996. Die Zahl der regionalen Abendtageszeitungen blieb in etwa konstant bei 70. Zwi-

[7] Eine Untersuchung der regionalen Zeitungskette Northcliffe hatte 1992 ergeben, daß die hauseigenen Blätter täglich nur 5000 Wörter nationale Politik und 2000–4000 Wörter nationalen Sport publizierten, während PA über 100 000 Wörter anbietet. Zusammen mit dem Westminster Press-Verlag gründeten sie eine kleine Konkurrenzagentur *(UK News)*, die es durch die Zusammenarbeit mit Reuters innerhalb zweier Jahre schaffte, zu einer ernsthaften Bedrohung für PA zu werden; vgl. *UK Press Gazette* vom 3.5.1993, S. 13 f. und vom 28.8.1995, S. 1 f.

schen 1945 und 1996 sank die Zahl der regionalen Morgen- und Abendzeitungen von 105 auf 84, die Gesamtauflage ging in diesem Zeitraum um 70 Prozent zurück. Der größte Einbruch war in den letzten zwanzig Jahren zu beklagen: Die Gesamtauflage der britischen Regionalzeitungen sank zwischen 1975 und 1996 von 7,5 auf 4,5 Mio. Exemplare. Eine britische Lokalzeitung hatte 1945 eine durchschnittliche Auflage von 76000 Exemplaren, 1994 von 61600. Der für die vorliegende Arbeit mituntersuchte *Wolverhampton Express & Star* besaß 1996 mit 198000 Exemplaren die höchste und die *Scarborough Evening News* mit 17400 die niedrigste Auflage.[8] Auch Deutschland erlebte seit Anfang der fünfziger Jahren einen Prozeß der Pressekonzentration. Vorausgegangen war allerdings die Neugründung zahlreicher Traditionsblätter durch sogenannte Altverleger, die nach dem Ende der Lizenzierung ihre Tätigkeit wieder aufgenommen hatten. Die Zahl der Zeitungen mit eigenständig produziertem politischen Mantel („publizistische Einheiten") ging zwischen 1954 und 1976 um ein Drittel von 225 auf 121 zurück. Daher darf die hohe Zahl von rund 380 Tageszeitungen in Deutschland auch nicht dahingehend mißinterpretiert werden, daß hier ein extrem vielfältiges Angebot vorläge. Tatsächlich verbergen sich dahinter nur 135 publizistische Einheiten (Schütz 1996a, b).

Der Bedeutungsverlust der regionalen Tageszeitungen in Großbritannien zeigt sich an zwei Entwicklungen: Einerseits am chronischen Auflagen- und Anzeigenrückgang, der durch den Erfolg der kostenlosen, anzeigenfinanzierten, lokalen Wochenblätter („free sheets") noch verschärft wird. Andererseits zeigt er sich an der Liberalisierung und Diversifizierung der Journalistenausbildung, durch die die Lokalzeitungen ihre traditionelle Rolle als Rekrutierungs- und Ausbildungsstätten der großen Londoner Medienorganisationen verlieren. Bis in die achtziger Jahre war für alle nationalen Zeitungen, Fernsehsender und Radiostationen tarifvertraglich festgeschrieben, daß sie nur Journalisten einstellen durften, die zuvor mindestens drei Jahre Erfahrung bei einer Regionalzeitung gesammelt hatten. Seit dem Zusammenbruch der Tarifpartnerschaft 1986 gilt das nicht mehr (s. Kapitel 7 und 8). Head (1995) empfiehlt den Regionalzeitungen, ihre Zukunft in einem aktiveren Kampagnenjournalismus zu sehen. Wenn sich nicht untergehen wollen, sollten sie ihre traditionelle Neutralität und Ausgewogenheit aufgeben und zu engagierten, lokalen Agenda-Settern werden.

Für Journalisten ist ein Arbeitsplatz bei den großen Londoner

[8] Vgl. Negrine (1989, S. 46–51), Seymour-Ure (1996, S. 45–58) und *Media Week* vom 28.3.1997.

Zeitungen viel attraktiver, weil Status und Bezahlung deutlich höher sind. Umfragen unter Regionalzeitungsjournalisten brachten eine deutliche Frustation und Perspektivlosigkeit zutage.[9] Die Verdienstmöglichkeiten in der Regionalpresse, wo immerhin 70 Prozent der Zeitungsjournalisten arbeiten (s. Tabelle 3), sind bescheiden.[10] Dagegen wird bei den übrigen Medien ähnlich wie in Deutschland bezahlt (Tabelle 7). Hierbei ist jedoch zu beachten, daß die laut deutschem Gehaltstarifvertrag üblichen 13. und 14. Gehälter sowie Weihnachts- und Urlaubsgeld für die meisten britischen Journalisten unbekannt sind. Sie sind in Tabelle 7 nicht berücksichtigt. Betrachtet man die Gehaltsstruktur beider Länder auf breiterer Datenlage (s. Tabelle 8), tritt der zentrale Unterschied deutlicher hervor: Im deutschen Journalismus wird besser verdient. Während in Deutschland fast die Hälfte der Journalisten (44 Prozent) *über* 4000 Mark netto verdient, ist es in Großbritannien nur ein knappes Viertel (24 Prozent). Ein weiteres Viertel muß sich in Großbritannien mit maximal 2000 Mark netto zufrieden geben (23 Prozent), in Deutschland nur ein Zehntel (10 Prozent). Auch hier dürfen bei den deutschen Redakteuren nicht die zusätzlichen Monatsgehälter vergessen werden.[11]

[9] Zur schwierigen Situation der Regionalzeitungen vgl. McNair (1994, S. 172–185), Isaaman (1994), Craig (1993), Ray (1993), Franklin & Murphy (1991, S. 1–75), Seymour-Ure (1996, 45–58), Tunstall (1996, S. 60–75).

[10] Bei einer lokalen Tageszeitung konnte ein Reporter 1989 £ 12400 und 1991 £ 13000 Bruttojahresgehalt erwarten. Nach dem damals gültigen Kurs £ 1 = 3 Mark waren das monatlich 3100 Mark brutto (1989) bzw. 3250 Mark brutto (1991). Ein Sub-editor (Redakteur) konnte mit monatlich 500 Mark brutto mehr rechnen. Vgl. *UK Press Gazette* vom 5.8.1991, S. 14–15. Basis: Umfrage unter 526 Pressejournalisten.

[11] Zu den Hintergrunden der britischen Gehaltsregelung siehe Kapitel 7.3.

Tabelle 7: Monatseinkommen nach Medienbereichen in Deutschland und Großbritannien

	Deutschland (1993) durchschnittl. Netto-Monatseinkommen DM	Großbritannien (1995) durchschnittl. Netto-Monatseinkommen DM
Nationale Zeitungen	3800	4700
Regionale Zeitungen		2350
Agenturen	200	4360
Öffentl.-rechtl. Rundfunk	4500	4360
Privater Rundfunk	3600	3700
Anzahl der befragten Journalisten	N = 1498	N = 726

Für Großbritannien wurden nur Brutto-Jahresgehälter in Pfund erhoben. Zum Zwecke der Vergleichbarkeit wurden sie unter Berücksichtigung des zum Zeitpunkt der Erhebung gültigen Wechselkurses (1 Pfund = 2,30 DM) und der üblichen Steuer- und Sozialversicherungsabzüge (basic tax rate bis 35 000 Pfund = 25 %, national insurance = 5 %) auf monatliche Nettogehälter in DM umgerechnet. Bei den britischen Angaben handelt es sich also um grobe Umrechnungen. Quelle: Deutsche Daten nach Weischenberg, Löffelholz & Scholl (1994a, S. 157); britische Daten nach Delano & Henningham (1995).

Tabelle 8: Einkommensstruktur im deutschen und britischen Journalismus

	Deutschland (1993) Netto-Monatseinkommen N = 1400	Großbritannien (1994) Netto-Monateinkommen N = 4924
bis ca. 2 000 DM	10,4 %	23,4 %
bis ca. 4 000 DM	45,4 %	52,7 %
bis ca. 5 500 DM	29,4 %	16,0 %
über 5 500 DM	14,8 %	7,9 %
Gesamt	100 %	100 %

Zur Umrechnung der britischen Gehälter s. Anm. von Tab. 7. Quelle: Deutsche Daten nach Weischenberg (1995a, S. 425); britische Daten nach *UK Press Gazette* vom 30. 1. 1995, wiederabgedruckt bei Tunstall (1996, S. 140).

Eine britische Besonderheit unter den national verbreiteten Blättern sind die Sonntagszeitungen. Abgesehen von den beiden Springer-Blättern *Bild am Sonntag* und *Welt am Sonntag* haben sie sich in Deutschland nicht durchsetzen können.[12] Dies ist insofern schwer verständlich, als die Leute an keinem Tag mehr freie Zeit zum Lesen haben als am Sonntag. In Großbritannien ging die Sonntagspresse aus der religiösen Tradition des Presbyterianismus hervor und prägt noch heute das Zeitungswesen aller angelsächsischen Länder. Auch in den USA und Australien werden am Sonntag mehr

[12] Ausnahmen bilden einige lokale Sonntagszeitungen in Lübeck, Dresden, Stuttgart, Kassel, Magdeburg Berlin und Frankfurt.

Zeitungen gekauft als an Werktagen. Diese Tradition geht auf einen Grundsatz der presbyterianischen Kirche zurück, nach dem sich die gläubigen Christen am Sonntag von allen irdischen Zerstreuungen fernhalten und sich ganz Gottes Wort öffnen sollten. Mit anderen Worten: Die Sonntage waren sterbenslangweilig. Die einzige erlaubte Zerstreuung war die Lektüre von Zeitungen.[13]

4.2 Qualitäts- und Boulevardzeitungen

Auf dem britischen Pressemarkt dominieren die Boulevardzeitungen. In Deutschland daggen erscheint mit der *Bild*-Zeitung nur eine einzige national verbreitete Boulevardzeitung (vgl. Tabelle 5 und 6). Daneben gibt es in Chemnitz, Dresden, Leipzig, Halle, Hamburg, Köln, Düsseldorf, München und Berlin eine Handvoll regionaler Boulevardblätter. In Großbritannien ist bei den Regionalzeitungen und – wenn auch schwächer – den Qualitätszeitungen eine zunehmende Boulevardisierung festzustellen. Dies ergibt sich unter anderem daraus, daß britische Zeitungen jeden Tag aufs Neue um ihre Leser kämpfen müssen. Abonnements im deutschen Sinne gibt es nicht. Wer eine Zeitung regelmäßig beziehen möchte, kann sie jedoch häufig am nächsten Kiosk bestellen. Die Zahl der Kioske, die einen solchen Austrägerservice anbieten, ist jedoch zwischen 1900 und 1997 von 60 auf 40 Prozent gefallen. Zudem sind die Austräger, häufig Schulkinder, nicht immer zuverlässig. Die Folge: Nur ein Drittel aller englischen Zeitungen werden laut *National Readership Survey* ins Haus gebracht. Die Mehrheit der Leser entscheidet über ihre Zeitungslektüre am Kiosk. Entsprechend wichtig sind attraktiv gestaltete Titelseiten – für alle Zeitungen.[14]

In der britischen Presseliteratur wird in der Regel nicht von *quality papers* und *popular papers* gesprochen, sondern wertfreier von *Broadsheets* und *Tabloids*. Die Unterscheidung in Qualitäts- und Boulevardzeitung ist, wie in Kapitel 2 beschrieben, eine Folge der Northcliffe-Revolution. Mit der *Daily Mail*, die vier Jahre nach ihrer Gründung (1896) als erste britische Tageszeitung eine Millionenauflage erreichte, etablierte Northcliffe den Pressetypus der po-

[13] So Wolfgang J. Koschnick im *Journalist*, Heft 2/1994, S. 28. Vgl. hierzu auch den Beitrag „Im Sonntagsfieber" in *Sage & Schreibe*, Heft 3/1997, S. 42.
[14] Vgl. Tunstall (1996, S. 219) und den Beitrag „NS calls for regionals to deliver own copies" in *Media Week* vom 4.4.1997, S. 7. Siehe zum Hintergrund auch die Beiträge „Ideen statt Schreibe" im *Medium Magazin*, Heft 6/1996, S. 44–46 sowie „Zeitungen mit großen Buchstaben" in *Süddeutsche Zeitung* vom 7.12.1996, S. 30.

pulären Massenzeitungen. Heute erkennt der britische Leser Boulevardzeitungen bereits am Format. Sie haben das kleine *Tabloid*-Format, das mit 248 x 370 Millimeter zwischen DIN A4 und DIN A3 liegt.[15] In Deutschland hat es nur die Berliner *B. Z.* übernommen. Qualitätszeitungen erscheinen im sogenannten *Broadsheet*-Format, wie es auch bei *FAZ* und *SZ* üblich ist. In der Zeit zwischen 1900 und 1992 haben elf nationale *Broadsheet*-Zeitungen auf das handlichere *Tabloid*-Format umgestellt. Sieben nationale Zeitungen sind gleich als *Tabloid* gegründet worden. Diese Entwicklung hat den Pressemarkt der Nachkriegszeit grundlegend verändert: Bei der Parlamentswahl 1959 lasen 5,7 Millionen Briten zwei Boulevardzeitungen und 10,4 Millionen sieben Qualitätszeitungen; bei der Parlamentswahl 1992 informierten sich 11 Millionen Leser aus sechs Boulevardzeitungen und 2,5 Millionen aus fünf Qualitätszeitungen.[16] Aufgrund des erheblichen Konkurrenzdrucks und des Zwanges, daß sich in England auch seriöse Zeitungen auf dem Boulevard verkaufen müssen, wird zunehmend eine Grenzverwischung zwischen *Broadsheets* und *Tabloids* zu sogenannten *„Broadloids"* beklagt. Inhaltsanalysen aus den siebziger Jahren konnten noch eine große und wachsende Kluft zwischen exzellentem Qualitätsjournalismus und sensationalistischem Trivialjournalismus feststellen.[17]

Die britische Bevölkerung weiß noch sehr genau zwischen Qualitäts- und Boulevardpresse zu unterscheiden. Das Londoner Umfrageinstitut MORI befragte im August 1992 im Auftrag der *Times* 1061 Briten nach ihrer Einstellung zur Presse. Bei der Frage „On

[15] Der Ausdruck „tabloid" bedeutet urspünglich Medikament in Tablettenform. Er setzte sich zur Bezeichnung von kleinformatigen, leicht konsumierbaren Zeitungen durch.

[16] Vgl. Seymour-Ure (1996, S. 26–32) und Seymour-Ure (1994a, S. 539 f.).

[17] Dennis McQuail fand, daß der Anteil der Meldungen über politische, wirtschaftliche und soziale Themen des In- und Auslandes in den Qualitätszeitungen zu- und den Boulevardzeitungen abgenommen hatte (vgl. McQuail 1977, S. 1–98, zusammenfassend *Royal Commission* 1977, S. 78 f.). Nach Curran, Douglas & Whannel (1980) sank der Anteil der „current affairs"-Berichte (politische, soziale und wirtschaftliche Themen) am redaktionellen Inhalt in den Boulevardzeitungen zwischen 1946 und 1976 um die Hälfte, bei einigen Blättern sogar um zwei Drittel, und fiel mit zuletzt 14 Prozent noch hinter den Sport-Anteil zurück. Bei den Qualitätszeitungen fand sich der umgekehrte Trend. Dort ist der Anteil der „current affairs"-Berichterstattung zwischen 1936 und 1976 von 24 auf 30 Prozent gestiegen. Angesichts der Tatsache, daß die Boulevardpresse über 80 Prozent der nationalen Zeitungsnachfrage ausmacht (s. Tabellen 8 und 9), ist der drastische Rückgang politischer Inhalte als bedenklich bezeichnet worden (vgl. Curran & Seaton 1991, S. 113–126; Curran & Sparks 1991; Sparks 1988; Sparks 1992).

balance, do you agree or disagree that Broadsheets / Tabloids behave responsibly?" waren 67 Prozent der Meinung, die Qualitätspresse zeige Verantwortungsbewußtsein bei ihrer Informationsbeschaffung und Berichterstattung. Nur 24 Prozent glaubten dies von Boulevardblättern. 68 Prozent bezeichneten das Verhalten der Boulevardpresse als verantwortungslos.[18] Den Imageunterschied zwischen britischen Qualitäts- und Boulevardzeitungen zeigt auch Schaubild 3. Fernsehsendungen nehmen bei der Glaubwürdigkeitseinschätzung die Spitzenpositionen ein. Im oberen Mittelfeld liegen als geschlossener Block die Qualitätszeitungen, wohingegen die Boulevardzeitungen am Ende der Skala liegen. Die *Sun* als Schlußlicht genießt weniger Glaubwürdigkeit als ein Werbespot. Dies zeigt an, daß insbesondere die *Sun* nicht wegen ihrer Politik- und Tatsachenberichterstattung gelesen wird, sondern rein zur Unterhaltung. Man erwartet nicht Wahrheit, sondern Spaß. Obwohl die deutsche *Bild* ohne Zweifel anspruchsvoller als die *Sun* gestaltet ist, bekommt sie vom deutschen Lesepublikum eine ähnlich schlechte Glaubwürdigkeitsnote (s. Schaubild 3). Dies zeigt, daß es den Deutschen aufgrund mangelnder Vergleichsmöglichkeiten beim Boulevard-Genre an Differenzierungsvermögen mangelnd. Sie können sich fälschlicherweise nicht vorstellen, daß es noch einen Boulevardstil unterhalb dem der *Bild*-Zeitung gibt.

Die britischen Boulevardzeitungen haben seit längerem mit schrumpfenden Auflagen zu kämpfen. Daß sie Käufer verlieren wird unter anderem auf steigende Arbeitslosigkeit und einem durch die anhaltende Rezession bedingten Rückgang des verfügbaren Einkommens zurückgeführt. Auch die wachsende Popularität privater Satellitenkanäle und ein gewisser Überdruß an Skandalisierungen mögen eine Rolle spielen. Die Qualitätszeitungen erfreuen sich dagegen trotz der Konkurrenz durch neue Fernsehnachrichtenkanäle leicht steigender Auflagen. Ihr Erfolgsrezept lag bisher in der inhaltlichen Expansion, Ent-Elitisierung des Anspruchs und Senkung des Verkaufspreises. Die Zahl ihrer Beilagen und damit der Seiten wuchs in den neunziger Jahren deutlich. 1993 hatte eine Qualitätszeitung am Samstag durchschnittlich 180, am Sonntag 230 Seiten. Eine *Sunday Times*-Ausgabe bestand aus 11 Sektionen mit rund 316 Seiten.

[18] Die Regionalpresse schnitt am besten ab: 79 Prozent hielten sie für verantwortungsbewußt, 11 Prozent für verantwortungslos.

Schaubild 3: Glaubwürdigkeit britischer und deutscher Medien

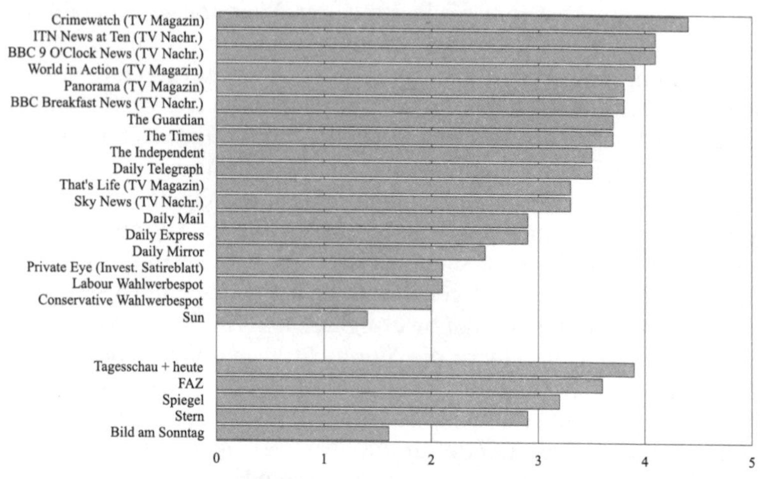

Englische Frage: „How much do you think you can believe these TV programmes and newspapers?“ Skala von 0 bis 5 vorgelegt. Attitudes to News on Television, BBC, April 1991. Quelle: *British Journalism Review*, Heft 4:1, 1993, S. 69. Deutsche Frage: „Für wie glaubwürdig halten Sie die Berichterstattung folgender Medien?“ Originalskala von 1 (sehr glaubwürdig) bis 6 (sehr unglaubwürdig) aus Vergleichsgründen für die vorliegende Graphik zu einer Skala von 0 (sehr unglaubwürdig) bis 5 (sehr glaubwürdig) umkodiert. Emnid-Umfrage im Auftrag des *Spiegel*. Quelle: *Spiegel* special 1/1995 (Themenheft: Die Journalisten), S. 168.

4.3 Pressekonzentration

Ein Charakteristikum der britischen Presse ist die dominante Stellung weniger Großkonzerne. Anfang der neunziger Jahre waren 80 Prozent der Regionalpresse (Tages- und Wochenzeitungen) im Besitz von 15 Großverlagen. Die acht größten hießen Thomson Regional Newspapers, Reed Regional Newspapers, United Newspapers, Pearson, EMAP, Guardian Plc, Lonrho und BET. Sie kontrollierten 66 Prozent der britischen Regionalpresse. Reed besaß 109 Titel, United Newspapers 103 Titel, EMAP 88 Titel und Thomson 70 Titel. Franklin & Murphy schrieben 1991 über diese Entwicklung: „Es hat sich eine neue Art kommerzieller, lokaler Presse entwickelt: im Besitz von Konglomeraten und getrieben von der Notwendigkeit, Anzeigen zu bekommen. Sie beschäftigt weniger Journalisten, die schlecht bezahlt werden und eine Zeitung produzieren müssen, die mit möglichst geringen Kosten immer mehr Inserenten anzieht. Das Lokale an der lokalen Presse ist immer mehr Illusion. Der Markt, die Eigentumsverhältnisse, das politische System, die kulturellen Einflüsse und der Präsentationsstil werden immer homogener und zentralisierter.“[19] Diese von Franklin & Murphy beschriebenen, international engagierten Konglomerate zogen sich Mitte der neunziger Jahre jedoch geschlossen aus der britischen Regionalpresse zurück, weil ihnen das Geschäft aufgrund des chronischen Auflagen- und Anzeigenrückgangs nicht mehr profitabel erschien. Es kam zu einer gewaltigen Umwälzung: Reed, Pearson, Thomson und EMAP verkauften ihre Regionalzeitungen an kleinere, britische Verlagsgruppen, so daß sich eine völlig neue Rangliste ergibt. Die Newsquest Media Group besaß im Mai 1997 300 Tageszeitungen und Wochenblätter und kontrollierte damit 13 Prozent der gesamten britischen Regionalzeitungsauflage. Trinity International Holdings kontrollierte 12,8 Prozent der Regionalzeitungsauflage, Platz drei nahm Northcliffe Newspapers, Platz vier United Provincial Newspapers und Platz fünf Midland Independent Newspapers ein.[20] Wie in Deutschland schreitet auch in Großbritannien die Tendenz zu Einzeitungskreisen rasch voran. 1995 gab es nur noch in 14 Städten zwei lokale Tageszeitungen (eine Morgen, eine Abendzeitung). Zwei konkurrierende Abendzeitungen in einer Stadt gibt es gar nicht mehr.

In der nationalen Presse ist der Konzentrationsprozeß noch weiter fortgeschritten. Der Einfluß weniger Besitzer auf weite Teile der nationalen Presse war für das britische Parlament bereits 1946 Anlaß für eine unabhängige Gutachterkommission (*Royal Commission of the Press*, dt.: Königliche Pressekommission). Sie sollte Vorwürfen nachgehen, daß die verbliebenen Pressebarone ihre Zeitungen nach eigenen Gusto mißbrauchten und dadurch die öffentliche Meinung manipulierten.[21] Auch die zweite und dritte Kommission beschäftigten sich 1962 und 1977 intensiv mit der Pres-

[19] Vgl. Franklin & Murphy (1991, S. 195), die ihre Argumentation mit quantitativen Daten untermauern. Es heißt im Original: „A new sort of commercial local press has developed: owned by conglomerats, driven by the need for advertising, employing fewer journalists who are low-paid and producing news which is geared to low-cost production in the interest of sustaining more advertising. The localism of the local press is increasingly illusory; the market, ownership, the political system and cultural influences such as notions of style are inceasingly homogenized and centralized.“ Vgl. hierzu auch Franklin (1994, S. 35–37).

[20] Vgl. die umfangreiche Berichterstattung in *UK Press Gazette* und *Media Week* von 1996 bis 1997.

[21] Die Kommission sollte untersuchen, „whether such concentration as exists is on balance disadvantageous to the free expression of opinion or the accurate presentation of news“ (*Royal Commission* 1947, S. 5).

sekonzentration, benannten die Gefahren, sahen jedoch keinen Anlaß für einschneidende Maßnahmen des Gesetzgebers. Im Gegenteil: Trotz aller Probleme kamen sie zu dem Schluß, die britische Presse sei immer noch unübertroffen („second to none“).[22] Die britische Regierung betonte 1992, daß sie aus prinzipiellen Erwägungen nicht in den Pressemarkt eingreifen werde. Daher kämen z. B. auch Subventionen zur Gründung neuer oder zur Unterstützung schwacher Zeitungen nicht in Frage: „Das Vereinte Königreich betrachtet Pressefreiheit als eine absolute Freiheit. Die Regierung überläßt die Entscheidung den Marktkräften, welche Presseorgane überleben.“[23]

In Großbritannien und Deutschland gelten für Pressefusionen strengere Bestimmungen als für andere Unternehmenszusammenschlüsse. Nach dem britischen Fair Trading Act 1973 (Sections 57–62) kann der Wirtschaftsminister eine Fusion zweier Zeitungsunternehmen durch die britische Kartellbehörde (Monopolies and Mergers Commission) untersuchen lassen, wenn die Gesamtauflage 500000 übersteigt. In der Praxis hat sich diese Regelung als wenig wirksam erwiesen, da die verantwortlichen Wirtschaftsminster von der Möglichkeit einer Untersuchung nur spärlich Gebrauch machten. Der Bericht der Kartellbehörde hat ohnehin nur beratenden Charakter.[24] Mit der dritten Kartellgesetznovelle vom 28. 6. 1976 erhielt auch das deutsche Wettbewerbsrecht eine pressespezifische Fusionskontrolle. Während Unternehmenszusammenschlüsse in anderen Branchen erst bei einem gemeinsamen Jahresumsatz von 500 Millionen Mark dem Bundeskartellamt angezeigt werden müssen, liegt der Grenzbetrag bei Pressebetrieben bei nur 25 Millionen Mark (vgl. Löffler & Ricker 1994, S. 556–564). Da ein solcher Jahresumsatz von Zeitungsverlagen bereits bei einer Auflage von 60000 bis 70000 Exemplaren erreicht wird, ist die deutsche Konzentrationsregelung deutlich strenger die britische. Die sogenannte Toleranzklausel, nach der Unternehmen von einer Fusionskontrolle

[22] Vgl. *Royal Commissions* (1949, 1962, 1977), zusammenfassend Snoddy (1992, S. 74–91).

[23] „The United Kingdom regards press freedom as an absolute freedom. The government leaves it to the market forces to decide which press products survive“ heißt es in dem Dokument des Council of Europe: Steering committee of the mass media: Study on media concentrations in Europe. Straßbourg, 2. April 1992. Zit. n. Sparks (1995, S. 181).

[24] Vgl. Tunstall (1996, S. 377–390), Ainsworth & Weston (1995), Robertson & Nicol (1992, S. 502–506). Von den 125 Fusionen zwischen 1965 und 1990, die unter die Bestimmungen des Fair Trading Acts fielen, wurden fünf verboten. Von den 11 Fusionen zwischen 1991 und 1994 wurde eine verboten.

Tabelle 9: Pressekonzentration auf dem nationalen Pressemarkt Großbritanniens (1997)

	Marktanteil an Tageszeitungsauflage (%)	Marktanteil an Sonntagszeitungsauflage (%)
News International / Rupert Murdoch (The Times, Sunday Times, Sun, News of the World)	33	38
Mirror Group Newspapers (Daily Mirror, Sunday Mirror, People, Independent, Independent on Sunday)	24[a]	29[a]
Associated Newspapers / Lord Rothermere (Daily Mail, Mail on Sunday)	16	14
United News and Media / Lord Hollick, Lord Stevens (Daily Express, Sunday Express, Daily Star)	13	8
Hollinger Group / Conrad Black (Daily Telegraph, Sunday Telegraph)	8	6
Scott Trust / Unabh. Stiftung (Guardian, Observer)	3	3
Pearson Group (Financial Times)	2	–
Marktanteil der 7 größten Unternehmen (%)	100	98[b]

Anmerkung: a = *Independent* und *Independent on Sunday* werden seit dem Verkauf im März 1994 von einem Konsortium unter Vorsitz der *Mirror*-Gruppe geführt, die 43 % der Anteile hält. Weitere Anteilseigner sind der irische Verleger O'Reilly (30 %), *El Pais* (Spanien) und einige Gründungsjournalisten. Ohne die beiden *Independent*-Blätter hat die *Mirror*-Gruppe einen Marktanteil an der nationalen Tagespresse von 22 % und an der Sonntagspresse von 27 %. b = Nicht berücksicht ist die *Sunday Sport* (288 000) des Pornounternehmers David Sullivan. Quelle: Tabellen 4, 5 und 6.

Tabelle 10: Pressekonzentration auf dem Tageszeitungsmarkt Deutschlands (1997)

	Marktanteil Tageszeitungsauflage gesamt (%)	davon: Marktanteil Abonnementzeitungen (%)	davon: Marktanteil Kaufzeitungen (%)
Axel Springer-Verlag AG	23,7	6,2	80,5
Verlagsgruppe WAZ	5,9	7,8	*
Verlagsgruppe Stuttgarter Zeitung/Ludwigs-hafener Rheinpfalz/Ulmer Südwestpresse	5,0	6,6	*
Verlagsgruppe DuMont Schauberg	4,0	3,6	5,3
Gruner + Jahr	3,4	*	6,8
Verlagsgruppe Süddeutsche Zeitung	3,2	*	3,3
Verlagsgruppe Frankfurter Allgemeine Zeitung	3,0	3,9	*
Verlagsgruppe Ippen	2,7	*	2,6
Verlagsgruppe Holtzbrinck	2,5	*	*
Verlagsgruppe Madsack/Gerstenberg	2,3	*	*
Marktanteil der 10 Unternehmen (%)	55,7	27,8	98,5

Anmerkung: * = keine Angabe. Quelle: Röper (1997, S. 368)

befreit werden können, gilt in der deutschen Presse nur stark eingeschränkt, wohingegen sie in Großbritannien häufig zur Anwendung kommt.

Das Ergebnis der unterschiedlichen Rechtslage in beiden Ländern ist augenfällig. Während die drei größten Tageszeitungsverlage der Bundesrepublik (Springer, WAZ, Süddeutsche Verlagsgruppe) 1989 zusammen 36 Prozent der Gesamtauflage kontrollierten, gehörten den drei größten britischen Tageszeitungsverlagen (Murdoch, Maxwell, Stevens) 1988 zusammen 55 Prozent.[25] Berücksichtigt man nur den nationalen Zeitungsmarkt, ist die Pressekonzentration Großbritanniens im Vergleich zu Deutschland geradezu dramatisch. 1997 gaben nur sieben Verlage 19 nationale Tages- und Sonntagszeitungen heraus. Die drei größten Verlagsgruppen kontrollierten 70 Prozent, die vier größten 86 Prozent des Tageszeitungsmarktes (s. Tabelle 9). Aufgrund der Struktur des deutschen Pressemarktes macht eine nach nationalen und regionalen Zeitungen getrennte Betrachtung keinen Sinn. Ein Gesamtbild des Konzentrationsgrades des deutschen Tageszeitungsmarktes bietet Tabelle 10. Hier ist vor allem die herausragende Marktführerschaft der *Bild*-Zeitung auffällig, der der Axel Springer-Verlag seine Spitzenposition verdankt. Im europäischen Vergleich zeigt sich, daß der deutsche Pressemarkt immer noch von mittelständischen Unternehmen geprägt ist; die Herausbildung von Zeitungsketten ist erst in Ansätzen erkennbar.[26]

Die hohe Konzentration in Großbritannien ist keine neue Erscheinung, sondern Ergebnis eines langfristigen Trends. 1947 kontrollierten die drei größten Tageszeitungsverlage 61 Prozent der national verbreiteten Auflage, 1957 waren es 74, 1967 waren es 85, 1977 waren es 72 und 1993 waren es 73 Prozent. Die vier größten hielten seit Kriegsende konstant um die 85 Prozent.[27] Dementsprechend beschreibt Sparks die britische Presse als ein abgeschottetes Oligopol. Rechtliche Bestimmungen zur Beschränkung der Pressekonzentration hätten sich als völlig wirkungslos herausgestellt.[28] Mit der Broadcasting Bill vom 14. Dezember 1995, die im Januar 1997

[25] Vgl. Röper (1989) für Deutschland und Curran & Seaton (1991, S. 91) für Großbritannien.

[26] So auch das Ergebnis einer im Auftrag des Bundesinnenministeriums erstellten Untersuchung des deutschen Zeitungsmarktes; vgl. *Journalist*, Heft 11/1994, S. 47 („Veränderter Pressemarkt")

[27] Vgl. Curran & Seaton (1991, S. 91–102), Seymour-Ure (1996, 118–137), Negrine (1989, S. 69–73), Sparks (1995).

[28] Für Sparks (1995, S. 202) und Curran & Seaton (1991, S. 343) sind die Bestimmungen des Fair Trading Acts „completely ineffective".

in Kraft trat, hat die Regierung die Medienkonzentrationsbestimmungen weiter gelockert. Zeitungsunternehmen mit weniger als 20 Prozent Marktanteil der nationalen Zeitungsauflage (d.h. in der Praxis alle außer Murdochs *News International* und der *Mirror Group*) dürfen bis zu 15 Prozent des gesamten Fernsehmarktes und 15 Prozent des kommerziellen Radiomarktes kontrollieren. Fernseh- und Radiounternehmen dürfen gleichfalls bis zu 20 Prozent des nationalen Zeitungsmarktes kontrollieren. Das neue Rundfunkgesetz ist laut Doyle (1996) von der Absicht der Regierung getragen, einerseits Pluralismus zu wahren (und die Medienanteilsbegrenzungen daher nicht vollständig zu deregulieren), andererseits der britischen Medienindustrie das Ausschöpfen von Marktchancen zu ermöglichen (und daher die cross media ownership-Regelungen zu flexibilisieren).

Wie in Deutschland ist auch in Großbritannien häufig kritisiert worden, daß es durch die zunehmende Konzentration auf dem Pressemarkt zu einer rückläufigen Meinungsvielfalt kommt. Daraus wurden jedoch andere Folgerungen gezogen als in Deutschland. In Deutschland entzündete sich daran eine heftige Debatte um die innere Pressefreiheit, in deren Verlauf die Journalisten eine Stärkung ihrer Mitwirkungs- und Mitbestimmungsrechte forderten. In Großbritannien führte es zu einer intensiven Diskussion um das publizistische Spektrum, das nicht mehr die volle Breite der politischen und gesellschaftlichen Gruppe abbilde. Nicht mehr Rechte für einzelne Journalisten, sondern finanzielle Hilfen zur Gründung neuer Zeitungen wurden gefordert.[29]

[29] Die aus Gewerkschaftskreisen verschiedentlich erhobene Forderung, die Regierung solle einen Fond zur Finanzierung einer linken Zeitung einrichten, lehnte die *Royal Commission on the Press 1977* mit der Begründung ab, daß sich die Regierung prinzipiell nicht in das Zeitungswesen einmischen dürfe. Dies wäre ein gefährlicher Eingriff in die freie Presse (*Royal Commission* 1977, S. 107, 112). Zur inneren Pressefreiheit in Deutschland und Großbritannien s. Kapitel 7 dieser Arbeit. Zur Forderung der Gewerkschaften nach öffentlicher Unterstützung für die Gründung weiterer Zeitungen siehe *Royal Commission* (1977, S. 109–157), Curran (1978), Curran (1991), Curran & Seaton (1991, S. 313–372) und McNair (1994, S. 140–142).

4.4 Die Sonderstellung Rupert Murdochs

Mehr noch als in Deutschland stehen in Großbritannien charismatische Einzelpersönlichkeiten an der Spitze führender Zeitungshäuser.[30] Um präzise zu sein, handelt es sich heute kaum noch um Zeitungshäuser, sondern um international verzweigte Medienkonzerne. Während die Dritte Königliche Pressekommission noch 1977 schrieb, die britischen Zeitungen würden mehr und mehr zum Anhängsel von Großunternehmen, deren Umsatzschwerpunkt in pressefremden Branchen läge (*Royal Commission* 1977, S. 149), hat sich das Bild in den achtziger Jahren gründlich gewandelt. Die neuen Medienmogule Rupert Murdoch, Robert Maxwell oder Conrad Black errichteten global ausgerichtete Konzerne, die sich ganz auf den Mediensektor konzentrieren.[31] Maxwell erklärte dem Wirtschaftsmagazin *Forbes*: „Ich gehe davon aus, eines der zehn überlebenden globalen Verlagshäusern zu werden. Wenn Sie das verstanden haben, wissen Sie, worauf ich hinauswill."[32] Ihr Auftreten in den siebziger und achtziger Jahren empfanden viele Briten als einen Rückfall in die Frühzeit der selbstherrlichen „press barons".[33] Aus Maxwells globalen Ambitionen wurde jedoch nichts. Nach seinem Selbstmord[34] im November 1991 brach sein hoch verschuldeter Konzern zusammen. Zum Schluß hatte er ihn nur noch durch massive Finanzbetrügereien zusammenhalten können.[35] Er hinterließ seinen beiden Söhnen umgerechnet 9 Milliarden Mark Schulden. In dem bisher teuersten Betrugs-Prozeß in der Geschichte Großbritanniens (Prozeßkosten 58 Millionen Mark) entschied eine Jury im Januar 1996 überraschend, daß die beiden angeklagten Söhne keine

[30] Vgl. Curran & Seaton (1991, 49–128), Leapman (1992, S. 55–154), Williams (1994).

[31] Diese Entwicklung wird nachgezeichnet bei Seymour-Ure (1996, 118–137).

[32] In *Forbes* vom 5.10.1987 sagte Maxwell: „I expect to be one of the ten surviving global publishing companies. Once you understand that, you understand what I've been driving at."

[33] Vgl. Curran & Seaton (1991, Kap. 7) und Michael Leapman, „Mighty press barons are with us still" in *UK Press Gazette* vom 3.12.1990, Sondernummer 25th Anniversary Issue, S. 7–8.

[34] Maxwells genaue Todesursache wurde nie geklärt. Er ging auf See vor Teneriffa überbord seiner Privatjacht, es war Nacht und es gibt keine Zeugen. Zur Selbstmordthese siehe Greenslade (1992), zur Unfallthese Bower (1996) und zur Mordthese Davies (1996). Die These eines freiwilligen Selbstmordes, um die unmittelbar bevorstehende Entdeckung seiner Betrügereien nicht miterleben zu müssen, ist in Großbritannien am weitesten akzeptiert.

[35] Ein Gesamtbild des Maxwell-Skandals vermitteln Bower (1991, 1996) und Greenslade (1992).

Mitschuld an den illegalen Praktiken des Vaters trifft.[36] Die *Mirror*-Zeitungsgruppe, ein Teil des ehemaligen Maxwell-Konzerns, konnte nur durch eine Kraftanstrengung mehrerer Banken gerettet werden, die vermutlich noch Jahre die Geschäfte leiten werden.

Weitaus erfolgreicher als der gebürtige Tscheche Maxwell ist der gebürtige Australier Rupert Murdoch. Murdoch kam 1950 nach England, um in Oxford Politik, Philosophie und Ökonomie zu studieren. Der 19jährige war wohlhabend und bekannte sich zum Sozialismus. Er war Vorsitzender des University Labour Clubs und hatte in seiner Studentenwohnung eine Büste von Lenin, den er „the Great Teacher" nannte.[37] Murdoch fühlte sich jedoch in England nicht wohl. Er äußerte sich verächtlich über viele Aspekte des „Englishness", vor allem über das in seinen Augen heuchlerische, scheinheilige Establishment. Murdoch bezeichnete das Land als antiquiert, dekadent, selbstgefällig und wettbewerbsunfähig. „Sie mißtrauen Geld und verachten das Geschäftemachen", sagte er.[38] Nach erfolgreichem Studiumabschluß und einem mehrmonatigen Praktikum beim Londoner *Daily Express* kehrte er 1953 nach Australien zurück, um die *Adelaide News* seines verstorbenen Vaters zu übernehmen. Ausgehend von dieser südaustralischen Tageszeitung errichtete Murdoch innerhalb von 40 Jahren den Medienkonzern *News Corporation Ltd*, der 1992 auf vier Kontinenten 32 000 Angestellte hatte. In Deutschland ist er zur Hälfte am Fernsehsender Vox beteiligt und unterhielt zeitweilig sowohl mit Kirch als auch mit Bertelsmann Kooperationen. Im Geschäftsjahr 1996 betrugen die Gesamteinnahmen von *News Corp* 9,5 Milliarden US-Dollar. Sie wurden zu 69 Prozent in den USA, zu 18 Prozent in Großbritannien und zu 13 Prozent in Australien und Asien erwirtschaftet. 34 Prozent des Gewinns erzielte *News Corp* 1996 mit Herstellung und Vertrieb von Fernsehprogrammen, 31 Prozent mit Zeitungen, 20 Prozent mit Zeitschriften, 9 Prozent mit Kinofilmen und 6 Prozent mit Büchern.[39] *News Corp* ist der größte Zeitungsherausgeber der Welt. Es ist Murdochs Geschäftsprinzip, alle unternehmerischen

[36] Vgl. die Berichte in *Observer* und *Sunday Times* vom 21. und 28. 1. 1996 sowie *Guardian* vom 20. 9. 1996.

[37] Vgl. das Kapitel „Oxford" in Shawcross (1993, S. 62–81).

[38] Zit. n. Shawcross (1993, S. 66). Später, in einer Rede auf dem Edinburgh Film Festival 1989, nannte er die britische Kultur – insbesondere wie sie von der BBC vermittelt wird – elitär, snobistisch, vergangenheitsfixiert, antikommerziell, dekadent und paternalistisch (vgl. Shawcross 1993, S. 456–460).

[39] Vgl. *News Corporation Ltd.*: 1996 Annual Report to Stockholders, Sydney 1996 (http://www.newscorp.com).

Entscheidungen persönlich zu treffen.[40] *News Corp* hat keinen Aufsichtsrat, Murdoch ist alleiniger Präsident. Seine Familie hält 28 Prozent der Aktien (1994 waren es noch 43 Prozent), Sohn Lachlan ist bereits als Nachfolger bestimmt. Jeden Freitag studiert Murdoch eine Wochenübersicht („blue book") mit detaillierten Wirtschaftsdaten sämtlicher Einzelunternehmen. Dies ist seine wichtigste Handlungsgrundlage. *Newsweek* bezeichnete Murdoch als den weltweit einflußreichsten Medienunternehmer, der bisher überall, wo er hinkam, für neue Spielregeln sorgte („The man who changed the rules", 12.2.1996, S. 8–16).

Nach Ansicht des Medienökonomen Richard Gershon zeichnen Murdoch vier Charaktereigenschaften aus.[41] Erstens sei Murdoch der Inbegriff des risikofreudigen Geschäftsmannes. So hätten ihm viele Experten von der Gründung des vierten amerikanischen Fernseh-Networks Fox abgeraten. Trotz Anfangsverlusten in Milliardenhöhe ist es seit 1991 ein großer wirtschaftlicher Erfolg. In Großbritannien gründete er den Satelliten-Fernsehsendersender BSkyB, als Satellitentechnik und Publikumsakzeptanz noch völlig unsicher waren. Nach Anfangsverlusten von 1,2 Milliarden Dollar ist der Sender seit 1994 ebenfalls ein großer kommerzieller Erfolg. Der Umsatz betrug 1995 eine Milliarde Pfund. Zweitens habe Murdoch, so Gershon, trotz seiner elitären Oxford-Ausbildung ein gutes Gespür für den Massengeschmack – und zwar in allen Ländern. Schon als Praktikant der Londoner Boulevardzeitung *Daily Express* habe Murdoch gelernt, daß sich Zeitungen nach dem Geschmack der Leser richten müßen. Sein Vater Keith Murdoch hatte nach dem Ersten Weltkrieg in England für den Pressebaron Lord Northcliffe gearbeitet. Der hatte dem Vater erklärt, daß „eine Zeitung so gestaltet sein muß, daß sie sich bezahlt macht. Laß uns den Leuten geben, was sie wollen."[42] Rupert Murdoch sei früh überzeugt gewesen, daß Journalismus populär und profitabel sein müsse. Er verteidigte den Boulevardjournalismus seiner Medien mit den Worten: „Vieles von dem, was in europäischen Ländern für Qualität gehalten wird, ist nichts anderes, als was eine kleine gesellschaftliche Elite für Qualität hält. Eine solche [elitäre] Sichtweise ist typisch für

[40] Vgl. Gershon (1996, 1997), Shawcross (1993) sowie den „Special Report" in *Newsweek* vom 12.2.1996.

[41] Die folgenden Ausführungen basieren im wesentlichen auf Gershon (1996, 1997).

[42] Lord Northcliffe erklärte: „A newspaper is to be made to pay. Let it deal with what interests the mass of people. [Let it] give the public what it wants." Zit. n. Shawcross (1993, S. 38). Siehe zu Northcliffe auch Brendon (1982, S. 108–126), Wintour (1989, S. 1–29) sowie Kapitel 2 dieser Arbeit.

alle herrschenden Klassen. Warum sollte sich Fernsehen nicht – genauso wie Zeitungen, Zeitschriften und Bücher – nach den Gesetzen von Angebot und Nachfrage richten?„[43] Sein amerikanisches Fernsehnetwork Fox setzte erfolgreich auf Reality TV (z. B. *America's Most Wanted*), Gegenkultur (z. B. *Simpsons*) und Boulevardfernsehen (z. B. *Current Affair*). Nach ähnlichem Muster machte Murdoch die britische *Sun* zur meistverkauften Tageszeitung in der englischsprachigen Welt.

Murdochs dritte Charaktereigenschaft ist nach Gershon sein hartes Geschäftsgebahren, wenn es um die Expansion seines Unternehmens geht. Murdoch kontrolliere seine Zeitungen und Fernsehsender sehr genau, sein Führungsstil sei energisch und unsentimental. Diese harte Geschäftsorientierung stößt bei vielen Briten auf Befremden und Mißtrauen. Auch die Aufsichts- und Wettbewerbsbehörden beobachten Murdoch aufmerksam. 1995 wurden in Großbritannien und den USA Medienkonzentrationsbestimmungen diskutiert, die Murdoch die weitere Expansion erschweren sollen.[44] Sein vierter Charakterzug ist nach Gershon eine kühle Professionalität im Umgang mit Schulden in Milliardenhöhe. Er sorge innerhalb seines verzweigten Konzerns ständig für ausreichenden Cash Flow, so daß ihm neue Kredite gewährt werden. Jede finanzstrategische Kaufs- und Verkaufsentscheidung sei auf das Gesamtkonzept abgestimmt. Allerdings stand *News Corp* 1990 aufgrund einer von Murdoch nicht vorhergesehenen Verkettung von Negativentwicklungen – weltweite Wirtschaftsrezession, dramatischer Anzeigeneinbruch, starker Zinsanstieg, Nervosität einiger seiner Gläubigerbanken – mit 8,2 Milliarden Dollar Schulden kurz vor dem Bankrott.[45]

Eine zentrale Säule seines Imperiums stellt Großbritannien dar. Zwischen 1969 *(News of the World)* und 1987 (*Today*, 1995 eingestellt) kaufte Murdoch einen Großteil der nationalen Presse auf (s. Tabelle 9). Seine Sonderstellung resultiert jedoch weniger aus seinem Zeitungsbesitz, als seiner zusätzlichen Vormachtstellung im

[43] Murdoch sagte: „Much of what passes for quality under these [European systems] is no more than a reflection of the values of the narrow elite – a view natural to all governing classes. Why should television be exempt from the laws of supply and demand any more than newspapers, journals, magazines or books.“ In *Forbes* vom 27. 11. 1988, S. 98–103 („As I see it: An Interview with Rupert Murdoch“).

[44] Vgl. Doyle (1996) über Großbritannien; *Frankfurter Rundschau* vom 7. 6. 1994 und *Broadcasting & Cable* vom 8. 5. 1995 über die USA.

[45] Zur Finanzkrise und seiner Bewältigung siehe Shawcross (1993, S. 1–18, 530–536)

Privatfernsehmarkt. Er kontrolliert den Pay-TV-Sender BSkyB, dessen 28 Kanäle 1996 von fünf Millionen Briten abonniert wurden.[46] Der britische *Economist* (27.2.1993, S. 47) beschrieb Murdoch als „the most powerful man in the land". Er ist in keinem anderen Land so umstritten wie in Großbritannien.[47] Dort werden ihm im wesentlichen vier Vorwürfe gemacht:

Der erste Vorwurf lautet, Murdoch habe einen allgemeinen Nivauverlust in der britischen Qualitäts- und Boulevardpresse eingeleitet. Dieser Vorwurf wurde erstmals 1971 von dem satirischen Wochenblatt *Private Eye* erhoben, das ihm den Spitznamen „Dirty Digger" (abfällig für: Australier, auch: schmieriger Schnüffler) gab und der Murdoch immer noch anhaftet. Das Blatt bezeichnete die veränderten Berichterstattungsmethoden von *News of the World* und *Sun* seit Murdochs Kauf als geschmacklos, ordinär und persönlichkeitsverletzend.[48] Dem stimmte, neben vielen anderen, auch der angesehene Pressehistoriker Anthony Smith zu. Nach seiner Auffassung ist Murdoch für einen Wertewandel in der britischen Gesellschaft mitverantwortlich: „[Murdoch] betrachtet wahrscheinlich alles was er tut rein technisch, aber er spielte eine Rolle bei der Veränderung der gesellschaftlichen Werte und Sitten."[49] Der Mitgründer der Qualitätszeitung *Independent*, Stephen Glover, erklärte die Murdoch-Kritik der Briten so: „Die Abneigung kommt von dem Müll, der aus ihm hervorquillt. Wir glauben, Zeitungen sollten erbaulich und auf Verbesserung aus sein, und nicht einfach nur an den geringsten gemeinsamen Nenner appellieren."[50] Der zweite Vorwurf lautet, der Murdoch-Konzern sei wegen seiner publizistischen Unterstützung für Margaret Thatcher von der Regierung stets wohlwollend behandelt worden. So behauptet Harold Evans, der ehemalige Chefredakteur von *Times* und *Sunday Times*, daß Murdochs Zeitungsaufkäufe deshalb nie vom Wirtschaftsminister zur Prüfung an die Kartellbehörde verwiesen worden seien, weil „Thatcher entschlossen war, Murdoch für seine politische Un-

[46] Dies entspricht über 20 Prozent Marktanteil. Vgl. *Economist* vom 20.5.1995, S. 43 f. und *Süddeutsche Zeitung* vom 17.6.1996, S. 25.

[47] Vgl. das Nachwort („Author's note to paperback edition") in Shawcross (1993, S. 567–569) und den Beitrag von Chefredakteur Michael Elliott in *Newsweek* vom 12.2.1996, S. 16.

[48] Vgl. Shawcross (1993, S. 154 ff.), McNair (1994, S. 144 ff.).

[49] „[Murdoch] probably sees what he has done as merely technical, but he has played a part in changing the values and mores of society." Zit. n. *Newsweek* vom 12.2.1996, S. 16; ähnlich auch in Shawcross (1993, S. 551 f.).

[50] „The dislike comes from the rubbish that he pours out. We think that newspapers should be elevating and try to improve; not just appeal to the lowest common denominator." Zit. n. *Newsweek* vom 12.2.1996, S. 16.

terstützung, vor allem im Wahlkampf 1979, zu belohnen".[51] Bis zur Wende 1997 unterstützten Murdochs Zeitungen in allen Wahlkämpfen die regierende *Conservative Party*, die Beziehung ist als symbiotischer Prozeß bezeichnet worden. Auf die Nachricht vom Wahlsieg 1992 soll Murdoch mit dem Ausspruch: „We won!" reagiert haben.[52] Der dritte Vorwurf lautet, Murdoch nehme einen für britische Verhältnisse ungewöhnlichen starken Einfluß auf redaktionelle Angelegenheiten. Als Beleg werden immer wieder die Erfahrungen von Evans zitiert. Evans (1983, S. 240–399) berichtet, von Murdoch wegen angeblich Thatcher-kritischen Berichten in aggressivem Tonfall gerügt worden zu sein. Murdoch bezeichnete dies als Unsinn und hielt Evans als Chefredakteur der *Times* für überfordert.[53] Der vierte Vorwurf richtet sich gegen seinen Umgang mit den Gewerkschaften. In der Nacht auf Samstag, 25. Januar 1986, zog der Murdoch-Konzern unter höchster Geheimhaltung aus der Stadtmitte (Fleet Street) in den Londoner Außenbezirk Wapping (Docklands). Murdoch machte in resoluter Manier deutlich, daß die moderne, computergesteuerte Produktions- und Redaktionstechnik keine Drucker und Setzer mehr benötigte. Fast 6000 Drucker, Setzer und Hilfsarbeiter verloren über Nacht ihren Arbeitsplatz.[54] Vor dem neuen Verlagszentrum, das mit Kameras, Stacheldraht, Türschleusen, Wachposten und Hunden gesichert war, kam es zu monatelangen, teilweise gewalttägigen Demonstrationen. In der Nacht zum 3. Mai 1986 gab es bei Ausschreitungen zwischen Demonstranten und der Polizei 250 Verletzte. Ein Jahr setzte sich die Belagerung fort.[55] Schon im ersten Jahr in Wapping meldete Murdoch eine Ge-

[51] Evans (1983, S. 186), hier zit. n. Shawcross (1993, S. 233). Evans beruft sich auf vertrauliche Quellen in Regierungskreisen.

[52] So *Variety* vom 13. 4. 1992, hier zit. n. Shawcross (1993, S. 542).

[53] Ein ausgewogenes Bild dieser Kontroverse vermittelt Shawcross (1993, S. 244–264). Evans Erfahrungen werden u. a. referiert bei Hollingsworth (1986), Curran & Seaton (1991), Hanlin (1992), McNair (1994).

[54] Nicht weil Murdoch ihnen kündigte, sondern weil er sie zu einem (durch Thatchers neue Beschäftigungsgesetze) *illegalen* Streik veranlaßte. Die Gewerkschaften hatten sich unzureichend mit der neuen Gesetzeslage vertraut gemacht. Der illegale Streik bedeutete nach dem neuen Arbeitsvertragsrecht eine einseitige Kündigung des Beschäftigungsverhältnisses durch die Arbeitnehmer (s. Kapitel 7.4 und 8.2). Dadurch war Murdoch noch nicht einmal verpflichtet, Abfindungs- oder Pensionszahlungen zu leisten. Er zahlte dennoch insgesamt £ 60 Millionen. Wäre die Kündigung von Murdoch ausgegangen, hätte er im Rahmen eines Sozialplanes mehr als doppelt soviel zahlen müssen (vgl. Shawcross 1993, S. 357).

[55] Zu Murdochs Umzug nach Wapping ist Melvern (1986) Pflichtlektüre. Siehe ansonsten Shawcross (1993, S. 334–358), Press Council (1986, S. 205–220), Jenkins (1986) sowie *Economist* vom 25. 1. 1986, *Time* vom 3. 3. 1986 und *Forbes* vom 18. 5. 1987.

winnsteigerung von 85 Prozent; der Wert seiner Zeitungen verdreifachte sich von 300 Millionen auf eine Milliarde Dollar. Aus der ganzen Welt, auch aus Deutschland, kamen Chefredakteure und Verlagsleiter, um sich über das Zeitungswunder von Wapping zu informieren.[56] „Murdoch wurde für die politische Linke Großbritanniens zum verhaßtesten Arbeitgeber seit Jahrzehnten", schreibt Shawcross. „Vielen erschien er als die Personifizierung der rücksichtslosesten Aspekte der Thatcher-Revolution. Er wurde bereits vom liberalen intellektuellen Establishment verachtet. Nun wurde er zum vollendeten Dämon, mit gegabeltem Schwanz und gespaltenen Hufen. Seine Zeitungen wurden von Universitäten und *Labour*-geführten Einrichtungen verbannt, Vertreter der *Labour Party* weigerten sich zwei Jahre lang, Murdoch-Journalisten Interviews zu geben. Sein Konterfei sah man überall. Eine Protestgruppe, die sich ‚Frauen gegen Murdoch' nannte, marschierte zum Wapping-Konzern und skandierte ‚Verbrennt, verbrennt, verbrennt diesen Bastard!'"[57] Über Murdochs Motive schrieb der *Press Council* (1986, S. 212), daß er sich – ähnlich wie Thatcher – seit langem von den Gewerkschaften erniedrigt fühlte und die Chance sah „die Machtbalance für jetzt und alle Zeit wiederherzustellen". Viele Journalisten wendeten sich jedoch ab. Zwischen Februar 1981 und März 1986 verließen rund hundert Journalisten den Murdoch-Konzern. Im Wapping-Jahr 1986 gingen allein 40 *Times*- und *Sunday Times*-Journalisten zur neugegründeten Qualitätszeitung *The Independent*, die im Oktober desselben Jahres auf den Markt kam.[58]

Murdoch hat nach eigenen Angaben kein ausgearbeitetes Strategieprogramm, nach dem er vorgeht. „Was mich treibt, sind Ideen und was man mit Ideen tun kann", erklärte er. „Sie können mich verteufeln, indem Sie das Wort Macht verwenden. Aber das ist doch

[56] Shawcross (1993, S. 357) sowie Reiner Luykens Beitrag in *Die Zeit* vom 27.5.1994, S. 13–15 („Die Welt im Netz des Rupert Murdoch").

[57] Shawcross (1993, S. 355 f.) schreibt: „Murdoch became more detested by the political Left in Britain than any other employer had been for decades. He seemed to many to personify all that was most ruthless about the Thatcher revolution. He was already despised by the liberal intellectual establishment of Britain. Now he became the ultimate demon, with a forked tail and cloven feet for all to see. His newspapers were banned from college common rooms and by Labour local authorities all over the land, and leaders of the *Labour Party* refused to give interviews to journalists from Murdoch newspapers. His effigy was everywhere. One protest group called ‚Women against Murdoch' marched on Wapping chanting ‚Burn, Burn, Burn the Bastard'."

[58] Zum Exodus frustrierter Murdoch-Journalisten siehe Crozier (1988, S. 49–53), Curran & Seaton (1991, S. 104 f.), Leapman (1992, S. 94), Shawcross (1993, S. 356).

der Spaß an der Sache, oder nicht? Ein klein bißchen Macht zu haben." Über seine Werte sagte er: „Ich würde mich als totalen Internationalisten und Anhänger des freien Marktes beschreiben. Ich glaube daran, daß die Menschen und auch die Welt als Ganzes von freien Märkten profitieren – sowohl was Ideen, als auch Waren betrifft."[59] Es wäre falsch anzunehmen, daß Murdoch ein politischer Doktrinär sei. Er verehrte zwar die konservativen Gallionsfiguren Ronald Reagan und Margaret Thatcher und wählt in den USA Ross Perot[60], aber in seiner Heimat Australien (wo er mit 108 Zeitungen und 9 Zeitschriften 75 Prozent des Printmedienmarktes besitzt) unterstützt er die *Labor Party*. Dem Nachrichtenmagazin *Spiegel* sagte er: „Ich bin ein Konservativer, aber das werden Sie beim Betrachten meiner Fernsehprogramme nicht merken. (…) Erst letztes Jahr halfen wir der Labor Regierung in Canberra. Ich könnte mir sogar vorstellen, den britischen *Labour*-Führer Tony Blair zu unterstützen."[61] Das tat er drei Jahre später auch (s. Kapitel 4.5 und 4.6).

Seine jüngsten Aktivitäten in Großbritannien zeichnen sich in der Tat durch ein hohes Maß an politischen Pragmatismus aus. Er trifft mit beiden großen Parteien gleichermaßen medienpolitische Absprachen und demonstriert, daß sein Handeln nicht von ideologischen, sondern ökonomischen Interessen bestimmt ist. Am ehesten sieht er sich als „Befreier der Massen von der Bevormundung durch selbsternannte Kultureliten".[62]

Murdoch folgt Joseph Schumpeters Prinzip der „schöpferischen Zerstörung".[63] Zweimal, in den Jahren 1986 und 1993, löste Mur-

[59] „I think what drives me are ideas and what you can do with ideas. You can demonize me by using the word power. But that's the fun of it, isn't it? Having a little smidgen of power. (…) I would describe myself as being totally internationalist, free market, believing that most people will benefit most and the world will be a better place from having free markets. In ideas as well as goods." Zit. n. Shawcross (1993, S. 550).

[60] Vgl. die Rezension zu Andrew Neils Buch *Full disclosure* im *Economist* vom 26.10.1996 („Rupert Murdoch's Journo"). Murdoch hat die amerikanische Staatsbürgerschaft angenommen, um die strengen mediengesetzlichen Beschränkungen für Ausländer in den USA zu unterlaufen.

[61] *Spiegel* 34/1994, S. 124–134 („Die Welt beherrschen"), hier S. 131.

[62] So Jürgen Krönig in *Die Zeit* vom 17.2.1995, S. 63 („Die globale Gehirnwäsche"). Zu Murdochs politischem Pragmatismus siehe auch Krönigs Beitrag in *epd/Kirche und Rundfunk* vom 24.4.1996, S. 4–6 („Pakt mit dem Teufel").

[63] So Murdochs langjähriger Berater Irwin Stelzer in *Newsweek* vom 12.2.1996, S. 8–16, hier S. 12. Schumpeter unterschied 1928 in seinem Artikel über Unternehmer im *Handbuch der Staatswissenschaften* vier Typen des modernen Unternehmers. Einer ist der des Gründers oder Promoters. Schumpeter schreibt: „Die soziale Heimatlosigkeit, die Beschränkung auf das Aufsuchen und Durchsetzen neuer Möglichkeiten, das Fehlen dauernder Beziehungen zu individuellen Be-

doch auf dem britischen Pressemarkt regelrechte Erdbeben aus, die Altes verdrängten und Neues ermöglichten. Im Traditionsland England wurde dies eher negativ als positiv bewertet. 1986 läutete Rupert Murdoch durch den Umzug seines Unternehmens *News International* nach Wapping das Ende der Fleet Street, der legendären Zeitungsstraße im historischen Stadtkern Londons, ein. Alle großen Zeitungshäuser und Nachrichtenagenturen hatten bis dahin ihren Sitz in Fleet Street oder einer der angrenzenden Seitengassen. Ein eigenwilliger Flair ging von dieser Straße aus, in der Londons Journalisten ein fast kultischer Gemeinschaftssinn verband. Fleet Street war gleichbedeutend mit ausgedehnten Mittagspausen in einschlägigen Pubs, unbegrenzten Spesenkonten und Alkohol zu beinahe jeder Tageszeit. Fleet Street bedeutete Druckmaschinengeratter, Schreibmaschinengeklapper, Tinte und Sägemehl, lange Schlangen wartender Auslieferungsautos, nostalgische Erzählungen, Gerüchte, Eifersüchteleien und ausgelassene Nächte im Press Club, wo mit Kind und Kegel Weihnachten gefeiert wurde. Jeder kannte jeden, man traf sich täglich, diskutierte Neuigkeiten und Exklusivberichte und verbrachte – wie Vivian Brodzky in *Fleet Street: The inside story of journalism* (1966) anschaulich beschrieben hat – nahezu 24 Stunden miteinander.

Zehn Jahre später war kein einziges Medienunternehmen mehr in Fleet Street. Murdoch hatte den britischen Verlegern vorgemacht, wie man sich aus der Zange der Druckergewerkschaften, die jede Innovation blockierten, befreit und auf der grünen Wiese mit modernster Zeitungstechnologie und verringertem Personalbestand aus den roten Zahlen kommt (s. Kapitel 8). Wapping war 1986 noch ein ödes Gewerbegebiet bei den Themse-Docklands, das wegen seiner Abgeschiedenheit Insel der Hunde (Isle of Dogs) heißt. Murdoch löste eine Karawane aus. Ebenfalls nach Wapping zogen im Laufe der nächsten Jahre *Daily Telegraph, Sunday Telegraph, Daily Mirror, Sunday Mirror, The People, The Independent* und *The Independent on Sunday*. Nicht ganz so weit hinaus zog es *Financial Times* und die *Express*-Gruppe, die in der Innenstadt blieben, aber die Themse-Seite wechselten und von ihren oberen Stockwerken die Dächer der Fleet Street noch sehen können. Ihre Druck-

trieben sind diesem Typ vor allem eigen. (…) Bei alledem bringt es der oft niedrige soziale und moralische Status des Typus mit sich, daß Praxis und Wissenschaft ein Widerstreben zeigen, ihn als normales Element des modernen Wirtschaftsleben und insbesondere als einen wirtschaftlichen Führer anzuerkennen.“ Schumpeter, der schöpferische Zerstörung als Dynamo des wirtschaftlichen Wachstums verstand, hätte den Idealtypus des Gründers in Rupert Murdoch verkörpert gefunden.

ereien sind ebenfalls in Wapping. Die *Mail*-Gruppe ging in das feine Diplomatenviertel Kensington. Dieser Prozeß ist mit Überschriften beschrieben worden wie „Fleet Street Revolution", „The End of the Street", „The Rise and Fall of Fleet Street", „The Flight from Fleet Street", „The Demise of Fleet Street" oder „The Great Escape".[64]

Das zweite Erdbeben setzte 1993 ein. Die durch Murdochs Sieg über die Gewerkschaften ermöglichte Einführung von computerisierten Satztechniken hatte die Produktionskosten pro Seite auf ein Niveau verringert, das in den sechziger und siebziger Jahren in Fleet Street undenkbar war. Größere und schnellere Rotationsmaschinen, effizientere Versandräume und der Vertrieb per Lkw führten zu einer erheblichen Erhöhung der Gewinnspanne. Die Folge dieser Modernisierung war eine Welle von Zeitungsneugründungen. Innerhalb von fünf Jahren kamen neun Zeitungen neu auf den Markt: *The Independent, Independent on Sunday, Sunday Sport, Daily Sport, Today, Sunday Today, News on Sunday, Sunday Correspondent* und *London Daily News*. Auch wenn einige Zeitungen rasch wieder eingingen (*Sunday Today, News on Sunday, Sunday Correspondent* und *London Daily News*), begrüßten die Leser das gestiegene Angebot.[65] Für die Anbieter bedeutete der überfüllte Pressemarkt jedoch eine Verringerung potentieller Einnahmen. Um Mitkonkurrenten aus dem Markt zu drängen und den Auflagenschwund seiner Blätter zu stoppen, senkte Rupert Murdoch 1993 den Verkaufspreis all seiner Zeitungen drastisch: Er reduzierte den Preis von *The Times* und *Sun* auf jeweils 20 Pence und hob da-

[64] Die zitierten Buchtitel und Kapitelüberschriften stammen aus Press Council (1985, 1986), Melvern (1986), Wintour (1989), Self (1990), Negrine (1989) und Leapman (1992). Vor allem alteingesessene Journalisten hatten jedoch Probleme, von der familiären Atmosphäre Abschied zu nehmen und sich auf den anonymen Computerjournalismus einzustellen. Einer faßte es so zusammen: „*Wappingisation* bedeutet nicht nur, daß man nicht mehr gemeinsam trinkt, es bedeutet auch, daß man sich nicht mehr trifft, keine Ideen mehr austauscht. Ich halte eine Art von Journalismus, bei der man nicht mehr über den Beruf spricht, sondern nur noch vor dem Bildschirm sitzt und schaut, daß man vorankommt, angemessen für Computerzeitschriften oder Handelsblätter, nicht aber für Zeitungen – so entsteht Fadheit", so der Journalist Keith Waterhouse in Lewis (1995, S. 56).

[65] Die Blätter *Sunday Sport* und *Daily Sport* gelten aufgrund ihrer inhaltlichen Mischung aus 70 Prozent Pornographie und 30 Prozent Phantasie nicht als Zeitungen im klassischen Sinn. Typische *Sport*-Überschriften lauten „Statue of Elvis Found on Mars", „I Had Sex with an Alien", „World War II Bomber Found on the Moon", „World War II Bomber Found on the Moon Vanished". Es geht um nymphomanische Nonnen, perverse Mönche und was sonst noch gegen bürgerliche Normen verstößt (vgl. Taylor 1991, S. 267–280).

mit die traditionelle Trennlinie zwischen Qualitätszeitungen und Massenblättern auf. Damit löste er auf dem Boulevard- und Qualitätszeitungsmarkt einen „Preiskampf auf Leben und Tod“ *(Guardian)* aus. Der kanadische *Daily Telegraph*-Besitzer Conrad Black senkte den Verkaufspreis auf 30 Pence, wohlwissend, daß Murdoch bei einem Verkaufspreis von 20 Pence ganze drei Pence blieben, denn 17 gehen unverändert an den Handel. Im Sommer 1996 unterboten sich *Times* und *Daily Telegraph* gegenseitig bis zum Verkaufspreis von 10 Pence. Murdochs Langzeitziel war jedoch ein anderes, nämlich der Niedergang des *Independent*, der seit seiner Gründung 1986 der *Times* sehr erfolgreich Konkurrenz machte.[66] *Times* und *Independent* lagen vor Ausbruch des Preiskampfes Kopf an Kopf mit einer Auflage von 390 000. Vier Jahre später, im Mai 1997, hatte die *Times* als Folge ihres niedrigen Verkaufspreises eine Auflage von 756 000, der teurere *Independent* verkaufte dagegen nur noch 263 000 Exemplare.

Der finanzschwache *Independent* beschrieb die Preisschlacht als „häßlichen Kampf um die Vorherrschaft auf dem Zeitungsmarkt“. Mit den ausländischen Verlegern Murdoch und Black wollten „zwei rechte Ideologen den Markt zerstören“. Sie seien „berauscht von der Macht, die Zeitungsmacht zu verleihen scheint“ und hätten „nichts für Meinungsvielfalt und liberale Werte übrig“ (*Independent* vom 24. 6. 1994, S. 1). Murdochs Strategie zeigte Wirkung: Der angeschlagene *Independent* und sein Schwesterblatt *Independent on Sunday* wurden im März 1994 am Rande des Bankrotts von der *Mirror*-Gruppe übernommen.[67] Der *Independent* war bei seiner Gründung als urbritische Antwort auf die zweifelhaften Entwicklungen der siebziger und achtziger Jahre begrüßt worden. Im ersten Jahr seines Bestehens wurde das Blatt mit Preisen für das beste Medium, die beste Zeitung, die besten Bilder und den besten Journalisten ausgezeichnet. Es war parteipolitisch unabhängig und orientierte sich mit einer strikt neutralen Berichterstattung an den höchsten Qualitätsmaßstäben. Um ihre politische Integrität zu unterstreichen, boykottierten die Journalisten das umstrittene Lobbysystem

[66] Vgl. Murdochs Ausführungen im Interview mit dem *Observer* vom 5. 9. 1993, S. 25.

[67] Unter Führung des *Mirror*-Konzerns hat ein Konsortium (bestehend aus *Mirror-Group, El Pais* und dem *Independent*-Gründungschefredakteur Whittam-Smith) 70 Prozent der Anteile übernommen. Die restlichen 30 Prozent hält Tony O'Reilly, Boss des amerikanischen Lebensmittelkonzerns Heinz und Eigentümer einer irischen Qualitätszeitung. O'Reilly bemühte sich im Dezember 1996 um die alleinige Übernahme des *Independent*, die Verhandlungen mit Mirror-Gruppe scheiterten jedoch.

und nahmen prinzipiell keine Einladungen und Geschenke an. Der deutsche Soziologe Ralf Dahrendorf, der seit 1974 Universitätsprofessor in London und Oxford ist, war bis zu Verkauf des Blattes Vorsitzender des Aufsichtsrates.[68] Die *Mirror*-Gruppe gewährt dem *Independent* volle redaktionelle Unabhängigkeit, hat durch drastische Kostensenkungsmaßnahmen jedoch für große Unzufriedenheit unter dem verbliebenen Redakteuren gesorgt. Die journalistische Qualität ist weiterhin sehr gut, die Zukunft des Blattes aufgrund der chronisch sinkenden Auflage jedoch ungewiß.

Seit Beginn des Preiskrieges 1993 gab es zwei weitere Zeitungsverkäufe. Der *Observer*, seit 1791 die älteste Sonntagszeitung der Welt, wurde vom *Guardian* übernommen. Der liberale *Observer* gründet sein publizistisches Renommee auf hochkarätige Autoren, zu denen früher auch Sebastian Haffner, Arthur Koestler und George Orwell gehörten. Zwischen 1980 und 1993 hatte er einen Auflagerückgang von 900 000 auf unter 500 000 hinnehmen müssen und war weit hinter Murdochs *Sunday Times* zurückgefallen. Seit dem Verkauf an die unabhängige, links-liberale Verlagsstiftung *Guardian Trust* steigt die Auflage wieder leicht. Außerdem fusionierte 1996 Lord Stevens' *United News & Media*-Gruppe *(Daily Express, Sunday Express, Daily Star)* mit der MAI-Mediagruppe, die sich bislang nicht im Pressewesen engagierte. Während Lord Stevens als ausgesprochen konservativ gilt, ist MAI-Besitzer Lord Hollick bekennender Sozialist.[69] Die *Express*-Blätter unterstützen – wie von Lord Stevens versprochen – John Major im Wahlkampf 1997, rückten jedoch nach seiner Wahlniederlage stärker in die politische Mitte.

Murdoch ist der Sieger des Preiskampfes, obwohl ironischerweise das einzige echte Opfer des Preiskrieges ein Murdoch-Blatt war. Am 17. November 1995 stellte Murdoch die Tageszeitung *Today* ein, die seit ihrer Gründung 1986 nie aus den roten Zahlen gekommen war und Murdoch insgesamt £ 140 Millionen gekostet hatte. Aufgrund der drastisch gestiegenen Auflage seiner übrigen Blätter war für *Today* keine ausreichende Druckkapazität verblieben. Außerdem verschaffte sich Murdoch mit der überraschenden Einstellung größeren finanziellen Spielraum für seine asiatischen Expansionsaktivitäten.[70] Durch den auch 1997 noch andauernden

[68] Zum *Independent* siehe Crozier (1988), Glover (1993), Leapman (1992, S. 93–96, 169–171).

[69] Vgl. *Sunday Times* vom 11.2.1996 („The odd couple").

[70] In großseitigen Anzeigen waren die *Today*-Leser in den letzten Ausgaben aufgefordert worden, auf die Murdoch-Zeitungen *The Times* oder *Sun* umzusteigen. Tatsächlich profitierte jedoch die *Daily Mail* am meisten. Vgl. *Observer* vom

Preiskampf hat Murdoch den britischen Journalismus „für immer verändert" (*Observer* vom 15.12.1996, S. 4). Dem Einsatz von massiven Werbe- und Promotionkampagnen, drastischen Preisnachlässen, Gewinnspielen, zusätzlichen Beilagen und Serviceseiten sowie einem populistischen, nicht-elitären Ansatz kann sich heute keine Qualitätszeitung mehr entziehen. Zeitungen werden vermarktet wie jedes andere Produkt auch. Murdoch demonstrierte, daß sich nach Jahren des Auflagenrückgangs mit diesen Methoden erfolgreich neue Leser gewinnen liessen.[71]

4.5 Das publizistische Spektrum

Zeitungen und politische Parteien standen im 19. Jahrhundert in Großbritannien und Deutschland in einem engem Verhältnis. Aus Sicht der Parteien waren Zeitungen das ideale Medium, ihre Standpunkte, Pläne und Kampagnen einfach und billig zu verbreiten; aus Sicht der Presse boten enge Kontakte zu Politikern und Parteien die ideale Voraussetzung für permanenten, exklusiven Informationsfluß – eine symbiotische Beziehung von gegenseitigem Nutzen. Wie in Kapitel 2 dargestellt, zerbrach die enge Verbindung zwischen Parteien und Presse in Großbritannien früher als in Deutschland. Heute unterhalten keine der großen britischen und deutschen Zeitungen mehr formelle Bindungen zu einer Partei. Wenn Zeitungen eine politische Partei unterstützen, dann in beiden Ländern aus freien Stücken.

Aufgrund der historischen Affinität zwischen Presse und Parteien ist in beiden Ländern eine Übereinstimmung zwischen Presse- und Parteienspektrum zu erwarten. In Deutschland ist dies tatsächlich gegeben. Eine Befragung von 216 Bundestagsabgeordneten und 221 Pressesprechern im Winter 1985/86 ergab, daß sich die redaktionellen Linien der 13 führenden deutschen Druckmedien nahezu idealtypisch über das Links-Rechts-Spektrum verteilen (vgl. Stolz 1989). Bestätigt wurde dieser Befund durch eine Anfang 1991 durchgeführte schriftliche Befragung von 297 westdeutschen Jour-

19.11.1995 („Murdochs last laugh") und *Guardian* vom 15.7.1996 („Big push, no breakthrough").

[71] Vgl. „Media: All is not quiet on the Wapping front" im *Observer* vom 15.12.1996; „Marketing: Good news for fish'n'chips" im *Independent* vom 3.12.1996; „Papering over the cracks" im *Guardian* vom 23.9.1996; „Do the figures ad up?" im *Guardian* vom 10.2.1997; „New Labour, new sales figures" im *Independent* vom 5.5.1997.

nalisten.[72] Sie stuften die politischen Grundhaltungen der führenden Blätter ebenfalls so ein, daß sie sich sehr ausgewogen über das Parteienspektrum verteilen (s. Schaubild 4).

Schaubild 4: Einschätzung deutscher Journalisten: Politischer Standort von Druckmedien und Parteien auf der Links-Rechts-Skala

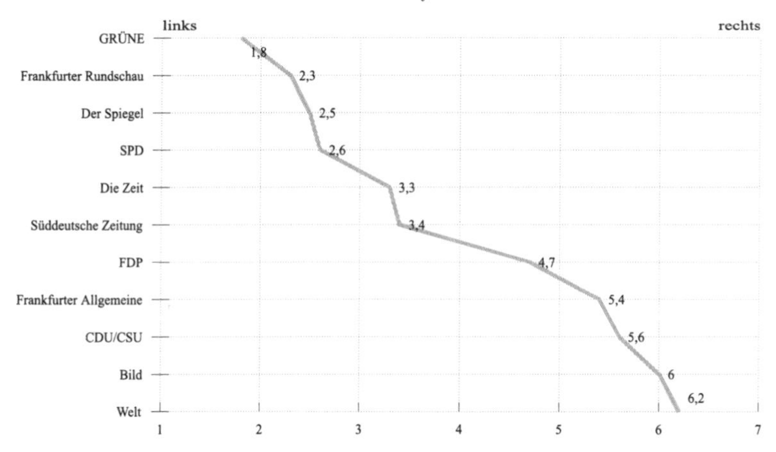

Basis: Schriftliche Befragung von 297 westdeutschen Journalisten Anfang 1991. Frage: „Nachrichtenmedien werden manchmal danach eingeteilt, ob sie politisch rechts, links oder in der Mitte stehen. Auf einer Skala, auf der 1 links, 7 rechts und 4 Mitte bedeutet: Wo würden Sie da einstufen ...?“ Quelle: Donsbach (1993b, S. 309).

Auch Inhaltsanalysen deutscher Zeitungen führten zu dem selben Ergebnis. Kepplinger (1985, S. 25) kommt nach einer entsprechenden Sekundärauswertung von sechs Inhaltsanalysen zu dem Ergebnis, daß „die vier Qualitätszeitungen ziemlich genau das Spektrum der Parteien und Interessengruppen spiegeln.“[73] Danach kann die redaktionelle Linie der *Frankfurter Rundschau* als links, die redaktionelle Linie der *Süddeutschen Zeitung* als gemäßigt links, die redaktionelle Linie der *Frankfurter Allgemeinen* als gemäßigt rechts und die redaktionelle Linie der *Welt* als rechts bezeichnet werden. Dies ist nicht im parteipolitischen Sinne zu verstehen, denn alle Qualitätszeitungen stehen, wie die Ergebnisse der Inhaltsanalysen zeigten, allen Parteien oder Interessengruppen mehr oder weniger distanziert gegenüber. Insgesamt, so Pürer & Raabe (1996, S. 268),

[72] Vgl. Donsbach (1993b), dessen Daten auf der international vergleichenden Journalistenbefragung von Donsbach & Patterson (1992) beruhen.

[73] Die Themen der sechs Inhaltsanalysen waren die Tarifkonflikte 1967, die Berlinverhandlungen 1971, die Tarifkonflikte 1975, der Wahlkampf 1976, der Rücktritt Filbingers 1978 und der NDR-Streit 1980 (vgl. Kepplinger 1985, S. 23–28).

ist auf dem deutschen Pressemarkt eine ausreichende Vielfalt gegeben.

Schaubild 5: Einschätzung britischer Journalisten: Politischer Standort von Druckmedien und Parteien auf der Links-Rechts-Skala

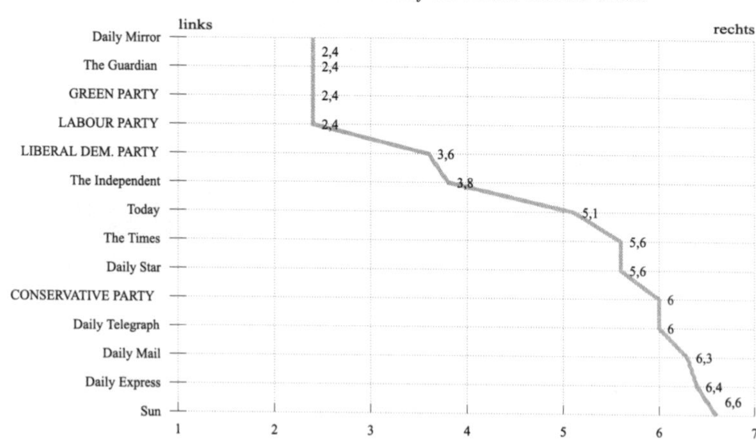

Basis: Schriftliche Befragung von 216 britischen Journalisten Anfang 1991. Frage: „News organisations are sometimes classified politically in terms of left, right, and center. On a scale where 1 left, 7 is right, and 4 is center, where would you place …?" Quelle: Donsbach, persönliche Kommunikation.

Anders als in Deutschland ist das publizistische Spektrum der national verbreiteten Zeitungen Großbritanniens deutlich nach rechts verschoben. Dies war zumindest das beherrschende Bild bis zur Parlamentswahl 1997. Bereits 1977 hatte die Dritte Königliche Pressekommission in ihrem Gutachterbericht betont, daß das publizistische Spektrum nicht ausgewogen sei und auf der linken Seite eine empfindliche Lücke herrsche (*Royal Commission* 1977, S. 98, 109 f.). Auch eine Befragung von 216 britischen Journalisten aus dem Jahr 1991 ergab, daß von zehn national verbreiteten Tageszeitungen nur zwei als politisch links, jedoch sieben als rechts eingestuft werden. Nur einer Zeitung, dem *Independent*, wurde eine Mittelstellung eingeräumt (s. Schaubild 5). Berücksichtigt man den politischen Standort der Parteien, wird die Abweichung zwischen publizistischem Spektrum und Parteienspektrum noch augenfälliger. Obwohl die britischen Journalisten drei der vier Parteien als eher links bezeichneten, sahen sie den Großteil der Presse deutlich rechts. Die Regionalpresse kann hier auch nicht als Korrektiv wirken, da sie überwiegend neutral berichtet und in ihrer politischen Aussage bedeutungsloser ist als die deutsche.

Um den politischen Standort der nationalen britischen Zeitungen zu erfahren, sind Expertenbefragungen oder aufwendige Inhaltsanalysen eigentlich nicht nötig, denn jedes Blatt spricht sich am Tag vor einer Parlamentswahl in einem sogenannten „endorsement" für eine bestimmte Partei aus und empfiehlt seinen Lesern, diese Partei zu wählen. Tabelle 11 (im Anhang) zeigt die Parteiunterstützung der national verbreiteten Tageszeitungen zwischen 1945 und 1997 im Überblick. 1945 gab es vier nationale Zeitungen, die die *Conservative Party* und jeweils zwei, die die gewerkschaftsnahe *Labour Party* und die *Liberal Party* unterstützten. Mit Einstellung des Massenblattes *News Chronicle* 1960 verloren die Liberalen ihre wichtigste publizistische Stütze. Als Murdoch 1969 den *Daily Herald* aufkaufte, die redaktionelle Linie von pro-*Labour* nach pro-*Conservative* änderte und das Blatt unter dem Titel *Sun* neu auf den Markt brachte, wurde die konservative Schlagseite noch stärker. Die Rechtsverschiebung des publizistischen Spektrums durch die *Sun* machte sich erstmals bei den Parlamentswahlen 1974 bemerkbar (Tunstall 1983, S. 83 f.). Auch die anschließend gegründeten Massenblätter *Daily Star* und *Today* erwiesen sich als pro-*Conservative*, wenn auch nicht so konsequent wie *Daily Mail* oder *Daily Express*. Schaubild 6 faßt das politische Ungleichgewicht in der Auflage der nationalen Tagespresse anschaulich zusammen.

Schaubild 6: Parteiunterstützung der nationalen Tageszeitungen in Großbritannien 1945–1997

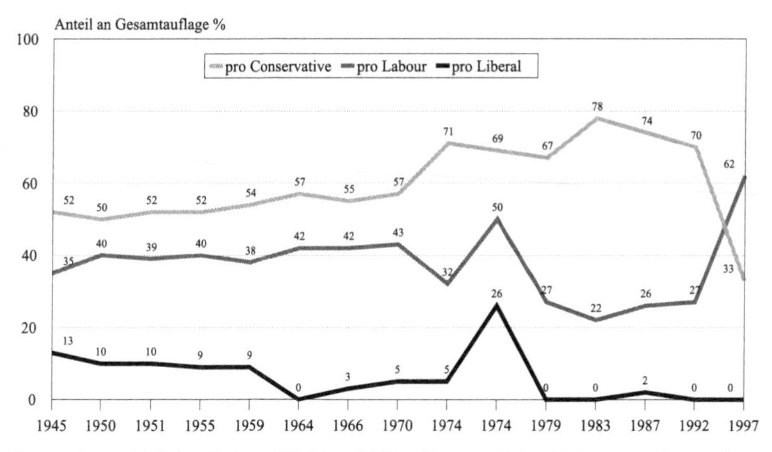

Anmerkung: Bei den beiden Wahlen 1974 splitteten einige Zeitungen ihr „endorsement". Quelle: Tabelle 11 (im Anhang).

Tabelle 12: Parteipräferenzen der nationalen Tagespresse im Vergleich zur Wahlentscheidung der Bevölkerung, Großbritannien 1945–1997

	1945	50	51	55	59	64	66	70	74	74	79	83	87	92	97
Auflageanteil Tagespresse (%)															
pro Conservative	52	50	52	52	54	57	55	57	71	69	67	78	74	70	33
pro Labour	35	40	39	40	38	42	42	43	32	50	27	22	26	27	62
pro Liberals	13	10	10	9	9	–	3	5	5	26	–	–	2	–	–
Wahlergebnisse (%)															
pro Conservative	40	43	48	50	49	43	42	46	38	36	44	42	42	42	31
pro Labour	48	46	49	46	44	44	48	43	37	39	37	28	31	34	44
pro Liberals	9	9	2	3	6	6	8	7	19	18	14	25	23	18	17

Quelle: Tabelle 11 (im Anhang).

Dieses traditionelle Ungleichgewicht im publizistischen Spektrum der britischen Tagespresse wird noch deutlicher, wenn man die Zeitungsauflagen mit den Wahlergebnissen vergleicht. Tabelle 12 belegt, daß der Anteil der Zeitungsauflage, die pro-*Conservative* ist, bis 1997 immer größer war als der Anteil der Bürger, der bei Parlamentswahlen die *Conservative Party* wählten. Bis 1964 betrug der Unterschied durchschnittlich sieben Prozentpunkte, dann öffnete sich die Schere jedoch gewaltig. Zwischen 1974 und 1992 lag er bei durchschnittlich 30 Prozentpunkten: Während 1992 70 Prozent der verkauften Zeitungsauflage pro-*Conservative* war, wurde die Partei nur von 40 Prozent gewählt. Die *Labour Party* und die *Liberal Party* mußten sich über Jahrzehnte damit abfinden, daß ein Großteil ihrer (potentiellen) Wähler die „falsche" Zeitung, nämlich eine konservative, las. Für die Wähler der *Liberal Party* gibt es überhaupt keine Zeitung mehr, die für ihre Partei eintritt.

1997 fiel die Unterstützung der britischen Tagespresse zum ersten Mal seit dem Zweiten Weltkrieg überwiegend zugunsten der Labour Party aus. Der Hauptgrund dafür lag in der großen Unpopularität der Major-Regierung. Die *Conservative Party* wirkte nach 18 Jahren der Alleinregierung müde und zerstritten. Die Unzufriedenheit in weiten Teilen der Bevölkerung war am größten über Majors Europa-Politik und den immer neuen Fällen von „financial sleaze" und „sexual sleaze" (s. Kapitel 3.2). Es ist noch nicht entscheidbar, ob traditionell konservative Zeitungen die Wahl von 1997 zum Anlaß genommen haben, ihre redaktionelle Linie grundsätzlich zu ändern, oder ob sie nur glauben, daß der von ihnen befürwortete Politikkurs besser von Tony Blair verwirklicht wird. Blair errang seinen *Labour*-Wahlsieg mit einem überwiegend konservativen Wahlprogramm, so daß der Witz die Runde machte:

„Vote conservative – vote Blair“. Der Medienredakteur des *Guardian*, Roy Greenslade, ist davon überzeugt, daß die britische Presse unverändert den Konservativen näher steht: „The Tory press remains a Tory press“. Er belegt dies mit der Aussage des *Sun*-Chefredakteurs Stuart Higgins, der den Lagerwechsel seines Blattes damit begründete, daß die *Conservative Party* zwar die richtige Politik verfolge, aber zur Zeit die falschen Gesichter hätte und nun eine längere Pause zur Neupositionierung bräuchte.[74] Konservative Zeitungen wie *The Times* verzichteten diesmal auf ein „endorsement“, während zuletzt unentschiedene Zeitungen wie der *Independent* oder *Daily Star* sich für *Labour* aussprachen. Eine große Rolle bei den „endorsements“ spielen die Verleger. Nach der Wahl bekannten sich – neben Murdoch – weitere Verleger zu Blairs *„New Labour“*-Partei, was nicht ohne Folgen für die Linien ihrer Blätter bleiben dürfte. Lord Rothermere, Eigentümer von *Daily Mail, Sunday Mail* und *London Evening Standard*, erklärte drei Wochen nach der Wahl, künftig im Oberhaus (House of Lords) mit der *Labour Party* zu stimmen. Lord Hollick, Miteigentümer von *Daily* und *Sunday Express*, sitzt seit langem für die *Labour Party* im Oberhaus, ohne daß dies Auswirkungen auf die konservative Linie seiner Blätter hatte. Fünf Wochen nach der Parlamentswahl 1997 erklärte jedoch der Chefredakteur des *Daily Express*, nun „möglicherweise“ ebenfalls Tony Blairs Regierungskurs zu unterstützen.[75]

4.6 Die Presse im Wahlkampf

In Deutschland wurde erstmals bei der Bundestagswahl 1976 intensiv der Einfluß der Medien auf die Wahlausgang diskutiert. Max Kaase (1989, S. 97) führt dies darauf zurück, „daß Elisabeth Noelle-Neumann bei der Bundestagswahl 1976 erstmals ihre Theorie der Schweigespirale umfassend auf die Analyse des politischen

[74] Vgl. Roy Greenslade: „How Major lost his place in the Tory *Sun*“ im *Guardian* vom 19.3.1997. Auch andere Beobachter bezweifeln, daß die *Sun* ihre konservative politische Linie aufgegeben hat. Die Unterstützung für Blair scheint einzig auf Murdochs Intervention zurückzugehen. Vgl. hierzu auch „*Sun* shines for Blair but casts a shadow of unease“ im *Daily Telegraph* vom 19.3.1997; „Editorial: The *Sun's* news spots“ und „Prodigal Sun gives fatted calf to Blair“ im *Guardian* vom 19.3.1997; „*Sun* chiefs tried to defy Murdoch“ im *Observer* vom 23.3.1997; „Shifting political loyalty is good news for the press“ im *Independent* vom 25.3.1997; „*Daily Telegraph* enjoying teriffic election“ im *Guardian* vom 24.4.1997.

[75] Vgl. Richard Addis: „A red rose blooms in Blackfriars“ im *Independent* vom 9.6.1997.

Prozesses in der Bundesrepublik anwandte." Die Daten, mit denen Noelle-Neumann (1977a, 1980a, 1980b) den Prozeß der Schweigespirale beschrieb, stützten sich auf Wahlumfragen und wiesen dem Fernsehen eine wahlentscheidende Wirkung zu. Dies veranlaßte den damaligen CDU-Wahlkampfmanager Peter Radunski (1983, S. 131) zu der These: „Wahlen können im Fernsehen gewonnen oder verloren werden." Anders als die Politik, die daraufhin das Fernsehen zum Hauptziel ihrer Wahlkampfplanung erklärte, beschränkte sich die deutsche Kommunikations- und Medienwirkungsforschung nicht auf dieses eine Medium. In vielen Untersuchungen zeigte sich, daß auch den Printmedien eine nicht zu unterschätzende Wirkung zukommt. Direkte Einflüsse von Medienkampagnen auf die Stimmabgabe ließen sich nicht nachweisen, sehr wohl aber Einflüsse auf Meinungen, Einstellungen, Wissen und Kandidatenimages der Rezipienten.[76]

Auch in Großbritannien setzte die öffentliche Diskussion um die Rolle der Medien im Wahlkampf in den siebziger Jahren ein. Während in Deutschland eher dem Fernsehen ein wahlentscheidender Einfluß auf den Wahlausgang unterstellt wurde, ist in Großbritannien immer wieder der Presse wahlentscheidende Bedeutung zugesprochen worden. So sprach der *Labour*-Vorsitzende und damalige Premierminister Harold Wilson am 20. September 1974 in einer Rede in Portsmouth von einer „Schmierkampagne" vieler Zeitungsjournalisten, die ihre einzige Aufgabe darin sähen, „mit wahren oder unwahren Behauptungen der *Labour Party* zu schaden". Zwei Jahre zuvor hatte er bereits am 16. Oktober 1972 in einem Fernsehinterview gesagt, die britische Presse sei „überwiegend *Labour*-feindlich" und würde „alles unternehmen, ihren Parteivorsitzenden zu diskreditieren".[77] Dieser Vorwurf wurde daraufhin vom britischen Presserat untersucht und nach eingehender Prüfung zurückgewiesen. Der Press Council gab dazu eine bemerkenswerte Begründung: „Es besteht kein Zweifel, daß die *Labour Party* den größten Teil dieses Jahrhunderts weniger Unterstützung von der Presse erhielt als ihre konservativen Gegner und daß der größte Teil der Presse über ihre Ansichten und Aktivitäten unvorteilhaft berichtet. Einige national verbreitete Zeitungen sind immer noch sehr parteiisch, mit dem *Daily Telegraph*, der *Daily Mail* und dem

[76] Vgl. u.a. Schönbach (1983), Schönbach & Eichhorn (1992), Schönbach & Semetko (1994), Semetko & Schönbach (1994), Kepplinger & Brosius (1990), Kepplinger, Brosius & Dahlem (1994). Einen umfassenden Überblick über die Befunde der deutschen Wahlforschung legte kürzlich Holtz-Bacha (1996) vor, so daß hier auf eine Darstellung von Einzelergebnissen verzichtet werden kann.

[77] Zit. n. Koss (1981, S. 17) und Koss (1984, S. 666).

Daily Express auf der rechten und dem *Daily Mirror* auf der linken Seite. Die Provinzpresse ist neutral oder tendiert leicht nach rechts. Wir fühlen uns nicht in der Lage zu entscheiden, ob hier politische Einseitigkeit vorliegt. Dies würde differenzierte Urteile über Politik, Gesellschaft und Presse erfordern. Die uns vorliegenden Fakten geben jedoch keinen Anlaß zu der Vermutung, daß die Unausgewogenheit zulasten der *Labour Party* groß ist."[78]

Nach den Parlamentswahlen im April 1992 erhob der *Labour*-Vorsitzende Neil Kinnock einen ähnlichen Vorwurf, als er am Tag nach seiner Niederlage gegen John Major in einer verbitterten Rücktrittserklärung sagte: „Die Helden dieser Wahlkampfkampagne waren der Chefredakteur der *Daily Mail*, Sir David English, der Chefredakteur des *Daily Express*, Sir Nicholas Lloyd, der Chefredakteur der *Sun*, Kelvin MacKenzie sowie die Chefredakteure der konservativen Qualitätszeitungen. Noch nie in den letzten neun Parlamentswahlen haben sie die Konservativen so stark unterstützt. Noch nie haben sie die *Labour Party* so umfassend attackiert ... So ist diese Wahl gewonnen worden."[79] Zwei Titelseiten, an die Kinnock bei seinem Statement gedacht haben könnte, sind auf den Seiten 173–174 abgedruckt.

Zwei Tage nach der Wahl titelte die *Sun* (11.4.1992) in großen

[78] Vgl. *The Times* vom 16.10.1978, hier zit. n. Koss (1981, S. 17). Es heißt im Original: „There is no doubt that over most of this century the Labour movement has had less newspaper support than its right-wing opponents and that its beliefs and activities have been unfavourably reported by the majority of the press. Some national newspapers are still strongly partisan, with the *Daily Telegraph, Daily Mail* and *Daily Express* on the one side and the *Daily Mirror* on the other. The provincial press is more likely to be neutral or slightly to the right. We do not feel able to pronounce on whether there is political bias at work in drawing up the agenda for discussion or comment. This would require difficult value judgements to be made about politics and society, as well as about the press. Within the terms of the agenda actually drawn up, however, the evidence we have had does not suggest that in either the national or the regional press at present the balance against Labour is a strong one."

[79] Das Statement wurde am 14.4.1992 in allen britischen Qualitätszeitungen abgedruckt. Kinnock sagte (in Auszügen): „I will content myself with drawing attention to the words of the former treasurer of the *Conservative Party*, Lord McAlpine, in yesterday's *Sunday Telegraph*. ‚The heroes of this campaign', said Lord McAlpine, ‚were Sir David English (editor of the *Daily Mail*), Sir Nicolas Lloyd (editor of the *Daily Express*), Kelvin MacKenzie (editor of the *Sun*) and the other editors of the grander Tory press. Never in the past nine elections have they come out so strongly in favour of the *Conservatives*. Never has the their attack on the *Labour Party* been so comprehensive... This was how the elections was won ...' (...) His assessment is correct. (...) The Conservative-supporting press has enabled the *Tory Party* to win yet again when the *Conservative Party* could not have secured victory for itself on the basis of its record."

Lettern: „It's the *Sun* wot won it". Damit reklamierte Großbritanniens auflagenstärkste Tageszeitung für sich, erst durch ihre massive Schlußkampagne den Ausschlag für den knappen und überraschenden Wahlsieg der *Conservative Party* gegeben zu haben. Erste Daten des Umfrageinstituts MORI unterstützten diese Behauptung. Danach hatte es in den letzten Tagen vor der Wahl unter den *Sun*-Lesern einen Meinungsumschwung von vier Prozent zugunsten der *Conservative Party*, unter den *Daily Express*-Lesern einen Umschwung von drei und unter den *Daily Mail*-Lesern einen Umschwung von zwei Prozent gegeben.[80]

Tabelle 13: Zusammenhang von Parteilichkeit der Presse, Leserschaft und Wahlergebnis bei der Parlamentswahl im April 1992 (Angaben in Prozent)

	lese konservative Boulevardzeitung[a]	lese *Labour*-nahe Boulevardzeitung[b]	lese konservative Qualitätszeitung[c]	lese nicht-konserv. Qualitätszeitung[d]	lese gar keine Zeitung
habe *Conservative* gewählt	**53**	13	**73**	29	36
habe *Labour* gewählt	21	**60**	9	31	28
habe *Liberals* gewählt	11	10	10	31	18
habe andere Partei gewählt	1	6	1	2	3
habe nicht gewählt	15	12	8	7	14
Anteil Befragte %	31	16	7	7	39
n	884	454	203	203	1068

Anmerkung: a = *Sun, Daily Star, Daily Mail, Daily Express.* b = *Daily Mirror.* c = *The Times, Daily Telegraph.* d = *The Guardian, The Independent, Financial Times, Today* (*Today* ist eigentlich keine Qualitätszeitung, zeichnete sich jedoch im Wahlkampf 1992 durch eine niveauvolle, unabhängige Berichterstattung aus). BES-Umfrage 1992, N = 2812, Daten gewichtet. Quelle: Curtice & Semetko (1994, S. 44).

Leser einer konservativen Zeitung wählten 1992 mit hoher Wahrscheinlichkeit die *Conservative Party* (Tabelle 13). Dieser Trend hat in den vergangenen 30 Jahren zugenommen. Zieht man die Daten für Boulevard- und Qualitätszeitungen zusammen und vergleicht sie mit Daten von 1964 (in Tabelle nicht abgebildet), zeigt sich: 1964 wählten von den Lesern einer konservativen Zeitung 27 Prozent die *Labour Party*, 1992 nur noch 19 Prozent (vgl. Curtice & Semetko 1994, S. 46). Dies spricht für die These, daß eine zuneh-

[80] Vgl. *Sunday Times* vom 12.4.1992 („Perhaps it was The Sun ‚wot won it' for John Major") und *Sunday Times* vom 26.4.1992 („Did The Sun sink Kinnock? Yes and No"). Siehe auch MacArthur (1992) und Worcester (1992).

mend konservativer ausgerichtete Presse die Wahlabsicht ihrer Leser im Laufe von 30 Jahren zugunsten der *Conservative Party* verändert hat. Ein eindeutiger empirischer Nachweis dafür, daß die Parteilichkeit der Presse den Wahlausgang beeinflußt, fehlt jedoch. Es gibt erst sehr wenige Studien, die zudem widersprüchliche Befunde liefern. John Curtice & Holli Semetko (1994) kommen in ihrer Analyse der Parlamentswahl 1992 zu dem Schluß, daß die konservative Presse keinen meßbaren Einfluß auf den Wahlausgang hatte.[81] Martin Linton (1995), *Guardian*-Redakteur und *Labour*-Abgeordneter, kommt dagegen in seiner Langzeitstudie zu dem Ergebnis, daß die *Sun* sehr wohl einen deutlich meßbaren Einfluß auf den Wahlausgang hatte. Ohne die *Sun* hätte die *Conservative Party* 1992 23 Sitze weniger im Parlament erhalten.[82] In einer anderen Langzeitstudie verglich John Curtice (1997) den Einfluß der Tageszeitungsnutzung auf die politischen Ansichten von 1317 Wählern und konnte keine nennenswerten Effekte feststellen – weder auf die Parteipräferenz, noch auf die Kandidatenwahrnehmung.[83] Aufgrund des britischen Wahlsystems können allerdings kleine Umschwünge sehr viel größere Auswirkungen haben als in Deutschland.[84]

Großbritanniens nationale Presse ist in den achtziger Jahren zunehmend parteilicher gewurden. Vor allem die Boulevardzeitungen haben ihr Bemühen um objektive Berichterstattung nahezu völlig

[81] Curtice & Semetko (1994, S. 55) ziehen in ihrer Studie *Does it matter what the papers say?* das Fazit: „The message … is quite clear. Neither *The Sun* nor any other of the pro-Conservative tabloid newspapers were responsible for John Major's unexpected victory in 1992. There is no evidence in our panel that there was any relationship between vote switching during the election campaign and the partisanship of a voter's newspaper."

[82] Linton (1995) aggregierte und reanalysierte die Daten der Umfrageinstitute MORI und ICM zwischen 1990 und 1995. Für die Wahl im April 1992 zeigen seine Analysen, daß in den drei Monaten vor der Parlamentswahl 8 Prozent der *Sun*-Leser und 8 Prozent der *Daily Star*-Leser zur *Conservative Party* umgeschwenkten, während es unter den Lesern des linksgerichteten *Daily Mirror* keinen Meinungsumschwung gab.

[83] Curtice (1997) analysierte die Daten des British Election Panel Survey zwischen von 1992 bis 1995 und verglich die Einschätzung des Premierministers und des Oppositionsführers unter Lesern verschiedener Presseorgane, ohne einen Unterschied feststellen zu können. Auch vermögen parteiliche Zeitungen keine größeren Wählerwanderungen in ihrer Leserschaft zu bewirken als unparteiliche.

[84] Harrop errechnete, daß die Presse einen Wählerumschwung von mindestens einem Prozent bewirken kann, was bis zu zehn Parlamentssitzen entsprechen kann; vgl. Harrop (1986, S. 145–148), Harrop (1987, S. 186f.). Siehe hierzu auch MacArthur (1989, S. 105f.), Miller (1991, Kap. 7) und Franklin (1994, S. 216–224).

aufgegeben.[85] Das heißt, in Großbritannien ist der kuriose Fall eingetreten, daß Massenzeitungen trotz ihres Bemühens um Auflagensteigerung ihre Parteilichkeit verschärften. Dabei hatte sich die britische Presse um 1900 noch genau umgekehrt verhalten, nämlich ihre Parteilichkeit verringert, um so mehr Leser anzusprechen. Diese Gesetzmäßigkeit – Auflagensteigerung durch möglichst neutrale Berichterstattung (s. Kapitel 2) – gilt heute nicht mehr. Politische Parteilichkeit schadet offenbar nicht, sondern dient sogar der Schärfung des publizistischen Profils.[86] Ganz anders in Deutschland: Hier genießt das Boulevardblatt *Bild* eine Monopolstellung und sieht daher keine Notwendigkeit, sich – über seine grundsätzlich konservative Haltung hinaus – durch eine besonders aggressive Parteilichkeit von Konkurrenten abzugrenzen. Im Juli/August 1997 wollte sich der Springer-Verlagsvorsitzende Jürgen Richter sogar vom *Bild*-Politikchef und Kohl-Biograph Kai Diekmann trennen, weil sich *Bild* als auflagenstärkste deutsche Zeitung von niemandem vereinnahmen lassen dürfe und mehr Distanz zum Bundeskanzler wahren müsse, so Richter.[87]

Britische Qualitätszeitungen sind weitaus weniger parteilich als Boulevardszeitungen. Vor allem die Berichterstattung des *Independent* galt lange als vorbildlich.[88] In der Regionalpresse war Parteilichkeit nie ein großes Thema. Hier gelten Neutralität und Objektivität seit frühester Zeit als zentrale Leitlinien.[89] Allerdings hatte der

[85] Tunstall (1992b, S. 95) kommt zu dem Fazit: „The tabloids ... have largely given up any attempt at objective political coverage." Vgl. ebenso Tunstall (1992a, S. 245 f.) und Tunstall (1996, S. 240–255).

[86] Vgl. Brynin (1988, S. 347), Newton (1993, S. 152–159), Linton (1995, S. 27–31), Tunstall (1996, S. 7–17, 240–255).

[87] Richter verzichtete schließlich auf die Absetzung Diekmanns, nachdem *Bild*-Chefredakteur Claus Larass massiv Einspruch gegen diesen verlegerischen Eingriff in seinen Kompetenzbereich geübt hatte; vgl. die Berichterstattung auf der Medienseite der *Süddeutschen Zeitung* vom 21. 7. bis 11. 8. 1997 sowie Kapitel 7.7.

[88] Die Berichterstattung der einzelnen britischen Zeitungen im Wahlkampf untersuchten u. a. Harrop (1986), Harrop (1988), Butler (1989), MacArthur (1989), Harrop & Scammell (1992), Newton (1993), Crewe & Gosschalk (1994), Franklin (1994) und Semetko, Scammell & Nossiter (1994), Linton (1994, 1995), Curtice (1997).

[89] So eine frühere Einschätzung von Tunstall (1977, S. 285 f.) und *Royal Commission* (1977, S. 98, 110), die durch aktuellere Untersuchungen der Wahlkampfberichterstattung von 1987 und 1992 bestätigt wurde. Der Chefredakteur einer Regionalzeitung sagt: „Wir haben sehr strenge Regeln für die Berichterstattung über Kommunal- und Parlamentswahlen. (...) Die drei großen Parteien erhalten dieselbe Anzahl von Fotos in derselben Größe, dieselbe Anzahl von Veranstaltungsberichten und genau denselben Umfang der Berichterstattung. Wir gehen sogar soweit, es in Spaltenzentimetern zu messen." (zit. n. Franklin & Murphy 1991, S. 160). Eine Inhaltsanalyse des Nachrichten- und Kommentarteils von 17

erfolgreiche Wahlkampf von Margret Thatcher 1979 zu einer allgemeinen Radikalisierung in Politik und Presse geführt.[90] Der Regierungsstil des *Thatcherism* brach bewußt mit dem Nachkriegs-Konsens in der britischen Gesellschaft. Pragmatismus und Mäßigung, die für Großbritanniens politische Kultur lange als charakterisch bezeichnet wurden, wichen in den achtziger Jahren einer verstärkten Ideologisierung. Darum ist Thatchers Stil auch, wie in Kapitel 3.2 bereits angesprochen, als unbritisch bezeichnet worden. Die von ihr ausgehende scharfe Polarisierung fand ihren Niederschlag in einer zunehmenden Parteilichkeit der Presse, vor allem der Boulevardblätter. Unter ihrem Nachfolger John Major schlug das Pendel jedoch um. Er konnte sich in seiner Regierungszeit nur noch auf den *Daily Telegraph* und *Daily Express* verlassen. Die übrigen konservativen Zeitungen *Sun, Daily Mail, Times* und *Daily Star* forderten alle die Abwahl Majors als Parteivorsitzender und Regierungschef (vgl. Curtice 1997; Seymour-Ure 1994b).

Die *Sun* bereute bereits am 14. Januar 1994 unter der Titelzeile „What fools we were" (Was waren wir Idioten) ihre Unterstützung für Major im Wahlkampf 1992. Als Verleger Murdoch die Unterstützung Blairs im Wahlkampf 1997 beschloß, waren jedoch viele *Sun*-Redakteure geschockt: „Das schlug für jeden ein wie ein Blitz aus heiterem Himmel, auch für den Chefredakteur. Wir hatten unsere Wahlberichterstattung bereits geplant, als die Stimmung plötzlich umschlug. Redakteure waren sehr wütend und fühlten sich hintergangen", erklärte ein Insider. „Wir hatten immer akzeptiert, daß Major eine inkompetente Witzfigur ist und unterstützten Blair bei bestimmten Themen. Aber ihm unsere offene Unterstützung zu geben, widerspricht allem, wofür wir immer gestanden haben." Der Chefredakteur der schottischen Ausgabe drohte gar mit Rücktritt.[91] Murdochs Entscheidung stand jedoch fest. Alle anderen nationalen

Regionalzeitungen zeigte, daß sie bei der Wahl 1987 ausgewogen über *Conservative* und *Labour Party* berichteten. Ohne die Ergebnisse hier im Detail referieren zu können, kommen Franklin & Murphy (1991, S. 188f.) zu dem Schluß, daß größere Meinungsvielfalt und geringere Parteilichkeit die Hauptunterschiede zur nationalen Presse sind. Eine Untersuchung der Wahlkampfberichterstattung 1992 brachte das gleiche Ergebnis. Interviews mit Regionalzeitungsjournalisten und ihren Chefredakteuren zeigten zudem eine deutliche Ablehnung der zunehmenden Parteilichkeit ihrer Kollegen bei den nationalen Blättern (vgl. Franklin 1992; Franklin 1994, S. 162–184).

[90] Vgl. hierzu und zum folgenden Kavanagh (1990), Crewe (1993), King (1993b, Fußn. 4) und Seymour-Ure (1994a, S. 540f.).

[91] Zit.n. „Sun chiefs tried to defy Murdoch" im *Observer* vom 23.3.1997 und „Sun shines for Blair but casts a shadow of unease" im *Daily Telegraph* vom 19.3.1997.

Zeitung widmeten dem Parteiwechsel der *Sun* ihre Titelseite und maßen ihm große Bedeutung bei. Margaret Thatcher (1993) gesteht in ihren Memoiren, daß sie jeden Morgen zuerst die *Sun* studierte, weil nirgendwo sonst Volkes Stimme so genau getroffen würde. Ohne Zweifel hatte die *Sun*-Entscheidung einen Einfluß auf die Linie der Wahlkampfberichterstattung in den übrigen Zeitungen. Roy Greenslade schreibt treffend: „Es war ein großer psychologischer Erfolg für *Labour* und ein ebenso massiver psychologischer Rückschlag für John Major".[92] Auf Majors Bitte hat daraufhin Margaret Thatcher bei Rupert Murdoch persönlich vorgesprochen, seine Entscheidung doch bitte noch einmal zu überdenken.[93] Den Ausschlag für Murdochs Entscheidung gab vor allem das Meinungsbild in der Öffentlichkeit.[94] Seit 1994 lag die Popularität der *Labour Party* 20 Prozentpunkte vor der der *Conservative Party.*

Umfragen zeigten, daß 60 Prozent der *Sun*-Leser *Labour* bevorzugten. Also bot die *Sun* eine *Labour*-begeisterte Wahlkampfkampagne, die der *Labour*-vernichtenden Berichterstattung von 1992 fundamental zuwiderlief. Dennoch traf sie den Nerv ihrer Leserschaft, denn sie verlor nur 30000 Leser.[95] Die abgedruckte Titelseite der *Sun* vom 1. Mai 1997, dem Wahltag, mag einen Eindruck verschaffen.

4.7 Zusammenfassung und Fazit

Der deutsche Tageszeitungsjournalismus ist stark lokal verwurzelt, der britische ganz auf die Metropole London ausgerichtet. National verbreitete Zeitungen spielen in Deutschland nur eine kleine, in Großbritannien eine dominierende Rolle. Weder der selbstbewußte, seriöse Hauptstadtjournalismus, noch der hartherzige, kampagnenhafte Boulevardjournalismus sind in Deutschland so ausgeprägt entwickelt wie in Großbritannien. Einem in London

[92] Vgl. „How Major lost his place in the Tory *Sun*" im *Guardian* vom 19.3.1997.

[93] Vgl. „Major begged Thatcher to put pressure on Sun" im Observer vom 23.3.1997.

[94] Daß hierbei auch andere Motive im Spiel gewesen sein sollen, behauptet der *Daily Telegraph* (4.4.1997, „The sleazy media"). Er erhob den Vorwurf, daß sich Blair im September 1994 bei einem Treffen mit Murdoch in Australien auf ein Abkommen mit ihm eingelassen habe, die Medienkonzentrationsgesetzgebung unangetastet zu lassen und dafür die Unterstützung der Murdoch-Blätter im Wahlkampf zu erhalten. Dies bezeichnete Murdoch jedoch als „rubbish" (vgl. *Independent* vom 8.5.1997, „Murdoch denies Blair deal").

[95] Vgl. „The press: Sun and Mirror fight to be Tonier than thou" im *Guardian* vom 25.4.1997 und „New Labour, same old story" im *Guardian* vom 9.6.1997.

Thursday, April 9, 1992 25p Today's TV: Pages 40 and 41 Audited daily sale for February 3,651,641

PHOTO FINISH

By TREVOR KAVANAGH
Political Editor

TORY hopes rose last night as opinion polls showed they were heading for a photo finish with Labour.

A Gallup poll for today's Daily Telegraph puts the Tories on 38.5 per cent, Labour on 38 and the Liberal Democrats on 20.

John Major's team had a 0.5 lead in the same survey last week.

Labour are on 39 in a MORI poll for The Times — just one point ahead of the Tories after having a seven-point lead last week.

An ICM poll for The Guardian shows Labour and Tories both on 38, with the Libs on 20.

The same poll last week showed Labour four points ahead.

The final BBC Nine O'Clock News poll of polls had Labour on 39, Tories 38 and Libs 19.

A Channel Four News poll of polls had Labour on 39, Tories 37 and Libs 20.

The polls confirm that millions of voters have

Continued on Page Two

Arthur Ashe . . . operation

TENNIS HERO ASHE HAS AIDS

From ALLAN HALL
In New York

TENNIS legend Arthur Ashe has AIDS, he revealed last night.

The former Wimbledon and US Open champ told how he contracted the killer virus from blood he was given during his second heart op in 1983.

American Ashe, 48, did not learn until five years later that he was HIV positive.

He was given the news when he had brain surgery after losing the use of his right hand.

Ashe – first black man to win a Grand Slam tournament – broke his silence about the AIDS at a New York press conference.

Health

He said he had kept the disease secret until now to protect his wife Jeannie and their five-year-old daughter Camera from wagging tongues.

Ashe said: "My wife and daughter are in excellent health and both are HIV negative."

The star reached the pinnacle of his career in 1975 when he beat Jimmy Connors to take the men's singles title at Wimbledon.

Tears of a champ – Pages 4 and 5

If Kinnock wins today will the last person to leave Britain please turn out the lights

ELECTION DAY SPECIAL

IT'S D-day folks – the day you make the big decision about who you want to run our great country.

You know our views on the subject but we don't want to influence you in your final judgment on who will be Prime Minister! But if it's a bald bloke with wispy red hair and two K's in his surname, we'll see you at the airport.

Goodnight and thank you for everything.

Titelseite der Sun von 1992

The *Sun* am 9.4.1992 über die Parlamentswahlen: „Wenn Kinnock heute gewinnt, möge die letzte Person, die Großbritannien verläßt, bitte das Licht ausschalten." Unten rechts heißt es weiter: „Wir wollen ihre Wahlentscheidung darüber, wer Premierminister wird, nicht beeinflussen. Aber wenn es ein kahlköpfiger Kerl mit fransigen, roten Haaren und zwei K in seinem Nachnamen ist, sehen wir sie am Flughafen. Gute Nacht und danke für alles."

Daily Mail

NATIONAL NEWSPAPER OF THE YEAR

TUESDAY, APRIL 7, 1992

30p

WARNING

A Labour government will lead to higher mortgage payments. There is no doubt about it. Interest rates will rise within days of Kinnock entering Number Ten

PEOPLE fear for their jobs. And they fear for their future. That's recession.

For millions, the mortgage misery continues. Houses don't sell. Cut-price goods in the shops won't shift. Recession eats into confidence and dominates this General Election.

The mood of voters is heavy with resentment.

They are reluctant to return to power the Tories who have presided over this mess. They are less than ready to trust Labour to get the country out of it. With only 48 hours to go, the political fate of the nation still twists and turns with tantalising indecision.

Only one thing is certain: If Labour forms the next Government, Mr Smith's Budget would at a stroke turn recession to slump.

That is what businessmen dread. Why builders are close to panic. Why shares have lost their value and the pound is pinned to its floor.

As night follows day, a rise in interest rates — mortgage rates included — would follow the entry of Neil Kinnock into Number Ten. Almost all financial analysts, not just in Britain but also in Europe, have come to this conclusion. The markets confirm it. Not because the money men have got it in for Labour. It is because Labour has got it in for those whose enterprise is the dynamic of recovery.

Middle and high earners know only too well how hard they would be hit by John Smith's tax blitz on their income. What has not yet sunk in is how everyone else — yes, everyone — in the country would suffer.

There Mr Smith stands, the very model of presbyterian probity, repeatedly intoning that 'four out of five' men and women will gain from his proposals. The manner is as respectable as the mathematics are disreputable.

Daily Mail COMMENT

How much would many stand to gain from a Smith Budget? Two pence a week.

You couldn't even pass through a lavatory turnstile with that. Tuppence for your vote? That's not a bribe. It's an insult.

Don't be taken in by it. Don't be had for small change. Don't buy for tuppence a Socialist Budget, billed as 'fair', which could foul any chance of economic upturn.

Be warned.

The spending power John Smith would take out of the pockets of those with any money to spare is the lifeblood for revival. One man's tax increase is another man's lost order. And, eventually, lost job.

Further depress the South East and you take work and money away from industrial regions in the Midlands and North which supply it.

The knock-on effect will hit most sectors of the economy and those employed in them: workers in the car industry and construction . . . shop assistants . . . staff in the travel business, catering and entertainment.

What is at issue here is not some minor adjustment to tax banding. John Smith's planned assault upon the spending capacity of people earning more than £400 a week is of unprecedented severity.

At the best of times, such a shock to a consumer-driven economy could shatter sustained prosperity. Now, with Britain like so many other advanced countries stuck in recession, it would prove absolutely devastating.

Our partners in Europe must think we are mad to consider such a suicidal course.

Over the past decade, they have watched with grudging respect as we have, by our own efforts, reversed generations of relative decline. Are we now to throw away our hard-won competitive advantage by voting in a Labour government which will punish success and penalise initiative?

Foreign investors would be deterred from coming to Britain. Bright Britons would be lured abroad.

Who cares tuppence about that?

Not that pillar of rectitude, John Smith. What the Shadow Chancellor lacks in financial acumen, he more than compensates for by an excess of self-righteousness. Under that carapace of moderation and modernity, there is an outdated the-State-knows-how-to-spend-your-money Socialist.

No matter that the crudity of his tax changes will drive rich and poor and middling alike ever deeper into the mire of recession.

No matter that he would blunt Britain's competitive edge.

No matter that the tax purge he patented when business was thriving would, in this sullen Spring of '92, have to be forced down the throat of a people afflicted by recession.

Such trifles do not perturb Mr Smith. He is convinced he knows best. He has, as the Scots say, 'a good conceit of himself'. In Honest John there lurks more than a little of Holy Willie.

He knows how to take wealth and redistribute it. But what do he and his Socialist kind know of how wealth is made or how an enterprise economy works?

Be warned before it is too late: This man, who is such a cosmetic asset to his party, would be an unmitigated disaster for Britain.

His first act as the incoming Chancellor would be to introduce a Budget which would raise both taxes and interest rates. The recession would indeed become a slump. And all too soon.

You have been warned.

INSIDE: Weather 2, John Edwards 8, World Wide 10, Femail 13, Nigel Dempster 19, TV 30-32, Education 35, Letters 37, Coffee Break 41, Sport 42-48

Titelseite der Daily Mail von 1992

Die *Daily Mail* am 7.4.1992 über die Parlamentswahlen: „WARNUNG: Eine Labour-Regierung wird zu höheren Hypothekenzahlungen führen. Das steht außer Zweifel. Kreditzinsen werden innerhalb weniger Tage ansteigen, sobald Kinnock in Downing Street 10 einzieht."

ELECTION **Sun**

Thursday, May 1, 1997 28p MAKE SURE YOU VOTE

MAY 1 POLLING DAY

IT MUST BE YOU

PAGE ONE OPINION

TODAY you have a unique opportunity to join the greatest jackpot syndicate ever.

The guaranteed prize is a share in our country's future, a brighter tomorrow.

But this is no gamble. It costs you nothing. Everyone's a winner. *All you must do is vote Labour.*

With Tony Blair as Prime Minister, the country can feel good about itself once more.

New Labour, new leader, new start.

There is a passion burning within Blair that can set this nation alight. That is why The Sun

Continued on Page Six

WORLD CUP EXTRA ENGLAND..2 GEORGIA..0 SEE BACK PAGE WORLD CUP EXTRA

Titelseite der Sun von 1997

geflügelten Wort zufolge sind die Qualitätszeitungen des Landes das beste und die Boulevardzeitungen das schlimmste, was man in Europa auf bedrucktem Papier kaufen kann. Dennoch haben seit dem Zweiten Weltkrieg nationale und regionale Zeitungen vermehrt auf das Boulevardkonzept gesetzt. Es kommt beim britischen Leser gut an, weil dieser Journalismus als „sharper and faster" gilt. Auch die Qualitätszeitungen – allen voran Murdochs *Times* – sehen sich zunehmend zu einer Boulevardisierung ihrer Inhalte gezwungen. Dazu trägt ein für deutsche Verhältnisse schwer vorstellbarer Konkurrenzdruck und das Fehlen eines Abonnementvertriebs, wie er in Deutschland üblich ist, bei. Dies führte zu einem Rückgang der seriösen Politikberichterstattung. Auch die Regionalzeitungen überlassen diese immer mehr dem Fernsehen (das diese Aufgabe auch exzellent erfüllt), während sie ihre Aufgabe in engagierten Kampagnen für lokale Belange sehen. Parteipolitik spielt dabei keine Rolle. Hinsichtlich Renommee, Bezahlung und publizistischer Aussage stehen die britischen Lokalzeitungen hinter den deutschen zurück, es fehlt die historische Verwurzelung.

Das publizistische Spektrum der nationalen Zeitungen ist in Großbritannien nach rechts verschoben, während es in Deutschland ausgewogen ist. Die britischen Zeitungen, insbesondere die Boulevardblätter, haben seit Mitte der siebziger Jahre eine Parteilichkeit entwickelt, die auf deutsche Beobachter fremd wirkt. Angesichts des Hauptziels der Massenblätter, eine möglichst hohe Auflage zu erzielen, scheint die kampagnenhafte Parteilichkeit ökonomischem Sachverstand zu widersprechen. Denn es besteht die Gefahr, diejenigen Leser zu verlieren, die einen anderen politischen Standpunkt vertreten. Daß die Parteilichkeit jedoch weniger politisch und stärker ökonomisch motiviert ist, zeigte die Wahl von 1997. Als Verleger eine allgemeine Wende im Stimmungsbild der Bevölkerung wahrnahmen, änderten sie kurzerhand die redaktioneller Linie ihrer Blätter. Dies unterstreicht auch aber auch die dominante Stellung einiger Großverleger in Großbritannien, die mit formalen Direktiven und informellen Erwartungen den Kurs ihrer Blätter eindeutig bestimmen (s. auch Kapitel 7.7). Eine ausgeprägte Parteilichkeit scheint gerade für die Boulevardzeitungen mehrere Funktionen zu erfüllen: Zum einen dient eine dezidierte politische Linie der Schärfung des eigenen Profils und der Abgrenzung von publizistischen Rivalen. Zum betrachten sie das engagierte Beziehen einer Position als wichtige Komplementärleistung zur ausgewogenen, neutralen Fernsehberichterstattung. Schließlich bedeutet die publizistische Aggressivität auch eine Art Kräftemessen mit dem politischen Apparat – gemäß dem Mythos von der Presse als unabhängiger Vierter Gewalt (s. Kapitel 2). Vor allem aber scheinen die durchgehend humorvoll gehaltenen Machtspiele den Chefredakteuren und Lesern Spaß zu bereiten. Entgegen der noch von Köcher (1985) aufgestellten Behauptung setzen gerade die britischen Massenzeitungen immer weniger auf binnenplurale und immer mehr auf außenplurale Vielfalt. In Deutschland, wo der nationale Boulevardzeitungsmarkt von nur einer Zeitung beherrscht wird und die überregionalen Zeitungen in keinem direkten Konkurrenzverhältnis zueinander stehen, spielt offene Parteilichkeit eine geringere Rolle.

Über Jahrzehnte lasen viele Briten eine Zeitung, die nicht ihrer politischen Grundhaltung entsprach. Das gilt insbesondere für die Leser von Boulevardzeitungen. So lasen nur 50 Prozent derjenigen, die bei der Parlamentswahl 1992 die *Labour Party* unterstützten, auch eine *Labour*-nahe Zeitung. Die andere Hälfte las eine konservative Zeitung. Auch schon vor dem politischen Seitenwechsel der *Sun* im März 1997 bezeichnete sich die Mehrheit ihrer Leser als *Labour*-Wähler, obwohl die politische Linie des Blattes eindeutig konservativ war (vgl. Linton 1995). Wie ist das mit der These der selektiven Wahrnehmung[96] zu vereinbahren? Selektive Wahrnehmung kann naturgemäß nur stattfinden, wenn das Publikum die Möglichkeit hat auszuwählen. Aufgrund der Jahrzehnte währenden Dominanz konservativer Printmedien waren die Auswahlmöglichkeiten auf dem britischen Pressemarkt jedoch eingeschränkt. Die Wahrscheinlichkeit, daß sich ein *Labour*-naher Leser konservativen Medieninhalten verweigerte, weil sie dissonant waren, war geringer. Wesentlicher als diese theoretische Erklärung dürfte allerdings der Umstand sein, daß die Boulevardzeitungen nicht zur politischen Bildung, sondern zur Unterhaltung gelesen werden. Die Politikinhalte spielen demnach für die Kaufentscheidung keine große Rolle. Dies erhöht jedoch in Wahlkampfzeiten die Wahrscheinlichkeit starker Medienwirkungen, also eines Einstellungswandels der politisch wenig interessierten Leser durch massiv einseitige Berichterstattung.[97]

[96] Die These der selektiven Wahrnehmung besagt, daß man nur solche Medien und Botschaften zur Kenntnis nimmt, die ganz oder teilweise den eigenen Ansichten entsprechen. Gegen dissonante Informationen, die den eigenen Ansichten widersprechen, schirmt man sich ab. Dieses Konzept war die Wurzel der sogenannten Verstärker-Hypothese (Die Medien ändern Einstellungen nicht, sondern verstärken sie nur), die von den vierziger bis Mitte der sechziger Jahre (Periode der Annahme schwacher Medienwirkungen) die Kommunikationsforschung beherrschte. Vgl. Zillmann & Bryant (1985), Noelle-Neumann (1994).

[97] Eine ausführliche Darstellung über die Grenzen der selektiven Wahrnehmung

Der nationale Zeitungsmarkt Großbritanniens ist seit Kriegsende durch eine hochgradige Pressekonzentration gekennzeichnet. Vor allem seit Anfang der achtziger Jahre werden die Großverlage wieder von charismatischen, zum Teil exzentrischen Persönlichkeiten geführt, die manchen an die Pressebarone des frühen 20. Jahrhunderts erinnern. Eine außergewöhnliche Stellung nimmt Rupert Murdoch ein, der mit großem geschäftlichen Geschick den britischen Pressemarkt umkrempelte. Während er anfangs als ideologisches, gänzlich unbritisches „Monster" galt (vgl. Shawcross 1993, S. 212f., 297, 567f.), ist vielen Briten heute seine Macht unheimlich. Seine Geschäftsprinzipien haben sich jedoch in Großbritannien durchgesetzt, weil sie erfolgreich waren. Dies ist schon daran zu erkennen, daß sein ehemals größter publizistischer Gegner, der linksorientierte *Mirror*-Konzern, Mitte der neunziger Jahre von langjährigen Murdoch-Schülern geführt wurde: Vorstandvorsitzender der *Mirror*-Mediengruppe ist David Montgomery, einst Chefredakteur von *Today*; Leiter des *Mirror*-Zeitungszweiges ist Charles Wilson, einst *Times*-Chefredakteur; Leiter des *Mirror*-Fernsehsenders *Live TV* ist Kelvin MacKenzie, einst *Sun*-Chefredakteur (vgl. *Observer* vom 3.12.1995, S. 16).

bietet Donsbach (1991). Er kommt zu dem Fazit, daß es vor allem bei negativen Informationen „Medienwirkung trotz Selektion" gibt.

5. Das Presserecht in Großbritannien und Deutschland

5.1 Einführung

In Deutschland, so hat das Bundesverfassungsgericht mehrfach betont, ist die freie Presse ein Wesenselement des freiheitlichen Staates.[1] Ihr kommt eine konstitutive Bedeutung für die Demokratie zu.[2] Damit ist der Presse ein herausragender Stellenwert im staatlichen und gesellschaftlichen Bereich zugewiesen. Grundlage für die Pressefreiheit in Deutschland bildet Art. 5 Abs. 1 Satz 2 Grundgesetz (GG). Aus ihm leiten sich zahlreiche Schutzrechte ab, die der Gesetzgeber der deutschen Presse eingeräumt hat. Der wesentliche Grund für die verfassungsrechtliche Sonderstellung und die besonderen Privilegien der Presse liegt in der Wahrnehmung ihrer „öffentlichen Aufgabe“. Diesen verfassungsrechtlichen Auftrag erfüllt sie, indem sie einerseits als *Motor* den öffentlichen Kommunikations- und Meinungsbildungsprozeß in Gang hält und andererseits als *Sprachrohr* fungiert, durch das sich die öffentliche Meinung artikuliert.[3]

In Großbritannien gibt es keinen dem deutschen Grundgesetz vergleichbaren, schriftlich niedergelegten Verfassungstext, der die unveräußerlichen Grundrechte aller Bürger fixiert.[4] Somit gibt es auch kein positiv garantiertes Grundrecht auf Meinungs- und Pressefreiheit. Ebenso gibt es kein spezifisches Presserecht, das die Normen, Rechte und Pflichten der Medien regeln würde. Die Presse besitzt keine rechtlich privilegierte Stellung und die Pressefreiheit ist kein eigenständiges Rechtsgut, sondern gilt als Restfreiheit

[1] Vgl. BVerfGE 20, S. 174; BVerfGE 36, S. 340.
[2] Vgl. BVerfGE 10, S. 121; BVerfGE 82, S. 272 ff.
[3] Zur Interpretation der „öffentlichen Aufgabe“ nach Art. 5. Abs. 1 GG siehe ausführlich Löffler & Ricker (1994, S. 12–21, 37–39). Das hamburgische Landespressegesetz spezifiziert die „öffentliche Aufgabe“ der Presse dahingehend, daß sie erstens Nachrichten beschafft und verbreitet, zweitens Stellung nimmt und Kritik übt, drittens an der Bildung der öffentlichen Meinung mitwirkt und viertens der Bildung dient.
[4] Vgl. hierzu die grundlegenden Werke von Feldman (1993) und Koch (1991).

(„residual freedom“): Pressefreiheit ist diejenige Freiheit, die übrig bleibt, nachdem alle übrigen Gesetze und einschränkenden Bestimmungen berücksicht wurden.[5]

5.2 Verfassungsrechtliche Bestimmungen

Großbritannien gehört (zusammen mit Israel und Neuseeland) zu den wenigen westlichen Staaten, die keine schriftliche Verfassungsurkunde haben. Das Recht der freien Meinungsäußerung und der Pressefreiheit ist in diesen Ländern zwar ebenfalls garantiert, allerdings nicht schriftlich niedergelegt. In diesen Ländern ist die Pressefreiheit jedoch größeren Einschränkungen unterworfen als in Ländern mit schriftlichen Verfassungen (so Coliver 1993, S. 256). Ein zentraler Grund für die Briten, fundamentale Rechte wie die Pressefreiheit nicht in einer schriftlichen Verfassung zu verbriefen, ist die tiefverwurzelte Überzeugung, daß alles erlaubt sein soll, was nicht ausdrücklich verboten ist.[6] Ein Katalog mit Rechts*garantien* erscheint daher unnötig. Zudem soll der Presse gegenüber anderen Institutionen kein rechtlicher Sonderstatus eingeräumt werden. Die Dritte Königliche Pressekommission machte dies in ihrem Bericht 1977 deutlich: „We believe as a general principle that the press *should not operate under a special regime of law* but should so far as possible stand before the law in the same way as any other organization or citizen.“[7] Aus diesem Prinzip folgt, daß britische Journalisten traditionell nicht mehr Rechte und Pflichten haben als andere Bürger. Auch die britische Regierung wiederholte diesen Grundsatz 1995 noch einmal deutlich: „Editors and journalists are subject to the general law *in the same way* as any private citizen. They face no special constraints, and, with a few minor exceptions, have no special privileges.“[8]

[5] „Free speech is what is left of speech after the law had its say“, so Robertson & Nicol (1992, S. 3).

[6] Robertson & Nicol (1992, S. 36) schreiben, Großbritannien sei ein Land, „where everything is permitted, which is not specifically prohibited“.

[7] *Royal Commission* (1977, S. 107), meine Hervorhebung. Das britische Parlament hat seit dem Zweiten Weltkrieg drei unabhängige Expertenkommissionen eingesetzt (*Royal Commissions on the Press* 1949, 1962, 1977), die Schwachstellen auf dem Pressemarkt offenlegen und gegebenenfalls Vorschläge für korrigierende Gesetzesmaßnahmen unterbreiten sollten. Anfang der neunziger Jahren kamen zwei weitere, die sogenannten Calcutt-Kommissionen (s. Kapitel 5.7 und 6.3), hinzu.

[8] *Privacy and Media Intrusion: The Government's Response* (1995, S. 4), meine Hervorhebung.

Allerdings haben verschiedene Gesetze der konservativen Thatcher-Regierung und eine zunehmend pressekritische Rechtsprechung der Gerichte dazu geführt, daß sich Journalisten in den achtziger Jahren vermehrt über eine Beschneidung ihrer Freiheiten beschwerten und einige nur noch von einer „half free press" sprechen.[9] Ein wichtiger Grund für die im Vergleich zu Deutschland schwächere rechtliche Stellung der Presse liegt darin, daß Pressefreiheit in Großbritannien nur als Bürgerrecht auf freie Meinungsäußerung, nicht aber als Anspruch der Öffentlichkeit auf Information definiert ist.[10] Dagegen garantiert Art. 5 Abs. 1 GG beides: Er sichert das Meinungsäußerungsrecht *und das Recht*, sich ständig und umfassend auf allen Lebensgebieten zu unterrichten.[11] Anders als ihre deutschen Kollegen können sich britische Journalisten bei seiner Arbeit auch nicht auf die „Wahrnehmung berechtigter Interessen" berufen.[12] In einer der wenigen offiziellen Definitionen von Pressefreiheit wird zwar ihre Bedeutung für den demokratischen Prozeß hervorgehoben, ohne daß daraus jedoch Sonderrechte für die Presse folgen: „We define freedom of the press as that degree of freedom from restraint which is essential to enable proprietors, editors and journalists to advance the public interest by publishing the facts and opinions without which a democratic electorate cannot make responsible judgements."[13]

[9] Berühmt wurde der Vortrag des *Times-* und *Sunday Times-*Chefredakteurs Harold Evans, „The Half Free Press", in *The Freedom of the Press* (Granada Guildhall Lectures), London: Hart-Davis, MacGibbon (1974). Siehe ebenso die Reden des *Observer-*Chefredakteurs Donald Trelford in *IPI-Report*, Hefte May 1985, S. 8–10 und June/July 1988, S. 44–46. Siehe in diesem Zusammenhang auch das Themenheft „Britain" der Zeitschrift *Index on Censorship*, Heft 9/1988, sowie die Aufsätze zum Thema „Liberty in Britain" in *Index on Censorship*, Heft 2/ 1995.

[10] So die Schlußfolgerung des Sonderberichts der International Federation of Journalists, *Press Freedom under Attack in Britain* (IFJ 1989, S. 22f.). Vgl. hierzu auch Robertson & Nicol (1992, S. 1–37).

[11] BVerfGE 27, S. 81; erläutert bei Löffler & Ricker (1994, S. 33f.).

[12] § 193 StGB, BVerfGE 12 und § 3 der Landespressegesetze (öffentliche Aufgabe). Vgl. die Erläuterungen bei Löffler & Ricker (1994, S. 278f., 390f.).

[13] *Royal Commission* (1977, S. 8f.). Im Abschlußbericht der ersten *Royal Commission on the Press* (1949) wurde die Presse als „the chief instrument for instructing the public on the main issues of the day" bezeichnet. Über ihre Funktion heißt es dort: „The democratic form of society demands of its members an active and intelligent participation in the affairs of their community, whether local or national. It assumes that they are sufficiently well-informed about the issues of the day to be able to form the broad judgements required by an election, and to maintain, between elections, the vigilance necessary in those whose governors are their servants and not their masters. (…) Democratic society, therefore, needs a clear and truthful account of events, of their background and their

Im Unterschied zu Großbritannien ist der deutsche Gesetzgeber nach Art. 5 Abs. 1 GG verpflichtet, das Institut „freie Presse" zu garantieren und dafür zu sorgen, daß die Funktionsfähigkeit der Presse nicht beeinträchtigt wird (so BVerfGE 20, S. 162). Überdies werden den deutschen Journalisten verschiedene Privilegien zugestanden, um ihre „öffentliche Aufgabe" im demokratischen Willensbildungsprozeß zu erfüllen. Zu den besonderen Schutzrechten, die den Journalistenberuf in Deutschland von anderen Tätigkeiten unterscheiden, gehören:

1. das individualrechtliche Abwehrrecht gegenüber staatlichen (und wirtschaftlichen) Machtgruppen sowie die institutionelle Eigenständigkeit der Presse;
2. das Verbot der Vorzensur;
3. das Verbot von presseeinschränkenden Sondergesetzen;
4. der für die Pressetätigkeit wertvolle Schutz der „Wahrnehmung berechtigter Interessen";
5. das Verbot eines Standeszwanges oder einer Standesgerichtsbarkeit;
6. der Informationsanspruch gegenüber Behörden;
7. das Zeugnisverweigerungsrecht zum Schutz von Informationsquellen;
8. die bevorrechtigte Stellung der Presse bei der Beschlagnahme einzelner Unterlagen und bei der Durchsuchung von Redaktionsräumen;
9. das Privileg der kurzen Verjährung bei Presseinhaltsdelikten;
10. das Medienprivileg im Bundesdatenschutzgesetz und
11. die Sonderregelung des publizistischen Landesverrats.[14]

Als besondere Pflicht unterliegen die Mitarbeiter der Presse der journalistischen Sorgfaltspflicht (wie es sie z. B. auch in Österreich, Frankreich, Niederlande und den USA gibt). Kommt es zur Kollision der Pressefreiheit mit anderen Freiheiten, erfolgt eine Güterabwägung, in der Regel zugunsten der Presse.[15] Aufgrund des umfangreichen Grundrechtschutzes in Art. 5 Abs. 1 GG (Recht auf freie Meinungsäußerung, auf Information und die ausdrückliche Nennung der Pressefreiheit) kommt Karpen (1993, S. 79) zu dem

causes; a forum for discussion and informed criticism; and a means whereby individuals and groups can express a point of view or advocate a cause" (*Royal Commission* 1949, S. 100 f.).

[14] Vgl. Löffler & Ricker (1994, S. 50–52), Branahl (1996, S. 28–55).

[15] Vgl. Karpen (1993, S. 80), Kriele (1994a, 1994b). Siehe als Ausnahme „Caroline von Monaco", BGH in *Archiv für Presserecht* 1995, S. 411–415. Zur pressekritischen Haltung britischer Gerichte siehe Palmer (1992), Robertson & Nicol (1992, S. 3–37) sowie die Angaben in Fußnote 9.

Schluß, daß „Germany's protection of this right [is] among the strongest in Europe".

5.3 Gesetzgebungskompetenz und Rechtsquellen

In Großbritannien liegen alle für die Presse relevanten Gesetzgebungskompetenzem bei der Zentralregierung in London. Zu Großbritannien gehören England, Wales und Schottland, wobei sich die Kompetenzen der Londoner Regierung nur auf England und Wales beziehen. Allerdings sind die schottischen Gesetze den englischen sehr ähnlich. In der föderal strukturierten Bundesrepublik hingegen ist das Presserecht im wesentlichen dezentral geregelt, also Ländersache. Der deutschen Bundesregierung kommt auf Betreiben der Allierten nur die Kompetenz für eine Presserechtsrahmengesetzgebung zu, von der sie trotz verschiedener Anläufe (1952, 1958, 1964, 1974) bisher allerdings keinen Gebrauch machte (s. Kapitel 7.6). Die entscheidenden Rechtsquellen für die britische Presse sind:

1. Contempt of Court Act 1981, Sec. 2, 5, 11, 14 u. Schedule 1, Abs. 4, 5, 12, 13
2. Criminal Justice Act 1988, Sec. 159
3. Defamation Act 1952, Sec. 4 u. 7
4. Law of Libel Amendment Act 1888, Sec. 8
5. Obscene Publications Act 1959, Sec. 1, 3, 4
6. Official Secrets Act 1989, Sec. 1 bis 5(3) u. 10(1)
7. Police Criminal Evidence Act 1984, Schedule 1
8. Police Order Act 1986, Sec. 18 u. 19
9. Prevention of Terrorism (Temporary Provisions) Act 1989, Sec. 18

Die entscheidenden Rechtsquellen für die deutsche Presse sind:

1. Art. 5 Abs. 1 Grundgesetz
2. Landespressegesetze (öffentliche Aufgabe, Impressumspflicht, Gegendarstellung, Beschlagnahme, Informationsanspruch)
3. Art. 10 der Europäischen Menschenrechtskommission (Meinungsäußerungsfreiheit und Informationsfreiheit werden „ohne Rücksicht auf Landesgrenzen" garantiert)
4. Bundesverfassungsgerichtsurteile, z.B. BVerfGE 7, S. 198 ff. (Lüth); BVerfGE 20, S. 162 ff. (Spiegel); BVerfGE 34, S. 269 ff. (Soraya); BVerfGE 35, S. 202 ff. (Lebach)
5. Strafrecht (Beleidigungsrecht)
6. Zivilrecht (Persönlichkeitsverletzungen)

7. Prozeßrecht (Zeugnisverweigerungsrecht)
8. Kartellrecht (Pressefusionskontrollgesetz)

Die deutschen Regelungen entstammen teils Landes-, teils Bundesgesetzen. Während das deutsche Presserecht laut Bundesverfassungsgericht eine besondere und selbständige Rechtsmaterie darstellt (BVerfGE 7, S. 29), kann man davon im britischen Fall in keiner Weise sprechen (vgl. Robertson & Nicol 1992, Vorwort). Ein Pendant zu dem für das deutsche Presserecht sehr wichtigen Bundesverfassungsgericht gibt es in Großbritannien nicht. Das heißt, es gibt keine Institution, die ein von der gerade amtierenden Regierung verabschiedetes Gesetz für verfassungswidrig bzw. ungültig erklären und den Gesetzgeber zu Modifikationen aufrufen kann. Die höchste gesetzgebende Gewalt ist das Parlament und kann daher „zu Recht als absoluter Diktator bezeichnet werden“.[16] Trotz der „parliamentary supremacy“ spielt auch die Rechtssprechung der Gerichte eine gewisse Rolle, vor allem wenn es um Streitfälle in bisher nicht gesetzlich geregelten Bereichen geht. Zivilrechtsfälle (Beleidigung, Vertrauensbruch) werden vom High Court entschieden, Strafrechtsfälle (Verstöße gegen das Staatsschutzrecht, kriminelle Ehrverletzung, Verbreiten pornographischer Schriften, Aufstachelung zum Rassenhaß, Beschimpfung von Religionsgemeinschaften, Aufwiegelung gegen öffentliche Ordnung) vom Crown Court. Berufungsverfahren werden vom höchsten Gericht, dem House of Lords, entschieden, kommen aber nur selten vor. Die meisten Strafverfahren gegen Medienunternehmen können nur nach Zustimmung des Attorney General (dem höchsten Rechtsbeamten der Regierung) eingeleitet werden. Dieser muß ein öffentliches Interesse an der Strafverfolgung des Medienunternehmens erkennen (Robertson & Nicol 1992, S. 33–35). Klagen wegen Ehrverletzung („libel“) sind in der Regel Zivilrechtsfälle, die von einer Jury entschieden werden. Ihre besondere Problematik wird in Kapitel 5.7 erläutert.

Beide Länder sind Mitglied der Europäischen Konvention zum Schutz der Menschenrechte und Grundfreiheiten, allerdings hat Großbritannien sie bisher nicht in ihr Rechtssystem aufgenommen. In Deutschland hat sie seit den fünfziger Jahren den Status eines Bundesgesetzes. Die britische Rechtsprechung hat der Europäi-

[16] Koch (1991, S. 41). In seiner kürzesten Form besagt das Prinzip der „parliamentary supremacy“, daß das Parlament befugt ist, jedes ihm genehme Gesetz *gleich welchen Inhalts* zu verabschieden oder ebenso jedes bestehende Gesetz wieder zu beseitigen. Daraus folgt, daß jede inhaltliche Kontrolle parlamentarischer Gesetze durch die Gerichte oder andere Instanzen entfällt; vgl. Koch (1991, S. 31 f.) und Döring (1993, S. 32–35).

schen Konvention dagegen bis in die neunziger Jahre wenig Bedeutung beigemessen, wenn auch vereinzelt Richter die Ansicht äußerten, sie solle zumindest dort beratend hinzugezogen werden, wo das nationale Recht unklar sei. Die neue Labour-Regierung unter Premierminister Tony Blair kündigte an, die Europäische Konvention in Landesrecht zu überführen, wies jedoch gleichzeitig auf die damit verbundenen Schwierigkeiten hin.[17]

5.4 Zeugnisverweigerungsrecht

In Europa gehört Deutschland zu den Ländern, in denen Informantenschutz und Zeugnisverweigerungsrecht am besten abgesichert sind (so Coliver 1993, S. 282). Auch im Vergleich zu den USA ist die deutsche Regelung weitgehender (Schulenberg 1989). Das Zeugnisverweigerungsrecht wurde in Deutschland erstmals 1926 eingeführt und 1975 bundeseinheitlich in § 53 Abs. 1 der Strafprozeßordnung geregelt. Dagegen hat es in Großbritannien bis Anfang der achtziger Jahre überhaupt keine Regelung zum publizistisches Zeugnisverweigerungsrecht gegeben, obwohl es im Verhaltenskodex der Journalistengewerkschaft NUJ seit Jahrzehnten hieß: „A journalist shall protect the confidential sources of information". Mit der Novellierung des Contempt of Court Act 1981 wurde erstmalig ein Zeugnisverweigerungsrecht anerkannt. Allerdings gilt dies nicht generell, sondern nur unter bestimmten Voraussetzungen. In Section 10 des Contempt of Court-Gesetzes heißt es: „No court may require a person to disclose, nor is any person guilty of contempt of court for refusing to disclose, the source of information contained in a publication for which he is responsible unless it is established to the satisfaction of the court that it is necessary in the interests of justice or national security or for the prevention of disorder or crime."

Ein britischer Journalist kann also aus drei Gründen zur Offenlegung seiner Quellen gezwungen werden: Wenn sie die „interests of justice", die „national security", oder die „prevention of crime" betreffen. Die „Interessen der Justiz" werden sehr frei ausgelegt. So wurde 1990 ein Volontär der Fachzeitschrift *The Engineer* mit Ver-

[17] Klug & Starmer (1997) und Schmidt-Steinhauser (1994) haben sich ausführlich mit Geltung und Anwendung von Europäischem Gemeinschaftsrecht in Großbritannien beschäftigt. Wadham (1997), Shell (1997) und Smith (1997) schildern die Pläne der Labour-Regierung zur Inkorporierung der Europäischen Konvention in britisches Landesrecht und weisen auf die Probleme hin.

weis auf die „Interessen der Justiz“ zu £ 5000 verurteilt, weil er den Namen eines Informanten nicht preisgab. Nachdem der High Court, der Court of Appeal und das House of Lords das Urteil bestätigten, legte der Jungreporter beim Europäischen Gerichtshof für Menschenrechte in Straßburg Berufung ein. Der Europäische Gerichtshof entschied 1996, daß sich der Volontär zurecht auf das Zeugnisverweigerungsrecht berief (vgl. Sack 1995). Bereits 1963 waren zwei Journalisten inhaftiert worden, weil sie ihre Informanten nicht preisgeben wollten; 1987 war ein Wirtschaftsjournalist des *Independent* aus dem selben Grund zu umgerechnet 60000 Mark Strafe plus Prozeßkosten verurteilt worden; 1983 war eine Informantin des *Guardian*, deren Identität die Zeitung durch richterlichen Beschluß offenlegen mußte, zu sechs Monaten Gefängnis verurteilt worden.[18] Aufgrund der bisherigen Rechtsprechung kommen Robertson & Nicol (1992, S. 201) zu der Einschätzung, daß das Gesetz in seiner jetzigen Form „will not afford any real protection to journalists“. Der Glaube an die Bedeutsamkeit eines Zeugnisverweigerungsrechts sei bei britischen Gerichten generell schwach ausgeprägt. In Großbritannien sei es in strittigen Fällen beängstigend leicht, die Gerichte zu überzeugen, daß eine der drei Ausnahmeregelungen erfüllt ist und der Journalist seine Quellen offenlegen muß.[19] Fälle, in den die Güterabwägung zugunsten der Presse ausfiel, wurden als Ausnahmen gefeiert.[20]

Während die britische Zeugnisverweigerungsregelung für alle Bürger gilt, ist der deutsche Zeugnisverweigerungsanspruch für Medienberufe reserviert. Seine Wurzeln gehen zurück in die Weimarer Republik.[21] Durch seine heutige Form, wie es in der Strafprozeßordnung festgelegt ist, sind deutsche Journalisten privilegierter als ihre britischen Kollegen. Es schützt sie hinsichtlich des Berufsgeheimnisses sogar besser als andere deutsche Berufsgruppen wie etwa Geistliche, Ärzte, Anwälte oder Parlamentarier: Während diese Berufsgruppen durch ihre Klienten von der Schweigepflicht entbunden werden können, gibt es eine solche Regelung für Journali-

[18] Vgl. Robertson & Nicol (1992, S. 196–202), Crone (1991, S. 142–144); ebenso (IFJ 1989) und das Themenheft „Britain“ der Zeitschrift *Index on Censorship*, Heft 9/1988.

[19] Siehe hierzu vor allem Palmer (1992), auch Nicol & Bowman (1993, S. 187), Crone (1991, S. 143 f.), Robertson & Nicol (1992, S. 196–205). Einen exzellenten Überblick über das britische Law of Contempt, auch mit internationalen Vergleichen, bieten Lowe & Sufrin (1996).

[20] Vgl. *UK Press Gazette* vom 7.3.1994, S. 1 und *UK Press Gazette* vom 15.8.1994, S. 1.

[21] Vgl. zum deutschen Zeugnisverweigerungsrecht Löffler & Ricker (1994, S. 168–199), Branahl (1996, S. 42–54).

sten nicht. Sogar Material, das auf illegale Weise beschafft wurde und Journalisten zugespielt wird, ist in Deutschland unter bestimmten Umständen geschützt.[22] Für selbstrecherchiertes Material gilt, daß sich der Journalist nur dann auf das Zeugnisverweigerungsrecht berufen kann, wenn die Beschaffung des Materials auf einem Vertrauensverhältnis zu außenstehenden Informanten basiert. Wie auch in Großbritannien unterliegt selbstrecherchiertes Material (z.B. vom Redakteur gemachte Fotos einer gewalttätigen Demonstration) nicht dem Beschlagnahmeschutz – eine Regelung, die in beiden Ländern kritisiert wird.[23] Die britische Polizei hatte noch bis Mitte der achtziger Jahre weitreichende Vollmachten bei der Durchsuchung und Beschlagnahme von Redaktionsräumen. Erst durch den Police and Criminal Evidence Act 1984 ist das Material eines Informanten, das er einem Journalisten auf vertraulicher Basis zum Zwecke der Berichterstattung zur Verfügung stellt, vor polizeilichem Zugriff geschützt. In beiden Ländern können Redaktionen nur auf richterliche Anordnung durchsucht werden.

Die deutsche Sonderregelung des „publizistischen Landesverrates“, nach der Journalisten beim unbeabsichtigen Offenbaren von Staatsgeheimnissen nicht wegen Landesverrats bestraft werden können (§ 95 StGB), gibt es in Großbritannien nicht.[24] Die Sonderregelung war als Reaktion auf die Durchsuchung der *Spiegel*-Redaktionsräume im Oktober 1962 eingeführt worden. In Großbritannien sind in Fällen, die die Landessicherheit betreffen, die Sanktionsmöglichkeiten gegenüber der Presse weitgehender als in Deutschland.[25]

[22] Es ist dann geschützt, wenn es einen ernsthaften Beitrag zum Meinungskampf darstellt; vgl. BVerfG in *Neue Juristische Wochenschrift* 1984, S. 1741 („Wallraff“). Siehe auch die Erläuterungen von Löffler & Ricker (1994, S. 292f.).

[23] Ständige Rechtsprechung, vgl. Löffler & Ricker (1994, S. 176f.), Robertson & Nicol (1992, S. 206f.). Im Februar 1995 brachte der Bundesrat einen Gesetzentwurf ein, nach dem sich das deutsche Zeugnisverweigerungsrecht in Zukunft auch auf selbstrecherchiertes Material erstrecken soll.

[24] In der berühmt gewordenen *Spiegel*-Entscheidung stellte das Bundesverfassungsgericht klar, daß die Pressefreiheit nicht von vorneherein durch die Bestimmungen zum militärischen Geheimnisschutz begrenzt sind. Ist im Einzelfall das Informationsinteresse der Öffentlichkeit als sehr hoch einzustufen, dürfen auch Staatsgeheimnisse publiziert werden. Das Gericht befand, daß „die Bedeutung der mitgeteilten Tatsachen … sowohl für den potentiellen Gegner wie für die politische Urteilsbildung des Volkes zu berücksichtigen [ist]; die Gefahren, die der Sicherheit des Landes aus der Veröffentlichung erwachsen können, sind gegen das Bedürfnis, über wichtige Vorgänge auf dem Gebiet der Verteidigungspolitik unterrichtet zu werden, abzuwägen“ (so BVerfGE 20, S. 162ff., hier S. 178).

[25] Vgl. hierzu Robertson & Nicol (1992, S. 205–208), Crone (1991, S. 145–148).

Einen Sonderfall stellt der im Zusammenhang mit dem Bürgerkrieg in Nordirland erlassene Prevention of Terrorism (Temporary Provisions) Act 1989 dar. Danach müssen Informationen, die im weitesten Sinne terroristische Gewalttaten betreffen, den Staatsorganen gegenüber offengelegt werden. Das gilt ohne Einschränkungen auch für Journalisten und ihre Recherchen. Im Sommer 1992 wurde der private Fernsehsender Channel 4 zu einer Geldstrafe von £ 75 000 verurteilt, weil er die Identität eines IRA-Informanten nicht offenlegen wollte, der – verfremdet – interviewt worden war. Der Sender berief sich auf das „öffentliche Interesse" an der so aufgedeckten Information: Ohne die Zusage der absoluten Anonymität hätte der Zeuge nicht über ein Mordkomplott ausgesagt, an dem auch Polizisten beteiligt gewesen sein sollen. Die Richter erkannten das Öffentlichkeitsinteresse jedoch nicht als hinreichenden Grund an und gaben zu verstehen, daß sie im Wiederholungsfall ein deutlich schärferes Urteil fällen würden.[26] Der zusätzlich erlassene „Fernsehbann" vom Oktober 1988, durch den Abgeordnete der legalen irischen Partei Sinn Fein sowie Mitglieder von Terrorgruppen nicht mehr im englischen Fernsehen zu Wort kommen durften, wurde im September 1994 aufgehoben und nach erneuten Terrorakten im Februar 1996 wieder eingeführt.[27]

5.5 Informationsanspruch gegenüber Behörden

Die Landespressegesetze gewähren den deutschen Journalisten einen besonderen Informationsanspruch, der Behörden und Ämter dazu verpflichtet, ihnen die für die Erfüllung ihrer öffentlichen Aufgabe notwendigen Auskünfte zu erteilen.[28] Einen solchen Auskunftsanspruch kennt Großbritannien nicht. Die dortigen Behörden gelten als die verschlossensten der westlichen Welt.[29] „Secrecy is the British disease", meinte das frühere Regierungsmitglied

[26] Seither hat das Gesetz den Beinamen „Prevention of Journalism Act".Vgl. *UK Press Gazette*, 10.8.1992, „Prevention of Journalism Act"; *Sunday Times*, 2.8.1992, „A Source of Concern in Freedom Test Case". Siehe auch Robertson & Nicol (1992, S. 443–445), Nicol & Bowman (1993, S. 188) und *Economist* vom 2.3.1996, S. 32.

[27] Vgl. Krönig (1994). Bei dieser umstrittenen Zensurmaßnahme durch die Regierung handelte es sich um die „Directive by Home Secretary of 19 October 1988 under Broadcasting Act 1981 § 29.3 (heute § 10 des 1990 Act) and Clause 13.4 of the BBC Charter".

[28] So beispielsweise in § 4 des LPG Hamburg; vgl. Löffler & Ricker (1994, S. 116), Branahl (1996, S. 31).

[29] Zu den überzogenen Geheimhaltungsbestimmungen des britischen Regie-

Richard Crossman, dem verboten werden sollte, seine Memoiren zu veröffentlichen, weil dadurch vertrauliche Regierungsinformationen an die Öffentlichkeit kämen.[30] Es gibt in Großbritannien nicht weniger als 251 Rechtsvorschriften, die die Veröffentlichung von Informationen einschränken oder verbieten.[31] Die bekannteste ist der Official Secrets Act, der seit 1989 in einer revidierten Fassung gilt. Er stellt die Veröffentlichung aller Informationen unter Strafe, die „die Regierung als schädlich für die internationalen Beziehungen, Landesverteidigung, innere Sicherheit und die Geheimdienste" ansieht. Der Ermessensspielraum der Regierung für das Wort „schädlich" gilt als weit, die Rechtsgrundlage als nicht mehr zeitgemäß.[32] Es handelt sich um ein allgemeines Sicherheitsgesetz zum Schutz des Staates vor inneren und äußeren Feinden, dessen Brisanz für die Presse darin besteht, daß es journalistische Vorbereitungshandlungen unter Strafe stellt: das Sammeln, Empfangen und der Besitz von als geheim klassifizierten Informationen. Nach der Veröffentlichung kann sich der Journalist nicht darauf berufen, daß die Publikation im öffentlichen Interesse war („no public interest defence"). Weil die britische Regierung aus Image-Gründen schlecht beraten wäre, dieses weit gefaßte Gesetz konsequent gegen die Medien anzuwenden, geht nach Ansicht von Nicol & Bowman (1993, S. 179) von ihm in der Praxis eine geringere Gefahr aus, als es auf dem Papier scheint. Für die Einleitung eines Strafverfahrens ist die Zustimmung des Attorney General erforderlich, der ein öffentliches Interesse an der Strafverfolgung der Zeitung erkennen muß; zudem wird das Urteil von einer Jury gefällt, was einen (für die Regierung peinlichen) Freispruch für die Presse nicht unwahrscheinlich macht. Die Presserechtler Robertson & Nicol (1992, S. 412) fordern dennoch die ersatzlose Streichung dieses Gesetzes, da von ihm eine erhebliche abschreckende Wirkung auf die journalistische Recherchebereitschaft ausgehe.[33] Auch Journalisten und Kommunikationswis-

rungs- und Verwaltungsapparates siehe das Buch *Secrecy in Britain* von Ponting (1990).

[30] Zum Fall des Labour-Politikers und Journalisten Crossman siehe Young (1976).

[31] Vgl. *White Paper „Open Government"*, London: Her Majesty's Stationery Office, Cm 2290, 1992. Siehe auch Northmore (1990, S. v–xi) und Alternative White Paper (1994).

[32] Vgl. Robertson & Nicol (1992, S. 412) sowie den Kommentar „The Official Secrets Act" in *Index on Censorship*, 6/1990, S. 2.

[33] Eine ausführliche Erläuterung des Official Secret Acts und eine Schilderung der relevanten Fälle findet sich bei Robertson & Nicol (1992, S. 412–432), Feldman (1993, S. 668–674) und Crone (1991, S. 162–168).

senschaftler sehen im Official Secrets Act eine erhebliche Gefahr für die Pressefreiheit.[34]

Die dem deutschen Auskunftsanspruch am nächsten kommende Regelung ist der Local Government (Access to Information) Act 1985, der Gemeinde- und Stadtratssitzungen öffentlich zugänglich macht. Bürger (also auch Journalisten) haben Anspruch auf Einsichtnahme in alle behandelten Dokumente, außer sie werden vom Ratsvorsitzenden als „exempt information" klassifiziert. Es ist das einzige Gesetz, in dem ein Informationsanspruch der Öffentlichkeit („right to know") festgehalten ist.[35] Die Meinungsäußerungsfreiheit der Beamten in den Regierungs- und Verwaltungszentralen Londons unterliegt dagegen scharfen Beschränkungen. Ein Verstoß gegen ihre strengen Dienstgeheimnis-Vorschriften kann zu Kündigung und Gefängnisstrafe führen. Für sie gibt es weder den Informantenschutz des deutschen Zeugnisverweigerungsrechts, noch den sehr viel weiterreichenden Schutz des amerikanischen „Whistleblowers Act"[36], der Beamte vor internen Disziplinarmaßnahmen schützt, wenn sie der Presse illegale, inkompetente oder gefährliche Handlungen ihrer Behörde mitteilen. Dies hat zu einer extremen Zurückhaltung der britischen Beamtenschaft mit Äußerungen über amtsinterne Vorgänge geführt, insbesondere gegenüber Journalisten. Die Veröffentlichung von Informationen, die auf diesem Wege dennoch nach außen gelangt sind, unterbindet die britische Regierung mit einstweiligen Verfügungen.[37] In solchen Fällen klagt sie auf Vertrauensbruch („breach of confidence"), muß jedoch nachweisen, daß das Publikationsverbot im öffentlichen Interesse ist (z. B. aus Gründen nationaler Sicherheit). Auch im erwähnten Fall des Ex-Regierungsmitgliedes Crossman klagte die Regierung auf „breach of confidence", um die Veröffentlichung seiner Memoiren zu verhindern, nachdem sie zuvor vergeblich den Official Secrets Act bemüht hatte. Die Regierung unterlag schließlich, weil die angeblichen Geheiminformationen (aus Kabinettsgesprächen) über zehn Jahre alt waren.

Das britische „Law of Confidence" unterscheidet sich vom amerikanischen darin, daß in den USA einstweilige Unterlassungverfügungen *vor der Publikation* grundsätzlich unmöglich sind. Dieser Grundsatz gilt in Großbritannien nur eingeschränkt (s. Kapitel 5.9).

[34] Vgl. Franklin (1994, S. 80 f.), Leapman (1992, S. 258–261), Seymour-Ure (1996, S. 245 ff.), Curran & Seaton (1991, S. 362).

[35] Vgl. Robertson & Nicol (1992, S. 461–469), Northmore (1990, S. 27–33).

[36] So die allgemeine Bezeichnung für den amerikanischen Civil Service Reform Act von 1978; vgl. Robertson & Nicol (1992, S. 460).

[37] Vgl. hierzu Feldman (1993, S. 633–668), Robertson & Nicol (1992, S. 172–194).

Besonders deutlich wurde dies, als die britische Regierung mit der Begründung eines „breach of confidence“ Zeitungsberichte über die Memoiren des ehemaligen Geheimdienstmitarbeiters Peter Wright unterband. Noch bevor dessen Buch unter dem Titel „Spycatcher“ erschienen war, berichteten *The Guardian* und *Observer* im Juni 1986 in ersten Meldungen von den zentralen Vorwürfen, die der in Australien lebende Ex-Spion gegen den britischen Geheimdienst erhob: Der MI 5 hätte unter anderem ein Attentat auf Nasser geplant, ausländische Botschaften abgehört und Intrigen gegen die Labour-Regierung Wilson gesponnen. Einen Tag, bevor das Buch in den USA auf den Markt kam, begann die *Sunday Times* mit dem Abdruck von Manuskriptauszügen. Die britische Regierung verhängte gegen alle drei Zeitungen eine einstweilige Verfügung und verbot ihnen jede weitere Berichterstattung über den Buchinhalt. Die Regierung müsse zuerst prüfen, ob das Buch Informationen enthält, die die nationale Sicherheit gefährden. Als daraufhin der *Independent* ebenfalls mit Veröffentlichungen begann, erwirkte die Regierung, daß sich die Verfügung gegen *alle* britischen Medien richtete. Fortan durfte in Großbritannien nichts mehr aus dem Buch veröffentlicht werden. Eine Wendung ins Absurde nahm der Fall, als das House of Lords im Juni 1987 die einstweiligen Verfügungen nochmals verlängerte, obwohl das Buch in den USA, Australien, Irland und Kanada bereits mehr als eine Million mal verkauft und die Einfuhr des Buches nach England auch nicht verboten war. Der Europäische Gerichtshof entschied im November 1991, daß die Verlängerung des Publikationsverbotes eine unrechtmäßige Einschränkung der Pressefreiheit und ein Verstoß gegen Artikel 10 der Europäischen Menschenrechtskonvention war.[38]

Regierungsunterlagen werden in Großbritannien für mindestens 30 Jahre unter Verschluß gehalten. So wurde beispielsweise der vollständige Untersuchungsbericht über den Reaktorunfall in Windscale/Sellafield vom Oktober 1957 erst 1988 veröffentlicht. Die ausgetretene Radioaktivität war höher als beim Unfall von Three Mile Island (USA) und damit der zweitschlimmste Nuklearunfall nach Tschernobyl.[39] Eine zentrale Forderung lautet daher seit

[38] Zum *Spycatcher*-Rechtsstreit und seinen Implikationen siehe Robertson & Nicol (1992, S. 22–24, 181–194, 293–295), Feldman (1993, S. 648–668), Kingsford-Smith & Oliver (1990). Im Dezember 1987 wurden die Verfügungen schließlich vom House of Lords aufgehoben.

[39] Premierminister Harold MacMillan verhinderte die Publikation, da er die weitere militärische Zusammenarbeit mit den USA auf dem Gebiet der Kernwaffen nicht kompromittieren wollte. Allerdings wurden in der Folgezeit sämtliche Daten über die Radioaktivitätsemissionen und Risikoabschätzungen – so

Jahren auf Einführung eines Freedom of Information Act, wie er in Australien, Kanada, Holland, Finnland, Neuseeland, Frankreich, Norwegen, Schweden und den USA existiert. Der US Freedom of Information Act, der allen Bürgern Zugang zu amtlichen Dokumenten, Regierungsunterlagen und Gerichtsverfahren ermöglicht, hat z. B. die Watergate-Enthüllungen möglich gemacht. Viele Skandale in Großbritannien kamen nur ans Licht, weil britische Journalisten entsprechende Dokumente bei amerikanischen Behörden einsehen konnten.[40] Premierminister Tony Blair versprach im Wahlkampf 1997 die Einführung eines Freedom of Information Act, obwohl davon in der Antrittserklärung seiner Regierung keine Rede mehr war (vgl. *Economist* vom 17.5.1997, S. 39).

In Deutschland ist der Umfang der Informationsrechte im Verhältnis zum Staat ähnlich weitgehend wie in den USA und damit weitaus größer als in Großbritannien. Zugleich ist jedoch der Kreis derer, die in den Genuß dieser Rechte kommen, erheblich kleiner, nämlich auf die Journalisten begrenzt.[41] Durch das Privileg des Informationsanspruches sollen die Journalisten in die Lage versetzt werden, umfassend über tatsächliche Vorgänge und Verhältnisse, Mißstände, Meinungen und Gefahren zu berichten und durch kritische Stellungnahme in die Diskussion über bedeutsame Fragen einzugreifen.[42] Die Behörden sind zu wahrheitsgemäßer Auskunft verpflichtet und müssen dem Journalisten auch alle relevanten Nebenaspekte mitteilen, selbst wenn er nicht explizit danach gefragt hat. Verweigert werden darf die Auskunft nur, wenn sie in ein schwebendes Gerichtsverfahren eingreift, ihr Geheimhaltungsvorschriften entgegenstehen, ein öffentliches oder schutzwürdiges privates Interesse verletzt würde oder der Umfang der Auskünfte „das

die *Neue Zürcher Zeitung* vom 7.1.1988 („Der erfundene Atomskandal") – veröffentlicht. Dagegen sehen andere Quellen diesen Fall weiterhin als ein Musterbeispiel typisch britischer Informationsunterdrückung (vgl. Article 19 World Report 1991, S. 337).

[40] Vgl. Feldman (1993, S. 610ff.), Robertson & Nicol (1992, S. 459f.), Snoddy (1992, S. 169ff.).

[41] Vgl. Löffler & Ricker (1994, S. 117f.), Branahl (1996, S. 33f.). Der Verwaltungsgerichtshof Baden-Württemberg stellte 1995 in einer Entscheidung nochmals klar, daß das Auskunftsrecht der Presse gegenüber Behörden nicht zu einem „Jedermannsrecht" verallgemeinert werden sollte. Der VGH lehnte es deshalb ab, einem Historiker, der gelegentlich auch Artikel über geschichtliche Themen in Fachzeitschriften veröffentlicht, durch eine einstweilige Anordnung einen presserechtlichen Auskunftsanspruch zuzusprechen; vgl. *Neue Juristische Wochenschrift*, Heft 8/1996, S. 538–540.

[42] Vgl. BVerfGE 12, BVerfGE 20 und die Erläuterungen bei Löffler & Ricker (1994, S. 115).

zumutbare Maß“ überschreitet. Gegen eine Auskunftverweigerung kann der Journalist vor dem Verwaltungsgericht Klage erheben. Neben der Verpflichtung zur Auskunftserteilung muß die Behörde zusätzlich mit Schadenersatzforderungen der Zeitung rechnen.[43]

5.6 Gerichts- und Parlamentsberichterstattung

Der Grundsatz der Öffentlichkeit des Gerichtsverfahrens gilt in Großbritannien und Deutschland. Familien- und Kindschaftssachen sowie Jugendgerichtsverfahren können auf Entscheid des Richters in beiden Ländern nichtöffentlich verhandelt werden. Aufgrund des schwach ausgeprägten Persönlichkeitsschutzes (s. Kapitel 5.7) kann in Großbritannien jedoch selbst bei kleinen Straftaten wie Ladendiebstahl oder Verkehrsvergehen der Name des Täters mitsamt voller Anschrift in der Zeitung veröffentlicht werden (Snoddy 1992, S. 87 f.). In öffentlichen Verfahren können britische Gerichtsreporter sämtliche Anschuldigungen und Aussagen, die innerhalb des Gerichtssaales gemacht wurden, in der nächsten Ausgabe ihrer Zeitung berichten, ohne für diese möglicherweise ehrabschneidenden Behauptungen wegen „libel“ (s. u.) belangt werden zu können. Die Berichte müssen jedoch korrekt und ausgewogen sein.[44] Dieser besondere Schutz vor „libel“-Klagen („court privilege“) gilt nicht für Aussagen, die außerhalb des Gerichtssaales gemacht wurden. Einer Umfrage der Guild of British Newspaper Editors zufolge löst keine Rubrik mehr Leserbeschwerden aus als Gerichtsberichte (Weaver & Bennett 1993, S. 6).

Von besonderer Bedeutung für die britische Presse sind die Beschränkungen der Berichterstattung wegen „Contempt of Court“ (Mißachtung des Gerichts). Um jedem Angeklagten einen fairen Prozeß zu garantieren, kann ein Richter Presseveröffentlichungen untersagen, die seiner Einschätzung nach der Prozeßverlauf zugunsten oder zu Lasten einer Partei beeinflußen könnten („Eingriff in ein schwebendes Verfahren“). Besonders wichtig ist dies bei Gerichtsverfahren, in denen Geschworene das Urteil fällen. Eine Geschworenenjury besteht aus zwölf Bürgern, die aus der Bevölkerung ausgewählt wurden und aufgrund ihrer geringen Prozeßerfahrung als besonders anfällig für Medienberichte gelten. Vorverurteilungen durch die Medien („trial by media“) sollen daher unter allen

[43] Vgl. Löffler & Ricker (1994, S. 114–132), Branahl (1996, S. 31–42).
[44] Vgl. Robertson & Nicol (1992, S. 17 f., 362 ff., 387 ff.). Zum Prinzip der freien Gerichtsberichterstattung in Deutschland siehe Löffler & Ricker (1994, S. 95 f.).

Umständen verhindert werden. Während in den USA Jury-Mitglieder systematisch von der Außenwelt abgeschottet werden und gegebenenfalls der Prozeßort verlegt wird, wird das Problem in Großbritannien anders gelöst: Vorverurteilende Berichte sind bis zur Urteilsverkündung untersagt und werden gegebenenfalls strafrechtlich geahndet (vgl. Nothelle 1985). Nach dem sogenannten *Sunday Times*-Fall, bei dem ein britisches Gericht die Veröffentlichung eines Berichts über den Einfluß des Medikaments Thalidomid auf Mißbildungen bei Neugeborenen verboten hatte (das Gerichtsverfahren gegen den Medikamtentenhersteller Distillers war noch anhängig), der Europäische Gerichtshof für Menschenrechte jedoch zugunsten der *Sunday Times* entschied, mußte das alte Contempt of Court-Gesetz reformiert werden. Es verstieß nach europäischen Maßstäben gegen die Meinungs- und Pressefreiheit. Dies mündete in den heute gültigen Contempt of Court Act 1981. Eine Straftat im Sinne dieses Gesetzes liegt vor, wenn von einem Bericht eine realistische Gefahr („substantial risk“) der Einflußnahme und eine ernsthafte Vorverurteilung („serious prejudice“) ausgeht.[45] Das Strafmaß reicht von unbegrenzter Geldstrafe bis zu zwei Jahren Gefängnis. Auf der Grundlage dieses Gesetzes wurde beispielsweise 1986 der *Independent* verklagt, als er ebenfalls über die *Spycatcher*-Affäre berichtete, nachdem das Verfahren gegen *The Guardian* und *Observer* schon angelaufen war. Erst in einem langwierigen Berufungsverfahren wurde die Geldstrafe von umgerechnet 150000 Mark gegen den *Independent* aufgehoben. 1997 wurde der *Independent* – wiederum vergeblich – wegen Contempt of Court angeklagt, nachdem er Prozeßdokumente über einen britisch-irakischen Waffenhandel veröffentlicht hatte.[46]

Eine Übernahme des „Contempt of Court“-Gesetzes ist in Deutschland mehrfach diskutiert worden. Da deutsche Richter jedoch erstens den Verlust ihrer Unabhängigkeit durch sensationelle, einseitig aufgemachte Presseberichte bestreiten, zweitens sich das angelsächsische Jury-System grundlegend von der deutschen Strafprozeßordnung unterscheidet und drittens die mit einem solchem Gesetz verbundenen Einschränkungen der Berichterstattungsfreiheit sehr skeptisch beurteilt werden, gilt eine Übernahme als

[45] Contempt of Court Act 1981, Section 2 (1).

[46] Vgl. *Independent* vom 26.4.1997. Zum Hintergrund des Contempt of Court Act 1981 – inklusive des *Sunday Times*-Falles und der Spycatcher-Affäre – vgl. Feldman (1993, S. 733–781), Robertson & Nicol (1992, S. 261–304), Crone (1991, S. 130–141), Supperstone (1985, S. 23–32).

unwahrscheinlich.[47] Allerdings gibt es auch in Deutschland Belege dafür, daß Richter der Presse einen Einfluß auf den Verlauf spektakulärer Strafverfahren einräumen.[48]

Die *Parlamentsberichterstattung* ist in beiden Ländern frei, in Deutschland darüber hinaus die Berichterstattung über parlamentarische Untersuchungsausschüsse. In Großbritannien trifft die Presse manchmal zur Umgehung des Official Secret Act Absprachen mit Parlamentsabgeordneten, damit diese während der Parlamentssitzungen Informationen aussprechen, die als geheim klassifiziert sind. Dann erst kann die Presse sie gefahrlos publizieren, auch wenn sie ihr vorher schon vertraulich bekannt waren („parliamentary privilege"). Auch zur Umgehung anderer pressebeschränkender Gesetze wird dieses Verfahren angewendet.[49] Der Präsident des House of Parliament kann eine Disziplarmaßnahme gegen den Abgeordneten verhängen, ansonsten genießt er Immunität.

5.7 Ehrenschutz und Persönlichkeitsschutz

In Deutschland sind nicht nur die Freiheiten der Presse besser geschützt als in Großbritannien. Auch die Rechte des Einzelnen vor Verletzungen seines Persönlichkeitsbereiches durch die Presse genießen einen größeren Schutz. Hierzu gehört erstens der Schutz der persönlichen Ehre und zweitens das allgemeine Persönlichkeitsrecht. Genauer betrachtet ist der Ehrenschutz nur ein Teil des Persönlichkeitsrechts. Die beiden Rechtsbereiche werden jedoch im folgenden aus analytischen Gründen getrennt behandelt, um die Unterschiede zu Großbritannien deutlicher hervortreten zu lassen.

Zum *Schutz der persönlichen Ehre* stellt das deutsche Strafrecht Beleidigung, üble Nachrede und Verleumdung unter Strafe (§§ 185–187 StGB).[50] Ehrverletzungen sind strafbare Handlungen, die mit Geld- und Freiheitsstrafe bis zu fünf Jahren bedroht sind, jedoch nur auf Antrag des Betroffenen verfolgt werden. Daneben oder statt dessen kann der Verletzte auch zivilrechtliche Ansprüche geltend machen. Hier kommen in erster Linie Ansprüche auf Unterlassung, Widerruf, Berichtigung und Schadensersatz in Betracht.[51] Das *allgemeine Persönlichkeitsrecht* leitet sich aus dem Grundge-

[47] Vgl. hierzu ausführlich Nothelle (1985), Mauhs (1989), Löffler & Ricker (1994, S. 99).
[48] Vgl. Braun (1997), Wagner (1987).
[49] Vgl. Robertson & Nicol (1992, S. 390–401), Weaver & Bennett (1993, S. 8).
[50] Vgl. Löffler & Ricker (1994, S. 382–395), Branahl (1996, S. 56–93).
[51] Vgl. Löffler & Ricker (1994, S. 318–331), Branahl (1996, S. 232–247).

setz ab, genauer gesagt aus dem Verfassungsgebot, die Würde des Menschen nicht nur zu achten, sondern auch zu schützen (Art. 1 Abs. 1 GG) und dem Recht des Einzelnen auf freie Entfaltung seiner Persönlichkeit (Art.2 Abs.1 GG). Hier werden fünf Schutzbreiche unterschieden:

1. der Schutz persönlicher Aufzeichnungen und des nichtöffentlich gesprochenen Wortes (Briefe, Gespräche);
2. das Recht auf informationelle Selbstbestimmung (persönlichkeitsbezogene Daten);
3. der Schutz der häuslichen Sphäre, des Privatlebens und der Intimsphäre;
4. der Schutz gegen die Ausbeutung des Ansehens einer Person zu wirtschaftlichen Zwecken (Werbung);
5. der Imageschutz (Ansehen).[52]

Verletzungen der Persönlichkeitssphäre durch unbefügtes Abhören, Eindringen oder unbefügte Kenntnisnahme wird nach § 201 StGB und § 202 StGB bestraft, ebenfalls nur auf Antrag eines Betroffenen. Im übrigen stehen dem Verletzten dieselben zivilrechtlichen Ansprüche wie beim Ehrenschutz zu: Unterlassung, Berichtigung, Schadensersatz.

In Großbritannien gibt es zum *Schutz der persönlichen Ehe* die „libel laws", allerdings fehlt ein *allgemeines Persönlichkeitsrecht.* Das Fehlen eines *allgemeinen Persönlichkeitsrechts* folgt aus dem Fehlen einer schriftlich fixierten Verfassung, in der die unveräußerlichen Grundrechte garantiert und positiv festgeschrieben wären (s. Kapitel 5.1 und 5.2). Damit ist der Kernbereich der Persönlichkeit, die Intim- und Privatsphäre, in Großbritannien schwächer gegen das Eindringen der Presse geschützt als in Deutschland.[53] Dem Betroffenen bleiben im wesentlichen nur die „libel laws" (und selbstverständlich eine Beschwerde beim Presserat, s. Kapitel 5.8). Die „libel laws" sind ein schwieriges Terrain. Sie schützen nur einen Teil der Persönlichkeit, nämlich die persönliche Ehre, diesen Teilbereich aber sehr effektiv. Für den Kläger, der sich durch einen Pressebericht in seiner Ehre verletzt sieht, ist ein „libel"-Prozeß mit einem hohen finanziellen Risiko verbunden, weil es erstens keine Prozeßkostenhilfe („legal aid") gibt und zweitens im Falle einer Niederlage alle Kosten aus eigener Tasche zu zahlen sind. Andererseits kann der Betroffene im Falle eines Sieges mit exorbitanten Schadensersatzsummen rechnen. Sowohl das Urteil als auch die

[52] Vgl. Löffler & Ricker (1994, S. 286–318), Branahl (1996, S. 96–118).

[53] Vgl. *Report of the Committee on Privacy and Related Matters* (1990), Robertson & Nicol (1992, S. 173 f., 519 ff.).

Höhe der Schadensersatzsummen gelten in „libel"-Prozessen als unkalkulierbar, weil hier eine Laien-Jury entscheidet und kein erfahrener Richter.[54] Die folgende Darstellung vergleicht zunächst die deutsche und britische Rechtslage beim Ehrenschutz, anschließend beim Persönlichkeitsschutz.

5.7.1 Ehrenschutz

Beim Ehrenschutz ist es in beiden Ländern von größter Bedeutung, ob die beanstandete Äußerung eine Tatsachenbehauptung („fact") oder eine Meinungsäußerung („opinion") ist. *Meinungsäußerungen* genießen in beiden Ländern einen sehr weitreichenden Schutz, auch wenn sie geschmacklos, übertrieben oder unfair sind. In beiden Ländern muß die Meinungsäußerung ausreichende sachliche Bezugspunkte haben („factual basis"), um als legitime Kritik gelten zu können. In beiden Ländern ist die Grenze zur unzulässigen Ehrverletzung dort erreicht, wo es dem Kritiker erkennbar nicht mehr um die Sache, sondern nur noch um die vorsätzliche Kränkung oder böswillige Rufschädigung (Schmähkritik bzw. „malice") geht.[55] Wichtige Unterschiede gibt es jedoch bei *Tatsachenbehauptungen*. Hier sind die Regelungen in Großbritannien zum Nachteil der Presse angelegt: In einem „libel"-Prozeß liegt die Beweislast für die Richtigkeit einer Tatsachenbehauptung beim Journalisten, während nach deutschem Beleidigungsrecht der Kläger die Unwahrheit einer journalistischen Tatsachenbehauptung beweisen muß.[56] Selbst bei verleumderischen Äußerungen liegt die Beweislast in Deutschland immer noch beim Kläger, falls sich der Journalist auf die Wahrnehmung berechtigter Interessen (§ 193 StGB) berufen kann. Das kann der deutsche Journalist immer dann, wenn er bei der Recherche nachweislich seine journalistische Sorgfaltspflicht beachtet hat und überzeugend darlegen kann, daß er die öffentliche Aufgabe der Presse zur Information und Kritik erfüllt hat.[57]

Der britische Journalist hat es schwerer. Er muß im „libel"-Prozeß die Laien-Jury mit Hilfe möglichst sichtbarer Beweise (Zeugen, Dokumente) davon überzeugen, daß seine Behauptungen wahr

[54] Vgl. Robertson & Nicol (1992, S. 38–104), Crone (1991, S. 18–63). Erst in jüngster Zeit gibt es Bemühungen, den Juries konkrete Maßgaben für die Festlegung von Schadensersatzsummen zu geben; vgl. Tench & McDermott (1996).

[55] Vgl. für Deutschland Löffler & Ricker (1994, S. 294 ff., 384 f.), Branahl (1996, S. 60–71); für Großbritannien Robertson & Nicol (1992, S. 79–85), Nicol & Bowman (1993, S. 174).

[56] Vgl. Löffler & Ricker (1994, S. 322).

[57] Vgl. Löffler & Ricker (1994, S. 387), Branahl (1996, S. 73).

sind. Das kann mit großem zeitlichem und finanziellen Aufwand verbunden sein, insbesondere wenn Informanten außer Landes sind oder ihnen Vertraulichkeit zugesichert worden war.[58] „Libel"-Prozesse gelten als komplex, langwierig und teuer. Ein Betroffener kann noch drei Jahre nach der Publikation auf „libel" klagen und es dauert mitunter zwei weitere Jahre, bis der Prozeß beginnt.[59] Der größte Unsicherheitsfaktor eines solchen Jury-Verfahrens ist jedoch das Ergebnis, insbesondere die Höhe des zugestandenen Schmerzensgeldes. Bei einer Ehrverletzung in Großbritannien gibt es für den Betroffenen nur einen einzigen Wiedergutmachungsanspruch: Geld. In Deutschland steht dagegen ein ganzer Katalog von Ansprüchen zur Verfügung: Gegendarstellung, Unterlassung, Widerruf/Rücknahme/Richtigstellung und schließlich Zahlungsansprüche. Über die Höhe des Schmerzensgeldes entscheidet in Deutschland der bzw. die Richter. Bis 1995 betrug das höchste in Deutschland ausgezahlte Schmerzensgeld 50000 Mark – eine im Vergleich zu Großbritannien lächerlich geringe Summe.[60] Weil in Großbritannien eine Laien-Jury entscheidet, die bei der Festsetzung der Schadensersatzsummen an keinerlei Beschränkungen gebunden ist und andere Wiedergutmachungsansprüche wie Widerruf, Richtigstellung oder Gegendarstellung unbekannt sind, wird das Verfahren von erfahrenen Juristen als „Lotterie" oder „Casino" bezeichnet.[61] Das soll sich jedoch in Zukunft ändern: In weniger schweren Fällen soll Betroffenen auch ein Verfahren *ohne Jury* offen stehen, in dem sie neben Geldansprüchen (bis £ 10000) auch *weitere Ansprüche* wie Richtigstellung und Entschuldigung erstreiten können – ähnlich wie in Deutschland. In schweren Fällen sollen den Juries *konkrete Maßgaben* für die Festsetzung von Schadensersatzsummen gegeben werden (vgl. Tench & McDermott 1996).

Die Höhe des Schmerzensgeldes in „libel"-Prozessen steht bislang häufig in keinem Verhältnis zu jenen in Personenschadensprozessen. Während zum Beispiel Vergewaltigungsopfer durchschnittlich £ 5000 Schmerzensgeld erhalten, wurde Telly Savalas

[58] Vgl. Robertson & Nicol (1992, S. 41, 70f., 76f.).

[59] Vgl. Robertson & Nicol (1992, S. 41f.).

[60] Diese Summe wurde 1967 Prinz Bernhard der Niederlande zugesprochen, weil er angeblich seine Tochter, Prinzessin Irene, zu einer Abtreibung veranlaßt haben soll (vgl. Prinz 1995). 1996 konnte der Hamburger Rechtsanwalt Matthias Prinz jedoch 180000 Mark Entschädigung für Prinzessin Caroline von Monaco wegen eines erfundenen Interviews in der Zeitschrift *Bunte* durchsetzen (vgl. Prinz 1996, zu dieser neuen Entwicklung generell Steffen 1997).

[61] Vgl. Robertson & Nicol (1992, S. 45) und *UK Press Gazette* vom 18.11.1991, S. 2.

(„Kojak“) £ 34000 für die Behauptung zugesprochen, alkoholbedingte Katererscheinungen beeinträchtigten seine schauspielerische Arbeit.[62] Nach einem Pressebericht über die Ehefrau des Massenmörders „Yorkshire Ripper“ im Satire-Magazin *Private Eye* rechneten Juristen mit einer Schadensersatzsumme von £ 20000 für die Dame – die Jury sprach ihr jedoch £ 600000 (1,8 Millionen Mark) zu.[63] Umgerechnet 1,5 Millionen Mark erhielt der konservative Politiker Jeffrey Archer für die Behauptung einer Zeitung, er habe für £ 70 mit einer Prostituierten geschlafen. Die Rekordliste der Schadensersatzsummen wurde zeitweilig vom dem Schlagerstar Elton John mit £ 1 Millionen (3 Millionen Mark) angeführt, die er 1988 in einem außergerichtlichen Vergleich von der *Sun* wegen einer Artikelserie über sein Sexualleben erhielt. Diese Summe ist mittlerweile von Lord Aldington übertroffen worden, der £ 1,5 Millionen (4,5 Millionen Mark) wegen der Behauptung erhielt, er sei ein Kriegsverbrecher. In allen Fällen konnte die jeweilige Zeitung die Jury nicht davon überzeugen, daß ihre Behauptung richtig war. Die Zeitungen hatten die Schadensersatzsumme sowie sämtliche Prozeßkosten inklusive den Ausgaben der siegreichen Partei zu zahlen. So mußte im Fall des erwähnten Jeffrey Archer der *Daily Star* nicht nur 1,5 Millionen Mark Schadensersatz zahlen, sondern auch die Prozeßkosten in Höhe von 2,3 Millionen Mark.[64]

Damit ist das Problem der „libel laws“ aber noch nicht hinreichend geschildert. Nach Aussage von Presserechtlern und Chefredakteuren haben sie einen weitreichenden Einfluß auf die Berichterstattungspraxis der britischen Presse, weil einige schillernde Persönlichkeiten die „libel laws“ immer wieder erfolgreich dazu benutzt haben, Journalisten von Veröffentlichungen abzuhalten. Zeitungen wollen „libel“-Prozesse aufgrund der hohen Kosten nach Möglichkeit verhindern; andererseits kann ein von einem kritischen Pressebericht Betroffener sehr leicht einen „libel“-Prozeß eröffnen. In seinem Prozeßeröffnungsbeschluß („writ“) muß er nur seine Klageabsicht aufgrund einer angeblichen Ehrverletzung mitteilen,

[62] In anderen Fällen wurde für zwei ganz unterschiedlich schwere Vergehen dieselbe Summe gewährt: 1984 erhielt ein Mann £ 50000 für die unwahre Behauptung, er sei in ein Mordkomplott verwickelt; wenige Jahre später bekam der Großverleger Robert Maxwell dieselbe Summe für die vergleichsweise belanglose Behauptung, er sei an einem Adelstitel interessiert. Vgl. Robertson & Nicol (1992, S. 43 f.).

[63] Der Artikel lag bereits acht Jahre zurück und unterstellte ihr lediglich, sie hätte die Geschichte ihres Mannes an eine Zeitung verkaufen wollen. Das Urteil fiel im März 1989. Im anschließenden Berufungsverfahren einigten sich die Prozeßgegner auf £ 60000; vgl. Robertson & Nicol (1992, S. 44).

[64] Vgl. Crone (1991, S. 52 f.).

woraufhin das beklagte Presseunternehmen den Wahrheitsgehalt jeder Aussage des Artikels nachweisen muß. Um es an einem Beispiel zu verdeutlichen: Eine Zeitung beobachtet, wie ein Politiker einer Prostituierten £ 70 übergibt und geht in ihrer Veröffentlichung davon aus, daß dies für eine gemeinsame Liebesnacht war. Der Politiker erhebt Klage („issues a writ"), daraufhin muß die Zeitung beweisen, daß der Artikel korrekt ist. Der Kläger muß weder erklären, wofür er die £ 70 zahlte, noch muß er Angaben über sein Verbleiben in der fraglichen Nacht machen.[65]

Das anschaulichste Beispiel, wie ein Schlitzohr mit Hilfe der „libel laws" sein Leben lang erfolgreich Journalisten davon abhielt, über seine fragwürdigen Geschäftsmethoden zu berichten, ist Großverleger Robert Maxwell. An seinem Todestag am 5. November 1991 hatte er angeblich noch hundert „writs" offenstehen, in denen er Journalisten die Eröffnung eines Prozesses gegen sie mitteilte.[66] Der Chefredakteur der *Mail on Sunday* erinnert sich an die abschreckende Wirkung solcher Prozeßeröffnungsbeschlüsse von Maxwell: „Jedesmal, wenn einer vorschlug, einen Bericht über Maxwell zu machen, rutschte mir das Herz in die Hose. Ich wußte, daß es Ärger geben würde – und eine ‚writ'. Eine ‚writ' bedeutet, daß die Zeitung enorme Ausgaben hat, selbst wenn es nie zum Prozeß kommt, aber allein wegen der Prozeßvorbereitung. Also denkt man sich: Brauche ich das? Ich habe jede Menge andere Probleme, brauche ich Robert Maxwell wieder in meinem Nacken? Es ist von erheblichem Vorteil, solche Artikel erst gar nicht zu schreiben."[67]

Das Ausmaß von Maxwells Betrügereien kam erst nach seinem Tod ans Licht. Chefredakteure gestanden ein, mit Recherchen und Berichten über ihn extrem vorsichtig gewesen zu sein.[68] Hieran

[65] Vgl. die Erläuterung in *UK Press Gazette* vom 21.11.1994, S. 2.

[66] Vgl. *The Guardian* vom 9.12.1991 („Maxwell and the Strong Arm of the Law"), *Financial Times* vom 30.1.1992 („Man bites Watchdog"), *The Times* vom 2.1.1992 („Writs galore", Leitartikel) sowie die Maxwell-Biographien von Bower (1991, 1996) und Greenslade (1992).

[67] Stewart Steven, Chefredakteur der *Mail on Sunday*, sagte am 11.2.1992 in der Fernsehsendung *The Late Show* auf BBC 2 (nach Videomitschnitt): „Whenever anyone came forward with an idea to write a story about Robert Maxwell, my heart sunk. It sunk because I knew there was percussion, there was going to be a writ. So one thinks to oneself: Do I need this? I've got all sorts of other problems, do I need Robert Maxwell on my neck again ? (…) The consequence of getting a writ is that newspapers are plunged into enormous expenses, even if the case didn't get to the court. Robert Maxwell may well have walked away two or three years after the action but by that time you have 20 or 30 thousand Pounds of legal costs. There is considerable advantage in not writing such stories."

[68] Weaver & Bennett (1993, S. 6–10).

zeigt sich ein weiterer, wesentlicher Aspekt der „libel laws“: Prominente werden durch sie genauso geschützt wie Normalbürger. Wenn Personen des öffentlichen Lebens (zu denen auch Maxwell zählte) in den USA eine Zeitung wegen Ehrverletzung verklagen wollen, müssen sie nachweisen, daß die Beleidigung vorsätzlich und mit böswilliger Absicht erfolgte („with malice“).[69] Das ist in Großbritannien nicht erforderlich. Das hat dazu geführt, daß viele ausländische Künstler, Politiker und Unternehmer nach London kommen, um von dort aus Beleidigungsprozesse zu führen (so der US-Schauspieler Sylvester Stallone, der griechische Primierminister Andreas Papandreou, der amerikanische Großindustrielle Armand Hammer, die ugandische Außenministerin Prinzessin Elisabeth von Toro, der Scheich von Dubai). Darum nennen Robertson & Nicol (1992, S. 38) London die „Weltmetropole für Beleidigungsprozesse“.

Damit sind die Hauptcharakteristika der „libel laws“ für die Presse genannt: Erstens liegt die Beweislast beim Journalisten bzw. beim Presseunternehmen; zweitens gilt es, eine Laien-Jury zu überzeugen, was vor allem in Zeiten einer pressekritischen öffentlichen Meinung (s. Kapitel 6.3) schwierig sein kann; drittens kann ein verlorener „libel“-Prozeß aufgrund der enormen Kosten das wirtschaftliche Aus für ein Presseorgan bedeuten;[70] viertens kann von „libel writs“ eine abschreckende Wirkung für den investigativen Journalismus ausgehen – zumindest finanzschwache Zeitungen schrecken vor Berichterstattungsrisiken zurück; fünftens werden wohlhabende Geschäftsleute, die sich auch eine Niederlage leisten können, von den „libel laws“ am besten geschützt – Normalbürger schrecken wegen dem finanziellen Risiko vor „libel“-Klagen eher zurück. Robertson & Nicol (1992, S. 102 f.) fordern daher eine Reform der „libel laws“: Zum einen sollten nicht länger Juries die Schadensersatzsummen festlegen dürfen, sondern erfahrene Richter; zum anderen müsse es eine Prozeßkostenhilfe auch für „libel“-Klagen geben, damit es nicht länger ein Reiche-Leute-Gesetz ist. Bei einer Bewertung der „libel laws“ darf aber nicht außer acht gelassen werden, daß sich ihre Strenge aus dem Fehlen eines *allgemeinen Persönlichkeitsrecht* erklärt und die hohen Schadensersatz-

[69] Vom Supreme Court entschieden im berühmten *New York Times Co v Sullivan*-Urteil, erläutert bei Weaver & Bennett (1993).

[70] Das mußte das Satiremagazin *Private Eye* nach einer Maxwell-Klage erfahren (vgl. Weaver & Bennett 1993, S. 6 f.) und das Wochenmagazin *New Statesman & Society* nach einer Klage von John Major (vgl. *UK Press Gazette* vom 18. 4. 1994, S. 15 f.).

summen gegen die Presse aus der wahrgenommenen Unwirksamkeit der freiwilligen Presseselbstkontrolle (s. Kapitel 5.8).

Eine große Reform der „libel laws“ steht noch aus, es deuten sich jedoch, wie erwähnt, moderate Änderungen an. Um Laufzeit und Kosten der „libel“-Prozesse zu verringern, sollen künftig „kleine“ Verfahren ohne Jury möglich sein, in denen maximal £ 10000 und – ähnlich wie in Deutschland – Ansprüche auf Richtigstellung, Entschuldigung und Unterlassung erstritten werden können. Durch dieses konstengünstigere Verfahren könnte Normalbürgern etwas die Angst vor einem „libel“-Prozeß genommen werden. In „großen“ Verfahren sollen die Juries vom Richter, vom Staatsanwalt und vom Verteidiger „angemessene“ Schadensersatzsummen zur Orientierung genannt bekommen (vgl. Tench & McDermott 1996).

5.7.2 Persönlichkeitsschutz

Ein aus der Verfassung abgeleitetes *allgemeines Persönlichkeitsrecht* fehlt in Großbritannien. Dies hat zur Folge, daß sich in Großbritannien niemand rechtlich gegen unwahre Tatsachenbehauptungen über ihn wehren kann, wenn die Behauptungen nicht zusätzlich ehrenrührig (und damit „libel“-fähig) sind. Ebenfalls kann sich in Großbritannien niemand rechtlich gegen Enthüllungen aus seiner Intimsphäre wehren, solange die veröffentlichten Fakten korrekt sind. In Großbritannien gibt es kein Recht, sein Leben gegen den Einblick der Öffentlichkeit abzuschirmen. Mit anderen Worten: Es gibt keinen rechtlichen Anspruch darauf, *selbst* darüber entscheiden zu können, welche Informationen über sein Leben man preisgeben will oder darauf, von den Massenmedien in Ruhe gelassen zu werden. Robertson & Nicol schreiben in aller Deutlichkeit: „There is no substantive protection of privacy in British law“ und „Privacy is not a right that the law recognizes as such“.[71]

Zu den Bereichen, die in Großbritannien schwächer gegen Eingriffe geschützt sind, zählen Briefe, persönliche und telefonische Gespräche, personenbezogene Angaben wie Einkommen, Lebensalter, Familienstand, persönliche Lebensumstände etc. Eine Unterscheidung zwischen Normalbürgern und Personen des öffentlichen Lebens/der Zeitgeschichte ist rechtlich ebensowenig bekannt wie eine Unterscheidung des Persönlichkeitsbereichs nach Sozialsphäre, Privatsphäre und Intimsphäre.[72] Um dies an einem Beispiel zu

[71] Robertson & Nicol (1992, S. 41 u. 173); siehe auch Crone (1991, S. 190–196).
[72] Vgl. zur deutschen Regelung Löffler & Ricker (1994, S. 276–331) und Branahl (1996, S. 94–118, 144ff.).

verdeutlichen: Princess Diana und ihr Begleiter Dodi Al-Fayed hätten im September 1997 auf ihrer nächtlichen Heimfahrt in Paris, die mit einem tödlichen Unfall endete, nach deutschem (und französischem) Recht nicht fotographiert werden dürfen, nach englischem wohl. Anders als in Großbritannien genießen in Deutschland sowohl Normalpersonen wie auch „absolute Personen der Zeitgeschichte" ein „Recht für sich allein zu sein". Dies gilt auch außerhalb der eigenen vier Wände, wenn ein Mensch „erkennbar für sich allein sein will".[73] Nichts davon gilt in Großbritannien. Es ist auch nicht davon auszugehen, daß die Umstände von Dianas Tod Anlaß zu Gesetzesänderungen sein werden.[74]

In Großbritannien sind die meisten deutschen Abwehransprüche – wie zum Beispiel das Recht auf Gegendarstellung – ebenfalls unbekannt. Während sich die Gegendarstellung in Deutschland „zu einem elementaren Bestandteil der Presseordnung entwickelt" hat (Löffler & Ricker 1994, S. 133), gibt es ein solches Recht in Großbritannien nicht. In Deutschland wird es aus dem allgemeinen Persönlichkeitsrecht abgeleitet.[75] In Großbritannien ist ein gesetzlicher Gegendarstellungsanspruch von mehreren Gutachterkommissionen als unpraktikabel abgelehnt worden.[76] Zur Begründung hieß es, daß eine Entscheidung darüber, ob die in einer Gegendarstellung bestrittene Tatsachenbehauptung tatsächlich falsch (oder doch richtig) sei und wer von ihr betroffen und damit anspruchsberechtigt sei, nie zügig gefällt werden könne. Daher können sich Betroffene, die die Richtigkeit einer Tatsachenbehauptung in der Presse bezweifeln, nur an den Presserat *(Press Complaints Commission)* wenden, dessen Kodex gebietet, Unkorrektheiten richtigzustellen. Nur unter der Voraussetzung, daß eine Tatsachenbehauptung zusätzlich ehrverletzend ist, kann ein Betroffener den Rechtsweg einschlagen und in einem „libel"-Verfahren auf Schadensersatz klagen.

Die britischen Gutachterkommissionen haben sich mit der deut-

[73] So der Bundesgerichtshof am 19. Dezember 1995 zum Verbot heimlich gemachter Fotos aus dem Privatbereich von Caroline von Monaco; vgl. „Paparazzi-Fotos", BGH in *Archiv für Presserecht* 1996, S. 140–144.

[74] Am Tag nach Dianas Beerdigung sagte Premierminister Tony Blair: „I've never been convinced about privacy laws" und sprach sich für eine verbesserte Presseselbstregulierung aus; vgl. *Financial Times* vom 8.9.1997 („Ministers not likely to back privacy law").

[75] Das deutsche Gegendarstellungsrecht ist erläutert bei Löffler & Ricker (1994, S. 133–167) und Branahl (1996, S. 249–261).

[76] Vgl. *Royal Commission* (1977, S. 204 f.), *Report of the Committee on Privacy and Related Matters* (1990, S. 42–45) sowie *Privacy and Media Intrusion: The Government's Response* (1995).

schen Gegendarstellungsregelung ausführlich befaßt.[77] Neben Zweifeln an der Praktikabilität führten sie auch zwei prinzipielle Einwände gegen eine gesetzliche Regelung an. Erstens müsse der Grundsatz gewahrt bleiben, der Presse weder besondere Privilegien zu gewähren, noch besondere Auflagen aufzubürden. Zweitens wird der Grundgedanke abgelehnt, daß der Chefredakteur eines Presseorgans per Gerichtsbeschluß dazu verpflichtet werden kann, einen Sachverhalt unabhängig von seinem Wahrheitsgehalt zu veröffentlichen. Dies sei eine gravierende Einschränkung der Pressefreiheit, die dem Mißbrauch Tür und Tor öffne. Vor diesem Hintergrund werden die Möglichkeiten, einen Leserbrief zu schreiben oder sich an den Presserat zu wenden, als ausreichend bezeichnet.

Immer rücksichtslosere Methoden der Presse Ende der achtziger Jahre ließen die Regierung jedoch ernsthaft an die Einführung eines Gesetzes zum Persönlichkeitsschutz denken. Ein Schlüsselereignis trug sich am 13. Februar 1990 zu, als der prominente Filmschauspieler Gordon Kaye nach einem Autounfall mit einer lebensgefährlichen Kopfverletzung auf der Intensivstation des Londoner Charing Cross-Krankenhauses lag. Zwei Journalisten, Gazza Thompson und Ray Levine, ignorierten das Besuchsverbot, verschafften sich Zutritt, fotographierten und „interviewten" den Schwerverletzten 15 Minuten lang und veröffentlichten das Gestammel als „scoop of the year". Der Versuch der Familie, die Veröffentlichung mit einer einstweiligen Verfügung zu verhindern, schlug fehl. Der zuständige Richter erläuterte seine Machtlosigkeit mit den Worten: „Es ist wohlbekannt, daß es im englischen Recht keinen Schutz des Privatlebens gibt und daher gibt es auch kein Rechtsmittel gegen die Verletzung der Privatsphäre."[78] Diesen Fall nahm die Regierung zum Anlaß, die in ihren Augen dramatische Zunahme von Eingiffen der Presse in die Privatsphäre der Bürger durch eine unabhängige Gutachterkommission untersuchen zu lassen. Die Kommission unter Vorsitz des Juristen Sir David Calcutt sollte Vorschläge für einen verbesserten Schutz des Persönlichkeitsbereichs machen und forderte in ihrem Abschlußbericht 1990 die Einführung von drei bisher nicht strafbaren Tatbeständen. Gesetzlich verboten werden sollte:

1. das Betreten von Privateigentum ohne Einwilligung des Eigentümers zum Zwecke der Recherche und Berichterstattung;

[77] Vgl. *Royal Commission* (1977, S. 204 f.), *Report of the Committee on Privacy and Related Matters* (1990, S. 15 f., 43 f.).

[78] „It is well-known that in English law there is no right of privacy, and accordingly there is no right of action for breach of a person's privacy"; zit. n. Snoddy (1992, S. 94).

2. der Einsatz von Aufzeichnungsgeräten (Wanzen, Kameras) in Privaträumen und die publizistische Verwertung solcher Aufzeichnungen.
3. das Recht am gesprochenen Wort, am eigenen Bild und an der Darstellung der eigenen Person, solange sich der Betroffene auf Privatbesitz befindet.[79]

Der britische Gesetzgeber lehnte die Vorschläge jedoch mit der Begründung ab, daß sich bei der Kodifizierung eines solchen Gesetzeswerks keine zufriedenstellende Balance zwischen dem berechtigten Schutzanspruch des Einzelnen und dem öffentlichen Interesse an einem verantwortungsvollen, investigativen Journalismus herstellen ließe.[80] Die Gesetzeslage blieb unverändert. Welche Auswirkungen die Pläne der neuen *Labour*-Regierung haben, die Europäische Konvention zum Schutz der Menschenrechte in britisches Recht zu überführen (dort sind in Artikel 8 die Persönlichkeitsrechte geregelt), bleibt abzuwarten. In Deutschland sind die drei aufgeführten Tatbestände im Rahmen des *allgemeinen Persönlichkeitsrechts* geregelt.[81] Eine Folge der gering ausgestalteten Persönlichkeitsschutzrechte in Großbritannien ist der häufige Gebrauch von Unterlassungsverfügungen im Wege der einstweiligen Verfügung, um bevorstehende Veröffentlichungen zu verhindern (s. Kapitel 5.9).

5.8 Regelungen freiwilliger Selbstkontrolle

5.8.1 Presseräte

Als Organ der freiwilligen Selbstkontrolle wurde in beiden Ländern ein Presserat eingerichtet. Die Erfahrungen waren in beiden Ländern insgesamt ähnlich, allerdings zeigen sich auch bedeutsame Unterschiede.[82] Der britische *General Council of the Press* wurde 1953 gegründet und bildete das Vorbild für den 1956 in Bonn-Bad Godesberg ins Leben gerufenen *Deutschen Presserat*. Das Motiv, sich einer freiwilligen Selbstkontrolle zu unterwerfen, war in beiden Ländern gleich: auf diese Weise sollten gesetzliche Eingriffe in die Pressefreiheit abgewehrt werden. Der *General Council of the Press* wurde 1963 vom *Press Council* und 1991 wiederum von der *Press Complaints Commission* abgelöst.

[79] Vgl. *Report of the Committee on Privacy and Related Matters* (1990, S. 23 f.).
[80] *Privacy and Media Intrusion: The Government's Response* (1995, S. 13, 16).
[81] In §§ 201–202 StGB, siehe die Angaben in Fußnote 52.
[82] Vgl. Bermes (1991, S. 299–332) und Wiedemann (1994).

Wenden wir uns zuerst den historisch gewachsenen Parallelen und Unterschieden zwischen den Selbstkontrollgremien beider Länder zu. Beiden Organisationen stehen außer „Mißbilligungen" oder „Rügen" keine Sanktionen zur Verfügung. Eine gesetzliche Abdruckverpflichtung der Rügen besteht weder in Deutschland, noch in Großbritannien. Beide Presseräte wurden innerhalb der eigenen Branche mit denselben Argumenten früh kritisiert: Journalisten warfen ihnen vor, das Prinzip Presse*freiheit* nicht richtig verstanden zu haben; Zeitungen in beiden Ländern drückten ihre Ablehnung dadurch aus, indem sie Rügen entweder gar nicht abdruckten oder sie auf den hinteren Zeitungsseiten versteckten. Der mangelnde Respekt innerhalb der Presse nährte bei Außenstehenden (Leser, Politiker) den Eindruck, daß es sich um zahnlose Papiertiger handele, von denen keine wirkungsvolle Selbstkontrolle zu erwarten sei.[83]

Betroffene kritisierten die in beiden Ländern komplizierten und langwierigen Beschwerdeverfahren. Eine gleichzeitige Behandlung ihrer Beschwerden auf dem Rechtswege ist in beiden Ländern nicht möglich, da die Presseräte gerichtsanhängige Fälle (in der Regel) nicht bearbeiten. Bei der Gründung wurde in beiden Ländern festgelegt, daß die Kontrollorgane von sich heraus (also ohne Beschwerde von außen) nicht aktiv werden können. Dies geschah, um der Befürchtung vorzubeugen, Presseräte seien eine Kontrollbehörde über das Verhalten einzelner Zeitungen oder Journalisten. In Großbritannien wurde dieser Grundsatz 1994 aufgehoben. Seitdem kann die reformierte *Press Complaints Commission (PCC)* auch eigene Untersuchungen einleiten, ohne daß eine Beschwerde vorliegt.[84]

Während der *Deutsche Presserat* seit 1973 einen schriftlichen Kodex mit ethischen Standards und journalistischen Verhaltensregeln hat, lehnte der britische *Press Council* einen solchen schriftlichen Kodex bis 1990 ausdrücklich ab. Für diese Weigerung nannte er drei Gründe: Erstens sei der britische Geist allergisch gegen schriftlich fixierte Regelwerke und treffe Entscheidungen lieber auf der Basis allgemein anerkannter Prinzipien und Erfahrungen aus früheren Fällen (Prinzip des „case law"). Diese Einstellung entspringt der generellen Abneigung gegen alles Theoretisch-Abstrakte bzw. der Hochschätzung des praktischen Nutzens eines Rechts. Zweitens seien generalisierende, allgemeingültige Formulierungen, wie man sie

[83] Vgl. Bermes (1991) zur deutschen und Leapman (1992, S. 203–220) zur britischen Situation.
[84] *Privacy and Media Intrusion: The Government's Response* (1995, S. 6).

auch in den biblischen Zehn Geboten fände, zwar schnell konsensfähig, aber im konkreten Streitfall wertlos, da beide Konfliktparteien die weit interpretierbaren Paragraphen für die eigene Seite auslegen würden. Drittens habe die Alternative, nämlich ein sehr präziser, detaillierter Code, zur Folge, daß alles, was nicht ausdrücklich verboten sei, als erlaubt angesehen würde.[85]

Die Gremien beider Länder sind vom Staat unabhängig.[86] Abgesehen von einer kurzen Phase Mitte der siebziger Jahre hat der deutsche Gesetzgeber der Arbeit des *Presserates* wenig Aufmerksamkeit geschenkt. Die einzige bisher erfolgte Reform des *Deutschen Presserates* wurde ganz den Trägerverbänden (Verleger und Journalistengewerkschaften) überlassen. Eine wesentliche Neuerung seit 1985 ist die formale Gewährleistung des Rügenabdrucks (vgl. Bermes 1989). Der britische Presserat hingegen wurde in seiner Geschichte zu weiterreichenden Reformen gezwungen. Er hat aufgrund der vielen Gesetzeslücken einen größeren Zuständigkeitsbereich als der deutsche und stand deswegen immer unter größerem Druck:

In Großbritannien gab es bisher fünf konkrete Drohungen, die Selbstkontrolle durch staatliche Maßnahmen zur Disziplinierung der Presse zu ersetzen. Sowohl die drei Königlichen Pressekommissionen (*Royal Commissions of the Press* 1949, 1962, 1977) als auch die sogenannten Calcutt-Kommissionen (*Committee on Privacy and Related Matters* 1990; *Review of Press Self-Regulation* 1993) setzten sich mit der Selbstkontrolle sehr kritisch auseinander. Der britische Presserat änderte in mehreren Schritten seinen Arbeitsschwerpunkt und seine Zusammensetzung. Als Reaktion auf die zweite *Royal Commission of the Press* nahm der Presserat 1963 erstmals Vertreter der Öffentlichkeit auf und setzte als Vorsitzenden einen unabhängigen Richter ein. Mit dieser Neuformierung änderte sich auch der Name von *General Council of the Press* zu *Press Council.* 1972 verdoppelte der *Press Council* die Zahl der Laien von 5 auf 10. Als Reaktion auf die dritte *Royal Commission of the Press* ging der *Press Council* 1978 sogar soweit, eine 50:50 Parität zwischen Vertretern der Öffentlichkeit und der Presse einzurichten. Durch diese Maßnahme erhöhte sich die Bekanntheit des Gremiums erheblich. Damit entfernte es sich aber immer weiter von jener Form, die 1956

[85] Vgl. die entsprechenden Ausführungen im letzten Jahresbericht des *Press Council* (1989, S. 8 und 267).

[86] Anders als in Großbritannien wird der *Deutsche Presserat* aber vom Staat mitfinanziert. Grundlage ist das 1976 erlassene „Gesetz zur Gewährleistung der Unabhängigkeit des vom *Deutschen Presserat* eingesetzten Beschwerdeausschusses“.

Vorbild für den *Deutschen Presserat* gewesen war. Da es an ähnlichem äußeren Druck in der Bundesrepublik immer gefehlt hatte, sah sich der *Deutsche Presserat* nie zu vergleichbaren Reformen veranlaßt. Bis heute sitzen keine Repräsentanten der Öffentlichkeit im *Deutschen Presserat*. Er hat 20 Mitglieder, die jeweils zur Hälfte von den Verlegerverbänden und den Journalistengewerkschaften entsendet werden.

Der *Deutsche Presserat* war, wie sich aus seiner Zusammensetzung ablesen läßt, immer eher Verteidiger der Presse als eine unabhängige Anlaufstelle für betroffene Bürger. In Großbritannien rückte dagegen die Behandlung von Beschwerden immer weiter in den Mittelpunkt, bis schließlich im Rahmen einer grundlegenden Reform der alte *Press Council* am 1.1.1991 aufgelöst und durch die *Press Complaints Commission (PCC)* ersetzt wurde. Die neugeschaffene *PCC* hat die ursprüngliche Doppelrolle, sowohl für Presse*freiheit* als auch für Presse*beschwerden* zuständig zu sein, aufgegeben. Die *Press Complaints Commission* ist nur noch für Verstöße zuständig; als Wächterin und Verfechterin der freien Presse versteht sie sich nicht mehr.[87] Sie kann, wie gesagt, auch von sich aus aktiv werden. Die *PCC* wird von den britischen Presseunternehmen mit jährlich £ 1,5 Millionen finanziert. Die Mehrzahl der Mitglieder der *PCC* sind unabhängige Persönlichkeiten des öffentlichen Lebens: acht Laien, sieben Pressevertreter, ein presseunabhängiger Vorsitzender.[88] Die deutsche Regelung, nach der ausschließlich Pressevertreter im Selbstkontrollorgan sitzen, ist im internationalen Vergleich eine Ausnahme.[89] Als erste Amtshandlung entwarf die *PCC* einen detaillierten „Code of Practice“. Der britische und deutsche Pressekodex sind im Anhang abgedruckt.

Viele Politiker, Leser und Journalisten haben an der Bereitschaft und Fähigkeit zur Selbstkontrolle der britischen Presse große Zweifel geäußert (s. Kapitel 6.3). Dennoch vertraut die Regierung weiterhin auf die Wirksamkeit der *PCC*. Weder akzeptierte sie Calcutts Gesetzesvorschläge zur Verbesserung des Persönlichkeitsschutzes

[87] Vgl. *Report of the Committee on Privacy and Related Matters* (1990, S. 58–65), Robertson & Nicol (1992, S. 519–544).

[88] Die acht Laien waren 1997: Eine Zahnärztin, eine Anwältin, ein Universitätsprofessor, ein Staatssekretär, eine Ex-Direktorin einer jährlichen Buchmesse, die Vorsitzende eines jährlichen Kulturfestivals, die Vorsitzende der Aufsichtsbehörde Telekommunikationsdienste, ein Mitglied des House of Lords. Die sieben Vertreter kamen von einer Frauenzeitschrift, einer Sportzeitung, einem lokalen Wochenblatt, einer großen Regionaltageszeitung, einer nationalen Qualitätszeitung, einer nationalen Boulevardzeitung und einer nationalen Sonntagszeitung (http://www.pcc.org.com).

[89] Vgl. Coliver (1993, S. 264), Wiedemann (1994, S. 87f.).

(s. Kapitel 5.7), noch will sie an den anderen gesetzlich nicht geregelten Bereichen etwas ändern. In ihrem Medienbericht *Privacy and Media Intrusion: The Government's Response (1995)* vertraut die britische Regierung allein auf zusätzliche Reformen der *PCC*, um fragwürdige Berichterstattungsmethoden zu unterbinden und die Selbstkontrolle zu verbessern. Sie forderte die *Press Complaints Commission* aber zu folgenden Maßnahmen auf:

1. einen ausführlichen, präzisen Pressekodex, der insbesondere an den Stellen verbessert und ergänzt werden soll, die Maßnahmen zum Schutz der Privatsphäre betreffen;
2. eine Laien-Mehrheit in allen drei Gremien der PCC (Mitgliedernominierungs-komitee, Kodexkomitee, PCC-Versammlung);
3. eine Telefon-Hotline für Leserbeschwerden;
4. eine Telefon-Hotline von der PCC zu allen Zeitungen, um Chefredakteure vor der Publikation von Fotos oder Berichten zu warnen, die einen Bruch des Kodexes bedeuten würden;
5. die Möglichkeit, Kodexverstöße auch ohne Beschwerden von Betroffenen untersuchen und dann auch Rügen aussprechen zu können;
6. regelmäßige, umfassende Berichte der PCC über Verfahren, Entscheidungen, Verstöße, Rügen;
7. die Aufnahme des Kodexes in die Arbeitsverträge von Chefredakteuren und Journalisten, verbunden mit Disziplinarmaßnahmen bei Verstößen, die bis zur Kündigung reichen sollen;
8. die Einrichtung eines Fonds, aus dem Betroffene, deren Privatspäre nach dem Urteil der PCC verletzt wurde, eine Wiedergutmachungszahlung erhalten. Der Fond soll von den Presseunternehmen finanziert werden.[90]

Die PCC versprach, die Empfehlung mit Ausnahme der letzten zügig umzusetzen. Der Wiedergutmachungfond wurde von Kritikern als unrealistisch und unakzeptabel eingestuft, denn warum sollten Qualitätszeitungen für Kodexverstöße der Boulevardblätter zahlen.[91]

Zusammenfassend kann gesagt werden, daß das Hauptmotiv für die Gründung eines Selbstkontrollorgans in beiden Ländern lautete, der Öffentlichkeit und dem Gesetzgeber zu demonstrieren, daß das Thema Pressemoral bei der Presse selbst am besten aufgehoben

[90] Vgl. *Privacy and Media Intrusion: The Government's Response* (1995, S. 5–8).

[91] Vgl. *UK Press Gazette* vom 24.7.1995, S. 4 sowie der Briefwechsel zwischen PCC und Regierung in *Privacy and Media Intrusion: The Government's Response* (1995, S. 25–30) sowie die Broschüre „PCC-Information" vom Februar 1996. Zu den Reaktionen auf das Regierungspapier siehe *Guardian, Financial Times* und *Independent* vom 18.7.1995.

wäre. Beiden Presseräten ist Wirkungslosigkeit vorgeworfen worden, wenn auch mit unterschiedlicher Intensität. Während der deutsche Gesetzgeber nie Anstalten machte, trotz offensichtlicher Mängel auf eine Verbesserung der Effektivität des *Deutschen Presserates* zu drängen, setzte der britische Gesetzgeber mehrfach unabhängige Gutachterkommissionen ein, um die Wirksamkeit der Selbstkontrolle zu untersuchen. So mußte sich das britische Gremium immer wieder an die veränderten äußeren Bedingungen anpassen. Er nahm unter anderem Laien in seine Gremien auf, was der *Deutsche Presserat* bis heute ablehnt. Die Aufnahme von Laien – also Repräsentanten der Öffentlichkeit – ermöglichte es dem britischen Selbstkontrollorgan auch, mit Krisensituationen besser fertig zu werden. So hatten sich in den achtziger Jahren in beiden Ländern die Journalistengewerkschaften zeitweilig aus dem Gremium zurückgezogen, um so gegen die mangelnder Wirksamkeit der Gremien zu protestieren. Deswegen lag der der *Deutsche Presserat* von 1981 bis 1985 brach. In Großbritannien dagegen arbeitete der *Press Council* zwischen 1980 und 1990 auch ohne die Gewerkschaftsvertreter weiter, was durch den hohen Laien-Anteil auch problemlos möglich war.

5.8.2 Ombudsleute

Abschließend muß noch auf zwei britische Sonderfälle der freiwilligen Presseselbstkontrolle eingegangen werden. In Großbritannien gibt es seit 1985 sogenannte Ombudsleute. Ihre Einführung geht auf eine freiwillige Initiative der britischen Chefredakteure zurück, um das öffentliche Vertrauen in die Leistungen der Presse zu steigern. Da anfangs jedoch die Unabhängigkeit der Ombudsleute (meist ehemalige Redaktionsangehörige), ihr Kompetenzbereich (selten schriftlich niedergelegt) und ihre Außenwirkung (keine regelmäßigen Veröffentlichungen vorgesehen) nicht einheitlich geklärt waren, darf ihre Rolle nicht überschätzt werden. Journalisten- und Verlegerverbände sind jedoch bestrebt, diese Kritikpunkte zu beheben und den Einfluß der Ombudsleute zu stärken.[92] Das Tätigkeitsprofil des Ombudsmannes wird in Kapitel 10.2.3 beschrieben.

Einen weiteren Sonderfall der freiwilligen Selbstkontrolle stellen die sogenannten D-Notices (D = defence) dar, für die es ebenfalls kein deutsches Pendant gibt. D-Notices sind vertrauliche Mitteilungen, die das Defence Press and Broadcasting Committee an Chef-

[92] Vgl. Mowbray (1991), Snoddy (1992, S. 197 f.), *Review of Press Self-Regulation* (1993, S. 56), *Alternative White Paper* (1994, S. 22 f.).

redakteure oder Herausgeber sendet, um die Publikation von Militärinformationen, die in ihren Augen die nationale Sicherheit gefährden, im Vorfeld zu verhindern. Für die Jahre 1967 bis 1991 sind acht D-Notices bekannt, die letzte davon während des Golf-Krieges.[93] Dem 1912 gegründeten D-Notice Committee gehören hochrangige Militärs, Staatssekretäre und einige Medienverantwortlichen an. D-Notices haben keinerlei Rechtskraft, aber eine psychologisch-abschreckende Wirkung. Sie sind unter Journalisten sehr umstritten und besitzen einen Ruch von Vorzensur. Dieses Negativimage ist jedoch seit der Reform des D-Notice-Systems vom August 1993 nicht mehr angemessen.[94] Seither dürfen D-Notices von der Zeitung abgedruckt werden.

5.9 Maßnahmen zur Verhinderung einer Veröffentlichung

Zu einem Problem hat sich in Großbritannien der umfangreiche Gebrauch gerichtlicher Unterlassungsverfügungen entwickelt, deren Durchsetzung an weniger strenge Bedingungen geknüpft ist als in Deutschland. Hintergrund sind das fehlende Zensurverbot (da keine schriftlich niedergelegte Verfassung) und der geringere Schutz der Persönlichkeit und des geschäftlichen Ansehens. Robertson & Nicol (1992, S. 19–25) sprechen gar von einer „Aushöhlung" des Zensurverbotes durch die wachsenden Bereitschaft britischer Gerichte, Anträgen auf einstweilige Verfügung („prior restraint") stattzugeben, um eine *bevorstehende* Veröffentlichung kritischer Informationen zu unterbinden. Von diesen einstweiligen Verfügungen wurde mittlerweile in Großbritannien so extensiv Gebrauch gemacht, daß der Europäische Gerichtshof für Menschenrechte in Straßburg dazu Stellung nahm: Die Unterlassungsverfügungen seien zwar kein direkter Verstoß gegen das Grundrecht auf Meinungs- und Pressefreiheit (Artikel 10 der Europäischen Kon-

[93] Vgl. Feldman (1993, S. 602–605), Robertson & Nicol (1992, S. 435–437).

[94] Das D-Notice Committee nennt sich seit der Reform Defence Press and Broadcasting Advisory Committee. Folgende Praxis ist vorgesehen: Ein Chefredakteur ruft den Komitee-Vorsitzenden (1993 war es Rear Admiral David Pulvertaft) an und bittet um Rat bei einer bestimmten recherchierten Information. Pulvertaft bezeichnet die Veröffentlichung entweder als unbedenklich oder als Verstoß gegen die nationale Sicherheit. Informationen dürfen nicht veröffentlicht werden, wenn sie eine der folgenden sechs Themenkategorien betreffen: „operations, plans and capabilities to meet hostile situations; disclosure of information about nuclear and non-nuclear weapons; ciphers and secure communications; identification of specific installations; operations of the methods and operations of the security services" (zit. n. *UK Press Gazette* vom 2. 8. 1993, S. 6).

vention für Menschenrechte), aber „die ihr innewohnenden Gefahren bedürfen einer überaus sorgfältigen Prüfung durch den Gerichtshof".[95] Er forderte daher die britischen Gerichte auf, bei ihrer Güterabwägung das berechtigte Informationsinteresse der Öffentlichkeit stärker zu berücksichtigen. Robertson & Nicol zeigen sich überzeugt, daß die Kritik des Europäischen Gerichtshofes noch schärfer ausgefallen wäre, wenn er über die Praxis und die weitreichenden Implikationen dieser spezifischen „prior restraint"-Verfügungen besser informiert gewesen wäre.[96] Für ein Industrieunternehmen ist es beispielsweise recht einfach, eine einstweilige Unterlassungsverfügung beim High Court mit der Begründung zu beantragen, die zur Veröffentlichung vorgesehene Information sei durch Vertrauensbruch („breach of confidence") eines Firmenmitarbeiters oder Verstoß gegen das Urhebergesetz („breach of copy right") erlangt worden. Auf diesem Wege kann die Verbreitung der kritischen Information bis zum Abschluß eines ordentlichen Gerichtsverfahrens (das in weiter Ferne liegt) verhindert werden.[97] Die Regierung kann Presseberichte mit dem Verweis auf Vertrauensbruch dann unterbinden, wenn sie den High Court-Richter davon überzeugt, daß die Veröffentlichung dem nationalen Interesse „einigen" Schaden zufügt. Im Falle der *Spycatcher*-Memoiren konnte die Regierung mit solchen Unterlassungsverfügungen jegliche Berichterstattung über den Buchinhalt für 29 Monate unterbinden, obwohl das Buch zur selben Zeit in Australien und den USA von einem Millionenpublikum gelesen wurde.[98] Die in Großbritannien heiß debattierten „prior restraint"-Verfügungen sind in Deutschland unbekannt, sie seien ein „non-issue", so der Frankfurter Presserechtler Kohl (1985, S. 199).

5.10 Zusammenfassung und Fazit

Anders als in Großbritannien ist die Pressefreiheit in Deutschland umfassend gesetzlich abgesichert. Grundsteine dieser Absicherung sind die verfassungsrechtlichen Garantien in Artikel 5 GG (Groß-

[95] Zit. n. Robertson & Nicol (1992, S. 22).
[96] Robertson & Nicol (1992, S. 22), ebenso Nicol & Bowman (1993, S. 186).
[97] Vgl. Coliver (1993, S. 282), Robertson & Nicol (1992, S. 20f., 173f., 190f.).
[98] Robertson & Nicol (1992, S. 20ff., 173ff.), Nicol & Bowman (1993, S. 186). Um einer einstweiligen Verfügung der Regierung gegen ihre *Spycatcher*-Berichterstattung zu entgehen, druckte die *Sunday Times* seinerzeit die ersten Exemplare ohne jeden Hinweis auf die Geschichte und verhinderte mit diesem Trick ein vorzeitiges Publikationsverbot.

britannien hat keine schriftliche Verfassung), die Landespressegesetze (Großbritannien hat keine Pressegesetze) und die Rechtsprechung des Bundesverfassungsgericht (Großbritannien hat kein Verfassungsgericht). Das Fehlen einer verfassungsrechtlichen Garantie der Pressefreiheit in Großbritannien richtet den Blick auf die Frage, inwieweit die Gerichte die Freiheiten der Presse schützen. Die britischen Gerichte gelten bei Medienrechtlern als eher presseskeptisch: die Interessen der Presse oder der Öffentlichkeit werden häufig den Interessen des Einzelnen oder des Staates untergeordnet.[99] In Deutschland entscheiden die Gerichte, insbesondere das Bundesverfassungsgericht, eher pressefreundlich: im Zweifelsfall zugunsten des Öffentlichkeitsinteresses und der Pressefreiheit. Das hat die beiden *Spiegel*-Redakteure Jochen Bölsche und Hans Werner Kilz (1988, S. 150) zu der Feststellung veranlaßt: „Höchste Richter billigen dem Journalismus ungleich mehr Rechte zu, als viele Journalisten selber für sich beanspruchen." Einige Presserechtler kritisieren, daß das Bundesverfassungsgericht „in seinem Eifer für die möglichst unbeschränkte Meinungsfreiheit (...) immer zu Lasten der Beleidigten" entscheide. Die deutsche Rechtsprechung habe „die Meinungsfreiheit bis an die Grenzen ausgeweitet", es herrsche eine generelle „Vermutungsregel zugunsten der Meinungsfreiheit".[100]

Pressefreiheit ist in Großbritannien ein allgemeines Bürgerrecht, kein Berufsrecht der Journalisten. Dieser Unterschied schlägt sich auch in den Ansichten von Journalisten nieder. Deutsche Journalisten sind stärker als britische oder amerikanische der Meinung, daß die Pressefreiheit den *Medien* gehöre und nicht den verschiedenen *gesellschaftlichen Gruppen* (vgl. Donsbach 1992, S. 53f.). Dies ist vermutlich eine Folge der spezifischen Rechte von Journalisten in Deutschland, von denen viele in Großbritannien unbekannt sind. So genießen britische Journalisten keinen generellen Informationsanspruch gegenüber Behörden. Bei der Veröffentlichung von vertraulichen Regierungsinformationen können sie sich nicht auf ein berechtigtes Interesse der Öffentlichkeit berufen. In keinem anderen europäischen Land ist das Zeugnisverweigerungsrecht so

[99] Vgl. Robertson & Nicol (1992, S. 21f.), Nicol & Bowman (1993, S. 170, 187), Supperstone (1985, S. 10–12), Feldman (1993), Kingsford-Smith & Oliver (1990). Zur Erläuterung: Die Boulevardpresse verliert Prozesse, bei denen Schutzansprüche des Einzelnen verletzt wurden; die Qualitätspresse verliert Prozesse, bei denen Schutzansprüche des Staates verletzt wurden.

[100] So Kriele (1994a, S. 1898, 1900). Ähnliches kritisieren die Juristen Mackeprang, Redeker, Ladeur, Sendler, Forkel, Stürner, Tettinger, Dreher & Tröndle. Die entsprechenden Fundstellen finden sich bei Grimm (1995, S. 1701).

schwach ausgestaltet wie in Großbritannien (so Coliver 1993, S. 289). Britische Regierungen haben immer wieder große Bereitschaft gezeigt, die Rechte und Freiheiten des Einzelnen zugunsten der Interessen des Staates zu beschneiden (z. B. durch Prevention of Terrorism Act, Breach of Confidence, Official Secrects Act), ohne dabei die Interessen der Presse durch Ausnahmeregelungen zu berücksichtigen. Verschiedene Gesetzesnovellen der achtziger Jahre, die auf dem Papier wie eine Ausweitung der Pressefreiheit aussahen, stellten sich in der Realität als empfindliche Beschränkung heraus.[101] Dies betrifft vor allem den Contempt of Court Act, zu dem der Europäische Gerichtshof für Menschenrechte in Straßburg mehrfach kritisch Stellung bezog.

In kaum einer anderen Demokratie sei es schwieriger, an Informationen zu kommen, als in Großbritannien, meint der ehemalige *Times*- und *Sunday Times*-Chefredakteur Harold Evans und illustriert dies an folgendem Beispiel: Möchte ein britischer Journalist herausfinden, ob man mit dem Kreuzfahrtschiff *Queen Elizabeth* sicher reist, kann er diese Information in England nicht bekommen. Statt dessen fährt er nach Amerika, wo er – gestützt auf den Freedom of Information Act – den Sicherheitsbericht der entsprechenden Kontrollbehörde einsehen kann (vgl. Weaver & Wilhoit 1986, S. 141 f.). In einem Positionspapier listet die Vereinigung britischer Chefredakteure nicht weniger als 46 Gesetze auf, die die Medien bei ihrer Arbeit einschränken (*Alternative White Paper* 1994). Ein Bericht des Internationalen Journalistenverbandes in Brüssel nannte es verblüffend, welche Möglichkeiten die britische Regierung hat, die Veröffentlichung von Informationen zeitweise oder ganz zu unterbinden. Eine wichtige Ursache des Problems sei, daß Pressefreiheit in Großbritannien nur als individuelles Bürgerrecht auf freie Meinungsäußerung definiert sei, nicht aber als Anspruch der Öffentlichkeit auf Information, wie beispielsweise in Art. 5 Abs. 1 des deutschen Grundgesetzes (vgl. IFJ 1989, S. 22 f.). Mit dem Regierungsantritt von Tony Blair 1997 verbinden viele Journalisten die Hoffnung auf einen Wandel: Blair kündigte sowohl die Einführung eines Freedom of Information Act als auch die Überführung der Europäischen Konvention für Menschenrechte in britisches Recht an. Daß unter Thatcher mit der Einführung eines Informationsanspruchs deutschen Zuschnitts nicht zu denken war, hatte ihr Regierungssprecher Bernhard Ingham auf einer Konferenz vor Chefre-

[101] Vgl. Leapman (1992, S. 255–268), Burnet (1992) sowie die Reden des Chefredakteurs des *Observer*, Donald Trelford, in *IPI-Report*, Hefte May 1985, S. 8–10 und June/July 1988, S. 44–46.

dakteuren in Cardiff 1983 deutlich ausgedrückt: „Wenn die Leute über einen Informationsanspruch reden, ist mir nicht klar, woraus sich dieses Recht ableitet. Davon steht nichts in der Verfassung und es ergibt sich nicht aus den Gesetzen. Mir ist [damals als Journalist] beigebracht worden, daß die Zeitung, für die ich arbeitete, nicht mehr Rechte besaß als jeder gewöhnliche Bürger."[102] Den versammelten Chefredakteuren ging es jedoch gar nicht um ein *Sonderrecht* für die Medien, sondern – nach amerikanischem Vorbild – um einen Freedom of Information Act für *alle* Bürger. Daß Blair ein solches Gesetz ankündigte, trug zu der sehr wohlwollenden Berichterstattung über seine Kandidatur im Wahlkampf bei.

So sehr ein Teil der britischen Presse (vor allem Qualitätsblätter) durch Gesetze bei Recherche und Berichterstattung eingeschränkt ist, so sehr mißbraucht ein anderer Teil der Presse (v. a. Boulevardblätter) den rechtsfreien Raum, der sich aus dem Fehlen effektiver Regelungen zum Persönlichkeitsschutz ergibt. Die Gesetze zum Ehrenschutz („libel laws"), für die es keine Prozeßkostenhilfe gibt, erlauben der Boulevardpresse die gefahrlose Verletzung der Privatsphäre derjenigen, die sich keinen Prozeß leisten können. Wohlhabende Betroffene, die die Prozeßkosten nicht zu scheuen brauchen, können mit Schmerzensgeldzahlungen rechnen, die ein Vielfaches von den in Deutschland üblichen Summen betragen. Weil bei hochgestellten, einflußreichen Personen schon aufgrund ihrer finanziellen Potenz die Gefahr einer „libel writ" (Strafantrag) wahrscheinlich ist, geht hiervon eine abschreckende Wirkung aus. Auch wenn die britische Presse auf den ersten Blick einen robusten und aggressiven Eindruck macht, zeigt der zweite Blick, daß sie weniger Freiheiten besitzt als die deutsche oder amerikanische. Die Juristen Weaver & Bennett (1993) kommen zu dem eindeutigen Urteil: „Im Gegensatz zu den US-Medien sind die britischen sehr viel ängstlicher. Die britische Berichterstattung erstarrt regelrecht vor den mächtigen ‚libel laws' und die britische Presse scheint nicht so frei und stark zu sein wie die amerikanische."[103] Obwohl 1996 moderate

[102] „When people talk about a right of access to information, I am not clear from what that right derives. The right is not written into the constitution. It does not arise from law. (…) I was taught that the newspaper I represented had no rights in the community beyond those of ordinary citizen." Zit. n. Leapman (1992, S. 249).

[103] Weaver & Bennett (1993, S. 10) schreiben: „By contrast to the US media, the British media is far more timid. British reporting seems to be ‚chilled' by the prevailling defamation laws [= libel laws], and the British press does not appear to be as free and robust as the US press."

Änderungen der „libel laws“ eingeleitet wurden, werden sie von den Journalisten unverändert als „drakonisch“ empfunden.[104]

Andererseits blickten einige deutsche Beobachter neidisch auf die hohen Schmerzensgeldzahlungen für Presseverleumdungen in England und fordern eine Übernahme des „libel“-Prinzips nach Deutschland.[105] Hierzu sei betont, daß der wesentliche Grund für die sehr hohen Summen in der Prozeßunerfahrenheit der Laienjuries liegt und erfahrene Richter wohl zu anderen Summen kämen. Nicht zuletzt deshalb sollen den Juries in Zukunft konkrete Maßgaben für die Festsetzung der Schadensersatzsummen vorgelegt werden.

Als Fazit des Ländervergleichs kann festgestellt werden, daß der alte englische Grundsatz „Je weniger Pressegesetze, desto größer die Pressefreiheit“ nicht mehr stimmt. Dieses Prinzip, das auf den englischen Rechtsphilosophen A. C. Dicey zurückgeht, wird durch die im Vergleich zu England größeren Freiheiten, die das ausdifferenzierte deutsche Presserecht gewährleistet, widerlegt.[106]

[104] Vgl. hierzu den Vortrag von Guardian-Chefredakteur Alan Rusbridger bei der James Cameron Memorial Lecture am Centre for Journalism der City University London; hier zit. n. *Guardian* vom 24.5.1997 („The freedom of the press“).

[105] Vgl. Lafontaine (1993), Swerts-Sporck (1994), Prinz (1995, 1996).

[106] Vgl. Lahav (1985, S. 345 f.), Coliver (1993, S. 260).

6. Ethische Standards in Großbritannien und Deutschland

6.1 Ethik im Kontext von Recht und Markt

Die britische Presse bewegt sich seit jeher in einem stärker rechtsfreien Raum als die deutsche. Viele Bereiche, die in Deutschland durch Gesetze geregelt sind, fallen in Großbritannien in den Bereich der freiwilligen Selbstkontrolle (s. Kapitel 5.8). Aufgrund des größeren Zuständigkeitsbereiches steht der britische Presserat unter einem größerem Erwartungsdruck von Öffentlichkeit, Politik und Presse als der deutsche. Trotz des größeren Zuständigkeitsbereiches (und des damit größeren Ethikbedarfs) hat es in Großbritannien immer ein auffallendes Desinteresse an journalistischen Normen und ethischen Standards gegeben. Der *Press Council* weigerte sich lange, einen Kodex mit journalistischen Verhaltensgrundsätzen zu entwickeln und legte erst Ende 1990 einen Entwurf vor, als seine Ablösung längst beschlossen war (s. Kapitel 5.8). Als einzige Organisation hatte die Journalistengewerkschaft *National Union of Journalists* (NUJ) Ende der vierziger Jahre einen Kodex verfaßt, dem jedoch weder die Journalisten, noch die NUJ viel Aufmerksamkeit schenkten.[1] Auf der NUJ-Jahreshauptversammlung im Mai 1993 wurde gefordert, das Ethik-Komitee der NUJ abzuschaffen, nachdem bekannt geworden war, daß es in den vergangenen sieben Jahren mit weniger als einem Vorfall pro Jahr befaßt war.[2]

Auch in der britischen Medienliteratur finden sich kaum Veröffentlichungen zum Thema Ethik. Während es in Deutschland mittlerweile eine umfangreiche Literatur gibt,[3] ist *Ethical issues in journalism and the media* von Belsey & Chadwick (1992) als *erster*

[1] Vgl. Snoddy (1992, S. 196 f.), Stephenson (1992) und Greenslade (1995). Nach Aussage von NUJ-Sprecher Alan Pike wollen britische Journalisten eine Gewerkschaft, die ihre Interessen vertritt und die ihnen nicht sagt, wie sie sich zu verhalten haben; vgl. Snoddy (1992, S. 197).

[2] Vgl. *UK Press Gazette* vom 3. 5. 1993, S. 12.

[3] Vgl. Wunden (1989, 1994, 1996), Haller & Holzey (1992) und Erbring et al. (1988). Dort weitere Literaturnachweise.

britischer Beitrag zum Thema Medienethik gefeiert worden.[4] Bezeichnenderweise ist er in der Fachzeitschrift *British Journalism Review* (1993, Heft 4:3) verrissen worden. Das verbreitete Desinteresse an Ethik erklärt sich daraus, daß in Großbritannien gesetzliche Berichterstattungsbeschränkungen existieren, die erstens strikter als die deutschen sind und zweitens nicht durch ein positiv garantiertes Grundrecht auf Informations- und Pressefreiheit ausbalanciert werden, wie es Art. 5 Abs. 1 GG tut.

Das Fehlen einer schriftlich niedergelegten Verfassungsgarantie auf Pressefreiheit einerseits und die Fülle gesetzlicher Beschränkungen andererseits läßt die britischen Journalisten einen Großteil ihrer Aufmerksamkeit darauf richten, was rechtlich noch vertretbar ist. Um unter den restriktiven Bedingungen überhaupt noch Heikles veröffentlicht zu bekommen, nehmen sie auch fragwürdige Methoden in Kauf. Für Reflexionen über Ethik und Tugend bleibt wenig Zeit. Dies wiederum kann sich nachteilig auf die publizistischen Standards auswirken. Die geringere rechtliche Absicherung hat zu einer gewissen Gleichgültigkeit gegenüber ethischen Fragen geführt, denn der Handlungsspielraum der Pressefreiheit muß immer wieder an den Außenrändern verteidigt werden (Reed 1992). Garantiert man der Presse wie in Deutschland verfassungsrechtlich einen weitreichenden Spielraum und räumt ihr zusätzlich Privilegien zur Verrichtung ihrer Arbeit ein, läßt sich bei den Journalisten erfolgreicher an die Wahrung publizistischer Grundsätze und ethischer Standards appellieren (so Belsey & Chadwick 1995, S. 465). Eine anschauliche Bestätigung dafür, wie sich unterschiedliche äußere Rahmenbedingungen in der Bereitschaft zur Anwendung harter Recherchemethoden niederschlägt, lieferte Tabelle 2 (S. 119). Verhaltensweisen, die unter deutschen Journalisten als skrupellos und illegitim gelten, gehören in Großbritannien zum selbstverständlichen journalistischen Alltag. „Private Unterlagen ohne Erlaubnis veröffentlichen“ oder „Informationsquellen unter Druck setzen“ halten in Deutschland weniger als zehn Prozent für vertretbar, in Großbritannien dagegen 50 bzw. 60 Prozent. „Sich als eine andere Person auszugeben“ oder „für Informationen Geld bezahlen“ hält in Deutschland ein Viertel für vertretbar, in Großbritannien die Hälfte bzw. zwei Drittel der Journalisten. Auch bei der Frage, ob man sich unter falscher Identität „in einen Betrieb einschleichen darf, um an interne Informationen zu kommen“ oder

[4] Vgl. die Buchbesprechung im *European Journal of Communication*, Heft 10:2, S. 141–144.

„vertrauliche Regierungsunterlagen verwenden" darf, sind die Unterschiede beträchtlich (s. Tabelle 2 S. 119).

Neben der Rechtslage kommt den unterschiedlichen Wettbewerbsbedingungen hohe Erklärungskraft zu. Der Herausgeber des *British Journalism Review*, Godfrey Hodgson, ist sogar der Ansicht, daß in den achtziger und neunziger Jahren die Gesetzeslage dem Zustand der Presse weniger geschadet hat als der Konkurrenzdruck (Hodgson 1995). Auf die Negativauswirkungen des immer aggressiveren Konkurrenzkampfes zwischen den nationalen Zeitungen wies erstmals der Minderheitsreport der Dritten Königlichen Pressekommission hin (*Royal Commission* 1977, S. 241–250). Heute ist es „common wisdom", daß der Wettbewerb wesentliche Ursache für die sinkenden Standards ist.[5] Verleger und Chefredakteure der Boulevardpresse machten immer wieder die Erfahrung, daß niedrige Standards in ihrer Berichterstattung hohe Auflagen versprachen. Am Tag, als der *Daily Mirror* Nacktfotos von Sarah Ferguson mit ihrem Liebhaber John Bryant veröffentlichte, kauften 300000 Leser, die das Blatt sonst nicht lesen, ein Exemplar (vgl. Daly 1992). Der ehemalige *Daily Mirror*-Chefredakteur Roy Greenslade berichtete auf einer Konferenz zum Thema Presse-Ethik im April 1994 eindrucksvoll, unter welchem Druck er während seiner Amtszeit stand. „Bei Boulevardzeitungen", sagte er, „wird man nicht an seinen ethischen Standards, sondern seiner Auflage gemessen und daher nimmt jeder Chefredakteur Risiken in Kauf." So sei sein Nachrichtenchef eines Tages mit einem „fantastischen Coup" zu ihm gekommen: „Prince Edward sagt, er ist nicht schwul". Greenslade dazu: „Ich wußte, daß es eine typische Boulevardzeitungsstory war. Sie würde definitiv dazu führen, daß man über unser Blatt spricht. Aber sie war anzüglich und Homosexuellen-verachtend. Ich wollte sie nicht bringen, aber als Chefredakteur einer Boulevardzeitung, der einen Auflagenkrieg gegen die *Sun* führte, die tausende Pfund für die Story bezahlt hätte, wußte ich, was ich zu tun hatte. Die Story war ein garantierter Bestseller und ich war ein Gefangener meines Jobs."[6]

Es ist nicht auszuschließen, daß manche britischen Journalisten das Argument des Wettbewerbs als Entschuldigung für eigenes Fehlverhalten nur vorschieben. Selbst der Vorsitzende der *Press Complaints Commission*, Lord Wakeham, spricht durchaus mit

[5] *Report of the Committee on Privacy and Related Matters* (1990, S. 11), Snoddy (1992, S. 142–152).

[6] Vgl. den Bericht „Sales pressure on news agenda" in *UK Press Gazette* vom 25.4.1994.

Stolz von der britischen Presse als „the most competitive and dynamic in the world".[7] In Deutschland ist die Medienkonkurrenz als mögliche Ursache für die Verletzung ethischer Standards erst später erkannt worden. Erstmals im Zusammenhang mit dem „Geiseldrama von Gladbeck" im August 1988 nahm der *Deutsche Presserat* in seiner öffentlichen Stellungnahme von der „verschärften Medienkonkurrenz" Kenntnis. Einige Wochen später wiederholte der *Deutsche Presserat* dieses Argument in seiner Erklärung zum „Grubenunglück von Borken", als er das Interview- und Rechercheverhalten der Journalisten tadelte und mit der Bemerkung schloß: „Selbst der zunehmende Konkurrenzkampf der Medien darf nicht dazu führen, daß die Grundsätze eines fairen Journalismus verlassen werden" (zit. n. Bermes 1989, S. 44). Während in Großbritannien der harte, zum Teil rücksichtslose Konkurrenzkampf auf dem Pressemarkt ausgetragen wird, entwickelte er sich in Deutschland – ausgelöst durch Einführung neuer Privatsender – hauptsächlich im Rundfunkbereich. Das erklärt auch die zeitliche Verzögerung von rund zehn Jahren, mit der Medienkonkurrenz als gewichtiger Einflußfaktor auf die publizistische Qualität in Deutschland erkannt und diskutiert wurde.

6.2 Kurze Geschichte des britischen Boulevardjournalismus

„Im Vergleich zum englischen Massenblatt *Sun* ist *Bild* ein Ausbund an staatsmännischem Verantwortungsgefühl", erklärt der London-Korrespondent der *Süddeutschen Zeitung*, Gerd Kröncke. „So gekonnt böse, so zynisch perfide und so unverhüllt fremdenfeindlich zu sein, wird sich kein kontinentales und schon gar kein deutsches Blatt leisten. Und so sexistisch schon gar nicht."[8] Deutsche und britische Boulevardzeitungen können nicht nach den selben Maßstäben bewertet werden, sondern müssen aus ihrer jeweiligen journalistischen Kultur heraus betrachten werden. Großbritanniens auflagenstärkste Boulevardzeitung ist die *News of the World*, die jeden Sonntag knapp fünf Millionen Exemplare verkauft (s. Tabelle 6 S. 135). Sie berichtete zum Beispiel über die attraktive

[7] Lord Wakeham: „Away from Damocles – Placing the regulation of the press beyond the boundaries of political controversy". Vortrag gehalten am 23.10.1995 an der Nottingham Trent University (Harold Macmillan-Gedächtnisrede), Sonderdruck der *Press Complaints Commission*.
[8] Vgl. *Süddeutsche Zeitung* vom 22.6.1996 („Die Kunst zu hassen").

17jährige Emma Munton, die im Londoner Stadtteil Lambeth zur Apotheke ging, um sich ein Medikament für ihr erkranktes Baby zubereiten zu lassen. Während sie wartete, soll ihr der Apotheker Edward Morse ein Glas Port angeboten haben, das die junge Frau auch trank, obwohl es etwas bitter schmeckte. Als sie aus der Bewußtlosigkeit erwachte, befand sie sich unter Wasser in der eiskalten Themse. Zwei Passanten bemerkten sie und konnten sie gerade noch rechtzeitig aus dem Fluß ziehen. Es stellte sich heraus, daß sie mehrfach brutal vergewaltigt worden war. Die Geschichte erschien auf der Titelseite der *News of the World* vom 1. Oktober 1843. Diesem Konzept ist die Zeitung seit über 150 Jahren treu geblieben und war sehr erfolgreich damit. An diesem und weiteren Beispielen belegt Snoddy (1992, S. 18–37), daß die Grundelemente des Boulevardjournalismus – Sex, Gewalt, Sensationen, Übertreibungen, Erfindungen, Parteilichkeit – „integraler Bestandteil der britischen Pressegeschichte“ (S. 25) sind. Snoddy (1992, S. 38–60) zeigt allerdings auch, daß investigativer Journalismus und engagierte Kampagnen zum Wohl der Allgemeinheit ebenso dazugehören. Er lobt in diesem Zusammenhang auch die *Sun*, die seiner Meinung nach „ihre ungeheure Macht dann am wirkungsvollsten einsetzt, wenn sie versucht, einzelne Bürger aus den Klauen der Bürokratie zu befreien oder offensichtliche Ungerechtigkeiten aufzuheben“ (S. 59).

In den siebziger Jahren kam es – vor allem in der Boulevardpresse – zu einer deutlichen Schwerpunktverschiebung zwischen den beiden genannten Kräften. Dieser Wandel wurde nach McNair (1994, S. 145 f.) durch drei „Schlüsselereignisse“ markiert: Das erste war Murdochs Kauf der *News of the World*, das zweite der Kauf der *Sun* und das dritte die spätere Berufung Kelvin McKenzies zum Chefredakteur der *Sun*. Wenige Wochen nach Murdochs Übernahme 1969 hatte die *News of the World* ein „Informationshonorar“ von £ 21 000 an das Callgirl Christine Keeler gezahlt, die 1962 eine Affäre mit Regierungsmitglied John Profumo hatte. Die Tatsache, daß sie ebenfalls mit dem sowjetischen General Eugene Ivanov liiert war, hatte einen ernsten Politskandal ausgelöst. Schon 1962 hatte die *News of the World* £ 23 000 an Keeler für die Exklusivrechte an ihren intimem Bekenntnissen gezahlt und war wegen „Scheckbuchjournalismus“ vom Presserat gerügt worden. Profumo mußte 1962 zurücktreten und widmete sich seitdem als Sozialarbeiter den Armen und Obdachlosen in Ost-London. Er erlang hohen Respekt in der Öffentlichkeit für sein selbstloses, aufrichtiges Engagement. Als Murdoch mit einer Wiederauflage dieser längst vergebenen Affäre seinen Einstand in Großbritannien gab, war die Empörung außerordentlich – in der Öffentlichkeit, im Parlament, beim Presserat und bei den anderen Medien.[9]

Das zweite Schlüsselereignis war der Kauf der *Sun* (1969), wo Murdoch das „page 3 girl" einführte. Trug es im ersten Jahr noch luftige Gewänder, ist es seit dem 17. November 1970 grundsätzlich oben ohne. Das Foto des ersten brustfreien Modells, Stephanie Rahn, hatte die Bildunterschrift: „Von Zeit zu Zeit stampft ein selbsternannter Kritiker mit seinem kleinen Füßchen auf den Boden und erklärt, die *Sun* sei sexbesessen. Dabei ist nicht die *Sun* besessen, sondern ihre Kritiker. Die *Sun*, wie die meisten ihrer Leser, mag hübsche Mädchen."[10] Die öffentliche Entrüstung war groß, aber die Auflage stieg von 1,5 Millionen (1970) auf 4 Millionen (1978) und machte die *Sun* zur meistverkauften Tageszeitung Großbritanniens. Murdochs *Sun* definierte eine neue Qualität des Boulevardjournalismus, die in Großbritannien als „bonk journalism" bezeichnet wird – eine Kombination aus detektivischer Schnüffelei und Sex.[11]

Das dritte entscheidende Ereignis war die Gründung des *Daily Star* (1978), mit dem die *Express*-Zeitungsgruppe das erfolgreiche *Sun*-Konzept imitieren wollte. Der *Daily Star* erzielte großen Erfolg damit, noch konsequenter auf „bonking" zu setzen und das Niveau der *Sun* noch zu unterbieten. Deshalb berief Murdoch für die *Sun* einen neuen Chefredakteur, Kelvin MacKenzie, der Feuer mit Feuer bekämpfen sollte und dem „bonk journalism" zur vollen Blüte verhalf. Seine Rezeptur aus Sex, Skandalisierung, Prominenz und bizarren Sensationen wurde zum Leitbild der Boulevardpresse.[12] MacKenzie nahm vor allem die königliche Familie, Schauspieler,

[9] Vgl. Shawcross (1993, S. 144–147). Der Vorsitzende des Beschwerdeausschusses des *Press Council*, Denis Hamilton, meinte: „I thougt it important to show Murdoch that this wasn't the way to go in England, that it was a different place from Australia." Zit. n. Shawcross (1993, S. 145).

[10] „From time to time some selfappointed critic stamps his tiny foot and declares that the *Sun* is obsessed with sex. It is not the *Sun* but the critics who are obsessed. The *Sun*, like most of its readers, likes pretty girls." Zit. n. Shawcross (1993, S. 156).

[11] Vgl. Chippindale & Horrie (1990) und Taylor (1991). Der Slang-Ausdruck „to bonk" heißt „überschnappen, spinnen", vor allem aber „bumsen".

[12] Kevin MacKenzie wurde innerhalb kürzester Zeit zu einer der schillerndsten Figuren der britischen Presse; vgl. Chippindale & Horrie (1990), Taylor (1991, S. 248–265), Shawcross (1993, S. 408–421), Tunstall (1996, S. 124–129). MacKenzies *Sun* war schamlos, witzig, vulgär, ideologisch, sexistisch, fremdenfeindlich und in ihren kurzen, beißenden Leitartikeln mit sicherem Instinkt für Volkes Stimme. Margaret Thatcher (1993) gesteht in ihren Memoiren, daß sie jeden Morgen zuerst die Leitartikelspalte „The *Sun* says" studierte, weil nirgendwo sonst Volkes Stimme so genau getroffen würde.

Musiker und Politiker ins Visier. Hinzu kam eine ausgeprägte Parteilichkeit, die die *Sun* in den achtziger Jahren zum populistischen Wortführer des Thatcherismus machte.[13]

Greenslade weigert sich, Murdoch die Schuld am Niveauverlust der britischen Boulevardpresse zu geben. Greenslade arbeitete für ihn bei der *Sun* und der *Sunday Times* und hält Murdoch für viel zurückhaltender, als ihm gemeinhin unterstellt wird. Den vielfach beklagten Wertewandel in Großbritannien habe Murdoch nicht verursacht, sondern nur erkannt und kommerziell ausgenutzt. Eine große Gefahr sieht Greenslade allerdings darin, daß auch die Qualitätspresse zunehmend in den Strudel des Niveauverlustes gezogen wird.[14]

6.3 Grenzverletzungen: Die aktuelle Ethik-Debatte in Großbritannien

Gerade beim Thema Ethik sind es häufig Grenzfälle, die ein intensives Nachdenken über Medienmoral und Verantwortung journalistischen Handelns auslösen. Man denke in Deutschland an die Hitler-Tagebücher, die Barschel-Affäre, das Gladbecker Geiseldrama oder die Unglücke von Borken und Ramstein. In Großbritannien wurden die ethischen Standards Ende der achtziger Jahre zu einem politischen Thema im Parlament. Seit 1987 hatten einzelne Parlamentarier mehrfach Gesetzesvorschläge zum Schutz der Privatsphäre eingebracht, die jedoch nie eine Unterstützung der Regierungsmehrheit fanden. Als der Druck im Parlament stieg, auf die Zügellosigkeiten der Boulevardpresse zu reagieren, erklärte 1990 der für die Medien zuständige Minister David Mellor: „Einerseits widerstrebt es der Regierung völlig, sich mit Gesetzen in die freie Presse einzumischen, da sie eine Grundsäule freiheitlicher Gesellschaften darstellt. Andererseits muß die Regierung jedoch der weitverbreiteten Abscheu Rechnung tragen, die im Parlament aufgrund verschiedener Vorfälle der letzten Jahre in der Boulevardpresse geäußert wurde.“[15] Zu diesen „verschiedenen Vorfällen“, die auch

[13] Vgl. Leapman (1992, S. 187–189), Shawcross (1993, S. 209–213) und Chippindale & Horrie (1990) sowie Kapitel 4.5 und 4.6 dieser Arbeit.

[14] Vgl. den Bericht „Sales pressure on news agenda“ in *UK Press Gazette* vom 25.4.1994. Greenslade ist mittlerweile Medienredakteur beim *Guardian* und *Observer*.

[15] David Mellor, Secretary of State for National Heritage, sagte: „On the one hand the government is very reluctant to interfere, certainly by way of statute, knowing it [the free press] to be one of the foundationstones of a free society. But

außerhalb des Parlaments heftig diskutiert wurden, gehörte der Scheckbuchjournalismus im Zusammenhang mit der Berichterstattung über den Massenmörder Peter Sutcliffe („Yorkshire Ripper"). Den Angehörigen des Mörders wurden für Informationen über das Privatlebens Sutcliffes Summen bezahlt, die weit höher waren als jene, die die Gerichte den Angehörigen der Mordopfer als Wiedergutmachung zuerkannten.[16] In einem anderen Fall, bereits geschilderten, im Februar 1990 drangen zwei Reporter in die Intensivstation des Londoner *Charing Cross*-Krankenhauses ein, wo der populäre Schauspieler Gordon Kaye mit einer lebensgefährlichen Kopfverletzung lag, fotographierten den halb Bewußtlosen und versuchten, ihn zu interviewen. Das Foto mitsamt einigen gestammelten Worten erschienen als Exklusivgeschichte auf der Titelseite des *Sunday Sport*.[17] Ein weiterer Fall war das angeblich „welt-exklusives Interview" mit der Witwe Maria McKay, deren Mann im Falkland-Krieg als erster britischer Soldat gefallen war. Es war von der *Sun* komplett erfunden worden. 1987 versuchte die *Sun* einen Skandal aus der ohnehin bekannten Homosexualität von Popstar Elton John zu machen, indem sie über angebliche Beziehungen und Praktiken mit jugendlichen Freiern berichtete. Der Sänger klagte, focht einen harten Prozeß und erhielt £ 1 Million Wiedergutmachung für unwahre, ehrabschneidende Behauptungen des Blattes. Gegen die *Sun* wurden 1987 allein 22 Beschwerden beim *Press Council* vorgebracht, 15 wurde stattgegeben.[18] Als „besonders schweren Fehler" haben Murdoch und Chefredakteur MacKenzie die Berichterstattung der *Sun* über das sogenannte Desaster von Hillsborough bezeichnet. Im April 1989 starben durch Fehler der Sicherheitskräfte 95 Fußballfans beim Zusammenbruch der Zuschauertribüne im Sheffielder Fußballstadion Hillsborough. Die *Sun* behauptete unter der Titelzeile „Die Wahrheit", betrunkene, randalierende Fans aus

equally government has to become aware of the widespread detestation in Parliamment at some things that have been happening in recent years in the popular press." Zit. n. Snoddy (1992, S. 101).

[16] Eine kompetente Analyse der Ausuferungen in der britischen Presse legte der Medienredakteur der *Financial Times*, Raymond Snoddy, unter dem Titel *The good, the bad and the unacceptable* (1990) vor. Siehe hierzu auch Leapman (1992, S. 190–220), McNair (1994, S. 146–155), Hartmann (1995) und den *Report of the Committee on Privacy and Related Matters* (1990).

[17] Vgl. Snoddy (1992, S. 9295), Taylor (1991, S. 267–280). Für die *Sunday Sport* sind Hitler und Elvis Presley noch am Leben und Frauen, die in einer Nacht mit einer 40köpfigen Schiffsbesatzung geschlafen haben sollen, vertrauter Berichterstattungsgegenstand. Das amerikanische Pendant ist der *National Enquirer*, das deutsche die inzwischen eingestellte *Neue Spezial*.

[18] Vgl. Leapman (1992, S. 190–194).

Liverpool hätten die Rettung der Opfer verhindert und seien an dem Desaster mitschuldig. Die *Sun*, für ihre Ablehnung des Hooliganismus bekannt, konnte für diese Version allerdings keinerlei Beweise vorbringen. Der Bericht führte zu einem langjährigen Boykott der Sun von Seiten vieler Liverpooler Leser. Murdoch drohte Chefredakteur MacKenzie mit Kündigung, falls sich ein vergleichbarer Vorfall – also eine frei erfundene Geschichte, die einen empfindlichen Auflagerückgang bedeutet – wiederholen würde. Im Sommer 1993 kam es tatsächlich zur Trennung, seit dem ist die Sun wieder etwas „ruhiger" geworden.[19] Neben diesen öffentlich diskutierten Fällen, so Snoddy (1992, S. 1–17), dürften nicht die vielen Fälle vergessen werden, bei denen Privatpersonen von fragwürdigen Pressepraktiken betroffen sind, die sich entweder aufgrund der hohen Kosten keinen Prozeß leisten können (s. Kapitel 5.7) oder vom Presserat nichts wissen.

Schaubild 7: Kontrolle der Presse in Großbritannien

Frage: „Meinen Sie, nach dem was Sie gehört oder gelesen haben, daß es zu viel, zu wenig oder genau das richtige Maß an Kontrolle gibt für … ?"

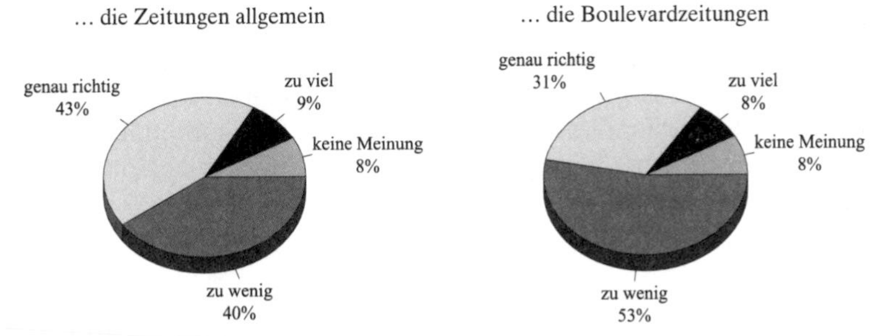

Quelle: MORI (1992), Basis: 1061 britische Erwachsene, persönliche Interviews, August 1992, im Auftrag der *Times*.

Das öffentliche Image der Presse wurde durch diese spektakulären Falle schwer beschädigt. Ein bemerkenswert großer Anteil der britischen Bevölkerung war im August 1992 der Meinung, daß es zu wenig Kontrolle für die Presse gibt. Vor allem bei Boulevardzeitungen war diese Ansicht mit 53 Prozent weit verbreitet (Schaubild 7). In Deutschland sind dagegen sehr viel weniger Menschen der Meinung, die Medien sollten stärker kontrolliert werden. Die Deutschen bezeichnen ihre Medien als relativ fair, zumindest im Umgang mit Politikern (Schaubild 8).

[19] Vgl. Snoddy (1992, S. 102), Leapman (1992, S. 195f.), Shawcross (1993, S. 420), McNair (1994, S. 149) sowie die glänzenden MacKenzie-Porträts in *UK Press Gazette* vom 16.2.1993, S. 19–21 und *Observer* vom 11.5.1997, S. 6.

Schaubild 8: Kontrolle und Fairneß der Medien in Deutschland

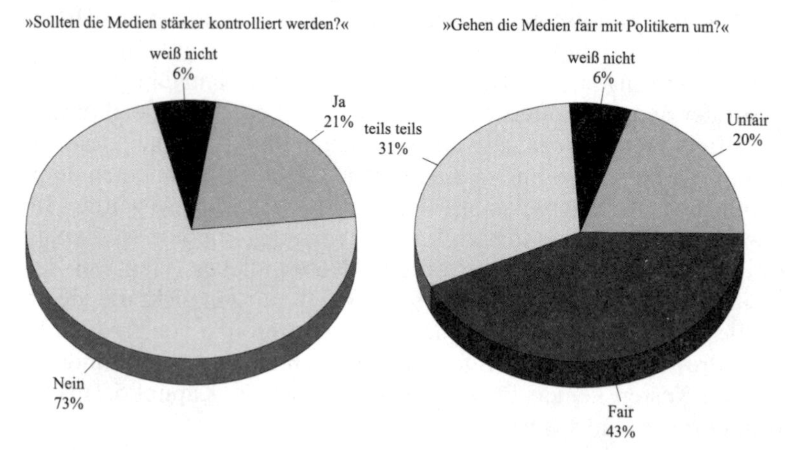

Quelle: Forsa (1994). Basis: 1006 deutsche Befragte, abgedruckt in *Die Woche* vom 3.3.1994, S. 5

Zu einem besonderen Problem in Großbritannien entwickelte sich im Laufe der achtziger Jahre das unerwünschte Eindringen in die Privatsphäre. Drei Viertel der Briten beklagten 1989, daß die Presse „zu häufig" in das Privatleben öffentlicher Personen (Schauspieler, Politiker, Königsfamilie) eindringt. Zwei Drittel meinten, einfache Bürger würden „zu häufig" Opfer solcher Zudringlichkeiten von Reportern (s. oberen Teil von Tabelle 14).

Tabelle 14: Eindringen in die Privatsphäre in Großbritannien

Frage: „Meinen Sie, daß sich Großbritanniens Zeitungen im allgemeinen zu viel, zu wenig oder im richtigen Umfang in das Leben einmischen von ...?"

	zu viel	genau richtig	zu wenig	keine Meinung
Personen des öffentlichen Lebens[a]	73	17	7	3
Normalbürger, die in ein vielberichtetes Ereignis verwickelt werden[a]	64	25	7	4
Angehörige der Königlichen Familie[b]	65	25	7	3
Politiker[b]	41	39	16	4

Anmerkung: a = Quelle: MORI (1989), Basis: 813 britische Erwachsene, persönliche Interviews, November 1989, im Auftrag der *News of the World*. b = Quelle: MORI (1992), Basis: 1061 britische Erwachsene, persönliche Interviews, August 1992, im Auftrag der *Times*.

Infolge der öffentlichen und parlamentarischen Besorgnis setzte die Regierung 1989 und 1992 zwei unabhängige Gutachterkommissionen ein, die Handlungsempfehlungen formulieren sollten. Die beiden Gutachterkommissionen unter Vorsitz des renommierten Juristen Sir David Calcutt (daher auch Calcutt I und Calcutt II) zeichneten ein düsteres Bild der britischen Presse.[20] Calcutt I wies auf das wesentliche Grundübel hin, daß die Konkurrenz auf dem Boulevardzeitungsmarkt ein Ausmaß angenommen habe, das man seit den zwanziger und dreißiger Jahren in Großbritannien nicht mehr erlebt habe. Einige Chefredakteure würden darauf reagieren, als seien sie „von der Leine gelassen".[21] Calcutt I empfahl unter anderem, den bisher völlig uneffektiven *Press Council* durch eine neuzuschaffende *Press Complaints Commission* mit anderer Organisationsstruktur und anderem Aufgabenbereich abzulösen und die Presse ein letztes Mal für 18 Monate auf die Probe zu stellen, ob freiwillige Selbstkontrolle noch Sinn macht (s. Kapitel 5.8).[22]

Calcutt II kam nach der 18monatigen Probezeit zu dem Ergebnis, daß angesichts der unvermindert andauernden Grenzüberschreitungen auch die neugeschaffene *Press Complaints Commission* wirkungslos sei. Die Presseselbstkontrolle in Großbritannien habe versagt; eine Selbstregulierung sei nicht mehr möglich und drastische Gesetze die einzig wirksame Disziplinierungmaßnahme.[23] Im einzelnen forderte Calcutt II:

1. die Einrichtung eines gesetzlich verankerten Presse-Gerichts mit weitreichenden Sanktionsbefugnissen („statutory Press Complaints Tribunal"), das den freiwilligen Presserat ablösen solle;
2. einen Pressekodex mit Gesetzesrang;
3. bei Verstößen gegen den Kodex soll das einzurichtende Presse-Gericht empfindliche Geldstrafen gegen Medienunternehmen verhängen können sowie Schadensersatzsummen für Opfer festlegen können;
4. das Presse-Gericht soll den Abdruck von Gegendarstellung, Berichtigungen und Entschuldigungen anordnen können;
5. mehrere Straftatbestände sollen zum Schutz der Privatsphäre neu ins Strafrecht aufgenommen werden (s. Kapitel 5.7).[24]

[20] Vgl. die Abschlußberichte der beiden Gutachterkommissionen *Report of the Committee on Privacy and Related Matters* (1990) und *Review of Press Self-Regulation* (1993).

[21] Im *Report of the Committee on Privacy and Related Matters* (1990, S. 11) heißt es: „The past two decades have seen changes in the character of the tabloid market, with a degree of competition not present since the prewar circulation battles. This may have led some tabloid editors to feel ‚let off the leash', and become more intrusive in pursuit of competitive advantage."

[22] *Report of the Committee on Privacy and Related Matters* (1990, S. 65). „The press should be given one final chance to prove that voluntary selfregulation can be made work", heißt es dort.

[23] Vgl. *Review of Press Self-Regulation* (1993, S. 37–44).

[24] Vgl. *Review of Press Self-Regulation* (1993, S. 45–50).

Journalisten- und Verlegerverbände liefen Sturm gegen Calcutts Vorschläge und sahen in ihnen einen gefährlichen Eingriff in die Pressefreiheit. Sie forderten die Regierung auf, diesen Vorschlägen nicht zu folgen und weiterhin auf Presseselbstkontrolle zu setzen (vgl. *Alternative White Paper* 1994). Calcutt II begründete seine Vorschläge vor allem mit Fällen, bei denen die Privatsphäre von Personen *des öffentlichen Lebens* durch die Presse verletzt wurde.[25] Damit befand sich Calcutt II durchaus im Einklang mit der öffentlichen Meinung, wie Tabelle 14 zeigt. Vor allem die königliche Familie verdiente nach Meinung der Briten mehr Schutz. Bei Politikern meinte dagegen eine Mehrheit, daß das Ausmaß der Pressebelästigung „genau richtig" oder sogar noch „zu wenig" sei (s. unteren Teil von Tabelle 14).

Mit seinen Forderungen nach einer effektiveren Kontrolle der Presse konnte sich Calcutt II auf eine Bevölkerungsmehrheit stützen: 58 Prozent befürworteten entweder strengere Gesetze oder ein Pressegericht unter Vorsitz eines Richters, der Zeitungen empfindliche Geldstrafen bei Verstößen gegen einen gesetzlich zu verankernden Verhaltenskodex auferlegen kann (s. Schaubild 9). Zur Begründung der Notwendigkeit verschärfter Pressegesetze brachte Calcutt II eine Reihe von Fällen vor, bei denen Angehörige des Königshauses und des Parlaments Opfer von Reportermethoden wurden, die die Privatsphäre verletzten und bei denen die gerade erst reformierte *Press Complaints Commission* entweder mißachtet wurde oder sich falsch verhielt. So veröffentlichte die Sonntagszeitung *The People* am 14. Juli 1991 zwei Fotos von Princess Eugine, der zweijährigen Tochter von Prince Andrew und seiner Frau Sarah Ferguson, die in dem hochummauerten Garten des Privatanwesens nackt umherlief. Als die *Press Complaints Commission* eine Beschwerde (auf Veranlassung von Andrew) an den Chefredakteur schickte, druckte die Zeitung eines der beiden Fotos nochmals vergrößert und machte so ihre Geringschätzung des Selbstkontrollorgans deutlich.[26]

[25] Vgl. *Review of Press Self-Regulation* (1993, S. 25–36).
[26] Vgl. *Review of Press Self-Regulation* (1993, S. 30).

Schaubild 9: Wie sollte die britische Presse kontrolliert werden?

Frage: „ Falls das Verhalten der Presse schärfer kontrolliert werden würde, damit sie mehr im öffentlichen Interesse handelte – wie sollte das Ihrer Meinung nach am besten geschehen? Durch …?

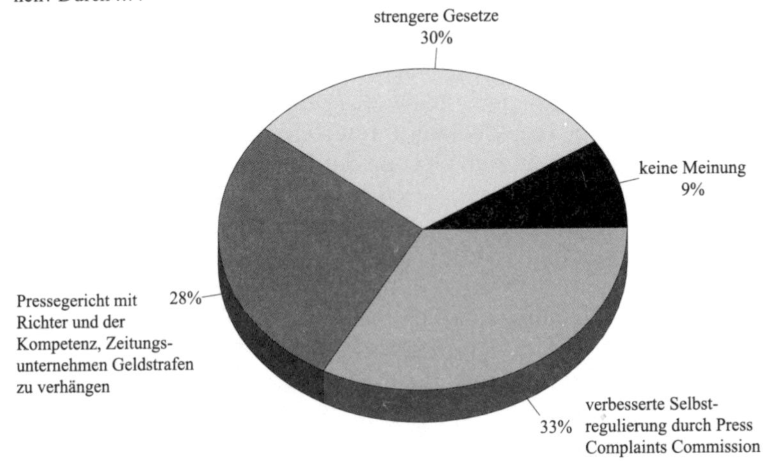

Quelle: MORI (1992). Basis: 1061 britische Erwachsene, persönliche Interviews, August 1992, im Auftrag der *Times*.

Am 7. Juni 1992 begann die Qualitätszeitung *Sunday Times* mit der Vorabveröffentlichung von Andrew Mortons Buch *Diana – Her true story* (1992). Morton schildert darin ihre Ehe als lieblos, beschreibt Eßstörungen, Selbstmordversuche und Charles' außereheliche Affäre mit Camilla Parker-Bowles. Die *Sunday Times* verkaufte an diesem Sonntag 210000 Exemplare mehr als gewöhnlich. Die Boulevardzeitungen, die auch gerne die Manuskriptrechte gekauft hätten (Preis £ 250000), überschlugen sich in phantasievollen Spekulationen über den Stand der königlichen Ehe. Sogar der *Independent* brach am 8. Juni 1992 mit seiner Tradition, Geschichten über das Königshaus zu vermeiden.[27] Die *Press Complaints Commission* beklagte in einem öffentlichen Statement eine „ekelhafte Zurschaustellung durch Journalisten, die ihre Finger in die seelischen Angelegenheiten anderer Leute stecken" und meint, „dies trägt nichts bei zu dem legitimen öffentlichen Interesse an dem Thronerben-Paar". Die Kommission warnte, daß sich diese Auswüchse auf eine künftige Regulierung der Pressefreiheit auswirken und zu einer schärferen Zensur-Gesetzgebung führen könnten.[28] Drei Tage spä-

[27] Die Pressereaktionen jener Tage sind bei Ziegesar (1993, S. 111–114) anschaulich beschrieben.

[28] Die öffentliche Rüge der *Press Complaints Commission* ist abgedruckt in *Review of Press Self-Regulation* (1993, S. 30f.).

ter erfuhr die *Press Complaints Commission* jedoch aus zuverlässiger Quelle, daß Princess Diana mit Buchautor Andrew Morton eng kooperiert hatte und alle Behauptungen der Wahrheit entsprachen. Folglich konnte von einem Eindringen der Presse in die königliche Privatsphäre keine Rede sein, vielmehr hatte sich die königliche Hauptperson bewußt entschieden, in das Licht der Öffentlichkeit zu treten. Diese Tatsache brachte die *Press Complaints Commission* in eine peinliche Lage, entzog ihrem öffentlichen Statement den Boden und machte sie zum Gespött der Branche.[29] Calcutt kritisiert in seinem Bericht nicht nur diesen Fehler des Selbstkontrollorgans, sondern auch das Versäumnis, die Öffentlichkeit über diese Zusammenarbeit des Königshauses mit Journalisten zu unterrichten.[30] Auch später hatte sich der – mittlerweile abgelöste – Vorsitzende der *Press Complaints Commission*, Lord McGregor, wiederholt mit öffentlichen Urteilen über angebliche Presseskandale verschätzt und damit nicht unbedingt zur Glaubwürdigkeit des Organs beigetragen.[31]

Andere Fälle zeigten, so fuhr Calcutt II in seiner Argumentation fort, daß nicht nur Zeitungen das mehrfach reformierte Selbstkontrollorgan mißachteten, sondern auch die Betroffenen selbst. Am 20. August veröffentlichte der *Daily Mirror* auf zehn Seiten 22 intime Fotos von der Herzogin von York, Sarah Ferguson, mit ihrem

[29] Vgl. hierzu *Review of Press Self-Regulation* (1993, S. 31 f.), Wilson (1995, S. 124–133) und *Sunday Times* vom 17.1.1993, S. 10 f.

[30] Schon im Mai 1991 hatte Lord Rothermere (Verleger von *Daily Mail, Sunday Mail* und *London Evening Standard*) der *PCC* in einem vertraulichen Gespräch erklärt, daß „der Prinz und die Prinzessin von Wales nationale Zeitungen angeworben haben, um ihre je eigenen Berichte von ihren ehelichen Verstimmungen zu veröffentlichen" (zit. n. Wilson 1995, S. 127). Bestätigung und Höhepunkt dieser Zusammenarbeit des Königshauses mit den Medien waren die Fernsehinterviews von Charles (Juni 1994) und Diana (November 1995), in der beide öffentlich ihre außerehelichen Affären einstanden und einen Großteil der Schlagzeilen der Boulevardblätter bestätigten.

[31] Als *Daily Mirror* und *Sunday Mirror* am 7. und 8.11.1993 heimlich gemachte Fotos von Princess Diana veröffentlichten, die sie beim Training in einem Londoner Fitneß-Studio zeigten, forderte Lord McGregor einen Anzeigenboykott gegen die Zeitung, bevor er die volle Sachlage kannte. Die *Mirror*-Gruppe zog sich aufgrund dieser Vorverurteilung durch den Vorsitzenden umgehend aus der *Press Complaints Commission* zurück und löste damit fast den endgültigen Zusammenbruch der freiwilligen Presseselbstkontrolle in Großbritannien aus.

Knapp ein Jahr später im August 1994 verurteilte McGregor aufs Schärfste die *News of World* wegen eines Artikels, in dem Princess Diana Telefonterror gegen einen verheirateten Mann vorgeworfen wurde. Auf Nachfrage mußte McGregor in einem Radiointerview bekennen, die *News of the World* gar nicht gelesen zu haben. Vgl. Greenslade (1995) sowie die entsprechenden Berichte in *UK Press Gazette* vom 22.11.1993 und vom 29.8.1994.

wohlhabenden texanischen Liebhaber John Bryant. Die Bilder waren am ummauerten Swimmingpool eines Ferienhauses in Südfrankreich entstanden und aus großer Entfernung mit einem Teleskop-Objektiv aufgenommen worden. Die beiden bekamen von einem französischen Gericht umgerechnet 200000 Mark Schadensersatz (zu zahlen vom Fotographen und dem Magazin *Match*) wegen unerlaubter Verletzung der Privatsphäre zugesprochen. In den Augen der Herzogin genoß die *Press Complaints Commission* jedoch so geringe Glaubwürdigkeit, daß sie nicht einmal den Versuch unternahm, mit ihr in Kontakt zu treten, obwohl die britischen Zeitungen hemmungslos berichteten. Die Kommission, so kritisierte Calcutt weiter, habe auch nicht reagiert, als der *Daily Mirror* die Veröffentlichung der Intimfotos zur besten Sendezeit im Fernsehen angekündigte und mit den illegal aufgenommenen Bildern (für die er £ 500000 zahlte) seine Auflage um 800000 Exemplare steigern konnte. *Sun* und *Today* druckten alle Fotos nach.[32] Nur wenige Tage später am 24. August 1992 veröffentlichte die *Sun* Auszüge eines mitgeschnittenen Telefongespräches zwischen Princess Diana und ihrem langjährigen, guten Bekannten James Gilbey. Nach Angaben der Zeitung soll das Gespräch drei Jahre zuvor am Neujahrstag 1989 stattgefunden haben und von einem pensionierten Bankmanager „zufällig" aufgezeichnet worden sein. In dem privaten Telefongespräch klagte Diana über ihre Eheprobleme und der verliebte Gilbey spendete Trost. Der Vorfall legte Lücken im Gesetz zum Schutz von Telefongesprächen vor Lauscheinsätzen offen. Keiner der beiden Protagonisten wandte sich an die *Press Complaints Commission*, die folglich auch nicht Stellung zu dem Vorfall nahm.[33]

Calcutt II listete noch weitere Vorfälle auf, die nach seiner Ansicht unterstreichen, daß ein Selbstregulierungsorgan wie die *Press Complaints Commission* in Großbritannien von keiner Seite ernst genommen wird. Zudem unterrichte es die Öffentlichkeit unvollständig darüber, was sich hinter den Kulissen bei einzelnen Presseorganen zuträgt. Am 5. Februar 1992 sah sich der Vorsitzende der Liberal Party, Paddy Ashdown, aufgrund von Presseberichten gezwungen, öffentlich eine außereheliche Affäre mit seiner früheren Sekretärin Patricia Sullivan zuzugeben. Die *Sun* sprach nur noch von Paddy „Pantsdown" („pants" sind Unterhosen). Seine Brisanz erhielt der Fall dadurch, daß die Affäre fünf Jahre zurücklag und durch gestohlene Unterlagen bekannt wurde. Ein Einbrecher fand im Safe einer Anwaltskanzler zufällig den Schriftverkehr

[32] Vgl. *Review of Press Self-Regulation* (1993, S. 32) und Ziegesar (1993, S. 114 f.).
[33] Vgl. *Review of Press Self-Regulation* (1993, S. 32).

des Anwalts mit Ashdown, aus dem die Affäre hervorging. Die Sonntagszeitung *News of the World* bot einem Mittelsmann des Diebes £ 20000 für die Dokumente und der Ex-Geliebten £ 30000 für ihre Version der Affäre. Als die konservative *News of the World* acht Wochen vor der Parlamentswahl die Veröffentlichung der Affäre vorbereitete (sie erklärte später, schon länger davon gewußt zu haben), untersagte Ashdown mitten im Wahlkampf per einstweiliger Verfügung die Veröffentlichung der gestohlenen Unterlagen für einige Tage, um sich mit Familie und Freunden beraten zu können. Weil sich schottische Zeitungen nicht an Verfügungen englischer Gerichte halten müssen, konnte *The Scotsman* die Geschichte drukken. Die englischen Zeitungen waren über Ashdowns einstweilige Verfügung so verärgert, daß sie ebenfalls sehr eindeutige Andeutungen auf ihren Titelseiten machten.[34] Auch Ashdown schaltete die *Press Complaints Commission* nicht ein, obwohl eine Zeitung offensichtlich mit Dieben zusammengearbeitet hatte, um an Informationen über die Intimsphäre des Politikers zu kommen. Die *PCC* veröffentlichte zwar ein Statement, thematisierte darin aber keine der fragwürdigen Methoden, die einzelne Presseorgane anwendeten.[35] Am Ende seiner Auflistung mit Fehlern der *Press Complaints Commission* kommt Calcutt II zu folgendem Fazit: „Meiner Ansicht nach hat die Presse gezeigt, daß sie nicht gewillt ist, ein System der freiwilligen Selbstregulierung einzurichten, das nicht nur der Presse selbst (...), sondern auch der Öffentlichkeit Vertrauen einflößt und zudem für einen fairen Ausgleich zwischen beiden sorgt. Ich sehe keine realistische Möglichkeit, dies durch freiwillige Maßnahmen zu ändern."[36]

Es konnte einem Beobacher nicht entgehen, daß zunehmend auch Qualitätszeitungen in umstrittene Praktiken verwickelt waren. So war es die *Sunday Times*, die beim Kampf um die Rechte an Andrew Mortons Buch *Diana – Her true story* alle Boulevardblätter ausstach; es war der solide *Scotsman*, der die Ashdown-Affäre veröffentlichte; es war der seriöse *Independent*, der Gesundheitsministerin Virginia Bottomley am 10. Juli 1992 mit der sehr privaten Information bloßstellte, sie hätte ihren Sohn Peter als 19jährige, un-

[34] Vgl. die Berichte „Humbug" in der *Sunday Times* vom 9.2.1992, S. 10–11 und „Paper offered £ 20000 for Ashdown story" im *Independent* vom 6.8.1992, S. 2.

[35] Vgl. *Review of Press Self-Regulation* (1993, S. 33f.).

[36] Im *Review of Press Self-Regulation* (1993, S. 42, Abs. 5.29) heißt es: „In my view the press has demonstrated that it is itself unwilling to put in place a regulatory system which commands the confidence, not only of the press (which I am sure it does) but also of the public, and which fairly holds the balance between them; and I see no realistic possibility of that being changed by voluntary action."

verheiratete Soziologiestudentin bekommen und solle heute nicht über unerwünschte Schwangerschaften von Jugendlichen lamentieren.[37] Im März 1995 war es die seriöse *Financial Times*, die den stellvertretenden Gouverneur der Bank of England, Rupert Pennat-Rea, zum Rücktritt veranlaßte, indem sie sich in die Berichterstattung über Pennat-Reas außereheliche Affäre mit der amerikanischen Journalistin Mary Ellen Synon eingeschaltet hatte.[38]

Damit schien das Absinken journalistischer Standards auf die Qualitätspresse überzugreifen. Eine Umfrage unter 216 Abgeordneten im House of Commons ergab 1994, daß 55 Prozent der Politiker schärfere Gesetze zur Zügelung der Presse befürworteten. Unabhängig von der Partei waren 71 Prozent der Meinung, die Wirksamkeit der *Press Complaints Commission* sei „schwach“ oder „sehr schwach“. Die nationale Presse wurde von nur 11 Prozent als „gut“ oder „sehr gut“ bewertet, während dasselbe von der Regionalpresse immerhin 43 Prozent sagten.[39] Der konservative Politiker Jonathan Aitken, ein ehemaliger Journalist, sagte im Parlament: „Der Journalismus wurde von einem schäbigen Strom von Callboys, Zuhältern, Blondinen, verschmähten Liebhabern, Verleumdungskünstlern, Neidern, Prostituierten und Lügnern unterspült.“[40] Auch unter den Journalisten wuchs die Selbstkritik: 49 Prozent erklärten, daß die Standards im Laufe ihrer Berufstätigkeit gesunken seien (Delano & Henningham 1995). Auch jüngere Vorfälle geben keinen Hinweis darauf, daß „sich die Standards der britischen Presse spürbar verbessert haben“, so Munro (1997, S. 7).

Die seitenfüllende Aufzählung journalistischer Verfehlungen und fragwürdiger Skandalisierungen mag geschwätzig erscheinen,

[37] Vgl. *Review of Press Self-Regulation* (1993, S. 34). Auch Boulevardzeitungen waren diese Informationen angeboten worden, sie beschlossen jedoch, sie nicht zu veröffentlichen; vgl. *Sunday Times* vom 12.7.1992. Drei Monate nach der Geburt heiratete Frau Bottomley den Vater des Kindes.

[38] Vgl. *Financial Times* vom 20.3. und 21.3.1994. Der in dritte Ehe verheiratete, dreifache Vater Pennat-Rea hatte seine Geliebte trotz Eheversprechens nicht heiraten wollen. Daraufhin wandte sie sich aus Verbitterung an die Boulevardzeitung *Sunday Mirror*, die am 19. März 1995 die Affäre mit allen schlüpfrigen Details öffentlich machte. Als am nächsten Tag auch die *Financial Times*, Europas führende Wirtschaftstageszeitung, den Fall aufgriff, wurde der Druck für den Gouverneur zu groß.

[39] Vgl. den Bericht „MPs support control of the press“ in *UK Press Gazette* vom 10.10.1994.

[40] „The reporter's profession has been infiltrated by a seedy stream of rent boys, pimps, bimbos, spurned lovers, smear artists with grudges, prostitutes and perjurors.“ Zit. n. Leapman (1992, S. 206).

aber ihre Dokumentation ist notwendig, um die Atmosphäre wiederzugeben, in der die britische Regierung zu entscheiden hatte

1. ob sich Großbritannien an die kontinentaleuropäische Rechtslage angleichen und ebenfalls Gesetze zum Schutz der Persönlichkeit erlassen sollte, oder
2. ob Großbritannien gar als erstes freiheitlich-demokratisches Land die Selbstregulierung der Presse durch Gesetzesmaßnahmen ersetzen sollte, wie von der unabhängigen Gutachterkommission unter Vorsitz des Juristen Sir David Calcutt empfohlen wurde, oder
3. ob trotz aller Schwächen an der freiwilligen Selbstkontrolle festgehalten werden sollte.

Wie in Kapitel 5.8 ausgeführt, entschloß sich die britische Regierung nach sechs Jahren Bedenkzeit (1989–1995) und drei Ministerwechseln in dem zuständigen Ressort (David Mellor, Peter Brooke, Stephen Dorell, Virginia Bottomley) überraschend dazu, keine einzige Empfehlung zur Einführung eines neues Gesetzes anzunehmen und weiterhin ausschließlich auf freiwillige Selbstregulierung zu setzen. In ihrem Medienbericht vom 17. Juli 1995 gab sie dafür vier Gründe an: Erstens möchte die Regierung den Vorwurf vermeiden, sie wolle durch die geplanten Gesetze Zensur über die Presse ausüben; zweitens hält sie es für nicht richtig, die Entscheidung darüber, wann ein Rechtmittel gegen eine Zeitung zu gewähren ist (Geldstrafe, Schadensersatz, Gegendarstellung, Berichtigung, Entschuldigung), einem Aufsichtsorgan wie dem geplanten Pressegerichtshof zu übertragen.[41] Drittens sehe sich die britische Regierung nicht in der Lage, überzeugende Gesetzesvorschläge zum Schutz der Privatsphäre vorzulegen, die die Balance hielten zwischen verantwortungsbewußtem, gerechtfertigtem Investigativjournalismus und dem Recht des Einzelnen auf Privatsphäre. Die von Calcutt geforderten Gesetze seien schließlich nicht praktikabel (obwohl es sie in vielen anderen Ländern gibt).[42] Damit hatten sich die alten britischen Rechtsprinzipen wieder einmal durchgesetzt: Einerseits keine spezifischen Gesetze für die Presse (sei es zu ihrer Beschränkung oder Privilegierung) zu erlassen; andererseits keine positiv garantiertes Grundrechte festzulegen, weder für die Presse (Pressefreiheit), noch für den Einzelnen (Schutz der Privatsphäre).

[41] *Privacy and Media Intrusion: The Government's Response* (1995, S. 4 f.).

[42] *Privacy and Media Intrusion: The Government's Response* (1995, S. 9, 13, 16, 23).

Die zentrale Frage lautet, mit welchen Maßstäben journalistisches Handeln im Grenzbereich der Berichterstattungspraxis beurteilt werden soll.[43] Pressekodices entsprechen an vielen Stellen einer „Individualethik“, daß heißt sie erörtern richtiges und falsches journalistisches Handeln als Frage der persönlichen Moral. Dies mag zwar zum Selbstbild mancher Journalisten als autonome, kreative Persönlichkeiten passen, entspricht aber nicht den realen Bedingungen moderner Mediengesellschaften. Den individuellen Täter, der völlig frei entscheiden kann, gibt es im heutigen Mediengeschäft kaum noch. Ethik im Journalismus ist nur zum Teil eine Frage der persönlichen Verantwortung und der individuellen Moral; von größerer Bedeutung sind die institutionalisierten Entscheidungsstrukturen, Abhängigkeiten und Zwänge, unter denen sich journalistische Arbeit vollzieht. Eine These der vorliegenden Arbeit lautet, daß diese Zwänge in Großbritannien größer sind als in Deutschland. Das wird in den Kapiteln 10 bis 12 erläutert. An dieser Stelle reicht es, auf den Systemzusammenhang hinzuweisen, in den der einzelne Journalist eingebunden ist. Aus einer solchen Sicht sollte angemessenerweise von einer „gestuften Verantwortung“, differenziert nach verschiedenen Hierarchieebenen innerhalb der Medienbetriebe, gesprochen werden.[44] Um dies an deutschen Fällen zu veranschaulichen: Es waren nicht nur die Journalisten vor Ort, die das Foto des toten Barschel, die Bilder der Hinterbliebenen des Unglücks von Borken oder die Filmberichte über die Geiselnehmer von Gladbeck in die Medien brachten. Hinter diesen Entscheidungen standen Verleger, Herausgeber, Chefredakteure und Ressortleiter. Gerade im Fall der Hitler-Tagebücher ist gut dokumentiert, daß die Verantwortung für dieses Desaster auf höchster Ebene des Gruner + Jahr und Bertelsmann-Verlages lag (vgl. Harris 1986). Auch im Fall der Badezimmer-Szene mit dem toten Barschel beweist das Genfer Polizeiprotokoll, daß *Stern*-Reporter Knauer nach seinem Eindringen in das Hotelzimmer erst einmal mit seiner Chefredaktion telefonierte. Die Fotos enstanden wahrscheinlich auf Anweisung (vgl. Weischenberg 1994b, S. 167 f.). Diese Beispiele bedeuten nicht, daß sich der einzelne Journalist mit Verweis auf die

[43] Vgl. zum folgenden Wilke (1987), Saxer (1988, 1992), Pürer (1992), Weischenberg (1992a, S. 170–226).

[44] Das Prinzip der „gestuften Verantwortung“ stammt von Robert Spaemann (1977, 1982). Der Gedanke wurde unter anderem von Wilke (1987) und Pürer (1992) aufgriffen.

Systemzwänge und Marktmechanismen aus der Verantwortung stehlen kann. Journalistische Glaubwürdigkeit verlangt auch individuelle Verantwortung für persönliche Entscheidungen. Die Beispiele zeigen aber, daß vor allem bei den obersten Führungskräften eine verbesserte Medienmoral einzufordern wäre. Aber wer heute in einem Medienunternehmen Verantwortung trägt, „denkt nicht in erster Linie an die Moral, sondern ans Geld", so Weischenberg. „Er spricht von Verantwortung für die Firma und ihre Beschäftigten. Die ökonomische Perspektive steuert sein Verantwortungsgefühl; in dieser Logik haben Gruner + Jahr und Bertelsmann die Affäre um die Hitler-Tagebücher abgehandelt" (Weischenberg 1992a, S. 222).

Dies trifft für britische Medienunternehmen genauso zu. Allerdings berücksichtigt der neue britische Pressekodex die „gestufte Verantwortung" in einem gewissem Maß. Deutscher und britischer Kodex sind im Anhang abgedruckt. Der „Code of Practice" der *Press Complaints Commission* unterscheidet zwischen der Verantwortung des Journalisten, des Chefredakteurs und des Verlegers. Während sich die Mehrzahl der Grundsätze direkt an den einzelnen Journalisten wendet, wird sowohl in der Einleitung als auch im Kodex selbst deutlich gemacht, daß „Chefredakteure für das Verhalten ihrer Journalisten verantwortlich" sind. Die Chefredakteure haben sich davon zu überzeugen, daß sämtliches Material ihrer festangestellten und beauftragten freien Mitarbeiter im Einklang mit dem Kodex erworben wurde, heißt es im Einleitungstext. In Richtlinie 8 über Belästigungen („Harassment") ist festgelegt, daß es in der Verantwortung des Chefredakteurs liegt, daß sich seine Reporter kodexgerecht verhalten. Um diese Richtlinien zu stärken, beschloß die *Press Complaints Commission* im November 1993, den Kodex sukzessive in die Arbeitsverträge von Chefredakteuren, Journalisten und Freien Mitarbeitern aufzunehmen.[45] In Gesprächen mit Verlegern ließ sich die *PCC* versichern, daß Kodexverstöße diszplinarisch geahndet werden.[46] Einen deutlichen Hinweis auf die Wirksamkeit dieses Sanktionsinstruments lieferte Rupert Murdoch, als er den Chefredakteur der *News of the World* öffentlich für einen dreiseitigen Bericht, der einen klaren Verstoß gegen den Pressekodex darstellte, abstrafte. Dieser hatte einen Reporter zu einem Pflegeheim geschickt, in dem eine schwerkranke, prominente Patientin versorgt wurde, um Fotos und Informationen zu bekommen. Der Reporter, das schwächste Glied in der Kette, erfüllte den Auf-

[45] Vgl. *UK Press Gazette* vom 15.11.1993 („Editors may face code sackings").
[46] Vgl. *UK Press Gazette* vom 5.6.1995 („The turn of the screw").

trag zur Zufriedenheit des Chefredakteurs. Murdoch unterstützte die Rüge der *Press Complaints Commission*, tadelte den Chefredakteur öffentlich und kündigte ihm etwa ein Jahr später.[47]

In Deutschland hat der ehemalige Intendant des Saarländischen Rundfunks, Manfred Buchwald, mehrfach gefordert, die „Publizistischen Grundsätze“ des *Deutschen Presserates* in die Anstellungsverträge von Journalisten aufzunehmen. Weil es bislang am notwendigem Druck fehlte, ist nichts daraus geworden.[48] Die Verfehlungen der Presse waren allerdings nie so gravierend, daß der deutsche Gesetzgeber zu vergleichbaren Drohgesten wie der britische greifen mußte – vermutlich hätte er es auch dann kaum gewagt. Der deutsche und britische Kodex unterscheiden sich in mehrerer Hinsicht. Es wurde bereits angesprochen, daß der britische Kodex ganz konkret Journalisten und Chefredakteuren auf ihre unterschiedliche Verantwortung hin anspricht. Dagegen ist der deutsche auffallend abstrakt und indifferent: Er ist durchgehend passivisch formuliert und verzichtet völlig auf Begriffe wie Journalist oder Chefredakteur. Nach deutscher Tradition setzt er auf absolute Maßstäbe wie „Achtung vor der Wahrheit“. Dagegen ist der britische praxisnäher spricht davon, ungenaue, irreführende und verzerrende Informationen zu vermeiden.[49] Viele Bestimmungen des deutschen Pressekodex wiederholen auch nur bestehendes Recht (Informantenschutz, Schutz der Privatsphäre). Dagegen regelt der britische Kodex rechtsfreie Räume: so in Ziffer 2 Gegendarstellungen und Richtigstellungen und in den Ziffern 4, 6, 11, 12, 13, 14 die Privatsphäre.

6.5 Analyse der Presserat-Beschwerden

Der Ethikbedarf ist in Großbritannien größer als in Deutschland aufgrund der presserechtlich ungeregelten Bereiche und der im internationalen Vergleich extremen Wettbewerbsbedingungen. Die

[47] Vgl. *News of the World* vom 14.5.1995 („Earl Spencer and the *News of the World*“). Die britische Regierung zeigte sich beeindruckt von Murdochs Verhalten; vgl. *Privacy and Media Intrusion: The Government's Response* (1995, S. 32f.).

[48] Vgl. Buchwald (1992). Auch beim DJV-Verbandstag in Stuttgart im November 1993 gab es den Antrag, den Kodex in Arbeitsverträge oder den Manteltarifvertrag aufzunehmen, was der Journalistenverband ablehnte.

[49] Vgl. in beiden Kodices Grundsatz (1). Inzwischen wurden die „Publizistischen Grundsätze“ durch „Richtlinien für die publizistische Arbeit“ ergänzt. Hier bleibt von den absoluten Maßstäben allerdings so gut wie nichts übrig. So wird Grundsatz (1) „Achtung von der Wahrheit“ durch die drei Stichwörter „Exklusivverträge“, „Wahlkampfveranstaltungen“ und „Pressemitteilungen“ konkretisiert; vgl. Deutscher Presserat (1990, S. 298).

sich daraus entwickelten „muckraking"-Tendenzen schlugen sich deutlich in der Beschwerdestatistik des *Press Council* (bis 1990) und der *Press Complaints Commission* (seit 1991) nieder. Schaubild 10 zeigt die Häufigkeiten der eingegangenen Beschwerden beim britischen und deutschen Kontrollorgan im Zeitverlauf.

Die unterschiedlichen Entwicklungskurven vermitteln ein eindrucksvolles Bild von den Situationen in beiden Ländern. In Großbritannien versechsfachte sich die Zahl der eingegangenen Leserbeschwerden zwischen 1975 und 1996. Wichtig ist, daß sich der Großteil der Beschwerden gegen die *nationalen* Zeitungen richtet: 1989 betrafen 62 Prozent der Beschwerdeentscheidungen die nationale und 17 Prozent die regionale Presse, 1996 waren es 48 Prozent gegen die nationale und 34 gegen die regionale Presse.[50] Der massive quantitative Anstieg einerseits und die geschilderten Grenzverletzungen andererseits führten 1989 zur Einsetzung der ersten Calcutt-Kommission und 1990 zur Ablösung des *Press Council* durch die *Press Complaints Commission*. Die Zahl der Beschwerdeeingänge beim *Deutschen Presserat* erreichte nie das britische Niveau. Bei der Interpretation der britischen Verlaufskurve ist jedoch Vorsicht geboten: Während die hohe Zahl der Eingaben bis 1990 als Anzeichen für die zunehmend unverantwortliche Presse und für die Überforderung des *Press Council* gewertet wurde, führt das neue Organ die wachsende Zahl der Eingaben seit 1991 als positives Anzeiches für ihre hohe Bekanntheit und Glaubwürdigkeit auf – eine Sichtweise, die nicht unumstritten ist (vgl. Munro 1997, S. 7).

In beiden Ländern kommt es in nur wenigen Fällen nach einer Beschwerde*eingabe* auch zu einem formellen Beschwerde*verfahren*, weil sich der Presserat entweder nicht zuständig sieht, oder kein offensichtlicher Verstoß gegen den geltenden Kodex erkennbar ist, oder der Beschwerdeführer seine Eingabe zurückzieht, oder eine gütliche Einigung im Vorfeld möglich war (beispielsweise durch Briefwechsel zwischen Beschwerdeführer und Chefredakteur). Schaubild 11 zeigt die Anzahl der förmlichen Beschwerde*verfahren* – unterschieden nach ihrem Ergebnis – für beide Länder im Überblick. Drei Dinge fallen auf. Erstens nimmt in Großbritannien sowohl die Zahl der förmlichen Verfahren als auch die Zahl der als „begründet" angesehenen Beschwerden kontinuierlich ab, während in Deutschland beides kontinierlich zunimmt. Zweitens wird in Großbritannien in Relation zu den Beschwerdeeingängen (Schaubild 10) seltener ein förmliches Verfahren eröffnet als in Deutsch-

[50] Vgl. den Jahresbericht 1989 des *Press Council* und den Jahresbericht 1996 der *Press Complaints Commission.*

Schaubild 10: Anzahl der eingegangenen Leserbeschwerden beim britischen und deutschen Presserat zwischen 1975 und 1996

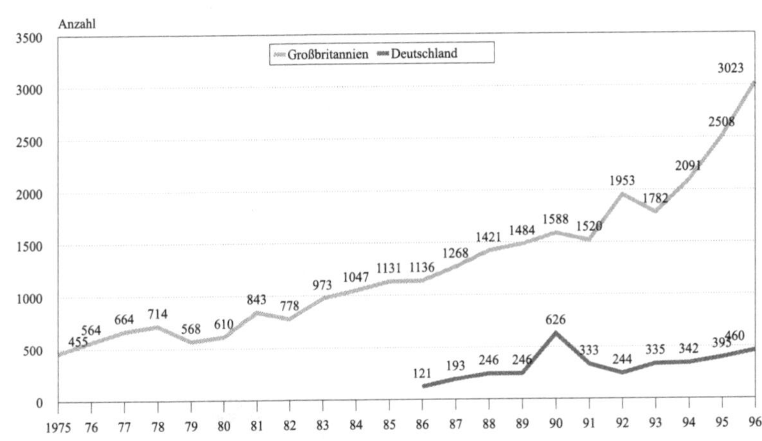

Quellen: Jahrbücher von Deutschem Presserat, Press Council (bis 1990) und Press Complaints Commission (seit 1991). Beim Deutschen Presserat sind keine früheren Daten verfügbar; der deutsche Wert von 1990 (626 Fälle) enthält eine Sammeleingabe von 417 Beschwerden des Zentralrats der Sinti und Roma.

land. Das kann als Hinweis auf unterschiedliche Bewertungsmaßstäbe in beiden Ländern angesehen werden. Drittens gelten in Großbritannien seit der Ablösung des *Press Council* durch die *Press Complaints Commission* (zum 1. Januar 1991) offensichtlich strengere Bedingungen für die Untersuchung von Beschwerden: Obwohl die Zahl der Eingaben kontinuierlich steigt, eröffnet die *Press Complaints Commission* seltener ein formelles Verfahren und erkennt seltener Beschwerden als „begründet" an, als es der *Press Council* tat.[51] Die veränderten Bewertungskriterien erklären die rückläufige Tendenz der britischen Beschwerdestatistik (s. Schaubild 11). Die deutsche Beschwerdestatistik ist dagegen ansteigend. Sowohl die Zahl der Lesereingaben als auch die Zahl der als „begründet" angesehen Beschwerden nehmen zu.[52] Beim *Deutschen Presserat* spricht

[51] Eröffnete der *Press Council* zwischen 1986 und 1990 noch bei durchschnittlich 10,7 Prozent aller Eingaben ein Beschwerdeverfahren, ließ die *Press Complaints Commission* zwischen 1991 und 1995 nur noch durchschnittlich 5 Prozent zu einem Verfahren zu. Dasselbe gilt für die als „begründet" angesehenen Beschwerden. Beurteilte der *Press Council* zwischen 1986 und 1990 noch durchschnittlich 52,4 Prozent aller förmlich untersuchten Beschwerden als „begründet", waren es bei der *Press Complaints Commission* zwischen 1991 und 1995 nur noch durchschnittlich 41 Prozent.

[52] Die Zahlen steigen nicht nur absolut (s. Schaubild 10 und 11), sondern auch

Schaubild 11: Anzahl „begründeter“ und „unbegründeter“ Beschwerden in Großbritannien und Deutschland 1985–1996 – nach Prüfung in einem formellen Beschwerdeverfahren

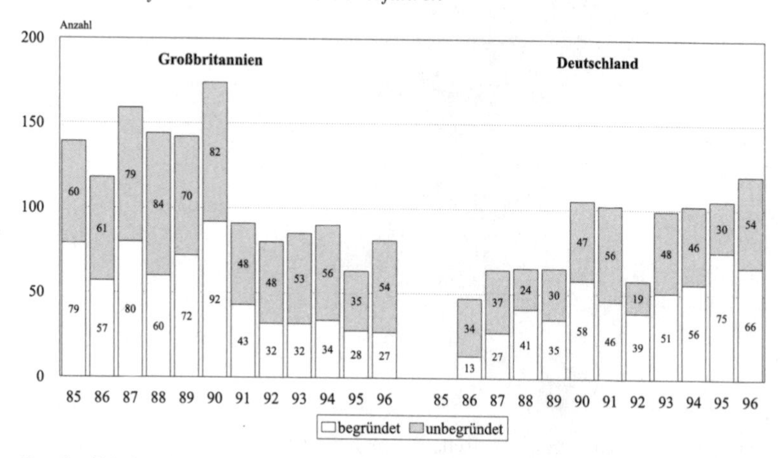

Quelle: Jahrbücher von Deutschem Presserat, Press Council (bis 1990) und Press Complaints Commission (seit 1991).

nichts dafür, daß er seine Bewertungsmaßstäbe im Laufe der Zeit geändert hat.[53] Daraus läßt sich schließen, daß die Verfehlungen der deutschen Presse tatsächlich zugenommen haben. Davon ist im britischen Fall aufgrund der oben geschilderten Einzelfälle zwar auch auszugehen, aus der Beschwerdestatistik ist dies jedoch nur eingeschränkt abzulesen. Der Grund für die gestiegene Zahl der Eingaben seit 1991 dürfte auch auf die intensive Öffentlichkeitsarbeit der *PCC* zurückzuführen sein. Dadurch stieg ihre Bekanntheit sehr. Allein 1996 druckten Zeitungen und Zeitschriften kostenlose Werbeanzeigen der *PCC* im Wert von £ 200 000. Zudem dürfte die öffentliche Ethikdebatte (Calcutt I und II) zu einer gestiegenen Sensibilität und Beschwerdebereitschaft der Leser geführt haben. Der Rückgang der Beschwerdeverfahren dürften hingegen mit den weniger strengen Maßstäbe der *PCC* zu erklären sein. Zusammenfassend ist davon auszugehen, daß die Selbstkontrollorgane beider Länder ethische Verfehlungen nach unterschiedlichen Kriterien be-

relativ: Beurteilte der *Deutsche Presserat* zwischen 1986 und 1990 durchschnittlich 48 Prozent aller eingereichten Beschwerden als „begründet“, waren es zwischen 1991 und 1995 schon durchschnittlich 58 Prozent.

[53] So blieb der Anteil der eingeleiteten Verfahren konstant: Zwischen 1986 und 1990 wurde in durchschnittlich 28,3 Prozent aller Fälle ein Beschwerdeverfahren eröffnet, zwischen 1991 und 1995 in durchschnittlich 28,4 Prozent.

urteilen: Das britische Gremium ist weniger streng als das deutsche. Viele Pressepraktiken, die in Deutschland zur Rüge führen, werden in Großbritannien vermutlich noch nicht einmal ins Verfahren genommen.

Tabelle 15: Verstöße gegen den Pressekodex in Deutschland und Großbritannien, Themenschwerpunktanalyse 1994 und 1996

	Deutschland 1994 / 1996 %	Großbritannien 1994 / 1996 %
Wahrheits- und Sorgfaltspflicht (D: Kodexziffern 1, 2, 3, 7; GB: 1, 2, 3)	50 / 46	74 / 69
Recherchemethoden, Informantenschutz (D: Kodexziffern 4, 5, 6, 15; GB 5, 7, 8, 9, 16, 17)	2 / 2	8 / 6
Verletzung des Persönlichkeitsbereichs (D: Kodexziffern 8, 9, 13; GB: 4, 6, 11, 12, 13, 14)	32 / 23	16 / 17
Diskriminierung / Sittl.-religiöses Empfinden (D: Kodexziffern 10, 12; GB: 15)	11 / 20	2 / 7
Unglücksberichterstattung, Gewalt, Sensation (D: Kodexziffern 11, 14; GB: 10)	5 / 5	0 / 1
Beschwerdeanzahl	250 / 354	446 / 474

Quelle: Jahrbücher des Deutschen Presserats und der Press Complaints Commission. Es handelt sich nicht um die insgesamt eingereichten, sondern nur um die tatsächlich untersuchten Beschwerden. Diese werden in einem formellen Verfahren als begründet oder unbegründet beurteilt oder ohne Verfahren im Vorfeld gelöst.

Tabelle 15 zeigt alle Eingaben, die der *Deutsche Presserat* und die *Press Complaints Commission* in den Jahren 1994 und 1996 auf der Basis des Pressekodex prüfte.[54] Eine solche Aufschlüsselung nach thematischen Schwerpunkten fertigt der *Deutsche Presserat* regelmäßig an; die britischen Daten wurden entsprechend zugeordnet. Zuerst einmal fällt an der Tabelle die hohe Konstanz *innerhalb* der Länder und die große Ähnlichkeit *zwischen* den Ländern auf. Zum zweiten fällt auf, daß der Mediendiskurs in beiden Ländern am Beschwerdeverhalten der Öffentlichkeit vorbei geht. So beunruhigen sensationelle Unglücks- und Gewaltdarstellungen die Beschwerdesteller offensichtlich kaum. Dasselbe gilt für die angeblich so weit verbreiteten, unlauteren Recherchemethoden. Sie werden von der Mehrzahl der Leser nicht wahrgenommen; von ihnen erfährt offensichtlich nur, wer sie selbst erlebt hat.

[54] Diese Zahl ist niedriger als die der Gesamteingaben (s. Schaubild 10), aber höher als die der schließlich eingeleiteten, förmlichen Beschwerdeverfahren (s. Schaubild 11).

An erster Stelle der Beschwerden stehen in beiden Ländern Verstöße gegen die Wahrheits- und Sorgfaltspflicht. Hierunter fallen zum Beispiel falsche Zitate, falsche Tatsachenbehauptungen oder überzogene Überschriften. Derartige Klagen sind in Großbritannien häufiger als in Deutschland (Differenz 23 Prozent). Dafür sind zwei Erklärungen denkbar: Entweder arbeiten britische Zeitungen nachlässiger als deutsche oder die Briten sind sensibler und anspruchsvoller, was Genauigkeit in der Presse angeht. Für die erste Erklärung spricht, daß sich die meisten Beschwerden auf die nationalen Zeitungen aus London beziehen, wo ein immenser Zeit-, Prestige- und Wettbewerbsdruck herrscht, der Fehler geradezu herausfordert. Von allen britischen Beschwerden richteten sich in beiden Jahren 49 Prozent gegen nationale und nur 33 Prozent gegen regionale Zeitungen. Die mit Abstand meisten Beschwerden (1994: 35 Prozent) entfielen auf die nationalen Boulevardzeitungen.[55] Für den Einfluß einer größeren Sensibilität der britischen Leser für Faktengenauigkeit spricht die jahrelange Debatte über die Qualität ihrer Presse. Die Briten scheinen nicht länger bereit zu sein, Nachlässigkeiten in der Presse zu tolerieren und beschweren sich umgehend. Dies könnte als Hinweis auf eine gewachsene Effektivität der Selbstkontrolle gedeutet werden.

An zweiter Stelle in der deutschen und britischen Beschwerdestatistik folgen Klagen über Verstöße gegen Persönlichkeitsrechte. Darüber beschweren sich die Deutschen häufiger als die Briten, 1994 sogar doppelt so oft. Obwohl das Eindringen in die Privatsphäre seit Anfang der achtiger Jahre ein zentraler Vorwurf gegen die britische Presse war und in Meinungsumfragen, Gutachterberichten und Parlamentsdebatten heftig kritisiert wurde, nimmt es bei den Leserbeschwerden nur einen kleinen Teil ein. Dafür sind mindestens zwei Erklärungen denkbar. Entweder verhalten sich die deutschen Journalisten rücksichtsloser bei Berichten über das Privatleben von Bürgern oder die deutschen Bürger reagieren viel sensibler auf Verletzungen ihrer Privatsphäre. Gegen die erste Erklärung, daß deutsche Journalisten rücksichtloser recherchieren, sprechen allen bisherigen Befunde.[56] Es scheint vielmehr so zu sein, daß deutsche Bürger aufgrund des rechtlich umfassend geregelten Persönlichkeitsschutzes viel empfindlicher reagieren. Die Briten scheinen dagegen aufgrund fehlender Persönlichkeitsrechte ihre

[55] Vgl. die Monats- und Jahresberichte der *Press Complaints Commission* 1994 und 1996.

[56] Vgl. Tabelle 2 auf S. 119 sowie Köcher (1985, 1986).

Privatssphäre enger zu definieren. Sie nehmen viele Berichterstattungsmethoden hin, die in Deutschland als illegitim gelten. So sind beispielsweise Namensnennungen ohne vorherige Einwilligung in der britischen Presse viel verbreiteter als in der deutschen. Jeder Ladendieb und Verkehrsünder erscheint mit voller Anschrift in der Presse. Tabelle 15 läßt sich daher so lesen, daß die an „human interest stories" interessierten Briten nichts gegen ein gewisses Eindringen in den Persönlichkeitsbereich haben, solange diese Berichte faktisch korrekt sind. Bei allem, was mit Persönlichem zu tun hat (Verletzung des Persönlichkeitsbereichs, Diskriminierung von Minderheiten, Unglücksberichterstattung), sind die Deutschen viel sensibler. Insofern spiegelt die Tabelle vermutlich auch einen Mentalitätsunterschied zwischen beiden Nationen.

6.6 Zusammenfassung und Fazit

Die ethischen Standards der britischen Presse sind im Laufe der achtziger und frühen neunziger Jahre gesunken. Dies läßt sich an einer Chronik von Grenzverletzungen, an Umfragen unter Politikern, Lesern und Journalisten sowie an der Beschwerdestatistik des britischen Presserats belegen. Die vergleichende Analyse der Leserbeschwerden legt die Einschätzung nahe, daß die deutsche Presse zurückhaltender berichtet und rechtliche und ethische Normen strenger beachtet. Die Zahl der eingereichten und anhand des Pressekodex geprüften Beschwerden ist beim deutschen Presserat viel geringer als beim britischen. Auch bezeichnen deutsche Leser die hiesigen Medien als relativ fair und lehnen – anders als in Großbritannien – eine schärfere Kontrolle ab. Da der *Deutsche Presserat* nach strengeren Bewertungsmaßstäben vorgeht, unterscheidet sich die Zahl der als „begründet„ angesehenen Beschwerden in beiden Ländern kaum. Die deutsche Presse gibt demnach zu deutlich weniger Beschwerden Anlaß, diese wenigen werden aber strenger geahndet als in Großbritannien.

Die größere Zahl von Beschwerden über die britische Presse läßt sich auf mindestens zwei Ursachen zurückführen. Erstens sind, anders als in Deutschland, die Rechte und Pflichten der Presse kaum gesetzlich geregelt. Die geringere rechtliche Absicherung zwingt die Journalisten jeden Tag aufs Neue, ihren Handlungsspielraum an den Außengrenzen der Pressefreiheit – im ethischen Graubereich – zu verteidigen. Dies führt leicht zu Grenzübertretungen. Andererseits gibt es für die Presse weniger Pflichten als in Deutschland. So existiert beispielsweise kein Persönlichkeitsschutzrecht, daß bei der Berichterstattung zu beachten wäre. Auch dies provoziert ethisch fragwürdige Praktiken. Der verschärfte Wettbewerb, die zweite Ursache, förderte die allgemeine Gleichgültigkeit gegenüber ethischen Fragen weiter. Der für europäische Verhältnisse außergewöhnliche Konkurrenzdruck führte in den achtziger Jahren zu einer hemmungslosen Verkaufsorientierung, vor allem in der Boulevardpresse. Diese Entwicklung zwang die britische Regierung 1989 zum Eingreifen. Das Vertrauen in die Fähigkeit und Bereitschaft zur ethischen Selbstverpflichtung der Journalisten war in Öffentlichkeit und Politik stark gesunken. Die eingesetzten Calcutt-Kommissionen empfahlen dem Gesetzgeber eine drastische Verstärkung externer Kontrollen zur Disziplinierung der Presse.

Calcutts Vorschläge lösten erstmals in Großbritannien eine intensive Diskussion über journalistische Ethik aus. Die konkrete Drohung, mit Gesetzen den Handlungsspielraum der Presse empfindlich zu beschneiden, zwang zu einer Analyse der Eigenarten, Schwierigkeiten und Selbstkontrollmöglichkeiten der britischen Presse. Besonders hervorzuheben ist hier die Arbeit von Snoddy (1992), der die Möglichkeiten und Grenzen berufsethischen Verhaltens im Journalismus klarsichtig darlegt. Snoddy zeigt, daß journalistische Berufsethik nur über die Chefredakteure und Verleger zu stärken und zu sichern ist. Wohl ohne Spaemanns (1977, 1982) Konzept der „gestuften Verantwortung" zu kennen, kommt er zum selben Ergebnis und belegt damit seine Angemessenheit. Unter dem vom britischen Gesetzgeber bewußt erzeugten Druck entwickelten Presserat und Berufsverbände differenzierte Selbstkontrollmechanismen. Dazu zählt ein Pressekodex, der die gestufte Verantwortlichkeit zu einem gewissen Grade berücksichtigt. Um Journalismusethik noch besser im Berufsalltag zu verankern, wird der Kodex in die Arbeitsverträge der Medienschaffenden aufgenommen. Auch ist die *Press Complaints Commission* hinsichtlich Zusammensetzung, Arbeitsausrichtung und Sanktionsmöglichkeiten fortschrittlicher als der *Deutsche Presserat*. Sie informiert über ihre Arbeit mit einer offensiven PR und nimmt Beschwerden auf jedem erdenklichen Kommunikationsweg entgegen. Ihre Telefon-Hotline wird jede Woche von bis zu 150 Anrufern wahrgenommen (Munro 1997).

Aufgrund des stärker ausgestalteten Presserechts ist die deutsche Situation mit der britischen nur eingeschränkt vergleichbar. So stellt der deutsche Pressekodex über weite Strecken lediglich eine verbale Verdopplung des Rechts dar (Rühl & Saxer 1981). Eine wachsende Herausforderung ist jedoch auch in Deutschland der Konkurrenzkampf zwischen den Medien. Ob die deutsche Presseselbstkontrolle angesichts dieser Gefahr für die berufsethischen Standards zu ähnlich weitreichenden Reformen wie die britische veranlaßt werden kann, bleibt abzuwarten.

7. Innere Pressefreiheit in Großbritannien und Deutschland: Arbeitsrecht und redaktionelle Mitbestimmung

7.1 Arbeitsrechtliche Grundlagen

Britische Presseunternehmen genießen keine arbeitsrechtliche Sonderstellung. Für das Verhältnis zwischen Verleger und Journalisten (Festangestellte und Freie) gelten dieselben Gesetze wie für die Beschäftigten anderer Branchen. Das Verhältnis zwischen Arbeitgebern und Gewerkschaften beruht in Großbritannien auf dem Prinzip des „Voluntarismus", also auf freiwillig eingegangenen und autonom gestalteten Beziehungen. Die Arbeitsbeziehungen sind nicht, wie in Deutschland, durch ein systematisches Regelwerk gesetzlicher Vorschriften bestimmt. Auch gibt es in Großbritannien keine rechtliche Verbindlichkeit von Tarifvereinbarungen, keine Friedenspflicht während der Laufzeit der Tarifverträge, keine zivilrechtliche Haftung bei nicht eingehaltenen Verträgen und keine Betriebsverfassung, die den Belegschaftvertretern Mitspracherechte einräumt. Das seit dem ausgehenden 19. Jahrhundert beharrlich verteidigte Prinzip des „non-intervention by the law and the state" ist Ausdruck eines tiefen Mißtrauens gegenüber Eingriffen des Staates und der Gerichte in die Beziehungen zwischen Arbeitgebern und Arbeitnehmern. Das Vertrauen in die Selbstregulierung und Selbstverwaltung der Arbeitsbeziehungen durch die Tarifparteien wurde allerdings in den siebziger Jahren nachhaltig erschüttert, als verschiedene Gewerkschaften begannen, ihren bis dahin nahezu unbegrenzten Handlungsnutzraum rücksichtslos auszuspielen. Dies veranlaßte Premierministerin Margaret Thatcher, mit dem hundertjährigen Prinzip des „abstention of law and state" zu brechen und verschiedene Arbeitsgesetze, vor allem zur Einschränkung des Streikrechts, zu erlassen.[1]

In Großbritannien werden „employees" (Festangestellte) und „self-employed" (Selbständige, Freie) unterschieden. Obwohl diese Unterscheidung im britischen Arbeitsleben von großer Bedeutung

[1] Vgl. Wendt (1988), Marsh (1992), Grote-Seifert (1994), Kastendiek (1994). Dazu mehr in Kapitel 7.4.

ist, gibt es keine schlüssige, gesetzlich festgeschriebene Definition; vielmehr konkurrieren verschiedene Definitionen des Gesetzgebers (im Statute Law) mit denen der Gerichte (im Common Law). Nur festangestellte „employees“ haben ein Anrecht auf Sozialversicherung, Kündigungsschutz, Lohngarantie bei Zahlungsunfähigkeit des Arbeitgebers, die Sorgfaltspflicht des Arbeitgebers und Schutz durch Gesundheits- und Sicherheitsvorkehrungen (Bowers & Honeyball 1990, S. 11). Die britischen Verlegerverbände legen größten Wert auf diese Unterscheidung und wehren sich nachdrücklich gegen Bestrebungen auf EU-Ebene, den freien Mitarbeitern („self-employed“) einen größeren arbeits- und sozialrechtlich Schutz zuzuerkennen. Tarifvertragliche Regelungen für freie Journalisten, wie sie in Deutschland bereits existieren[2] und auf europäischer Ebene gefordert werden, lehnen die britischen Verleger grundsätzlich ab.[3] Zu welcher Kategorie ein Beschäftigter gehört, hängt von der Art der Vereinbarung zwischen ihm und dem Arbeitgeber ab. Im Streitfall entscheidet das „Industrial Tribunal“ (Arbeitsgericht) darüber, ob ein Arbeitsverhältnis besteht. Hauptsächlich beschäftigen sich die Industrial Tribunals mit Beschwerden von Arbeitnehmern wegen ungerechtfertigter Kündigung („unfair dismissal“). Die Definition eines Arbeitsverhältnisses ist relativ unscharf und beruht auf gerichtlichen Einzelfallentscheidungen. Nach § 153.1 des *Employment Protection Consolidation Act* 1978 ist ein Arbeitnehmer „an individual who has entered into or works under a contract of employment“. Wie in Deutschland muß ein solcher Arbeitsvertrag nicht schriftlich fixiert werden, sondern kann auch impliziert sein.[4] Mündliche Arbeitsverträge waren bis Mitte der achtziger Jahre im britischen Journalismus häufig.

Die Thatcher- und Major-Regierung und die Arbeitgeber wehrten sich gegen jede Regulierung ihrer sehr flexiblen Arbeitsbestimmungen. In kaum einem anderen Land der Europäischen Union können Arbeitnehmer so leicht entlassen werden wie in Großbri-

[2] Der in Deutschland geltende „Tarifvertrag für arbeitnehmerähnliche freie Journalisten und Journalistinnen an Tageszeitungen“ vom 17. Mai 1993 ist abgedruckt im BDZV-Jahrbuch *Zeitungen* (1993, S. 433–439).

[3] Die ablehnende Haltung der britischen Verlegerverbände wird erläutert in *UK Position Paper. Assises Européennes de la Presse – Human Resources Workshop.* Die Forderungen der Europäischen Gruppe der International Federation of Journalists (IFJ) sind in dem Report *Assisses de la Presse Ecrite*, erläutert. Es handelt sich in beiden Fällen um Konferenzpapiere für die *Assises européennes de la presse*, Luxembourg, 2.–4. Juli 1991, auf der Möglichkeiten und Grenzen presserechtlicher Harmonisierungen in Europa diskutiert wurden.

[4] Vgl. Bowers & Honeyball (1990, S. 11–14, 99–128).

tannien.[5] Ob Teilzeit- oder Vollzeitbeschäftigung, ob Überstunden, Wochenend- oder Nachtarbeit: In keinem EU-Mitgliedsland gibt es weniger Vorschriften. Die konservative Regierung Großbritanniens hat als einzige die „Sozialcharta“ des Vertrags von Maastricht nicht unterzeichnet, um zu verhindern, daß ihre Maßnahmen zur Begrenzung der Gewerkschaftsmacht und der Arbeitnehmerrechte durch EU-Gesetze aufgeweicht werden.[6] Die „Sozialcharta“ sichert soziale Grundrechte der Arbeitnehmer wie Freizügigkeit, Beschäftigung und Arbeitsentgelt, sozialen Schutz, Koalitionsfreiheit und Tarifverhandlungen, Gesundheitsschutz und Mitwirkungsrechte. Die Nichtanerkennung der „Sozialcharta“ unterstreicht die im Vergleich zu Deutschland schwächere soziale Absicherung der britischen Arbeitnehmer. Als auf einem europäischen Presse-Kongreß 1991 in Luxembourg[7] in Gegenwart von Jacques Delors die Angleichung der Arbeitsschutzbestimmungen auf EG-Ebene diskutiert werden sollte, blockten die britischen Verleger dies „wie eine Armee von Margaret Thatchers“, so EG-Kommissar Neville Keery. Wie Keery erklärte, seien die britischen Verleger der Meinung, sie hätten die Gewerkschaften in ihrem Land erfolgreich zerschlagen und wollten nun nicht, daß dieser Sieg durch eine neue Sozialgesetzgebung auf europäischer Ebene verspielt werde.[8] Der Premierminister der neuen *Labour*-Regierung, Tony Blair, hatte zwar im Wahlkampf 1997 die Einführung der EU-Sozialcharta versprochen, sich nach dem Wahlsieg jedoch gegen die sofortige Umsetzung gesperrt.[9]

[5] „Rights at Work Social Charter“, NUJ-Papier, London 1993, sowie Händel & Gossel (1994, S. 346). So genießt ein britischer Arbeitnehmer erst nach zwei Jahren Kündigungsschutz, während er in Deutschland schon nach sechs Monaten gilt.

[6] Vgl. *Economist* vom 24.7.1993, S. 33 f. sowie Händel & Gossel (1995, S. 345 f.).

[7] *Assises européennes de la presse*, Luxembourg, 2.–4. Juli 1991.

[8] Zum Zeitpunkt des Interviews im Juni 1992 war Neville Keery Vorsitzender der Abteilung DG X (Audiovisual, Communication, Information and Culture) bei der Europäischen Gemeinschaft in Brüssel. Er sagte dem Verfasser: „The British publishers feel they have succeeded in eliminating the unions in their country and this victory should not be reversed by EC social legislation.“

[9] Vgl. *Süddeutsche Zeitung* vom 14.6.1997 („Blair will EU-Sozialcharta erst später umsetzen“).

7.2 Tarifpartner und Tarifvereinbarungen

In Deutschland sind die Arbeitsverhältnisse im Pressewesen im wesentlichen durch Tarifverträge geregelt. Diese zwischen den Verbänden der Verleger und der Journalisten ausgehandelten Vertragbestimmungen stellen „objektives, grundsätzlich zwingendes Recht“ dar (Löffler & Ricker 1994, S. 211). Durch die Allgemeinverbindlichkeitserklärung des Bundesarbeitsministers wirken die Bestimmungen des Tarifvertrages als Mindestarbeitsbedingungen auf *alle* Einzelarbeitsverhältnisse, gleichgültig, ob die betroffenen Verleger und Journalisten Mitglieder der vertragschließenden Organisationen sind.[10] Der „Manteltarifvertrag für Redakteure und Redakteurinnen an Tageszeitungen“, der am 28. Mai 1990 zwischen dem *Bundesverband Deutscher Zeitungsverleger* (BDZV) sowie dem *Deutschen Journalisten-Verband* (DJV) und der *IG Medien – Druck und Papier, Publizistik und Kunst* geschlossen wurde, besitzt eine dem „Gesetz vergleichbare Wirkung“.[11] Er wurde jedoch zum 31. Dezember 1997 vom BDZV gekündigt und erst nach schmerzhaften Einbußen für die Gewerkschaften vom BDZV verlängert.[12]

In Großbritannien gibt es zwei Verlegerverbände und drei Journalistengewerkschaften. Die Verleger der *national* verbreiteten Zeitungen sind in der *Newspaper Publishers' Association* (NPA) zusammengeschlossen. Die Verleger der *regionalen* Zeitungen haben sich in der *Newspaper Society* (NS) zusammengeschlossen. Auf Gewerkschaftsseite hat sich die große Mehrheit der Journalisten in der *National Union of Journalists* (NUJ) organisiert. Daneben gibt es zwei kleinere Organisationen, das *Institute for Journalists* (IoJ) und die 1992 gegründete *British Association of Journalists* (BAJ).[13] Das Verhältnis zwischen den Tarifparteien unterscheidet sich in drei wesentlichen Punkten vom deutschen: In Großbritannien sind Tarifverträge nicht rechtlich bindend; zudem gibt es in der britischen

[10] Gegen die – gemeinsam von Gewerkschaften und Arbeitgeberverbänden – beim Arbeitsminister zu erwirkende Allgemeinverbindlichkeitserklärung hat sich der BDZV in den letzten Jahren gesperrt. Dies sei nicht mehr zeitgemäß, hieß es. Vgl. *Journalist*, Heft 7/1995, S. 14–20 („Fataler Anstoß – Tarifflucht in den Medien“) und Heft 8/1996, S. 53–60 („Verbandsflucht und Tarifverträge“).

[11] Löffler & Ricker (1994, S. 252). Der Manteltarifvertrag ist abgedruckt im BDZV-Jahrbuch *Zeitungen* (1990, S. 299–308). Ergänzende Bestimmungen enthalten die dazugehörigen Anschlußverträge (Gehaltstarifvertrag, Tarifvertrag über die Abwendung sozialer Härten, Tarifvertrag über die Altersversorgung, Tarifvertrag über vermögenswirksame Leistungen).

[12] Vgl. *Journalist*, Heft 7/1997, S. 20 („BDZV kündigte Manteltarifvertrag: Abbau angestrebt“) und *Journalist*, Heft 1/1998, S. 24–31 („Streikerfolg“).

[13] Näheres zu den Journalistengewerkschaften in Kapitel 8.

Presse seit den achtziger Jahren keine Flächen- bzw. Verbandstarifverträge mehr; schließlich werden Journalistengewerkschaften beim Aushandeln von Tarif- und Arbeitsbedingungen von den Verlegern nicht mehr anerkannt. Die Verleger verhandeln nur mit den Arbeitnehmern individuell. Tarifabkommen sind in Großbritannien weder rechtlich verbindlich, noch einklagbar, noch allgemeingültig.[14] Um dies zu unterstreichen, ist Anfang der siebziger Jahre die sogenannte „Tinalea"-Klausel in Tarifverträge aufgenommen worden („This is not a legally enforceable agreement"). Die Vereinbarungen sind demnach lediglich „binding in honour". Das heißt zum Beispiel, daß – anders als in Deutschland – ein Arbeitgeber eine Gewerkschaft bei einem Verstoß gegen die Friedenspflicht nicht verklagen kann. Eine Sonderregelung für Pressebetriebe hat zu keinem Zeitpunkt bestanden. Mit der Kündigung des Manteltarifvertrags zum 31. Dezember 1997 schien der BDZV eine Entwicklung in die englische Richtung anzustreben.

7.3 Zusammenbruch des britischen Tarifsystems

Die Verleger- und Journalistenverbände in Großbritannien schließen schon seit Jahren keine Tarifverträge („collective aggreements") mehr ab. Der letzte Tarifvertrag für die *nationale* Presse kam 1978 zustande. Es hatte bereits seit 1970 immer größere Schwierigkeiten bei den Verhandlungen zwischen der Journalistengewerkschaft NUJ und dem Verlegerverband NPA gegeben.[15] Die typische Verhandlungsebene ist in England von jeher nicht die Verbandsebene (wie in Deutschland), sondern die Betriebsebene. Es ist üblich, daß die Betriebsgruppen („Chapels") die zwischen den Verbänden getroffenen „national agreements" betriebsintern nachverhandeln, weil die in den „national agreements" ausgehandelten Mindestarbeits- und Tarifbedingungen keine rechtliche Bindungswirkung haben. In London, wo sämtliche überregionalen Blätter herausgegeben werden, verloren Verlegerverband und Journalistengewerkschaft seit den sechziger Jahren zunehmend die Kontrolle über die Betriebsvereinbarungen. In Haustarifverträgen („house agreements") erzwangen die mächtigen Chapels weit bessere Kon-

[14] Wendt (1988, S. 124), Bowers & Honeyball (1990, S. 307 f.), Grote-Seifert (1994, S. 164 f., 194 f., 199). Dies hat der Gesetzgeber im *Trade Union and Labour Relations (Consolidation) Act* 1992 nochmals klargestellt.

[15] Angaben basieren auf Interview des Verfassers mit Jacob Ecclestone, Stellvertretender NUJ-Vorsitzender, am 8.5.1992. Siehe auch den Bericht „Licht am Horizont" im *Journalist*, Heft 11/1996, S. 87–89.

ditionen (z.B. dreimal höhere Löhne) als in den „national agreements“ vereinbart worden war. Die hausintern verhandelnden Verleger stimmten aus Angst vor Streiks zu. Der extrem scharfe Konkurrenzkampf unter den Londoner Zeitungen verhinderte einen Zusammenschluß der Verleger und damit eine einheitliche, wirkungsvolle Strategie ihres Verbandes.[16]

Das Tarifsystem der *regionalen* Presse hielt länger als das der nationalen. Der letzte Tarifvertrag zwischen mit der NUJ und dem Regional-Verlegerverband *Newspaper Society* stammt aus dem Jahr 1986/87.[17] Der Grund für das Ende dieses Verbandstarifvertrages lag darin, daß die *Newspaper Society* die im „national agreement“ ausgehandelte Lohnsteigerung nicht für alle ihre Mitgliedsverlage gelten lassen wollte. Zeitungen, die sich aus wirtschaftlichen Gründen dazu nicht in der Lage sahen, sollten davon ausgenommen werden, so die *Newspaper Society*. Diesen offenen Bruch mit der „binding in honour“-Tradition empfand die NUJ als Affront und erklärte, es sei „lächerlich“, mit einem Verlegerverband einen landesweiten Tarifvertrag abzuschließen, wenn sich nicht alle Mitgliedszeitungen daran zu halten hätten.

Angesichts der Tatsache, daß Verbandstarifvereinbarungen in Großbritannien sowieso einen geringeren Stellenwert besitzen als in Deutschland, hatten die Tarifvertragskündigungen anfangs wenig sichtbare Folgen. Dramatisch wurde die Situation erst, als die Verleger begannen, auch die Haustarifverträge („house agreements“) in Frage zu stellen. Bereits im Frühjahr 1977 hatte die International Thomson-Verlagsgruppe, die damals größte Regionalzeitungskette Großbritanniens, begonnen, mit NUJ-Chapels keine „house agreements“ mehr abzuschließen. Sie führte eine grundsätzliche Neuerung ein, die sich seitdem in der britischen Presse rasch ausgebreitet hat: Einzelarbeitsverträge. An die Stelle der alten „house agreements“ traten – ähnlich wie bei den leitenden Angestellten in Deutschland – individuelle Arbeitsverträge („personal contracts“). Journalisten, die es seit ihrem Berufseintritt gewohnt waren, daß die Gewerkschaft die Lohn- und Arbeitsbedingungen kollektiv für sie aushandelte, bekamen von der Verlagsleitung einen Brief zugeschickt, in dem es sinngemäß hieß: „Wir wollen mit der NUJ nicht mehr weiter verhandeln. Ihre persönlichen Arbeits- und Sozialbedingungen werden hiermit zum Verhandlungsgegenstand zwischen

[16] Vgl. *Royal Commission* (1977, S. 216–226), Grote-Seifert (1994, S. 194f., 270).

[17] Angaben basieren auf Interviews des Verfassers mit Jacob Ecclestone, Stellvertretender NUJ-Vorsitzender, und mit Moya O'Sullivan, Deputy Head of Employment Affairs bei der *Newspaper Society*.

Ihnen und der Verlagsleitung. Die Bedingungen werden in einem individuellen Arbeitsvertrag niedergelegt."[18] Falls früher ein schriftlich niedergelegter Arbeitsvertrag vorlag, wurde bei den zentralen Punkten (Gehalt, Arbeitszeit, Urlaub) in der Regel auf die entsprechenden Tarifvereinbarungen verwiesen.[19] Durch die Aufkündigung der „national agreements" und der „house agreements" ist der Arbeitnehmer nun bei der Aushandlung seiner Gehalt- und Arbeitsbedingungen auf sein persönliches Verhandlungsgeschick angewiesen.

7.3.1 Die neuen „individuellen Arbeitsverträge"

Die Journalistengewerkschaft NUJ war 1992 nach eigenen Angaben bei 80 Prozent der Regionalzeitungen „derecognized", d.h. sie hatte den Anspruch verloren, die Interessen der Journalisten zu vertreten.[20] Weder die NUJ, noch die beiden anderen, kleineren Journalistengewerkschaften IoJ und BAJ werden dort von der Verlagsleitung als Verhandlungspartner zum Aushandeln der Gehalts- und Arbeitsbedingungen anerkannt.[21] Es gibt kein gesetzlich garantiertes Anrecht auf Kollektivverhandlungen (weder durch die Gewerkschaft noch die Betriebsgruppe). Nach britischem Recht hat ein Arbeitnehmer zwar das Recht, Mitglied einer Gewerkschaft zu sein, aber kein Anrecht darauf, seine Interessen von einer Gewerkschaft vertreten zu lassen. Einen solchen Anspruch hat er erst nach seiner Entlassung bei einer Klage vor dem Arbeitsgericht.[22] Ge-

[18] So Ecclestones freie Wiedergabe des Briefinhaltes: „We do not wish to negatiate with the NUJ any further. Your terms and conditions will be a matter of negotiation between you and the manager. All your terms and conditions will be covered by a personal contract." Ein solcher Brief ist abgedruckt bei Franklin & Murphy (1991, S. 51).

[19] Vgl. Bowers & Honeyball (1990, S. 23–35) zur üblichen Praxis.

[20] So der stellvertretende NUJ-Vorsitzende Ecclestone am 8.5.1992 im Interview mit dem Verfasser. Siehe auch den Bericht „Licht am Horizont" im *Journalist*, Heft 11/1996, S. 87–89.

[21] Seit 1992 berichtet das Branchenblatt *UK Press Gazette* regelmäßig von weiteren Zeitungsunternehmen, die sämtliche Tarifvereinbarungen aufkündigen und ihre Journalisten zum Unterschreiben neuer individueller Arbeitsverträge drängen, in denen sie auf den Vertretungsanspruch durch eine Gewerkschaft verzichten. Die Verträge enthalten auch eine Verzichtserklärung auf eigenes gewerkschaftliches Engagement. Aus einem solchen individuellen Arbeitsvertrag zitieren Franklin & Murphy (1991, S. 51–53) die Formulierung: „... you will not take an active role in any such trade union organisation".

[22] „Rights at Work Social Charter", NUJ-Papier, London 1993, mit Verweis auf das Urteil im Arbeitsgerichtverfahren David Wilson vs *Associated Newspapers* vor dem Employment Appeal Tribunal.

haltsverhandlungen hängen nun von einem Vier-Augen-Gespräch mit dem Chefredakteur ab. Individuelle Arbeitsverträge wurden auch bei solchen Zeitungen eingeführt, wo eine Mehrheit der Journalisten für die Beibehaltung eines Haustarifvertrages – auszuhandeln zwischen Verlagsleitung und der NUJ-Betriebsgruppe – votierte.[23] Als sich David Wilson und zwölf weitere Journalisten von der *Daily Mail* 1989 weigerten, einen individuellen Arbeitsvertrag zu unterschreiben (mitsamt Verzichtserklärung auf gewerkschaftliche Interessenvertretung), versagte ihnen der Verlag eine Lohnerhöhung von 4,5 Prozent. Wilson klagte und verlor im Sommer 1995 auch in letzter Instanz. Nach britischem Arbeitsrecht verhielt sich die Zeitung korrekt. Wilson forderte auch die Offenlegung der Kriterien, nach denen die individuellen Gehälter der Journalisten entschieden wurden. Dazu ist die Zeitung nicht verpflichtet.[24] Eine andere Zeitung drohte mit Kündigung, falls ihre Journalisten individuelle Arbeitsverträge nicht unterzeichneten.[25]

Rechtlich möglich wurde diese Entwicklung durch neue Gewerkschafts- und Beschäftigungsgesetze, die seit dem Regierungswechsel 1979 in mehreren Schritten einführt wurden.[26] Der Thatcher-Regierung ging es insbesondere darum, Formen kollektiver Interessensvertretung im Bereich der Arbeitsbeziehungen zurückzudrängen und das individuelle Arbeitsverhältnis in den Vordergrund zu rücken. Im *Employment White Paper (People, Jobs and Opportunity)* von 1992 erklärte die Major-Regierung ihre Absicht, auch weiterhin „to reinforce the trend towards individual contracts".[27] Die Gründe der konservativen Thatcher- und Major-Regierungen, die Macht der Gewerkschaften gesetzlich zurückzudrängen sowie die Gründe der Verleger, ihre neugewonnenen Rechte resolut auszuschöpfen, sind vielschichtig und werden in Kapitel 8 geschildert.

[23] So beispielsweise beim *Daily Telegraph*; vgl. „Rights at Work Social Charter", NUJ-Papier, London 1993.
[24] Vgl. zum Fall Wilson die Berichte in *UK Press Gazette* vom 10.5.1993, S. 6, vom 17.5.1993, S. 13, vom 5.6.1995, S. 3 und vom 3.7.1995.
[25] Vgl. den Bericht „Chapel fights forced signings" in *UK Press Gazette* vom 31.1.1994 sowie den Leserbrief der NUJ-Betriebsgruppe in der Folgeausgabe vom 7.2.1994.
[26] *Employment Acts* 1980, 1982, 1988, 1989, 1990 und *Trade Union Act* 1984 sowie *Trade Union Reform and Employment Rights Act* 1993.
[27] Zit. n. „Rights at Work Social Charter", NUJ-Papier, London 1993.

7.3.2 Die Gehaltsregelung

Während in Deutschland die Arbeitgeber- und Arbeitnehmerverbände einen bundesweiten Gehaltstarifvertrag abschließen,[28] wird das Gehalt britischer Journalisten aus den genannten Gründen individuell vereinbart. Eine wichtige Folge der Einführung individueller Arbeitsverträgen ist die Bezahlung nach dem Leistungsprinzip. Die britischen Verlegerverbände erklären ihre Motive dafür so: „Gleichzeitig mit den dramatischen Mitgliederrückgängen bei den Gewerkschaften werden seit 1985 vermehrt individuelle Arbeitsverträge eingeführt, vor allem für Journalisten. Die Arbeitgeber sind prinzipiell dafür, alle Arbeitnehmer als Individuen zu behandeln. In finanzieller Hinsicht wird durch die Bezahlung individueller Leistung ein klarer Rahmen vorgegeben: die Fähigen profitieren und die weniger Leistungsstarken entwickeln sich oder müssen, in extremen Fällen, mit der Kündigung rechnen."[29] Talentierte Journalisten sollen zu größerer Leistung angespornt, Problemfälle zügiger entlassen werden können. Die zugrundeliegende Philosophie erläutert David Pollock, Vorsitzender des Verlegerverbandes *Newspaper Publishers Association* (NPA): „Wir führten individuelle Arbeitsverträge ein, weil sie den Prinzipien unseres ganzen Geschäftes besser entsprechen. Zeitungen arbeiten auf einem konkurrierenden Markt und sind auf persönliche, individuelle Fähigkeiten und Begabungen angewiesen. Auch der Zeitungsindustrie steht es frei, sich ein effektives Management zu geben, Talent zu belohnen und nach vernünftigen, kommerziellen Gesichtspunkten zu handeln."[30] Pressejournalismus funktioniere nach denselben Gesetzen wie andere Wirtschaftsbranchen. Es sei unfair, so Pollock, indivi-

[28] Der „Gehaltstarifvertrag für Redakteure und Redakteurinnen an Tageszeitungen" vom 9.5.1994 ist abgedruckt im BDZV-Jahrbuch *Zeitungen* (1994, S. 436–443). Er wurde bislang jährlich zwischen BDZV, DJV und IG Medien geschlossen und regelt für sämtliche deutschen Redakteure die Mindestlöhne, gestaffelt nach Berufsjahren und Verantwortlichkeitsbereich. Die seit 1998 geltende Neuregelung ist abgedruckt in *Journalist*, Heft 1/1998, S. 31.

[29] Im *UK Position Paper. Assises Européennes de la Presse – Human Resources Workshop* (1991) heißt es im Original: „Individual contracts, hand-in-hand with dramatic falls in union membership, have increasingly been introduced since 1985, for journalists in particular. Employers believe in treating all employees as individuals. In financial terms, rewarding individual performance allows the able to prosper and sets the scene for either developing the under-performer or, in extreme cases, for their departure."

[30] Pollock sagte am 8.5.1992 im Interview mit dem Verfasser: „We introduced personal contracts because it reflects more accurately the way in which business as a whole is going. Newspapers are a competing business and are very heavily dependent on personal individual skills and talents. The newspaper industry is

duelle Werte und Fähigkeiten „in einer Art allgemeiner Arbeiterklasse zusammenzuwerfen". Zustimmend erklärt auch der Chefredakteur der für diese Arbeit untersuchten *Birmingham Evening Mail*: „Bezahlt wird nach Leistung. Die besten Löhne gehen an die besten Leute. Wir haben zur Zeit einige begabte junge Leute Anfang 20 und indem wir ihnen Spitzengehälter zahlen, versuchen wir sie davon abzuhalten, zum Fernsehen oder einer nationalen Zeitung gehen."[31] In der Regel entscheiden die Chefredakteure über die individuellen Leistungszulagen ihrer Journalisten, die einen „substantiellen Anteil" am Gesamtgehalt der Journalisten ausmachen.[32] Die Einkommen der britischen Journalisten sind, wie schon Kapitel 4.2 zeigte, im Vergleich zu ihren deutschen Kollegen relativ gering. So betrug das Anfangsgehalt eines ausgebildeten Journalisten bei der *Birmingham Evening Mail* 1992 monatlich 2600 Mark brutto (£ 11850 Bruttojahresgehalt). Das entsprechende Gehalt eines Jungredakteurs nach dem Volontariat in Deutschland betrug 1992 laut Gehaltstarifvertrag monatlich 4236 Mark brutto plus zwei Monatgehälter. Tunstall (1996, S. 137, 140) macht zudem auf gestiegene Arbeitsplatzunsicherheit aufmerksam. Langfristige Festanstellungen werden seltener.

Es spricht einiges dafür, daß sich die deutsche Tarifgestaltung in die britische Richtung entwickeln wird. So begründete der BDZV seine Kündigung des Manteltarifvertrags mit dem „dringenden Reformbedarf" bei der Arbeitszeitgestaltung und Gehaltsregelung. Die deutsche Tarifregelung für Redakteure „enthalte zu wenig Leistungselemente und fördere die Beamtenmentalität". Der deutsche Verlegerverband will die Gehaltsstruktur daher grundsätzlich reformieren und hat dafür bereits die ersten Weichen gestellt. Der BDZV setzte im Dezember 1997 die Streichung der obersten Berufsjahr-Gehaltsstufen durch, um die vermeintliche „Staffel der Sitzfleischprämien" abzusenken.[33]

free to be managed effectively, to reward talent and to operate on sound commercial lines."

[31] Chefredakteur Ian Dowell sagte während der Redaktionsbeobachtung im Juli 1992 dem Verfasser: „Pay is based on merit. We decide to give the best wages to the best people. (…) Now we have some talented people in their early 20s and we can give them the top wage in an attempt to stop them joining television or national newspapers."

[32] „Employee Handbook", The Birmingham Post & Mail Limited, S. 8.

[33] Vgl. *Journalist*, Heft 1/1998, S. 24–31(„Streikerfolg").

Bei Arbeitskämpfen unterscheidet man zwischen Aussperrung (durch Arbeitgeber) und Streik (durch Arbeitnehmer). In Deutschland kam beides mehrfach vor, die Zulässigkeit von Arbeitskampfmaßnahmen in der Presse ist hier jedoch umstritten. Sie führten in den Jahren 1973, 1976, 1978 und 1984 zu einer streik- und aussperrungsbedingten „Informationsverknappung", die nach Auffassung von Löffler & Ricker (1994, S. 229–231) verfassungsrechtlich bedenklich ist. So werde der in Art. 5 Abs. 1 GG garantierte Schutz der Pressefreiheit als auch das Recht, sich aus allgemein zugänglichen Quellen zu informieren, beeinträchtigt. Sie schlagen daher vor, die Presse den „lebenswichtigen Betrieben" (Krankenhäuser, Wasser, Elektrizität) zuzuordnen, für die nur ein eingeschränktes Streikrecht gilt. Dies ist allerdings weder in Deutschland, noch in Großbritannien der Fall.[34]

In Großbritannien hat es eine Diskussion um „Informationsverknappung" nie gegeben, obwohl kaum eine Branche durch Arbeitskämpfe so beeinträchtigt wurde wie die Presse.[35] Die Journalistengewerkschaft NUJ und die verschiedenen Druckergewerkschaften haben zur Durchsetzung ihrer Tarifforderungen vielfach gestreikt (oder es angedroht), wobei sie auch Zensur- und Boykottmaßnahmen ergriffen. Um sich dieses Drucks zu erwehren, griffen einige Verleger zu Aussperrungen. Hierbei handelt es sich um eine im Gegensatz zu Deutschland sehr seltene Kampfform, die in Großbritannien fast nur in der Presse vorkam.[36] Ende der siebziger Jahre kam es u. a. bei der *Financial Times* zu einer 16tägigen und bei *The Times* und *The Sunday Times* zu einer 11monatigen Aussperrung, während der die Zeitungsproduktion völlig eingestellt wurde.[37] Durch Arbeitskämpfe gingen 1977 beispielsweise 125 Millionen, im Folge-

[34] Genauso wie in Deutschland gehört die die britische Presse nicht zu den „essential services"; vgl. Gote-Seifert (1994, S. 77 f., 203 f.).

[35] Einmal ist bisher der Zusammenhang zwischen Pressestreiks und öffentlichem Interesse thematisiert worden. Im Gerichtsverfahren *Express Newspapers Ltd vs MacShane (1980)* sagte Lord Scarman: „In a case where action alleged to be in contemplation or furtherance of a trade dispute endangers the nation or puts at risk such fundamental rights as the right of the public to be informed and the freedom of the press, it could well be a proper exercise of the court's discretion to restraint the industrial action pending trial of the action." Diese Einschätzung ist allerdings sehr skeptisch aufgenommen worden und Lord Scarman vertrat in späteren Gerichtsverfahren die entgegengesetzte Position (vgl. Bowers & Honeyball 1990, S. 361).

[36] Bowers & Honeyball (1990, S. 328) und Grote-Seifert (1994, S. 103, 223, 241).

[37] Den *Times*-Eigentümer Thomson kostete der Verlust £ 40 Millionen, ohne

jahr 150 Millionen und 1984 11,4 Millionen Zeitungsausgaben verloren (vgl. Wintour 1989, S. 238–247).

Ein Recht auf Streik, wie es in Deutschland verfassungsrechtlich verbrieft ist (Art. 9 GG), gibt es in Großbritannien nicht. Die Gewerkschaften hatten sich jedoch – nicht zuletzt mit Hilfe der von ihnen gegründeten *Labour Party* – eine Reihe von Rechtsprivilegien („immunities") erkämpft, durch die sie von der Haftung für Folgen ihrer Arbeitskämpfe freigestellt waren. So waren sie grundsätzlich geschützt gegen

1. zivilrechtliche Schadensersatzansprüche bei Streiks,
2. Zugriffe der Gerichte auf das Gewerkschaftsvermögen und
3. gegen gesonderte strafrechtliche Verfolgung.[38]

Mit diesem Freibrief hatten sich die Gewerkschaften einen unvergleichlichen Sonderstatus geschaffen, indem sie „praktisch außerhalb der Rechtsordnung" standen (Wendt 1988, S. 123). Anders als in Deutschland, wo der Arbeitskampf (als *ultima ratio*) nur akzeptiert wird, wenn alle anderen Einigungsmöglichkeiten im Laufe eines langen Verfahrens erschöpft sind, wurde in Großbritannien der direkte und offene Arbeitskampf bis in die siebziger Jahre als ein ganz normaler Tatbestand betrachtet. Die Bereitschaft und Fähigkeit von Gewerkschaften und Unternehmen, notfalls zu jeder Zeit Arbeitskampfmaßnahmen zu ergreifen, wurde sogar als eine Voraussetzung des „free collective bargaining" verstanden. Die beiderseitige Arbeitskampffähigkeit erfüllte sozusagen die stabilisierende Funktion der festen Laufzeiten von Tarifverträgen und der Friedens- und Vertragsdurchführungspflicht, wie sie im verrechtlichten deutschen System durch Paragraphen geregelt sind.[39]

Seit dem Regierungswechsel 1979 vollzogen sich jedoch tiefgreifende Änderungen in den Arbeitsbeziehungen. Thatchers Beschäftigungs- und Gewerkschaftsgesetze (*Employment Acts* 1980, 1982, 1988, 1989, 1990 und *Trade Union Act* 1984 sowie John Majors *Trade Union Reform and Employment Rights Act* 1993) hatten zum Ziel, den Handlungsspielraum der Gewerkschaften bei Arbeitskämpfen stark einzuschränken. Verboten sind nun „wilde" (von der Gewerkschaftsführung nicht genehmigte) Streiks, Solidaritätsstreiks, politische Streiks, Streikposten vor konfliktunbeteiligten Unternehmen und Kampfmaßnahmen zur Durchsetzung des „Closed

daß am Ende seine Forderungen erfüllt wurden. Er verkaufte kurz darauf an Murdoch; vgl. Jacobs (1980), Evans (1983).

[38] Vgl. Grote-Seifert (1994, S. 19 ff., 54 ff., 169 ff.). Grundlage für diese Haftungsfreistellung war der Trades Disput Act von 1906.

[39] Vgl. Kastendiek (1994, S. 284) und Bowers & Honeyball (1990, S. 324 f., 343 ff.).

Shop"[40]. Hier hat eine Angleichung an die deutsche Rechtslage stattgefunden. Abweichend von Deutschland sind in Großbritannien nun aber vor jeder Arbeitskampfmaßnahme Urabstimmungen vorgeschrieben. Weiterhin kann nun selbst der Aufruf zu Arbeitskampfmaßnahmen im Wege der einstweiligen Verfügung unterbunden werden. Elementar sind die Lockerungen der Kündigungsvorschriften. Damit wurde das Risiko für einen Arbeitnehmer, seinen Arbeitsplatz durch Teilnahme an einem Streik zu verlieren, beträchtlich erhöht. Streiks werden nach dem allgemeinen Vertragsrecht beurteilt und gelten als einseitiger Bruch des Arbeitsverhältnisses. Streikteilnehmer können im Gegensatz zu ihren deutschen Kollegen keine Sozialhilfe beanspruchen.[41] Als Folge der neuen Arbeitsgesetze spielen Gewerkschaften heute keine große Rolle mehr. Durch den Wahlsieg der *Labour Party* 1997 ist zwar eine gewerkschaftsfreundlichere Politik wahrscheinlich, eine Rücknahme der bestehenden Gesetze jedoch nicht.

7.5 Direktionsrecht des Verlegers und Gewissensschutz des Redakteurs

Der deutsche Redakteur wird bei seiner Anstellung auf die „Innehaltung von Richtlinien für die grundsätzliche Haltung der Zeitung" verpflichtet.[42] Die „grundsätzliche Haltung der Zeitung", also ihre redaktionelle Linie, legt der Verleger fest. Dies folgt einerseits aus seiner Leitungsbefugnis als Eigentümer, andererseits aus seiner „publizistischen Integrationsfunktion" (Löffler & Ricker 1994, S. 215, 257f.). Nach dem Gebot der Transparenz muß er die Grundhaltung der Zeitung sogar ausformulieren und allgemein veröffentlichen (Hoffmann-Riem 1979, S. 165). Im Anstellungsvertrag brauchen die Richtlinien nicht niedergelegt zu sein; gleichwohl sieht der deutsche Musterarbeitsvertrag die Eintragung von Richtlinien vor.[43] Derartige vertragliche Regelungen sind in Großbritannien unbekannt. Dort ist der Verleger weder zur Veröffentlichung

[40] Das „Closed Shop"-Prinzip, wonach der Arbeitgeber nur solche Arbeitnehmer einstellen darf, die zuvor von der Gewerkschaft als Mitglied akzeptiert worden sind, wird ausführlich in Kapitel 8 erläutert.

[41] Die Arbeitsgesetze werden ausführlich erläutert bei Grote-Seiffert (1994) und Händel & Gossel (1995, S. 342–346).

[42] § 2 des „Manteltarifvertrags für Redakteure und Redakteurinnen an Tageszeitungen" vom 28.5.1990; abgedruckt im BDZV-Jahrbuch *Zeitungen* (1990, S. 299–313).

[43] Abgedruckt bei Hesse, Schaffeld & Rübenach (1988, S. 190–194).

der Grundhaltung seiner Zeitung verpflichtet, noch wird dies auf formalisiertem Wege praktiziert.

Britische und deutsche Journalisten werden vertraglich „zur vertrauensvollen Zusammenarbeit mit dem Verleger" verpflichtet und haben das Gesamtinteresse des Verlages zu beachten. Allerdings genießt der deutsche Kollege dabei einen „Gewissens- und Gesinnungsschutz". Das heißt, der deutsche Verleger kann vom Redakteur nicht verlangen, daß dieser gegen seine Überzeugung schreibt.[44] Kündigt der deutsche Journalist aus diesem Grund, hat er nach § 15 des Manteltarifvertrags Anspruch auf eine Lohnfortzahlung von mindestens sechs Monaten. Eine solche Regelung ist in Großbritannien unbekannt. Es hat Fälle gegeben, daß ein neuer Verleger die redaktionelle Linie einer Zeitung geändert hat[45] oder daß Journalisten[46] oder Chefredakteure[47] nach einer Änderung der redaktionelle Linie kündigten. Von besonderen Kündigungsschutzregelungen bei Besitzerwechsel oder einem Anspruch auf Lohnfortzahlungen ist nichts bekannt. Auf der erwähnten *Assises Européennes de la Presse* im Juli 1991 erklärten die britischen Verlegerverbände: „Die Tradition des ‚unprivilegierten' Journalisten hat sich im Vereinten Königreich gut bewährt."[48] Weder Journalisten, noch Verleger genießen besondere Rechte oder Pflichten, die sie von anderen Arbeitnehmern bzw. Arbeitgebern unterscheiden würden.

[44] Eine solche Situation kann beispielsweise entstehen, wenn nach dem Verkauf einer Zeitung der neue Verleger eine andere redaktionelle Linie an die Redakteure ausgibt; vgl. § 4 Abs. 4 des Manteltarifvertrages und Löffler & Ricker (1994, S. 215 f.).

[45] Vgl. Curran & Seaton (1991, S. 84–112) und Hollingsworth (1986, S. 16–24).

[46] Crozier (1988, S. 45–53), Curran & Seaton (1991, S. 103–105), Hanlin (1992, S. 46).

[47] Evans (1983, S. 280–493, insbes. 450 ff.), Curran & Seaton (1991, S. 84–127). Insgesamt betrachtet handelt es sich bei all diesen Fällen eher um Ausnahmen.

[48] Im *UK Position Paper. Assises Européennes de la Presse – Human Resources Workshop* (1991) heißt es: „The tradition of the „unprivileged" journalist in the United Kingdom is one that has worked well."

7.6 Mitbestimmung

7.6.1 Allgemeine Arbeitnehmer-Mitbestimmung

In Deutschland sind die allgemeinen Arbeitnehmer-Mitbestimmungsrechte umfassender und weitreichender gesichert als in den anderen europäischen Ländern (vgl. Rübenach 1994; Kull 1995). Grundlage dafür ist das Betriebsverfassungsgesetz. In Großbritannien gibt es keine dem deutschen Betriebsverfassungsgesetz vergleichbare Gesetzgebung und daher auch keine gesetzlich festgelegten Mitbestimmungsrechte. Es gibt auch keine Betriebsräte in unserem Sinn. Das gilt für alle Branchen. Entsprechende Gesetzesvorschläge der *Labour*-Regierung aus den frühen siebziger Jahren sind nicht umgesetzt worden. Durch die Nicht-Unterzeichnung der „Sozialcharta" des Vertrages von Maastricht machte Großbritannien nochmals deutlich, daß es kein Interesse an derartigen Regelungen hat.[49] In Artikel 17 enthält die „Sozialcharta" Aussagen über die Unterrichtung, Anhörung und Mitwirkung von Arbeitnehmern. Auch lehnte die Major-Regierung als einzige in Europa eine Richtlinie über Arbeitnehmermitbestimmung auf europäischer Ebene generell ab.[50] Blair hatte im Wahlkampf 1997 die Umsetzung der „Sozialcharta" angekündigt, sie aber nachher erst einmal auf Eis gelegt (s. Kapitel 7.1).

Falls ein britischer Arbeitgeber eine Gewerkschaft anerkennt, hat diese ein Informationsrecht in bezug auf Tarifverhandlungen. Falls sich der Arbeitgeber weigert, Informationen beispielsweise über Ertragsentwicklung oder Betriebsänderungen zur Verfügung zu stellen, kann sich die Gewerkschaft an den Advisory, Conciliation and Arbitration Service (ACAS) wenden. Dies ist eine unabhängige Beratungs- und Vermittlungseinrichtung, die die Tarifverhandlungen erleichtern soll. Das Informationsrecht der Gewerkschaften kann jedoch dadurch eingeschränkt werden, daß der Arbeitgeber eine Gewerkschaft nur teilweise oder gar nicht mehr anerkennt.[51] Die Journalistengewerkschaften sind, wie dargelegt,

[49] In ihrem Weißbuch zur Maastricht-Nachfolgekonferenz verteidigte die britische Regierung im März 1996 nachdrücklich ihre Nichtanerkennung der Sozialcharta und kündigte an, weiterhin alle Versuche der EU abzuwehren, die auf eine europaweite Stärkung der Sozialleistungen und Arbeitnehmerrechte hinausliefen; vgl. *Süddeutsche Zeitung* vom 14.3.1996, S. 7.

[50] „Richtlinie über die Einsetzung europäischer Betriebsräte"; vgl. Rübenach (1994).

[51] Gesetzliche Grundlage ist der *Trade Union and Labour Relations (Consolidation) Act* 1992, ergänzt durch den *Trade Union Reform and Employment Rights*

von den meisten Verlegern nicht mehr anerkannt („derecognized“) und haben damit sämtliche Anhörungs- und Informationsrechte verloren.[52] Auch hinsichtlich der „trade union recognition“ hatte Blair im Wahlkampf eine Gesetzesänderung angekündigt, die Gewerkschaften anschließend jedoch um Geduld bei der Umsetzung gebeten.[53]

7.6.2 Redaktionelle Mitbestimmung

Bis in die achtziger Jahre war die NUJ im Pressebereich durch ihren extrem hohen Organisationsgrad der Redaktionsmitglieder sehr einflußreich. Die von den Chapels in den einzelnen Pressebetrieben ausgehandelten „house agreements“ können zwar nicht mit Redaktionsstatuten verglichen werden, dennoch enthielten sie zum Teil Ansätze mitbestimmungsähnlicher Regelungen (z.B. über die Schlichtung von Streitigkeiten zwischen Chefredakteur und den übrigen Redaktionsmitgliedern).[54] Die in diesen Haustarifverträgen festgelegten Verfahren sind jedoch insgesamt als „diffus, pragmatisch und regellos“ bezeichnet worden[55] und verliefen unabhängig von der Gewerkschaft. Für die britischen Gewerkschaften spielte die Frage der Mitbestimmung nie eine große Rolle; konkrete Forderungen sind nie erhoben worden. Auch der gewerkschaftliche Dachverband *Trades Union Congress* (TUC) stand Angeboten nach mehr Mitbestimmung anstelle von Lohnerhöhungen („power instead of pay“) immer argwöhnisch gegenüber. Tief verwurzelt ist das Mißtrauen der britischen Gewerkschaften gegenüber Formen der institutionalisierten Mitbestimmung, wie sie in Deutschland gang und gäbe sind. Sie wird als Ausdruck von Kungelei zwischen „Kapital“ und „Arbeit“ angesehen. Eine derartige Mitwirkung „an der Macht“ sei korrumpierungsverdächtig und unterhöhle auf Dauer die gewerkschaftliche Gegenmachtfunktion.[56]

Act 1993, die den *Employment Protection Act* 1975, den *Trade Union Labour Relations Act* 1974 und den *Employment Protection Consolidation Act* 1978 ablösen.

52 Nach Einschätzung des stellvertretenden NUJ-Vorsitzenden Ecclestone ist durch die neue Gesetzgebung und die Einführung von „personal contracts“ das Mitbestimmungsrecht in Großbritannien stärker eingeschränkt als in jedem anderen europäischen Land. So Ecclestone am 8.5.1992 im Interview mit dem Verfasser.

53 Vgl. *Economist* vom 17.5.1997, S. 39f. („The threat to Blair's throne“).

54 Vgl. Fischer et al. (1975, S. 57–75).

55 Vgl. Wendt (1988, S. 124).

56 Wendt (1988, S. 124), Neumann & Schaper (1984, S. 66f.), Fischer et al. (1975, S. 61). Fragen der Mitbestimmung in der Gewerkschaftsbewegung sind nur ein-

Anfang der siebziger Jahre gab es kurzzeitig einige medienreformistische Gruppierungen außerhalb der NUJ, die sich auch mit Fragen der Mitbestimmung in der Presse befaßten. Die bekannteste war die „Free Communications Group", die zur NUJ unterkühlte Beziehungen unterhielt und sich 1973 nach fünfjährigem Bestehen wieder auflöste. Vorsitzender dieser Initiative war Neal Ascherson, damals Deutschland-Korrespondent für den *Observer*. Er meinte, daß sich der britische Journalist im Gegensatz zum hervorragend vergüteten „Herr Dr Redaktionsrat of West Germany", der sich als Angehöriger einer Profession sehe, immer als Arbeiter gesehen habe und auch so behandelt worden sei. Aufgrund der geringen Bezahlung, des geringen Status und des hohen gewerkschaftlichen Organisationsgrades habe unter britischen Journalisten der „battle over pay and conditions" immer Vorrang gehabt vor solchen „experiments" wie Redaktionsstatuten oder Mitbestimmung.[57] Nach Ascherson war die Idee redaktioneller Mitbestimmung eine aus Deutschland und Frankreich importierte Idee, die in Großbritannien keine Chance hatte und schnell im Sande verlief.

Die Mitwirkungsrechte der britischen Journalistengewerkschaften wurden durch die neuen Beschäftigungsgesetze und die Einführung von „personal contracts" auf ein Mindestmaß herabgesenkt. Aus einem Strategiepapier der NUJ mit dem Titel „The Underground Chapel: How to Survive after Derecognition" geht hervor, daß Presseunternehmen, die keine Journalistengewerkschaften mehr anerkennen, den Betriebsgruppen folgendes verbieten können:

1. auf dem Verlagsgelände Treffen abzuhalten,
2. Aushänge oder ein eigenes schwarzes Brett anzubringen,
3. bei Verhandlungen über Lohn- und Arbeitsbedingungen auf die Gegenwart eines (oder mehrerer) Kollegen zu bestehen,
4. das Anrecht auf Gesprächstermine mit dem Chefredakteur oder Vertretern der Verlagsleitung.

Wie sich die Beziehungen zwischen gewerkschaftlicher Betriebsgruppe und Geschäftsführung tatsächlich ausgestalten, liegt im Ermessen des einzelnen Chefredakteurs und des einzelnen Unternehmens.

In Deutschland waren Forderungen nach redaktioneller Mitbe-

mal branchenübergreifend andiskutiert worden in Trades Union Congress (Hg.): Industrial Democracy. Interim Report by the TUC General Council. London 1973. Auszugsweise abgedruckt bei Fischer et al. (1975, S. 91–92).

[57] Vgl. Ascherson (1978, S. 135f.). Siehe hierzu auch Free Communications Group (1974).

stimmung erstmals in den zwanziger Jahren erhoben worden und erlebten ihren Höhepunkt in den sechziger und siebziger Jahren. Anders als für die britischen ist für die deutschen Journalistengewerkschaften die Forderung nach größeren Mitwirkungsrechten immer von zentraler Bedeutung gewesen. Hierzu unterbreiteten sie eine Fülle von Vorschlägen.[58] Bei ihren Forderungen können im wesentlichen zwei Komplexe unterschieden werden. Zum einen geht es um die Beseitigung des sogenannten „Tendenzschutzes", zum anderen geht es um eine Neuordnung der Kompetenzen zwischen Verleger und Redakteur. Die deutsche Tendenzschutz-Regelung ist eine europäische Einmaligkeit. Sie schränkt die Mitbestimmungsrechte der Arbeitnehmer bei Presseunternehmen ein.[59] Sie wird begründet mit der verfassungsrechtlichen Sonderstellung, die der Presse in Deutschland zu Erfüllung ihrer „öffentlichen Aufgabe" eingeräumt wird. Daher müsse sie vor jeglichen fremden Einflüssen und Eingriffen geschützt werden. Zu diesen fremden Einflüssen zählt das Bundesverfassungsgericht auch die Machtmittel der Gewerkschaften.[60] Die deutschen Journalistengewerkschaften begründen ihre Forderung nach Streichung der Tendenzschutz-Regelung damit, daß durch diese Vorschrift die Informations- und Anhörungsrechte des Betriebsrates eingeschränkt und Redakteure dadurch zu Arbeitnehmern „zweiter Klasse" degradiert würden.[61] Vergleicht man jedoch die verbleibenden Mitbestimmungsrechte der deutschen Journalisten mit denen der britischen, ist schnell erkennbar, daß die deutschen weiterreichende Rechte genießen. Der deutsche Verlegerverband BDZV hatte auf europäischer Ebene erhebliche Schwierigkeiten, EU-Parlament, EU-Kommission und EU-Ministerrat von der Notwendigkeit des deutschen Tendenzschutzes zu überzeugen. Es gelang ihr schließlich im Sommer 1994 mit Unterstützung der Bundesregierung.[62]

[58] Die wichtigsten Dokumente und Entwürfe sind bei Löffler & Ricker (1994, S. 251) aufgelistet.

[59] Unter dem Tendenzschutz versteht man das Entfallen bzw. die Einschränkung von Mitwirkungs- und Mitbestimmungsrechten der Arbeitnehmer auf Betriebs- und Unternehmensleitungsebene, sofern das Unternehmen geistig-ideelle Ziele verfolgt. Zu Tendenzunternehmen in Deutschland zählen Presseverlage, kirchliche, karitative und parteipolitische Organisationen. Grundlage des Tendenzschutzes ist § 118 Abs. 1 Satz 1 Ziff. 2 des Betriebsverfassungsgesetzes sowie § 1 Abs. 1 Abs. 4 des Mitbestimmungsgesetzes.

[60] Vgl. Löffler & Ricker (1994, S. 234–249).

[61] Vgl. Löffler & Ricker (1994, S. 249–264).

[62] In die EU-Richtlinie zur „Einsetzung Europäischer Betriebsräte" vom 22.9.1994 wurde die Tendenzschutzbestimmung als deutsche Ausnahmeregelung („Lex Germany") erst in der letzten Verhandlungsrunde nach massivem

Der zweite Forderungskomplex zur Ausweitung der redaktionellen Mitbestimmung in Deutschland bezieht sich auf eine Veränderung der internen Hierarchie und Kompetenzverteilung von Presseunternehmen. Hierbei geht es um die „publizistische Mitbestimmung", also die Entscheidungsbefugnis über den Inhalt des Presseorgans, und die „personelle Mitbestimmung", also die Kompetenz für die Berufung und Entlassung von Redaktionsmitgliedern. Mit diesem Komplex beschäftigt sich das Folgekapitel 7.7. Den deutschen Gewerkschaften gelang es, den Gesetzgeber zu ernsthaften Bemühungen einer gesetzlichen Lösung der „inneren Pressefreiheit" zu bewegen. Sowohl Bundeskanzler Willy Brandt in seiner Regierungserklärung 1973 als auch Helmut Schmidt in seiner Regierungserklärung 1976 hatten ein sogenanntes Presserechtsrahmengesetzes angekündigt. Der „Entwurf eines Gesetzes über die allgemeinen Rechtsverhältnisse der Presse" (Presserechtsrahmengesetz) vom 25. Juli 1975 sah detaillierte Vorschriften zur Aufgabenabgrenzung zwischen Verlegern und Redakteuren vor. Insgesamt unternahm der Bundesgesetzgeber vier Anläufe, die innere Pressefreiheit gesetzlich zu regeln (1952, 1958, 1964, 1974), jedoch scheiterten all diese Bemühungen.[63] Der *Deutsche Journalisten-Verband* (DJV) fordert seit 30 Jahren unvermindert ein solches Presserechtsrahmengesetzes.[64] In Großbritannien gab es dagegen weder bei der Regierung, noch bei den Gewerkschaften Bestrebungen, die redaktionelle Mitbestimmung gesetzlich zu regeln.

7.7 Kompetenzen und Kompetenzabgrenzung

Nach überwiegender Ansicht wird dem Verleger in Deutschland die *Grundsatzkompetenz* zugesprochen (Festlegung der redaktionellen Linie) und dem Redakteur die *Detailkompetenz* (Entscheidung tagesaktueller Fragen). Bei der Frage der *Richtlinienkompetenz* (Entscheidung neu auftretender Fragen von grundsätzlicher, über die

Druck der Bundesregierung aufgenommen; vgl. *Journalist*, Hefte 9/1994, S. 28 und 11/1994, S. 34 sowie Rübenach (1994).

[63] Inneninister Baum begründete am 9.2.1979 im Bundestag den Verzicht auf ein Presserechtsrahmengesetz damit, daß er einen „staatlichen Machtanspruch durch Gesetz" in diesem „sensiblen Regelungsbereich" nicht mehr für das „geeignete Instrument" halte; zit.n. Deutscher Bundestag, Plenarprotokoll 8/149 1979, 11893. Vgl. hierzu Löffler & Ricker (1994, S. 9f., 29f.) und ausführlich Augustin (1994). 1994 plante keine der im Bundestag vertretenen Parteien gesetzgeberische Initiativen zur inneren Pressefreiheit und redaktionellen Mitbestimmung; vgl. *Journalist*, Heft 3/1994, S. 49–67.

[64] Vgl. *Journalist*, Sonderheft 40 Jahre DJV, 1989, S. 7.

Tagesaktualität hinausgehender Bedeutung) ist umstritten, ob diese ebenfalls dem Verleger oder dem Chefredakteur zustehen soll. Im Rahmen der personellen Mitbestimmung wird ebenfalls diskutiert, wer über Anstellung oder Abberufung des Chefredakteurs entscheiden soll, der Verleger oder die Redaktion.[65] Vorschläge zur gesetzlichen Regelung dieser Punkte sind in zahlreichen Varianten vorgelegt worden (zuletzt 1992 in Brandenburg). Eine tarifvertragliche Einigung scheiterte 1977, hausinterne „Redaktionsstatuten" auf freiwilliger Basis existieren vereinzelt.[66] Sie enthalten in der Regel eine Beschreibung der grundsätzlichen Haltung des Blattes sowie eine Vereinbarung über das Verfahren bei der Klärung von auftretenden Meinungsverschiedenheiten oder zu den Konsequenzen, falls eine Abweichung von der publizistischen Haltung festgestellt wird. Es handelt sich um interne Übereinkünfte ohne Rechtsverbindlichkeit.

In Großbritannien sind, wie erwähnt, gesetzliche Regelungen zur Abgrenzung verlegerischer und redaktioneller Funktionen und Verantwortlichkeiten bisher nicht in Erwägung gezogen worden. Dies liefe auch dem tief verwurzelten Glauben an das Prinzip der Selbstregulierung (d. h. der Staatsferne) zuwider. Probleme werden „britisch" gelöst, also orientiert am Einzelfall und gekennzeichnet durch ein Minimum an Theorie und ein Maximum an Praxis und Pragmatismus. Das „deutsche" Bedürfnis nach einer formalisierten, normierten und verrechtlichten Lösung dieses Problems ist schon früher aufgefallen. Am 4. Oktober 1973 schrieb die *Hannoversche Allgemeine Zeitung* unter der Überschrift „Innere Pressefreiheit – Eine deutsche Kontroverse" als Fazit eines internationalen Symposiums: Es „stellte sich heraus, daß in Großbritannien, Frankreich, Italien und in den USA weder der Begriff [innere Pressefreiheit] bekannt ist, noch Überlegungen über eine gesetzliche Fixierung des Verhältnisses Verleger – Redaktion angestellt werden".[67]

Die Kompetenzen, d. h. die Rechte und Pflichten von Journalisten, Chefredakteur und Verleger sind auch weder in Tarifverträgen, Arbeitsverträgen noch „house agreements" schriftlich fixiert

[65] Vgl. Löffler & Ricker (1994, S. 251–262) und Branahl (1994).

[66] Holz-Bacha (1986) berichtet von Redaktionsstatuten bei *Die Zeit, Süddeutsche Zeitung, Frankfurter Allgemeine Zeitung, Saarbrücker Zeitung, Mannheimer Morgen, Rhein-Zeitung, Südwestpresse Ulm*, Münchner *Abendzeitung, Hannoversche Presse, Neue Ruhr/Neue Rhein Zeitung, Kölner Stadtanzeiger, Mannheimer Morgen, Stern, Capital, Konkret*. 1997 gab es Redaktionsstatute nur noch bei den ersten acht dieser fünfzehn Blätter; vgl. *Journalist*, Heft 3/1996, S. 48 f. und Heft 6/1997, S. 30.

[67] Zit. n. Fischer et al. (1975, S. 322).

worden.[68] „Eine Differenzierung zwischen Grundsatz-, Richtlinien- und Detailkompetenz ist [in Großbritannien] ungebräuchlich. Innerhalb eines verhältnismäßig durchlässigen Entscheidungssystems liegen die Hauptbefugnisse beim Chefredakteur", stellten Fischer et al. (1975, S. 76) vor zwanzig Jahren fest. Auch Ascherson (1978, S. 134) weist in diesem Zusammenhang auf die Abneigung der Briten gegen die Kodifizierung abstrakter Prinzipien („so disinclined to codify abstract principles"). Es hätte einige Experimente gegeben, die Redaktion bei der Neubesetzung von Chefredakteursposten miteinzubeziehen, aber ohne größeren Erfolg.[69]

Da es zu dem wichtigen Komplex der inneren Pressefreiheit in Großbritannien keine repräsentativen empirischen Erhebungen[70] und keine Gerichtsentscheide gibt und er auch in der presserechtlichen Literatur nicht behandelt wird,[71] basiert die folgende Darstellung vor allem auf einigen gut dokumentierten Konflikten, die beim Thema „editorial independence" immer wieder zitiert werden und offensichtlich bewußtseinsprägend waren. In der britischen Medienliteratur wird das Thema grundsätzlich anhand tatsächlicher Vorfälle und nie als abstraktes, rechtstheoretisches Problem diskutiert.

7.7.1 Die Kompetenzen des Verlegers

Während es in Deutschland differenzierte Regelungen und eine umfangreiche presserechtliche Literatur über die Rechte und Pflichten des Verlegers gibt,[72] ist das verlegerische Handeln in Großbritannien an so gut wie keine rechtliche Auflagen gebunden: „Im Bereich der Presse ist der Kauf oder das Herausgeben einer Zeitung an keine gesetzlichen Auflagen gebunden, von einigen begrenzten Ausnahmen abgesehen. Folglich gibt es keine spezifische Verpflichtung für Chefredakteure oder Eigentümer darüber, was sie zu berichten haben oder daß sie die Interessen der Öffentlichkeit und des Einzelnen zu berücksichtigen haben. Vielmehr ist zu erwarten, daß die unsichtbaren Kräfte des Marktes für all das sor-

[68] Brief des Vorstandsmitglieds der *Guild of British Newspaper Editors*, Keith Parker, vom 9.9.1993 an den Verfasser.

[69] Ascherson (1978, S. 134 f.) berichtet hier von informellen „experiments" beim *Observer, New Statesman, Guardian* und *Scottish Daily Express.*

[70] Vgl. für Deutschland die beiden Allensbacher Presseenquêtes, ausgewertet von Schulz (1974, 1979) und Noelle-Neumann (1977b).

[71] Keine Erwähnungen bei Supperstone (1985), Crone (1991), Robertson & Nicol (1992), Nicol & Bowman (1993).

[72] Vgl. zusammenfassend Löffler & Ricker (1994, S. 258 f.).

gen."[73] Aus dieser Auffassung, daß allein die „Kräfte des Marktes" das verlegerische Handeln bestimmen sollen, kann geschlossen werden, daß „Pressefreiheit" in Großbritannien nichts anderes als „Pressegewerbefreiheit" bedeutet. So schreibt Hanlin: „In Großbritannien bedeutet Pressefreiheit im Grunde genommen das Recht zu publizieren: Ein Eigentumsrecht, das an Besitz und nicht an eine Garantieerklärung zur Gewährung redaktioneller Unabhängigkeit gebunden ist. Der Eigentümer, der konsequent auf Einflußnahme verzichtet, ist in der Tat eine Seltenheit."[74]

Rechtlich ist der britische Verleger an keinerlei Beschränkungen gebunden; jeder Verzicht auf redaktionelle Einflußnahme beruht auf Freiwilligkeit.[75] Einige Verleger sind für ihre grundsätzliche Zurückhaltung bekannt, andere für ihren offensiven Leitungsanspruch. Lord Thomson, der 1959 die *Sunday Times* und 1966 *The Times* übernahm, ließ seinen Chefredakteure völlig freie Hand und hatte keinerlei Interesse an inhaltlicher Einflußnahme. „Ich lese lieber Bilanzen als Zeitungen", sagte Thomson. „Ich glaube, daß eine Zeitung nur dann erfolgreich arbeiten kann, wenn der redaktionelle Teil frei und unabhängig, von fähigen und überzeugten Journalisten gestaltet wird. Dies ist und bleibt meine Philosophie."[76] Thomson verkaufte 1981 beide Zeitungen an Murdoch, der mit Aussprüchen zitiert wird wie „Ich bin nicht den weiten Weg von Australien gekommen, um mich nicht einzumischen", oder „Ich gebe meinen Chefredakteuren in der ganzen Welt Anweisungen, warum nicht auch in London", oder „Da Erfolg und Mißerfolg einer Zei-

[73] Im Abschlußbericht der *Royal Commission* (1977, S. 9) heißt es: „In case of the press, with certain limited exceptions, no legal restriction is placed on the right to buy or launch a newspaper. (…) Consequently, there is no specific obligation on editors or proprietors to have regard, in what they publish, to the need to meet either the public or the individual interest, since the invisible hand of the market is expected to fulfil both." An anderer Stelle heißt es in dem Abschlußbericht, sie habe sich mit innerer Pressefreiheit und redaktioneller Mitbestimmung nicht eingehend genug beschäftigt, um bei diesem komplizierten und umstrittenen Thema zu einem abschließenden Urteil zu kommen (vgl. *Royal Commission* 1977, S. 227).

[74] Hanlin (1992, S. 38) schreibt: „in Britain the concept of ‚press freedom' … remains fundamentally a right to publish: a property right attached to ownership, not a charter for editorial independence. The individual owner who adopts a stricl ty non-interventionist approach is a rare figure indeed."

[75] Vgl. hierzu Curran & Seaton (1991, S. 277–294).

[76] „I do not believe that a newspaper can be run properly unless its editorial columns are run freely and independently by a highly skilled and dedicated professional journalist. This is and will continue to be my policy." Zitiert u. a. bei Jenkins (1979, S. 85 f.), Wintour (1989, S. 119), Curran & Seaton (1991, S. 85), Hanlin (1992, S. 42).

tung von ihrem redaktionellen Konzept abhängt, warum sollte ich mich dann nicht einmischen, wenn ich einen Weg sehe, das Konzept zu verbessern?"[77] Murdoch hat bereits zweimal – gegen den Widerstand leitender Redakteure – die redaktionelle Linie der *Sun* gewechselt: 1979 von *Labour* zu *Conservative* und 1997 zurück zu *Labour* (s. Kapitel 4.4 bis 4.6).

Auch der frühere Vorsitzende des Verlegerverbandes *Newspaper Publishers' Association*, Lord Marsh, läßt am Direktionsrecht des Verlegers keinen Zweifel. Er sagte: „Ich halte die Vorstellung redaktioneller Unabhängigkeit für einen romantischen Mythos, erträumt von Chefredakteuren. Ich habe nicht den geringsten Zweifel, daß alle Verleger, nachdem sie eine große Summe Geld für eine Zeitung bezahlt haben, zumindest dafür Sorge tragen, daß das Blatt nicht permanent Sichtweisen vertritt, die ihren eigenen völlig zuwiderlaufen. Chefredakteure würden rasch merken, daß sie sich nach einem neuen Job umsehen müssen, wenn sie sich daran nicht halten."[78] Derart resolute Rhetorik darf nicht darüber hinwegtäuschen, daß britische Chefredakteure in redaktionellen Dingen weitreichende Entscheidungsfreiheit und Machtbefugnis haben. Detaillierte verlegerische Einflußnahme à la Robert Maxwell gegen den Willen des Chefredakteurs „gilt als Kennzeichen eines unverständigen, erfolglosen Verlegers".[79]

Zusammenfassend läßt sich sagen, daß in Großbritannien eine formelle Kompetenzabgrenzung zwischen Verleger und Chefredakteur weiterhin aussteht. Im Vergleich zu Deutschland beanspruchen sie – nicht zuletzt aufgrund der harschen Wettbewerbssituation – eine größere Machtstellung, die ihnen auch zugestanden wird. Zwar gibt es auch in Deutschland Einzelfälle verlegerische Einflußnahme (z. B. im *Spiegel*- und *Springer*-Verlag), kommen jedoch seltener vor als in Großbritannien.[80] Obwohl es in der Vergangenheit prominen-

[77] „I did not come all the way from Australia not to interfere", „I give instructions to my Editors all round the world, why shouldn't I in London", „Since a paper's success or failure depends on its editorial approach, why shouldn't I interfere when I see a way to strenghen its approach?" Zit. n. Curran & Seaton (1991, S. 87), Hollingsworth (1986, S. 21), Shawcross (1993, S. 144).

[78] „I believe that the suggestion of editorial independence is a romantic myth dreamed up by Editors. There is no doubt in my mind at all that proprietors who, having spent a great deal of money on a newspaper, at the very least will not allow it to express views consistently with which they strongly disagree. Editors would rapidly find that if they wanted to do otherwise, they would be looking for a new job." Zit. n. Hollingsworth (1986, S. 24).

[79] So Tunstall (1996, S. 80, 97, 117). Zu den rabiaten Einflußnahmen von Maxwell siehe Greenslade (1992, S. 66ff., 111ff., 121ff., 135ff., 156ff.) und Hanlin (1992).

[80] So konnte *Spiegel*-Verleger Rudolf Augstein den neuen Chefredakteur Stefan

te Beispiele sehr zurückhaltender Verleger in Großbritannien gab, legen sie in der Regel Wert darauf, daß die Grundhaltung ihrer Blätter zumindest grob mit ihren eigenen Ansichten übereinstimmt. Dies versuchen sie über die Wahl des Chefredakteurs zu gewährleisten. Der Grad der Kontrolle hängt hingegen von ihrer individuellen Pressephilosophie ab. Für die Regionalpresse verneint Hetherington (1988, S. 236) eine nennenswerte verlegerische Einflußnahme. In jüngerer Vergangenheit wurden sogar Stimmen laut, Verleger sollten zur Sicherung ethischer Standards und Wiederherstellung alter Qualitätsmaßstäbe mehr Einfluß auf ihre Chefredakteure ausüben (Snoddy 1992, S. 115–134).

7.7.2 Die Kompetenzen des Chefredakteurs

Der Chefredakteur stellt nach Einschätzung von Fischer et al. (1975, S. 64) die „zentrale Schaltstelle für innere Pressefreiheit" in Großbritannien dar. Seiner Position ist die einzige systematische Untersuchung, die es zur Kompetenzverteilung in britischen Presseunternehmen gibt, gewidmet. In drei Wellen befragte Jeremy Tunstall 1966–1968 insgesamt 16, 1974–1977 insgesamt 31 und 1990–1994 insgesamt 16 Chefredakteure führender britischer Tageszeitungen. Ergänzend wertete Tunstall pressehistorische Dokumente und Biographien von Chefredakteuren seit dem frühen 19. Jahrhundert aus (vgl. Tunstall 1977, 1996). Es zeigt sich, daß der im 19. Jahrhundert noch übliche „souvereign editor", der sämtliche Entscheidungen frei und unabhängig treffen konnte, bis in die sechziger Jahren immer seltener wurde. Statt dessen wurde der Verlegertyp des dominanten „press baron" zur verbreiteten Erscheinung. Die Zeit zwischen 1960 und 1980 bezeichnet Tunstall als Phase des Übergangs. Seit etwa 1980 sei die Position des Chefredakteurs wieder deutlich stärker geworden, seine Kompetenzen und Verantwortlichkeiten im redaktionellen und kommerziellen Bereich hätten stark zugenommen. Insgesamt habe sich seit den sechziger Jahren „im britischen Journalismus eine Entwicklung vollzogen, die zu do-

Aust nur gegen den Willen der Mitarbeiter-Mehrheit durchsetzen (vgl. *Die Woche* vom 16.12.1994 und *Focus* vom 19.12.1994) und Springer-Hauptaktionär Leo Kirch hatte versucht, sowohl den Chefredakteur der *Welt* als auch der *Bild am Sonntag* wegen zu liberalen politischen Ansichten abzusetzen (vgl. *Journalist*, Heft 4/1997, S. 36–37). Beides schlug ebenso fehl wie der Versuch des *Bild*-Verlagschef Jürgen Richter, über den Kopf des Chefredakteurs Claus Larass hinweg den Politikredakteur Kai Diekmann abzusetzen. Dies wurde sogar als Sieg der inneren Pressefreiheit gefeiert; vgl. *Süddeutsche Zeitung* vom 9. und 11.8.1997 (Medienseite).

minanteren Chefredaktionen führte".[81] Für die Stärkung der Chefredakteursposition gibt Tunstall (1996, S. 116f.) drei Gründe an: Der gesunkene Gewerkschaftseinfluß bei inneren Angelegenheiten (s. Kapitel 8), der Verzicht redaktioneller Einflußnahme durch Verleger und schließlich moderne Redaktionstechnik und scharfer Wettbewerb, die beide rascheres Entscheidungshandeln als früher erfordern. Zwischen Verleger und Chefredakteur sei heute eine enge Vertrauensbeziehung und Geistesverwandtschaft üblich.

Tunstall (1977, S. 295) weist jedoch darauf hin, daß die Kompetenzen des Chefredakteus weder in Vergangenheit noch Gegenwart ausreichend fixiert wurden („not well founded either in historical or present day reality"). Er sprach sich für eine Klärung der Kompetenzabgrenzung zwischen Verleger und Chefredakteur aus, ohne jedoch konkrete Vorschläge zu machen (ebd., S. 340). Dies übernahm die Dritte Königliche Pressekommission, in deren Auftrag Tunstall seine erste Studie erstellte. Um die Unabhängigkeit des Chefredakteurs zu gewährleisten, hielt die Pressekommission folgende Kompetenzen für unverzichtbar:

1. das Recht, von Verlags- oder Redaktionsseite angebotenes Material zurückzuweisen;
2. das Recht, den Inhalt der Zeitung zu bestimmen (im Rahmen vernünftiger wirtschaftlicher Erwägungen und der bestehenden publizistischen Grundhaltung der Zeitung);
3. das Recht, innerhalb des Budgets über Ausgaben zu entscheiden;
4. das Recht, investigativen Journalismus auszuüben;
5. das Recht, Ratschläge über die publizistische Grundhaltung zurückzuweisen;
6. das Recht, den eigenen Verlag und/oder andere Teile des Verlagskonzerns zu kritisieren;
7. das Recht, die Parteinahme oder Sichtweise der Zeitung bei spezifischen Themen innerhalb der vereinbarten publizistischen Grundhaltung zu verändern; und
8. das Recht, Journalisten einzustellen und zu entlassen, die Bedingungen ihres Arbeitsvertrages gemäß den üblichen Regelungen des Hauses zu bestimmen und das Recht, Journalisten Arbeiten zuzuweisen.[82]

Die Pressekommission empfahl in ihrem Bericht, Verleger und

[81] Vgl. hierzu zusammenfassend Tunstall (1996, S. 95–135), Zitat S. 116: „Between these dates [1966–1994] a series of developments occured in British national journalism which led to a more dominant pattern of editorship."

[82] Vgl. *Royal Commission* (1977, S. 155). Kritisch dazu Ascherson (1978, S. 127). Auch Tunstall (1996, S. 118f.) bietet eine Liste mit den Rechten und Pflichten des Chefredakteurs, basierend auf aktuellen Befragungen.

Chefredakteure sollten sich über eine verbindliche Kodifizierung dieser Kompetenzen einigen. In einem formalen Vertrag sollte „öffentlich und eindeutig“ die Unabhängigkeit des Chefredakteurs garantiert werden. Die von der Kommission angehörten Presseverantwortlichen lehnten dies mit der Begründung ab, „daß viele Chefredakteure diese Kompetenzen in der Praxis bereits besitzen“ (vgl. *Royal Commission* 1977, S. 155).

Im Jahr 1981 wurde erstmals die Notwendigkeit gesehen, die Kompetenzen des Chefredakteurs in Abgrenzung zum Verleger schriftlich niederzulegen.[83] Murdoch hatte sich um den Kauf von *The Times* und *Sunday Times* beworben, obwohl er bereits die auflagenstärkste britische Tageszeitung *(Sun)* und die auflagenstärkste Sonntagszeitung *(News of the World)* besaß. Die britische Regierung signalisierte, auf eine Untersuchung durch die Kartellbehörde (Monopolies and Mergers Commission) zu verzichten, falls Murdoch eine Garantieerklärung über redaktionelle Freiheiten unterschreibe. Zusätzlich solle er ein Gremium mit unabhängigen Direktoren einsetzen, die über die Einhaltung dieser Garantien zu wachen hätte. Murdoch stimmte zu. In den „Articles of Association“ garantierte Murdoch unter anderem: „Ohne Zustimmung der Mehrheit der unabhängigen Direktoren darf kein Chefredakteur berufen oder entlassen werden. Der Chefredakteur behält die Kontrolle über jede politische Meinungsäußerung, die in der Zeitung veröffentlicht wird. Insbesondere darf kein Druck auf ihn ausgeübt werden, Kommentare oder Nachrichten nicht zu berichten, weil sie mit den Ansichten oder Interessen des Verlegers in Widerspruch stehen. Nur der Chefredakteur und von ihm beauftragte Personen dürfen den Journalisten Anweisungen geben.“[84] Noch nie zuvor war ein Verleger in Großbritannien um derartige Garantien gebeten worden. Noch nie waren einem britischen Chefredakteur

[83] Das stimmt nicht ganz. Die erste derartige Garantie-Vereinbarung wurde am 18. November 1922 dem damaligen *Times*-Chefredakteur Dawson gegeben. In einem rund 1500 Worte langen Brief wurde ihm von den beiden Eigentümerfamilien Astor und Walter die alleinige Verantwortung über die redaktionelle Linie, Personal- und Inhaltsentscheidungen sowie ein Mitspracherecht beim Text/Anzeigenverhältnis und bei Budgetfragen zugesichert. Auch Dawsons Nachfolgern auf dem Chefredakteursessel der *Times* wurde „absolute independence in the control of all editorial content and editorial policy in the paper“ zuerkannt, selbst in Fällen, wo die Eigentümer nicht mit der gewählten Linie einverstanden waren (vgl. Woods & Bishop 1983, S. 250, 353). Mit der Übernahme der *Times* durch Lord Thomson 1966 verstärkte sich die Stellung des Chefredakteurs noch.

[84] Die „Articles of Association of *Times Newspapers Holdings Ltd.*“ sind in *IPI Report,* Heft February 1981, S. 1 f. und Heft December 1981/January 1982, S. 22 f. abgedruckt.

derartige Kompetenzen schriftlich zugesichert worden.[85] Diese „Articles“ wurden zum Vorbild für verschiedene weitere Zeitungsverkäufe, so beim Verkauf des *Observer* 1981 an Lonrho, beim Verkauf der *Mirror*-Gruppe 1984 an Maxwell und beim Verkauf des *Independent* 1994 an die *Mirror*-Gruppe.

Als Murdoch den *Times*-Chefredakteur Harold Evans trotz Garantieerklärung nach nur einem Jahr zur Kündigung veranlaßte, war die Entrüstung groß. Evans (1983) warf Murdoch vor, die Garantien keine Minute ernst genommen und unentwegt gegen sie verstoßen zu haben. Evans selbst wurde zwar wegen seiner einseitigen, unangemessen Darstellung der tatsächlichen Umstände ebenfalls kritisiert, die große Mehrheit der britischen Journalisten fühlte sich jedoch durch Evans Erlebnisbericht in ihrem Mißtrauen gegen Murdoch bestätigt.[86] Von vielen Medienvertretern werden „Articles of Association“ seither als Public Relation-Geste, als wirkungsloses Dekor bezeichnet.[87] Andere Chefredakteure wie Max Newton, Simon Jenkins, Andrew Neil und Charles Douglas-Home lobten Murdoch als Verleger (vgl. Shawcross 1993, S. 548). Douglas-Home erklärte der *Times*-Redaktion im Juli 1984: „Niemand anderer als der Chefredakteur und seine Stellvertreter treffen Entscheidungen darüber, was ins Blatt kommt. Weder die Geschäftsführung, noch Herr Murdoch, noch die [Druckergewerkschaft] NGA, noch die [Journalistengewerkschaft] NUJ werden diese Entscheidung treffen.“[88] Neil sagte über Murdoch: „Ich habe als Chefredakteur überlebt, weil eine Menge von dem, an das ich glaube, auch er glaubt. Jeder Zeitungsbesitzer wünscht sich einen Chefredakteur, der seine Interessen vertritt.“[89] Über das in aller Regel

[85] Der frühere Direktor des International Press Institute (IPI), Peter Galliner (1981, S. 12), sagte dazu: „… at least on paper, these guarantees for the editors are far more than they or any other papers have ever had.“

[86] Vgl. Shawcross (1993, S. 220–265). Evans' Behauptung, daß Murdoch die Garantien nie ernst genommen habe, wird unterstützt durch Murdochs Aussage in dem amerikanischen Branchenblatt *Editor & Publisher* (vom 11.4.1981), daß er trotz der „Articles“ weiterhin jederzeit den Chefredakteur austauschen könne. Ein Veto der unabhängigen Direktoren sei sehr unwahrscheinlich, so Murdoch, wenn er die Absetzung nur mit dem nötigen Fingerspitzengefühl betreibe („a veto is highly unlikely if I go about it in a sensible manner“). Zit. n. Shawcross (1993, S. 232).

[87] Vgl. Baistow (1985, S. 14 f.), Hollingsworth (1986, S. 8–24), Curran & Seaton (1991, S. 88–105), Hanlin (1992), Shawcross (1993, S. 244–255).

[88] „Nobody except the Editor and his editors make decisions on what goes into the paper. Neither management, Mr Murdoch or the NGA, and I don't think the NUJ should make that decision.“ Zit. n. Hollingsworth (1986, S. 25).

[89] „I have survived as Editor because a lot of what I believe is what he believes. Any proprietor wants an Editor who reflects his interests.“ Zit. n. MacArthur

pragmatische Verhältnis zum Verleger erklärte der Chefredakteur der Qualitätszeitung *Daily Telegraph*, Max Hastings: „Ich habe an die Idee einer redaktioneller Unabhängigkeit eigentlich nie geglaubt. Mir käme es nie in den Sinn, Conrad [Verleger Conrad Black] zu sagen: ‚Du hast kein Recht, mich um diese Sache zu bitten, ich muß auf meine Unabhängigkeit achten.' Denn Conrad ist, wie es mir scheint, völlig berechtigt, seine Meinung zu äußern, wenn ihm die Zeitung gehört."[90]

Zusammenfassend läßt sich sagen, daß die Kompetenzen des Chefredakteurs in Großbritannien nie grundsätzlich geklärt wurden. Auch in ihren Arbeitsverträgen finden sich keine Angaben über Kompetenzen.[91] Als unbestritten gilt ihr Recht, über Einstellungen und Kündigungen des Redaktionspersonals zu entscheiden. Er trägt die rechtliche Verantwortung für den gesamten Inhalt, eine Unterscheidung zwischen Chefredakteur und verantwortlichem Redakteur (ViSdP) ist in Großbritannien unbekannt. Ebenfalls kann er frei über die Verteilung des Budgets verfügen. Er genießt eine starke und eigenständige Position, solange er sich in groben Zügen an die politische Linie des Verlegers hält.[92] Zunehmend bestimmt der kommerzielle Erfolg, wie sicher seine Position ist. Im Zusammenhang mit einem Besitzerwechsel gaben sich einige der größten britischen Zeitungen eine Art Statut, in dem Chefredakteur und Redaktion die redaktionelle Unabhängigkeit vor Einflüssen der Verlagsleitung schriftlich zugesichert werden.[93] Diese Individuallösungen entsprechen der britischen Mentalität, Probleme praxisnah und fallorientiert (anstatt abstrakt und allgemeingültig) zu lösen. Wie verbindlich diese schriftlichen Garantieerklärungen („Articles of Association") im konkreten Konflikt sind, muß skeptisch beurteilt werden.

(1991, S. 152). Nichtsdestotrotz wurde Neil 1995 von Murdoch gekündigt, woraufhin er, wie schon Evans (1983) vor ihm, ebenfalls eine Murdoch-Abrechung publizierte (vgl. Neil 1996).

[90] „I've never really believed in the notion of editorial independence as such. I would never imagine saying to Conrad: ‚You have no right to ask me to do this, I must observe my independence.' Because Conrad is, it seems to me, richly entitled to take a view when he owns the newspaper." Zit. n. Bevins (1990, S. 13 f.).

[91] Brief des Vorstandsmitgliedes der *Guild of British Newspaper Editors*, Keith Parker, am 9. 9. 1993 an den Verfasser.

[92] Fischer et al. (1975, S. 58), Tunstall (1977, S. 311, 320), *Royal Commission* (1977, S. 154 f., 165), Hudgson (1989, S. 64), Tunstall (1996, S. 95–135).

[93] In den 14 Jahren von 1981 bis 1994 hat es unter den national verbreiteten Zeitungen 14 Besitzerwechsel gegeben.

7.7.3 Die Kompetenzen des Journalisten

Britische Journalisten erkennen im allgemeinen den Chefredakteur als oberste Instanz an, die Inhalt und politische Ausrichtung der Zeitung bestimmt (Hollingsworth 1986, S. 25). Sie akzeptieren, daß das Wort des Chefredakteurs „Gesetzeskraft" besitzt (Tunstall 1996, S. 97). Sie beschweren sich in der Regel nicht über einseitige Berichterstattung bzw. politische Parteilichkeit. Den einzig bekannten Versuch einer solchen Beschwerde gab es während des Wahlkampfes 1983 bei der *Daily Mail*. Die *Daily Mail* ist eine hart recherchierende, konservative und bisweilen polemische Zeitung mit hohem Renommee. Am 23. Mai 1983 übergab das NUJ-Chapel dem Chefredakteur eine von 57 *Daily Mail*-Journalisten unterzeichnete Resolution folgenden Inhalts: „Wir sind der Meinung, daß die Wahlkampfberichterstattung der *Daily Mail* bis jetzt zu einseitig die *Conservative Party* begünstigt und dadurch Leser verliert. Wir bitten den Chefredakteur, mehr Platz und mehr Aufmerksamkeit für unparteiische, sachliche Berichte und für die positiven Pläne der anderen politischen Parteien einzuräumen." Die Antwort des Chefredakteurs an den Chapel-Vorsitzenden lautete kurz und knapp: „Lieber Mike, danke für Deinen Brief vom 23. Mai. Ich habe ihn gelesen und lehne ihn aus folgendem Grund ab: Es kann nicht zugelassen werden, daß das NUJ-Chapel – oder irgend jemand anderes – versucht, den Chefredakteur hinsichtlich des Zeitungsinhaltes zu beeinflussen oder unter Druck zu setzen. Für den Inhalt ist er, und er alleine, verantwortlich. Übrigens stimmt es nicht, daß die Wahlberichterstattung zu einem Rückgang der Leserschaft der *Daily Mail* führt."[94]

In Großbritannien sind solche Einzelfälle deshalb so bedeutsam, weil Rechte und Kompetenzen Einzelner erst dann deutlich (und dokumentiert) werden, wenn sie tatsächlich bedroht sind. Die Rechte und Kompetenzen der Journalisten sind bis heute nicht

[94] Vgl. Hollingsworth (1986, S. 215). Die Anfrage lautete: „This chapel feels that the *Daily Mail*'s general election coverage has so far been too one-sided in favour of the *Conservative Party* and is therefore losing readers. We request the Editor to give more space and a fair degree of prominence to unbiased factual reports and the positive proposals made by the other political parties." Die Antwort lautete: „Dear Mike, Thank you for your letter of 23 May. I have read it and I reject it for the following reason: it is unacceptable that the NUJ chapel – or anyone else – should attempt to interfere with or pressure the Editor on the contents of the newspaper for which he, and he alone, is responsible. Incidentally, it is untrue that the *Daily Mail*'s election coverage is resulting in a fall of readership."

schriftlich kodifiziert worden.[95] Zu diesem Thema findet sich auch in der Medienliteratur fast nichts. Ein Mitspracherecht bei der inhaltlichen Gestaltung der Zeitung haben die Redaktionsmitglieder ebenso wenig wie einen Anspruch darauf, daß ihre Artikel nicht verändert werden. Die Dritte Königliche Pressekommission (1977, S. 156) regte an, die Journalisten bei der Ernennung des Chefredakteurs mitwirken zu lassen. Ihre vage Formulierung blieb allerdings ohne Konsequenzen.

7.8 Zusammenfassung und Fazit

Im Unterschied zum deutschen Arbeitsrecht kennen die britischen Arbeitsbeziehungen kein schriftlich fixiertes Grundrecht auf Koalitionsfreiheit oder ein gesetzlich gesichertes Streikrecht. Die Grundlagen des Vertragsrechts bilden nicht Gesetze. Es hat sich vielmehr auf der Basis von Präzedenzfällen und Richterrecht entwickelt. Für Arbeitsverträge gibt es kaum gesetzlich zwingende Formvorschriften, darum waren im Pressejournalismus auch mündliche Arbeitsverträge häufig. Es gab und gibt keine gesetzlichen Regelungen über Arbeitszeit, Urlaub oder Feiertage. Tarifverträge waren freiwillige Vereinbarungen, die nicht rechtsverbindlich waren und letztendlich nur aufgrund von Streikandrohungen eingehalten wurden. Für die Gewerkschaften war der Arbeitskampf ein notwendiges Mittel, um in diesem rechtlich kaum geregelten Bereich ihre Position zu verteidigen. Er war aber auch ein verführerisches Mittel, weil die Gewerkschaften aufgrund des *Trade Disputes Act* von 1906 für Streikfolgen nicht haftbar gemacht werden konnten.

Die Thatcher-Regierung sorgte durch mehrere Beschäftigungsgesetze für einen grundsätzlichen Wandel der Arbeitsbeziehungen: die rechtlichen Freiräume der Gewerkschaften wurden erheblich eingeschränkt; das individuelle Arbeitsverhältnis zwischen Arbeitgeber und Arbeitnehmer gestärkt. Die neue Rechtslage machten sich die Verleger bei der Einführung individueller Arbeitsverträge zunutze. Sie ersetzten die häufig nur mündlichen Arbeitsverträge durch schriftliche „personal contracts“, die vom Gehalt bis zum Urlaubsanspruch alles enthalten. Weil es keinen rechtlichen Anspruch darauf gibt, daß ein Arbeitgeber eine Gewerkschaft als kollektive Interessensvertretung anerkennen muß und es für den einzelnen Arbeitnehmer auch keinen rechtlichen Anspruch gibt, sich von

[95] Brief des Vorstandsmitgliedes der *Guild of British Newspaper Editors*, Keith Parker, am 9.9.1993. an den Verfasser.

einer bestimmten Gewerkschaft vertreten zu lassen, verloren die Journalistengewerkschaften in Tarifangelegenheiten weitgehend ihre Bedeutung. Diese Entwicklung vollzog sich in allen Branchen. Tarifvereinbarungen zwischen Arbeitgeberverbänden und Gewerkschaften galten 1990 nur noch für rund 12 Prozent aller Arbeitnehmer; Haustarifverträge zwischen einzelnen Arbeitgebern und Gewerkschaften nur noch für die Hälfte aller britischen Arbeitnehmer. Die Position des Managements gegenüber den Belegschaften wurde gestärkt. Die soziale Absicherung britischer Arbeitnehmer wurde verringert und ist deutlich schwächer als die ihrer deutschen Kollegen (vgl. Kastendiek 1994).

In der deutschen Presse gibt es Anzeichen dafür, daß auch hier das Tarifsystem ins Wanken gerät. Seit 1994 verlassen zunehmend mehr Zeitungsbetriebe den *Bundesverband Deutscher Zeitungsverleger*, um nicht mehr an die Tarifvereinbarungen gebunden zu sein. Diese Zeitungsbetriebe fordern die Ablösung des Verbandstarifvertrages durch betriebliche oder individuelle Lösungen, also Haustarifverträge („house agreements“) und individuelle Arbeitsverträge („personal contracts“). Von individuellen Lösungen versprechen sie sich größere Flexibilität und eine stärkere Berücksichtung von Leistungskriterien.[96] Im Sommer 1997 schloß sich der BDZV dieser Sichtweise an und kündigte – mit dem Ziel einer grundlegenden Reform des Tarifsystems – den Manteltarifvertrag. Die Parallelen zur Argumentation der britischen Verleger sind bemerkenswert. Den deutschen Journalistengewerkschaften muß die britische Entwicklung eine Warnung sein. Dennoch müssen sie eingestehen, daß sich die deutschen Verleger mit ihrem Kurs immer weiter durchsetzen können.[97] Eine Vorreiterrolle bei der Tarifflucht kommt in Deutschland der *Koblenzer Rhein-Zeitung* zu, die zum 31. Dezember 1995 aus dem BDZV austrat und im März 1996 Personalkürzungen bei den Redakteuren um 30 Prozent ankündigte. Neueinstellungen wollte sie nur noch auf der Basis frei vereinbarter Einzelarbeitsverträge vornehmen. Nach einem Streik einigte man sich auf einen Haustarifvertrag, der an den – mittlerweile gekündigten – Flächentarifvertrag angekoppelt ist.[98] Es mehren sich in allen deutschen

[96] Vgl. *Journalist*, Heft 7/1995, S. 14–22 und 59–74. Siehe auch Kapitel 7.3.

[97] Vgl. *Journalist*, Heft 1/1998, S. 24–31 („Streikerfolg“).

[98] Vgl. *M Menschen-machen-Medien*, Heft 7/1995, S. 18f.; *Journalist*, Heft 4/1996, S. 13f., 19; *Journalist,* Heft 7/1996, S. 23; *Journalist,* Heft 4/1997, S. 20; *Frankfurter Rundschau* vom 14.6.1996.

Wirtschaftsbranchen die Stimmen, daß der alte Flächentarifvertrag immer weniger in die gewandelte Wirklichkeit paßt.[99]

Während es in Deutschland massive Bestrebungen zur Stärkung der redaktionellen Mitbestimmung gab, wurde diese Diskussion in Großbritannien nie ernsthaft geführt. Zur Hochzeit der Mitbestimmungsdebatte waren britischen Journalistengewerkschaften allerdings noch in einer sehr starken Position. Aufgrund des hohen Organisationsgrades ihrer Betriebsgruppen waren sie eine machtvolle Kraft, der viele Rechte ungeschrieben zugestanden wurden. Im Rahmen der „Closed Shop"-Debatte forderten sie eine gehörige Ausweitung dieser Rechte, aber nicht im Sinne von redaktionellen Kompetenzen, sondern gewerkschaftlicher Macht (s. Kapitel 8). Auch aus der zunehmenden Pressekonzentration leiteten die Journalistengewerkschaften beider Ländern unterschiedliche Folgerungen ab. Während sie in Deutschland als weiterer Grund für die Forderung nach redaktioneller Mitbestimmung bei der Bestellung des Chefredakteurs und bei Entscheidungen über die politische Grundhaltung angesehen wurde, leiteten die Gewerkschaften in Großbritannien daraus die Forderung ab, die Regierung solle einen unabhängigen Fond zur Finanzierung neuer Zeitungen bereitstellen, um ein breites publizistisches Spektrum zu garantieren (s. Kapitel 4.3). Gesetzliche Regelungen wie von deutschen Gewerkschaften sind von britischen nicht gefordert worden, weder zur personellen oder publizistischen Mitbestimmung, noch zur Kompetenzklärung zwischen Verleger, Chefredakteur und Redakteur. Solche Debatten waren für britische Journalistengewerkschaften immer zweitrangig (s. Kapitel 8).

[99] Leitartikel in der *Süddeutschen Zeitung* vom 9.6.1997 („Abschied vom Tarifvertrag").

8. Der Einfluß der Journalistengewerkschaften in Großbritannien und Deutschland

8.1 Selbstverständnis und Ziele der Journalistengewerkschaften im Ländervergleich

In Großbritannien gibt es zwei alteingesessene und eine neugegründete Journalistengewerkschaft. Die beiden alteingesessenen wurden früher als die deutschen Journalistengewerkschaften gegründet: 1884 wurde das *Institute of Journalists* (IoJ), 1907 die *National Union of Journalists* (NUJ) gegründet. Im Mai 1992 kam schließlich die *British Association of Journalists* (BAJ) hinzu. In Deutschland dauerte es bis zum Jahr 1910, ehe der *Reichsverband der deutschen Presse* als Vorläufer des *Deutschen Journalisten-Verbandes* (DJV) gegründet wurde. Womöglich hätte eine Interessenvertretung der deutschen Journalisten noch länger auf sich warten lassen, wenn nicht 1884 der *Verein Deutscher Zeitungsverleger* gegründet worden wäre. 1951 entstand die Berufsgruppe der Journalisten und Schrift-steller in der *IG Druck und Papier*, die sich 1960 in *Deutsche Journalisten Union* (dju) umbenannte und 1989 in der Fachgruppe Journalismus der *IG Medien* aufging. Diese Chronologie unterstreicht, daß Großbritannien das Land mit einer der ältesten Traditionen im Gewerkschaftswesen ist. Der kontinentaleuropäische Betrachter macht sich zumeist nicht klar, daß Großbritannien ein „zutiefst proletarisches Land" mit einer selbstbewußten, in einem eigenen kulturellen Milieu verankerten Arbeiterklasse geblieben ist.[1] Obwohl Deutschlands Journalisten im Vergleich zu anderen Branchen überdurchschnittlich gut organisiert sind, hinkten sie hinter den britischen Journalisten her. 1992 gaben 52 Prozent der westdeutschen und 70 Prozent der ostdeutschen Jour-

[1] Vgl. Bohrer (1982, S. 39). Stark beeinflußt vom marxistischen Sozialismus waren die britischen Gewerkschaftsmitglieder immer militanter als ihre deutschen Kollegen. Ihren Höchststand erreichte die britische Gewerkschaftsbewegung 1979, als sie mit 13,5 Mio. Mitgliedern einen Organisationsgrad von 54 Prozent verzeichnete. Im Vergleich dazu hatten die DGB-Gewerkschaften im selben Jahr 7,8 Millionen Mitglieder, was einem Organisationsgrad von 34 Prozent entsprach (vgl. Kastendiek 1994; Händel & Gossel 1995, S. 335–337).

nalisten an, Mitglied einer Gewerkschaft zu sein.[2] In Großbritannien lag der Organisationsgrad der Journalisten zwischen 1960 und 1975 dagegen bei rund 90 Prozent.[3] Allerdings gaben 1995 nur noch 63 Prozent der britischen Journalisten an, Mitglied einer Gewerkschaft zu sein.[4] Dies weist auf den dramatischen Bedeutungsverlust der Gewerkschaften seit den achtziger Jahren in Großbritannien hin (s. Kapitel 8.2).

Hinsichtlich ihres Selbstverständnisses ähneln sich DJV und IoJ einerseits und dju/IG Medien und NUJ andererseits. Der *Deutsche Journalisten-Verband* (DJV) wurde am 10. Dezember 1949 als Nachfolger des *Reichsverbandes der deutschen Presse* ins Leben gerufen. Dem 1910 gegründeten *Reichsverband* gehörten vor allem Chefredakteure an. Er sah sich als Standesvertretung mit Selbsthilfeeinrichtungen und Ehrengericht. Dieses Erbe übernahm der DJV. Er verstand sich ebenfalls lange als berufsständische Organisation und zählte daher auch viele Verleger zu seinen Mitgliedern. Der DJV hielt es für besser, in erster Linie die besonderen journalistischen Interessen zu vertreten und sich von den übrigen Arbeitern im Zeitungsgewerbe wie Druckern oder Setzern abzugrenzen.[5] Der DJV wurde zwar 1951 formaljuristisch als Gewerkschaft anerkannt, gab sich aber erst 1981 den Untertitel „Gewerkschaft für Journalisten". Erst seit den siebziger Jahren war eine zunehmende gewerkschaftliche Orientierung im DJV festzustellen, allerdings hielten viele Mitglieder an der Vorstellung fest, daß der Journalismus eine herausgehobene Profession sei, die besonderer Wertschätzung bedürfe. Insbesondere die älteren Jahrgänge sahen sich aus Tradition näher beim Verleger als beim Setzer, brachten viel Verständnis für dessen Belange auf und scheuten das Wort Gewerkschaft „wie der Teufel das Weihwasser".[6]

In seinem historisch gewachsenen Selbstverständnis ist der DJV mit dem *Institute of Journalists* vergleichbar, dem ältesten journalistischen Berufsverband der Welt. Das IoJ wurde im Oktober 1884 gegründet und 1890 von der Königin als Standesorganisation aner-

[2] Der ungewöhnlich hohe Ost-Wert mag zum Teil noch ein Relikt aus DDR-Zeiten sein (92 Prozent der DDR-Journalisten waren im *Verband der Journalisten*, VDJ), zum Teil Ergebnis einer als ungewiß empfundenen beruflichen Zukunft in der neuen Bundesrepublik sein (vgl. Schneider, Schönbach & Stürzebecher 1993b, S. 366).

[3] So der ermittelte Schätzwert von Christian (1980, S. 299).

[4] Vgl. Delano & Henningham (1995), 726 Befragte, Telefoninterviews.

[5] Vgl. Weischenberg (1995a, S. 509 f.) und Meyn (1992, S. 178).

[6] Zitat Koch (1981, S. 45). Siehe auch Prott (1976, S. 78 ff., 370 ff.) und die Chronik in *Journalist* (Sonderheft 40 Jahre DJV), 1989, S. 13.

kannt. Sie ließ sich 1976 formaljuristisch auch als Gewerkschaft anerkennen, entwickelte aber nie ein gewerkschaftliches Bewußtsein. Die IoJ sah sich immer als Standesvertretung und wollte den Journalismus zu einer „Profession" machen, vergleichbar den Ärzten und Rechtsanwälten.[7] Ein Sprecher erklärte 1920: „Wir lehnen es ab, uns als bloße Industriegewerkschaft zu begreifen." Der Journalismus sei kein Handwerk, sondern ein Fachberuf mit besonderen Anforderungen. „Wir haben eine vornehmere Vorstellung von unserer Berufung" und ergänzt: „Wir kümmern uns um die Interessen einer Profession – Profession, nicht Handwerk."[8] Die Organisation sorgt sich seit ihrer Gründung um das öffentliche Ansehen ihres Berufsstandes und bemühte sich mehrfach (und auch vergeblich) um eine rechtliche Festschreibung von beruflichen Privilegien und Verantwortlichkeiten.

Vor allem Verleger, Chefredakteure und leitende Journalisten fühlten sich von diesen Zielsetzungen angesprochen und traten der IoJ bei. Ähnlich wie in den Anfangsjahrzehnten auch der DJV ging die IoJ nicht von einem Interessens*gegensatz*, sondern von einer Interessens*kongruenz* zwischen Zeitungseigentümer (Arbeitgeber) und Journalisten (Arbeitnehmer) aus.[9] Als oberstes Ziel der IoJ formulierte ihr erster Präsident Borthwick 1886, daß Journalisten denselben Status und dieselbe formelle Anerkennung erreichen sollten wie die Angehörigen anderer Professionen. An diesem Ziel hat sich in den folgenden hundert Jahren nichts geändert.[10] Zuletzt hat die IoJ Mitte der siebziger Jahren einen Vorschlag zur Errichtung einer Standesorganisation mit eigener Standesgerichtsbarkeit gemacht, angelehnt an den „General Medical Council" der britischen Ärzteschaft. Die Gutachter der Königlichen Pressekommission lehnten den Vorschlag ab.[11] Eine große Anhängerschaft fand

[7] Vgl. Underwood (1992, S. 647), Bainbridge (1984, S. 53 f.), Christian (1980, S. 274).

[8] „We … decline to consider ourselves as merely an industrial trade union (…) we have a nobler conception of our calling" (…) „We exist to look after the interests of the profession – profession, not a trade". So ein gewisser F. Peaker im *Institute Journal*, Heft January 1920, S. 112, hier zit. n. Christian (1980, S. 276).

[9] Das *Institute Journal*, die Mitgliederzeitschrift der IoJ, schrieb in ihrem Juni-Heft 1916 (S. 102): „Die Mitglieder der IoJ sind der Überzeugung, daß Kooperation und Zusammenarbeit für die Ziele der Profession besser sind als Klassenkampf" („… member of the Institute believe, cooperation and joint action for professional purposes is better than class war …", zit. n. Christian 1980, S. 275).

[10] Vgl. Christian (1980, S. 274), Bainbridge (1984, S. 54), Golding (1997, S. 85).

[11] Vgl. *Royal Commission* (1977, S. 167 f.). Erstmals hatte die IoJ 1931 den Vorschlag zur Einrichtung eines „Journalists' Registration Council" im Parlament eingebracht, der darüber wachen sollte, daß sich nur rechtmäßig registrierte

die IoJ mit ihrem Programm jedoch nie. Während sie 1945 noch 25 Prozent aller gewerkschaftlich organisierten Journalisten auf sich vereinigen konnte, sind es Mitte der neunziger Jahre deutlich unter zehn Prozent.

Weitaus attraktiver auf die Mehrheit der britischen Journalisten hat seit ihrer Gündung 1907 die *National Union of Journalists* gewirkt. Anfang der achtziger Jahre war sie mit 32000 Mitgliedern die stärkste Journalistengewerkschaft Europas. Im Gegensatz zur IoJ hat die NUJ Journalisten nie als Angehörige einer Profession angesehen, sondern als abhängig Beschäftigte, als Teil der Arbeiterklasse.[12] Ihr ging es nicht um den „professional status", sondern um den „working journalist". Im Gegensatz zur IoJ betonte sie von Anfang an den grundsätzlichen Klassen- und Interessengegensatz zwischen Arbeitgebern und Arbeitnehmern. Daher sind Verleger (als Eigentümer der Produktionsmittel) grundsätzlich von der Mitgliedschaft ausgeschlossen. Dieser Grundsatz wurde immer als zentrales Abgrenzungskriterium von der IoJ betont. Chefredakteure, die über Einstellungen und Entlassungen entscheiden, können in der NUJ nur einen Assoziiertenstatus erwerben.

Die NUJ sah sich immer als Teil der Arbeiterbewegung und legte Wert darauf, daß es ihr nicht um Status und Privilegien geht, sondern um die wirkungsvolle Verbesserung der ökonomischen Situation ihrer Mitglieder. Sie stellte das kollektive Erstreiten verbesserter Gehalts- und Arbeitsbedingungen von Anfang an in den Mittelpunkt ihrer Bemühungen (vgl. Christian 1980, S. 284–297). Nach einer Urabstimmung trat die NUJ 1939 dem *Trades Union Congress* (TUC), der ständigen Dachorganisation der Gewerkschaften, bei. Den TUC könnte man als „britischen DGB" bezeichnen. Aus der sich daraus ergebenen Verpflichtung, innerhalb des TUC Solidarität zu wahren, standen bei der NUJ selten spezifisch journalistische und fast immer nur gesamtgewerkschaftliche Forderungen im Mittelpunkt, die selbstverständlich mit den Mitteln des

Standesangehörige „Journalist" nennen durften. Das unrechtmäßige Führen des Titels sollte bestraft werden. Verstöße gegen einen Standeskodex, der ebenfalls eingeführt werden sollte, sollten zum Ausschluß aus der Standesorganisation führen können. Der Gesetzesvorschlag scheiterte trotz mehrerer Anläufe im Parlament (vgl. Christian 1980, S. 279; Bainbridge 1984, S. 88f.). Verbindliche Aufnahmeprüfungen, die über den Berufszugang entscheiden sollten, wurden in der IoJ erstmals 1892 diskutiert, blieben allerdings ohne Ergebnis (Bainbridge 1984, S. 54–58). Dazu wäre nicht zuletzt eine enge Zusammenarbeit mit der Konkurrenzgewerkschaft NUJ notwendig geworden, die sich jedoch nie in ausreichendem Maße einstellte.

[12] Vgl. Ecclestone (1992), Beloff (1976, S. 15), Golding (1997, S. 85f.) sowie den Bericht „Licht am Horizont" im *Journalist*, Heft 11/1996, S. 87–89.

Arbeitskampfes durchgesetzt wurden. 1945 vereinigte die NUJ 75 Prozent aller gewerkschaftlich organisierten Journalisten auf sich, 1975 waren es 92 Prozent. Die große Mehrheit der britischen Journalisten setzte also auf das klassische Gewerkschaftskonzept der NUJ, sah sich selbst als Teil der Arbeiterklasse und betrachtete Journalismus als ein Handwerk. Die große Mehrheit der deutschen Journalisten setzte dagegen auf den DJV, der unverändert zum Etikett „Standesorganisation" steht.[13] So hatte der DJV 1973 11000 und die dju nur 4000 Mitglieder.[14] 1997 hatte der DJV 30000 und die dju-Nachfolgeorganisation IG Medien (Fachgruppe Journalismus) 18500 Mitglieder.[15]

Die Parallelen im Selbstverständnis zwischen NUJ und IG Medien (bzw. ihrer Vorläuferorganisation dju) sind augenfällig.[16] Auch die dju nannte seit ihrer Gründung die Tatsache, daß der DJV auch Verleger als Mitglieder akzeptierte, als wichtigstes Abgrenzungskriterium. „Die dju pflegt solche Sozialpartnerschaft nicht. Das ist ein prinzipieller Unterschied", erklärte dju-Vorsitzender Eckhard Spoo 1971.[17] Ebenso wie die NUJ Mitglied des TUC ist, war die dju Mitglied des DGB. Die Nachfolgeorganisation IG Medien ist ebenfalls im DGB. Während sich NUJ und IG Medien von der Mitgliedschaft in der gesamtgewerkschaftlichen Dachorganisation eine größere Schlagkraft und Effektivität bei der Durchsetzung ihrer Interessen versprechen, sahen IoJ und DJV in einer solchen Einbindung eher eine Bedrohung ihrer Unabhängigkeit und ihrer Interessenschwerpunkte.[18] In beiden Ländern hat es mehrfach Bemühungen zur gemeinsamen Organisation einer Einheitsgewerkschaft gegeben, was

[13] So DJV-Hauptgeschäftsführer Hubert Engeroff im *Journalist* (Sonderheft 40 Jahre DJV), 1989, S. 11.

[14] Zum Vergleich: Im selben Jahr hatte die NUJ rund 26000 Mitglieder und die IoJ 2300. Deutsche Mitgliederzahlen nach Koch (1981, S. 47) und Prott (1976, S. 78).

[15] Telefonische Auskunft der Organisationen. Auch Schneider, Schönbach & Stürzebecher (1994, S. 190) berichten in Ost- und Westdeutschland von einem deutlichen Vorsprung des DJV. Die gesamtdeutschen Zahlen ergeben 37 Prozent für DJV, 23 Prozent für IG Medien und 40 Prozent ohne Gewerkschaftsmitgliedschaft.

[16] Die dju ging 1960 aus der Berufsgruppe der Journalisten und Schriftsteller in der IG Druck und Papier hervor. 1989 wurde dann von der IG Druck und Papier (mit dju und VS-Schriftstellerverband), der Gewerkschaft Kunst (mit der Rundfunk Fernseh Film Union sowie einigen künstlerischen Gruppierungen) die *IG Medien* gegründet.

[17] So Spoo im dju-Organ *die feder*, Heft 4/1971, S. 5.

[18] Vgl. Prott (1976, S. 78ff.), Koch (1981, S. 46), Elliott (1976a, S. 176), Bainbridge (1984), Underwood (1992).

jedoch aufgrund unüberbrückbarer Interessengegensätze nie gelang.

Die Führungsspitzen von deutscher dju/IG Medien und britischer NUJ machten in den siebziger und achtziger Jahren durch eine stark sozialistische Rhetorik auf sich aufmerksam. Ähnlich wie die Funktionäre der NUJ sprachen sich auch Vertreter der IG Medien klassenkämpferisch für eine Vergesellschaftung der Medienbetriebe aus.[19] „Die Medien müssen vor allem vom Zwang der Gewinnmaximierung befreit werden“, heißt es im Gründungsprogramm der IG Medien vom 7.11.1986 (S. 15). „Markt- und wirtschaftsbeherrschende Unternehmen sind in Gemeingut zu überführen“, hält das Tagesprotokoll vom Ersten Gewerkschaftstag der IG Medien im Hamburg (14. April 1989, S. 275) fest. Die NUJ verlor in den achtziger Jahren aufgrund sinkender Glaubwürdigkeit etwa 10000 Mitglieder (s. Kapitel 8.2). Auch von der IG Medien wendeten sich Anfang der neunziger Jahre Mitglieder ab, weil sie sich von der „militanten“ Vorsitzenden Jutta Ditfurth nicht mehr angemessen vertreten fühlen. Sogar der Vorsitzende Detlef Hensche entdeckte in der IG Medien einen „Geist der Illiberalität“.[20]

Den deutschen Journalistengewerkschaften geht es aufgrund ihrer wiedervereinigungsbedingten Mitgliederzuwächse, ihrer eher konsensualen Strategie bei Tarifverhandlungen und ihrer mitgliedernahen Verbandspolitik deutlich besser als den britischen. Ihr größtes Problem ist die Tarifflucht. Zeitungsbetriebe verlassen den BDZV und verabschieden sich damit von der Tarifbindung (s. Kapitel 7.8).

[19] Zur NUJ vgl. Christian (1980, S. 291–297), Beloff (1976, S. 46–51), Bainbridge (1984, S. 127–133) sowie das Interview mit dem neuen Vorsitzenden Jeremy Dear in *M-Menschen machen Medien*, Heft 3/1997, S. 30f. („Britische Journalisten: Medien gehören in öffentliches Eigentum“).

[20] Zit. n. *Frankfurter Rundschau* vom 24.3.1993 („Die Palette des Widerwillens schillert bunt: Jutta Ditfurth und die Mediengewerkschaft“). Siehe hierzu auch die Leserbriefdebatte in *Publizistik & Kunst*, Hefte 12/1992, 1/1993, 2/1993, 3/1993, 4/1994, 10/1993, 11/1993. IG Medien-Mitglieder warfen der Vorsitzenden der Fachgruppe Journalismus, Jutta Ditfurth, extreme und unsachgemäße Überzeugungen (v. a. in ihrem Buch *Feuer in die Herzen*), ihre provozierte Verhaftung beim Weltwirtschaftsgipfel, mangelnde Diskussionsbereitschaft in Talkshows („Sie reden ja hier nur Stuß“) und ihre Teilnahme an der Demonstration zum Tode des mutmaßlichen Terroristen Wolfgang Grams vor.

Tabelle 16: Mitgliedschaft in deutschen und britischen Journalistengewerkschaften (1997)

Deutscher Journalisten-Verband (DJV):	30000
Fachgruppe Journalismus der IG Medien:	18500
National Union of Journalists (NUJ):	24000 (+ 5000 Beitragsbefreite)
Institute of Journalists (IoJ):	1000
British Association of Journalists (BAJ):	600

Quelle: Selbstangabe der Organisationen.

8.2 Aufstieg und Fall der britischen Journalistengewerkschaften

Die *National Union of Journalists* (NUJ) hatte in den siebziger Jahren aus mehreren Gründen eine machtvolle Position erreicht. Erstens befreite der Trade Disputes Act (1906) die Gewerkschaften weitgehend von Schadensersatzansprüchen, was ein relativ risikoloses Streiken ermöglichte.[21] Zweitens führte das ausgeprägte Gewerkschafts- und Klassenbewußtsein der britischen Arbeitnehmer auch bei der NUJ zu hohen Mitgliedszahlen. Drittens ermöglichte das System der britischen Journalistenausbildung eine gezielte und effektive Mitgliederwerbung. Bis Mitte der achtziger Jahre mußten alle Berufsanfänger theoretische Kurse und Prüfungen in zentralen Ausbildungszentren ablegen, die vom *National Council for the Training of Journalists* (NCTJ) geleitet wurden. Als Mitträger und Mitorganisator konnte die NUJ hier systematisch den Nachwuchs ansprechen.[22] Viertens konnte die NUJ aufgrund ihrer schieren Größe ein attraktives Leistungsangebot, Sicherheit und eine effektive Interessenvertretung bieten.

Anfang der siebziger Jahre entschied die NUJ-Führung, nach dem Vorbild der Druckergewerkschaften einen „one-union closed shop" in den Redaktionsräumen durchzusetzen. Auf dem NUJ-Jahreskongreß 1974 faßten die Delegierten den Beschluß: Alle britischen Journalisten sollten NUJ-Mitglieder werden; nur noch Angehörige ihrer Gewerkschaft dürften journalistisch arbeiten (vgl. Beloff 1976). Gewerkschaftliche „Closed Shops" sind in Deutschland grundsätzlich verboten. In Großbritannien fand man sie Anfang der siebziger Jahre dagegen in vielen Industriezweigen.[23] Ar-

[21] Erst Thatchers Beschäftigungsgesetze hoben diese Regelung auf (s. Kapitel 7.4).

[22] Vgl. Tunstall (1977, S. 290f. u. 336), Beloff (1976, S. 15), Cleverley (1976, S. 144), Gaunt (1988, S. 583f.), Gaunt (1992, S. 42). Zur Journalistenausbildung s. Kapitel 9.

[23] Man unterscheidet gemeinhin zwischen dem „post-entry closed shop", wo es

beitgeber ließen sich in Betriebsvereinbarungen auf Closed Shops ein, weil sie sich davon eine Befriedung der traditionell schlechten „industrial relations“ versprachen. Besonders erfolgreich hatten die Drucker- und Setzergewerkschaften das Closed Shop-Prinzip durchgesetzt. Der Amerikaner Robert L. Bishop schrieb 1983 über die englischen Drucker: „Die gewerkschaftlichen Betriebsgruppen hatten absolute Macht über die Zeitungen. Sie kontrollierten Einstellungen und Entlassungen, Produktionszeiten und -abläufe, eigentlich alles, was normalerweise die Geschäftsführung entscheidet. Der *Times*-Zeitungsverlag hat 4200 Angestellte in Redaktion, Verwaltung und Produktion, um einen Arbeitsaufwand zu erledigen, wofür in einem amerikanischen Betrieb 1000 ausreichen würden.“[24]

Mit Closed Shop-Vereinbarungen hatten sich die Drucker- und Setzergewerkschaften sehr hohe Gehälter für ungelernte Routinetätigkeiten gesichert. Sie ließen sich Schichten bezahlen, die gar nicht gearbeitet wurden, erkämpften die 25-Stunden-Woche (bei 40 Stunden-Bezahlung), so daß ein Arbeiter mittels eines Phantasienamens (Smith, Brown, aber auch Mickey Mouse, Abraham Lincoln und Douglas Fairbanks sind dokumentiert) zwei Arbeitsverhältnissen beim selben Arbeitgeber nachgehen oder ein Kiosk oder Taxi nebenbei führen konnte – von enormen Zuschlägen für unbedeutende Tätigkeiten ganz zu schweigen.[25] Der frühere Produktionschef des *Daily Mirror*, Frank Rogers, beschrieb den Zu-

genügt, wenn der Arbeitnehmer nach Aufnahme der Arbeit der Gewerkschaft beitritt und dem „pre-entry closed shop“, wo der Arbeitgeber nur solche Arbeitnehmer einstellen darf, die zuvor von der Gewerkschaft als Mitglied akzeptiert worden sind. Auf dem Höhepunkt der Entwicklung standen mehr als fünf Millionen britische Arbeitnehmer in einem Closed Shop-Arbeitsverhältnis, das waren rund 25 Prozent aller Arbeitsplätze. Bielstein (1988, S. 97) zitiert eine zwischen 1978 und 1982 durchgeführte Umfrage unter Personalleiter der hundert größten britischen Unternehmen, derzufolge 35 Prozent der befragten Manager den Closed Shop positiv und 26 Prozent als ohne Auswirkungen einschätzten. Nur 17 Prozent standen ihm feindlich gegenüber. Vgl. dazu auch Neumann & Schaper (1984, S. 71), Bainbridge (1984, S. 127), Wendt (1988, S. 126), Bowers & Honeyball (1990, S. 310–312), Grote-Seifert (1994, S. 76), Händel & Gossel (1995, S. 341).

[24] Bishop (1983, S. 205, 207) schrieb: „These chapels had absolute power over the papers. They controlled hiring and firing, production schedules, work conditions, pay rates – just about everything which management might be supposed to control. (...) *The Times Newspapers* use 4200 editorial, clerical, and production workers to do a job which an American firm would do with 1000.“

[25] Ein Beispiel: Für die Bedienung eines bestimmten Knopfes zur Beschleunigung oder Verzögerung des Tempos an der Rotationsmaschine mußten drei Arbeiter angestellt werden (Mitglieder von drei verschiedenen Druckergewerkschaften) – obwohl es den Knopf seit Jahren nicht mehr gab; vgl. Baistow (1985, S. 77–94).

stand mit den drastischen Worten: „Wenn in einer Nacht alle 800 Arbeiter erschienen wären, die die Gewerkschaft durchgesetzt hatte, wären die in der kleinen Halle erstickt.“ Ein anderer Verlagsmanager meinte: „Wir werden gezwungen, Analphabeten einzustellen – die Gewerkschaft bestimmt, wer eingestellt wird und wann eine Neueinstellung zu erfolgen hat.“[26] Nach Schätzungen der *Newspaper Publishers' Association* betrug die Überbelegung in den Produktionshallen von Fleet Street Anfang der achtziger Jahre durchschnittlich 40 Prozent. Ein Verlagsmitarbeiter der *Mirror*-Gruppe errechnete zu jener Zeit, daß die Belegschaft um 50 Prozent gekürzt werden könnte, was seinem Haus Einsparungen von £ 30 Millionen pro Jahr einbringen würde. Ein anderer schätzte die möglichen Einsparungen in seinem Betrieb auf £ 25 Millionen jährlich (Baistow 1985, S. 80). Diese bizarre Situation wurde allerdings erst durch inkompetente Verhandlungsführung und Mißmanagement der Verlagsleitungen ermöglicht.[27]

Beeindruckt von der Machtstellung der Druckergewerkschaften und neidisch auf deren extrem gute Bezahlung wollte die NUJ in den siebziger Jahre mit Arbeitskämpfen ebenfalls einen Closed Shop durchsetzen. Die Methoden der Drucker sollten zum Vorbild werden.[28] Journalisten, die noch keine Gewerkschaftsmitglieder waren, wurden massiv zum Eintritt in die NUJ gedrängt. Weigerten sie sich, wurden ihre Artikel von Redaktionskollegen boykottiert und nicht abgedruckt („blacked“) oder gar die ganze Zeitung bestreikt.[29] Während auch der *Press Council*, die *Guild of British Newspaper Editors*, die *Royal Commission on the Press*, das *International Press Institute*, die Verlegerverbände und natürlich die Konkurenzgewerkschaft *Institute of Journalists* auf die Gefahren aufmerksam machten (für letztere hätte ein NUJ-Closed Shop das Aus bedeutet), war die gewerkschaftsfreundliche Labour-Regierung unter Premierminister Wilson entschlossen, mit dem Gesetz

[26] Zit. n. Wintour (1989, S. 240) und Baistow (1985, S. 81).

[27] Aus Angst vor Produktionsausfall gaben die Verleger auf dem hartumkämpften Pressemarkt nahezu jeder Forderung nach. Konnte ein Konkurrenzzeitung aufgrund eines Streiks nicht erscheinen, ergötzte man sich an der kurzzeitigen Auflagesteigerung des eigenen Blattes, anstatt sich auf eine gemeinsame Linie gegen den Machtmißbrauch der Gewerkschaften zu verständigen. Daher kam die Dritte Königliche Pressekommission zu dem Schluß, daß die Verleger für die miserable wirtschaftliche Situation ihrer Zeitungen in hohem Maß selbst Schuld tragen. Vgl. *Royal Commission* (1977, S. 216–226), Cleverley (1976), Jenkins (1979) und Baistow (1985).

[28] Vgl. Cleverley (1976, S. 140–150) und Christian (1980, S. 291–298).

[29] Die Aktionen der NUJ sind beschrieben in *Time* (2.12.1974, S. 56), Bainbridge (1984, S. 130–137), *Royal Commission* (1977, S. 158).

„Trade Union and Labour Relations (Amendment) Act" den Closed Shop in allen Industriezweigen für rechtsgültig zu erklären.

Aus Gewerkschaftssicht stellt das Erreichen eines hundertprozentigen Closed Shop einen Idealzustand dar, für die Pressefreiheit birgt er jedoch gravierende Gefahren. Die NUJ-Mitgliedschaft würde nach Ansicht einer Kritikerin zur „license to write" und damit im Effekt zu einer „license on what is written" (Beloff 1976, S. 9). Da die NUJ diese Forderung nicht nur für die Presse, sondern auch für die BBC erhob, würde eine Gewerkschaft bestimmen können, welche Personen in den Medien zu Wort kämen und was die britische Öffentlichkeit aus den Medien erführe. Chefredakteuren wäre es nicht erlaubt, Berichte oder Kolumnen von Gastautoren zu publizieren, wenn diese nicht NUJ-Mitglied sind. In der Berichterstattung würde substantielle Kritik an den Gewerkschaften oder der Labour Party unwahrscheinlich. Ein Journalist, der als mißliebiges Mitglied von der NUJ ausgeschlossen würde, wäre damit automatisch stumm gestellt, da er ohne NUJ-Mitgliedsausweis von keinem anderem Medium mehr eingestellt werden könnte. Trotz dieser Bedenken wurde das Gesetz „Trade Union and Labour Relations (Amendment) Act", das den Closed Shop auch in der Presse erlaubte, 1976 mit unwesentlichen Zusätzen von der Labour-Regierung im Parlament verabschiedet.[30] Eine Abordnung sämtlicher Fleet Street-Chefredakteure hatte zuvor den verantwortlichen Sozial-Minister Michael Foot noch nachdrücklich um eine Ausnahmeregelung für die Presse gebeten.[31] Foot, selbst NUJ-Mitglied, lehnte ab.[32]

Mit dem Regierungswechsel 1979 und der Wahl Margaret Thatchers zur Premierministerin begann das Ende des Closed Shop-Systems. Schon vor ihrer Wahl hatte sie im November 1978 ihre Bedenken gegen einen Closed Shop in der Presse deutlich gemacht: „Warum sollte man nur den Mitgliedern einer einzigen Gewerkschaft den Zugang zu unseren Druckerpressen erlauben? Die Ge-

[30] Vgl. zusammenfassend Beloff (1976) und sowie *Royal Commission* (1977, S. 157–170) und Bainbridge (1984, S. XIV und 140 f.).

[31] Die NUJ forderte, daß ihr auch alle Chefredakteure beitreten müßten. Die Chefredakteure wären dann jedoch in ihren Entscheidungen nicht mehr frei, sondern an die Disziplin- und Verhaltensregeln der Gewerkschaft gebunden. Viele Chefredakteure empfanden dies als Anschlag auf die Pressefreiheit und ihre redaktionelle Unabhängigkeit, obwohl die NUJ betonte, ihr ginge es einzig um eine Erhöhung ihrer Schlagkraft beim Aushandeln von Tarifvereinbarungen.

[32] Um seine Position, daß die britische Presse prinzipiell keinen Sonderstatus verdient, zu veranschaulichen, soll Foot den legendären Satz gesagt haben: „Ich kann zwischen dem freien Informationsfluß und dem freien Abwasserfluß keinen Unterschied erkennen" („I see no basic difference between the free flow of information and the free flow of sewage"; zit. n. *Time* vom 31. 3. 1975, S. 9).

mäßigten in der NUJ sagen, sie wollen den Closed Shop, um Lohnerhöhungen effektiver durchsetzen zu können. Sie sehen, was die Druckergewerkschaften erhalten und sind, nicht zu Unrecht, neidisch. Aber wie Sie wissen, gibt es Extremisten in der NUJ, die nicht nur den Berufszugang beschränken möchten, sondern auch kontrollieren wollen, was ihre Mitglieder schreiben. (…) Ein Closed Shop im Journalismus würde bedeuten, eine unsere wertvollsten Freiheiten [die Pressefreiheit] an eine einzige Gewerkschaft abzugeben.“[33] Der Closed Shop ist von Thatcher allerdings nicht aufgrund seiner Gefahren für die Pressefreiheit abgeschafft worden, sondern um die Gewerkschaftsmacht in allen Branchen zu brechen. Mit einem Paket neuer Beschäftigungsgesetze wollte Thatcher die Machtbalance, die sich in ihren Augen zu stark zu Ungunsten des Arbeitgebers und der Freiheit des Individuums verschoben hatte, wieder zurechtrücken. Nach ihrer Überzeugung behinderte die „Monopolmacht“ der Gewerkschaften das Funktionieren der Marktmechanismen, ferner verhinderten ihr Festhalten an „restriktiven“ Arbeitskampfpraktiken und ihre „exzessiven“ Lohnforderungen die wirtschaftliche Gesundung und ein steigendes Beschäftigungsniveau (vgl. Bielstein 1988, S. 92–111).

Bei ihrem Kampf gegen die Gewerkschaften konnte Thatcher an populäre Meinungen anknüpfen. Bei ihrer Regierungsübernahme 1979 waren nach Umfragen 80 Prozent der Bevölkerung der Ansicht, daß die Gewerkschaften zuviel Macht hätten und für die wirtschaftliche Krise in hohem Maße verantwortlich wären. Das Closed Shop-Prinzip lehnten 85 Prozent der Briten ab, selbst 81 Prozent der Gewerkschaftsmitglieder waren dagegen. Laut der *British Election Study 1979* war Thatchers Wahlversprechen, strengere Gewerkschaftsgesetze einzuführen, ein entscheidender Faktor für ihren Wahlsieg.[34] „Die Beschneidung des Gewerkschaftseinflusses war der bedeutendste Erfolg der Regierung Thatcher“, schreibt der Politologe Anthony Sampson.[35] Durch Thatchers Beschäfti-

[33] Zit. n. Bainbridge (1984, S. 139 f.).

[34] Die Angaben beruhen auf Daten in Händel & Gossel (1995, S. 336); *Observer* vom 21.10.1984, Magazin-Beilage S. 92; Bielstein (1988, S. 101). Verantwortlich für das Negativ-Image der Gewerkschaften in der Öffentlichkeit waren v. a. der „Winter of Discontent“ 1978/79 und der Bergarbeiterstreik 1984. Vgl. Wendt (1988), Bielstein (1988, S. 226–230), Young (1990, S. 117, 127), Butler & Butler (1994, S. 371–375).

[35] Sampson schrieb in seiner scharfsinnigen Gesellschaftsstudie *The essential anatomy of Britain* (1992): „The cutting-down of unions was Mrs Thatcher's most decisive achievement“. Auszüge dieses Buches erschienen in deutscher Übersetzung in *Die Zeit* vom 10.4.1992, S. 39–44. Die Zerschlagung der Gewerkschaften gilt nach überwiegender Meinung als bleibende Errungenschaft Thatchers. Siehe

gungsgesetze wurden die wichtigsten Arbeitskampfformen wie Closed Shop und Sympathiestreiks verboten. Murdoch war der erste Verleger in London, der die neue Rechtslage bei seinem Umzug nach Wapping konsequent ausnutzte (s. Kapitel 4.4). Alle anderen nationalen Zeitungsunternehmen folgten seinem Beispiel. Durch Rationalisierungsmaßnahmen hatte *United Newspapers* bis 1988 bereits 4600 Drucker entlassen, *Mirror Group Newspapers* 4600, *The Observer* 500, *Financial Times* 400, *Associated Newspapers* 700 und weitere Entlassungen waren angekündigt (Bishop 1990, S. 52). Die ehemals mächtigen Druckergewerkschaften spielen heute keine Rolle mehr. Beobachter gewannen den Eindruck, daß die Drucker mit ihrem starrsinnigen Festhalten an anachronistischen Arbeitskampfmethoden und ihrer blinden Ablehnung neuer, rationellerer Technik bis zum Schluß nicht begriffen hatten, daß sie sich selbst in diese Sackgasse hineinmanövriert hatten.[36] Der britische Presserat schrieb in seinem Jahresbericht 1985, daß dank der neuen Arbeitsgesetze „zum ersten Mal seit Menschengedenken die Zeitungsverleger die Arbeitsabläufe in ihren Unternehmen wieder selbst kontrollieren. (…) Die Grundlage für diese Revolution legten die Arbeitsgesetze der Thatcher-Regierung, … die es möglich machten, die dramatische Überbelegung und Überbezahlung in den Griff zu bekommen und dadurch die Kosten unter Kontrolle zu bringen“.[37]

Zwischen 1979 und 1996 verloren die britischen Gewerkschaften 40 Prozent ihrer Mitglieder, ihre Zahl sank von 13,3 auf 7,3 Millionen (*Newsweek* vom 28.4.1997). Auch unter den Journalisten

zum Thema Thatcherism neben Sampson (1992) auch die Analysen von Kavanagh (1990), Döring (1993), Crewe (1993) und *Newsweek* vom 28.4.1997 („Maggie rules“).

[36] Vgl. Baistow (1985, 77 f.). Der Niedergang des Druckerberufes in Deutschland vollzog sich über einen längeren Zeitraum. Er machte sich bei der *IG Medien, Druck und Papier, Publizistik und Kunst*, in der die meisten Drucker zusammengeschlossen sind, seit 1991 mit einem Mitgliederrückgang um 29000 bemerkbar. Die Gesamtmitgliederzahl der IG Medien sank zwischen 1989 und 1995 von 250000 auf 215000. Zwischen 1992 und 1994 wurden in der westdeutschen Druckindustrie rund 20000 Arbeitsplätze gekappt (vgl. *Frankfurter Rundschau* vom 26.10.1995, S. 3, „Die Moderne suchen oder lieber die Klöster bewahren?“).

[37] Im Press Council Annual Report (1985) heißt es: „for the first time in living memory, newspaper managers actually control the day-to-day running of their businesses.“ (S. 268) „The foundations of the revolution were laid by … the industrial relations legislation introduced by Mrs Thatcher's government“ und ein Absatz weiter: „The new labour laws made it possible to think of tackling the gross and well-established over-manning and over-payment and thus bring costs under control“ (S. 269).

wandten viele der NUJ-Spitze den Rücken zu. In den Jahren zwischen 1982 und 1992 verlor die NUJ mindestens 10000 Mitglieder.[38] Oft waren es Einzelfälle wie das Bekanntwerden einer Solidaritätsadresse an Fidel Castro, die Austrittswellen zur Folge hatten. In den wirtschaftlichen Boom-Jahren der späten achtziger gewannen zudem viele den Eindruck, keine Gewerkschaft zu benötigen, um eine anständige Bezahlung zu bekommen. Journalisten erkannten, daß die NUJ-Spitze für die Aushandlung ihrer Arbeitsbedingungen keine Rolle mehr spielte und aufgrund interner Grabenkämpfe zerrüttet war. Nach Darstellung des NUJ-Vorsitzenden Ecclestone hätten die Verleger die Einführung „individueller Arbeitsverträge" als Mittel zur Zerschlagung der NUJ eingesetzt (s. Kapitel 7.3). 1987 hatte er erstmals die ernste Befürchtung geäußert: „Wenn dieser Prozeß so weiter geht, wird die NUJ ausgelöscht."[39]

Um die Einführung individueller Arbeitsverträge zu verhindern, finanzierte die NUJ mehrere lange, bittere Arbeitskämpfe. So unterstützte sie mit insgesamt £ 1,3 Millionen (3,9 Millionen Mark) Streiks beim *Aberdeen Journal, Essex Chronicle Series, Pergamon Press* und *VNU Magazines*. Trotzdem gingen alle Arbeitskämpfe verloren. Die NUJ war im April 1990 mit £ 1,18 Millionen und im April 1991 mit £ 1,26 Millionen völlig verschuldet. 1994 betrugen die Schulden noch £ 800000 (1,9 Millionen Mark).[40] Die Ursache für das finanzielle Disaster, das die NUJ seither lähmt, war krasses Mißmanagement der Gewerkschaftsspitze in der Londoner Zentrale. Ein Großteil der Mitgliedsbeiträge muß nun zur Tilgung der Bankschulden verwendet werden. Daher wird auch der Anteil, der eigentlich für den Streikfond bestimmt ist (12 Prozent der Beiträge), noch bis mindestens 1998 direkt an die Banken weitergeleitet. Das heißt, gleichgültig wie einzelne Verleger mit ihren Angestellten umgehen mögen, die NUJ kann keine Arbeitskämpfe finanziell unterstützen. Auch bei Arbeitsgerichtsprozessen kann sie nur solche Fälle unterstützen, die eine hohe Aussicht auf Erfolg haben. Mitte

[38] Vgl. *Journalist*, Heft 11/1996, S. 87–89 („Licht am Horizont"). Die Angaben schwanken allerdings zwischen verschiedenen Quellen erheblich.

[39] Jake Ecclestone sagte am 8.5.1992 im Interview mit dem Verfasser: „In British labour law, everybody who is employed, has legally a contract of employment. The law strictly requires that they are written down but often that is ignored. What the employers then realized was that they can destroy the union collectively by giving every worker a new ‚personal contract'. (…) In 1987, I said: When this process develops, the NUJ will be wiped out."

[40] Vgl. hierzu und zum folgenden die Berichte über die NUJ-Jahreskonferenzen 1991, 1992, 1993 und 1994 in *UK Press Gazette* vom 15.4.1991, vom 11.5.1992, vom 3.5.1993 und vom 23.5.1994.

der neunziger Jahren gilt die NUJ vielen Verlegern als eine Kraft, die sich totgelaufen und nichts mehr zu sagen hat.[41] Weil dies jedoch eine zunehmend barsche Attitüde gegenüber den Angestellten begünstigte, steigen die Mitgliederzahlen wieder an. Rund 25 Prozent der NUJ-Mitglieder sind freiberuflich tätig, die allermeisten aber nicht freiwillig. 1997 zahlten 24 000 Journalistinnen und Journalisten ihren Monatsbeitrag von £ 21 (60 Mark). Daneben gibt es weitere 5 000 beitragsbefreite Pensionäre und Studenten in der NUJ.[42]

Die zweite britische Journalistengewerkschaft *Institute of Journalists* (IoJ) tritt nur selten öffentlich in Erscheinung. Sie hatte 1997 rund 1 000 Mitglieder und ist von der „derecognition" genauso betroffen wie die NUJ. Sie kritisiert die Einführung der individueller Arbeitsverträge ebenfalls harsch. Vor allem das Verfahren, Journalisten vor die Wahl zu stellen: Unterschrift oder Kündigung, verurteilt sie.[43] Da aber auch sie von Mitgliederrückgang und finanziellen Schwierigkeiten betroffen ist (wenn auch weniger drastisch als die NUJ), ging sie am 1. Januar 1991 ein Bündnis mit der Elektrikergewerkschaft EETPU ein. Mit Hilfe der EETPU hatte Murdoch bei seinem Wapping-Umzug die Druckergewerkschaften ausgebootet; seither bedienen Elektriker dort die computergesteuerten Druckmaschinen. Als die EETPU jedoch 1992 dem gewerkschaftlichen Dachverband TUC beitreten wollte, verließ die IoJ das Bündnis sofort wieder.[44]

Eine dritte Journalistengewerkschaft gründete im Mai 1992 der ehemalige NUJ-Vorsitzende Steve Turner unter dem Namen *British Association of Journalists* (BAJ). Er nannte dafür drei Gründe: Die NUJ habe sich mehr der extremistisch-politischen Dogmatik verschrieben als der effektiven Interessenvertretung ihrer Mitglieder; die NUJ sei unverantwortlich mit den Geldern ihrer Mitglieder umgegangen und habe deren Vertrauen verspielt; es fehle an einer Journalistengewerkschaft, die den Verlegern gegenüber nicht auf Konfrontationskurs gehe, sondern ihnen Zusammenarbeit anbiete.[45] Eine freiwillige „Streik-Verzichts-Klausel" ist nach Turners

[41] Vgl. *UK Press Gazette* vom 28.11.1994, S. 3 und Tunstall (1996, S. 141–146).

[42] Vgl. *Journalist*, Heft 11/1996, S. 87–89 („Licht am Horizont") sowie *M-Menschen machen Medien*, Heft 3/1997, S. 30–31 („Britische Journalisten: Medien gehören in öffentliches Eigentum").

[43] Vgl. *UK Press Gazette* vom 10.10.1994 (Leserbrief vom IoJ-Vorsitzenden Underwood).

[44] Vgl. Underwood (1992) und *UK Press Gazette* vom 8.3.1993 („IoJ leaves electricians").

[45] Vgl. die ganzseitige Anzeige „Join the new union for journalists" sowie weitere Berichte in *UK Press Gazette* vom 18.5.1992

Worten das wichtigste Anliegen BAJ. Trotz mehrerer Kooperationsangebote an die Verlegerverbände wird die BAJ aber genauso wenig anerkannt wie NUJ und IoJ. Auch bei Großbritanniens Journalisten findet sie keinen großen Anklang. Sie zählte 1997 rund 600 Mitglieder.[46]

8.3 Zusammenfassung und Fazit

In beiden Ländern gibt es zwei etablierte Berufsverbände: In Deutschland der *Deutsche Journalistenverband* (DJV) und die *Industriegewerkschaft Medien, Druck und Papier, Publizistik und Kunst* (IG Medien); in Großbritannien die *National Union of Journalists* (NUJ) und das *Institute of Journalists* (IoJ).[47] In beiden Ländern werden die Gewerkschaften – ihren Wurzeln nach – zwei verschiedenen Konzepten zugeordnet: IG Medien und NUJ orientieren sich mehr an den klassischen Industriegewerkschaften; DJV und IoJ orientieren sich mehr an den klassischen Professionen und verstehen sich auch als Standesorganisation. In den zehn Jahren zwischen 1985 und 1995 hat sich in Großbritannien ein tiefgreifender Wandel in den Arbeitgeber-Arbeitnehmer-Beziehungen vollzogen. Mitte der achtziger Jahre war Englands Presse in einen Technologierückstand geraten. Während in den USA und Deutschland in den siebziger Jahren computergestützte Technik eingeführt wurde, verweigerten sich die britischen Drucker- und Journalistengewerkschaften einer Modernisierung. Vor allem die Druckergewerkschaften hielten an ihrem klassenkämpferischen Konfrontationskurs noch fest, als ihre Führung längst zum Einlenken aufgefordert hatte. Daher wurde die Einführung der neuen Zeitungstechnik – anders als in Deutschland – von den britischen Verlegern als Möglichkeit genutzt, eine dramatische Überbelegung in den Produktionshallen abzubauen.[48]

Auch von der konfrontativen Strategie der NUJ fühlten sich die Verleger so provoziert, daß sie mit Hilfe der „personal contracts“ gegen die Journalistengewerkschaften energisch vorgingen. Die

[46] Vgl. zur BAJ auch die kritischen Beiträge in *UK Press Gazette* vom 10.5.1993 („BAJ card ad leads to suspension“) und *UK Press Gazette* vom 27.7.1994 („Employers give Turner the cold shoulder“).

[47] Es gibt in beiden Ländern weitere, kleine gewerkschaftliche Zusammenschlüsse von Journalisten, die hier aber außer Acht bleiben können.

[48] Die verbliebenen Drucker sind heute in der Graphical, Paper & Media Union (GPMU) zusammengeschlossen, mit offiziell 150000 Mitgliedern und £ 5 Millionen (7,4 Millionen Mark) Schulden; vgl. *Sunday Times* vom 25.6.1995, S. 19.

NUJ ist in einer tiefen, selbstverschuldeten Krise. Wie rasch sie sich erholen kann, bleibt abzuwarten. Das Branchenblatt *UK Press Gazette* forderte die NUJ 1992 auf: „Hört auf, in der Vergangenheit zu leben". Die NUJ verbreite „das Image einer Organisation, die völlig verängstigt und nur noch mit sich selbst beschäftigt ist", anstatt sich effektiv um ihre Mitglieder zu kümmern. Sie solle die veränderten Realitäten endlich anerkennen und sich der entscheidenen Frage zuwenden: „Wie können unsere Mitglieder dazu beitragen, das Geschäft der Verleger profitabler zu machen und wie können sie davon profitieren?" Die NUJ müsse, wie jede andere moderne Gewerkschaft, die Bereitschaft aufbringen, eine Partnerschaft mit den Arbeitgebern einzugehen. Es gebe nur dann eine Überlebenschance, wenn „die Mitglieder wieder die Kontrolle übernehmen und die internen Grabenkämpfe in der Führungsspitze beenden".[49] Dieser Leitartikel veranschaulicht den Klimawechsel seit Thatcher sehr gut. Allerdings steht der 1997 neugewählte, 29jährige Vorsitzende Jeremy Dear nach eigenen Worten für eine linke, klassenkämpferische Ausrichtung der NUJ.[50] Die beiden anderen Journalistengewerkschaften IoJ und BAJ sind aufgrund ihrer geringen Mitgliederzahlen nur von nachgeordneter Bedeutung.

Den deutschen Gewerkschaften gelang es viel besser, sich auf die Veränderungen im journalistischen Berufsbild einzustellen. Sie setzen auf ein konsensuales Verhältnis zu den Arbeitgebern. Die deutschen Verleger hatten keinen Grund, mit der neuen Technik in großem Maßstab Personal abzubauen. Daher wurden die Drucker- und Journalistengewerkschaften im Rahmen des RTS-Tarifvertrages an der Modernisierung partnerschaftlich beteiligt. Den deutschen Gewerkschaften wurde zugesichert, daß in der auf acht Jahre angelegten Einführungszeit keine Arbeitsplätze abgebaut würden. Im Gegensatz zu Großbritannien zeigten die deutschen Verleger ein Bemühen um eine möglichst sozialverträgliche, konfliktfreie Einführung der Computertechnik. Die Streiks, die es in Deutschland in diesem Zusammenhang dennoch gab, hatten vergleichsweise untergeordnete Ursachen.[51]

[49] „Stop living in the past", in *UK Press Gazette* vom 18.5.1992, S. 3.

[50] Siehe das Dear-Interview in *M-Menschen machen Medien*, Heft 3/1997, S. 30f. („Britische Journalisten: Medien gehören in öffentliches Eigentum").

[51] Arbeitgeber und Gewerkschaften hatten sich in einer speziellen Verhandlungskommission auf die Bedingungen bei der Einführung der Neuen Technik und einen entsprechenden Tarifvertrag geeinigt. Die IG Druck und Papier, deren Führungsspitze an diesen Verhandlungen nicht beteiligt war, und Kräfte an der Basis (auch DJV-Mitglieder) waren mit dem Ergebnis nicht einverstanden. Die Arbeitgeber sahen hingegen keinen Grund zur Neuverhandlung, für sie war

Mitte der neunziger Jahre sehen sich die deutschen Journalistengewerkschaften jedoch vor ähnliche Probleme gestellt wie die britischen Mitte der achtziger: Auch deutsche Verleger schlagen härtere Töne gegen die Gewerkschaften an. Der *Bundesverband der Zeitungsverleger* erklärte im Sommer 1995: „Mit ihren maßlosen Tarifansprüchen tragen IG Medien und DJV leider wesentlich dazu bei, dieses wichtige Ordnungselement [den Verbandstarifvertrag] zu diskreditieren. (…) Mit der Forderung nach der Vier-Tage-Woche, nach einer Vielzahl von Zuschlägen sowie ihren völlig überzogenen Gehaltsvorstellungen haben die Journalistengewerkschaften Zweifel geweckt, ob mit ihnen überhaupt noch wirtschaftlich vertretbare und allgemeinwohlverträgliche Vereinbarungen möglich sind."[52] Ähnliche Argumente führten in Großbritannien zum Zusammenbruch des Tarifsystems. Der Tarifabschluß vom Dezember 1997 zeigte, daß sich die deutschen Verleger mit ihrem Kurs immer weiter durchsetzen können (s. Kapitel 7.8). Ob für die deutschen Journalistengewerkschaften ähnlich rauhe Zeiten anbrechen wie für die britischen wird die Zukunft zeigen.

das Einigungspapier bindend. Darauf kam es zu einzelnen Streiks, worauf die Arbeitgeber im Februar/März 1978 deutschlandweit mit Aussperrung reagierten. Vgl. zu den Einzelheiten Weischenberg (1978, S. 87 ff.), Weischenberg (1982, S. 187 ff.), zum Vergleich Deutschland/Großbritannien siehe Smith (1980, S. 233 ff.).

[52] Zit. n. *Journalist*, Heft 7/1995, („Tarifflucht in den Medien: Fataler Anstoß"), S. 14–20, hier S. 16.

9. Journalistenausbildung in Großbritannien und Deutschland

9.1 Ausbildungssysteme im Überblick

In Anlehnung an Fröhlich & Holtz-Bacha (1993; 1997) kann man im Ländervergleich vier Typen der Journalistenausbildung unterscheiden. Diese Typen stellen Vereinfachungen der vorfindbaren Strukturen zum Zwecke der Analyse dar. Der erste Typ umfaßt die Länder, in denen ein starkes Gewicht auf die akademische Journalistenausbildung gelegt wird. Dazu zählen beispielsweise USA, Schweden, Finnland, Belgien und Spanien. Der zweite Typ umfaßt Länder, in denen die Ausbildung schwerpunktmäßig an außeruniversitären Journalistenschulen unterschiedlicher Träger erfolgt, wobei im Einzelfall durchaus Verbindungen zu Universitäten bestehen können. Dazu zählen beispielsweise Italien, Niederlande, Norwegen und Dänemark. Der dritte Typ umfaßt Länder, in denen die Ausbildung in einer Mischung aus Universitäten, selbständigen außeruniversitären Journalistenschulen und praxisorientierter on-the-job-Ausbildung erfolgt. Dazu zählen beispielsweise Deutschland, Frankreich, Irland und Portugal. Der vierte Typ umfaßt Länder, in denen die Journalistenausbildung nahezu ausschließlich on-the-job erfolgt, also learning-by-doing in der Redaktion. Dazu zählt Großbritannien und Österreich. Trotz Differenzierungen einerseits und Angleichungstendenzen andererseits trifft die hier vorgenommene Zuordnung von Deutschland und Großbritannien weiterhin zu. Wie ist die hohe Praxisorientierung in Großbritannien zu erklären? Der Grund liegt in den allgemeinen, historisch gewachsenen Ausbildungsprinzipien und Berufsvorstellungen.

9.1.1 Ausbildungsprinzipien

Wohl in keinem anderen Land Westeuropas steht die Journalistenausbildung so kompromißlos in der Tradition des training-on-the-job wie in Großbritannien. Die Briten sind traditionell davon überzeugt, daß nicht nur der journalistische, sondern jeder Beruf von der *Praxis* und nicht von der *Theorie* bestimmt sein sollte. Daher ist die Ausbildung aller Berufe generell praxisorientierter als in Deutschland. Dies läßt sich gut an einer klassischen Profession, den Anwälten, zeigen. Um den Anwaltsberuf zu erlernen, ist in Großbritannien kein juristisches Universitätsstudium erforderlich. Bei den Richtern, die aus dem Kreis der Anwälte rekrutiert werden, ist vor allem Erfahrung wichtig, um einen aktuellen Fall im Lichte älterer Entscheidungen richtig bewerten zu können. Die Denkweise der Richter und Anwälte ist nicht durch abstrakte Prinzipien, sondern durch Präzedenzfälle bestimmt (Fallrecht). Bei der mündlichen Verhandlung vor Gericht kommt es deshalb viel stärker als in Deutschland auf den Einzelfall und seine überzeugende Darlegung an. Dies belegt nach Münch (1986, S. 197–219), daß die Berufsausübung in England generell weniger an theoretische Abstraktion und wissenschaftliche Rationalität gebunden ist. Sie orientiert sich vielmehr an der herrschenden Meinung, kulturellen Werten und dem Gefühl der Verpflichtung gegenüber der Gesellschaft. Großer Wert werde auf praktische, „vernünftige" Lösungen gelegt. Hierbei ist – so Münch – der pragmatische, manchmal listige, Kompromiß wichtiger als ein Ideal oder übergeordneter Wert. Eher verpönt seien die für Deutschland typischen, intellektuellen Diskurse über universell gültige Erkenntnis – fernab der individuellen Lebenswelt und der beruflichen Praxis. Auch andere „typisch deutsche" Werte wie Organisation, Rationalisierung, Systematik und Fachkompetenz hätten immer eine geringere Rolle gespielt (s. Kapitel 13.3). Karl Heinz Wocker (1971, S. 29–41), der lange als Korrespondent in England lebte, erschien das Land als „Paradies der Amateure". So wurde auch die Industrielle Revolution, die von Großbritannien ihren Ausgang nahm, nicht von ausgebildeten Naturwissenschaftlern oder kenntnisreichen Ingenieuren ausgelöst, sondern von Handwerksmeistern, die im alltäglichen Experimentieren ohne theoretische Ausbildung die grundlegenden Maschinen der Industrialisierung entwarfen, die erst danach von anderen theoretisch fundiert und perfektioniert wurden. Sie entwickelte sich spontan, durch Erfindungsgeist und Gunst der Umstände, aber nicht nach einem vorausschauenden Plan.[1] Noch heute ist das Erziehungsideal an den elitären Privatschulen der universell gebildete Amateur mit Allgemeinbildung, Gemeinschaftssinn, Sportsgeist und Persönlichkeit. Das entspricht dem Leitbild des Gentleman. Der für spezifische Teilbereiche ausgebildete Experte ist der englischen Kultur immer noch fremd. So wird vielleicht auch die hohe Kunst des „muddling through", also die pragmatische Tugend des Durchwurstelns, verständlich, die man in vielen Teilbereichen der englischen Gesell-

[1] Vgl. hierzu Döring (1993, S. 60–63), Döring (1994, S. 156–159).

schaft findet.[2] Augenzwinkernd meint Tunstall (1983, S. 4f.), daß neben der Regierung die Presse und das Fernsehen zu den letzten großen Zufluchtsorten der Amateure zählen.

Vor diesem Hintergrund verwundert die hohe Praxisfixierung der britischen Journalistenausbildung kaum. In Deutschland dagegen hatte es bereits vor dem Ersten Weltkrieg verschiedene, ambitionierte Versuche gegeben, eine universitäre Journalistenausbildung zu etablieren, die jedoch scheiterten.[3] Als Folge setzte sich mit dem *Volontariat* „ein reines Anlernsystem durch, das lange nicht über das Niveau des 19. Jahrhunderts hinauskam und bis heute nicht totzukriegen ist“ (Weischenberg 1990b, S. 13). Im deutschen Journalismus blieb lange die Überzeugung verbreitet, daß man zum Journalisten geboren sein müsse. Diese alte Begabungsideologie, die auch von Zeitungswissenschaftlern wie Emil Dovifat propagiert wurde, hat nach Schneider (1990, S. 44) begünstigt, daß sich das häufig völlig unzulängliche Volontariat als „training on the job“ über Jahrzehnte in Deutschland als Königsweg behaupten konnte, während das Studium der Publizistik oder Kommunikationswissenschaft als Holzweg gelte. Für Dovifat (1976, S. 11), Nestor der deutschen Publizistikwissenschaft, waren „Hingabe an die Sache, innere Berufung, Wille und Kraft zu öffentlichem Wirken“ wesentliche Voraussetzungen des Journalistenberufes. Während diese Begabungsideologie von Dovifat jedoch als eine Art normative Elitetheorie vertreten wurde, die den Journalisten als „publizistische Persönlichkeit“ überhöhte,[4] war die britische Praxisfixierung weder etwas Journalismusspezifisches, noch elitäres.[5] Hier liegt der wesentliche Unterschied: In Deutschland ist die Praxisfixierung (als Begabungsideologie) etwas journalismusspezifisches, in Großbritannien entspricht es der historisch gewachsenen Mentalität, in allen Gesellschaftsbereichen die Theorie der Praxis unterzuordnen.

9.1.2 Zugangswege

In beiden Ländern lassen sich heute drei Zugangswege zum Journalistenberuf unterscheiden, die sich in etwa entsprechen. Hierbei handelt es sich wiederum um Vereinfachungen:

1. Ausbildung am Arbeitsplatz. Großbritannien: „direct entry“ oder „pre-entry“; Deutschland: Volontariat

[2] Vgl. Ahrens (1994, S. 438f.), Döring (1993, S. 63f.), Döring (1994, S. 158f.).
[3] Vgl. Weischenberg (1990b, S. 12f.), Weischenberg (1995a, S. 512f.).
[4] Vgl. Hachmeister (1987, S. 88–114).
[5] Vgl. Christian (1980), Golding (1997) und Kapitel 8.1.

2. Verlagseigene Ausbildungsprogramme. Großbritannien: „in-house-training-schemes"; Deutschland: verlagseigene und freie Journalistenschulen
3. Hochschulstudium. Großbritannien: „undergraduate BA-degrees" oder „postgraduate diploma degrees" in „Journalism"; Deutschland: Fachstudium oder Journalistikstudium oder Publizistik-/Kommunikationswissenschaftsstudium.[6]

In ihrer Bedeutsamkeit sind die drei Zugangswege in beiden Ländern unterschiedlich gewichtet. So spielen in Großbritannien der zweite (verlagsinterne Ausbildungsprogramme) und dritte Weg (Universität) erst seit den achtziger Jahren eine nennenswerte Rolle. Jahrzehntelang war das training-on-the-job der übliche und einzige Zugangsweg. Es ist wesentlich formalisierter als das deutsche Volontariat: Es gibt eine zentrale Ausbildungsorganisation *(National Council for the Training of Journalists)*, Mindestnotenanforderungen für Berufsbewerber, externe Blockseminare, Prüfungen sowie ein Abschlußzeugnis („National Certificate"). Die höhere Formalisierung ergibt sich aus der Nähe zur Handwerkslehre: Journalismus wird in Großbritannien als Handwerk begriffen.
In Deutschland stiegen die Ansprüche der Verlage an die Vorbildung der Bewerber früher als in Großbritannien. Der Journalismus ist zwar kein akademischer Beruf, aber de facto ein Akademiker-Beruf geworden, da immer mehr deutsche Zeitungen dazu übergegangen sind, nur noch Bewerber mit abgeschlossener Hochschulausbildung einzustellen. Ein abgeschlossenes Hochschulstudium wurde erstmals 1969 in Paragraph 5.4 des zwischen BDZV und Journalistengewerkschaften geschlossenen „Vertrages über Ausbildungsrichtlinien für Redaktionsvolontäre an Tageszeitungen" als berufsqualifizierendes Merkmal anerkannt (vgl. Weischenberg 1995a, S. 515). Seit den sechziger Jahren stieg die Zahl der Institutsneugründungen an Deutschlands Universitäten im Fach Publizistik, Journalistik und Medien- und Kommunikationswissenschaft sprunghaft (Wagner 1993). Im folgenden werden die drei Zugangswege im Ländervergleich vorgestellt.

[6] Zum britischen Ausbildungssystem vgl. Stephenson & Mory (1990, S. 183–204), Gaunt (1992, S. 41–45), Hodgson (1993, S. 171–177), Keeble (1994, S. 342–348), Clother (1995), Golding (1997). Die klassische Karriere eines typischen, britischen Journalisten bis Anfang der siebziger Jahre beschreibt Tunstall (1971, S. 60–64). Zum deutschen Ausbildungssystem vgl. Schneider (1990), Michel (1990), La Roche (1991, S. 173–211), Mast (1994, S. 411–414). Aus vergleichender Perspektive siehe Fröhlich & Holtz-Bacha (1993, 1997) und Feldhaus (1993).

9.2 Ausbildung am Arbeitsplatz

9.2.1 Stationen

In Deutschland ist das Volontariat auch nach jüngsten Untersuchungen unverändert obligatorisch für den Berufseinstieg. Rund zwei Drittel der deutschen Journalisten haben eine derartige „Ausbildung am Arbeitsplatz" absolviert.[7] Im Juli 1990 erhielt das Volontariat durch den „Tarifvertrag über das Redaktionsvolontariat an Tageszeitungen" einen formalen Rahmen. Hierin einigten sich die Verleger- und Journalistenverbände erstmals auf Ziele und Umfang der Volontärsausbildung. Nach § 3 des Tarifvertrags[8] soll Volontären das Recherchieren, Redigieren, Auswählen und Bewerten vermittelt werden sowie das Schreiben von Nachrichten, Reportagen, Interviews, Glossen und Kommentaren. Außerdem sollen sie Kenntnisse in Layout- und Umbruchtechnik sowie im Umgang mit Redaktionssystemen erhalten. Nach § 6 erstreckt sich das Volontariat auf mindestens drei Ressorts: Lokales, Politik und ein drittes Ressort (zum Beispiel Wirtschaft, Kultur, Sport). Zusätzlich hat der Volontär Anspruch auf Teilnahme an überbetrieblichen Bildungsveranstaltungen.[9]

In Großbritannien hatten sich die Tarifparteien bereits 40 Jahre früher auf einen formalen Rahmen für die Journalistenausbildung geeinigt: 1952 wurde der *National Advisory Council for the Training and Education of Junior Journalists* gegründet, der drei Jahre später in *National Council for the Training of Journalists* (NCTJ) umbenannt wurde. Der Anstoß zur Gründung des NCTJ kam von der Ersten Königlichen Pressekommission. Diese vom Parlament eingesetzte Untersuchungskommission forderte 1949 in ihrem Bericht dringend eine Verbesserung und Formalisierung der Journalistenausbildung (vgl. *Royal Commission* 1949, S. 165–169). Seither bestimmte der NCTJ – auf der Basis eines Tarifvertrages – die Ausbildungsstandards und Trainingsmethoden im britischen Journalismus. Der NCTJ war zwar von Anfang an nur für die Ausbildung der *lokalen* Presse zuständig. Da sich aber die *nationale* Presse tarifvertraglich verpflichtete, nur Journalisten einzustellen, die über eine

[7] Schneider, Schönbach & Stürzebecher (1993a, S. 15 f.) berichten von 72 Prozent; Weischenberg, Löffelholz & Scholl (1994b, S. 155 f.) berichten von 61 Prozent.

[8] Der „Tarifvertrag über das Redaktionsvolontariat an Tageszeitungen" ist abgedruckt bei Schulze (1994, S. 124–132).

[9] Vgl. zum Volontariat ausführlicher Schulze (1994, S. 17–37) und Michel (1990, S. 71–81).)

dreijährige Erfahrung bei einer Lokalzeitung verfügten, oblag dem NCTJ praktisch die Alleinverantwortung für den Ausbildungsstandard in der britischen Presse.[10]

Der NCTJ nimmt auch heute noch eine Schlüsselstellung in der britischen Journalistenausbildung ein. Allerdings wurde in den neunziger Jahren mehrfach ihr Untergang prognostiziert: Verschiedene Verlage kritisieren die in ihren Augen mangelnde Qualität der Ausbildung. Getragen wird der NCTJ von den britischen Verlegerverbänden und den Journalistengewerkschaften, die die Ausbildungsinhalte in einem Tarifvertrag festlegten.[11] Obwohl das Tarifvertragssystem 1986 zusammenbrach, verhielten sich die meisten zuständigen Stellen so, als wären die relevanten Bestimmungen weiterhin in Kraft. 1992 wurde die NCTJ in eine gemeinnützige Gesellschaft mit beschränkter Haftung umgewandelt.

Der NCTJ bietet Berufseinsteigern zwei Möglichkeiten.[12] Entweder beginnen sie direkt nach der Schule oder einem Universitätsstudium bei einer Zeitung und besuchen zwischendurch Blockunterrichtsveranstaltungen an einem speziellen NCTJ-College.[13] Hierbei spricht man von „direct entry". Oder sie besuchen zuerst einen einjährigen Einführungskurs an einem speziellen NCTJ-College[14] und beginnen dann ihre Ausbildungszeit bei einer Zeitung. Oder sie beenden zunächst ein (geistes-, natur- oder sozialwissenschaftliches) Fachstudium, anschließend einen von der NCTJ anerkannten Journalistik-Aufbaustudiengang[15] und bewerben sich dann bei einer

[10] Die Regel, nur lokalerprobte Journalisten mit NCTJ-Ausbildung einstellen, wurde früher nur in Ausnahmefällen gebrochen. Seit Mitte der achtziger Jahre gilt sie nicht mehr.

[11] Vgl. Stephenson & Mori (1990, S. 193, 195). Im NCTJ-Vorstand sitzen die englische Newspaper Society (3 Vertreter), Scottish Newspaper Publishers Association (1), Scottish Daily Newspaper Society (1), Associated Northers Ireland Newspapers (1), Guild of British Newspaper Editors (3), National Union of Journalists (2), Chartered Institute of Journalists (1).

[12] Vgl. zum folgenden die Broschüren *Carreers in journalism*, National Union of Journalists, Acorn House, 314–320 Gray's Inn Road, London WC1X 8DP. *Training to be a journalist*, Newspaper Society, Bloomington House, Bloomsbury Square, 74–77 Great Russell Street, London WC1B 3DA. *Journalist training and assessment: the systems, the options and the costs*, National Council for the Training of Journalists, Latton Bush Centre, Southern Qay, Harlow, Essex CM18 7BL.

[13] Dies ist an nur sieben Colleges in Halifax, Darlington, Portsmouth, Wrexham, Sheffield, Harlow, Edinburgh möglich.

[14] Dies ist nur an den Colleges in Darlington, Portsmouth, Lambeth, Sheffield, Farnham, Edinburgh, Harlow möglich.

[15] Dies ist nur an der City University in London, University of Wales in Cardiff, Glasgow Caledonian University und University of Central Lancashire möglich.

Zeitung. Bei diesen beiden Wegen spricht man von „pre-entry“. Diese einjährigen Vorkurse (mit und ohne Fachstudium) wurden im Laufe der siebziger und achtziger Jahre eingerichtet und 1990 bereits von 45 Prozent aller bei der NCTJ registrierten Auszubildenen durchlaufen (Stephenson & Mory 1990, S. 194). Die Aufnahme in einen solchen Vorkurs setzt die erfolgreiche Teilnahme an einem schriftlichen Test und einem Bewerbergespräch voraus.

Lange war der „direct entry“ der Standardweg in den britischen Journalismus. Der Schulabgänger mußte Mindestnoten nachweisen, um vom NCTJ akzeptiert zu werden. Dann unterschrieb der Berufseinsteiger einen dreijährigen Lehrlingsvertrag („indentures“) bei einer Lokalzeitung. Der Lehrlingsstatus unterstrich die in Großbritannien vorherrschende Sichtweise, daß Journalismus ein Handwerk ist. Für die Ausbildung in der Redaktion hat die NCTJ Richtlinien entworfen. Die NCTJ-Blockseminare werden seit 1990 zunehmend durch Fernstudium-Einheiten ersetzt, um bei den häufig kleinen Lokalzeitungen die Personalausfallzeiten zu reduzieren. Nun verschickt der NCTJ jedem registrierten Auszubildenden ein Fernstudienpaket, das aus drei Ringbüchern mit insgesamt 15 Lehreinheiten, acht Audiocassetten, einer Videocassette (über Interviewtechniken), drei Lehrbüchern (über Regierungssystem, Rechtssystem und Kommunalverwaltung) und einer Stilfibel für gutes Englisch besteht. Innerhalb von sechs Monaten müssen die Auszubildenden in ihrer Freizeit den kompletten Lehrstoff durcharbeiten und sich dann für ihre Zwischenprüfung anmelden. Die Note entscheidet über die Zulassung zu einem zwölfwöchigen Blockseminar im zweiten Ausbildungsjahr.[16] Die Blockunterrichtsveranstaltungen der NCTJ-Ausbildung entsprechen in etwa den außerbetrieblichen Bildungsveranstaltungen des Volontariats. Ein Volontariat dauert, je nach Vorkenntnissen, zwischen 15 und 24 Monaten; die NCTJ-Ausbildungszeit in der Zeitungsredaktion erfolgt in 18 Monaten (im „pre-entry“-Verfahren) bzw. 24 Monaten (im „direct entry“-Verfahren). Die kürzere Zeit im „pre-entry“-Verfahren erklärt sich durch den bereits absolvierten Vorkurs.

Für eine erfolgreiche Volontariatsbewerbung in Deutschland ist neben einer hohen formalen Qualifikation (im Regelfall abgeschlossenes Studium) der Nachweis umfangreicher praktischer Erfahrung die zweite Grundbedingung. So konnten 1987/88 immerhin

[16] Es gibt Bestrebungen, das zweite Blockseminar ebenfalls durch Fernstudienlektionen zu ersetzen. Angaben beruhen auf den oben vorgestellten Broschüren *Carreers in journalism*, *Training to be a journalist* und *Journalist training and assessment: the systems, the options and the costs.*

86 Prozent der Volontäre auf eine zum Teil langjährige Berufserfahrung als freier Mitarbeiter verweisen, im Durchschnitt 31 Monate.[17] Der gleiche Trend ist in Großbritannien zu beobachten. Chefredakteure geben an, vermehrt auf Berufserfahrung bei ihren Bewerbern zu achten. Andererseits erklären zwei Drittel, auch Auszubildende ohne jede journalistische Vorkenntnis einzustellen, um eine größere soziale Bandbreite in die Redaktion zu bekommen.[18] Auch gehen britische Zeitungen vermehrt dazu über, nur noch Bewerber mit abgeschlossenem Universitätsstudium einzustellen. Zwei Drittel der Nachwuchsjournalisten waren 1995 Hochschulabsolventen. Dieser Trend ist in Großbritannien jedoch jünger und weniger ausgeprägt als in Deutschland. Die Chefredakteure betrachten die angebliche Schwemme von wohlhabenden Universitätsabsolventen der Mittelschicht mit Sorge und wünschen sich mehr Auszubildende aus der Arbeiterklasse.[19]

9.2.2 Prüfungen

Jeder Auszubildende, gleichgültig ob im „pre-entry" oder „direct entry"-Verfahren, muß sieben Zwischenprüfungen bestehen, um zum Abschlußexamen zugelassen zu werden. Die sieben Prüfungen betreffen den Tageszeitungsjournalismus, den Umgang mit Pressemitteilungen, das Presserecht (zwei Teile), das kommunale und zentrale Regierungssystem (zwei Teile) und Stenographie (100 Worte pro Minute). Alle Prüfungen sind sehr praxisnah. Nach erfolgreicher Zwischenprüfung kann der Auszubildende das Abschlußexamen ablegen, um das „National Certificate" zu erwerben, das ihn zum vollausgebildeten Journalisten macht.[20] Das Abschlußexamen besteht aus vier Teilen, für deren Bearbeitung jeweils 60 oder 90 Minuten zur Verfügung stehen:

1. Ein Ereignis innerhalb von 30 Minuten ausrecherchieren (ein Augenzeuge und ein Telefon stehen zur Verfügung) und in der Restzeit Artikel schreiben;
2. einen Artikel auf der Basis einer zehnminütigen, gehörten Rede

[17] Vgl. Michel (1990, S. 74 f.) und *Journalist*, Heft 11/1988, S. 49–54 („Ausbildung von Volontären an Tageszeitungen – Ergebnisse einer DJV-Umfrage").

[18] Vgl. *Survey of editorial training needs – Summary of findings (March 1995)* der Guild of Editors, Bloomsbury House, 74–77 Great Russel Street, London WC1B 3DA. Befragt wurden 420 Chefredakteuren und 600 Auszubildende.

[19] Ebenda.

[20] Das „National Certificate" löste im Herbst 1990 das alte „Proficiency Certificate" ab. Für die Absolventen des einjährigen Vorbereitungskurses gelten kürzere als die genannten Fristen.

schreiben, mit zusätzlichen Angaben darüber, welche weiterführenden Eigenrecherchen man angestellt hätte;

3. eine Meldung über einen Vorgang schreiben, über den Informationen aus unterschiedlichen, widersprüchlichen Quellen vorliegen;
4. Fragen zu Recht, Politik, Regierung und Verwaltung beantworten.[21]

Eine Durchfallquote von 50 Prozent ist üblich. Im Jahr 1988 schafften 61,3 Prozent der 767 Auszubildenden das NCTJ-Abschlußexamen im ersten Anlauf, 1992 waren es 51,6 Prozent von insgesamt 686. Die hohe Durchfallquote erklärt vielleicht auch den auf den ersten Blick überraschend niedrigen Prozentsatz von nur 40 Prozent britischer Journalisten, die 1995 angaben, das „National Certificate" zu besitzen. Allerdings hatten 65 Prozent ihre Laufbahn in der Lokalpresse begonnen, wie es die klassische NCTJ-Ausbildung auch vorsieht.[22]

Die deutlich stärkere Formalisierung des britischen on-the-job-trainings im Vergleich zum deutschen Volontariat wird noch unterstrichen durch ein zusätzlich eingeführtes Beurteilungsverfahren für den Journalistennachwuchs. Die auf Initiative der britischen Regierung in allen Wirtschaftsbranchen eingeführte *National Vocational Qualification* (NVQ) soll vor allem die Leistungen am Arbeitsplatz bewerten.[23] Danach soll der Ausbildungsredakteur (oder Chefredakteur) über jeden Auszubildenden eine Beurteilungsakte führen, in der er den Jungreporter regelmäßig nach festgelegten Kriterien und Kompetenzstandards beurteilt.[24] Für vier redaktionelle Berufsbilder wurde zwischen 1992 und 1995 ein spezifischer

[21] Die Kosten für die NCTJ-Ausbildung verteilen sich wie folgt: Das Fernstudien-Einführungspaket für Zeitungsjournalisten £ 200, für Zeitschriftenjournalisten £ 375, jede der sieben Zwischenprüfungen £ 22, Steno-Prüfung £ 6, alle Angaben zuzüglich Mehrwertsteuer (Stand Juni 1994). Die Kosten trägt der Arbeitgeber, außer ein journalistisch Interessierter ohne Ausbildungsplatz möchte die Prüfungen ablegen.

[22] Vgl. Delano & Henningham (1995), 726 Befragte, Telefoninterviews.

[23] Den Hintergrund für die Einführung der „National Vocational Qualification" bildete eine 1986 von der Regierung beschlossene, allgemeine Reform des Ausbildungswesens, mit der die Trainingsstandards in sämtlichen Wirtschaftszweigen vereinheitlicht und verbessert werden sollten. Zum diesem Zweck sollte jede Branche detaillierte Anforderungsprofile und Kompetenzstandards erarbeiten. Für die Pressebranche ist diese Aufgabe dem Verlegerverband *Newspaper Society* aufgetragen worden, die dazu den „Newspaper Qualifications Council" gründete.

[24] Vgl. hierzu die Broschüren *Newspaper journalism: National Vocational Qualifications*, Newspaper Society, Bloomington House, Bloomsbury Square, 74–77 Great Russell Street, London WC1B 3DA; *Newspaper journalism: Level 4 infor-*

Anforderungskanon vom eigens gegründeten „Newspaper Qualifications Council" entworfen: für Reporter, Sub-editors, Fotographen, Graphiker/Designer und Producer/Layouter. Folgende Leistungen eines Reporters werden nach dem NVQ-Schema beurteilt:

1. Schreiben von Meldungseinstiegen („leads"),
2. Struktur und Aufbau von Nachrichten und Berichten,
3. Stenographie,
4. Recherche,
5. Selbständiges Generieren von Nachrichten und Erstellen des kompletten Produkts,
6. Verantwortungsvolle Mitarbeit in der Nachrichtenredaktion.

1994 beteiligten sich 50 Medienunternehmen am NVQ, 350 Auszubildende waren registriert.[25] In der Befragung von Delano & Henningham (1995) gaben jedoch erst 3 Prozent der Journalisten an, derzeit nach diesem neuen Schema beurteilt zu werden. Es gab zum Teil beträchtliche Schwierigkeiten, den Journalismus in ein für alle Berufssparten allgemeingültiges Schema der Berufsanforderungen einzugliedern und die Einführungsperiode blieb nicht ohne Kritik mancher Chefredakteure.[26] Die NVQ soll garantieren, daß – unabhängig vom Zugangsweg – alle Ausbildungsorganisationen den Journalistennachwuchs nach denselben Standards benoten. Mitte der neunziger Jahre bestehen die NVQ- und klassische NCTJ-Ausbildung nebeneinander. Es ist unklar, ob ein System das andere ablösen wird oder ob beide alternativ weiter existieren werden und die Auszubildenden zwischen beiden wählen können.

Im deutschen Volontariat gibt es weder Zwischen- noch Abschlußprüfungen. Die Kriterien zur Beurteilung des Auszubildenden sind weniger klar. Auch ein allgemeines, bundeseinheitliches Leistungszeugnis („National Certificate") gibt es nicht. Der Volontär erhält ein normales Arbeitszeugnis.[27] Ein zentraler Unterschied zur britischen Ausbildung liegt in der Bezahlung. Laut Gehaltstarifvertrag erhält der deutsche Tageszeitungsvolontär im ersten Ausbildungsjahr rund 2600 und im zweiten rund 3000 Mark brutto.[28] In

mation brief und *Notes for Guidance – Vocational Qualification,* Royal Society for the Arts Examinations Board, Westwood Way, Coventry CV4 8HS.

[25] Vgl. *UK Press Gazette* vom 27.6.1994 (Leserbrief des NVQ-Verifier John Hardemann).

[26] Vgl. insbesondere die Berichte in *UK Press Gazette* vom 16.5.1994 und 28.11.1994.

[27] Vgl. den „Tarifvertrag über das Redaktionsvolontariat an Tageszeitungen" bei Schulze (1994, S. 124–132).

[28] Der „Gehaltstarifvertrag für Redakteure und Redakteurinnen an Tageszeitungen" ist abgedruckt in Zeitungen '94, S. 436–443. Für Zeitschriftenvolontäre liegt das Gehalt etwas niedriger.

Großbritannien gibt es seit dem Zusammenbruch des Tarifsystems (s. Kapitel 7.3) keine Mindestlöhne mehr. Eine Umfrage unter 600 Auszubildenden ergab 1995, daß über 80 Prozent ein Bruttojahresgehalt von unter £ 10000 bekommen, also von weniger als 1900 Mark brutto im Monat. 50 Prozent gaben ein Bruttojahresgehalt von unter £ 8000 an, also von unter 1550 Mark brutto im Monat.[29]

9.3 Verlagsinterne Ausbildungsgänge, Journalistenschulen

In Deutschland unterscheidet man freie und verlagsinterne Journalistenschulen. Die erste deutsche Journalistenschule existierte kurzzeitig in Aachen und war von den westlichen Alliierten im Rahmen ihrer Reeducation-Bemühungen angeregt worden. 1995 gab es zehn solcher Schulen in Deutschland. Fünf gehören Verlagen (*Burda, Springer, Nannen, Holtzbrinck*, WAZ), zwei sind konfessionell gebunden (katholisch in München, evangelisch in Berlin), vier haben andere Träger (die Journalistenschulen München, Köln und zwei in Berlin).[30] Ob die verlagsinternen Ausbildungsprogramme von *Burda, Springer* und WAZ tatsächlich den Namen Journalistenschule verdienen, ist umstritten (Michel 1990, S. 72). Im Jahr 1993 hatten rund 7 Prozent der deutschen Journalisten eine Journalistenschule besucht.[31] Die Ausbildung dauert in der Regel zwischen anderthalb und zwei Jahren und besteht aus Lehrwerkstatt, theoretischen Veranstaltungen und Redaktionshospitanzen. Es gibt zum Teil Zeugnisse, aber keine Abschlußprüfung.

In Großbritannien gibt es nur verlagseigene Ausbildungsprogramme, keine freien Journalistenschulen. Am ehesten sind sie vergleichbar mit den Kursen von *Burda, Springer, Nannen, Holtzbrinck* und WAZ. In Großbritannien führten verschiedene Verlage seit Ende der siebziger Jahre solche hauseigenen Programme ein, um einerseits ihren Nachwuchs zielgerichteter ausbilden zu können, andererseits waren sie unzufrieden mit der Monopolstellung des NCTJ. Sie kritisierten die dominierende Stellung der Journalisten-

[29] Wechselkurs von 1995. Vgl. *Survey of editorial training needs – Summary of findings (March 1995)* der Guild of Editors, Bloomsbury House, 74–77 Great Russel Street, London WC1B 3DA. Eine Zusammenfassung bot auch *UK Press Gazette* vom 6.3.1995, S. 1 f.

[30] Vgl. die ausführlichen Darstellungen bei Michel (1990, S. 81–105), Schulze (1994, S. 42–59) und La Roche im *Journalist*, Heft 6/1995, S. 74–76 („Schule gemacht").

[31] Vgl. Weischenberg, Löffelholz & Scholl (1994a, S. 155), Schneider, Schönbach & Stürzebecher (1993b, S. 363).

gewerkschaft NUJ im NCTJ, die politische „Radikalisierung“ des Nachwuchses und die in ihren Augen mangelnde Ausbildungsqualität. Dennoch orientieren diese Verlage ihre Ausbildung weiterhin eng am NCTJ. Die Journalistenschüler sind ebenfalls beim NCTJ registriert, legen die Zwischenprüfungen und das Abschlußexamen des NCTJ ab und erhalten ebenfalls das „National Certificate“. Diese NCTJ-akkreditierten Verlagsausbildungsprogramme bieten u. a. *Midland News Association, Eastern Counties Newspapers, Croydon Advertiser Group, Kent and Sussex Courier, Southern Newspapers, Argus Newspapers* sowie der *Daily Express* an.[32] Die Konkurrenz um Plätze bei diesen Ausbildungskursen ist ähnlich groß wie in Deutschland: Gaunt (1992, S. 45) berichtet von 400 Bewerbern auf zehn Plätze.

Drei britische Großverlage lösten sich 1988/89 mit ihren Ausbildungsprogrammen völlig vom NCTJ und öffneten sie auch für solche Journalistenschüler, die die Verlage nicht zu übernehmen beabsichtigten. Die Programme dienen also nicht ausschließlich zur Ausbildung des eigenen Nachwuchses, sondern verstehen sich eher als offene Journalistenschule. Hierbei handelt es sich um *Thomson Regional Newspaper, Westminster Press* und die *Emap*-Gruppe. Weder übernehmen sie die NCTJ-Prüfungen, noch deren Ausbildungsplan, noch deren „National Vertificate“. Diese drei Verlage bieten eigene Diplome und bezeichnen ihre Leistungsanforderungen als anspruchsvoller als die von NCTJ oder NVQ.

Diese Programme weisen verschiedene Unterschiede zu den Kursen von *Burda, Springer, Nannen, Holtzbrinck* und WAZ auf. So dauert der eigentliche Ausbildungskurs bei *Thomson Regional Newspaper, Westminster Press* und *Emap* nur ein halbes Jahr. Danach arbeiten die Neulinge für zwei Jahre in den Redaktionen der verschiedenen Konzern-Blätter. Auch Interessenten, die keinen Ausbildungsplatz bei dem Verlag bekommen haben, können sich um einen Platz in dem halbjährigen Ausbildungskurs bewerben. Werden sie akzeptiert, müssen sie privat eine Kursgebühr zwischen £ 2500 (5800 Mark) bei *Westminster Press* und £ 3000 (7000 Mark) bei *Emap* aufbringen und hoffen, nach dem Kurs aufgrund ihrer Leistungen übernommen zu werden. Im Herbst 1994 finanzierten sich 20 der 39 Teilnehmer des *Westminster Press*-Ausbildungskurses selbst.[33] Eine solche finanzierungspraxis ist in Deutschland nicht be-

[32] Vgl. Stephenson & Mory (1990, S. 197), Hodgson (1993, S. 175 f.) und Keeble (1994, S. 344 f.).

[33] Wechselkurs 1994/95. Vgl. die Berichte der Rubrik „Training“ in *UK Press Gazette* vom 16.4.1990, vom 24.2.1992, vom 16.5.1994 und vom 28.11.1994.

kannt. Hier bekommt jeder, der aufgenommen wird, das übliche Volontärsgehalt von dem Verlag, der die Schule trägt. Die Gesamtausbildung, vor allem der on-the-job-Teil, dauert in Großbritannien länger. Die britischen Auszubildenden müssen mehrere schriftliche Tests und ein Abschlußexamen erfolgreich bestehen, bevor sie ihr Diplom erhalten. Derartige Prüfungen sind bei den genannten deutschen Verlagsschulen unüblich.[34]

Diese hauseigenen Ausbildungsprogramme britischer Verlage müssen als Antwort auf wahrgenommene Unzulänglichkeiten des NCTJ verstanden werden. Neben der angeblichen Unzeitgemäßheit der Ausbildung paßte vielen Verleger die einflußreiche Stellung der Journalistengewerkschaft NUJ im NCTJ nicht. Der NUJ wurde vorgeworfen, in den NCTJ-Colleges systematisch auf Mitgliederfang zu gehen und die jungen Berufseinsteiger mit „klassenkämpferischen Parolen" gegen die Verleger aufzuhetzen. Die NUJ würde ihre Machtstellung im NCTJ ausnutzen, um den Berufszugang möglichst vollständig zu kontrollieren und keine „Seiteneinsteiger" zuzulassen, die nicht das oben beschriebene Verfahren durchlaufen haben.[35]

9.4 Hochschulgebundene Journalistenausbildung

Großbritannien holt langsam eine Entwicklung nach, die in Deutschland (vor allem aber Schweden und USA) schon länger zu beobachten ist: die Akademisierung des Journalismus. Der Anteil der Studierten ist unter den deutschen Journalisten jedoch weiterhin höher. Mitte der siebziger Jahre hatten 30 Prozent der deutschen, aber nur 10 Prozent der britischen Journalisten ein abgeschlossenes Hochschulstudium.[36] 1980 war der Anteil in Deutschland auf 34, in Großbritannien auf 15 Prozent gestiegen.[37] Mitte der neunziger Jahre haben 65 Prozent der deutschen und 49 Prozent der britischen Journalisten einen Universitätsabschluß.[38]

[34] Vgl. zu den deutschen Schulen Schulze (1994, S. 42–59).

[35] Durch frühe Mitgliederwerbung würden sie einen möglichst hundertprozentigen Organisationsgrad („Closed Shop", s. Kapitel 8.1) erreichen wollen. An Ausbildung seien sie gar nicht in erster Linie interessiert, so der Vorwurf. Vgl. Tunstall (1977, S. 290f. u. 336), Beloff (1976, S. 15), Cleverley (1976, S. 144), Gaunt (1988, S. 583f.), Gaunt (1992, S. 42).

[36] Vgl. Arbeitsgemeinschaft für Kommunikationsforschung (1977, S. 33) und Ascherson & Wolter (1977, S. 84).

[37] Vgl. Köcher (1985, S. 36, 216).

[38] Vgl. Delano & Henningham (1995) und Weischenberg, Löffelholz & Scholl (1994a, S. 155) sowie Weischenberg (1995a, S. 520). Nach Schneider, Schönbach

Auch unter den britischen Auszubildenden stieg der Anteil der Akademiker stark an. Hatten 1975 erst sieben Prozent der NCTJ-Auszubildenen einen Universitätsabschluß, waren es 1989 schon 53 Prozent. In Deutschland hatten 1988 58 Prozent der Volontäre ein abgeschlossenes Hochschulstudium.[39] Bei dieser augenscheinlichen Angleichungstendenz darf jedoch nicht die unterschiedliche Qualität der Universitätsabschlüsse in beiden Ländern vergessen werden. Die britischen Absolventen haben fast alle nur den BA-Abschluß („Bachelor of Arts"), der nach drei Jahren verliehen wird und in etwa der deutschen Magister-Zwischenprüfung entspricht. Nur acht Prozent der britischen Journalisten haben einen Magisterabschluß („Master of Arts"). Aufgrund der unterschiedlichen Hochschulstruktur studieren deutsche Studenten länger und schreiben auch eine wissenschaftliche Abschlußarbeit, die für einen BA-Abschluß nicht erforderlich ist. Damit besteht weiterhin ein Bildungsgefälle zwischen beiden Ländern, das durch die allmähliche Akademisierung des britischen Journalismus jedoch geringer wird.

In den achtziger Jahren zeichnete sich – neben der gestiegenen Hochschulabsolventenzahl – ein zweiter bedeutsamer Trend im britischen Journalismus ab: Auch die Zahl der Studiengänge im Fach Journalismus und Medien nahm stark zu (Tulloch 1990). „Media is sexy", erklärte der *Observer* die kräftig gestiegene Nachfrage der britischen Studenten nach solchen Kursangeboten. „Media studies" sei das am stärksten expandierende Universitätsfach in Großbritannien; mittlerweile bieten rund 80 Universitäten und Fachhochschulen medienverwandte Kurse an.[40] Die bedeutsamste Neuerung ist die Einführung von BA-Kursen im Fach Journalistik. Während man bis 1992 Journalistik nur als Aufbaustudiengang („postgraduate") studieren konnte, bieten seit 1992 die City University in London, das London College of Printing, die University of Wales in Cardiff und die University of Central Lancashire in Preston ein Journalistikstudium auch für Studienanfänger („undergraduate") an. Seitdem kommen aufgrund der hohen Nachfrage jährlich neue

& Stürzebecher (1993a, S. 14) haben von den *west*deutschen Journalisten nur 45 Prozent einen Universitätsabschluß.

[39] Vgl. Tolloch (1990, S. 52) und *Journalist*, Heft 11/1988, S. 49–54 („Ausbildung von Volontären an Tageszeitungen – Ergebnisse einer DJV-Umfrage").

[40] Vgl. *Observer* vom 21.1.1996, „Review"-Beilage. Die Zahl der Studenten in Großbritannien erhöhte sich zwischen 1988 und 1994 von 563000 auf 930000, die Zahl der Universitäten (durch die Umwandlung von Fachhochschulen) von 50 auf über 100. Die traditionellen Geistes- und Sozialwissenschaften schrumpfen allerorten, während die Nachfrage nach Medienkursen 20 mal höher als das Angebot an Plätzen ist; siehe dazu ausführlich Golding (1997).

BA-Kurse hinzu, während die existierenden stark expandieren (Clother 1995).

Vor diesem Hintergrund findet Mitte der neunziger Jahre in Großbritannien dieselbe Debatte statt, die in Deutschland seit den siebziger Jahren geführt wird: Chefredakteure und Verleger drükken ihre tiefe Skepsis und Mißbilligung gegenüber derartigen Universitätskursen aus, während die verantwortlichen Professoren ihre Zielsetzung und Berechtigung zu erklären versuchen.[41] Vor allem die medienwissenschaftlichen Kurse („media studies"), aber auch die neuen BA-Kurse in Journalistik haben bei den Journalismus-Praktikern einen schlechten Ruf. 1995 erklärten nur 3,7 Prozent der Journalisten, einen dieser BA-Kurse besucht zu haben (Delano & Henningham 1995), was allerdings nicht verwunderlich ist, da sie erst seit wenigen Jahren angeboten werden. Die praxisorientierten Journalistik*aufbaustudiengänge* der City University in London und der University of Wales in Cardiff berichten dagegen von exzellenten Berufschancen. Über 90 Prozent ihrer Absolventen fanden zwischen 1984 und 1988 eine Stelle im Journalismus.[42] Die anschließende Rezession brachte allerdings Ernüchterung. 1995 erklärten 17 Prozent, einen solchen Aufbaustudiengang besucht zu haben (Delano & Henningham 1995). Diese beiden Kurse, gemeinsam mit dem der University of Central Lancashire, sind seit ihrer Gründung von der NCTJ als „pre-entry"-Kurse anerkannt und gelten aufgrund ihrer stark beschränkten Teilnehmerzahl und ihres qualifizierten Ausbildungspersonal als eine Art Eliteschmiede.[43] Der Aufbaustudiengang an der University of Wales in Cardiff war bei seiner Gründung 1970 der erste Universitätskurs für Journalistik überhaupt. Er war direkt angelehnt an den einjährigen Journalistikkurs der Columbia University in New York. 1976 folgte die City University in London mit einem vergleichbaren Kursangebot

[41] Vgl. zur britischen Debatte Clother (1995), Golding (1997) sowie die Leserbriefspalten der *UK Press Gazette* vom 5.9.1994, 12.9.1994 und 19.9.1994, den zusammenfassenden Bericht („Learn what trade") in *UK Press Gazette* vom 26.9.1994 sowie den Bericht „Breaking down the mystique and distrust" in *IPI Report*, Heft July/August 1995, S. 39–41. Zur deutschen Debatte siehe Weischenberg (1990b) und Schneider (1990).

[42] Vgl. *UK Press Gazette* vom 16.4.1990 („An insiders view") sowie Clother (1995).

[43] Das gilt nach Gaunt (1988, S. 587) vor allem für den Londoner Kurs. Mit dem Ende des Tarifvertragssystems in der britischen Presse entfiel für die großen Medienunternehmen die jahrzehntelang geltende Verpflichtung, nur Personal einzustellen, das zuvor drei Jahre bei einer Lokalzeitung das Handwerk gelernt hatte. Davon profitierten vor allem Absolventen dieser Kurse, denen so ein direkter Weg in die renommierten Londoner Zeitungshäuser eröffnet wurde.

(Stephenson & Mory 1990, S. 197). Beide verlangen hohe Kursgebühren: Der einjährige Aufbaustudiengang in London kostete 1993 immerhin £ 2800 (6500 Mark), in Cardiff £ 2700 (6250 Mark) und kein Student hat die Garantie, anschließend auch einen Job bei einer Zeitung zu bekommen. Die Journalistenausbildung wird zunehmend auf die Auszubildenden abgewälzt. Dies fördert die von britischen Chefredakteuren mit Sorge betrachtete Entwicklung, daß der Nachwuchsjournalist der neunziger Jahre weiß und wohlhabend (oder völlig verschuldet) ist.[44]

Das in Deutschland seit Mitte der sechziger Jahre expandierende Fach der Publizistik und Kommunikationswissenschaft wurde in Großbritannien bis Mitte der achtziger Jahre kaum als „undergraduate programme", fast nur als „postgraduate programme", also als Aufbaustudiengang mit bescheidenen Studentenzahlen und bescheidenen Mitteln, angeboten (vgl. French & Richards 1994). Während sich in Deutschland das Fach eng am amerikanischen Vorbild der empirischen Sozialwissenschaft orientierte (Wagner 1993), war die Medien- und Kommunikationsforschung in den wenigen britischen Instituten strukturalistisch und neo-marxistisch ausgerichtet.[45] Diese besonders an den „media departments" der Universitäten Glasgow, Birmingham und Leicester vertretene Sichtweise begriff die Medien im wesentlichen als Machtinstrument der herrschenden Klasse. Eine empirische Kommunikator-, Publikums- oder Wirkungsforschung gab es so gut wie nicht. „Wir wollten der amerikanischen Vorherrschaft auf diesem Gebiet widerstehen", erklärte selbstkritisch James Curran, Professor am Goldsmiths' College der University of London, und forderte eine Umorientierung der britischen Kommunikationswissenschaft.[46] Sowohl „Communications and Media Studies" als auch „Political Communication" gelten als kommende Fächer, die sich noch in der Entwicklung befinden.[47] Noch spielt „Media Studies" in der britischen Journalistenausbildung keine Rolle: 1995 hatten nur 3 Prozent der Journalisten einen solchen Abschluß. In Deutschlands sehen dagegen immer mehr Journalisten im Fach Publizistik und Kommunikationswissenschaft eine konkrete Ausbildung zum Journalistenberuf. Zwischen 1980 und 1992 verdreifachte sich der Anteil der *west*deut-

[44] Vgl. zu dieser mit Sorge betrachteten Entwicklung *UK Press Gazette* vom 7.6.1993, S. 15 und den erwähnten *Survey of editorial training needs – Summary of findings* der Guild of Editors, London 1995.

[45] Vgl. Curran (1990b), Jäckel & Peter (1997), Golding (1997).

[46] Curran (1990b, S. 137) schreibt: „We wanted to resist the American domination of the field".

[47] Vgl. Franklin (1995, S. 230 f.) und French & Richards (1994, S. 97 f.).

schen Journalisten mit einem solchen Abschluß von 6 auf 19 Prozent.[48] Ein Journalistikstudium, wie es in Dortmund, Eichstätt, Hannover, Hohenheim und Mainz angeboten wird, haben in Westdeutschland bisher nur 3 Prozent absolviert. In Ostdeutschland hatte das Journalistikstudium dagegen immer eine große, wenn auch umstrittene, Bedeutung: Noch 1993 gaben 45 Prozent der dort tätigen Journalisten an, Absolventen des „Roten Klosters" in Leipzig zu sein. Weitere 10 Prozent hatten die Journalistik-Fachschule in Leipzig absolviert.[49]

9.5 Zusammenfassung und Fazit

In keinem anderen europäischen Land hat das learning-by-doing-Prinzip, also die Ausbildung in der Redaktion, eine so starke Tradition wie in Großbritannien. Seit den achtziger Jahren vollzieht sich jedoch ein Wandel. Die jahrzehntelang unverändert befolgte Ausbildungspraxis wurde vor allem von den Verlegern zunehmend in Frage gestellt. Sie kritisierten nicht den hohen Praxisanteil, sondern die in ihren Augen veralteten Methoden und den großen Gewerkschaftseinfluß. Heute gilt das traditionelle System nicht mehr, ohne daß bisher ein neues, einheitliches an seine Stelle trat. Der *National Council for the Training of Journalists* (NCTJ) verlor 1986 durch den Zusammenbruch des Tarifsystems seine vertragliche Grundlage und sehr bald auch seine Monopolstellung als Ausbildungsorganisation. Es öffneten sich – teils in Konkurrenz, teils in Zusammenarbeit mit dem NCTJ – zwei neue Zugangswege zum Journalistenberuf in Großbritannien: Verlagsinterne Ausbildungsprogramme und Universitätskurse. Bei aller Unübersichtlichkeit sind Angleichungstendenzen an die deutsche Praxis erkennbar.

Die starke Praxisfixierung der britischen Journalistenausbildung folgte den allgemeinen, historischen Ausbildungsprinzipien. Für Ausbildung und Ausübung aller Berufe gilt, daß praktische Erfahrung und praktischer Nutzen wichtiger sind als theoretisches Wissen. Das Erziehungsideal ist immer noch der universell gebildete Amateur (Leitbild des „Gentleman"), dessen hochgeschätzter Trickreichtum vom Sportsgeist („Fair Play") gezügelt wird. Journalismus wird nicht als Intellektuellenberuf, sondern als Handwerk

[48] Vgl. Schneider, Schönbach & Stürzebecher (1993a, S. 13).
[49] Vgl. Schneider, Schönbach & Stürzebecher (1993b, S. 363). Gesamtdeutsche Daten ohne Ost-West-Differenzierung und mit anderer Stichprobe präsentieren Weischenberg, Löffelholz & Scholl (1994a, S. 155).

gesehen. Folglich wurden alle Journalisten jahrzehntelang nach den Prinzipien einer Handwerkslehre ausgebildet. In Deutschland war die Praxisfixierung keine Folge allgemeiner Ausbildungsprinzipien, sondern einer journalismusspezifischen Begabungsideologie. Sie besagte, daß man zum Journalisten geboren sein müsse und diesen Beruf nicht erlernen könne.[50]

Aufgrund der Nähe zum Handwerk ist die britische Journalistenausbildung auch formalisierter als das deutsche Volontariat. Um als vollausgebildet im Sinne der NCTJ zu gelten, muß ein Journalist sechs Zwischenprüfungen, eine Stenographieprüfung und ein Abschlußexamen bestehen. Stenographie gilt heute noch als größte Prüfungshürde. Auch das in den neunziger Jahren eingeführte Ausbildungsschema der *National Vocational Qualifications* (NVQ), das auf Bewertungen der Leistungen am Arbeitsplatz beruht, unterstreicht die größere Formalisierung.

Die Unzufriedenheit über die Ausbildungsprinzipien des NCTJ veranlaßte Verleger dazu, hausinterne Ausbildungsprogramme einzurichten. Zudem stellten sie vermehrt auch solche Auszubildenen ein, die nicht die traditionelle NCTJ-Route durch die Lokalpresse durchlaufen hatten. So fanden beispielsweise die Absolventen der praxisorientierten Journalistikaufbaustudiengänge (Cardiff, London) in den achtziger Jahren zunehmend einen direkten Einstieg in die großen, nationalen Londoner Zeitungen. Die meisten verlagsinternen Ausbildungsprogramme und die genannten Journalistikstudiengänge wurden nachträglich vom NCTJ anerkannt. Einige Verleger distanzieren sich jedoch ausdrücklich vom NCTJ. Die Praxis zeigt, daß es trotz der gesunkenen Bedeutung des NCTJ Absolventen von nicht-NCTJ-akkredierten Kursen schwieriger bei der Bewerbung haben.

In Großbritannien steigt die Bedeutung des Studiums, auch wenn dieser Trend später einsetzte als in Deutschland. Die Vorbehalte von britischen Praktikern gegen eine hochschulgebundene Journalistenausbildung sind noch größer als hier, weil es sich erst um eine vergleichsweise neue Erscheinung handelt.[51] Paradoxerweise wer-

[50] So Hachmeister (1987, S. 88–114) und Weischenberg (1990b, S. 12f.) über den vielpropagierten Standpunkt Emil Dovifats, wie er sich bis in die sechziger Jahre auch im „Berufsbild des Journalisten“ des *Deutschen Journalistenverband* (DJV) und in den „Blättern zur Berufskunde“ des Arbeitsamtes niederschlug. Vgl. hierzu *Journalist*, Heft 4/1966, S. 1 und Bundesanstalt für Arbeit (Hg.), Blätter zur Berufskunde, Bd. 1–3 (Sondergebiete), Bielefeld 1965, Stichwort „Journalist“ von Emil Dovifat.

[51] Zwei Drittel der britischen Chefredakteure erklärten ihre Bereitschaft, lieber Jugendliche aus der Arbeiterklasse als wohlhabende Uni-Absolventen der Mit-

den diese Vorbehalte auch von den Journalisten selbst vertreten: Obwohl 69 Prozent von ihnen zumindest zeitweise die Universität besuchten, sind nur 22 Prozent der Meinung, ein Hochschulabschluß sei eine wünschbare Berufsvoraussetzung (Delano & Henningham 1995). Vermutlich äußert sich hier eine unverändert starke Orientierung am Handwerk. In Deutschland ist ein abgeschlossenes Studium schon länger Voraussetzung für ein Rundfunkvolontariat, und die Presse bewegt sich in dieselbe Richtung. Die Anforderungen an die formale Bildung sind in Deutschland höher als in Großbritannien. Ein Problem ist die zunehmende Tendenz in Großbritannien, die Kosten der Journalistenausbildung auf die Auszubildenden abzuwälzen. Sie ergibt sich direkt aus der Systemänderung: Zu Zeiten des NCTJ-Monopols zahlte der Arbeitgeber die Ausbildung, mit zunehmender Verlagerung auf externe Ausbildungsorganisationen müssen die Einsteiger die Gebühren der Universitätskurse und Journalistenschulen jedoch selbst tragen. Diese Entwicklung ist um so bedenklicher, als es seit dem Zusammenbruch des Tarifbruchs keine Mindestlöhne mehr gibt und die Eingangsgehälter deutlich unter den in Deutschland üblichen Gehältern liegen – eine Entwicklung übrigens, die sich ähnlich problematisch auch in den USA abzeichnet.[52]

9.6 Zwischenbilanz: Einflußfaktoren der Medienstruktursphäre

Eine Zielsetzung der vorliegenden Arbeit lautet, die relevanten Einflußfaktoren zu bestimmen, die dem Journalismus jedes Landes seine nationale Identität verleihen. Dazu ist es – zum zweiten Mal nach Kapitel 3.4 – notwendig, Zwischenbilanz zu ziehen und auf unser journalismustheoretisches Modell (Schaubild 1, S. 27) zu rekurrieren.

Im Rahmen der *Medienstruktursphäre* untersuchten wir zunächst, welchen Einfluß andere gesellschaftliche Teilsysteme (Ökonomie, Recht) auf den Journalismus nehmen. Die medienökonomischen Auswirkungen diskutierten wir in Kapitel 4 (Pressemarkt), die medienrechtlichen Auswirkungen in Kapitel 5 (Presserecht) und 7 (Innere Pressefreiheit). Anschließend analysierten wir den Einfluß brancheneigener, medienspezifischer Organisationen. Dazu befaßten wir uns mit dem Stellenwert der Presseselbstkon-

telschicht auszubilden; vgl. *Survey of editorial training needs – Summary of findings* (1995) sowie Golding (1997).

[52] Zur Krise der amerikanischen Journalistenausbildung siehe Wilke (1995b).

trolle und ethischer Standards (Kapitel 6), der Journalistengewerkschaften (Kapitel 8) und der Ausbildungsprinzipien und -institutionen (Kapitel 9). Diese Einflußkräfte verstehen wir, wie in Kapitel 1.2 erläutert, als „teilsystemische Orientierungshorizonte", die das journalistische Handeln der Medienakteure prägen. Indem sie das Handeln einzelner Akteure situationsübergreifend prägen, bestimmen sie auch die nationale Identität des Journalismus. Die bisherige Analyse zeigte erstens, daß die zeitgenössischen Kräfte der *Medienstruktursphäre* in der Lage sind, die historischen Traditionen der *Gesellschaftssphäre* zu verändern und gegebenfalls umzuwerten. Zweitens zeigt sich, daß keiner der identifizierten Einzelfaktoren isoliert, sondern immer als vielschichtiges, komplexes Konglomerat mit anderen gemeinsam wirkt.

Das Zusammenwirken der aktuellen ökonomischen, rechtlichen und normativen Faktoren der *Medienstruktursphäre* und der langfristigen historisch-kulturellen Faktoren der *Gesellschaftssphäre* bestimmt die „journalistische Kultur" eines Landes (vgl. Esser 1997). Sowohl in Großbritannien wie auch in Deutschland nahmen die Kräfte der *Medienstruktursphäre* einen großen Einfluß auf die journalistische Kultur, indem sie einige Traditionen stärkten, andere schwächten. Die kontinuitätsbewußten, traditionsbejahenden Briten bedauerten das in ihrem Fall weitgehend, die eher traditionskritischen Deutschen begrüßten es in ihrem Fall.

In Großbritannien wurde die Tradition der Objektivität zurückgedrängt und der latenten Parteilichkeit verschärft. Dafür war eine Verkettung verschiedener Faktoren der *Medienstruktursphäre* verantwortlich: der sich ständig verschärfende Konkurrenzkampf, die hochgradige Pressekonzentration, die gattungsübergreifende Boulevardisierung, das fehlende Abonnementvertriebssystem sowie die fehlende Kompetenzabgrenzung zwischen Verleger, Chefredakteur und Journalisten, die es den charismatisch-exzentrische Verlegerpersönlichkeiten sehr erleichtert, ihre Überzeugungen einfließen lassen. Die schwächere arbeitsrechtliche Position der Journalisten engt ihren Handlungsspielraum ein und könnte ein Bewußtsein fördern, dem Gusto der Vorgesetzen ausgeliefert zu sein.

Diese *Medienstruktur*-Faktoren erhielten ihre Durchschlagskraft jedoch erst durch das Zusammenspiel mit verschiedenen historisch-kulturellen *Gesellschafts*-Faktoren: der hohe Wettbewerbsdruck ist eine Folge der traditionellen Hauptstadtfokussierung der nationalen Presse, der Kampagnenstil ist eine Folge des *New Journalism*, die Parteilichkeit geht bei einigen Blättern auf historische Allianzen aus dem vergangenen Jahrhundert zurück (z.B. *Mirror*, *Express*). Man darf auch nicht vergessen, daß die andere Seite des sportlichen

Fair Play die Lust am Kampf ist. Daher ist Parteilichkeit bei den meisten Zeitungen Teil eines strategischen Machtspiels: Die Unterstützung für einen Politiker oder eine Partei kann ein Blatt genauso schnell wieder entziehen, wie es sie zuvor gewährt hatte. Solche Spiele können sich vielleicht nur in einer stabil verwurzelten Demokratie entwickeln, deren Grundfeste so schnell nicht erschüttert werden können. In der jungen Bundesrepublik hatte man die Demokratie von den Besatzungsmächten dagegen gerade erst „verliehen" bekommen. Dies führte dazu, jeden Fall eines politischen oder publizistischen Machtanspruch sogleich auf seine Legitimation hin zu hinterfragen und aufgeregt zu diskutieren. ‚Spiele' setzen ungeschriebene, erfahrungsgesättigte ‚Spielregeln' voraus, die Grenzen setzen und Gesetze ersetzen. In der jungen Bundesrepublik waren die Fundamente für solche Machtspiele lange nicht fest genug.

Das vielschichtige Zusammenwirken der Einflußkräfte aus *Gesellschafts-* und *Medienstruktursphäre* erklärt einen weiteren wesentlichen Charakterzug der zeitgenössischen britischen Journalismuskultur: den Sensationalismus und die Aggressivität vieler Zeitungen. Die Neigung zum Sensationalismus erklärt sich aus der frühen Marktorientierung der Presse, der prägenden Phase des *New Journalism* (1880–1914) und der typisch angelsächsischen Faszination für „human interest stories". Der enorme Wettbewerbsdruck wurde durch die Gründung neuer Massenzeitungen auf einem ständig schrumpfenden Lesermarkt ebenso verschärft wie durch das Auftreten ausländischer Medienmogule (Conrad Black, Robert Maxwell, vor allem aber Rupert Murdoch), die sich weniger durch publizistisches Verantwortungsgefühl und stärker durch kalte Geschäftsinteressen auszeichnen. Sie beauftragen ihre Chefredakteure, im Konkurrenz-„Kampf" alles zu tun, um die Auflage zu steigern (Murdoch nannte seinen *Sun*-Chefredakteur MacKenzie „my little Hitler")[53] und treffen redaktionelle Entscheidungen nach der Maxime „give the people what they want". Das generell geringe Ethikbewußtsein in Großbritannien wurde noch dadurch geschwächt, daß es bis 1990 keinen Pressekodex gab. Der Presserat erklärte dies damit, daß der britische Geist allergisch gegen schriftlich fixierte Regelwerke sei und Entscheidungen lieber auf der Basis allgemein anerkannter Prinzipien und Erfahrungen aus früheren Fällen treffe

[53] Im *Observer* vom 11.5.1997 („The *Observer* Interview: Kelvin MacKenzie's Biggest Boob", S. 6) heißt es: „Murdoch called Kelvin ‚my little Hitler', and said approvingly, ‚He's out there, screaming and shouting, and he's good. Somehow it works.' Kelvin in turn called Murdoch ‚the Boss', and admired him more than anyone, except possibly Mrs Thatcher."

(Prinzip des „case law"). Diese Einstellung entspringt der generellen Abneigung gegen alles Theoretisch-Abstrakte bzw. der Hochschätzung des praktischen Nutzens eines Rechts. Auch die große Journalistengewerkschaft NUJ (der zeitweise 92 Prozent aller organisierten Journalisten angehörten) interessierte sich nie für standesspezifische, professionelle Normen und verstand sich immer nur als kämpferische Industriegewerkschaft. Daß auch der Nachwuchs keine neuen Werte in den Journalismus einbringen konnte, erklärt aus der traditionell hohen Praxisfixierung des learning-on-the-job und der großen Skepsis gegen Ideen aus branchenfremden Ausbildungseinrichtungen (v.a. Universitäten).

Die hohe Aggressivität ist darauf zurückzuführen, daß die Rechte und Pflichten der britischen Presse – anders als in Deutschland – kaum gesetzlich geregelt sind. Die geringere rechtliche Absicherung der institutionellen Pressefreiheit zwingt die Journalisten im Alltag, ihren Handlungsspielraum bis zur Konfliktlinie mit anderen Rechtsgütern – im ethischen Graubereich – zu verteidigen. Dies führt leicht zu Grenzübertretungen. Andererseits gibt es für die Presse weniger Pflichten als in Deutschland. So existiert beispielsweise kein Persönlichkeitsschutzrecht, das bei der Berichterstattung über Prominente und Normalbürger zu beachten wäre.[54] Das verklärte Selbstbild einer Vierten Gewalt ist bei Großbritanniens Journalisten ebenso wach wie das Gefühl, durch eine Fülle offizieller Geheimhaltungsbestimmungen an der Ausübung ihrer Arbeit gehindert zu werden.

Fragt man aus deutscher Perspektive, welche Faktoren der *Medienstruktursphäre* den größten Einfluß auf die journalistische Kultur Großbritanniens genommen haben, fällt der Blick zunächst auf die schonungslose Konkurrenz unter den führenden Presseorganen. Weil es in Deutschland erstens keine nationale (Hauptstadt-) Presse gibt, sich zweitens die Verbreitungsgebiete der führenden überregionalen Zeitungen kaum überschneiden, und drittens die regionalen Tageszeitungen (in Monopolstellung und im Abonnementvertrieb) eine starke und nahezu unangefochtene Position einnehmen, spielt der Faktor Konkurrenz in der deutschen Presse bislang keine vergleichbare Rolle (im Fernsehen allerdings sehr wohl). Es gibt auch kein Überangebot an Boulevardblättern, weil es an der entsprechenden Tradition fehlt. Diese Markt wird vom Monopol-

[54] Auch die Umstände von Princess Dianas Tod werden daran nichts ändern. Die einzige Konsequenz wird eine Erweiterung des britischen Pressekodexes um eine Paparazzi-Regelung sein; vgl. *Financial Times* vom 8.9.1997 („Ministers not likely to back privacy laws") sowie Kapitel 5.7.

blatt *Bild* beherrscht, das im Vergleich zur *Sun* „geradezu ein Bote feiner Geistesart“[55] ist, sowie von den erbaulichen Herz-Schmerz-Blättern der Regenbogenpresse, die mit der angelsächsischen Sensationspresse in keiner Weise verglichen werden können[56].

Die Deutschen sind generell normenbewußter, was sich auch im schonenden Umgang der Journalisten mit dem Privatleben von Politikern niederschlägt. Die Statistik des *Deutschen Presserats* zeigt, daß die deutschen Journalisten zu sehr viel weniger Beschwerden Anlaß geben als die britischen Kollegen. Das journalistische Verhalten wird in Deutschland, anders als in Großbritannien, durch ein ausdifferenziertes Presserecht geregelt. Daher stellt der Kodex des *Deutschen Presserats* über weite Strecken lediglich eine verbale Verdopplung geltenden Rechts dar. Das ethisch verantwortungsvollere Handeln deutscher Journalisten mag auch auf das Engagement der größten Journalistengewerkschaft DJV zurückzuführen sein. Sie verstand sich immer auch als Standesorganisation, die mit ihren Mitgliedern ethische und professionelle Normen rege diskutierte und ihre Einhaltung öffentlich propagierte. Dem Einsatz der Gewerkschaften verdanken deutsche Journalisten auch eine stärkere Stellung hinsichtlich der Inneren Pressefreiheit. Politisch motivierte Maßnahmen von Verlegern und Chefredakteuren sind in Deutschland viel umstrittener als in Großbritannien. Aufgrund der völlig unterschiedlichen Wirkweise der hier analysierten Faktoren der *Medienstruktursphäre* (im komplexen Zusammenspiel mit den historisch-kulturellen Faktoren der *Gesellschaftssphäre*) konnten sich drei Tendenzen, die für den modernen britischen Pressejournalismus charakteristisch sind – Sensationalismus, Parteilichkeit und rechercheorientierte Aggressivität – in Deutschland nicht in vergleichbarem Maße herausbilden.

Ein bedeutsamer, in der bisherigen Kommunikationswissenschaft aber weitgehend vernachläßigter Bereich, wurde bislang noch nicht berücksichtigt: die *Institutionssphäre.* Ihr kommt nach Überzeugung des Verfassers der vorliegenden Arbeit ein so herausragender Stellenwert zu, das sie im zugrundeliegenden Modell eine eigene Analyseebene einnimmt (s. Schaubild 1, S. 27). Rühl, Saxer, Neidhardt, Kepplinger, Hömberg und viele andere riefen in der Vergangenheit zu verstärkter Forschung in diesem Bereich auf, weil sie davon ausgehen, daß die auf redaktioneller Ebene festgesetzten Normsetzungen und Normkontrollen am ehesten *handlungsbestimmend* für die einzelnen Medienakteure sind (vgl. stellvertretend Sa-

[55] So treffend der *Spiegel*, Heft 27/1996, S. 182 („Paßt auf, ihr Würste“).
[56] Vgl. *Journalist*, Heft 10/1996, S. 14–18 („Ende des Regenbogens“).

xer 1992). Die Institutionsebene fragt nach der Organisation der journalistischen Arbeit in der Zeitungsredaktion, also nach Tätigkeitsprofilen, Organisationsstrukturen, Kompetenzregelungen, Arbeitsabläufen, Kontrollmechanismen und Redaktionstechnologie. Diesen Themen sind die nächsten drei Kapitel gewidmet.

III. Einflüsse der Institutionssphäre

10. Arbeitsteilung vs. Ganzheitlichkeit: Tätigkeitsprofile in britischen und deutschen Zeitungsredaktionen

10.1 Redaktionsanalyse: Porträts der untersuchten Zeitungen

Die Kapitel 10 bis 12 widmen sich der Organisationsebene unseres journalismustheoretischen Modells, wie in Kapitel 1.2 und 9.6 ausführlich erläutert. Es steht die Frage im Mittelpunkt, wie die Bedingungen der Organisationsebene einerseits das Selbstverständnis und journalistische Handeln der Medienakteure prägen und andererseits wie diese Bedingungen den journalistischen Output, die Berichterstattung, beeinflussen. Damit ändert sich auch die Datengrundlage der präsentierten Befunde: Während die bisherigen Befunde auf einer Auswertung der relevanten Literatur beruhten,[1] basiert die folgende Redaktionsanalyse auf eigenen empirischen Erhebungen (vgl. Esser 1998). Die Redaktionsbeobachtungen erfolgten bei zwei britischen und einer deutschen Regionalzeitung. Wie in Kapitel 1.6 erläutert, fiel die Wahl in England auf die *Birmingham Evening Mail* und den *Wolverhampton Express & Star*, in Deutschland auf die *Koblenzer Rhein-Zeitung*. Alle drei Blätter erreichen eine ähnlich hohe Auflage von rund 200 000 Exemplaren und bringen jeweils mehrere Lokalausgaben heraus. Auch die redaktionellen Linien ähneln sich, wobei der *Wolverhampton Express & Star* etwas konservativer als die *Birmingham Evening Mail* ist und die *Koblenzer Rhein-Zeitung* zwischen beiden liegt. Die *Koblenzer Rhein-Zeitung* ist mit 246 400 Exemplaren das auflagenstärkste der drei Blätter. Mit ihren 17 Lokalausgaben deckt sie im wesentlichen das nördliche Rheinland-Pfalz ab (s. Kapitel 1.6). Die beiden englischen Zeitungen sollen im folgenden etwas ausführlicher dargestellt werden.

[1] Die Vorarbeit bestand in ausführlichen Recherchegesprächen mit vielen Fachleuten während eines einjährigen Englandaufenthaltes.

Der *Wolverhampton Express & Star* gehört zum Verlagshaus „Midland News Association". Es ist das größte britische Zeitungsunternehmen in Privatbesitz. Zu ihm gehören die Nachbarzeitung *Shropshire Star*, 17 lokale Anzeigenblätter und rund 200 Zeitungsgeschäfte („Newsagent Shops"). Seit seiner Gründung 1884 ist der *Wolverhampton Express & Star* im Besitz der Familie Graham. Tradition wird hier groß geschrieben. Noch heute sitzen drei Grahams im Vorstand und bestimmen die publizistische Grundhaltung der Zeitung. Seit 1915 ist es die einzige Zeitung in Wolverhampton. Damals erklärten die Grahams den *Express & Star* zu einem unabhängigen, überparteilichen Blatt. Über die politische Grundhaltung des Blattes sagte Chefredakteur Keith Parker 1992: „We are right of centre, we tell people to vote for the Conservative Party".[2] Die Verlegerfamilie ist sehr präsent. So hatte kurze Zeit vor dem Besuch des Verfassers der Vorstandsvorsitzende Douglas Graham dem Chefredakteur des *Wolverhampton Express & Star* detailliert auf seine Vorstellungen über Nachrichtenpräsentation und Seitenlayout hingewiesen, die dieser an die Journalisten weitergab. Die Grahams erwarten ein qualitativ hochwertiges Produkt mit maximalem lokalen Nachrichtenangebot. Ihre Vorgaben an die Journalisten der Zentralredaktion lauteten:

1. jede Seite sollte rund 16 Artikel enthalten;
2. keine Seite sollte mehr als ein Hauptbild haben;
3. die Überschriften seien in der Vergangenheit zu groß geworden und müßten wieder kleiner werden.

Die Strukturvorgabe an den Chefredakteur lautet: Aus dem *Wolverhampton Express & Star* darf kein Boulevardblatt werden, obwohl sich dieses Konzept in der britischen Presse schrittweise immer weiter durchsetzt. Das heißt, kein Sensationalismus, sondern nüchterner Nachrichtenstil. Das heißt auch, eine hohe Anzahl von Artikel pro Seite („a high story count") sowie eine hohe Anzahl von Lokalausgaben, die auf die jeweilige Region zugeschnitten sind.

Chefredakteur Parker weist seine Journalisten ferner an, auf jeder Zeitungsseite lokale, nationale und internationale Nachrichten zu mischen. Er nennt dieses Konzept das einer „totalen Zeitung". Nun findet man eine Meldung über den UNO-Sicherheitsrat neben einer Meldung über den 90. Geburtstag der ehemaligen Bü-

[2] Diese und alle folgenden Angaben über *Wolverhampton Express & Star* und *Birmingham Evening Mail* beziehen sich, soweit nicht anders vermerkt, auf das Jahr 1992. Seither hat sich nichts wesentliches geändert, außer daß Warren Wilson seit 1995 Chefredakteur des *Wolverhampton Express & Star* ist und Keith Parker 1996 als Verlagsdirektor zum *Shropshire Star* wechselte.

chereileiterin im Ortsteil Sandwell. Die Besitzer Graham lassen sich das informationsorientierte Konzept seit langem viel Geld kosten. Der *Wolverhampton Express & Star* war Vorreiter bei der Einführung computergesteuerter Druck- und Redaktionstechnik in Großbritannien. 1973 gründete der Verlag ein eigenes Computerunternehmen, das die ersten Redaktionsterminals („Visual Display Units") in Großbritannien entwickelte. Systeme wurden an 50 britische Zeitungen, darunter *The Times*, verkauft. Keine andere Regionalzeitung beschäftigt so viele Journalisten wie der *Express & Star*, nämlich 160. Kaum eine andere Regionalzeitung hat eigene Korrespondenten zu den Krisenherden Afghanistan, Jugoslawien, Falkland-Inseln oder zum persischen Golf geschickt. Kaum eine andere Zeitung verzichtet auf Anzeigen auf den Hauptnachrichtenseiten. Dies ist für die englische Regionalpresse außergewöhnlich und hat dem *Wolverhampton Express & Star* seit 1960 eine nahezu konstante Auflagensteigerung erbracht. Ihre Auflage übertraf 1987 jene der 30 Kilometer entfernt publizierten *Birmingham Evening Mail*, 1993 jene der *Manchester Evening News*. Seither ist der *Wolverhampton Express & Star* (Auflage 1996: 197500) die größte Regionalzeitung Großbritanniens. Daß der Verleger das journalistische Konzept (mit-) bestimmt, wird nicht als Problem empfunden. Managing Director Mark Kersen meint, die Grahams seien „eher wohlwollende Gönner als dogmatische Tyrannen". Sie gewährten der Verlagsleitung großzügig Freiheiten, die in diesem Umfange nicht selbstverständlich seien.[3]

Anders als der *Wolverhampton Express & Star* hat die *Birmingham Evening Mail* seit ihrer Gründung 1870 sechs Besitzer erlebt und ihre politische Ausrichtung und ihr äußeres Erscheinungsbild mehrfach verändert. 1988 hatte der amerikanische Großverleger Ralph Ingersoll II die Zeitung gekauft, moderne Farbdruckpressen installiert, aber 1991 wegen fehlgeschlagenen Finanzspekulationen an der Wall Street wieder verkaufen müssen. Käufer war ein sogenanntes „Management Buyout Team", das aus führenden Köpfe der Verlagsbelegschaft bestand. Der ehemalige Chef vom Dienst, Chris Oakley, führte als Vertreter des „Management Buyout Team" erfolgreich die Verhandlungen und wurde Vorstandsvorsitzender (vgl. Oakley 1994). Einen Eigentümer oder Verleger gibt es seither nicht mehr. Der Preis von £ 125 Millionen galt innerhalb der Branche allerdings als stark überhöht, die Zukunft der *Birmingham Eve-*

[3] Vgl. „The Gospel According to Mark" in *Newspaper Focus*, Heft March 1992, S. 27–29. Vgl. zum *Wolverhampton Express & Star* auch Rhodes (1992), Griffiths (1992, S. 236 f.), Snoddy (1992, S. 137–139).

ning Mail als düster. Aber es wurde ein voller Erfolg. Bis 1995 verdreifachte sich der Gewinn, die Auflage der *Birmingham Evening Mail* stieg kontinuierlich. Als das Zeitungshaus 1994 an die Börse ging, wurde sein Wert bereits auf £ 193 Millionen geschätzt. Weil der Verlag danach jedoch zu stark expandierte (Einstieg ins lokale Fernsehen, Aufkauf unprofitabler Wochenblätter) galt er 1996/97 als möglicher Übernahmekandidat.

Der Verlag steht vor der schwierigen Aufgabe, im Großraum Birmingham jeden Tag zwei Tageszeitungen zu verkaufen, die Abendzeitung *Birmingham Evening Mail* und die Morgenzeitung *Birmingham Post*. Bei der ersten handelt es sich um ein „Popular Paper" im besten britischen Boulevardstil (Auflage 1996: 191 800), bei der zweiten um ein Blatt im Qualitätszeitungsstil (Auflage 1996: 23 000) mit ausführlichem Wirtschaftsteil. Um zu verhindern, daß sich die beiden Tageszeitungen gegenseitig Anzeigen und Leser wegnehmen, müssen sie so unterschiedlich wie möglich gestaltet werden. Zusätzlich erscheint sonntags der *Sunday Mercury* (Auflage 1996: 145 000) als dritte Zeitung des Unternehmens.

10.2 Berufsbilder und Tätigkeitsprofile in britischen Redaktionen

10.2.1 Das arbeitsteilige britische Prinzip

Angelsächsische Zeitungsredaktionen sind durch einen hohen Grad an Arbeitsteilung gekennzeichnet.[4] Selbst bei kleinen Zeitungen wird jeder neue Arbeitsgang von einer anderen Person ausgeführt, was zu einer Fülle von Berufsbezeichnungen geführt hat. Viele dieser Bezeichnungen klingen kurios („copy taster", „stone sub") und weichen von der amerikanischen Terminologie ab. So entspricht der britische „sub-editor" dem amerikanischen „copy-editor". Dementsprechend unterscheiden sich auch die Tätigkeitsbeschreibungen: In Großbritannien spricht man von „sub-editing", in den USA von „copy-reading". Noch komplizierter ist der Vergleich mit Deutschland. Während sich die Mitglieder einer deutschen Redaktion alle unter der Berufsbezeichnung „Redakteur" zusammenfassen lassen, benötigt man für zur Beschreibung einer britischen Redaktion ein gutes Dutzend Berufsbezeichnungen. Für das Allround-Tätigkeitsprofil des deutschen Redakteur gibt es weder in Großbritannien noch in Amerika ein Pendant.

[4] Vgl. Tunstall (1971), Hetherington (1985), Hodgson (1993), Bonnenberg (1994), Neumann (1997).

In Deutschland hat sich ein striktes Prinzip redaktioneller Arbeitsteilung nie durchgesetzt. Der Beruf Journalist wird in Deutschland ganzheitlicher gesehen, was sich auch in der Legaldefinition des Redakteurs spiegelt. Diese Definition gilt seit dem 1. Januar 1981 und ist Bestandteil des Manteltarifvertrages. Sie lautet: „Als Redakteur/Redakteurin gilt, wer (…) kreativ an der Erstellung des redaktionellen Teils von Tageszeitungen regelmäßig in der Weise mitwirkt, daß er/sie

1. Wort- und Bildmaterial sammelt, sichtet, ordnet, dieses auswählt und veröffentlichungsreif bearbeitet und/oder
2. mit eigenen Wort- und/oder Bildbeiträgen zur Berichterstattung und Kommentierung in der Zeitung beiträgt und/oder
3. die redaktionell-technische Ausgestaltung (insbesondere Anordnung und Umbruch) des Textteils besorgt und/oder
4. diese Tätigkeit koordiniert".[5]

Diese Definition, die im Zusammenhang mit der Einführung neuer Zeitungstechnik formuliert wurde, ist insofern ein anschaulicher Beleg für das ganzheitliche Verständnis des deutschen Journalismus, als hier zu der klassischen Redakteurstätigkeit des Redigierens (Ziffer 1) auch noch andere Aufgaben (Ziffer 2–4) als rechtlich gleichwertig hinzugezählt werden. Der herkömmliche Redakteursbegriff, wie er sich wortgeschichtlich entwickelt hat (lat. *redactus*, Partizip Perfekt von *redigere*, dt. redigieren: „in Ordnung bringen, ausarbeiten"), wurde in seiner Bedeutung bewußt erweitert.[6] Dieses umfassende Tätigkeitsprofil entspricht den Vorstellungen der deutschen Journalistengewerkschaften und Verlegerverbände. Wie Hesse (1981, S. 477) in einem presserechtlichen Kommentar zu dieser Definition schrieb, wurde hier nur „das präzisiert, was – zumin-

[5] Zit. n. „Manteltarifvertrag für Redakteure und Redakteurinnen an Tageszeitungen" vom 1. 1. 1990, abgedruckt im BDZV-Jahrbuch *Zeitungen* (1990, S. 299–313). Ein interessanter Nebenaspekt ist das Wort „kreativ" in der Definition des deutschen Redakteurs. Es soll ihn vom technischen Personal der Druckvorstufe abgrenzen. In den USA ist im Sommer 1986 im Zusammenhang mit einem arbeitsgerichtlichen Grundsatzurteil ebenfalls diskutiert worden, ob die Arbeit amerikanischer Zeitungsredaktionen als „kreativ" zu bezeichnen sei. Journalistikprofessor Ben Bagdikian von der University of California widersprach als Sachverständiger dieser Auffassung. Ein Journalist habe die Wirklichkeit um sich herum zu beobachten und zu erfassen, anstatt sich auf seinen eigenen Einfallsreichtum zu verlassen. Wer versuche, die tägliche Redaktionsarbeit allein mit Kreativität und Phantasie zu bewältigen, werde früher oder später gefeuert. „Und das durchaus zu Recht" fügte der Pulitzer-Preisträger Bagdikian hinzu. Vgl. hierzu den Bericht „Journalismus als Handwerk" in *Journalist*, Heft 2/1987, S. 76–77

[6] Vgl. Deutsches Fremdwörterbuch, Band III (1977, S. 197–199).

dest nach den Vorstellungen der beteiligten Berufskreise – ohnehin unter dem Begriff ‚Redakteur' verstanden wurde".

Diese Vielfältigkeit im Aufgaben- und Zuständigkeitsbereich eines einzigen Redaktionsmitgliedes ist im angelsächsischen Journalismus unbekannt. Obwohl es in Großbritannien keine kodifizierten Definitionen der verschiedenen journalistischen Berufsbilder gibt, läßt sich aus den beobachtbaren Arbeitsabläufen und Organisationsstrukturen schnell erkennen, daß die Melange der Tätigkeitsfelder des deutschen Redakteurs in Großbritannien aufgeteilt ist auf die Verantwortungsbereiche mehrerer, separat arbeitender Abteilungen. Die in der „Redakteur"-Definition genannten Tätigkeiten – Nachrichtenschreiben, Kommentieren, Redigieren, Umbruch sowie die Koordination all dieser Aufgaben – ist in einer britischen Redaktion aufgeteilt auf „reporter", „leader writer", „sub-editor", „page planner" oder „design sub", „news editor" und „Editor". Bedeutsam ist, daß es so gut wie keine Überschneidungen der Tätigkeitsfelder gibt, d.h. ein „reporter" schreibt nie eine Überschrift, schreibt nie einen Kommentar und redigiert nie einen Artikel. Die Organisationsstruktur einer Zeitungsredaktion ist nach der Leitlinie entworfen, diese verschiedenen Aufgabenbereiche separat und unabhängig voneinander auszuführen. Nach Negrine (1993, S. 2ff.) gehört die Spezialisierung der redaktionellen Arbeit zu den gutbestätigten Aspekten des britischen Journalismus.

Die Organisation deutscher und britischer Zeitungsredaktionen wird ausführlich in Kapitel 11 geschildert. Die Einführung der neuen Redaktionstechnik hat in Großbritannien bislang zu keinen Veränderungen in den redaktionellen Arbeitsabläufen geführt. Self (1989, S. 63) schreibt, die von ihm befragten Journalisten und Chefredakteure „saw no significant changes in journalistic practice". Auch für die Zukunft erwarteten sie keinen Änderungen des bewährten arbeitsteiligen Prinzips: „little was likely to change in the day to day operation of the newspaper".[7] Allerdings experimentieren sowohl britische wie deutsche Verlage mit neuen Konzepten und Organisationformen, um die neue Redaktionstechnik effizienter einsetzen und die publizistische Qualität verbessern zu können (s. Kapitel 11.3.4). Es ist allerdings unwahrscheinlich, daß sich die grundlegenden Prinzipien auf absehbare Zeit ändern.

[7] Self (1989, S. 63), ebenso Hodgson (1993, S. 128f.).

10.2.2 Schreibende Positionen in Großbritannien

Der Reporter
Das Verständnis davon, was ein Reporter ist und macht, unterscheidet sich in Großbritannien und Deutschland. Der festangestellte Reporter („staff reporter“) ist der wichtigste Nachrichtenbeschaffer für eine britische Zeitung. Eine national verbreitete Zeitung hat bis zu 60, eine regionale je nach Größe und Verbreitungsgebiet entsprechend weniger. Von ihnen abzugrenzen sind Inlandskorrespondenten („correspondents“ oder „stringers“) und thematisch oder geographisch spezialisierte Schreiber („specialists“). Auslandskorrespondenten sollen hier unberücksichtigt bleiben. Neben diesen festangestellten Mitarbeitern gibt es auch noch freie Mitarbeiter („freelancers“).

Der festangestellte „reporter“ ist ausschließlich für das Recherchieren und Schreiben von Nachrichtenmeldungen verantwortlich. Das Berufsbild entstand zwischen 1840 und 1850. Der Journalist Lincoln Steffens beschrieb die frühen Prinzipien der Reporter-Arbeit so: „Reporter hatten ganz mechanisch über Neuigkeiten zu berichten, wie sie passiert waren – ohne Vorurteile, Färbung oder Rhetorik. Humor und jeder Hinweis auf eine persönliche Note in unseren Berichten wurde sogleich angestrichen, getadelt und von uns im Laufe der Zeit unterdrückt.“[8] Weder bei der *Birmingham Evening Mail*, noch beim *Wolverhampton Express & Star* hat ein „reporter“ jemals einen Kommentar oder eine Glosse, ein Feature oder eine Filmkritik geschrieben. Auch hat er nichts mit Überschriften, Artikellayout und Seitengestaltung zu tun, wie der Chefredakteur der *Birmingham Evening Mail* betont: „The reporter in Britain never writes his own headline. The reporter in Britain never lays out or designs a page. The object of a reporter is to inform.“ Die meisten „reporters“ sind „general reporters“, viele haben jedoch Themengebiete, über die sie vornehmlich berichten. Seit den sechziger Jahren spielen „specialist reporters“ (USA: „beat reporters“) eine wachsende Rolle. Während dem „general reporter“ in der Hauptsache Themen von seinem Ressortleiter (Nachrichtenchef oder „News editor“) zugewiesen werden, wird vom „specialist reporter“ erwartet, daß er aufgrund seiner Kontakte und seines Fachwissens

[8] „Reporters were to report the news as it happened, like machines, without prejudice, color, and without style; all alike. Humor or any sign of personality in our reports was caught, rebuked and, in time, suppressed.“ So Lincoln Steffens in *Autobiography*, New York: Harcourt Brace Yonovitch (1931, S. 179); hier zit. n. Smith (1980, S. 162).

eigenständig über Neuigkeiten und Entwicklungen in seinem Verantwortungsbereich berichtet. Wie sich die „reporter“ von *Birmingham Evening Mail* und *Wolverhampton Express & Star* im einzelnen verteilen, zeigt Kapitel 11.

Der „reporter“ ist in erster Linie für das Beschaffen von Fakten verantwortlich. In Lehrbüchern wird hier ein geradezu beschwörender Ton angeschlagen: „Whatever the circumstances, the reporter is in charge of the facts“, heißt es in *Modern Newspaper Practice* von F. W. Hodgson (1993, S. 14). Seine Aufgabe „is to uncover facts and not to prove something“ (S. 30). Das Aufdecken ist also wichtiger also das Beurteilen. Die notwendigen Fähigkeiten – Recherche, Interviewtechniken, Informantenpflege, Mitstenographieren – genießen in Großbritannien hohes Ansehen, denn sie gelten als Grundlage objektiver Berichterstattung. Eine Schlüsselrolle kommt der Stenographie zu, der historisch ersten, spezifisch journalistischen Arbeitstechnik. In Keebles *Newspaper Handbook* betont fast jeder interviewte „reporter“ die Notwendigkeit der Stenographie bei der täglichen Arbeit (vgl. Keeble 1994, S. 11, 14, 17, 224, 227). Seit dem 19. Jahrhundert wird sie mit journalistischer Neutralität, Genauigkeit und Faktizität verbunden (s. Kapitel 2.4). Noch 1995 gaben 56 Prozent der britischen Journalisten an, ohne Stenographie sei ein Journalist nicht voll ausgebildet. Sie sei wichtiger als Computerkenntnisse (Delano & Henningham 1995). Die Etablierung der Stenographie führte zu einer ersten, eminent wichtigen Arbeitsteilung im Journalismus: Eine Gruppe der Redaktionsmitglieder wurde vollzeitig mit Beobachten, Zuhören und der schriftlichen Wiedergabe der Realität betraut.[9]

James Aitchison beschreibt in *Writing for the Press*, das vom *National Council for the Training of Journalists* als Lehrbuch anerkannt ist, die Aufgaben des „reporter“. Zuerst erinnert Aitchison (1988, S. 1–13) zukünftige „reporter“ daran, daß „in a factual and impartial news story there is no place for an account of the journalist's feelings.“ Unparteilichkeit und Sachlichkeit seien jedoch keine Werte an sich, sondern folgten aus der sozialen Verantwortung der Presse: Vor allem bei Verfehlungen und Straftaten sei

[9] Smith (1978, S. 162f.) schreibt hierzu: „The acquisition of various systems of shorthand (…) meant, that a man could *specialise* in observing or hearing and recording with precision. It was the promised ability to recover the dimension of reality in reporting that turned it into an *occupation*. One of the most important *divisions of labour* within the business of newspaper-making had taken place – important because it appeared to satisfy a readers“ demand. (…) By presenting the undisputed reality to his customers, the reporter was involved in the business of social governance and social change.“ Meine Hervorhebungen.

es Aufgabe des „reporter", die Betroffenen durch Berichterstattung öffentlich zur Rechenschaft zu ziehen. Unvorteilhafte Informationen zurückzuhalten, weil man die Betroffenen persönlich kennt und sie für die Betroffenen unangenehme Folgen haben könnten, geißelt Aitchison als eine gefährliche Form der (Selbst-) Zensur („whimsical and erratic form of censorship"). Publizität wird hier ausdrücklich als Bestandteil der Strafe gesehen („punishment by publicity"). Die Öffentlichkeit habe ein legitimes Interesse, davon unterrichtet zu werden. Der Aufdeckung und Veröffentlichung von Fakten wird in Großbritannien ein viel größerer moralischer Stellenwert zugewiesen als in Deutschland. Der britische „reporter" veröffentlicht keine brisanten Meinungen und Ansichten, sondern brisante Informationen. So ist es zum Beispiel in England üblich, in der Lokalzeitung alle Personen mit Namen, Adresse, Alter und Strafmaß zu veröffentlichen, die ihre Rundfunkgeräte nicht ordnungsgemäß angemeldet hatten und deswegen eine Geldstrafe zahlen mußten. Auch ist es für Lokalzeitungen üblich, Testamente von Verstorbenen aus dem Verbreitungsgebiet zu veröffentlichen.[10]

Die Funktion des „reporter" innerhalb der Gemeinde fassen Franklin & Murphy (1991, S. 58f.) in vier Punkten zusammen: Erstens habe er eine Chronik der Ereignisse zu bieten; zweitens habe er Bürger und Politiker öffentlich für ihre Taten zur Verantwortung zu ziehen; drittens sei er Teil des Systems der sozialen Kontrolle und viertens habe er in ständigem Kontakt zu allen wichtigen Personen und Institutionen zu bleiben. Das Aufgabenverständnis der Lokalreporter, so die Autoren weiter, entspreche dem der BBC-Charter: „the idea of impartiality and balance is part of the professional ideology". Die Ausbildung der „reporters" wurde in Kapitel 9 dargestellt. Sein praktisches Aufgaben- und Tätigkeitsfeld läßt sich in fünf Punkten zusammenfassen:

1. Informantennetz. Der Aufbau eines möglichst engmaschigen Netzes von Kontakten und Informanten, gute Verbindungen gelten als zentrales Qualitätskriterium für „reporter". „He's the best political reporter in the city; he has more sources than anyone else", lautet ein typisches Reporterlob (Tuchman 1978, S. 68). Zum wichtigsten Hilfsmittel bei der Recherche wird das über Jahre aufgebaute Adreßbuch. Hodgson (1993, S. 14) schreibt in seinem Lehrbuch,

[10] Testamente müssen einem zentralen Amt in London mitgeteilt werden, wo sie (auch von „reporters") eingesehen werden können. Aufgrund fehlender Persönlichkeitsschutzrechte (s. Kapitel 5.7) können sich britische Betroffene gegen solche Veröffentlichungen nicht wehren.

das „personal contact book becomes one of the most valuable parts of the reporter's equipment".

2. Interviews. Die elementarsten Methoden der Informationsgewinnung sind das informelle Gespräch und das förmliche Interview. Der Umgang mit Menschen verlangt Taktgefühl, Geduld, Psychologie und Höflichkeit (Hodgson 1993, S. 15f.). Bei der Recherche sind nur solche Leute zu befragen, „who are competent and qualified" (ebd.). In einer Kontroverse muß beiden Seiten die Möglichkeit zur Darstellung ihres Standpunktes gegeben werden. Aus Gründen der Genauigkeit, vor allem aber zur rechtlichen Absicherung, soll jedes Gespräch mitstenographiert oder mit einem Cassettengerät aufgezeichnet werden. In einem eventuellen Gerichtsverfahren haben handschriftliche Aufzeichnungen größere Beweiskraft als Tonbandcassetten. Das sorgfältige Protokollieren von Interviewaussagen und Zeugenaussagen genießt hohe Priorität.

3. Nachprüfen. Zu den Aufgaben des „reporter" gehört es, Informationen auf ihre Richtigkeit zu überprüfen – mit Hilfe von Nachschlagewerken, Archiven, alten Zeitungsausschnitten oder durch Nach- und Anfragen. Die Redaktionskollegen, die die Meldungen der „reporter" weiterverarbeiten, müssen sich darauf verlassen können, daß die Fakten korrekt sind, daß mit allen relevanten Leuten gesprochen wurde und daß Namen, Titel, Zahlen und Orte richtig sind.

4. Fundierte Kenntnis des rechtlichen und politischen Systems. Der „reporter" muß die wichtigsten Gesetze und rechtlichen Beschränkungen kennen, die seine tägliche Arbeit betreffen. Hier ist vor allem der Contempt of Court Act zu nennen, der die Pressefreiheit bei laufenden Gerichtsverfahren einschränkt, und die Libel Laws, die Ehrverletzungen im weitesten Sinne umfassen. Er muß sich im Aufbau der öffentlichen Verwaltung, im lokalen und nationalen Regierungssystem, im Gesetzgebungsverfahren, und im Umgang mit Institutionen, Behörden und Verbänden in verschiedensten Bereichen wie Wohlfahrt, Bildung, Umwelt auskennen. All diese Themen werden in den Übungseinheiten und Prüfungen des *National Council for the Training of Journalists* (NCTJ) behandelt.

5. Stil und Präsentation. Der „reporter" strukturiert seine Nachrichtenmeldung gemäß den journalistischen Grundregeln (fünf W) und berücksichtigt die spezifischen Redaktionsgepflogenheiten, die einen einheitlichen Zeitungsstil garantieren und meist in einer Haus-Fibel („Style book") zusammengefaßt sind.

Für den Vergleich des englischen und des deutschen Reporters ist weniger interessant, was ein britischer „reporter" macht, als vielmehr, was er auf keinen Fall macht. Er schreibt, wie erwähnt, keine

Kommentare, keine Überschriften und keine Hintergrundreportagen. Er liest Artikel von Kollegen nicht gegen und korrigiert sie nicht. Er redigiert kein Agenturmaterial, es sei denn, es bildet die Grundlage für weitergehende, eigene Recherchen. Er hat keinen Einfluß darauf, ob und wie seine Meldung veröffentlicht wird. Ein „reporter“ kann, wie der Chefredakteur der *Birmingham Evening Mail* sagt, unmöglich wissen, was die von ihm verfaßte Nachricht in Länge, Aufmachung und Plazierung „wert“ ist, weil er andere Faktoren, die außerhalb seines Kompetenzbereiches liegen (Qualität und Größe der Bilder, übriges Nachrichtenangebot, Anzeigenaufkommen), nicht kennt.

Ein erfolgreicher „reporter“ zeichnet sich im wesentlich durch drei Fähigkeiten aus: gute Recherche, gute Kontakte und guten Schreibstil. Nur dadurch gewinnt er Ansehen und Status, nicht durch einen gelungenen Kommentar oder ein gutes Artikel- oder Seitenlayout. Die Chef-Reporterin des *Wolverhamptom Express & Star* sagt über ihre Arbeit: „Wir kümmern uns nur um Nachrichten, alles richtet sich nach dem Nachrichtenwert. Wichtig sind die Fakten, nicht das, was der Reporter denkt.“[11] Die Frage an den „Municipal reporter“ der *Birmingham Evening Mail*, ob man an Artikeln der Kollegen schon mal erkennen konnte, ob der „reporter“ für oder gegen das Berichtsthema (Abtreibung, Umgehungsstraße) sei, verneinte er: „Unsere Aufgabe ist es, die Fakten und das, was die Leute gesagt haben, zu berichten. Ich versuche immer, jeder Sichtweise gleiches Gewicht beizumessen. Wenn du die Leute nicht fair behandelst, redet niemand mit dir. Wir sind Nachrichtenreporter. Meinung, Analyse und Interpreation ist die Aufgabe der Leitartikler, Kolumnisten und Feature-Schreiber, nicht unsere.“[12]

Von den „general reporters“ sind die „specialists“ abzugrenzen, die eine Autorenzeile haben. Diese schreiben neben nüchternen „news reports“ auch „news analyses“, also interpretierende und teilweise kommentierende Hintergrundberichte über ihr Spezialgebiet. Diese Berichte erscheinen zunehmend auch in den Nachrichtenspalten der britischen Zeitungen, weil die Chefredakteure davon überzeugt sind, daß die Tagespresse nur dann eine Chance gegen

[11] „We are dealing with hard news, everything is based on news values. (…) We go for facts, not for what reporters think.“

[12] „It has never happened to me that it stroke me when reading a colleague's story that I could tell whether or not he was in favour of the issue he had covered. Our job is to report the facts, what people have said. I always try to give equal treatment to each party because if you don't give people a fair deal no-one will talk to you. (…) We are hard news reporters. Opinion, analysis, interpretation is the job of leader writers, columnists or feature writers, not ours.“

die exzellente Fernsehnachrichtenberichterstattung von BBC und ITV hat, wenn sie mehr Erklärung und Hintergrund liefert. Streng genommen gehören solche Beiträge nicht hier hin, weil es sich um „features" handelt. Mit „features" werden im britischen Journalismus alle diejenigen redaktionellen Beiträge bezeichnet, die nicht nüchterne Nachrichtenmeldung und nicht Leitartikel sind. „Features" umfassen also einen sehr breiten Bereich; jede Zeitung hat ein separates Feature-Ressort. Noch eine zweite Erscheinung sorgte in der Vergangenheit für eine zunehmende Grenzverwischung zwischen „hard news" und „features": Verdiente „reporters" werden dadurch ausgezeichnet, daß sie ihre Beiträge namentlich kennzeichnen dürfen. Einige fühlen sich dadurch in den Status eines Spezialisten erhoben und sehen dies als Einladung, auch stärker interpretiernde Beiträge zu schreiben (vgl. Hodgson 1993, S. 30). Dies begann vermutlich mit der seinerzeit revolutionären Entscheidung der *Times* vom 16. Januar 1967, die Anonymität ihrer Journalisten aufzugeben und Namenszeilen einzuführen (vgl. Woods & Bishop 1983, S. 359).

Die Jahreseinkommen von „reporters" liegen unter denen der übrigen Redaktionsmitglieder. Aufgrund der Abschaffung von Tarifverträgen und der Einführung von Leistungszulagen (s. Kapitel 7.3) schwanken die Einkommen sehr. Das Bruttojahreseinkommen von Anfängern („junior reporters") lag 1991 bei £ 10–12 000, ging jedoch bei lokalen Anzeigenblättern hinunter bis £ 8 500 (die niedrigste Nennung betrug £ 5 200, also 15 000 Mark). Nach einigen Berufjahren kann der „reporter" einer regionalen Tageszeitungen mit einem durchschnittlichen Bruttojahresgehalt von £ 12–14 000 rechnen. Langjährige, erfahrene „reporter" („senior reporters") verdienen bei Regionalzeitungen £ 20–22 000, bei nationalen Zeitungen £ 30–35 000.[13] Das Bruttojahresgehalt eines „reporter" bei der *Birmingham Evening Mail* betrug 1995 durchschnittlich £ 18 377 (also 42 260 Mark).[14]

Der News editor

Der „News editor" ist Ressortleiter der Nachrichtenabteilung. Abhängig von der Größe der Zeitung schwankt die Titelbezeichnung. Bei der *Sunday Times* heißt er „Managing editor of news", bei der *Birmingham Evening Mail* „Head of news", beim *Wolverhampton*

[13] Angaben nach „Pay Survey" in *UK Press Gazette* vom 22. 7. 1991, S. 12–13 und 5. 8. 1991, S. 14–15. Der Wechselkurs lag damals bei £ 1 = 2,90 DM.

[14] Angaben nach „NUJ Survey" in *UK Press Gazette* vom 14. 8. 1995, S. 5. Der Wechselkurs lag nun bei £ 1 = 2,30 DM.

Express & Star „News editor". Die Zahl seiner Assistenten und Stellvertreter, mit denen er am „News Desk" sitzt, schwankt. Mit „Desk" (Tisch) wird ein Ressort bezeichnet. Der „News editor" ist direkter Vorgesetzter der „reporters". Er ist verantwortlich für die Nachrichtenproduktion. Seine Hauptaufgabe besteht in der Organisation und Sicherstellung eines konstanten Nachrichtenflusses zu den „sub-editors", die das Nachrichtenmaterial der „reporters" weiterverarbeiten.

Der „News editor" weist den „reporters" ihre Arbeit zu und ist dafür verantwortlich, daß alles erledigt und nichts verpaßt wird. Er verwaltet den Redaktionsterminkalender und spricht in Konferenzen mit dem Chefredakteur und den übrigen Ressortchefs die Nachrichtenlage ab. Er bestimmt, welcher „reporter" mit welchem Aufwand welches Thema bearbeitet und autorisiert ihre Spesenausgaben. Der „News editor" steht in ständigem Austausch mit der nächsten Instanz im Nachrichtenproduktionsprozeß, dem „Production Table". An ihm sitzen die für die Gewichtung und Präsentation zuständigen „design sub-editors"/„page planners" und die Chefredaktion. Die Position des „News editor" gehört zu den hektischsten in der Redaktion, obwohl er selbst keine Meldungen schreibt. Sowohl *Birmingham Evening Mail* als auch *Wolverhampton Express & Star* haben jeweils einen diensthabenden „News editor" für den Stadtbereich (City) und einen für die Außenbüros (Districts).[15] Für die „reporters" ist der „News editor" der einzige Ansprechpartner für sämtliche redaktionellen Belange. Die Aufgaben des „News editor" lassen sich in sechs Punkten zusammenfassen:

1. Motivation der „reporters". Vor allem bei der *Birmingham Evening Mail*, die großen Wert auf selbstrecherchierte Meldungen legt, bezeichnet der „News editor" dies als seine oberste Aufgabe. Er sieht eine Notwendigkeit „to walk the job", d.h. ständig an den langen Tischreihen der „reporters" auf und ab zu laufen, um unmittelbar für Fragen und Anregungen ansprechbar zu sein. Da jede Meldung von ihm begutachtet wird, bevor er sie weiterleitet, hofft er, die Notwendigkeit eigener Korrekturen vermindern zu können: „It is better to get the story right at the source than to have it come onto my screen and need to change it", sagt er.

2. Aufgabenzuweisung. Alle Pressemitteilungen, Einladungen, vertraulichen Hinweise („tip-offs"), Veranstaltungsankündigungen,

[15] Inklusive Stellvertretern hat die *Birmingham Evening Mail* drei für den Stadtbereich und einen für die Außenbezirke und der *Wolverhampton Express & Star* einen für die Stadt und vier für die Außenbezirke.

Agenturmeldungen mit lokalem Bezug, Telefonanrufe, etc. erreichen den News Desk, wo sie entweder der „News editor" selbst oder ein designierter Assistent (z.B. „chief reporter") den „reporters" zuteilt. Nur der News Desk kann einem „reporter" ein Thema zur Bearbeitung auftragen. Auch Rückfragen oder Beschwerden von „sub-editors" über Reportermeldungen werden an den „News editor" gerichtet, nicht an den „reporter" direkt. Der „News editor" hält Kontakt mit dem für die hereinkommenden Agenturmeldungen zuständigen „copy taster" (s. nächstes Kapitel 10.2.3). Bei Agenturmeldungen mit regionalem Bezug wird der „News editor" einen „reporter" bestimmen, der die Geschichte weiterrecherchiert. Ebenso hält der „News editor" Kontakt zu externen oder freien Mitarbeitern und zu Spezialisten, sofern sie zur Nachrichtenberichterstattung beitragen.

3. Terminkalender. Der News Desk führt eine Liste aller Tagestermine und den Namen der „reporter", die diese Aufgaben jeweils erledigen. Diese Redaktionskalender sind kein Buch mehr, sondern ein Unterverzeichnis im Computersystem, in das jeder „reporter" von seinem Arbeitsterminal aus Einblick hat. Zu den Routineaufgaben, die mehrmals täglich erledigt werden müssen, gehören Anrufe bei Polizei, Krankenhäusern, der Feuerwehr und anderen offiziellen Stellen. Die „News editor" beider Zeitungen geben an, daß „diary jobs", also feststehende Termine, eine Hauptnachrichtenquelle sind.

4. Ko-orientierung an Konkurrenzmedien. Durch die aufmerksame Beobachtung anderer Medien vergewissern sich die „News editors", nichts Wichtiges zu verpassen. Der „News editor" der *Birmingham Evening Mail* hört stündlich die regionalen Radionachrichten. Sein Kollege vom *Wolverhampton Express & Star* verfolgt die aktuellen BBC-Meldungen auf Videotext. Beide „News editors" lesen sorgfältig die erste Ausgabe der Konkurrenzzeitung (die Birminghamer den *Express & Star*, die Wolverhamptoner die *Evening Mail*). Beide Zeitungen haben ein Abkommen mit dem *London Evening Standard*, das man als eine Art Artikelbörse bezeichnen kann. Man bietet sich gegenseitig die besten Geschichten des Tages an, die der andere dann abdrucken kann.

5. Kontrolle. Der „News editor" erfüllt im Nachrichtenproduktionsprozeß eine zentrale Rolle als erste von mehreren Kontrollinstanzen, die jede Reportermeldung zu durchlaufen hat. Der „News editor" liest jede Meldung, überprüft sie auf Korrektheit, Genauigkeit, House Style und ihre rechtliche Unbedenklichkeit, bevor er sie weitersendet zu den „sub-editors" (näheres hierzu in Kapitel 12).

6. Fotos. Der „News editor" hält Kontakt zum „Picture Desk",

um Fotos in Auftrag zu geben oder anzufragen, ob ein Archivfoto vorliegt (z.B. von einem Politiker).

Von allen Ressortchefs ist der „News editor" der einflußreichste und entsprechend gut bezahlt. Bei kleinen Lokalzeitungen (ca. 30000 Auflage) verdiente er 1991 etwa £ 14–17000 im Jahr brutto. Bei nationalen Zeitungen verdiente er bis zu £ 45000 brutto im Jahr. Genauere Angaben sind nicht zu erlangen.[16] Als Faustregel für das leitende Redaktionspersonal gilt: Je höher die Auflage, desto besser die Bezahlung.

Der Feature writer

Die Reportage, die in Deutschland dem Reporter zugeordnet wird, heißt im Englischen „feature".[17] „Features" werden in britischen Redaktionen nicht von „reporters" geschrieben, sondern von den „feature writers".[18] Diese arbeiten in einem separaten Ressort („Feature Desk"), also unabhängig vom Nachrichtenressort der „reporter". „Features" unterscheiden sich von den informationsorientierten Nachrichtenmeldungen und Berichten der „reporters" dadurch, daß sie einen Standpunkt ausdrücken; sie sind interpretierend, situativ, meinungsgefärbt und bemühen sich um Analyse und Tiefenschärfe. Dies ist mit den Arbeitsprinzipien der „reporters" unvereinbar. Während „general reporters" weder Autorenzeile noch ein Kürzel haben (Namenskürzel gibt es in Großbritannien generell nicht), erscheinen „features" wegen ihres subjektiven Gehaltes immer unter vollem Namen.

Das Feature-Ressort (bei der *Birmingham Evening Mail* von Frauen dominiert) ist für einen sehr breiten Genre- und Themenbereich zuständig, der sich in vier Typen unterscheiden läßt: Erstens aktuelle Hintergrundanalysen; zweitens regelmäßige Sparten wie Auto + Verkehr, Garten, Mode, Kochen, Unterhaltung, Frauenseite; drittens Gast- und Meinungskolumnen; viertens die Rubriken Kreuzworträtsel, Horoskop, Cartoons, Fernsehprogramm, Roman etc. Bei beiden untersuchten britischen Regionalzeitungen war die Trennung zwischen „news" und „features" ganz deutlich: Das Nachrichtenressort schrieb Nachrichten, das Feature-Ressort schrieb „features" (also im deutschen Sinne Reportagen). Ein Nachrichtenreporter der *Birmingham Evening Mail* berichtete bei-

[16] Vgl. „Pay Survey" in *UK Press Gazette* vom 22.7.1991, S. 12–13 und vom 5.8.1991, S. 14–15. Der Wechselkurs lag 1991 bei £ 1 = 2,90 DM.

[17] Reportage ist ein im Englischen ungebräuchliches Wort; in der Praxisliteratur zum britischen Journalismus kommt es nicht vor. Die Deutschen haben das Wort aus dem Französischen übernommen.

[18] Vgl. Hodgson (1993, S. 32–35). Dazu mehr in Kapitel 10.3.

spielsweise über eine nächtliche Ruhestörung durch campierende Zigeuner. Am darauffolgenden Tag stellte ein „feature"-Schreiber in einem breiten Hintergrundbericht die Situation der Zigeuner in Großbritannien und die besonderen Probleme der Stadt Birmingham mit ihnen dar. In diesem Falle schrieb der „feature writer" ein „follow up", indem er die einzelne Nachricht als Aufhänger nahm und sie in einen größeren Zusammenhang einordnet und ihr Perspektive und Tiefgang gab. Den wesentlichen Unterschied zwischen „reporters" und „feature writers" erläutert der „Feature editor" der *Birmingham Evening Mail* folgendermaßen: „Während sich ein Nachrichtenreporter strikt auf das neutrale Berichten der Fakten auf kleinstmöglichem Raum zu konzentrieren hat, steht dem Feature-Schreiber mehr Platz zur Verfügung. Er kann näher an den Kern des Problems vorstoßen und in seinem Bericht Atmosphäre erzeugen."[19]

Der „feature writer" recherchiert ebenfalls Fakten, Zitate, Stellungnahmen, aber nicht unter dem Diktat der Neuigkeit und Nüchternheit, sondern um einen Standpunkt zu illustrieren und interpretieren. „It is the argument and the conclusion that count", schreibt Hodgson (1993, S. 33). Auch stehen ihm mehr Zeit und Platz zur Verfügung. Zwei wichtige Untergruppen der „feature"-Schreiber sind die Spezialisten und die Kolumnisten, die eine separate Darstellung verdienen.

Der Specialist

Der bedeutsamste „feature"-Typ ist die aktuelle Hintergrundanalyse. Sie wird bei nationalen Zeitungen von Spezialisten („special correspondents") geschrieben. Hierbei handelt es sich entweder um Korrespondenten, die ihre Beiträge aus Städten des In- und Auslandes hereinsenden oder um thematisch spezialisierte Experten aus der Stammredaktion. Wie in den Ausführungen zum britischen „reporter" bereits erwähnt, deutet sich seit den siebziger Jahren an, daß die Trennung zwischen „features" und „news" bei nationalen Zeitungen nicht mehr so strikt aufrecht erhalten wird: Einerseits werden „reporters" für größere Projekte abgestellt, um zum Beispiel ein umfangreicheres, investigatives „feature" über einen Unternehmer zu verfassen. Andererseits werden die interpretierend-analysierenden Beiträge der Spezialisten vermehrt im Nachrichten-

[19] „Whereas a news reporter has to stick entirely to reporting the facts in an unbiased manner on the smallest space possible, the feature writer has much more space, can go much closer to the heart of the matter and can create atmosphere in his stories."

teil gebracht anstatt auf den Meinungs- und Hintergrundseiten. In den Augen der britischen Chefredakteure fällt die nüchterne Nachrichtengebung vermehrt den Rundfunkmedien zu, wohingegen der Presse die Hintergrundberichterstattung zukommt (vgl. Hodgson 1993, S. 30, 35). „Specialists" schreiben immer unter ihrem vollen Namen und spielten im britischen Journalismus traditionell eine große Rolle. In den zwanziger Jahren schrieben in *The Times* bereits ein „Medical Correspondent", ein „Labour Correspondent" und ein „Agriculture Correspondent" (vgl. Negrine 1993, S. 5).

Der Columnist

Ein weiterer wichtiger „feature"-Typ ist die Meinungskolumne. So hat die *Birmingham Evening Mail* für die Wochentage Montag bis Freitag fünf Vertragskolumnisten, die sich in stark meinungsbetonten Kolumnen mit aktuellen Themen aus den Bereichen Stadtpolitik, Kultur, Fernsehen und der Londoner Regierungszentrale Westminster beschäftigen. „Columnists" sind eine Untergruppe der „feature writers".

Meinungskolumnen gehören zu den ältesten Textgattungen in britischen Zeitungen. Die Idee von unabhängigen Gastbeiträgen stammt aus der Frühzeit des englischen Journalismus, als Literaten wie Swift, Steele, Addison und Defoe – teilweise unter ihrem Namen, teilweise unter Pseudonymen – ihre persönlichen Sichtweisen (und Vorurteile) über die Themen des Tages zum Ausdruck bringen durften. Von heutigen „columnists" werden bissige Beiträge über aktuelle, kontroverse Themen erwartet. Dabei besteht ein bemerkenswerter Unterschied zu kommentierenden Stilformen im deutschen Journalismus. Die Absicht liegt in England nicht in der aufrichtigen Mitteilung der eigenen Meinung, sondern in der Provokation der Leser, die mit möglichst unkonventionellen Ansichten über einen aktuellen Sachverhalt konfrontiert werden sollen. Je mehr Leserzuschriften eine Kolumne auslöst, desto erfolgreicher ist sie – gleichgültig, ob es sich um begeisterte Zustimmung oder schroffe Ablehnung handelt. „Columnists" wird daher ein hohes Maß geistiger Freiheit zugestanden. Ansichten, die der redaktionellen Linie der Zeitung widersprechen, sind oftmals ausdrücklich erwünscht.[20] Zwischen amerikanischen und britischen Kolumnisten

[20] Die *Sun*, in den achtziger Jahren glühende Verfechterin des konservativen Thatcher-Kurses, gewährte beispielsweise viele Jahre dem linksradikalen Abgeordneten Kenneth Livingstone („Red Ken") eine feste, wöchentliche Kolumne, die sich höchster Aufmerksamkeit erfreute. Die *Sunday Times* räumte jahrelang dem linksliberalen Journalisten Robert Harris viel Platz für eine Kolumne gleich unter dem Leitartikel ein, der in der Regel stramm konservativ war.

besteht ein wichtiger Unterschied, und zwar im Renommee. Weder hat der meinungsbetonte Kolumnen-Stil in Großbritannien jemals dieselbe Beliebtheit, noch haben die Autoren den Status erreicht, den amerikanische Kolumnisten genießen. Dies hat zwei Ursachen. Erstens ist die in den USA übliche Syndikation, wonach derselbe Kommentar in vielen verschiedenen Lokalzeitungen erscheint, in Großbritannien unüblich.[21] Zweitens vertreten amerikanische Kolumnisten konsequenter und konsistenter einen bestimmten Standpunkt, als deren Repräsentant sie bald bekannt werden: es gibt die Rechten (William Safire, George Will), die Liberalen (Anthony Lewis, Richard Cohen), die Schwarzen (William Raspberry, Carl Rowan) und die Freunde Israels (A. M. Rosenthal). Britische Kolumnisten wie William Rees-Mogg, Bernhard Levin oder William Keegan sind dagegen unberechenbar. Das konsequente Vertreten eines bestimmten politischen Standpunktes gilt in Großbritannien eher als Schwäche denn als Stärke.[22] Das führt jedoch dazu, daß den englischen „columnists" genau jenes Profil fehlt, daß die amerikanischen Kollegen zu identifizierbaren Stars macht. In Deutschland hat sich das Kolumnistenprinzip, bei dem Gastautoren unabhängig von der redaktionellen Linie durch pointierte Meinungsbeiträge die Leserschaft provozieren sollen, bislang nicht etabliert. Mit Ausnahme der Neugründung *Die Woche* finden sich kaum Meinungskolumnen angelsächsischen Typs in der deutschen Presse. Weder *Frankfurter Allgemeine, Süddeutsche, Zeit* oder *Spiegel* haben sie. Die wenigen Autoren, die man als Kolumnisten bezeichnen könnte, schreiben unregelmäßig in ihnen politisch nahestehenden Blättern.

[21] In den USA versorgen mehrere Dutzend Syndikate (neben dem normalen Service der Nachrichtenagenturen) die Regionalpresse mit Meinungskolumnen, politischen Karikaturen, Cartoons, Features. Dies ermöglicht es auch kleineren Zeitungen, regelmäßige Kolumnen von Prominenten wie Pat Buchanan, George Bush, Bill Gates oder Oliver North im Blatt zu haben. Mit spezialisierten Kolumnisten können sie außerdem einzelne Lesersegmente gezielt ansprechen: Es gibt Kolumnen für Schwule, Schwarze, Schwangere, etc. Vgl. die Berichte in *Editor & Publisher* vom 4.1.1992, S. 60–63; vom 1.1.1994, S. 62f.; vom 8.7.1995, S. 32; und vom 28.10.1995, S. 35f.

[22] Siehe hierzu die Beiträge über britische Meinungskolumnisten „The Pundits Weigh in" im *Economist* vom 9.1.1993, S. 79–80 und „The mighty pen" im *Economist* vom 26.8.1995, S. 34. Siehe hierzu auch Tunstall (1996, S. 172–183 u. 281–296) und Hodgson (1993, S. 45).

Der Feature editor

Der „Feature editor" leitet das Feature-Ressort. Die klassischen „feature"-Seiten einer englischsprachigen Zeitung sind „editorial page" (Leitartikel-Seite) und ihre gegenüberliegende Seite („opposite editorial", genannt „op ed page"). Auf ihnen finden sich als weitere feste Bestandteile häufig Leserbriefe und Autoren- oder Gastkolumnen. Die Aufgaben des „Feature editor" lassen sich in drei Punkten zusammenfassen:

1. Kreativität. Die Hauptaufgabe des „Feature editor" der *Birmingham Evening Mail* besteht nach eigenen Worten darin, ständig neue Ideen und Themen für Reportagen zu entwickeln und seine Schreiber ebenfalls zu Phantasie und Einfallsreichtum zu animieren. Seine Arbeit ist deutlich kreativer als die des „News editor". Während der „News editor" einzig für die Nachrichtengebung (und nicht deren Interpretation) zuständig ist, genießt der „Feature editor" den notwendigen gestalterischen Freiraum, den Themen Leben einzuflößen.

2. Arbeitszuweisung. Der „Feature editor" beauftragt den jeweils geeignetsten Schreiber für ein Projekt, entweder ein Ressort-Mitglied oder einen freiberuflichen Spezialisten von außerhalb auf Honorarbasis. Er führt einen Kalender, in dem wichtige Großereignisse wie Messen, Konzerte, Stadtfeste usw. vermerkt sind, deren (Sonder-) Berichterstattung eine frühzeitige Planung erforderlich machen. Mit dem Chefredakteur spricht er täglich in der Morgenkonferenz seine Vorstellungen über Themen, Platz und Seitengestaltung durch.

3. Kontrolle. Zuerst liest der „Feature editor" alle Beiträge seiner Mitarbeiter, dann leitet er sie zu den ressorteigenen „feature sub-editors" weiter. Da es sich bei allen „features" um Meinungsbeiträge handelt, legt er sie häufig auch dem Chefredakteur zur Kontrolle vor. Als letztes beauftragt der „Feature editor" täglich ein Ressortmitglied mit der Schlußkontrolle.

Der Sports editor / Der Business editor

„Sports editor" und „Business editor" sind – neben „News editor" und „Feature editor" – die beiden anderen der insgesamt vier Ressortchefs, die eine britische Regionalzeitung der Größe von *Birmingham Evening Mail* und *Wolverhampton Express & Star* besitzt. „Sports editor" und „Business editor" leiten jeweils ein Ressort, das aus Schreibern und „sub-editors" besteht, d. h. diese Ressorts arbeiten weitgehend autonom. Sport- und Wirtschaftsberichterstattung haben vieles gemeinsam, das sie vom nüchternen „news reporting" unterscheidet. In beiden Ressorts findet man einen hohen Anteil kommentierender oder spekulativer Beiträge; beide interpretieren die Nachrichten ihres Facher stärker als sie objektiv wiederzugeben; beide benutzen ein spezielles Vokabular und setzen ein gewisses Fach- und Hintergrundwissen ihrer Leser voraus. Daher arbeiten diese beiden Ressorts, wie auch das Feature-Ressort, unabhängig von der Nachrichtenabteilung.

Während die Anzahl der Sportseiten einer britischen Regionalzeitung durchaus genauso hoch wie die Anzahl der Nachrichtenseiten sein kann, muß sich die Wirtschaft in der Regel mit einer oder zwei Seiten begnügen. Das konkrete Verhältnis hängt vom Konzept der jeweiligen Zeitung ab. Eine im Boulevardstil konzipierte Zeitung widmet dem Sport mehr Aufmerksamkeit, eine ambitionierte Qualitätszeitung der Wirtschaftsberichterstattung.

Der Leader writer

Der „leader writer" (Leitartikler) bringt täglich die Meinung der Zeitung über Themen zum Ausdruck, die dem Chefredakteur besonders wichtig und drängend erscheinen. Die großen nationalen Zeitungen beschäftigen ein Team von „leader writers". Während *The Times* beispielsweise sieben Leitartikler hat, findet man bei Regionalzeitungen in der Regel nur einen. Der „leader writer" der *Birmingham Evening Mail* verfaßt jeden Tag zwei Leitartikel (und schreibt ansonsten spaßeshalber eine Meisterkoch-Kolumne). Er schätzt die Popularität von Kommentaren eher gering ein: „Britische Leser sind im allgemeinen sicherlich mehr an Nachrichten als an Leitartikeln interessiert."[23] Auch Tunstall (1971, S. 46) schreibt, daß der britische Zeitungsleser dazu „erzogen" worden sei, Kommentare als weniger wichtig anzusehen. Sie würden von Lesern nicht so stark beachtet, an ihnen ließe sich jedoch die politische Grundhaltung des Blattes erkennen. Leitartikel werden in Großbritannien grundsätzlich nicht namentlich gekennzeichnet. Welcher der sieben „leader writers" der *Times* beispielsweise welchen der vier täglichen Leitartikel geschrieben hat, dringt nicht nach außen. Dies hat seine Gründe: „Die Leitartikel sollen die offizielle Meinung der *Times* darstellen, die Argumente haben mehr Autorität, und der Schreiber wird vor Angriffen von außen geschützt", sagt Rosemary Righter, Leiterin des Leitartikelressorts.[24]

Historisch betrachtet galt der Leitartikel lange als Vorrecht des

[23] Er sagt: „British readers, on average, are more interested in news and less interested in the leader, definitely."

[24] Zit. n. dem Beitrag „The Times" in *Max*, Heft Mai 1996, S. 152–159, hier S. 152.

Chefredakteurs.[25] Heute, meint der „leader writer" der *Birmingham Evening Mail*, sei diese Funktion nicht mehr an einen bestimmten Rang, sondern an Fähigkeit gebunden. Bei den nationalen Zeitungen, die immer meinungsfreudiger waren als die lokalen, erfuhr der Leitartikel seit den zwanziger Jahren eine spürbare Abwertung. Hatte man zu Beginn des 20. Jahrhunderts den Leitartiklern noch vier Spalten zur Verfügung gestellt, war es 20 Jahre später nur noch eine. Subjektivität in der Presse wurde immer weiter zurückgedrängt, dafür gewannen Kommerzialisierung und Sensationalismus an Bedeutung (vgl. Bainbridge 1984, S. 83 f.). Über den Hauptunterschied zwischen Nachrichtenreportern und Kommentatoren sagt der „leader writer" der *Birmingham Evening Mail*: „Ein Leitartikler muß im Gegesatz zum Nachrichtenreporter eine Meinung ausdrücken. Ein Reporterbericht sollte absolut faktenorientiert sein, ohne daß Schlußfolgerungen gezogen werden. Das Ziel eines Reporters ist es zu informieren. Das Ziel eines Leitartikler ist es zu kommentieren, Meinungen zu bilden. Wir benutzen eine andere Sprache im Leitartikel, Ausdrücke wie ‚schockierend' und ‚Blödsinn'. Das ist nicht der Stil, in dem ein Reporter schreiben würde."[26] Während Leitartikler (stark subjektiv) und „reporter" (stark objektiv) die beiden entgegesetzen Pole der redaktionellen Arbeit bilden, stehen die „feature"-Schreiber (meinungsgefärbt) dazwischen. Sie stehen aber den Kommentatoren näher als den „reporters".[27]

[25] Vgl. Tunstall (1977, S. 265 ff., 282 f.).

[26] „A leader writer in contrast to a news reporter has to express an opinion. A reporter's report should be absolutely factual, no conclusions should be drawn. The object of a reporter is to inform. The object of leader writer is to comment, to form opinion. We use different language in a leader, expressions like ‚shocking', ‚rubbish' … This is not the style a reporter would write."

[27] Kurz vor den britischen Parlamentswahlen im April 1992 fragte das Branchenmagazin *UK Press Gazette* die Leitartikler von *The Times, Guardian, Independent, Daily Mail* und *Daily Mirror* danach, wie sie auf den bevorstehenden Wahlkampf reagieren würden. Zwei Aspekte in ihren Antworten waren auffällig: Alle waren fest entschlossen, sich die Themen nicht von den Parteien diktieren zu lassen und statt dessen selbst die Tagesordnung aktiv mitzubestimmen („We don't want to see the political parties setting the agenda"; „We're not impressed by this completely artificial creation of news agenda"; „We'll be more pro-active, trying to influence the agenda"). Die zweite Auffälligkeit war die Selbstverständlichkeit, mit der die Leitartikler der Boulevardzeitungen *Daily Mail* und *Daily Mirror* ihre Parteipräferenz äußerten („I would certainly think that we are in favour of the Tories"; „We are a paper which supports the return of a Labour government"). Dagegen waren die Leitartikler der Qualitätszeitungen *The Times, Guardian, Independent* sehr viel zurückhaltender. Sie wollten nichts davon wissen, einer bestimmten Partei zugeordnet zu werden. Der Leitartikler der konservativen *Times* meint: „There have been times in the past, I think, when the

10.2.3 Redaktionell-gestalterische Positionen in Großbritannien

Der Copy taster

„Copy taster" heißt wörtlich übersetzt „Artikel-Abschmecker", eine Berufsbezeichnung, die sich noch aus den frühen Tagen des Gewerbes erhalten hat. Die anschaulichste Beschreibung stammt von Harold Evans: „Copy taster: Die alte Bezeichung beschreibt die Tätigkeit perfekt. Er schmeckt alle Nachrichten ab. Selbstverständlich kann er nicht jedes der hunderttausend Wörter lesen, die täglich auf ihn einströmen. Er verfährt wie ein professioneller Weinschmecker. Er braucht nicht die ganze Flasche zu trinken. Ein Löffel oder nur der Geruch reichen ihm schon, um entscheiden zu können, ob die Meldung zu diesem Zeitpunkt für dieses Blatt passend ist."[28] Sein Tätigkeitsfeld kommt dem am nächsten, was die Kommunikationswissenschaft als „gatekeeping" bezeichnet hat. Der „copy taster" ist der Schleusenwärter für sämtliche Beiträge, die in die Zeitung sollen. Jede Zeitung hat in der Regel zwei „copy taster", einen für das selbstverfaßte Reportermaterial und einen für das fremdverfaßte Agenturmaterial.

Ein „copy taster" ist ein erfahrener, hochrangiger „sub-editor". Seine Aufgabe ist es, das gesamte Material zu lesen. Untaugliche Meldungen sortiert er aus, die brauchbaren bringt er in eine Rangliste nach ihrer Bedeutsamkeit. Diese Rangliste wird ständig aktualisiert und steht dem „Chief sub-editor" zur Verfügung, der die Seitengestaltung verantwortlich leitet. „Copy taster" ist eine Vertrauensstellung. Er muß das Zeitungskonzept und die Leserschaft sehr gut kennen. Dennoch gilt diese Position als Schleudersitz: Eine Meldung zu verpassen, die der Chefredakteur unbedingt im Blatt gewollt hätte und die das Konkurrenzblatt groß gebracht hat, zählt

Tory party has taken *The Times* for granted as being in its camp and that's not good for it and not good for us." Der Vertreter des linksliberalen *Guardian* sagt: „The Labour party has been unhappy with us because it would like us to be more pro-Labour. The fact is that we are an independent paper." Beim *Independent* hingegen ist Unabhängigkeit Programm: „We've been extremely rude to the Government, particularly when Thatcher was there, but we've also been savage about the Labour Party on various issues." Siehe den Beitrag „Paper Tigers" in *UK Press Gazette* vom 16.3.1992, S. 16.

[28] Evans (1972, S. 5) schreibt: „Copy taster: the old name perfectly describes the work. He savours all the news. Of course he cannot read every one of the hundreds of thousands of words that come at him. He is like a professional wine taster. He does not have to drink the whole bottle; a tablespoon or the mere bouquet will do to declare whether it is palatable for that particular paper at that particular moment." Vgl. zur Funktion des „copy tasters" auch Tunstall (1971, S. 33) und Hodgson (1993, S. 106f.).

zu den unangenehmsten Erfahrungen eines „copy taster“. Die Zahl der „copy tasters“ steigt mit der Größe der Zeitung; einige nationale Zeitungen unterscheiden beispielsweise zwischen „rough tasting“ (grobe Vorauswahl) und „fine tasting“. Der Aufgabenbereich des „copy taster“ läßt sich in drei Punkten zusammenfassen:

1. Nachrichtenauswahl. Der „copy taster“ wählt Meldungen nur aus, er bearbeitet sie nicht. Seine Selektionskriterien hängen vom Lesermarkt, dem Konzept der Zeitung und den Vorstellungen des Chefredakteurs ab. Er trifft nicht die endgültige Publikationsentscheidung, sondern sortiert das aktuelle Nachrichtenangebot nach seiner Wichtigkeit. Sowohl die Meldungen der eigenen „reporters“ wie die der Agenturen müssen durch diese Schleuse.

2. Prioritätenliste. Alle potentiell geeigneten Meldungen ordnet er ihrer Bedeutsamkeit nach. Diese ständig aktualisierte Angebotsliste stellt er den für Layout und Umbruch verantwortlichen Kollegen zur Verfügung.

3. Koordination. Der Copy-Taster steht in ständigem Austausch mit den Leitern des Nachrichtenressorts (am News Desk) und den leitenden „sub-editors“ (am Production Table). Dem News Desk schickt er Agenturmeldungen, die einen regionalen Bezug haben und von eigenen „reporters“ weiterverfolgt werden könnten und den „design sub-editors“/„page planners“ am Production Table schickt er seine ausgesuchten Meldungen.

Der Sub-editor

„Sub-editor“ ist ein Begriff, den es im amerikanischen Englisch nicht gibt. Im Amerikanischen bezeichnet man sie allgemein als „editors“, also „Redakteure“. Um jedoch den Unterschied zum Chefredakteur („Editor“ mit großem E) und anderen leitenden Redakteuren (z. B. „News editor“) deutlich zu machen, spricht man im britischen Englisch von „sub-editors“, also „Unter-Redakteuren“. Ein Blick in ein gängiges britisches Wörterbuch gibt uns bereits eine treffende Tätigkeitsbeschreibung des „sub-editors“: „A sub-editor is a person whose job is to *check and correct* articles in newspapers or magazines before they are printed.“[29]

Das „Prüfen und Korrigieren von Artikeln“ ist seit etwa 1850 ein eigenständiges Berufsbild in britischen Zeitungsredaktionen. Zu jener Zeit gab es nicht nur bei *The Times*, sondern auch bei Lokalzeitungen erste „sub-editors“, allerdings steckte deren Tätigkeitsprofil noch in den Kinderschuhen (Tunstall 1977, S. 266, 271 f.). Erst mit

[29] Collins COBUILD English Language Dictionary (1987, S. 1456), meine Hervorhebung.

der Northcliffe-Revolution, also der Geburt der modernen Massenpresse um die Jahrhundertwende, kam der Durchbruch. Northcliffe erweiterte die Funktion des „sub-editor". Bisher hatten sie vor allem die Aufgabe der Kontrolle. Nun kam die Aufgabe hinzu, die Artikel so umzuschreiben, daß sie präziser, aber auch fesselnder und packender würden (Hetherington 1985, S. 22). Bei den Boulevardzeitungen liegt die Betonung des „sub-editing" traditionell mehr auf der Erhöhung des Leserinteresses, bei den Qualitätszeitungen traditionell mehr auf Kontrolle. Beides gehört jedoch untrennbar zusammen, wie „sub-editor" Peter Johnson von der *Sunday Times* betont. Er beschreibt das Tätigkeitsprofil folgendermaßen: „Die Aufgabe des ‚sub-editors' ist es, Beiträge für die Veröffentlichung vorzubereiten. Nachdem er einen Artikel fertig redigiert hat, sollte er ‚sauber' sein: Er sollte keine Rechtschreibfehler, sinnvolle Absätze und die exakt erforderte Länge haben. Bis zur Drucklegung kann ein Artikel unterschiedlich redigiert worden sein: Die Möglichkeiten reichen vom bloßen ‚Abhaken' – hier wird der Beitrag, abgesehen von der Fehlerkorrektur, im wesentlichen beibehalten – bis zum kompletten Umschreiben. Das gewandte Umschreiben durch einen kompetenten sub-editor kann einen mißglückten Artikel in spannende Lektüre verwandeln. Ebenso wichtig ist es für einen guten sub-editor zu erkennen, wann er nichts verändert. Jeder wirklich gute sub-editor verbringt einen Großteil seiner Arbeitszeit mit Nachschlagewerken und Telefongesprächen mit dem Archiv. Überprüfen, überprüfen, überprüfen: Schreibweisen, Namen, Daten, Geschichte, Geographie, Zitate – Skepsis ist oberstes Gebot. Beim Streben nach Genauigkeit darf es kein blindes Vertrauen geben. (…) Das Format einer sub-editing-Abteilung erkennt man [auch] an den Überschriften einer Zeitung. Einige der großartigsten Schlagzeilen findet man bei den Boulevardzeitungen."[30]

[30] „The role of sub-editors is to prepare writers' copy for publication. (…) When an edited story leaves him or her it should be ‚clean', free of literals, conveniently paragraphed and to the exact length required for the space allotted to it. (…) On the way to the final printing stage, a story may have received sub-editorial treatment ranging from a ‚ticking job' – leaving the copy largely as written, apart from simple corrections – to a complete rewrite. An adroit rewrite by a good sub-editor can transform a lucklustre story into a compelling read; equally important, however, it is a good sub-editor who knows when not to rewrite. Any sub-editor worth the salt spends a good deal of the working day or night in reference books or on the telephone to the office library, checking, checking, checking: spellings, names, dates, history, geography, quotations – scepticism rules and nothing is taken on trust in the quest for accuracy. (…) The calibre of its sub-editing staff can be judged by a newspaper's headlines; some of the most brilliant headline-

Ein junger Journalist in Großbritannien steht nach den ersten Berufsjahren als „reporter“ vor der Entscheidung, ob er weiter schreibend tätig sein möchte (als „reporter“, „specialist“, „feature writer“, etc.) oder ob er zur Produktionsseite wechseln möchte und sich mehr mit Redigieren, Layouten und Umbrechen beschäftigen möchte – also „sub-editor“ werden möchte. „Sub-editors“ sind in der Regel ältere und erfahrenere Journalisten, die als „reporter“ angefangen haben, dann jedoch wechselten, weil sie „müde vom Umherhetzen“ waren und sich nach regelmäßigen Arbeitszeiten sehnten. Es scheint auch eine Frage des Temperaments zu sein, ob man eher zum rasenden „reporter“ oder zum sitzenden Redakteur neigt. Die Aufgaben der „sub-editors“ lassen sich in neun Punkten zusammenfassen:

1. Inhaltliche Kontrolle. Alle in dem Artikel genannten Fakten sind zu überprüfen. Hodgson schreibt hierzu unmißverständlich: „Der sub-editor und nicht der reporter ist für die Korrektheit des gedruckten Artikels verantwortlich. Die beste Haltung ist es, bei allem mißtrauisch zu sein, vor allem bei Schreibweisen von Namen und Orten, und zu überprüfen, überprüfen, überprüfen.“[31] „Copy sub-editors“ sind sozusagen hauptberuflich mit der Kontrolle sämtlicher Texte, die zum Abdruck vorgesehen sind, betraut. Dabei hilft ihnen zuerst ihr berufliches Erfahrungswissen, darüber hinaus Nachschlagewerke, amtliche Verzeichnisse, Stadtpläne und Landkarten sowie das Redaktionsarchiv. Im Zweifelsfall wendet er sich an die Kollegen oder Vorgesetzten. Ein guter „sub-editor“ ist ein mißtrauischer „sub-editor“.

2. Orthographische Kontrolle. Rechtschreib-Prüfprogramme haben sich im Journalismus nur begrenzt bewährt, Stil- und Grammatikfehler finden sie gar nicht.

3. Journalistische Kontrolle. Das Intro von Nachrichtenmeldungen muß häufig umformuliert werden. Nicht selten müssen die ersten Absätze umgeschrieben werden, weil es an Struktur, Balance oder Stringenz fehlt. Nach Aussage eines erfahrenen „copy subs“ der *Birmingham Evening Mail* schreibt er zwei von drei Meldungen zumindest teilweise um. Sein Hauptmotiv sei es, eine Geschichte kürzer und prägnanter zu machen. Aus Erfahrung mit seinen Kolle-

writing is often to be found in the tabloids.“ Zit. n. MacArthur (1991, S. 120f.). Weitere Schilderungen zum Sub-editing finden sich bei Evans (1972–73) und Hodgson (1992).

[31] Hodgson (1993, S. 107) schreibt: „The sub-editor rather than the reporter is responsible for the accuracy of what is printed. The best attitude is to be suspicious of everything, especially the spelling of names and places, and so check, check, check.“

gen wisse er jedoch, daß es sich hier auch um eine Temperamentsfrage handelt. Es gebe „sub-editors“, die bedeutend weniger umschrieben als er. Nicht zuletzt hänge es natürlich auch von der Qualität der Meldung bzw. des „reporter“ ab.

4. Kürzen. Die mit Layout und Seitengestaltung beauftragten „design sub-editors“/„page planners“ geben den „copy sub-editors“ die Länge für jede Reporter- und Agenturmeldung vor. Nach diesen Vorgaben wird jede Meldung heruntergekürzt. Die Chefredakteure der beiden untersuchten englischen Zeitungen äußerten sich überzeugt, daß jeder „reporter“ dazu neige, länger zu schreiben als notwendig. Nicht selten seien daher Kürzungen um die Hälfte notwendig, ohne daß dabei wichtige Information verloren gingen oder der Sinn entstellt werde. Rasch und gezielt kürzen könne nur ein unbeteiligter „sub-editor“, nie der Verfasser selbst, meint der Chefredakteur des *Wolverhampton Express & Star*: „The reporter is too emotionally involved in the story; the sub-editor steps back and values it from a distance.“

5. Material zusammenführen. Informationen verschiedener Quellen zu einer Nachrichtenmeldung zu kombinieren gehört ebenfalls zu den Aufgaben des „sub-editor“. Typische Beispiele sind, mehrere Agenturmeldungen zu einem Übersichtsartikel zu verflechten oder in einen Reporterbericht nachträglich aktuelle Agenturinformationen einzubauen. Das gehört zu den Tätigkeiten des „sub-editor“, nicht zu denen des „reporter“.

6. Rechtliche Kontrolle. Jeder zur Publikation vorgesehene Beitrag wird von den „sub-editors“ auf rechtliche Unbedenklichkeit überprüft. Das ist aufgrund der Fallstricke im britischen Presserecht (s. Kapitel 5) eine wichtige Aufgabe; vor allem Berichte über laufende Gerichtsverfahren gelten als heikel. Gegebenenfalls zieht der „sub-editor“ einen geschulten Kollegen oder (bei nationalen Zeitungen) den anwesenden Hausjuristen zu Rate. Daher sehen die Chefredakteure ihre „sub-editors“ als „last line of defence legally“, als letzte Verteidigungslinie gegen hohe Schadensersatzforderungen.

7. Verfassen von Bildunterschriften.

8. Verfassen der Überschrift. Überschriften, wie die Seitengestaltung generell, genießen in britischen Zeitungen einen höheren Stellenwert als in Deutschland. Sie müssen in den zugewiesen Platz passen, vor allem aber die Aufmerksamkeit des Lesers erregen. Der Chefredakter der *Birmingham Evening Mail* sagt: „If the headline is not bright, people in this country often don't bother to read the story, however well it's written.“

9. Spiegeln. Die höhergestellten „design sub-editors“/„page plan-

ners“ entwerfen das Layout für jede Zeitungsseite. Seitenplanung und -gestaltung wird in Großbritannien ebenfalls von Vollzeit-Spezialisten gemacht. Die überregionalen Boulevardzeitungen haben sogar einen „splash sub“, dessen einzige Aufgabe die (optische) Gestaltung der Titelseite ist. Beim Layout weiterhin beteiligt sind der Chefredakteur (oder sein designierter Vertreter) und der Ressortleiter der „sub-editing“-Abteilung, der „Chief sub-editor“. Weder die „reporter“, noch die „copy sub-editors“ sind an der Seitenplanung und -gestaltung beteiligt.

Die Gruppe der „sub-editors“ wird also danach unterschieden, ob sie Texte redigiert und zur Veröffentlichung vorbereitet („copy sub-editors“), oder mit Seitenplanung und -gestaltung zu tun hat („design sub-editors“ oder „page planners“). Die „design sub-editors“/„page planners“ stehen im Rang über den „copy sub-editors“; sie bilden sozusagen die Spitze der „sub-editing“-Abteilung. Hinter der Bezeichnung „sub-editor“ verbergen sich damit also drei verschiedene Aufgabenprofile, die von unterschiedlichen Personen im Vollzeitberuf ohne Rotation ausgeübt werden: Selektions- und Publikationsentscheidungen werden vom „Chief sub-editor“, zusammen mit der Chefredaktion, getroffen; Präsentationsentscheidungen von den „design sub-editors“/„page planners“ und Textredigieren von den „copy sub-editors“. Diese drei Tätigkeitsbereiche sind auch hierarchisch gestaffelt (s. Kapitel 11).

Das durchschnittliche Jahresgehalt eines „sub-editor“ bei einer Regionalzeitung betrug 1991 etwa £ 14–16000 brutto. Damit liegt es um ca. £ 2000 über dem Durchschnittsjahresgehalt der „reporters“. Bei nationalen Zeitungen verdient die Mehrzahl der „sub-editors“ über £ 30000 und nicht wenige über £ 40000. Die „design subs“ verdienen deutlich mehr als die „copy subs“. Sogenannte „splash subs“, die die Titelseiten der großen Londoner Popular Papers entwerfen, verdienen über £ 45000 im Jahr.[32] Das Brutto-Jahresgehalt eines „sub-editor“ bei der *Birmingham Evening Mail* betrug 1995 durchschnittlich £ 20042, lag also mit umgerechnet 46100 Mark um 3830 Mark über dem der „reporters“.[33]

[32] Vgl. „Pay Survey“ in *UK Press Gazette* vom 5.8.1991, S. 14–15. Der Wechselkurs betrug damals £ 1 = 2,90 DM.

[33] Reportergehalt £ 18377 (s.o.). Angaben nach „NUJ Survey“ in *UK Press Gazette* vom 14.8.1995, S. 5. Der Wechselkurs lag nun bei £ 1 = 2,30 DM.

Der Chief sub-editor

Der „Chief sub-editor“ ist der Vorgesetzte der „sub-editors“, arbeitet jedoch mit den „design subs“ enger zusammen als mit den „copy subs“. Er sitzt am Planungstisch (Production Table oder Night Desk), an dem das Layout für jede Zeitungsseite entworfen wird. Während der heißen Phase des Blattmachens ist auch der Chefredakteur und/oder sein Stellvertreter zugegen. Diesen Planungstisch nennt Evans (1986, S. 6) den „Dreh- und Angelpunkt der ganzen Operation“. Hier laufen alle zur Veröffentlichung bestimmten Texte zusammen (selbstrecherchierte Meldungen, Agenturmeldungen, Anzeigen, Gastkolumnen, Fotos, Cartoons, etc) und hier werden die zentralen Entscheidungen hinsichtlich Selektion, Plazierung, und Umfang getroffen und umgesetzt. Der „Executive Chief sub-editor“ der *Birmingham Evening Mail* erklärt, daß sich die Bedeutsamkeit einer Meldung erst aus dem Vergleich mit allen übrigen ergibt. Wie groß seine Entscheidungsbefugnis ist, hängt von der Persönlichkeit des Chefredakteurs und dem Konzept der Zeitung ab. Vor allem bei den Zeitungsseiten 1 bis 3 spricht die Chefredaktion ein entscheidendes Wort mit. Da der Straßenverkauf in Großbritannien eine weit größere Rolle spielt als der Abonnementverkauf, wird der Gestaltung der Titelseite (als dem Schaufenster des Blattes) eine große Bedeutung beigemessen. Aktive „hands on“-Chefredakteure entwerfen das Layout der Titelseite sogar selber.

Der Revise sub-editor

Der „revise sub-editor“ überprüft die Arbeit der „copy sub-editors“. Bei beiden Zeitungen arbeiteten sie an „Apple MacIntosh“-Bildschirmen, auf denen die Artikel in ihrem endgültigem Druckbild (WYSIWYG = What You See Is What You Get) erscheinen. Bei ihm laufen sämtliche Nachrichtenmeldungen – eigene und von Agenturen – zusammen. Er überprüft nicht die Arbeit der „reporters“, sondern die der „copy sub-editors“. Er kontrolliert bei jeder Meldung, ob sie auf die vorgeschriebene Länge gekürzt wurde, die Überschrift in den zugewiesenen Raum paßt, der Platz für das Foto ausreichend ist, die Bildunterschrift das richtige Format hat, der richtige Schrifttyp gewählt wurde, die Spaltenanordnung mit dem Layoutplan übereinstimmt, etc.

Besondere Aufmerksamkeit schenkt der „Revise editor“ der Überschrift. Hat sie Sinn, ist sie verständlich? Trifft sie den Kern des Artikels oder entstellt sie den beschriebenen Sachverhalt? Ist sie orthographisch korrekt? Da „copy sub-editors“ in Großbritannien angehalten werden, durch möglichst originelle Überschriften die Aufmerksamkeit der Leser zu wecken, ist eine zweite, nüchterne Kontrolle nicht so abwegig.

Der Production editor

Der „Production editor“ hat nichts mehr mit der journalistischen, sondern mit der technischen Seite zu tun. Er überwacht die Produktionsredakteure bei der Seitenmontage, sei es am Ganzseitenbildschirm oder am Leuchttisch. Im „Composing Room“ (Montage) kommen alle Textbeiträge und Elemente zusammen, wo sie auf Grundlage des Layout-Seitenplans auf einen Montagebogen geklebt (Fotosatz) oder am Ganzseitenbildschirm direkt auf die Seite gestellt („geklickt“) werden. Dabei werden die Artikel vom Assistenten des „Production editor“, dem „stone sub“, noch einmal komplett korrekturgelesen. Beide achten auch auf Layout-Fehler (weiße Flecken) und widersprüchliche Überschriften („clashing headlines“). Der „Production editor“ ist vor allem verantwortlich für den termingerechten Ablauf der technischen Seitenerstellung. Er erstellt den täglichen Druckplan, auf dem der Redaktionsschluß und die Andruckzeit für jede Lokalausgabe und jede Seite verzeichnet ist. Zeitverzögerungen beim Andruck führen zu einer verspäteten Auslieferung, zu einer verspäteten Zustellung an die Kioske, zu verärgerten Lesern, die zur üblichen Zeit keine Zeitung vorfinden und damit zu einer geringeren verkauften Auflage. Hier ist Zeit Geld.

Der Editor (Chefredakteur)

Seit 1802 ist „Editor“ (häufig auch mit kleinem e) in Großbritannien die Bezeichnung für den Chefredakteur (Smith 1978, S. 165). Bis dahin wurde „editor“ als Bezeichnung für den einfachen Redakteur verwendet, so wie es in den USA heute noch üblich ist. Um 1800 entstand der Chefredakteur als eigenständiges Berufsbild, das sich vom „reporter“ und Drucker abgrenzte (ebd., S. 166). Bis etwa 1900 war der Chefredakteur eher Politiker als Journalist. Viele Zeitungen waren im Griff politischer Parteien, Verleger saßen als Abgeordnete im Parlament und benutzten ihre Blätter für persönliche und politische Ziele (s. Kapitel 2). Chefredakteure waren meinungsfreudig und beteiligten sich engagiert am politischen Streit. „Editors and newspapers were as much in business to *attack* their political enemies as to defend their own views“, schreibt Tunstall (1977, S. 261). Diese politische Orientierung sei jedoch bald zurückgedrängt worden zugunsten administrativer Managementaufgaben, die heute das Tätigkeitsprofil des Chefredakteurs bestimmen (ebd., S. 285–321) Ab 1900 faßten an Profit interessierte Großverleger in der britischen Presse Fuß und förderten ihre kommerzielle Ausrichtung. Der Chefredakteur steht an der Spitze der Redaktionshierarchie und trägt die rechtliche Verantwortung für den gesamten Inhalt der Zeitung (s. Kapitel 7.7). Als Mitte des 19. Jahrhunderts der Chefredakteur der *Times* bei einem offiziellen Dinner gefragt wurde, was der Hauptunterschied zwischen dem Eigentümer der *Times*, Mr. Walter, und ihm sei, sagte der Chefredakteur: „Nun, das ist ganz einfach, Madame. Mr Walter ist der Eigentümer, ihm gehört die Zeitung. Ich bin Chefredakteur, ich bin der, der ins Gefängnis geht."[34]

Daran hat sich bis heute nichts geändert. Hierzu ein Beispiel: Im Sommer 1992 erregte der Chefredakteur der *Birmingham Evening Mail* großes Aufsehen, als er den angeblichen Namen eines landesweit gesuchten HIV-infizierten Mannes veröffentlichte, der mehrere Mädchen mit Aids infiziert haben sollte. Fernsehen, Radio, Qualitäts- und Boulevardzeitungen hatten zuvor ausführlich über dieses „neue Verbrechen" berichtet, ohne die Identität des Mannes zu kennen. Der „medical reporter" der *Birmingham Evening Mail* hatte einen Mann aufgespürt, der jedoch alle Anschuldigungen bestritt. Die Rechtsanwälte der Zeitung meinten zum Chefredakteur: „Well, if you are sure it's him, name him." Wenn es jedoch der falsche Mann sei, stünde ihm eine unkalkulierbar hohe Schadensersatzforderung wegen Rufschädigung („libel") ins Haus. Zehn Minuten blieben dem Chefredakteur bis zum Andruck, um eine Entscheidung zu fällen. Er ging das Risiko ein und entschied: Wir nennen unseren Namen. Keine Agentur, kein Sender übernahm die Meldung, alle warteten ab, was passierte. Am nächsten Tag zogen sie nach – es war der richtige Mann. Der Chefredakteur sagt: „Wenn alles hochgeht, trage ich die Verantwortung."[35]

Zu den Verantwortlichkeiten des Chefredakteurs zählen auch die Entscheidung über Einstellungen, Kündigungen, Beförderungen und Gehälter. Während er früher mit Vertretern der Journalistengewerkschaft ein einheitliches „house agreement" aushandelte, legt er heute die Gehälter der einzelnen Redaktionsmitglieder individuell fest (s. Kapitel 7.3). Bei ihm liegt die Verantwortung für Nachrichtengebung, Kommentierung und äußeres Erscheinungsbild (Layout) der Zeitung. Ansonsten gilt der Chefredakteur in Berufs-

[34] „Well, it's perfectly simple, Madame. Mr Walter is the proprietor, he owns the newspaper. I am the Editor, I am doing the going-to-jail part of the business." Zit. n. Morgan (1987, S. 24).

[35] „If it all blows up, I take the responsibility. It's unfair to leave that decision to anybody else – the News editor, the Chief sub-editor or the reporter. They can't make that decision."

bild, Arbeitsstil, Kompetenzen, Ausbildung, Laufbahn und Ansichten als eher uneinheitlich.[36]

Nach Hodgson (1991, S. 65 f.) kann man im wesentlichen drei Grundtypen von Chefredakteuren unterscheiden: „writing editors", „production people" und „political figures". „Writing editors" sind meist ehemalige „reporters", die auf der Schreib-Seite aufstiegen (über die Positionen „News editor" oder „Feature editor"). Sie halten den Inhalt für wichtiger als das Layout. Sie schreiben hin und wieder selbst Leitartikel über Themen, die ihnen am Herzen liegen. Sie interessieren sich für die Arbeit der politischen Korrespondenten, für die aktuelle Nachrichtenlage, für einen hohen Anteil an Berichten und Reportagen. Den Chefredakteur des *Wolverhampton Express & Star* kann man (mit Einschränkungen) in diese Gruppe einordnen. „Production people" sind Chefredakteure, die als „subeditor" anfingen und über die Layout- und Planungsseite aufstiegen. Sie interessieren sich für attraktive, lebendig gestaltete Seiten und verstehen unter „editing" in erster Linie das optische Präsentieren, weniger das textliche Redigieren. Diesen Chefredakteuren ist eine augenzwinkernde, treffende Überschrift wichtiger als die inhaltlichen Details des Artikel; sie denken auch sofort an das passende Bild und die Aufmachung. In diese Klasse kann man (mit Einschränkungen) den Chefredakteur der *Birmingham Evening Mail* einordnen. „Political figures" schließlich legen großen Wert auf die politische Linie und das Image ihres Blattes. Sie geben gerne Interviews in anderen Medien. Man sieht sie in Talk Shows, bei Empfängen, bei Verbänden, Stiftungen und Firmen. Sie haben zu allen drängenden Fragen eine dezidierte Meinung, kommen aber aufgrund ihrer vielen Verpflichtungen nicht dazu, selbst etwas zu schreiben.

Chefredakteure von Lokalzeitungen (Auflage ca. 30 000) verdienten 1991 ungefähr £ 25–30 000 brutto im Jahr, also rund 80 000 Mark. Genauere Angaben sind nicht zu bekommen, aber es ist davon auszugehen, daß das Gehalt um so höher ist, je höher die Auflage ist. Die bei weitem höchsten Gehälter werden bei den nationalen Zeitungen in London bezahlt. Die Bruttojahresverdienste einiger Chefredakteure aus dem Jahr 1992 sind bekannt: In jenem Jahr zahlte die *Daily Mail* £ 350 000, der *London Evening Standard* £ 300 000 und die *Mail on Sunday* £ 160 000 Bruttojahresgehalt. Bei den auflageschwächeren Qualitätszeitungen wird weniger bezahlt als bei Boulevardzeitungen. Der Chefredakteur der *Times* bekam

[36] Vgl. Tunstall (1977, S. 293–321), Tunstall (1983, S. 186 ff.), Hodgson (1991, S. 65–80), Hetherington (1985, S. 22 ff., 116 ff.).

1992 rund £ 250 000 (575 000 Mark) und der des *Independent* £ 113 000 (260 000 Mark) im Jahr.[37]

Der Ombudsmann

Der Begriff ist vom schwedischen Wort „ombud“ abgeleitet und bedeutet Anwalt, Bevollmächtigter. In Schweden vertritt der Ombudsmann die Rechte der Bürger gegenüber amtlichen und offiziellen Institutionen. In den USA setzt er sich für die Interessen der Leser ein. Er dient dort als Ersatz für den 1983 aufgelösten Presserat, dem die Zeitungen Autorität und finanzielle Unterstützung versagten. Der Ombudsmann nimmt Fragen und Beschwerden der Leser entgegen, diskutiert sie mit den entsprechenden Journalisten, benachrichtigt den Beschwerdeführer über das Ergebnis seiner internen Recherche und wirkt gegebenenfalls auf eine Richtigstellung hin. In bestimmten Abständen veröffentlicht er in der eigenen Zeitung einen kritischen Bericht über die behandelten Vorfälle.

Wie in den USA sind Ombudsleute auch in Großbritannien erst mit der Auflösung des Presserats eingeführt worden (1989). Der britische *Press Council* mußte aus denselben Gründen aufgeben, wie der amerikanische *National News Council* sechs Jahre zuvor: Wirkungslosigkeit aufgrund mangelnden Rückhalts in der eigenen Branche. Um zu verhindern, daß der Gesetzgeber den Ruf nach effizienterer Medienkontrolle durch rechtliche Maßnahmen beantwortet, entschieden sich die britischen Chefredakteure der nationalen Zeitungen in einer Art Blitzaktion zur Einführung von Ombudsmännern.[38]

Bei regionalen Zeitungen übernimmt in der Regel ein leitender Journalist diese Funktion. Bei der *Birmingham Evening Mail* ist es der Associate Editor, der von fünf bis sechs ernsthaften Leserbeschwerden („serious complaints“) pro Jahr spricht. Der Chefredakteur nennt auf Nachfrage die vierfache Anzahl: durchschnittlich zwei pro Monat. Häufig eine wegen des Verhaltens eines „reporter“ (der sich z. B. als Polizist oder Sozialarbeiter ausgegeben haben soll) und eine wegen der Darstellung eines Sachverhaltes in einem Arti-

[37] Nicht berücksichtigt sind hierbei die obligatorischen Aktienpakete, Spesen, Dienstwagen, etc. Die Gehaltsangaben der nationalen Zeitungen beruhen auf *The Sunday Times* vom 12. 7. 1992, S. 11. Gehaltsangaben bei Regionalzeitungen nach „Pay Survey“ in *UK Press Gazette* vom 5. 8. 1991, S. 14–15. Bei der Umrechnung der Gehälter von 1992 ist zu bedenken, daß das britische Pfund im September 1992 von £ 1 = 2,90 DM auf £ 1 = 2,30 DM abgewertet wurde.

[38] Siehe Kapitel 5.8.2. Vgl. hierzu auch „Ombudsmen: Protect and Survive“ in *UK Press Gazette* vom 23. 4. 1990, S. 10 f. sowie „Imagepflege“ in *Journalist*, Heft 5/1991, S. 55 f.

kel. Ob diese Zahlenangeben stimmen, ließ sich nicht überprüfen. Beim *Wolverhampton Express & Star* übernimmt der Chefredakteur die Ombud-Funktion. Sein Blatt erhält nach eigenen Angaben 12 Beschwerden pro Monat. Beklagt würden Unkorrektheiten, Unfairness, Einmischungen in die Privatssphäre, Geschmacksverletzungen und vor allem Berichte über Gerichtsverfahren. Eine Beschwerde über die Vermischung von Nachricht und Meinung hätte es noch nicht gegeben. Bei allen Beschwerden, so der Ombudsmann der *Birmingham Evening Mail*, spreche er immer zuerst mit dem „reporter", um sich dessen Sichtweise schildern zu lassen. Gewinne er den Eindruck, daß die Beschwerde ungerechtfertigt ist und der „reporter" rechtmäßig gehandelt hat, schreibe er dies auch deutlich in seinem Antwortbrief an den Leser – freundlich, aber bestimmt. Er sei immer um eine einvernehmliche Lösung bemüht.

10.3 Vergleich mit Deutschland: Unterschiedlich zugeschnittene Berufsbilder

10.3.1 Das ganzheitliche deutsche Prinzip

Der erste grundlegende Strukturunterschied zwischen britischer und deutscher Redaktionsorganisation liegt im Grad der Arbeitsteilung. Für Weischenberg & Herrig (1985, S. 25) sind die „gering ausgeprägten Formen der Arbeitsteilung in den Tageszeitungsredaktionen" ein Charakteristikum der deutschen Presse. „Formen der Arbeitsteilung waren in deutschen Medienbetrieben im Vergleich zu den Verhältnissen in den USA lange Zeit nur schwach ausgeprägt. In vielen Redaktionen werden die Arbeitsschritte ‚Recherche', ‚Schreiben' und ‚Redigieren' bis heute als Einheit von jeweils einem Journalisten ausgeführt. Bei kleinen bis mittleren Tageszeitungen macht insbesondere in den Lokalredaktionen im Zweifelsfall jeder alles; eine formalisierte Rollendifferenzierung auf funktionaler Ebene ist hier die Ausnahme" (Weischenberg 1992a, S. 287). In den gängigen Handbüchern *ABC des Journalismus, Praktischer Journalismus, Journalismus für die Praxis* oder *Einführung in den praktischen Journalismus*[39] kommt der Begriff „Spezialisierung" nur in Zusammenhang mit Ressortaufteilungen und Wissenschaftsjournalismus vor. Der Begriff „Arbeitsteilung" wird nur zur Trennung von Redaktion und Produktion (Druckvor-

[39] Pürer (1991), Mast (1991, 1994), Projektteam Lokaljournalisten (1981), LaRoche (1991).

stufe) verwendet.[40] Für die redaktionelle Arbeitsorganisation wird immer noch der Generalist gepriesen: „Umbruch sollte (…) von den Redaktionsmitgliedern reihum besorgt werden, damit niemand vergißt, wie Zeitung gemacht wird".[41] Über kleinere Redaktionen heißt es: „Im Extremfall muß jeder alles können: Layout entwerfen, Lokalspitze verfassen, fotographieren und womöglich auch die Dunkelkammer betreuen" (Mast 1991, S. 286). Wie die Darstellung der Pressemärkte in Kapitel 4 zeigte, gibt es in Deutschland viel mehr Regionalzeitungen mit kleinen Außenredaktionen. Diese vielen Kleinredaktionen waren für die Etablierung des Ganzheitlichkeitsprinzips in Deutschland zusätzlich förderlich.

Mit der Einführung computergesteuerter Satz- und Redaktionssysteme hatte Weischenberg ursprünglich erwartet, daß eine Angleichung an die arbeitsteilige angelsächsische Praxis stattfinden würde (vgl. Weischenberg 1982, S. 155 f.). Dies hat sich bisher kaum bestätigt. Die journalistische Arbeitsorganisation hat sich Ansicht deutscher Medienexperten überraschend wenig verändert: „Die bestehende Arbeitsteilung in den Redaktionen hat sich offenbar so weit bewährt, daß eine generelle Auflösung dieser Strukturen auch langfristig eher unwahrscheinlich ist", fassen Weischenberg, Altmeppen & Löffelholz (1994, S. 156) die Ansichten zusammen. Die 53 Experten – hauptsächlich Chefredakteure großer Print- und Rundfunkunternehmen sowie Leiter von Ausbildungsstätten – erwarten zwar eine zunehmende Arbeitsteilung, meinen damit jedoch weniger eine Aufspaltung klassischer Tätigkeitsprofile (z. B. des Redakteurs), sondern eher die Entstehung neuer Tätigkeitsprofile, die es vor Einführung der neuen Technik noch gar nicht gab (z. B. Datenbank- und EB-Journalisten[42]). Für das Tätigkeitsprofil des klassischen Redakteurs wird dagegen eine größere Ganzheitlichkeit, d. h. eine Ausweitung erwartet. Er wird mehr technische Aufgaben übernehmen, die es ihm allerdings auch erlauben, einzelne Themen umfassender und individueller zu bearbeiten – von der Recherche bis zur endgültigen Präsentation (vgl. Weischenberg, Altmeppen & Löffelholz 1994, S. 158 f.).

Verschiedene Einzelfallstudien in Zeitungsredaktionen (teilnehmende Beobachtungen) bestätigten diese Befunde. In ihrer Lang-

[40] Diese Trennung wird allerdings durch die Einführung des computergesteuerten Ganzseitenumbruchs zunehmend aufgehoben; vgl. Weischenberg (1995a, S. 28–42).

[41] Projektteam Lokaljournalisten (1981, S. 173). Dieses Prinzip gilt bei der *Rhein-Zeitung* heute noch; s. Kapitel 11.

[42] Bei der neuen Kameraaufnahmetechnik spricht man von Elektronischer Berichterstattung (EB).

zeitstudie *Der Redakteur am Bildschirm* untersuchte Claudia Mast (1984) die Auswirkungen der neuen Computertechnik auf die Arbeitsabläufe bei einer großen bayrischen Regionalzeitung, die sie zwischen 1981 und 1983 beobachtete. Sie kam zu dem Schluß: „Die Verantwortung und die Einflußmöglichkeiten der Journalisten wachsen. … Die ‚Neue Technik' bietet dem Redakteur mehr Autonomie und Verantwortung an." Eine Annäherung an das angelsächsische Prinzip redaktioneller Arbeitsteilung wies sie explizit zurück: „Die Untersuchung widerlegt die These, der Journalismus sei auf dem Weg zu einer rasanten Arbeitsteilung". Der Redakteursberuf „entwickelt sich nicht in Richtung einer zunehmenden ‚Taylorisierung', sondern eher hin zu einer Rückführung der Arbeitsteilung". Daher müsse eher von „Job-Enlargement" als von Arbeitsteilung gesprochen werden (Mast 1984, S. 197). Der Begriff „Taylorisierung" geht zurück auf Frederick Winslow Taylor, der in seinem Werk *Die Grundsätze der wissenschaftlichen Betriebsführung* (1977, erstmals 1911) das Paradigma der Arbeitsteilung erstmals analysierte.

Auch Ulrich Hienzsch (1990), der sich mehrere Monate bei einer großen westfälischen Regionalzeitung aufhielt, kam zu dem Ergebnis, daß die Einführung der neuen Technik das Tätigkeitsprofil des Redakteurs erweitert – also das bereits breite Tätigkeitsspektrum noch vergrößert. Er bewertete dies negativ, da der Journalist aufgrund der Mehrbelastung seiner „Sockelreserven" (und damit seiner Kreativität) beraubt würde. Hienzsch forderte „keine weitere Spezialisierung", statt dessen „ganzheitlicher Bezug des Redaktionsangehörigen auf möglichst viele Arbeitsschritte", sonst geriete „Journalismus zur Restgröße" (Hienzsch 1990, S. 22, 296). Auch Weischenberg, Altmeppen & Löffelholz (1994, S. 159) wiesen auf die Gefahr hin, daß die Übernahme zusätzlicher Tätigkeiten durch den einzelnen Redakteur „zu Lasten der zentralen journalistischen Tätigkeiten Selektieren, Redigieren und Recherchieren" gehen könne.

Diesen pessimistischen Prognosen widersprach Thomas Steg. Er untersuchte zwischen Mai 1989 und Juni 1990 die Redaktionen von drei norddeutschen Zeitungen und kam zu dem Ergebnis, daß die Verlage bei der Einführung neuer Redaktionssysteme sehr darauf achteten, die traditionellen Arbeitsabläufe so wenig wie möglich zu verändern: „Bei der Technikimplemation haben die untersuchten Zeitungsverlage darauf geachtet, abrupte Veränderungen in den Arbeitsprozessen zu vermeiden. Bisher hat denn auch die Technikeinführung die redaktionellen Arbeitsorganisation *bestenfalls marginal* erfaßt" (Steg 1992, S. 297). Auch Mast (1984, S. 92) hatte die Erfahrung gemacht, daß die Redaktionssysteme auf die vorhandenen Arbeitsstrukturen und Arbeitsbedingungen abgestimmt würden. Dieselbe Einschätzung vertritt das auf Zeitungs- und Redaktionstechnik spezialisierte IFRA-Institut in Darmstadt: „Erstaunlicherweise haben all diese Veränderungen die Redaktion im herkömmlichen Sinne wenig berührt. Die Computer haben zwar Schreibmaschine, Rohrpost und Botendienste weitgehend überflüssig gemacht, doch wurden sie in der Regel an die bestehenden Arbeitsabläufe angepaßt.“[43]

Steg beklagt, daß einige Autoren die Dequalifizierungs- und Schreckensszenarien der technikskeptischen IG Druck und Papier (IG Medien) allzu bereitwillig als gesicherte Diagnosen übernommen hätten. Sie seien jedoch empirisch nicht haltbar (Steg 1992, S. 2f., 22f., 28f., 295ff.). Als Beispiel nennt er die Anfang der achtziger Jahre vielvertretene These, daß es durch die Einführung rechnergesteuerter Redaktionssysteme zu einer „Taylorisierung“ des Journalismus in Deutschland käme, d.h. zu einer Zerlegung der redaktionellen Produktion in weitgehend automatisierbare Teilbereiche mit austauschbaren Rollenträgern, zu einer Dequalifizierung von Redakteuren und ihrer Degradierung zu bloßen Informationstransporteuren.[44] Hier seien laut Steg in oberflächlicher Manier Begriffe und Theorieversatzstücke aus der industriellen Produktion auf redaktionelle Arbeitsabläufe übertragen worden. Diese Analogien hält er für vorschnell und unangemessen. Sie verstellten nur den Blick auf den Kern des Problems (ebd., S. 28f.).

Um Mißverständnisse bei dem Gebrauch des Begriffes „innerredaktionelle Arbeitsteilung“ zu vermeiden, sei folgendes klargestellt: In Deutschland wird unter „innerredaktionelle Arbeitsteilung“ in erster Linie die Aufteilung der Redaktion in verschiedene thematische Ressorts wie Innenpolitik, Außenpolitik, Wirtschaft, Wissenschaft, Kultur, Sport etc. verstanden. Das ist jedoch nicht gemeint. Die Ressortbildung hat sich in der deutschen Presse im Laufe des 19. Jahrhunderts genauso durchgesetzt und entwickelt wie in allen anderen Ländern. Auch Ansätze zu einer Differenzierung der innerredaktionellen Arbeitsrollen hat es gegeben.[45] Dies hat aber nie zu einer einheitlichen, systematisch formalisierten Organisationsstruktur und einer Parzellierung der Arbeitsabläufe geführt, in

[43] So IFRA-Mitarbeiter von Prümmer in *Zeitungstechnik*, Heft Mai 1995, S. 13–16, hier S. 13 („Redaktionelle Organisation für die Medienvielfalt“).

[44] Hier referiert Steg Einschätzungen von Weischenberg (1981, S. 154) und Weischenberg (1982, S. 160f.).

[45] Dazu unten mehr. Vgl. auch Groth (1928), Blöbaum (1994) und Jonscher (1995).

der verschiedene journalistische Aufgaben auf verschiedene Abteilungen aufgeteilt werden, die nur an genau definierten Schnittstellen miteinander zu tun haben.

Viele der beschriebenen britischen Tätigkeitsprofile gibt es ähnlich auch im deutschen Journalismus. Kaum unterscheiden sich beispielsweise die Profile von deutschem Chefredakteur und britischem „Editor“, deutschem Nachrichtenressortleiter und britischem „News editor“, deutschem Sport-Ressortleiter und britischem „Sports editor“ oder Wirtschaft-Ressortleiter und „Business editor“. Der „Production editor“ entspricht in etwa dem technischem Schlußredakteur. Andere Tätigkeitsprofile dagegen haben sich im deutschen Journalismus nicht etabliert, zumindest nicht als eigenständige Berufsbilder. Dazu gehören beispielsweise Ombudsleute, „copy taster“, „leader writers“ und „columnists“. In der britischen Presse ist der Leitartikler für die konsistente, politische Linie der Zeitung und die Kolumnisten für mediuminterne Meinungsvielfalt und Leserprovokation zuständig. Gerade das Spielerische der Meinungen, wie es sich im Kolumnisten-Prinzip äußert, fehlt dem deutschen Journalismus. Zudem widerspricht es hiesiger Zeitungspraxis, das Kommentieren nur professionellen Kommentatoren („leader writers“) zu überlassen. Üblicherweise kommentieren in deutschen Zeitungen neben dem Chefredakteur auch leitende Redakteure, Korrespondenten und normale Redakteure. Bei vielen Zeitungen – wie der *Koblenzer Rhein-Zeitung* – dürfen auch die Volontäre kommentieren. Bevor diese Länderunterschiede in den Folgekapiteln 11 und 12 ausführlich analysiert werden, bedürfen die Berufsbilder des deutschen Redakteurs und des deutschen Reporters näherer Erörterung. An ihnen lassen sich die Abweichungen zum angelsächsischen Journalismus am anschaulichsten verdeutlichen.

10.3.2 Der deutsche Redakteur

Das Ganzheitlichkeitsprinzip im deutschen Journalismus zeigt sich am klarsten im Tätigkeitsprofil des Redakteurs. Dies gilt für kleine Lokalredaktionen und große Zentralredaktionen gleichermaßen. Über die Aufgabenvielfalt der Redakteure in der Nachrichtenredaktion der *Frankfurter Rundschau* heißt es beispielsweise: „Sie redigieren nicht nur die Berichte von Korrespondenten und Agenturen; sie schreiben eigene Artikel. Von Berufs wegen ‚Generalisten‘ (…) sind sie zugleich auf einigen Feldern ‚Spezialisten‘ mit besonderer Sachkenntnis. Alle beackern sie jeweils mehrere Spezialgebiete: Regionen und Themen, mit denen sie sich enger befassen –

Entwicklungen recherchieren, Kontakte halten, Extra-Informationen und Fachzeitschriften auswerten, Pressekonferenzen und Tagungen besuchen, berichten und kommentieren."[46] Jeder Redakteur schreibt und redigiert, berichtet und kommentiert, recherchiert draußen und drinnen – besser läßt sich das Allroundprinzip kaum darstellen. Für die Nachrichtenredaktion der *Koblenzer Rhein-Zeitung* gilt dasselbe. Die Redakteure der Ressorts Politik, Wirtschaft, Rheinland-Pfalz und Panorama/Vermischtes machen eigenverantwortlich komplette Seiten, sie kümmern sich um alles: Sie schreiben und redigieren, kommentieren und produzieren.

Das Profil des Redakteurs ist Ergebnis einer langen zeitungsgeschichtlichen Entwicklung (Jonscher 1995, S. 277 f.). Bis Ende des 19. Jahrhunderts bestand seine Haupttätigkeit darin, Nachrichten aus anderen Zeitungen und Korrespondenzen zu kopieren, ohne Erkundigungen über deren Wahrheitsgehalt einzuholen. In dem Maße, wie lokale Informationen zum Thema der Berichterstattung wurden, wuchsen die Ansprüche der Leser an die Zuverlässigkeit der Nachrichten. Denn nun konnten die Leser mittels eigener Erfahrung Zeitungsberichte auf Richtigkeit überprüfen. Die Presse mußte daher Möglichkeiten finden, auf zuverlässigem Wege Informationen einzuholen. Viele Zeitungen gingen deshalb dazu über, freie Mitarbeiter als Rechercheure zu beauftragen. Für eine gewisse Phase gab es Anfang des 20. Jahrhunderts auch in Deutschland den Reporter, allerdings nicht als festangestelltes Redaktionsmitglied. Durch nachrichtentechnische Innovationen und die Verbreitung des Telefons wurden die externen Rechercheure wieder überflüssig und die Redakteure selbst übernahmen die Informationsbeschaffung. Berufsbild und Selbstverständnis des Redakteurs, so Jonscher, vollzogen einen Wandel in Richtung Ganzheitlichkeit: „In den Vordergrund schob sich das Bild vom schreibenden und emsig recherchierenden Lokaljournalisten, der mehr nebenbei die anfallenden redaktionellen Aufgaben – das Bearbeiten und Präsentieren fremder Texte – erledigte" (ebd., S. 278). Bis in die siebziger Jahre, so Jonscher, habe der Schwerpunkt „eindeutig beim Schreiben" gelegen (ebd., S. 353). Mittlerweile habe sich das Berufsbild des Redakteurs, nicht zuletzt durch den Einfluß der neuen Technik, jedoch erneut gewandelt. Die wichtigste Aufgabe bestehe heute im Sammeln, Sichten, Ordnen, Auswählen und Bearbeiten des Wort- und Bildmaterials, an zweiter Stelle folge die eigene Berichterstattung

[46] So Werner Neumann in der Sonderbeilage *50 Jahre Frankfurter Rundschau* vom 29.7.1995 (Beitrag „... und täglich kocht die Nachrichtenküche"), in der sich die FR-Redaktion mit ihren Arbeitsweisen vorstellte.

und an dritter schließlich die technische Gestaltung des redaktionellen Produkts (Layout, Umbruch) (ebd., S. 316). Daß diese Tätigkeitsüberlappung eine deutsche Besonderheit ist, zeigen die Kapitel 11 und 12.

10.3.3 Der deutsche Reporter

Die Blütephase des „deutschen Reporters" lag, wie erwähnt, Anfang des 20. Jahrhunderts. In heutigen Büchern über die journalistische Praxis kommt er dagegen nicht mehr vor. In den Lehrbüchern von Pürer (1991), LaRoche (1991), Mast (1991), Mast (1994), Projektteam Lokaljournalismus (1981), Weischenberg (1988) und Haller (1983) erscheint er weder im Inhaltsverzeichnis, noch im Stichwortregister. Die Suche nach einem Porträt des Reporters bleibt auch dann erfolglos, wenn man die Kapitel zu Reporter-typischen Tätigkeiten liest. Hin und wieder wird aus Gründen der sprachlichen Variation das Wort Reporter gebraucht, es dominieren jedoch die Bezeichnungen Journalist und Redakteur. Durch das Allround-Tätigkeitsprofil des Redakteurs hat sich in Deutschland der angelsächsische „reporter" nicht als eigenständiges Berufsbild etablieren können. Das soll nicht heißen, daß es keine Reporter in Deutschland gibt. Es gibt sie sowohl bei lokalen, als auch bei überregionalen Blättern, nur sind sie nicht mit angelsächsischen „reporters" zu vergleichen, wie sich leicht zeigen läßt.

In der deutschen Lokalpresse entsprechen die „freien Mitarbeiter" am ehesten den britischen „reporters". Jonscher (1995, S. 315) schreibt: „Lokalreporter sind meist freie (nicht angestellte) Journalisten, beziehungsweise Mitarbeiter, die für ihre gelieferten Beiträge Honorare erhalten." Otto Groth ordnete den deutschen Reporter schon 1928 nicht der Redaktion zu, sondern der Gruppe der freien Mitarbeiter, die „außerhalb des Redaktionsverbandes" stehen (Groth 1928, S. 417). Sie bekämen nur Zeilengeld. Groth schrieb über den Reporter weiter: „im allgemeinen ist er in Deutschland wenig geschätzt" und nimmt „die unterste Stufe unter den ständigen Mitarbeitern" ein (ebd., S. 418). Während der „reporter" im angelsächsischen Raum nicht selten Gegenstand verklärender Idealisierungen ist, zeichnete Groth ein grundlegend anderes, wenig schmeichelhaftes Bild vom deutschen Reporter: „Seine geringe Bewertung bei der Presse selbst, sein meist schwankendes und unsicheres Einkommen, die Zurücksetzungen, Abweisungen, ja Demütigungen, denen er bei der Ausübung seines Berufes häufig begegnet, bringen es mit sich, daß dieser Tätigkeit sich nicht selten Leute widmen, die zu regelmäßiger Arbeit nicht geneigt, die wenig gebildet und gesellschaftlich geschult, manchmal entgleist und nicht von einwandfreier Vergangenheit, leichtsinning und unzuverlässig, ja käuflich und gewissenlos sind" (ebd.).

Noch heute trifft das Tätigkeitsbild des freien Mitarbeiters am ehesten auf das des britischen „reporter" zu. Beide bekommen mehr oder minder feste Vorgaben, worüber sie schreiben sollen und wieviel, haben jedoch auf Kürzungen und Überarbeitungen keinen Einfluß. Sie können in der Regel weder das Erscheinungsdatum, noch den Zusammenhang und die Aufmachung im Blatt beeinflussen. Der gravierende Unterschied liegt im Status. Die angelsächsischen „reporters" sind grundsätzlich festangestellt. In Deutschland galten dagegen die „draußen" als Reporter arbeitenden freien Mitarbeiter immer nur als Zeilenschinder und wurden nie zu einem eigenständigen Berufsziel. Der „drinnen" arbeitende Schreibtisch-Redakteur genoß dagegen hohen Status. Um eine Redakteursstelle zu bekommen, eignete sich die Reportertätigkeit in Deutschland – anders als in England oder Amerika – jedoch kaum. Unter den von Requate untersuchten deutschen Redakteuren des 19. und frühen 20. Jahrhunderts fand er „so gut wie niemand, der zuvor als Reporter im engeren Sinne gearbeitet hatte" (Requate 1995, S. 155). Redakteure wurden damals, so Requate, vor allem Akademiker. Heute noch sind es vor allem die freien Mitarbeiter, die im deutschen Journalismus für die Materialbeschaffung zuständig sind. Aktuelle Journalistenbefragungen bestätigen eindeutig, daß von den Freien die höchste Rechercheleistung ausgeht.[47] Daraus erklärt sich auch die allgemeine Geringschätzung der Recherche unter Deutschlands Redakteuren und der nur schwach entwickelte Investigativjournalismus (s. Kapitel 3.2).

Wir haben es mit folgendem Paradoxon zu tun: Während es bei deutschen *Lokalzeitungen* Mitarbeiter gibt, die wie englische „reporters" arbeiten, aber nicht so heißen, gibt es bei *großen Zeitungen* Journalisten, die „Reporter" heißen, aber nicht so arbeiten. Die überregionalen deutschen Zeitungen bezeichnen einige Redaktionsmitglieder gerne als „Reporter". Hier werden die Unterschiede zum britischen Journalismus jedoch noch deutlicher. Während der angelsächsische „reporter" Chronist, also Berichterstatter ist, ist er nach deutschem Begriffsverständnis eher Meinungsträger. Ein Reporter schreibt nach deutschem Verständnis Reportagen.[48] Reportagen waren für das deutsche Reportervorbild Egon Erwin Kisch

[47] Vgl. Weischenberg, Löffelholz & Scholl (1994a, S. 158) und Scholl (1997a, S. 137).

[48] So teilte beispielsweise der *Spiegel* im April 1964 den Lesern mit, daß das Ma-

vor allem „Kunstform und Kampfform". Einerseits sei die Reportage, so Kisch (1935), „eine besondere Kunstform der Literatur", andererseits lasse sich der Reporter von seinem „sozialen Bewußtsein" leiten, das ihm den Weg zu den relevanten Tatsachen weise. Der gute Reporter habe ein „Schriftsteller der Wahrheit" zu sein, der durch die „Wahl von Farbe und Perspektive" seine Reportage zu einem „anklägerische[n] Kunstwerk" mache. Zum sozialen Bewußtsein müsse allerdings auch der auf Wahrheit gerichtete Realismus in Gestalt einer revolutionären Tatsächlichkeit treten. Kisch nahm später von der „Kampfform" der Reportage Abschied und rückte das Romanhafte mehr in den Mittelpunkt seiner Arbeit.[49]

Wie aktuell diese Gedanken Kischs im deutschen Journalismus noch heute sind, verdeutlicht Hermann Schreiber, *Spiegel*- und *Geo*-Redakteur sowie Jury-Mitglied des vom *Stern* vergebenen Egon Erwin Kisch-Preises. Von erfolgreichen Kandidaten erwartet Schreiber (1987, S. 250), „daß der Reporter einen allgemein bekannten Gegenstand der Darstellung durch seine *persönliche Betrachtungsweise* oder durch die Aufdeckung überraschender Zusammenhänge ganz neue Seiten abgewinnt [und daß er] seinen Stoff zur Geschichte formt, also erzählbar macht. (…) Keinesfalls genügt eine Chronik der laufenden Ereignisse". Folgerichtig kommt auch Michael Haller in seinem Buch *Reportage* zu dem Ergebnis, daß sich die Bedeutung von Reporter und Reportage im deutschen und angelsächsischen Verständnis unterscheidet: „Im Unterschied zum Wortgebrauch im angloamerikanischen Journalismus ist sie [die Reportage] in unserem Sprachraum deshalb *keine* objektivierte Darstellungsform im Sinne des nachrichtlichen Berichts, sondern durch die Findigkeit und die *subjektive Sicht des Reporters* bestimmt: Sein Zugang zum Thema, der von ihm gefundene besondere Aspekt und seine authentischen Erlebnisse sind ausschlaggebend" (Haller 1987, S. 95 f.).

Dies ist der Hintergrund, vor dem sich das Selbstverständnis der „Reporter" großer deutscher Zeitungen entwickelt hat. Thomas Grether befragte im Sommer 1989 insgesamt 22 Journalisten von *Süddeutscher Zeitung, Frankfurter Rundschau, Welt, Geo, Stern, Spiegel* und *Zeit*, die im Impressum als „Reporter" ausgewiesen wurden. Ihr Durchschnittsalter lag bei 50 Jahren, sie waren erst nach langjähriger Berufserfahrung zu Reportern ernannt worden und fühlten sich als „privilegierte Autoren" und „schreiberische

gazin vier „Reporter" eingestellt habe, um den Anteil der „Reportagen" im Heft zu erhöhen (Heft 18/1964, S. 3).

[49] Vgl. Kisch (1935) und Haller (1987, S. 45 f.).

Elite", allenfalls vergleichbar mit Auslandskorrespondenten (vgl. Grether 1989; Böckelmann 1993, S. 211 f.). Ganz anders als in Großbritannien handelt es sich um privilegierte Star-Journalisten, die nicht für Nachrichten, sondern für große Reportagen zuständig sind. So gehören die beiden „Reporter" der *Frankfurter Rundschau* zu dem erlauchten neunköpfigen Kreis, der jeden Morgen im Zimmer des Chefredakteurs das Blatt für den nächsten Tag plant – wenn sie nicht gerade im Flugzeug sitzen: „Wo etwas geschieht, sind sie zur Stelle, heute in Halifax, morgen in München." Von ihnen werden „persönliche gefärbte" Reportagen und „deutende, wertende Features" erwartet. Außerdem schreiben sie Kommentare für die Leitartikelspalte, die mit ihrem Namen oder Kürzel versehen werden.[50] Solche Einsatzreporter hat jede größere britische Zeitung in ihrem „reporter"-Pool; *The Times* hat fünf dieser „firemen". Sie schreiben jedoch niemals Kommentare.

Das einzige überregionale deutsche Blatt, bei den das Tätigkeitsprofil ihrer Reporter am ehesten mit dem angelsächsischer „reporters" übereinstimmt, ist die *Bild*-Zeitung. Allerdings weist *Bild* auch insgesamt eine andere redaktionelle Struktur auf als in der deutschen Tagespresse üblich (s. Kapitel 12.3.3). Bleiben noch die Nachrichtenagenturen, wo das neutrale, informationsorientierte Reporterhandwerk den größten Stellenwert einnimmt. Ein Blick zurück auf Tabelle 3 (S. 132) zeigt, daß es in Großbritannien doppelt soviele Agenturjournalisten gibt wie im gleichgroßen Westdeutschland.

Als Fazit ist festzuhalten: Der angelsächsische „reporter" hat sich im deutschen Zeitungsjournalismus nicht etabliert. Im Lokalen lassen sich am ehesten die freien Mitarbeiter mit den angelsächsischen „reporters" vergleichen. Traditionell genießen sie nur geringes Ansehen. Die deutschen Lokalredakteure sind Allround-Journalisten, die *unter anderem* auch Reporteraufgaben ausführen. Die unter der Bezeichnung „Reporter" arbeitenden Journalisten großer Zeitungsunternehmen sind in der Regel gutbezahlte Starjournalisten, von denen keine nüchterne Chronik der Ereignisse, sondern exklusive, subjektive Erlebnisschilderungen erwartet werden. Kurzum: Sie sind nicht für „news", sondern für „features" zuständig, die in Großbritannien von einer ganz anderen Abteilung geschrieben werden.

[50] So Karl Grobe in der Sonderbeilage *50 Jahre Frankfurter Rundschau* vom 29.7.1995 (Beitrag „Die sechs von der Drei"), in der sich die FR-Redaktion mit ihren Arbeitsweisen vorstellte.

11. Organisationsstruktur und Kompetenzverteilung in britischen und deutschen Redaktionen

11.1 Grundmuster britischer Zeitungsredaktionen

11.1.1 Unterteilung in Nachrichten- und meinungsbetonte Abteilungen

Das allgemeine Prinzip der Arbeitsteilung in britischen Redaktionen (s. Kapitel 10) läßt sich weiter differenzieren. Die detaillierte Analyse der Redaktionsstrukturen von *Birmingham Evening Mail* und *Wolverhampton Express & Star* legt verschiedene Grundmuster offen, die für alle britischen Zeitungsredaktionen charakteristisch sind.[1] Das erste Strukturmuster betrifft die Trennung der *Nachrichtenproduktion* von der Arbeit der *übrigen Ressorts.* Wichtig ist hier vor allem die auch räumliche Abgrenzung der Nachrichtenabteilung von den Kommentatoren (also „leader writer") und von den „feature writers" (also den Verfassern von interpretierenden Beiträgen, Hintergrundreportagen, Kritiken, Porträts). „Reporters" schreiben weder Kommentare, noch „features". Dafür sind andere Ressorts zuständig, die mit der Nachrichtenabteilung in keinem Kontakt stehen und mit der es auch keine personellen Überschneidungen gibt. Schaubild 12 stellt zur Veranschaulichung den Tischplan in der Redaktion der *Birmingham Evening Mail* dar. (Alle Angaben im folgenden auf dem Stand von 1992). In dieser Großraumredaktion werden alle drei Zeitungen des Verlags produziert. Wir konzentrieren uns ausschließlich auf die *Birmingham Evening Mail* und lassen die Tische der Schwesterblätter außer acht. Der Grundriß vermittelt bereits die Trennung zwischen „reporters" und den Verfassern meinungsbetonter Artikel, also „leader writer", „columnists", „feature writers".

Der „leader writer" hat sein Büro außerhalb der Nachrichtenredaktion und dementsprechend keinen Kontakt zu den Nachrichten-

[1] Zu den Parallelen der hier präsentierten Befunde siehe beispielsweise Tunstall (1971), Hetherington (1985) und Hodgson (1993). Zur amerikanischen Situation siehe Bonnenberg (1994) und Neumann (1997).

reportern. Kolumnisten sind entweder Gastautoren oder arbeiten von zuhause. Sie haben daher mit der Redaktion ebenfalls nichts zu tun und sind folglich im Schaubild nicht berücksichtigt. Sie werden vom „Feature editor“ betreut. Die „feature writers“ bilden ein separates Ressort und haben ebenfalls nichts mit den „reporters“ zu tun. Auch Business und Sports Desk bilden ein eigenes Ressort. Die Abgrenzung der Nachrichtenreporter von den Ressorts Features, Business und Sport ergibt sich aus den unterschiedlichen Gattungen. Darstellungsformen und Berichterstattungsstil unterscheiden sich: Während die „reporters“ ausschließlich nüchterne Nachrichtenmeldungen (gemäß den „fünf W“) verfassen, ist in den anderen drei Ressorts der Anteil interpretierend-kommentierender Beiträge viel höher.

11.1.2 Unterteilung in Nachrichtenbeschaffer und Nachrichtenverarbeiter

Die zweite, mindestens ebenso wichtige Unterscheidung ist die zwischen *Nachrichtenbeschaffern* und *Nachrichtenverarbeitern*. Auf der Seite der Nachrichtenbeschaffer stehen die „reporters“ („general reporters“, „specialists“, „special correspondents“). Auf der Seite der Nachrichtenverarbeiter stehen die „sub-editors“ („design sub-editors“, „copy sub-editors“, „revise sub-editor“, „stone sub-editor“). „Design sub-editors“ erledigen Layout und Umbruch, „copy sub-editors“ erledigen das Redigieren, „revise sub-editor“ und „stone sub-editor“ sind unter anderem für Kontrolle zuständig. Die Unterteilung zwischen „reporters“ und „sub-editors“ schlägt sich auch in der räumlichen Organisation der Zentralredaktion der *Birmingham Evening Mail* deutlich nieder. Sie stellt die wohl tiefste Kluft unter den Mitgliedern britischer Redaktionen dar. Die Hauptaufgabe der „reporters“ ist Faktenrecherche und Meldungschreiben, die Hauptaufgabe der „sub-editors“ ist Textkontrolle, Redigieren und Layout. Zwischen beiden Gruppen gibt es grundsätzlich keine personelle Überschneidung. Innerhalb der Redaktion sitzen beide Gruppen getrennt voneinander und haben kaum Kontakt. Nur die Ressortleiter stehen in ständigem Austausch.

Das Verhältnis zwischen „reporters“ und „sub-editors“ ist traditionell gespannt. Seit der „sub-editor“ um die Jahrhundertwende zum eigenständigen Berufsbild wurde, herrscht Rivalität zwischen beiden Gruppen: Die „reporters“ denken beim Schreiben ihrer Artikel in erster Linie an ihre Informanten, die „sub-editors“ an die Leser. Die „reporters“ konzentrieren sich auf die Fakten, die „sub-editors“ auf die Wirkung. Der „reporter“ mag Herz und Seele in

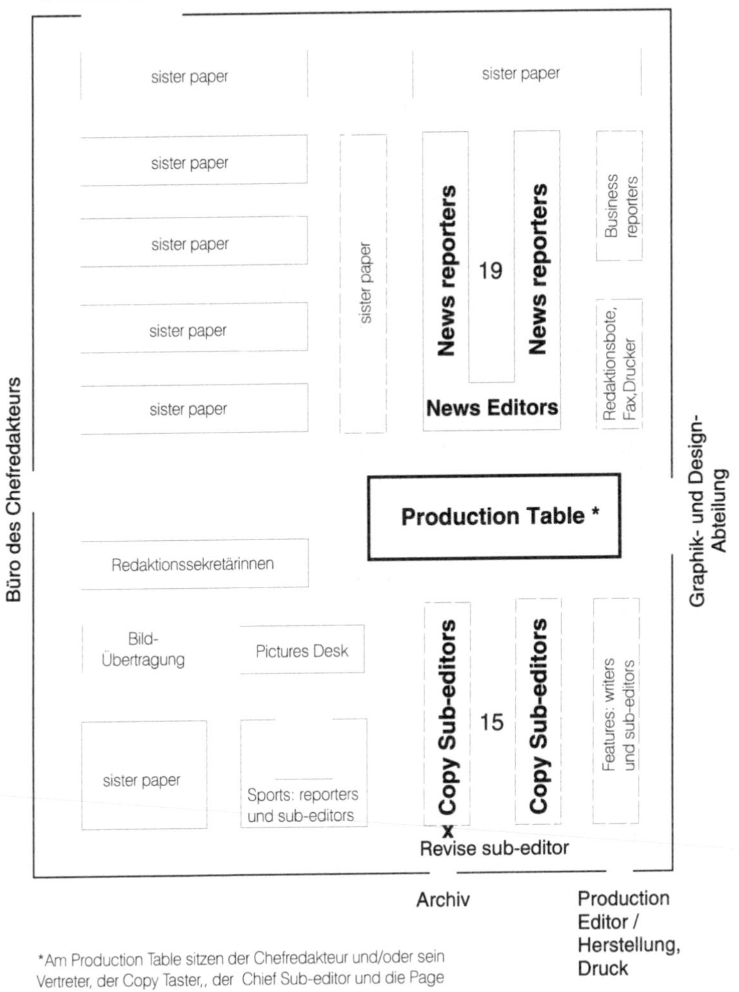

Schaubild 12: Der „newsroom“ der Birmingham Evening Mail

seinen Artikel einfließen lassen, der „sub-editor“ schreibt ihn um, wenn er ihm nicht klar genug ist. Der „reporter“ mag nach getaner Arbeit denken: So ist der Sachverhalt am besten beschrieben; der „sub-editor“ als unbeteiligte Instanz ist dazu da, genau das noch einmal zu überprüfen. Der „reporter“ sendet ein in seinen Augen fertiges Produkt, der „sub-editor“ betrachtet es als Rohmaterial.

Zeitungsbaron Lord Northcliffe sprach bereits um die Jahrhundertwende seinen „reporters“ aus der Seele, als er meinte: „Sub-editors at night destroy the individuality of the writer“ (zit. n. Wintour 1989, S. 16). Die gegenseitige Geringschätzung ist immer wieder in amüsanten Worten beschrieben worden, so zum Beispiel von Tunstall: In den Augen der „reporters“ seien „sub-editors“ sozial und sexuell frustierte Existenzen, die in ihren tristen Vorstadt-Reihenhäusern ein Leben wie in der Sackgasse führten. Sie seien neidisch auf die herumreisenden „reporters“ und würden sich an ihnen rächen, indem sie ihre Artikel ohne Grund und Sinn für Nachrichtenwert kürzten und umschrieben (so Tunstall 1971, S. 32). Befragt, ob das Verhältnis zwischen „reporters“ und „sub-editors“ bei der *Birmingham Evening Mail* auch so schlecht sei, antwortete der „Municipal reporter“: „The relationship can’t be bad because there is no relationship.“ Das Spannungsverhältnis zwischen „reporters“ und „editors“ findet sich auch im amerikanischen Redaktionen (vgl. Stepp 1989, S. 7, 15 u. 39).

11.1.3 Der „newsroom“

Alle national verbreitete Zeitungen Großbritanniens sind bereits bei ihrer Gründung als landesweite Großunternehmen konzipiert worden. Das Herzstück bildete der zentrale *„newsroom“* – die Großraumredaktion – mit ihrer redaktionellen Arbeitsteilung. Die dominierende Stellung der nationalen Londoner Zeitungen basiert nicht nur auf ihrer großen Leserschaft,[2] sondern auf ihrer Vorbildfunktion für die Lokalpresse. Die Mehrzahl der britischen Leser und die Mehrzahl der britischen Regionalzeitungen orientiert sich an ihnen. Die Regionalblätter übernehmen nicht nur häufig deren Berichterstattungs-, sondern auch deren Organisationskonzepte. So setzte sich der zentral organisierte „newsroom“ früh in der gesamten britischen Presse durch.

Die Entwicklung in Deutschland verlief anders. Hier wurde die Kleinredaktion zum prägenden Muster, ein zentralisierter „news-

[2] Die Gesamtauflage der 10 nationalen Tageszeitungen ist dreimal höher als die Gesamtauflage der 84 regionalen Tageszeitungen (s. Tabelle 4 S. 134).

room“ als festes Organisationscharakteristikum entstand nicht. Einige Zeitungen konnten zwar eine überregionale Verbreitung und dadurch nationale Bedeutung erlangen. Daß jedoch eine Tageszeitung gleich bei ihrer Gründung „generalstabsmäßig“ als landesweites Unternehmen konzipiert wurde, blieb die Ausnahme. Mit wachsender Größe der Regionalzeitungen ging die Gründung von Außenredaktionen einher, in denen die Journalisten – als Alleinredakteur oder in einer Kleinredaktion – ihre Seiten so weit wie möglich selbst fertigen. Mit dem Ganzseitenumbruch am Bildschirm ist dies immer weniger ein Problem. Während die Zahl der Vollredaktionen („publizistische Einheiten“) seit den fünfziger Jahren in Deutschland von 225 auf 135 im Jahr 1996 zurückging, hat sich die Zahl der Lokalredaktionen relativ konstant gehalten. In Deutschland gab es 1996 insgesamt 1600 Lokalzeitungsredaktionen. Damit hat jede deutsche Tageszeitung durchschnittlich zwölf Lokalredaktionen (hierzu auch Jonscher 1995, S. 261). Solche autark arbeitenden Außenbüros, die aufgrund ihrer geringen Größe zwangsläufig universalistisch arbeiten, sind in Großbritannien unüblich. Statt dessen gibt es den zentralen „newsroom“, in den die Außenreporter ihr Material hineinsenden. Früher geschah dies via Telefon zu den Erfasserinnen („copy takers“), heute geschieht dies via Modem direkt ins computergesteuerte Redaktionssystem. Die *Birmingham Evening Mail* hat 17 und der *Wolverhampton Express & Star* 56 „district reporters“, die ihre Meldungen als Rohtexte in die Zentrale schicken, wo sie dann einem festen Ablaufschema folgend weiterverarbeitet werden. Die Zeitungen werden dann zentral aus einem Guß in der Stammredaktion erstellt.

Die *Birmingham Evening Mail* produziert über den Tag verteilt 14 verschiedene Ausgaben, drei Hauptausgaben und elf Aktualisierungen.[3] Alle werden zentral im „newsroom“ gefertigt. Der *Wolverhampton Express & Star* erstellt über den Tag verteilt 12 verschiedene Ausgaben, fünf Hauptausgaben und sieben Aktualisierungen.[4] Auch hier werden alle zentral im „newsroom“ gefertigt. Abgesehen vom „leader writer“ gibt es keine „stillen Kämmerlein“ für Redaktionsmitglieder, alles findet im Großraumbüro statt. Man könnte den „newsroom“ als Spiegel für das Treiben der Zeitgeschichte bezeichnen.[5] Einerseits ermöglicht seine Offenheit die Ar-

[3] Drei Ausgaben werden um 10 Uhr gedruckt, drei um 12.30 Uhr, drei um 13.20 Uhr, drei um 14.30 Uhr und zwei um 16 Uhr.

[4] Hier wird um 11.25, 11.40, 13.05, 13.20, 13.30, 13.40, 14.05, 14.10, 15.00, 15.10, 15.35 und 15.50 Uhr gedruckt.

[5] Über den „newsroom“ der *Times* schrieb eine deutsche Beobachterin: „Redakteure und Reporter hocken in Hemdsärmeln vor ihrem Computer und häm-

beitsteilung in Einzelschritte, andererseits macht die Größe des zentralen „newsroom“ Arbeitsteilung sinnvoll. Für die Chefredaktion hat der „newsroom“ den unschätzbaren Vorteil, alles unter Kontrolle zu haben. Dies ist vor allem dem „Editor“ der *Birmingham Evening Mail* wichtig. Er ist ein „hands-on Editor“, der in den entscheidenen Stunden mit am „Production Table“ sitzt, an allen wichtigen Entscheidungen beteiligt ist, alle Artikel liest, Korrekturen macht, Anweisungen gibt. „Er will genau wissen, was in der Redaktion läuft“, meint ein „copy sub-editor“, „sogar jeden Klatsch und Tratsch“.[6]

11.1.4 Redaktionsstruktur von Qualitäts- und Boulevardzeitungen

Birmingham Evening Mail und *Wolverhampton Express & Star* kann man trotz vieler Gemeinsamkeiten zwei unterschiedlichen Zeitungstypen zuordnen. Der *Wolverhampton Express & Star* ist um informationsorientierenten, unaufgeregten Journalismus bemüht und möchte möglichst viele Nachrichten aus dem ländlichen Verbreitungsgebiet im Blatt haben. Die *Birmingham Evening Mail* sieht sich als Großstadtzeitung und möchte das pulsierende Leben der Metropole Birmingham wiederspiegeln. Sie ist um einen präsentationsorientierten, attraktiven, zupackenden Journalismus bemüht, der Mut zur Schwerpunktsetzung, aber auch zur Knappheit hat. Vereinfacht gesagt setzt der *Wolverhampton Express & Star* eher auf ein reaktives Qualitätszeitungskonzept und die *Birmingham Evening Mail* eher auf ein proaktives Boulevardzeitungskonzept. Beide Zeitungen wurden vom Branchenmagazin *UK Press Gazette* mehrfach ausgezeichnet. Wichtig zum richtigen Verständnis ist, daß sich die Qualität der journalistischen Texte kaum unterscheidet, wohl aber ihre Präsentation. Fotos, Layout, graphische Gestaltung, Farben und ästhetische Reize spielen in Birmingham eine größere Rolle. In Wolverhampton überwiegt der eher lieblose „Schaufelumbruch“, bei dem die Seiten manchmal wie mit Material

mern auf der Tastatur herum. Der Geräuschpegel im ‚newsroom‘ ist betäubend, der Ablauf wie bei allem Tageszeitungen: von 9 Uhr morgens bis die Story steht. (…) Keine Namen oder Titel an den Türen. Auch keine Schilder über den Tischen im ‚newsroom‘, die das Ressort anzeigen. Bis ich kapiere, wer hier wer ist und wo im weitläufigen ‚newsroom‘ welches Ressort untergebracht ist, ist meine Besuchszeit von zwei Tagen um.“ Vgl. Tatjana Dönhoffs Beitrag „The Times“ in *Max*, Heft Mai 1996, S. 152–159.

[6] Bei *The Times* ist auf halber Höhe des „newsroom“ eine Art Gallerie, auf der die Chefredaktion sitzt. Von dort oben läßt sich, wie von der Brücke eines Tankers, der gesamte „newsroom“ überblicken.

zugeworfen aussehen. Die überwiegende Mehrzahl der britischen Regionalzeitungen setzt auf das layout-orientierte Konzept der *Birmingham Evening Mail*.[7] Dieser Stil hat nichts mit unseriösem Journalismus zu tun, sondern steht in der Tradition des *New Journalism*, wie er zwischen 1880 und 1914 in Großbritannien entstand.

Exkurs: Erfolgsrezept der britischen Regionalpresse: „The campaigning newspaper“

Der Birminghamer Chefredakteur Dowell hat Respekt vor der hohen Auflage des *Wolverhampton Express & Star*, dennoch bezeichnet er die Innenseiten des Konkurrenzblattes als Bleiwüsten. Er selbst verfolgt dagegen das Konzept der „campaigning newspaper“. Dowell zieht damit auch Konsequenzen aus seiner Erfahrung, daß ein Chefredakteur vom Management in erster Linie am wirtschaftlichen Erfolg der Zeitung gemessen wird: „Wenn die Auflage sinkt, wird der Chefredakteur gefeuert“.[8] Daher laute sein Hauptziel, jedes Jahr mehr Zeitungen zu verkaufen als im Vorjahr. Um das zu erreichen, verfolgt Dowell eine andere Strategie als die Führungsspitze des *Wolverhampton Express & Star*. An die Stelle detaillierter Verleger-Vorgaben tritt bei der *Birmingham Evening Mail* die konsequente Umsetzung von Markt- und Leserschaftsanalysen. Eine umfangreiche Studie aus dem Jahr 1989 ergab, daß ein großer Teil der Leser aus den sozial benachteiligten, weniger hoch gebildeten Schichten Birminghams kommt, die politisch eher links (Labour) wählen.[9] Diese Untersuchung hatte weitreichende Veränderung zur Folge. Für den Leitartikler war es eine große Überraschung, als die Marktforschungsabteilung ihm sagte, er habe jahrelang ein falsches Leserbild gehabt. Er sagt: „Unsere Marktforschung erklärte mir, ich müsse meine Vorstellungen über unsere Leser ändern. Früher schrieben wir für die Mittelklasse, Facharbeiterschicht. In den vergangenen zwei, drei Jahren senkten wir unseren Anspruch und konzentrieren uns mehr auf die Arbeiterklasse, weil die Leserforschungsabteilung uns sagte, daß dort unser Markt liege.“[10] Aufgrund des neuen Leserbildes entschlossen sich Manage-

[7] Nach Einschätzung des Birminghamer Chefredakteurs Dowell sind 80 Prozent aller englischen Regionalzeitungen verwandt mit dem Stil der *Birmingham Evening Mail* und 20 Prozent mit dem Stil des *Wolverhampton Express & Star*.

[8] Dowell sagt: „If you lose circulation it's bad and Editors get sacked.“

[9] „*Evening Mail* Adult Average Issue Readership“, NRS July 1989 – June 1990, by CCN Mosaic Lifestyle.

[10] Leitartikler Freeman sagt: „Market Research told me I had to change my perception of our readers. We used to aiming at the middle class, skilled worker-type of reader. Over the last two or three years we went more down-market, focussing

ment und Chefredaktion, die *Birmingham Evening Mail* umzugestalten: ein lebendigeres Layout, mehr Unterhaltung und Human Interest-Stories, weniger Negativnachrichten – insgesamt mehr Bilder, weniger Text. Der Leitartikler hat nach eigenen Worten sogar die Kommentarlinie geändert. Früher hätte er eher „rechts" geschrieben, heute nicht mehr. Er sagt: „Vor fünf Jahren dachten viele, wir wären ein Tory-Organ, oder zumindest, daß wir die Philosophie der Conservative Party vertreten. Das machen wir nicht mehr."[11] Der derzeitige Labour-Stadtrat werde kritisiert, wenn Kritik angemessen ist, und gelobt, wenn Lob angemessen ist, so der Leitartikler.

Die *Birmingham Evening Mail* versteht sich als „campaigning newspaper". Es hat Kampagnen gestartet gegen die Schließung des „General Hospital" in der Innenstadt; für eine stärkere Bestrafung jugendlicher Gewalttäter, die Senioren überfallen haben; für die Installation von Feuermeldern in den Wohnblocks der ärmeren Stadtbezirke. Sie hat eine Organspende-Aktion ins Leben gerufen, die von der Londoner Regierung unterstützt wurde. Sie hat eine Informationsbroschüre über die Droge Crack entworfen, die die Regierung an alle Schulen Großbritanniens verteilen ließ. Diese Kampagnen will Chefredakteur Dowell als „Kreuzzüge" für die Interessen der Bürger verstanden wissen. Diese aktive Form der Berichterstattung – auch mit Sonderkommentaren des Chefredakteurs auf der Titelseite – grenzt Dowell ab von der passiven Art des *Wolverhampton Express & Star*. Er sagt: „Wir wollen diese Kampagnen. Wir wollen nicht einfach nur schreiben ‚Sie schließen alle Krankenhäuser in Birmingham'. Der *Wolverhampton Express & Star* würde sagen ‚Es ist unsere Aufgabe, so viele Nachrichten wie möglich ins Blatt zu bekommen'. Wir dagegen starteten eine Kampagen mit dem Motto ‚Sie dürfen nicht geschlossen werden!'. Wir haben den Kreuzzug angeführt. Ich bekomme stapelweise Post und Leser schreiben ‚Danke *Evening Mail*, daß ihr den Kampf zur Rettung unserer Krankenhäuser anführt'. Selbstverständlich haben wir die Pflicht, diese Stadt ein bißchen lebenswerter zu machen."[12] Wenn

more on the working class because Market Research told us that that is where our market is."

[11] Leitartikler Freeman sagt: „Five years ago many thought we were a Tory paper or at least we supported the Conservative philosophy. We no longer do it."

[12] Chefredakteur Dowell sagt: „We want to campaign. We don't just want to say ‚They are shutting all the hospitals in Birmingham.' The *Wolverhampton Express & Star* would say ‚That is our job to get the news in as far as we can'. We started a campaign to say: ‚They must not shut!' We have led the crusade. I get post this deep [zeigt Höhe des Stapels] from readers saying: ‚Thank you, *Evening Mail*, for

sich die Zeitung nicht bemühe, so Dowell weiter, einige der Probleme zu lösen, wie könne sie dann eine „Kraft in der Gemeinde" sein? Die Entscheidung über derartige Kampagnen fällt der Chefredakteur, in der Regel nach Absprache mit seinen führenden Redakteuren. Der Chefredakteur vom *Wolverhampton Express & Star* hält von solchen Kampagnen nicht viel und bezeichnete sie als aktionistische Maßnahmen, bei denen in der Regel nichts herauskomme.[13]

Organigramme

Die folgende Darstellung konzentriert sich auf die Redaktion und läßt die Verlags- und Unternehmungsleitung weitgehend unberücksichtigt.[14] Es sei jedoch betont, daß sowohl der der Chefredakteur der *Birmingham Evening Mail*, Ian Dowell, als Direktor mit im Unternehmensvorstand sitzt wie auch sein Kollege Parker vom *Wolverhampton Express & Star*. In Großbritannien ist es bei regionalen und nationalen Zeitungen zunehmend üblich, daß die Chefredakteure Mitglied des Unternehmensvorstandes sind. Es ist Ausdruck der engen Verzahnung redaktioneller und wirtschaftlicher Verantwortlichkeit des britischen Chefredakteurs.[15] Beide bezeichnen sich als vollkommen frei, genießen das volle Vertrauen ihres Managements und sind seit vielen Jahren im Amt (Parker seit 1977, Dowell seit 1987).

Beide Chefredakteure organisieren ihre Redaktion so, daß die Art von Zeitung herauskommt, die sie haben wollen. Ohne Zweifel nehmen beide Chefredakteure eine starke Stellung ein. Es hängt vom Typ der Zeitung ab, ob der „Editor" dem „News editor" oder

leading the fight to save our hospitals.' Surely, we have a duty to make the city a better place to live in."

[13] Vgl. zum Kampf dieser beiden Zeitungen und ihren unterschiedlichen Konzepten „Birmingham's Prize Fighters" in *Newspaper Focus*, Heft Februar 1991, S. 28–35; „Surving the downturn" in *UK Press Gazette* vom 30.9.1991, S. 16–17.

[14] Am Rande erwähnt sei, daß mit der Größe der Zeitungsorganisationen auch die Anzahl der Bezeichnungen und Positionen im Managementbereich wächst. Da diese Bezeichnungen bei jeder Zeitung oft etwas anderes bedeuten, sollen hier nur zwei kurz genannt werden, auf die im folgenden nicht mehr näher eingegangen wird. Der „Editor-in-Chief" (oder „Editorial Director") steht zwischen Verleger und Chefredakteur („Editor") und ist vor allem bei Zeitungsketten verantwortlich für die Koordination der einzelnen Blätter, die Zuweisung von Geldern, die Organisation übergreifender Projekte und Leistungen und hat auch Mitspracherecht bei der Ernennung neuer Chefredakteure. Der „Managing Editor" ist ein weniger präziser Titel, steht im Rang ebenfalls über dem „Editor", ist in der Regel mit übergeordneten administrativen Aufgaben betraut (vgl. Hodgson 1993, S. 67).

[15] Vgl. Tunstall (1983, S. 186–190), Tunstall (1977, S. 293–321), Tunstall (1971, S. 42 ff.), Morgan (1987, S. 24), Griffiths (1992, S. 684 f.).

dem „Chief sub-editor“ mehr Kompetenzen einräumt. Die Organigramme in Schaubild 13 und 14 zeigen, daß die *Birmingham Evening Mail* eine „sub-editor“-Zeitung ist und der *Wolverhampton Express & Star* eine „reporter“-Zeitung. In Birmingham war Chefredakteur Ian Dowell früher selbst „sub-editor“ und hat zwei „sub-editors“ zu seinen Stellvertreter gemacht.[16] In Wolverhampton ist Keith Parker ehemaliger „reporter“ und hat den „News editor“ zu seinem Stellvertreter gemacht.[17] Anhand der Organigramme einer Zeitungsredaktion läßt sich in Großbritannien erkennen, ob es sich eher um eine Zeitung im Qualitäts- oder Boulevardstil handelt. Der Boulevardstil überwiegt in der britischen Presse und darf – zumindest im Lokalen – nicht als abwertendes Urteil über die journalistische Qualität mißverstanden werden. Präsentation und Layout gelten vielmehr als „the strength of British style of journalism“ (Elliott 1978b, S. 166).

Gemäß den unterschiedlichen Konzeptionen von „writer's papers“ und „sub-editor's papers“ sind die „reporters“ und „sub-editors“ bei beiden Zeitungen unterschiedlich hoch angesehen und unterschiedlich gut bezahlt. Der Chefredakteur des *Wolverhampton Express & Star* schätzt „reporters“ höher ein und zahlt ihnen auch höhere Gehälter als den „sub-editors“. In seinen Augen ist der „reporter“ der kreative Geist, der „entrepreneur“ der Zeitung, wohingegen der „sub-editor“ nur niedere Schreibtischtätigkeiten ausführe. Nach seiner Überzeugung kommt es auf den Inhalt und nicht auf die äußere Form an.[18] Die Chef-Reporterin bestätigt, daß die „news“-Abteilung bevorzugt behandelt wird.[19] Dies geht zu Lasten der „sub-editors“. Der „Chief sub-editor“ hält seine Abteilung für stark unterbesetzt und sagt: „Die Arbeitsqualität leidet. Seit Einführung der neuen Technik müssen wir mit dem gleichen Personal doppelt soviel Arbeit bewältigen.“[20] Er ist der Ansicht, daß die „sub-editors“ beim *Wolverhampton Express & Star* ihre Kontrollaufgaben nicht mehr im erforderlichen Maße ausführen können, weil immer mehr „reporters“ immer mehr Material produzieren,

[16] Ian Dowell kam als „junior sub-editor“ zur *Birmingham Evening Mail*, arbeitete sich hoch zum „Chief sub-editor“ und schließlich zum „Production editor“. Unter seiner Leitung wurde die Zeitung 1975 umkonzipiert zu einer boulevardorientierten Zeitung. Er ist „Editor“ seit 1987.

[17] Keith Parker kam 1963 als „reporter“ zum *Wolverhampton Express & Star*, wurde dann „Chief reporter“, „Deputy News editor“ und 1977 „Editor“.

[18] Er sagt: „Everybody can present a nice looking paper but it is the content that matters.“

[19] Sie sagt: „News reporters enjoy better treatment than the other departments.“

[20] Er sagt: „The work suffers. Since the introduction of new technology we have to handle twice as much work with the same number of people.“

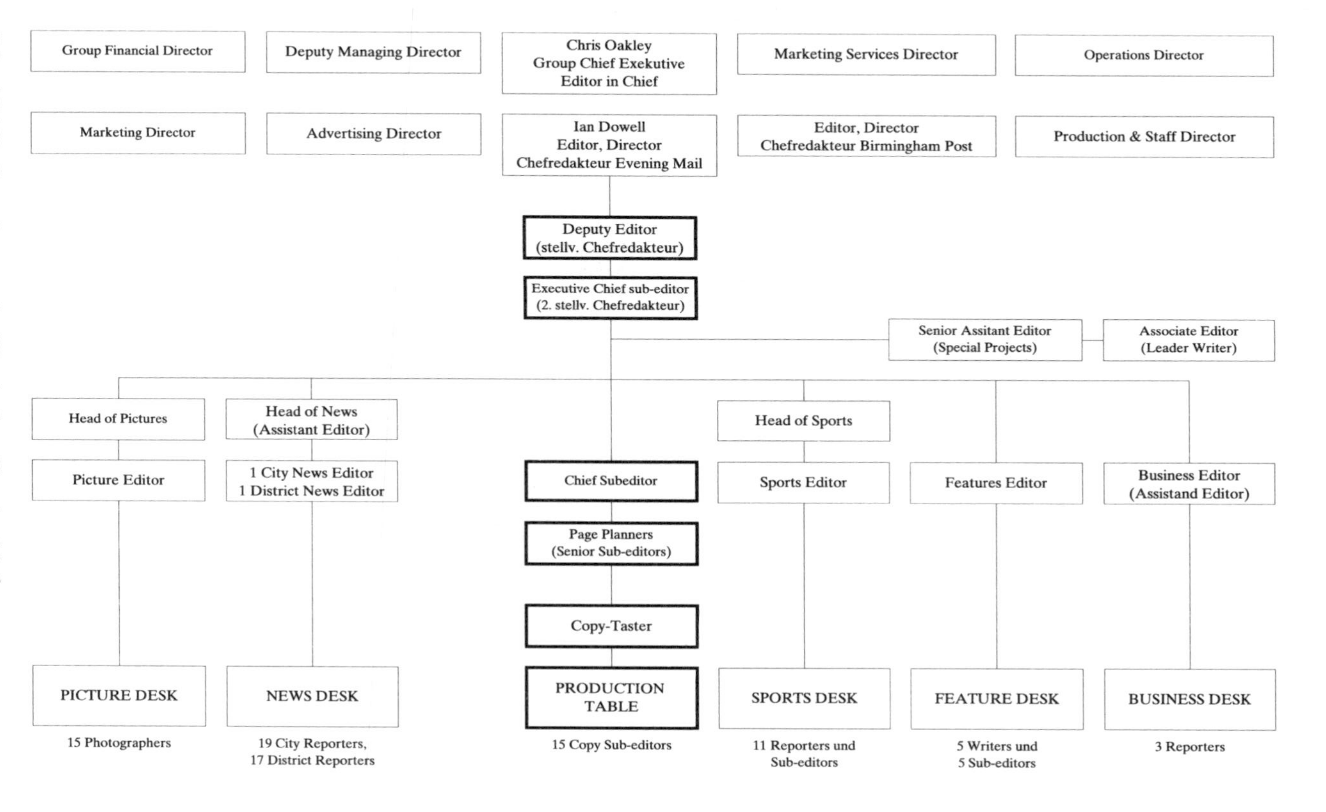

Schaubild 13: Organigramm der Birmingham Evening Mail

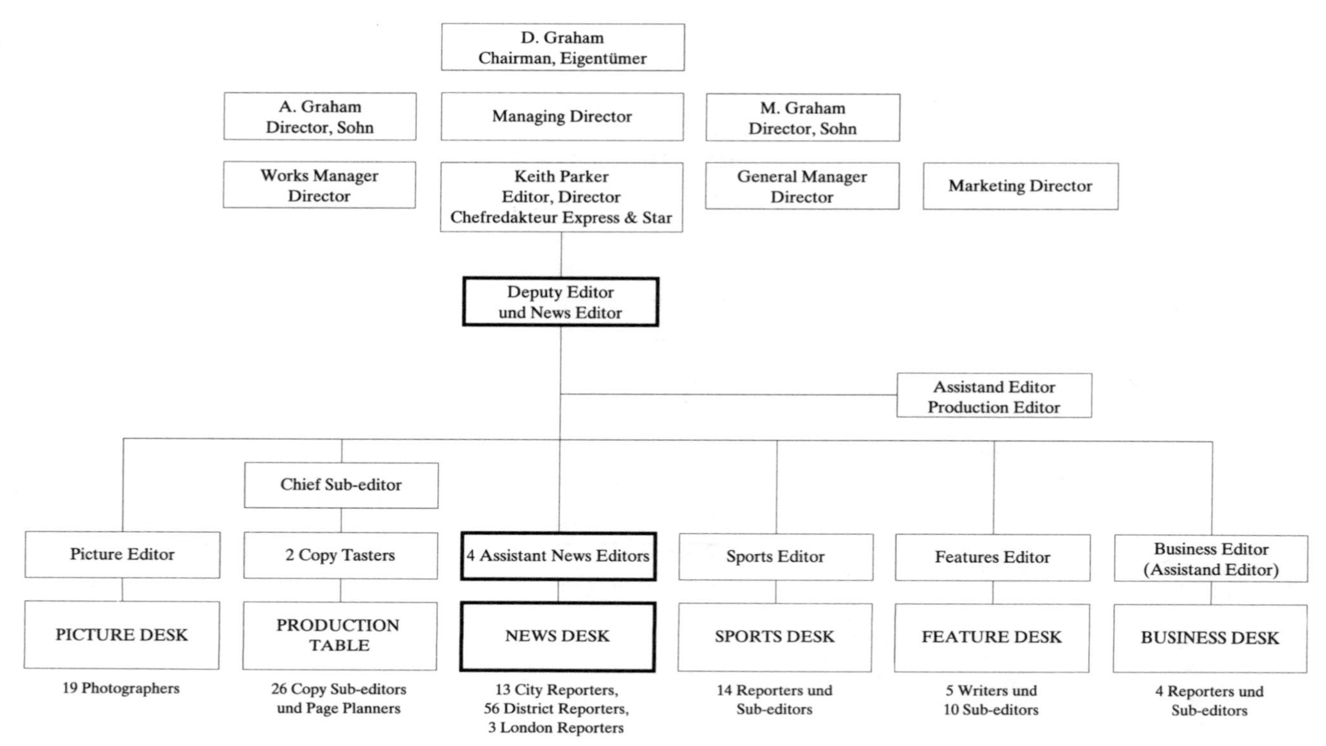

Schaubild 14: Organigramm des Wolverhampton Express & Star

Tabelle 17: Organisationsstruktur britischer Tageszeitungsredaktionen

	Birmingham Evening Mail (Regionalzeitung)	Wolverhampton Express & Star (Regionalzeitung)	Daily Mail (nationale Boulevardzeitung)	The Times (nationale Qualitätszeitung)
	Anzahl der Journalisten	Anzahl der Journalisten	Anzahl der Journalisten	Anzahl der Journalisten
Chefredaktion und Leitartiklerteam:	4	3	13	20
News Desk Reporter, Specialists, Ressortleiter:	39	76	48	61
News Copy Sub-editors:	15	25	26	17
Chief Sub-editor und Page Planners:	4	4	11	9
Foreign Desk Korrespondenten u. Ressortleiter:	1*	1*	8	19
Foreign Sub-editors:	–	–	?	15
Features Desk				
Writers und Ressortleiter:	5	6	14	10
Feature Sub-editors:	5	10	14	7
Business Desk				
Writers und Ressortleiter:	3	4	10	20
Business Sub-editors:	–	–	2	10
Sports Desk				
Reporter u. Ressortleiter:	7	8	17	22
Sport Sub-editors:	4	6	14	?
Picture Desk Fotographen und Ressortleiter:	17	20	28	10
Kultur und Unterhaltung:	–	–	10	7
Sonstiges	–	–	12	13
Gesamt:	104	163	227	240

* Copy Taster für internationales Nachrichtenagenturmaterial. Quelle: Eigene Erhebung Sommer 1992, Daily Mail und The Times nach Hetherington (1985, S. 304–306).

ohne daß die „sub-editing“-Abteilung entsprechend aufgestockt wurde. Bei der *Birmingham Evening Mail* wird mehr Wert auf die „sub-editing“-Seite gelegt. Sie ist in Birmingham personell stärker besetzt als in Wolverhampton. Der Chefredakteur der *Birmingham Evening Mail* schätzt „sub-editors“ auch höher ein.[21] Daher bezahlt er seine „sub-editors“ besser als seine „reporters“. In Großbritannien werden „sub-editors“ generell besser bezahlt als „reporters“.[22] Ein „reporter“ der *Birmingham Evening Mail* erhielt 1995 ein

[21] Er sagt: „I, as Editor, would rate the value of a sub-editor above that of a reporter.“

[22] Vgl. „Pay Survey“ in *UK Press Gazette* vom 5.8.1991, S. 14–15.

durchschnittliches Bruttojahresgehalt von £ 18377, ein „sub-editor" £ 20042.[23]

Wie aus den beiden Organigrammen in Schaubild 13 und 14 abzulesen ist, beschäftigt der *Wolverhampton Express & Star* 72 Nachrichtenreporter und 29 „sub-editors". Die *Birmingham Evening Mail* beschäftigt 36 Nachrichtenreporter und 19 „sub-editors".[24] Das Verhältnis „reporters"/„sub-editors" beim *Wolverhampton Express & Star* von 71 : 29 ist typisch für Zeitungen im Qualitätsstil. Bei *The Times* beträgt es 70:30. Das Verhältnis „reporters"/„sub-editors" bei der *Birmingham Evening Mail* von 65:35 deutet an, daß es sich bei ihr um eine boulevardorientierte Zeitung handelt. Bei der nationalen Boulevardzeitung *Daily Mail* beträgt es 56:44.[25] Die *Birmingham Evening Mail* ist also beileibe kein vollwertiges Boulevardblatt, dafür ist ihr Reporteranteil zu hoch. In Tabelle 17 ist die redaktionelle Struktur dieser vier Zeitungen im Überblick dargestellt. Boulevardorientierte Zeitungen haben vor allem deswegen mehr „sub-editors", weil sie neben Kontrolle und Redigieren (durch „copy sub-editors") viel mehr Wert auf Umbruch und Layout (durch „design sub-editors") legen als Blätter wie *The Times*.[26] Überall gilt jedoch: Schreiben, redigieren und umbrechen wird von verschiedenen Personen erledigt.

11.1.5 Hierarchie-Modelle

Als Faustregel kann gelten, daß bei den „writers' papers" der „reporter" eine gute Chance hat, das von ihm Geschriebene einigermaßen unverändert im Blatt zu finden, wohingegen bei „sub-editors' papers" die Artikel stärker umgeschrieben und gekürzt werden. Die großen „writers' papers", also die nationalen Qualitätszeitungen, beschäftigen Autoren und Spezialisten, die gerade aufgrund ihres individuellen Schreibstils eingekauft wurden. Hier kontrollieren, modifizieren und ergänzen die „sub-editors", aber

[23] Vgl. „NUJ Survey" in *UK Press Gazette* vom 14.8.1995, S. 5. Der Wechselkurs betrug 1995 £ 1 = 2,30 DM.

[24] Für die Anzahl der „sub-editors" wurden bei beiden Zeitungen „copy subeditors", „page planners" und „Chief-sub-editors" zusammengezählt, jedoch ohne „copy tasters".

[25] Grundlage der Berechnung bei *The Times* waren 61 „reporters" und 17+9 „sub-editors", bei der *Daily Mail* 48 „reporters" und 26+11 „sub-editors" (s. Tabelle 17).

[26] Vgl. zum „reporters"/„sub-editor"-Verhältnis auch die Angaben bei Tunstall (1971, S. 15), Hetherington (1985, S. 304–306), Hodgson (1993, S. 104), *Royal Commission* (1977, S. 42).

sie schreiben die Texte nicht grundsätzlich um und kürzen sie nicht rigide. Umschreiben und kürzen ist dagegen üblicher bei den großen „sub-editors' papers", also den nationalen Boulevardzeitungen. Hier ist Kürzen alleine schon deswegen nötig, weil britische Boulevardzeitungen im „Tabloid"-Format erscheinen, das nur halb so groß ist wie das „Broadsheet"-Format der Qualitätszeitungen.[27] Wenn die *Birmingham Evening Mail* und *Wolverhampton Express & Star* als Boulevard-und Qualitätszeitung bezeichnet werden, so handelt es sich bei dieser Unterscheidung um eine Näherungsangabe, die in erster Linie zum Zwecke der Analyse vorgenommen wird.

Birmingham Evening Mail

Die obersten vier Positionen in der Redaktionshierarchie der *Birmingham Evening Mail* sind mit „sub-editors" besetzt (s. Schaubild 13): „Editor", „Deputy Editor", „Executive Chief sub-editor" und „Senior Assistant Editor (Special Projects)" sind alle gelernte „sub-editors". Erst darunter ist der Leiter des Nachrichtenressorts (Head of News) angesiedelt. Auf die Übermacht der „sub-editors" angesprochen erklärt der „Head of news", daß diese Machtverteilung bei britischen Zeitungen üblich sei. Er sagt: „Im allgemeinen kommen Chefredakteure in Großbritannien von der sub-editing-Seite. Sie müssen wissen, wie man eine Zeitung zusammenstellt, wohingegen Reporter dies nicht unbedingt wissen müssen. Deren Aufgabe ist bloß das Schreiben von Meldungen. Sie überlassen es anderen, diese zusammenzustellen."[28] Der Chefredakteur vom *Wolverhampton Express & Star* stimmt, wenn auch bedauernd, zu: In der Regel sei die Redaktionsleitung einer britischen Zeitung in der Hand von „sub-editors". Der *Wolverhampton Express & Star* sei eine Ausnahme (s. Schaubild 14).

Bei der *Birmingham Evening Mail* steht zwischen der Nachrichtenabteilung (unter Leitung des „Head of news" und seinen „News editor assistants") und der „sub-editing"-Abteilung (unter Leitung des „Executive Chief sub-editor" und „Chief sub-editor") der Umbruch-Tisch („Production Table") (s. Schaubild 12, S. 363). Der Production Table ist die zentrale Schalt- und Entscheidungsstelle bei der täglichen Zeitungsproduktion. Hier sitzen die leitenden „sub-editors" mit Vertretern der Chefredaktion und treffen alle notwen-

[27] Zu Tabloid- und Broadsheet-Format siehe Kapitel 4.2 dieser Arbeit.

[28] Er sagt: „In general, Editors in Britain come from a subbing background. They have to know how a newspaper is put together whereas reporters don't really have to know how that is done. Their job is to write their copy and let others worry about how to put it together."

digen Selektions- und Layoutentscheidungen. Die „reporters“ haben keinen Einfluß darauf, wie am Production Table über ihre Beiträge entschieden wird. Der „Head of news“ als Leiter der Nachrichtenabteilung gibt dem Production Table jedoch Empfehlungen, welche Meldung welche Priorität erhalten sollte. In 80 Prozent der Fälle folgen der „Chief sub-editor“ und seine „page planners“ diesen Empfehlungen.[29] In den restlichen 20 Prozent ist der „Head of news“ nicht einverstanden und meint, die Meldung verdiene „a better show in the paper“, also mehr Prominenz. Der „Head of news“ hält diese 20 Prozent aber für eher gering. Er akzeptiert, daß die Publikations- und Präsentationsentscheidungen von anderen getroffen werden: „Die endgültige Entscheidung liegt beim Seitenplaner, weil er ganz genau weiß, welcher Platz ihm auf der Seite zur Verfügung steht.“[30] Da er als „Head of news“ das Konzept der Zeitung kenne, wisse er recht genau, was er den leitenden „sub-editors“ am Production Table anbieten muß. Nur selten käme es zu einem Streit zwischen ihnen, der ständige informelle Austausch „across the desk“ verhindere dies. Kommt es dennoch zu einem solchen Streitfall, liegt die letzte Entscheidung beim „Editor“, der in der heißen Produktionsphase (11 bis 13 Uhr) anwesend ist. Sein Stellvertreter, der „Deputy Editor“, sitzt den ganzen Tag mit am Production Table. Allerdings fallen die Entscheidungen des „Editor“ nicht immer im Interesse des „Head of news“, denn – so meint er – aus Loyalität würde der Chefredakteur zu seinen alten Kollegen, den „sub-editors“, halten. Die endgültige Publikationsentscheidung – ob eine Reportermeldung abgedruckt wird oder nicht – liegt also nicht bei Mitgliedern des Nachrichtenressorts, sondern bei einer anderen Abteilung, nämlich bei den leitenden „sub-editors“ am Production Table. Auch die Entscheidungen über Umfang und Plazierung werden dort getroffen.

Wolverhampton Express & Star
Dieses Muster gilt ähnlich für den *Wolverhampton Express & Star*, allerdings haben dort bei bedeutsamen Meldungen der „News editor“ und seine „Assistant News editors“ ein gewichtiges Mitspracherecht. Die leitenden „sub-editors“ am Production Table treffen die üblichen Entscheidungen eigenständig, bei gewichtigen Topmeldungen entscheidet der „News editor“, der zugleich stellvertre-

[29] Der „Head of news“ meinte 85 Prozent, der „District News editor“ meinte 80 Prozent, der „Executive Chief sub-editor“ meinte 75 Prozent.

[30] Er sagt: „The final decision rests with the page planner because he knows precisely what sort of space he has got on the page.“

tender „Editor“ ist. Wie erwähnt ist das Machtgefüge beim *Wolverhampton Express & Star* zugunsten der „reporting“-Seite verlagert. Meldungen der eigenen „reporters“ werden in Wolverhampton weniger scharf selektiert und weniger gekürzt. Hier ist die Spitze der Redaktionhierarchie mit Leuten besetzt, die einen „news background“ haben. Dem „News editor“ stehen vier „Assistant News editors“ zur Seite (doppelt so viele wie in Birmingham), die die Außenreporter in den Regionen betreuen, sowie eine Chef-Reporterin, die für die Betreuung der Stadtreporter verantwortlich ist. Von seinem Bildschirm aus kann der „News editor“ den Gang einer Meldung durch sämtliche Verarbeitungsstufen kontrollieren und jederzeit zurückrufen. Er bestimmt maßgeblich die Titelseite der Stadtausgabe, seine „Assistant News editors“ tun dies für die Lokalausgaben.

Besonderheit der nationalen Zeitungen
Bei den großen nationalen Zeitungen in London gibt es eine geringfügige organisatorische Abweichung. Zeitungen wie *The Times, Guardian* oder *Daily Mail* sind nicht nur größer, sondern haben als Morgenzeitung auch mehr Zeit für die Gestaltung ihrer Ausgabe. *Wolverhampton Express & Star* und *Birmingham Evening Mail* bringen dagegen von 10 Uhr morgens bis 16 Uhr nachmittags 12 bzw. 14 Ausgaben heraus. Bei den großen Londonder Zeitungen sind Production Table (wo der praktische Vorgang des Spiegelns und Layoutens stattfindet) und „back bench“ (wo die Redaktionsspitze die entsprechenden Entscheidungen fällt) getrennt. Die Besetzung der „back bench“ – ein spezifisch britischer Ausdruck – variiert unter den Londoner Zeitungen, an ihr sitzt jedoch immer der „Night Editor“. Einen „Night Editor“ gibt es nur bei den nationalen Zeitungen. Er kommt erst gegen 16 Uhr als Vertreter des Chefredakteurs in die Redaktion und bleibt bis gegen Mitternacht, um Produktion und Seitengestaltung zu leiten. Eine solche Trennung wäre für die beiden hektischen Regionalzeitungen unzweckmäßig. Die *Birmingham Evening Mail* hat Production Table und „back bench“ in einem. Der *Wolverhampton Express & Star* richtete 1995 etwas ähnliches ein. Zum Zeitpunkt des Besuches saß in Wolverhampton noch kein Vertreter der Chefredaktion am Production Table. Der „News editor“ (stellv. Chefredakteur) kam bei wichtigen Entscheidungen von selbst oder wurde gerufen.

Zusammenfassung
Trotz typenbezogener Unterschiede zwischen *Birmingham Evening Mail* und *Wolverhampton Express & Star* kann als Grundstruktur

festgehalten werden: Die Entscheidungen über Selektion, Präsentation, Plazierung und Gewichtung trifft – auf der Grundlage der morgendlichen Redaktionskonferenz beim „Editor" – entweder ein eigens mit diesen Entscheidungen beauftragter Dritter („Night Editor") oder „Editor" und „Chief sub-editor" in enger Abstimmung am Production Table. Grundsätzlich hat niemand, der selbst schreibt, Einfluß auf Plazierung und Gestaltung. Ein „reporter" trifft niemals Entscheidungen über Publikation, Umfang oder Plazierung seiner Meldung oder anderer Beiträge. Das gilt für Boulevard- und Qualitätszeitungen gleichermaßen. Die eigens mit diesen Aufgaben betrauten leitenden „sub-editors" entscheiden unabhängig und berücksichtigen dabei auch Faktoren, über die die „reporters" nicht Bescheid wissen können: Qualität, Umfang und Themen der übrigen Reportermeldungen, das Angebot der Nachrichtenagenturen, das verfügbare Bildmaterial, Anzeigen etc.[31]

11.2 Organisationsstruktur der einzelnen Ressorts in britischen Redaktionen

Die zentralisierte Struktur britischer Zeitungen, deren anschaulicher Ausdruck die Großraumredaktion ist, erleichtert dem Chefredakteur seine übergeordnete Kontrollfunktion. Wichtige Aufgaben delegiert er an vertraute Mitarbeiter, mit denen er Schlüsselpositionen besetzt. Auf diese Weise stellt er sicher, daß der redaktionelle Prozeß auch ohne seine Anwesenheit in seinem Sinne abläuft. Dieser Führungszirkel (aus „Deputies", „Assistants" und „Associates") wird in Großbritannien als „Inner Cabinet" bezeichnet. Mit ihnen und den übrigen Ressortleitern trifft sich der „Editor" mindestens einmal täglich in einer Redaktionskonferenz. Beim *Wolverhampton Express & Star* findet sie sehr formell um 11.15 Uhr in einem eigens dafür eingerichteten Sitzungsraum statt, bei der *Birmingham Evening Mail* dagegen recht informell um 8.15 Uhr, entweder im Büro des „Editor" oder mitten im „newsroom". In beiden Fällen dient sie der gegenseitigen Unterrichtung und Absprache, um Überschneidungen zu vermeiden. Da es sich um Nachmittagszeitungen handelt, gibt es nur diese eine Konferenz. Die einzelnen Ressortleiter erläutern die Themen- und Nachrichtenlage, anschließend bespricht der „leader writer" mit dem „Editor" die Kommentarspalte.

[31] Die hier beschriebenen Strukturen werden bestätigt durch Tunstall (1971), Hetherington (1985), MacArthur (1991) und Hodgson (1993).

11.2.1 News Desk

Wolverhampton Express & Star und *Birmingham Evening Mail* haben dieselbe Ressortaufteilung: News, Features, Business, Sports und Leader. Alle Ressorts bestehen aus Schreibern und „sub-editors" (vgl. Schaubilder 13 und 14 sowie Tabelle 17). Das bei beiden Zeitungen wichtigste und größte Ressort ist das Nachrichtenressort. Hier gibt es sowohl bei den „reporters", als auch bei den „sub-editors" eine klare Hierarchie. Einige der folgenden Aspekte wurden bereits angesprochen, sollen hier aber systematisch im Zusammenhang dargestellt werden. An der Spitze der „reporters" steht der „News editor", an der Spitze der „sub-editors" der „Chief sub-editor". Aus Beförderungs- oder Prestigegründen können sie auch „Head of news" und „Executive Chief sub-editor" (so bei der *Birmingham Evening Mail*) heißen. Bei den „News editors" unterscheiden beide Zeitungen zwischen dem Stadtbereich (City) und den Außenbezirken (District). Unterhalb der „News editors" finden sich bei beiden Zeitungen „Chief reporters" oder „Senior reporters", die aufgrund ihrer Erfahrung gelegentlich Funktionen des „News editors" übernehmen können, zum Beispiel als Krankheits- oder Urlaubsvertretung.

Die Gruppe der „reporters" jeder Zeitung unterteilt sich in „general reporters" und „special reporters".[32] Die *Birmingham Evening Mail* hat mehrere „specialists": Travel reporter, Education reporter, Medical reporter, Court reporter, Consumer affairs reporter, Municipal reporter. Auf einigen Gebieten wie Gerichte, Medizin und Gesundheit gibt es mehrere „specialists". Der „Municipal reporter", der sich mit der Politik des Birminghamer Stadtrats und der Verwaltung beschäftigt, genießt bei seinen Kollegen besonderes Ansehen als hart recherchierender Reporter. Im Gegensatz zu den Artikeln der „general reporters" sind die der „specialists" in der Regel mit Namen und Funktion gekennzeichnet.[33] Alle „reporters", ob „general reporters" oder „specialists", schreiben bei beiden untersuchten Zeitungen nur Nachrichten. „Reporters" schreiben, wie erwähnt, grundsätzlich keine „features", Kommentare oder andere Meinungsbeiträge. Es gibt zwar eine Gattungsähnlichkeit zwischen „news reports" (Nachrichtenberichte) und „news features" (Repor-

[32] Das Zahlenverhältnis von „generalists" und „specialists" schwankt von Zeitung zu Zeitung. Die nationale Qualitätszeitung *The Guardian* hat in ihrer Londoner Zentralredaktion 48 „reporters", davon 15 „generalists" (vgl. Keeble 1994, S. 14).

[33] Der „Municipal reporter" der *Birmingham Evening Mail*, die sowieso recht großzügig mit ihren Bezeichnungen umgeht, trägt den Titel „Municipal editor".

tagen), sie werden jedoch in zwei unterschiedlichen Ressorts verfaßt.[34]

Der einzige Ansprechpartner für die „reporters“ ist ihr „News editor“. Während die „general reporters“ im wesentlichen nach den Anweisungen des „News editor“ arbeiten, wird von den „specialists“ erwartet, daß sie ihr Gebiet eigenständig bearbeiten. Tunstall (1971, 1972) hat sich eingehend mit den „specialists“ der großen Londoner Zeitungen beschäftigt. Die mit der Spezialisierung in Fachgebiete verbundene Ausdifferenzierung des journalistischen Berufes gehört nach seiner Einschätzung zu den „most important changes“ in der britischen Presse. „Die Definition von ‚Journalist‘ wird immer unklarer“, schreibt Tunstall. Innerhalb der Redaktionshierarchie hätten die „specialists“ an Einfluß gewonnen: „Die Spezialisten erwerben zwangsläufig an hohes Maß an taktischer Autonomie. Dieses gründet sich auf ihr Wissen, ihren Ruf, ihre spezialisierten Informationsquellen, ihre persönliche Entscheidung, worüber sie berichten, und ihre Zugehörigkeit zu einer informellen Gruppe von ‚konkurrierenden Kollegen‘, die praktisch die Tagesordnung für dieses Fachgebiet bestimmt.“[35]

Als Domäne dieser „specialist correspondents“ gilt der investigative Journalismus. Der Journalist Anthony Howard schrieb 1977 über diese Entwicklung: „Die Erscheinung des einzelnen Journalisten, der zum Star wird, stellt die bedeutsamste Veränderung der letzten 25 Jahre im britischen Zeitungsjournalismus dar.“[36] Diese Streuung der Verantwortlichkeit hat nach Einschätzung von Jay G. Blumler dazu geführt, daß „über die verschiedenartigen Sichtweisen, die in einer pluralistischen Gesellschaft über soziale Probleme herrschen, vielfältiger informiert wird“ (zit. n. Murdock 1980, S. 41). Diese Dezentralisierung der Kompetenzen habe auch zu einer größeren Ausgewogenheit geführt, die sich in der gewachsenen Be-

[34] Vgl. die Ausführungen zum „feature writer“ in Kapitel 10.2.2. Die „specialists“ der nationalen Zeitungen schreiben ihre Beiträge hingegen vermehrt im „feature“-ähnlichen Korrespondentenstil. Hier verwischt die traditionelle Trennlinie.

[35] Tunstall (1983, S. 188) schreibt: „The definition of ‚journalist‘ is getting increasingly vague (…) The specialists inevitably acquire a good deal of tactical autonomy, based on their knowledge, their reputation and byline, their specialized sources of information, their personal choice (in most cases) of which stories to cover, and their membership of an informal group of ‚competitor-colleagues‘ who in practice define the specialist field's current story agenda.“

[36] „The emergence of the individual journalist as a star in his own right constitutes the most significant change in British newspapers over the last 25 years.“ In *Sunday Times* vom 11.12.1977, S. 39 („Wide-Eyed in Fleet Street“), hier zit. n. Murdock (1980, S. 41).

reitschaft zeige, Politiker mit unterschiedlichen, häufig kontroversen Standpunkten einzuladen, ihre Position in der Zeitung darzulegen.[37]

Während der „News editor“ und seine „reporters“ für das Generieren, das Herbeischaffen der Meldungen verantwortlich ist, ist der „Chief sub-editor“ für die zweite, komplementäre Seite der Nachrichtproduktion zuständig: Auswahl, Kontrolle, Redigieren, Präsentation. Es kommt auf den Stil der Zeitung an, wie „sub-editor“ bei Unklarheiten mit Reportermeldungen verfahren. Bei der *Birmingham Evening Mail* wendet sich der „sub-editor“ an den vorgesetzten „News editor“, nicht an den „reporter“. Ein „copy sub-editor“ erklärt: „Wenn mit einer Meldung etwas unklar ist, würde ich zum News editor gehen und ihn bitten, das zu überprüfen, nicht zum Reporter.“[38] Es käme nicht einmal vor, daß ein „sub-editor“ den Reporterbereich betritt und umgekehrt. Die Art der Arbeitsteilung verbiete gute Beziehungen. Man wisse nicht viel von einander und unterhalte sich kaum miteinander, erklärt der „copy sub-editor“ der *Birmingham Evening Mail*, und meint weiter: „In den fünf Jahren, seit denen ich hier bin, kam nur einmal ein Reporter zu mir und sagte: Danke fürs Umschreiben, so ist es viel besser.“[39] „Reporters“ würden verunsichert reagieren, wenn ein „copy sub-editor“ sie anspräche. Generell ist das Umschreiben von Reportermeldungen nichts Außergewöhnliches (vgl. Hodgson 1993, S. 107–114).[40] Die hier geschilderten Grundzüge der redaktionellen Orga-

[37] Vgl. Curran & Seaton (1991, S. 86), Hodgson (1993, S. 72). Neben der Autorenzeile ist das wichtigste Privileg der Spezialisten ihre Autonomie, mit der sie die Berichterstattung ihrer Zeitung über einzelne Themen beeinflussen können (Negrine 1993).

[38] „If there is something unclear with a story I would go to the News editor and ask him to check something in the story rather than going to the reporter.“

[39] „Only once in five years a reporter came up to me and said: ‚Thanks for rewriting that story, it's much better now'.“

[40] Ausnahmen von dem normalerweise gespannten „reporters“/„sub-editor“-Verhältnis gibt es dann, wenn der Chefredakteur ein *Team* mit einem längerfristigen Spezialprojekt beauftragt. Ein berühmtes Beispiel ist das investigative Reporterteam Carl Bernstein und Bob Woodward von der *Washington Post*, die die Watergate-Affäre aufdeckten. Ihnen wurde als „sub-editor“ Barry Sussman zugewiesen, der jeden Artikel der beiden „reporters“ auf Herz und Nieren prüfte und umschrieb. Auch wenn Sussman nie Berühmtheit erlangte, zollten Bernstein & Woodward (1974, S. 51) ihm in ihrem Bestseller *All the president's men* hohen Tribut: „Sussman had the ability to seize facts and lock them in his memory, where they remained poised for instant recall. More than any other editor at the *Post*, or Bernstein and Woodward, Sussman became the walking compendium of Watergate knowledge, a reference source to be summoned when the library failed. On deadline, he would pump these facts into a story in a constant infusion … Watergate was a puzzle and he was a collector of the pieces.“ Hieran

nisation treffen ebenso für *The Sunday Times, The Times, The Guardian, Daily Mail* und *Daily Mirror* zu (vgl. MacArthur 1991; Hetherington 1985).

11.2.2 Features Desk

Die organisatorische Struktur des Features, Business und Sports Desk ist traditionell flexibler gestaltet und hat eine weniger strenge Aufgabenteilung. Diese Ressorts arbeiten selbständig, da ihnen feste Seiten zugewiesen sind, die sie nach der Themenabsprache in der Morgenkonferenz eigenverantwortlich füllen. Unter Führung des Ressortleiters arbeiten hier „writers" und „sub-editors" zusammen. Das heißt, die Leiter dieser drei Ressorts übernehmen – übertragen gesprochen – die Rolle des „News editor" und des „Chief sub-editors": Sie beaufsichtigen das Recherchieren, Schreiben, Redigieren und Präsentieren in ihren Ressorts. Die Unterteilung in „writers" und „sub-editors" wird am Feature Desk der *Birmingham Evening Mail* und des *Wolverhampton Express & Star* strikt gehandhabt. Der „Editor" der *Birmingham Evening Mail* ist stolz auf die kraftvollen, tagesaktuellen Reportagen über Themen wie Drogen, Randgruppen, Schulnoten, Elterngewalt, Schulreformen, Abmagerungsdiäten etc. Befragt, welche Beziehungen zu den anderen Ressorts herrschen, erklärt der „Feature editor" der *Birmingham Evening Mail*, daß zum „news department" und den „reporters" überhaupt keine Beziehung bestünden. Weder würden Ideen noch Mitarbeiter ausgetauscht. Am ehesten gebe es eine Beziehung zum „leader writer". Die „news feature"-Seite der *Birmingham Evening Mail* ist gewöhnlich die Zeitungsseite, auf der auch der Leitartikel steht. Daher würden sie hin und wieder über Anregungen sprechen. So gab es beim Thema „Drogen an Birminghams Schulen" eine Absprache und Zusammenarbeit.

Der *Wolverhampton Express & Star* verzichtet weitgehend auf „news features".[41] Die Chef-Reporterin erklärt dies mit der ausgeprägten Nachrichtenorientierung des Blattes und der grundsätzlichen Ablehnung von journalistischer Subjektivität. Sie sagt: „Unser Geschäft sind Nachrichten. Wir orientieren uns an den Fakten, nicht daran, was Reporter denken. Wir bringen Nachrichten, nicht Re-

erkennt man, daß das „reporter"/„sub-editor"-Verhältnis vielschichtiger ist, als es auf den ersten Blick scheint.

[41] Im *Wolverhampton Express & Star* finden sich mehr „news reports" (Berichte) und „commercial features" (Unternehmensvorstellungen, Geschäftshinweise).

portagen."[42] Meinungsbetonte Darstellungsformen, wozu in Großbritannien (im Gegensatz zu Deutschland) auch „features" gezählt werden, sind beim *Wolverhampton Express & Star* nicht sehr gefragt.

Ein wichtiger, charakteristischer Bestandteil britischer Zeitungen sind Meinungskolumnen von Autoren, die meist nicht zur Redaktion gehören. Für sie ist der „Feature editor" verantwortlich. Redigiert werden sie von den „feature sub-editors". Der *Wolverhampton Express & Star* hat sie nicht (aufgrund seines prinzipiellen Verzichts auf meinungsbetonte Darstellungsformen). Die *Birmingham Evening Mail* hat fünf Gastautoren, die von montags bis freitags die Leser zu Reaktionen veranlassen sollen. Diese Kolumnen mit persönlichen Sichtweisen zu aktuellen Themen sind mit Namen und Foto gekennzeichnet. Montags schreibt Bob Bass eine „J. R."-Kolumne (in Anlehnung an den hartherzigen Charakter in *Dallas*). Unter der Überschrift „J. R.- The Man You Can't Ignore" geht es traditionalistisch, rechts, machohaft, sexistisch und hämisch zu. Einige Redaktionsmitglieder halten seine Ansichten für absichtliche, übertriebene Provokation, andere für seine tatsächliche Meinung. Dienstags schreibt Ed Doolan, populärer Moderator des regionalen Radiosenders, über lokalpolitische Birminghamer Themen. Auch er schießt scharf, verteidigt jedoch den linken Labour-Stadtrat und liegt damit nicht unbedingt auf Redaktionslinie. Mittwochs gibt Molly Blake einen gnadenlosen Rückblick auf das Fernsehprogramm der Woche, der häufig Leserproteste hervorruft. Donnerstags nutzt Maureen Messent eine aktuelle lokale Nachrichtenmeldung als Aufhänger für eine sehr individuelle Kolumne über Menschen und Probleme der Stadt. Sie ist „feature writer" und festes Redaktionsmitglied der *Birmingham Evening Mail.* Freitags gibt Stanley Sparks, der Korrespondent in London, eine Einschätzung über die aktuelle politische Lage in Whitehall, bei der er den Lesern einen „Blick hinter die Parlamentskulissen" bietet.

11.2.3 Business Desk / Sports Desk

Im Wirtschafts- und Sportressort gilt die Unterteilung in „reporters" und „sub-editors" traditionell nicht so streng wie im Nachrichtenressort.[43] Hier redigieren bei beiden Zeitungen auch einige Schreiber – jedoch nie die eigenen Beiträge. Diese größere Flexibi-

[42] Sie sagt: „We are dealing with hard news here. We go for facts, not for what reporters think. We go for news, not so much for features."
[43] Darauf weisen auch Tunstall (1971, S. 41) und Hodgson (1993, S. 42f.) hin.

lität ist dadurch zu erklären, daß an die Beiträge dieser Ressorts weniger strenge Ansprüche hinsichtlich Neutralität, Unabhängigkeit und Ausgewogenheit gestellt werden. Am Business Desk der *Birmingham Evening Mail* wird die Trennung jedoch dadurch eingehalten, daß alle Berichte zum Redigieren an die „sub-editors" der Nachrichtenabteilung gehen.

Die Ressorts Sports und Business haben bei *Birmingham Evening Mail* und *Wolverhampton Express & Star* einen unterschiedlich hohen Stellenwert. Die boulevardorientierte *Birmingham Evening Mail* setzt mehr auf Sport (sechs Seiten statt drei in Wolverhampton), der um Seriösität bemühte *Wolverhampton Express & Star* bietet mehr Wirtschaft (zwei bis drei statt einer Seite in Birmingham). Der „Business Editor" des *Wolverhampton Express & Star* ist zudem zweiter Stellvertreter des Chefredakteurs (s. Schaubild 14, S. 372).

11.2.4 Pictures Desk

Beim *Wolverhampton Express & Star* spielen Bilder – nicht zuletzt aufgrund der Vorgaben des Verlegers – keine große Rolle, wohingegen sie bei der *Birmingham Evening Mail* hohen Stellenwert genießen. Dementsprechend hat das Foto-Ressort in Wolverhampton eine untergeordnete Funktion. Es arbeitet dem News Desk direkt zu und nimmt dessen Bilderanforderungen entgegen. In Birmingham genießt der Picture Desk dagegen eine ungewöhnlich starke Stellung. Hier stehen der „Head of news" und der „Head of pictures" hierarchisch auf einer Ebene (s. Schaubild 13, S. 371). Der Head of Pictures liest die Meldung zuerst und entscheidet dann, ob er einen Fotographen rausschickt. Der „Head of news" muß demnach um eine Foto bitten. Dieses Verfahren hält der „Head of news" für sehr unglücklich, weil es immer wieder zu Verzögerungen und Mißverständnissen komme. Diese ungewöhnlich starke Stellung des Head of Pictures erklärt sich vor allem dadurch, daß er für alle drei Zeitungen des Hauses zuständig ist – der *Birmingham Evening Mail*, der *Birmingham Post* und dem *Sunday Mercury* – und eine Koordination anders nicht möglich sei.

11.2.5 Leader Writer

Der „leader writer" genießt eine Vertrauensstellung. Bei der *Birmingham Evening Mail* ist er als „Associate Editor" Mitglied des Chefredakteurkabinetts (s. Schaubild 13, S, 371). Dennoch betont der „leader writer", daß seine Funktion nicht an einen bestimmten

Rang gebunden ist. „The reason I write leaders is because I can“, sagt er. Zuvor war er 40 Jahre „reporter“, unter anderem für die innerbritische Nachrichtenagentur Press Association (PA). Bei beiden Zeitungen liegt die Entscheidung über Thema und Tenor des Leitartikels allein beim Chefredakteur. Bei der *Birmingham Evening Mail* bespricht der „leader writer“ jeden Morgen unter vier Augen mit dem „Editor“ in dessen Büro die beiden täglichen Leitartikel. Das Gespräch ist informell, beide kennen sich seit Jahrzehnten, die Geistesverwandschaft ist spürbar, trotzdem ist die Hierarchie und die Rollenverteilung klar. Der „leader writer“ betont, daß allein die Sichtweise des „Editor“ zählt. Er sagt: „Gelegentlich schreibe ich einen Leitartikel, mit dem ich persönlich nicht übereinstimme. Aber wenn der Chefredakteur das so will, bekommt er es so, auch wenn ich meine, wir sollten etwas anderes sagen.“[44]

Bei bedeutsamen Ereignissen, die dem „Editor“ persönlich besonders am Herzen liegen, greift er selbst zur Feder. Dann gibt es einen sogenannten „Page 1 Comment by the Editor“, eine Besonderheit der *Birmingham Evening Mail*. Diese Chefredakteurs-Kommentare erscheinen grundsätzlich auf der Titelseite und betreffen immer die Grundhaltung der Zeitung. „Editor“ Dowell schrieb unter anderem einen solchen Kommentar als Reaktion auf Vorwürfe eines Labour-Abgeordneten, die Zeitung sei ein Instrument der Conservative Party (1994); als Reaktion auf die Androhung des Fußballclubs Birmingham City FC, die Reporter der *Evening Mail* wegen ihrer angeblich zu kritischen Berichterstattung nicht mehr ins Stadion zu lassen (1994); oder als Reaktion auf Pläne der regionalen Gesundheitsbehörde, die Krankenhäuser in der Innenstadt zu schließen (1995). Die *Birmingham Evening Mail* kämpft seit Jahren für die Erhaltung der innerstädtischen Krankenhäuser.

Das Büro des „leader writer“ liegt außerhalb vom „newsroom“ (s. Schaubild 12, S. 363). Nach seiner Aussage hat er zu den „reporters“ keinen Kontakt, nur mit dem „Feature editor“ gäbe es hin und wieder einen Ideenaustausch. Über die gelegentliche Themenabsprache mit dem Feature Desk, mit dem er sich meist die Seite 6 teilt, sagt er: „Wenn die Reportage kontrovers ist oder ein Thema behandelt, das wir schon länger verfolgen, schlagen sie schon mal vor, daß wir den Leitartikel als Ergänzung zur Reportage

[44] Er sagt: „I sometimes write a leader with which I personally disagree. But if it is what the Editor wants, than it is what the Editor will get (…) although I happen to think that we should say something else.“

gestalten."[45] Die redaktionellen Strukturen unterstreichen, daß im britischen Journalismus eine größere Affinität zwischen Kommentar und Feature als zwischen Nachricht und Feature gesehen wird. So schreiben in Großbritannien „leader writers" oft auch „features", wie zum Beispiel Roger Berthoud von der nationalen Qualitätszeitung *The Independent*, der auf seiner Visitenkarte angibt: „Leader and Feature Writer".

Beim *Wolverhampton Express & Star* werden die beiden täglichen Leitartikel vom „Feature editor" verfaßt. Einen separaten „leader writer" gibt es hier nicht – wohl weil Meinungsbeiträge beim *Wolverhampton Express & Star* generell keinen hohen Stellenwert genießen. Auch hier obliegt dem Chefredakteur die alleinige Entscheidung und Kontrolle über die tägliche Kommentarspalte. In der Praxis hat er dies jedoch an seinen Stellvertreter delegiert, der den Chefredakteur dann in der morgendlichen Redaktionskonferenz nur noch über Thema und Tenor der Leitartikel informiert.

11.3 Vergleich mit Deutschland: Unterschiede der Organisationsstruktur

11.3.1 Zentralität vs. Dezentralität

Die *Koblenzer Rhein-Zeitung* hatte zum Zeitpunkt der Untersuchung 1994 insgesamt 31 Lokalredaktionen, die 17 verschiedene Lokalausgaben (Kopfblätter) der *Rhein-Zeitung* erstellten. Zum Vergleich: *Birmingham Evening Mail* und *Wolverhampton Express & Star* haben keine Außenredaktionen, alle Lokalausgaben werden im Haupthaus produziert. Einige Lokalteile der *Rhein-Zeitung* werden gemeinsam von mehreren Außenredaktionen erstellt. In manchen Redaktionen saß nur ein Alleinredakteur, im größten Außenbüro (Landeshauptstadt Mainz) arbeiteten 15 Redakteure. Jede Redaktion fertigt komplette Seiten, die abends via ISDN-Leitung (früher Kurier und Fax) ins Koblenzer Druckzentrum gesendet werden. Während die beiden britischen Zeitungen die Kompetenzen eng bei der Chefredaktion halten und trotz großem Verbreitungsgebiet die gesamte redaktionelle Arbeit zentral organisieren („newsroom"-Prinzip), verteilt die Koblenzer *Rhein-Zeitung* die Kompetenzen absichtlich dezentral: Sie gewährt den Außenredaktionen – und in den Außenredaktionen den einzelnen Redakteuren – hohe

[45] Er sagt: „If that feature is controversial or about something that we've been interested in they might suggest that we do a leader that ties in with the feature."

Autonomie und Entscheidungsfreiheit.[46] Während in Birmingham der Chefredakteur und in Wolverhampton der stellvertretende Chefredakteur aufmerksam alle wesentlichen inhaltlichen Entscheidungen kontrollieren, wußten Chefredakteur und Nachrichtenchef in Koblenz häufig weder genau, wie die Außenbüros arbeiteten, noch was am nächsten Morgen in den verschiedenen Zeitungsausgaben stehen würde.[47] Der Redaktionsleiter einer Außenredaktion erklärte 1994: „Wir haben ganz hohe Kompetenz sehr weit unten. (...) Unser einziger Kontakt mit Koblenz ist das morgentliche Dispositions-Fax mit der Plazierung der Anzeigen. (...) Wie und womit der redaktionelle Raum gefüllt wird, liegt völlig in der Kompetenz der Regionalredaktionen. Wir arbeiten sehr eigenständig. (...) Was wir produzieren, wird gedruckt." Der Redaktionsleiter einer anderen Außenredaktion erklärte: „Wir haben große Eigenständigkeit. Wir sind weit weg von Koblenz. (...) In Koblenz sitzt unserer Chef, zu dem haben wir aber so gut wie keinen Kontakt, obwohl das Angebot vorliegt, ihn jederzeit anrufen zu können. (...) Die Drähte zu Koblenz sind etwas brüchig. Dort wird viel herumtheoretisiert, was hier vor Ort überhaupt nicht umsetzbar ist."

Die Kontrollmöglichkeiten der Koblenzer Chefredaktion sind aufgrund der dezentralen Organisationstruktur geringer als die der britischen Chefredaktionen. Die hohe Kompetenzgewalt der einzelnen Redaktionen hat bei der *Rhein-Zeitung* dazu geführt, daß sowohl die Zusammenarbeit mit der Zentrale, als auch die Zusammenarbeit unter den Lokalredaktionen litt. Die Koblenzer Zentralredaktion berichtete von notorischen Problemen, bei den Lokalredaktion „starke Geschichten" zu akquirieren, die für die „Rheinland-Pfalz"-Seite im Mantelteil tauglich wären.[48] Die Koblenzer Redakteurin der „Rheinland-Pfalz"-Seite erklärte, daß mit einigen Redaktionen die Kooperation im Laufe der Jahre besser geworden sei, wohingegen von anderen Redaktionen gar nichts käme.

[46] Eine Folge dieser unterschiedlichen Organisationsstrukturen ist, daß Kopfblätter in Großbritannien bis in die achtziger Jahre unbekannt waren. Die in Deutschland übliche Praxis, daß eine Regionalzeitung zahlreiche kleinere Ausgaben herausgibt, die alle den Mantel des Mutterblattes übernehmen, aber mit eigenem Lokalteil und unter eigenem Titel erscheinen, hat auf Briten lange seltsam gewirkt (s. Kapitel 4.1).

[47] So der Chef vom Dienst der *Rhein-Zeitung* am 22.11.1994 und 1.12.94 in Interviews mit dem Verfasser. Diese Jahrzehnte währende Praxis wurde 1994 im Rahmen einer allgemeinen Umstrukturierung modifiziert.

[48] Die Seite 3 der *Rhein-Zeitung* ist die sogenannte „Rheinland-Pfalz-Seite", auf der die wichtigsten Regionalthemen aus dem gesamten Verbreitungsgebiet zusammengefaßt werden. Sie kann nur in enger Zusammenarbeit mit den Lokalredaktionen gefüllt werden.

Ein Grund für das gespannte Verhältnis liege im Kürzen von Artikeln, so der Leiter einer Lokalredaktion: „Wenn sich Koblenz entscheidet, einen Artikel in die Hauptausgabe zu übernehmen, kürzt die ‚Rheinland Pfalz'-Redaktion nicht selten den 80zeiligen Originalbeitrag auf 15 Zeilen herunter. Das empfinden die Außenredaktion als unfair, zumal ihnen durch das Abtreten von Artikeln auf ihren Lokalseiten zusätzlich Arbeit entsteht."

Auch die Zusammenarbeit derjenigen Lokalredaktionen, die einen gemeinsamen Lokalteil erstellen, galt lange als Problem. Alle an einem Lokalteil beteiligten Außenredaktionen sandten abends ihre Seiten getrennt und eigenverantwortlich ins Koblenzer Druckzentrum, ohne daß die Kollegen der Nachbarredaktionen genau wußten, was die Seiten enthielten. Morgens hatte es zwar eine grobe telefonische Themenabsprache gegeben, aber der Lokalteil in seiner Gesamtheit war erstmals am nächsten Tag zu sehen – mitsamt eventueller Fehler, Dubletten, Gestaltungs- und Gewichtungsunterschieden. Die einzelnen Redaktionen machten – obwohl ihre Seiten einen gemeinsamen Lokalteil bildeten – absichtlich viele Dinge anders, um ihre Eigenständigkeit zu betonen und sich zu profilieren, so ein Redaktionsleiter. Dies habe zu teilweise sehr eigensinnigen, unprofessionellen Praktiken geführt. „Ein und derselbe Sturm tobte mangels Absprache dreimal im Blatt", erklärte ein Redakteur. „Ein Mord wurde nur auf Seite 4 des Lokalteils berichtet, weil die Kollegen in … ihn für sich behalten hatten und ihn weder an die übrigen Kollegen, noch die Zentrale weitergegeben hatten. Schließlich hatten sie einen Tag Arbeit damit gehabt und wollten die Geschichte jetzt nicht ‚nach vorne' abgeben, dann hätten sie nämlich ihre Seite mit etwas anderem füllen müssen und die Kollegen hätten gute Aufmacher gehabt, ohne Arbeit damit gehabt zu haben." Die Einzelredaktionen hätten sich alle als autonom arbeitende Setzereibetriebe betrachtet. Noch im Januar 1995 meinte ein Redakteur über die Nachbarredaktion, mit der man einen gemeinsamen Lokalteil erstellt: „Wir haben keine Ahnung, was die schreiben."[49]

Die dezentrale Organisations- und Hierarchiestruktur förderte eine gewisse Eigenmächtigkeit der Redakteure. Eine Redakteurin berichtet: „Als … noch RL [Redaktionsleiter einer Lokalredaktion] war, hat er eindeutig Politik gemacht mit seinem Blatt. Er hat sich in alles miteingemischt und Stellung bezogen. Diese Tendenz findet

[49] Wie erwähnt war diese jahrzehnte währende Situation Anlaß für eine Umstrukturierung der *Rhein-Zeitung*, die 1994 eingeleitet wurde und auf die weiter unten näher eingegangen wird.

man bei allen älteren Journalisten, die lange Zeit Redaktionsleiter waren. Die konnten bald Berufs- und Privatleben nicht mehr auseinanderhalten. Die waren praktisch ständig im Dienst und genossen es, daß – egal, wo sie hinkamen – die Leute sagten: Oh, da kommt der …, jetzt müssen wir vorsichtig sein, was wir sagen. Sie genossen diese lokale Machtstellung. Ob sie in der Kneipe redeten oder in der Zeitung schrieben, daß war kein Unterschied. (…) Der alte RL hat Leuten zum Gefallen bestimmte Sachen veröffentlicht und hat auf andere, auf die er es abgesehen hatte, auch kräftig eingehauen. Die waren es ihr Leben lang gewöhnt, frei und unkontrolliert ihre Meinung zu sagen …"

Eine sichtbare Folge der dezentralen deutschen Kompetenzregelung ist das Impressum. Das Impressum einer britischen Zeitung ist für deutsche Verhältnisse winzig: Bei Regionalzeitungen enthält es nur die Zeitungsadresse, bei den großen nationalen Zeitung zusätzlich den Namen des Chefredakteurs (und zum Teil die seiner engsten Führungskollegen). In Großbritannien ist der Chefredakteur presserechtlich für den gesamten redaktionellen Inhalt verantwortlich, muß im Impressum aber nicht genannt werden. Nach dem deutschen Presserecht muß ein „verantwortlicher Redakteur" mit vollen Namen und Redaktionsadresse im Impressum genannt werden.[50] Es gibt jedoch keine Verpflichtung, den Chefredakteur, Ressortleiter oder leitende Redakteure zu nennen. Häufig wird in Deutschland die presserechtliche Verantwortung auf mehrere verantwortliche Redakteure verteilt – eine Praxis, die in Großbritannien unbekannt ist. Ebenfalls unbekannt ist die in Deutschland übliche Praxis, als Statussymbol auch die leitenden Redakteure ins Impressum aufzunehmen.[51] Die *Rhein-Zeitung* geht soweit, im Impressum alle Redaktionsmitglieder der Zentral- und Lokalredaktion namentlich zu nennen.[52] Dies illustriert anschaulich die breite Streuung der Verantwortung in Deutschland im Gegensatz zu der Bündelung in Großbritannien.

Der eigenverantwortliche, ganzheitliche Arbeitsstil in kleinen Einheiten zeigt sich auch in der Koblenzer Mantelredaktion, die die Hauptausgabe erstellt. Sie besteht aus den vier separaten Re-

[50] Die „Impressumpflicht" ist in den Landespressegesetzen geregelt; vgl. Löffler & Ricker (1994, S. 71–75). Zum „verantwortlichen Redakteur", der ebenfalls laut Landespressegesetzen vorgeschrieben ist, vgl. Löffler & Ricker (1994, S. 78–81). Siehe hierzu auch Kapitel 7.7.2.

[51] Die *Frankfurter Rundschau* nennt sogar ihre beiden „Reporter", die *Welt* sogar ihre Korrespondenten im Impressum.

[52] Jede Ausgabe der *Rhein-Zeitung* hat zwei Impressen, eines im Mantel- und eines im Lokalteil.

daktionen Nachrichten, Sport, Kultur/TV und Journale. Anders als in Großbritannien sitzt die Koblenzer Hauptredaktion nicht in einem zentralen „newsroom“, sondern ist auf mehrere Räume entlang eines langen Ganges verteilt. Schaubild 15 zeigt den Grundriß des dritten Stocks im Koblenzer Haupthaus. Den größten Raum haben die Redakteure der Nachrichtenredaktion (Politik, Wirtschaft, Rheinland-Pfalz, Panorama), wobei der dazugehörige dreiköpfige „Mobil-Pool“ ausgelagert ist. Der im Januar 1995 gegründete Mobil-Pool ist Bestandteil der Nachrichtenredaktion und versteht sich als schnelle Eingreiftruppe bei Großereignissen im Verbreitungsgebiet (Hochwasser, Chemieunfall). Er soll das Reporterelement stärken und hat die Aufgabe, nationale Themen für Rheinland-Pfalz zu regionalisieren („herunterzudampfen“). Die Tatsache, das er aus der Nachrichtenredaktion räumlich augelagert ist, illustriert das dezentrale Arbeiten in kleinen Einheiten. Seine Personalrotation unterstreicht das deutsche Ganzheitlichkeitsprinzip: Er besteht aus einem festen Mitglied (ehemaliger Nachrichtenredakteur), einem Volontär (der alle drei Monate wechselt) und einem Lokalredakteur aus den Außenbüros (der alle zwei Monate wechselt). Die Tatsache, daß der Mobil-Pool erst nach mehreren Anläufen im Januar 1995 fest eingerichtet wurde, bestätigt die geringe Verankerung des Berufsbildes „Reporter“ im deutschen Journalismus (s. Kapitel 10.3.3).[53]

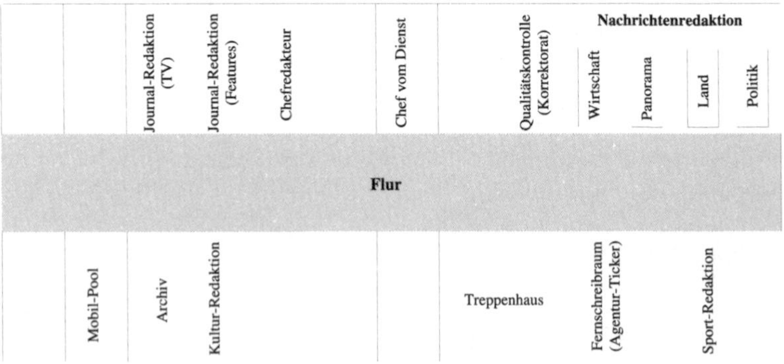

Journal-Redaktion (TV)
Journal-Redaktion (Features)
Chefredakteur
Chef vom Dienst
Qualitätskontrolle (Korrektorat)
Nachrichtenredaktion
Wirtschaft
Panorama
Land
Politik
Flur
Mobil-Pool
Archiv
Kultur-Redaktion
Treppenhaus
Fernschreibraum (Agentur-Ticker)
Sport-Redaktion

Schaubild 15: Grundriß der Mantelredaktion der Rhein-Zeitung in Koblenz

[53] Mittlerweile haben verschiedene andere deutsche Zeitungen ähnliche rotierende Reporterpools eingerichtet, um das so lange vernachlässigte Recherche-Element im deutschen Journalismus zu stärken; vgl. *Sage & Schreibe*, Heft 6/1997, S. 8–10 („Die Rotation der Redakteure“).

Die vier Ressorts Politik, Wirtschaft, Rheinland-Pfalz und Panorama gestalten ihre Seiten autonom. Wie in Wolverhampton ist der Leiter der Nachrichtenredaktion gleichzeitig stellvertretender Chefredakteur. Er hat seinen Arbeitsplatz jedoch nicht in der Redaktion, sondern arbeitet in seinem Büro ein gutes Stück den Flur hinunter. Auch der Chefredakteur und die Chefs vom Dienst haben eigene Büros, die sie nur selten in Richtung Nachrichtenredaktion verlassen. Die Aufteilung der Redaktion in einzelne Büros findet man bei den meisten deutschen Zeitungen.[54] Die räumliche Trennung in „Unterredaktionen“ macht Konferenzen wichtiger. Die Nachrichtenredaktion (Politik, Wirtschaft, Rheinland-Pfalz, Panorama) kommt täglich um 14.30 Uhr zu einer Besprechung zusammen, die Ressortleiter (Nachrichten, Sport, Kultur, Journale und Wirtschaft) treffen sich täglich um 15.30 Uhr zu einer Konferenz. Die erste dient der Planung, die zweite der Verteilung und Plazierung. Ihr Charakter als Morgenzeitung mit nächtlichem Drucktermin ermöglicht der *Rhein-Zeitung* aufgrund des weniger dicht gedrängte Tagesablaufes das Abhalten von zwei Konferenzen.

11.3.2 Rollenüberlappung vs. Rollentrennung

Bei der *Rhein-Zeitung* ist die Rollenüberlappung sehr groß: Sie betrug 1994 in den Außenredaktionen nahezu hundert Prozent, in der Koblenzer Zentralredaktion etwas weniger. Bei der *Rhein-Zeitung* ist man vom Ganzheitlichkeitsprinzip überzeugt: „Alle Redakteure der *Rhein-Zeitung* machen Blatt, alle“, sagt der Chef vom Dienst. Allerdings sei 1994 eine Modifikation in den Außenredaktionen notwendig geworden, so der Chef vom Dienst weiter: Während vorher jeder Redakteur jeden Tag neben dem Schreiben auch seine Seiten komplett am Terminal gestaltete, sei man nun auf ein Rotationsverfahren umgestiegen, bei dem einige Redakteure als „Tages-Producer“ nur Seiten layouten und die anderen Redaktionsmitglieder sich auf das Schreiben konzentrieren. Bis zu dieser Umstrukturierung machten alle Redakteure in den Außenredaktionen mit dem selbstentwickelten Redaktionssystem *Cicero* ihre kompletten Seiten. Zum Blattmachen zählt nicht nur Berichten und Kommentieren, sondern auch Redigieren (von Mitarbeitermanuskripten) und Produzieren (Ganzseitenumbruch). Jeder Redakteur trifft da-

[54] So beispielsweise auch bei *Frankfurter Rundschau* und *Frankfurter Allgemeine Zeitung*, am ausgeprägtesten beim *Spiegel*. Wie sich dort das „Zellenwesen“ im „Wabenbau“ des *Spiegel* auf Kommunikation und Arbeitsweise ausgewirkt hat, beschreibt Kuby (1987).

bei alle Entscheidungen autonom: über den Aufmacher seiner Seite, über Textlänge, Haupt- und Zwischenüberschriften, Fotos, Bildunterzeilen, Kommentierung. Diese Arbeitsweise führt zwangsläufig zu einer hochgradigen Überlappung der verschiedenen Arbeitsrollen. Diese ganzheitliche Arbeitsweise gab es auch schon vor der Einführung der Computertechnik, allerdings konnten die Redakteure früher noch nicht präzise berechnete Seiten direkt zum Belichten schicken. Man erzielte mit dem alten Verfahren (Spaltenblättern, Typometer, „geskribbeltem" Layoutplan) bei einiger Erfahrung einen Genauigkeitsgrad von etwa 95 Prozent bei der Seitengestaltung. Die endgültige Umsetzung der Redakteurswünsche lag bei den Metteuren im Druckzentrum, die nach den Vorgaben des Redakteurs die Seiten mit den gesetzten Artikeln beklebten. Die milimetergenau arbeitenden neuen Redaktionssysteme benötigen weder Setzer noch Metteure für die Seitenherstellung. Am ganzheitlichen Arbeitsprinzip hat sich durch die Computertechnik wenig verändert, es wurde eher noch gestärkt.

Zentralredaktion

Durch die Aufteilung der Koblenzer Zentralredaktion in räumlich separat arbeitende „Unterredaktionen", die zudem personell schwach besetzt sind, gibt es eine hochgradige Rollenüberlappung. Im März 1996 arbeiteten in der Nachrichtenredaktion acht Redakteure: zwei waren für Innenpolitik, zwei für Außenpolitik, zwei für Wirtschaft, einer für das Land (Rheinland-Pfalz-Seite) und einer für Vermischtes (Panorama-Seite) zuständig.[55] In der Sport-Redaktion arbeiteten vier, in der Kultur/TV-Redaktion zwei und in der Journal-Redaktion drei Redakteure. Das Organigramm (Schaubild 16) zeigt die Struktur der *Rhein-Zeitung* im Überblick.

Der Redakteur der „Panorama"-Seite und die Redakteurin der „Rheinland-Pfalz"-Seite erstellen ihre Seiten komplett und eigenverantwortlich. Von einer Aufteilung in „Producer" und „Schreiber" ist in der Zentralredaktion nichts zu erkennen. Die Quellen für die „Panorama"- und „Rheinland-Pfalz"-Seite sind im wesentlichen die Deutsche Presseagentur (dpa) sowie „starke Geschichten" aus den Lokalredaktionen und Artikel des neu eingerichteten „Mobil-Pools", der Themen aus dem Verbreitungsgebiet recherchiert und für den Mantelteil schreibt. Die Redakteurin der „Rheinland-Pfalz"-Seite klagte, daß sie aufgrund der knappen personellen Besetzung selbst nur noch wenig zum Schreiben käme. Auch zum Re-

[55] Drei Positionen waren zur Zeit nicht besetzt, darunter der Nachrichtenchef Politik.

cherchieren in die rund hundert Kilometer entfernte Landeshauptstadt käme sie nur noch selten. Ihre Aufgabe bestünde im wesentlichen im Auswählen, Kürzen, Redigieren, Überschriften formulieren, Plazieren. Ähnlich ganzheitlich arbeitet der „Panorama"-Redakteur. Auch der separat arbeitende, dreiköpfige „Mobilpool" hat ein umfassendes Tätigkeitsprofil. Sein Schwerpunkt liegt auf dem Recherchieren und Schreiben (Meldungen, Hintergrundanalysen, Kommentare). Er erstellt seine Artikel druckfertig und produziert mitunter komplette Seiten.

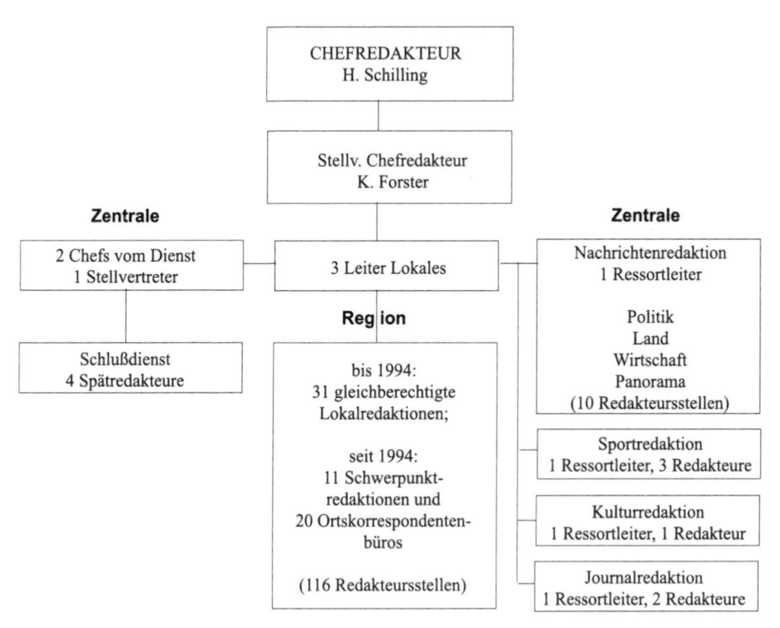

Schaubild 16: Organigramm der Koblenzer Rhein-Zeitung (1995)

Die Arbeitsorganisation der Politik-Redaktion ist ebenfalls ganzheitlich. Vier Redakteure erstellen drei Seiten: Titelseite, zweite Seite, Hintergrundseite. Die Hauptquelle für die ersten beiden Seiten sind dpa und Reuters, die Hauptquelle für die Hintergrundseite sind acht Korrespondenten (Mainz, Bonn, Brüssel, Paris, London, Moskau, Wien, Washington). Aus Kostengründen teilt sich die *Rhein-Zeitung* die Korrespondenten mit sechs anderen Zeitungen *(Rheinische Post, Saarbrücker Zeitung, Badische Neueste Nachrichten, Weser Kurier, Schwäbische Zeitung, Trierischer Volksfreund)*. Zum Rechrieren und Schreiben eigener Berichte kommen die Politikredakteure nach eigener Aussage kaum. „Es ist die massive Ausnahme, daß man rauskommt", sagt einer. Solche Gelegenheiten seien „ganz, ganz extreme Zückerchen“; „wir verwalten Agenturen“.[56] Zum Kommentieren kommen sie dagegen viel häufiger, jeder ein bis zweimal pro Woche. Leitartikel und Kommentare (auf den Seiten 1 und 2 der Hauptausgabe) schreiben Korrespondenten, Redakteure aller Ressorts und Volontäre. Einen „leader writer“ wie in Großbritannien gibt es nicht.[57] Weil die Position des „Nachrichtenchefs“ nicht besetzt war, mußte sich einer des mit vier Redakteuren ohnehin schwach besetzten Politik-Ressorts auch um das Verteilen der Agenturmeldungen kümmern. Hier zeigt sich, daß die Arbeitsweise um so universalistischer ist, je kleiner die Organisationseinheiten sind.

Das eher ganzheitliche Arbeitsprinzip hat auch zu einer Aufweichung der Ressorts geführt, wie der Chef vom Dienst erklärte. Die einzige Lokalredaktion mit Ressortaufteilung sei die in der Landeshauptstadt Mainz. Sie ist mit fünfzehn Redakteuren zugleich die größte Außenredaktion der *Rhein-Zeitung*. Alle übrigen Außenredaktionen, so auch die Stadtredaktion Koblenz, arbeiten universalistisch und verzichten auf eine Ressorteinteilung. Der Chef vom Dienst erklärt, daß es eine Themenverteilung gibt, allerdings nach Neigung, nicht nach Ressorts. Diese Tendenz gebe es auch in der Zentralredaktion. So wurde an einem Besuchstag des Verfassers die Wirtschaftsseite von einem sogenannten „Generalisten“ gemacht, weil beide Wirtschaftsredakteure abwesend waren. Auch bei den für Politik zuständigen Redakteuren gibt es keine feste Ressortverteilung. „Hat einmal ein Redakteur begonnen, ein Thema zu verfolgen, bleibt er dran, bis es erledigt ist“, so der Chef vom Dienst.

Außenredaktionen

In den Lokalredaktionen galt bis 1994 fast überall der Grundsatz *Jeder Redakteur macht seine Seite*. Trotz der vielfältigen Belastung trug er sehr zur Arbeitszufriedenheit bei. „Man ist sein eigener Herr“, meint ein Lokalredakteur. Allerdings brachte der Arbeitsstil im Laufe der Jahre Probleme. Der stellvertretende Leiter einer Außenredaktion erklärt: „Früher, als noch jeder seine Seite gemacht hat, herrschte häufig Egoismus pur. Da kamen Kollegen um

[56] Nach übereinstimmender Aussage seien die drei Mitglieder des Mobil-Pools (Nachrichtenredakteur, rotierender Volontär, rotierender Lokalredakteur) weitgehend die einzigen, die zum eigenständigen Recherchieren und Berichten kämen. Diese „paradisischen Zustände“ gaben dem Mobil-Pool den ironischen Beinamen „Punica-Oase“, angelehnt an einen Fruchtsaftwerbespot.

[57] Institutionalisierte, täglich wechselnde Kolumnisten gibt es ebenfalls nicht, unregelmäßige Gastkommentare allerdings schon.

18 Uhr in dein Büro und meinten: ‚Du, ich kriege die Terminleiste nicht mehr auf meiner Seite unter, kannst Du die nicht auf Deiner mitnehmen?‘ Und das waren riesige Kästen. So etwas regt einen schon sehr auf, denn zu dem Zeitpunkt hatte längst jeder seine Seite verplant oder sogar schon fertig. Das passierte natürlich nur, weil der Kollege einen riesigen Aufmacher geschrieben hatte, obwohl er genau wußte, daß er an diesem Tag den ausführlichen Serviceteil auf seiner Seite mitnehmen sollte.“ Eine Kollegin aus derselben Lokalredaktion pflichtete bei: „Die rechte Hand wußte nicht, was die linke machte. Jeder Kollege gestaltete seine Seite alleine, ohne daß irgendeine Koordination stattfand. Gerade die Kollegen mit unattraktiven Seiten versuchten, gute Aufmacher zu bekommen und kramten wild hier in den Körbchen rum, um die besten Rosinen für ihre Seite zu bekommen. Hat man den Lokalteil als Ganzes betrachtet, war er ohne erkennbar durchgehende Struktur. Keiner hatte den Blick für's Ganze, jeder dachte nur an ‚seine‘ Seite. Es war eine Aneinanderreihung von Einzelkunstwerken. Es war viel Herumärgerei.“

Ein Konflikt, der sich durch eine solche „Aneinanderreihung von Einzelkunstwerken“ ergibt, trug sich auch im Januar 1995 in einer Außenredaktion zu. In dem betroffenen Landkreis sollte eine Mülldeponie gebaut werden. Das Thema war kontrovers, es gab Befürworter und Gegner. Die Gegner hielten Montag abend eine Bürgerversammlung ab, auf der sie ihre Argumente präsentierten. Die Kreisregierung lud Dienstag morgen zu einer offiziellen Pressekonferenz ein, gab ihre Umsetzung des Planfeststellungsbeschlusses bekannt und erläuterte Notwendigkeit und Nutzen der Deponie. Die beiden Ereignisse wurden von zwei verschiedenen *Rhein-Zeitungs*-Redakteuren besucht, da sie in verschiedenen Ortschaften stattfanden. Der Redakteur, der die Versammlung der Deponie-Gegner besuchte, war für die Seite 4 des Lokalteils zuständig und bestand darauf, den Bericht auf „seiner“ Seite zu bringen, denn sonst wüßte er nicht, womit er seine Spalten füllen solle. Dies führte dazu, daß die Haltung der Kreisregierung (Umsetzung des Planfeststellungsbeschlusses) mittwochs auf Seite 1 des Lokalteils erschien; die Kritik am Planfeststellungsverfahren und die Ankündigung der Gegner, vor dem Verwaltungsgericht zu klagen, erst auf Seite 4. Eine Zusammenführung der beiden Darstellungen, wie es ein professionelles Vorgehen geboten hätte, scheiterte am Einspruch eines Redakteurs. Dabei blieb es, obwohl der Redaktionsleiter als Verantwortlicher und Vorgesetzter für eine Zusammenführung plädiert hatte.

Der ganzheitliche Arbeitsstil gibt nicht nur eine große Autonomie bei der Darstellung und Präsentation von Themen, sondern auch bei der Kommentierung. Während bei den britischen Regionalzeitungen Kommentare nur von speziellen „leader writers" aus der Zentrale verfaßt werden (in enger Absprache mit dem Chefredakteur), kann bei der *Rhein-Zeitung* „jeder einen Kommentar schreiben, der etwas zu sagen hat", wie eine Redakteurin erklärt. Einer der beiden Redakteure, die mit dem Mülldeponie-Thema befaßt waren, meinte: „Ich könnte jetzt problemlos für mich entscheiden, darüber einen Kommentar zu schreiben. Ich würde ihn einspiegeln, schreiben, morgen stünde er im Blatt." Aus Zeitgründen verzichtete er auf einen Kommentar. Sein Redaktionsleiter klagt, daß man in dieser Redaktion generell zu wenig zum Kommentieren komme. In einer anderen Außenredaktion werden mehr Kommentare geschrieben, nach Aussage des dortigen Redaktionsleiters sieben bis vierzehn pro Monat. Geschrieben würden sie von Redakteuren, Volontären und „kompetenten" freien Mitarbeitern.

Kommentare werden in der Morgenkonferenz nicht ausdrücklich abgesprochen, sondern die Redakteure entscheiden im Laufe des Tages aus der Situation heraus, ob sie einen Kommentar schreiben oder nicht. Einige kündigen ihn morgens schon an, andere entscheiden es spontan. Lokalredakteure kommentieren „ein- bis zweimal pro Woche". Eine Redakteurin gibt ein Beispiel: „Ich hatte eine Geschichte geschrieben und da hatte mich so der Hafer gejuckt, daß ich mir sagte: Da schreibst Du auch einen Kommentar dazu. Dann bin ich rein zu den Tages-Producern und sagte: Ich schreibe auch noch einen Kommentar dazu. Und in solchen Fällen versuchen die Producer selbstverständlich, den auch noch einzuspiegeln."[58]

11.3.3 Konsequenzen: Organisationsstruktur aus Sicht der Journalisten

Daß die Unterschiede in den redaktionellen Arbeitsweisen kein Spezifikum der für diese Arbeit untersuchten Zeitungen darstellen, sondern auf einen generellen Unterschied zwischen deutschen und angelsächsischen Ländern hinweisen, belegt die international vergleichenden Journalistenbefragung von Patterson und Donsbach. Die Autoren versuchten, den Grad der Arbeitsteilung in den Nachrichtenmedien verschiedener Länder durch eine Befragung von Presse-, Hörfunk- und Fernsehjournalisten aus Deutschland, Groß-

[58] Vgl. hierzu auch den Beitrag „Ich hau' schon mal drauf: Der Alltag einer Journalistin im Westerwald" in *Spiegel* special, Heft 1/1995 (Themenheft: Die Journalisten), S. 156–160.

britannien, USA, Schweden und Italien zu messen. Anders als in der hier vorliegenden Arbeit erhoben sie die Redaktionsstrukturen also nicht objektiv vor Ort, sondern rekonstruierten sie aus den subjektiven Wahrnehmungen der befragten Redakteure. Die folgende Betrachtung konzentriert sich auf die Länder Deutschland, Großbritannien und den USA. Die Berücksichtigung der amerikanischen Praxis hilft zu erkennen, wo der britische Journalismus noch „typisch angelsächsisch" ist und wo Aufweichungstendenzen feststellbar sind.

Ausgehend von der amerikanischen Praxis beschrieben Patterson und Donsbach in ihrem Fragebogen verschiedene Tätigkeitsprofile: Berichten auf der Grundlage persönlicher Beobachtung und Recherche („reporter"), Berichten auf der Grundlage von Agenturmaterial (im Amerikanischen „wire editor"), Kontrollieren und Redigieren von Texten anderer Journalisten („copy sub-editor"), Nachrichtenpräsentation und Layout-Entscheidungen („design sub-editor") sowie Schreiben von Kommentaren (im Amerikanischen „commentator"). Schaubild 17 zeigt die Häufigkeiten, mit denen die Journalisten in den drei Ländern angeben, „sehr viel Zeit" für die jeweilige Tätigkeit aufzuwenden. In Deutschland geben nur halb so viele Journalisten wie in den angelsächischen Vergleichsländern an, sehr viel Zeit mit dem Schreiben persönlich recherchierter Informationen zu verbringen. Der „reporter" hat sich als eigenständiges Berufsbild im deutschen Journalismus nicht durchgesetzt. Komplementär dazu geben die deutschen Journalisten deutlich häufiger an, sehr viel Zeit mit Agenturmaterial und mit Layout-Tätigkeiten zu verbringen. Dies tun sie doppelt so oft wie die britischen und amerikanischen Journalisten. Diese Verteilung läßt die Schlußfolgerung zu: Die selbständige Informationsbeschaffung (Recherche) spielt in Deutschland eine untergeordnete, die Weiterverarbeitung von Fremdmaterial (Agenturen) und die komplette, druckfähige Fertigstellung (Präsentation, Umbruch) eine übergeordnete Rolle.

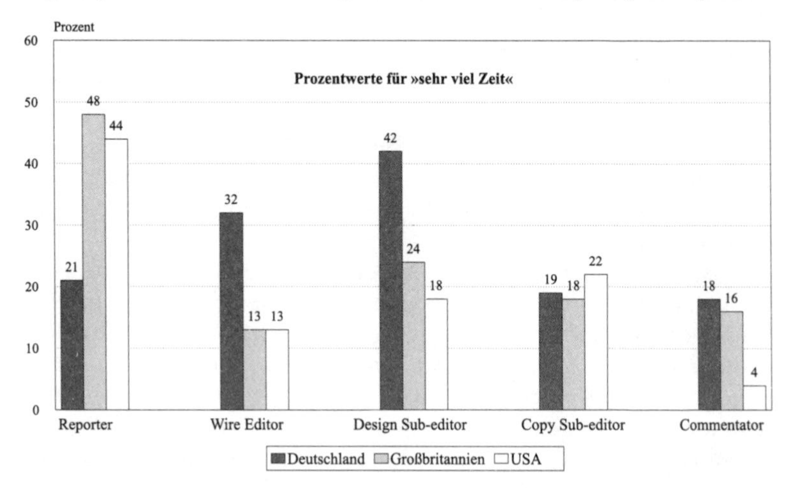

Schaubild 17: Rollentrennung in Nachrichtenredaktionen verschiedener Länder

Basis: 297 westdeutsche, 216 britische und 278 amerikanische Journalisten Anfang 1991, Daten aus Gründen der Vergleichbarkeit auf jeweils N = 300 gewichtet. Quelle: Donsbach (1993a, S. 147).

Viel Zeit auf die Tätigkeit des „copy sub-editors" – also desjenigen, der sich inhaltlich mit Texten von Redaktionskollegen beschäftigt – wenden etwa gleich viele Befragte aus den drei Ländern auf. Auch beim Tätigkeitsprofil des „commentator" erscheinen die Unterschiede auf den ersten Blick gering (vgl. Schaubild 17). Betrachtet man hingegen, wie viele Journalisten „zumindest einige Zeit" am Tag auf das Kommentieren verwenden, treten die Unterschiede hervor: In Deutschland sind es 65 Prozent, in Großbritannien 39 und in den USA 18 Prozent.

Ein umfassenderes Bild vom Grad der innerredaktionellen Arbeitsteilung ergibt sich, wenn man die Angaben über die Einzeltätigkeiten zueinander in Beziehung setzt. Schaubild 18 zeigt, wieviel Prozent derjenigen, die mit einer Tätigkeit „sehr viel Zeit" verbringen, auch zumindest „einige Zeit" auf eine andere Tätigkeit verwenden. Je höher der jeweilige Prozentsatz, desto größer ist die Rollenüberlappung bzw. desto geringer ist die Arbeitsteilung. Bei den deutschen Journalisten ist die *Rollenüberlappung* in allen Kombinationen am höchsten. So liegt beispielsweise der Anteil der Journalisten, die recherchieren und redigieren, in Deutschland bei 57 und in Großbritannien bei 35 Prozent. Der Anteil der Journalisten, die recherchieren und kommentieren, beträgt hier 74, dort 43 Prozent. Der Anteil derjenigen, die Agenturmaterial bearbeiten und redigieren, liegt hier bei 70, dort bei 34 Prozent. Insgesamt betrachtet beträgt die Abweichung zu Großbritannien im Durchschnitt 24 Prozent und zu den USA gar 39 Prozent. Die *Rollentrennung* ist bei den amerikanischen Journalisten am stärksten. Die hier präsentierten Befunde werden durch andere Journalistenbefragungen bestätigt.[59]

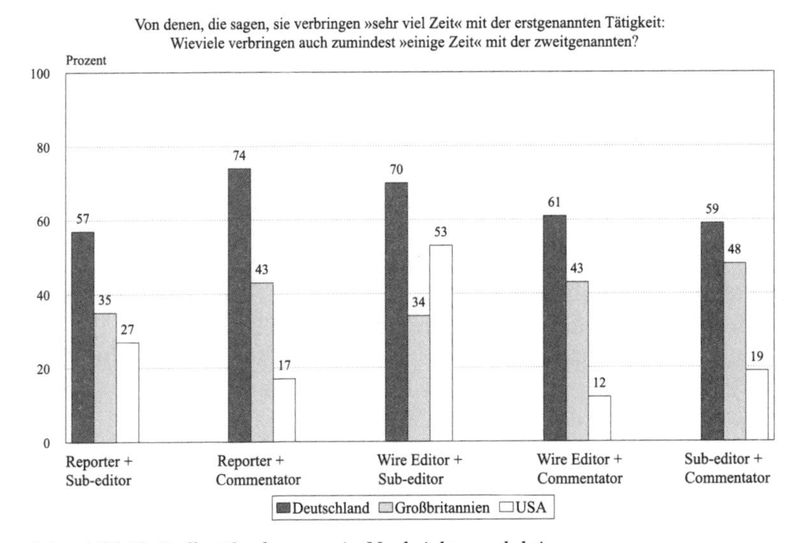

Schaubild 18: Rollenüberlappung in Nachrichtenredaktionen verschiedener Länder

Lesebeispiel: 57 % der deutschen Journalisten geben an, jeden Tag neben Reportertätigkeiten auch Redigiertätigkeiten auszuführen. Basis: 297 westdeutsche, 216 britische und 278 amerikanische Journalisten Anfang 1991, Daten aus Gründen der Vergleichbarkeit auf jeweils N = 300 gewichtet. Quelle: Donsbach (1993a, S. 149).

Angesichts dieser Unterschiede folgert Donsbach (1993a, S. 148): „Der deutsche Nachrichtenjournalismus nimmt somit hinsichtlich der Organisation seiner Arbeitsprozesse eine Sonderstellung ein." Die drei wesentlichen Tätigkeiten im Journalismus – Recherchieren, Kontrollieren/Redigieren, Kommentieren – würden in Deutschland sehr viel häufiger als in den angelsächsischen Ländern von ein und derselben Person ausgeführt. Eine „typische Situation im deutschen Journalismus" beschreibt Donsbach (1992, S. 63) so:

[59] Auch Schneider, Schönbach & Stürzebecher (1994, S. 170) kommen zu dem Schluß: „Die Arbeitsteilung innerhalb der Redaktion ist hier [in Deutschland] also sehr gering."

„Der gleiche Journalist oder die gleiche Journalistin schreibt z. B. einen Bericht über einen Parteitag, segnet diesen Bericht letztinstanzlich ab, bevor er ins Blatt geht, und schreibt hinterher auch noch einen Kommentar dazu.“ Ein Blick in eine beliebige deutsche Zeitung bestätigt Donsbachs Einschätzung.[60]

11.3.4 Tendenzen: Aufweichung traditioneller Strukturent

Aus britischer Sicht

Es gibt sowohl in den USA wie auch in Großbritannien Versuche, die für angelsächsische Redaktionen typische Rollentrennung aufzuweichen.[61] So spielte der britische *Independent* in seiner Planungsphase mehrere Experimente durch, die die Gründungsredakteure in anderen europäischen Ländern – unter anderem bei Besuchen der *Frankfurter Allgemeinen* – kennengelernt hatten. So wurde versucht, auf „copy sub-editors“ zu verzichten. Die Journalisten sollten ihre Artikel selbst redigieren, auf Zeile kürzen und die Überschriften schreiben. Dieser Versuch, mit tief verwurzelten britischen Redaktionsroutinen zu brechen, scheiterte. „This rapidly proved unworkable“, schreibt Crozier in *The making of The Independent* (1988, S. 52). Weiterhin wurde versucht, ähnlich wie bei *Financial Times*, Leitartikel von „specialists“ schreiben zu lassen, aber auch dieses Experiment schlug fehl.[62] Ihre Beiträge genügten nicht den hohen Maßstäben, wie sie in den Leitartikeln der übrigen allgemeinpolitischen, nationalen Qualitätszeitungen angelegt werden.

Auch verschiedene Regionalzeitungen experimentieren seit 1993 in Pilotredaktionen mit Versuchen, die Rollentrennung aufzuheben und – ähnlich der deutschen Tradition – Journalisten ganzheitlicher arbeiten zu lassen. Der „newsroom“ bleibt, die Aufgabenteilung

[60] Nur ein Beispiel zur Illustration: Am 8. 2. 1995 verfaßte Eckhard Stengel in der *Frankfurter Rundschau* den zweispaltigen Aufmacher der Titelseite („Bremen richtet sich auf Neuwahlen ein“), einen halbseitigen Hintergrundbericht auf Seite 3 („Bremens FDP verlangt den Abgang des Umweltsenators und bereitet damit den Ausstieg aus der ‚Ampel‘ vor“) und einen Kommentar in der Leitartikelspalte („Bremer Stromausfall“).

[61] Über entsprechende Bestrebungen in den USA informiert *Sage & Schreibe*, Heft 6/1997, S. 12–15 („Mehr Zeit für Recherchen“ und „Die vereinigte Redaktion“).

[62] So Roger Bertoud, Leitartikler des *Independent*, im August 1992 im Interview mit dem Verfasser. Die „specialists“ hätten keine Kommentare, sondern immer nur Nacherzählungen abgeliefert, so Berthoud. Von diesem Experiment berichtete auch der *Press Council* in seinem Jahresbericht (1986, S. 219).

soll hingegen aufgeweicht, die Arbeit verstärkt in Teams von drei bis vier Redakteuren erledigt werden. Jedes Kleinteam soll von der Recherche bis zur Präsentation komplette Beiträge, gegebenfalls komplette Seiten, erstellen. Solche Experimente mit „multi-functional teams" fanden unter anderem beim *Basildon Evening Echo, Bradford Telegraph and Argus* und mehreren Regionalzeitungen der *Westminster Press*-Gruppe statt.[63] Bei diesen Pilotversuchen handelt es sich um eine bewußte Abkehr vom klassischen, arbeitsteilig organisierten Produktionsprozeß und um einen bewußten Schritt hin zu mehr Ganzheitlichkeit. Das neue Zauberwort heißt „multi-skilling", Tätigkeitsvielfalt. Die Verlagsleitungen versprechen sich von universell arbeitenden Kleinteams effizientere Abläufe, größere Arbeitszufriedenheit, stärkere Produktidentifikation der Reporter, das Ende des „Krieges" zwischen Sub-editors und Reportern und eine Qualitätsverbesserung der Berichterstattung durch tiefergründigere, umfassendere Behandlung von Themen. Die Journalistengewerkschaft NUJ befürchtet hingegen, hinter diesen Plänen der Verlagsleitungen stünden rein betriebswirtschaftlich motivierte Überlegungen zur Personaleinsparung.[64] Dies bestätigte sich zum Teil 1997 durch eine Ankündigung des *Mirror*-Verlags. Um Kosten im Produktionsablauf einzusparen, würden „mehr Sub-editors die Verantwortung für ganze Seiten erhalten, anstatt nur mit dem Redigieren und Überschriften-Formulieren einzelner Artikel befaßt zu sein".[65] Bedeutsam ist jedoch, daß sich am Tätigkeitsprofil der Reporter nichts ändern soll.

Seinen Ursprung hat der neue Team-Gedanke in den USA. Er wird vor allem propagiert vom Poynter Institute for Media Studies, wo auch der international renommierte Zeitungsdesigner Maria Garcia lehrt.[66] Deren WED-Formel („writing, editing, design") setzt auf das Zusammenspiel aller Kräfte, die an einem Beitrag beteiligt sind. „Die drei Vorgänge beim Entstehen einer Zeitungsseite – Schreiben, Redigieren, Layouten – dürfen nie getrennt werden", sagt Garcia. Auch die Management- und Organisationswissenschaf-

[63] Vgl. die entsprechenden Berichte in *UK Press Gazette* vom 29.3.1993, S. 15; vom 18.10.1993, S. 15f.; vom 8.11.1993, S. 13f.; vom 14.2.1994, S. 2; vom 21.3.1994, S. 15f.

[64] Vgl. die Leserbriefspalten in *UK Press Gazette* vom 25.4.1994 und 23.5.1994 sowie den Bericht in *UK Press Gazette* vom 4.10.1993, S. 13.

[65] Vgl. *Financial Times* vom 14.3.1997 („Mirror Group plans newspaper production cuts") sowie die mehrseitige *Mirror*-Anzeige in *UK Press Gazette* vom 14.3.1994.

[66] Vgl. den Beitrag „WED – Die Zukunftsformel für Redaktionen" in *Sage & Schreibe*, Heft 1/1996, S. 43–45.

ten, die von den amerikanischen Medienbetrieben zunehmend beachtet werden, setzen auf Flexibilität der Strukturen und redaktionsinterne Personalrotation (vgl. Ruß-Mohl 1995). Auch in Deutschland werden diese modernen Organisationsmodelle zunehmend beachtet.[67] In dieser internationalen Umbruchphase, die vor allem durch die beinahe grenzenlosen Möglichkeiten der neuen Redaktionstechnik ausgelöst wurde, sind Bewertungen der verschiedenen Organisationsmodelle und Prognosen darüber, welche sich bewähren werden, schwierig. So erklärte der geschäftsführende Chefredakteur der *Washington Post* zu den neuen Ganzheitlichkeits-Überlegungen in Großbritannien und den USA: „Wir müssen die Frage beantworten, ob es sich dabei nur um eine kurzlebige Mode-Erscheinung handelt oder tatsächlich um einen tiefgreifenden Wandel der redaktionellen Aufgabenverteilung."[68]

Aus deutscher Sicht

Deutsche Zeitungsredaktionen wurden im Zuge der weltweiten Einführung moderner Computertechnik gezwungen, bestimmte Veränderungen ihrer etablierten Routinen vorzunehmen. In die Redaktion wurden Aufgaben integriert, die früher der Druckvorstufe zugeordnet waren. Durch den Ganzseitenumbruch mit Bildintegration am Redakteursbildschirm verschmolzen Satz- und Redaktionsarbeit, das Personal der Druckvorstufe (Metteure, Setzer) wird nicht mehr benötigt, die Redakteure werden mit der vollständigen Seitenproduktion betraut. Diese Übernahme zusätzlicher technischer Arbeiten durch Redaktionsmitglieder fällt bei Deutschlands Zeitungen genauso an wie in Großbritannien, USA und anderen Ländern. Dennoch scheint dies in Deutschland ein größeres Problem zu sein. „Denn die Übernahme ganzheitlicher Produktion [durch die Redakteure] bedingt eine erhöhte Arbeitsbelastung, möglicherweise verminderte Zeitbudgets und geht damit ... zu Lasten der zentralen journalistischen Tätigkeiten Selektieren, Redi-

[67] Vgl. Weischenberg, Altmeppen & Löffelholz (1994, S. 156 f.) sowie *Sage & Schreibe*, Heft 6/1997, S. 8–17 (Titelthema Redaktionsstrukturen). In der deutschen Fertigungsindustrie hält der Siegeszug der Gruppenarbeit schon länger an. Allein zwischen 1993 und 1994 stieg der Anteil der Gruppenarbeit in der deutschen Autoindustrie von 9,5 auf 22,2 Prozent. Den Beschäftigten bringt sie angeblich mehr Abwechslung und Selbstbestimmung am Arbeitsplatz, den Arbeitgebern Personaleinsparungen und Kostenreduzierung. Vgl. die Berichte „Schöne neue Fabrik" in *Die Zeit* vom 14. 4. 1995, S. 25–26 und „Mensch, Maschine, Kultur" in *Die Zeit* vom 28. 3. 1997, S. 33–37.

[68] So Leonard Downie in *Sage & Schreibe*, Heft 6/1997, S. 12–13 („Mehr Zeit für Recherchen").

gieren und Recherchieren“, so Weischenberg, Altmeppen & Löffelholz (1994, S. 159). Da das Tätigkeitsprofil des deutschen Redakteurs sowieso schon sehr vielfältig war, mußte er die Übernahme weiterer technischer Aufgaben ganz besonders als Belastung empfinden. Hienzsch kam bei seiner Untersuchung der *Westdeutschen Allgemeinen* in Dortmund zu dem Ergebnis, daß die Redakteure wegen der Übernahme zusätzlicher Tätigkeiten weniger recherchierten, Archivmaterial lasen, Informantenpflege betrieben, mit Kollegen sprachen, Volonteure betreuten und Pausen einlegten. Vor allem das Recherchieren werde beeinträchtigt, Journalismus gerate zur „Restgröße“ (Hienzsch 1990, S. 283–291).

Die arbeitsteilige Organisationsstruktur ließ britische Zeitungen mit diesem Problem leichter fertigwerden. Von den zusätzlichen technischen Aufgaben haben die recherchierenden und schreibenden „reporters“ kaum etwas gespürt, da diese Tätigkeiten von den „sub-editors“ übernommen wurden. Deren Arbeitsbelastung wurde zwar größer, die der „reporters“ blieb aber weitgehend unberührt. Die in Deutschland häufig geäußerte Befürchtung, die elektronischen Redaktionssysteme führten zu einem Verlust journalistischer Freiheit und Kreativität, betraf den britischen Journalismus weniger direkt, obwohl diese Befürchtungen dort anfangs ebenso geäußert wurden. Zur Entlastung der Redakteure wurden – nach dem Vorbild der angelsächsischen Länder – in vielen deutschen Redaktionen sogenannte „Producer“ eingeführt, die die Seitenproduktion übernahmen. Auf Drängen der Gewerkschaften wurden hierfür anfangs umgeschulte Druckfachkräfte eingesetzt, die in der Druckvorstufe nicht mehr benötigt wurden. Zunehmend übernahmen aber journalistisch ausgebildete „Produktionsredakteure“ diese Arbeit. Die Verleger sind daran interessiert, daß die Redaktion soviele Aufgaben wie möglich übernimmt, weil dann der Rationalisierungseffekt am größten ist. Dadurch entstand bei vielen deutschen Zeitungen ein neues Berufsbild – der Produktionsredakteur oder Producer – das es in britischen Redaktionen aufgrund des arbeitsteiligen Prinzips bereits gab („sub-editor“).

Deutsche Zeitungen wählten im wesentlichen zwei Wege zur Einführung der Producer. Einige Zeitungen machten einfach *jeden* Redakteur zum Producer. Den Journalisten wurden die Zusatzaufgaben dadurch schmackhaft gemacht, daß sie nun ihre Botschaften völlig im Griff hätten: Typographie, Layout, Grafik, Bilder und sogar Farbe – die ganze Seite. Ein Bericht über die Einführung eines neues Redaktionssystems beim baden-württembergischen *Südkurier* war beispielsweise mit dem Satz überschrieben: „Jeder baut seine eigene Seite".[69] Genauso verfuhr die *Rhein-Zeitung*. Schließlich führte sie 1994 in den Außenredaktionen Tages-Producer im Rotationsverfahren ein. Täglich abwechselnd übernehmen einige Redakteure die technische Seitengestaltung für den kompletten Lokalteil, während die restlichen Redakteure Freiraum für die journalistische Arbeit gewinnen. Der wichtigste Grund für diese Änderung bestand darin, „daß die Redakteure vor lauter ‚Blattmachen' gar nicht mehr raus kamen". Sie planten, redigierten, telefonierten, koordinierten, waren aber nicht mehr unterwegs, trafen keine Menschen mehr. Ein weiteres Motiv sei gewesen, das Layout im Blatt zu vereinheitlichen und Unterschiede in der Gestaltung einzelner Seiten zu beseitigen.

Im Vergleich zur angelsächsischen Spezialisierung war die Einführung von Producern bei der *Rhein-Zeitung* jedoch nur ein halbherziger Schritt. Erstens wurden sie nur in den Außenredaktionen eingeführt. Zweitens rotiert dort die Producer-Tätigkeit unter allen Redaktionsmitgliedern. Drittens faßt das Produzieren immer noch viele Tätigkeiten zusammen, die in britischen Redaktionen von verschiedenen Rollenträgern getrennt ausgeführt werden: Der *Rhein-Zeitungs*-Producer redigiert und kürzt Mitarbeitertexte, gibt ihnen Überschriften und plaziert sie auf der Seite. Artikel von Redakteuren haben schon eine Überschrift und brauchen vom Producer nicht gekürzt zu werden, da sie „auf Zeile" geschrieben sind. Falls Kürzungen unvermeidlich sind, reicht er den Artikel an den Redakteur zum Kürzen zurück. „Redigieren und Layouten ist ja ein Arbeitsgang", erklärt ein Producer. In Großbritannien nicht. Dort wird zwischen „copy sub-editors" und „design sub-editors"/„page planners" unterschieden. Viertens führen die Producer noch zusätzliche Tätigkeiten aus: Sie besuchten abends noch Termine, aktualisierten den Redaktionskalender, beantworteten telefonische Anfragen und sprachen telefonisch Interviewtermine ab. Ein Producer recherchierte einen selbstverfaßten Artikel zuende, schrieb die letzten Zeilen, las ihn selbst gegen, verfaßte Überschrift und Dachzeile und plazierte ihn schließlich als vierspaltigen Seitenaufmacher auf Seite 4 des Lokalteils.

Um das in Deutschland so stark vernachlässigte Rechercheelement zu stärken, haben neben der *Rhein-Zeitung* auch andere Regionalzeitungen in jüngster Zeit sogenannte Reporter-Pools eingerichtet. Bei der Chemnitzer *Freien Presse* ist es ebenfalls keine

[69] Beitrag von Gerhard Herr in *Sage & Schreibe special* (Themenheft Redaktionssysteme), Heft 7/1993, S. 30–33. Siehe hierzu auch den Beitrag „Lean Production bei der Zeitung" im selben Heft, S. 24f.

festgefügte Gruppe, sondern ein rotierendes Team aus Mitarbeitern mehrerer Ressorts. Das Problem der traditionellen deutschen Organisationsstruktur liegt darin, daß dem Redakteur zuwenig Raum für eigenschöpferische Arbeit bleibt, was sich in ausuferndem Termin- und PR-Journalismus niederschlägt. Auch die festgefügte Abgrenzung eigenständig arbeitender Ressorts (sie steht im Kontrast zum angelsächsischen „Production Table"-Prinzip) wird zunehmend hinterfragt. Ressortübergreifende Team-Konzepte aus den USA dienen hier vielen deutschen Planungen als Vorbild.[70]

11.3.5 Fazit: Organisationsstruktur und Kompetenzverteilung im Vergleich

Britische Zeitungsredaktionen sind größer und zentralisierter organisiert als deutsche. Der deutsche Journalismus fand (und findet) dagegen eher in autark arbeitenden Kleinredaktionen statt, in denen aufgrund der geringen Größe und den vielfältigen Anforderungen notwendigerweise stärker universalistisch gearbeitet wird. Dieser ganzheitliche Arbeitsstil wurde für die deutsche Presse – und ihre redaktionelle Arbeitsweise überhaupt – prägend. Darin spiegelt sich die unterschiedliche Pressestruktur beider Länder. Großbritannien hat ein politisch und publizistisch zentralisiertes System, das ganz auf die Hauptstadt London ausgerichtet ist. Deutschland hat dagegen ein dezentrales, föderales System. Es gibt es mehr Lokalzeitungen, die wiederum mehr Außenredaktionen haben. Jede der 1600 deutschen Lokalredaktionen besteht aus durchschnittlich fünf Redakteuren (Jonscher 1995, S. 262). In Großbritannien dagegen wurde die zentralisierte Struktur der Hauptstadtzeitungen prägend. Die Lokalpresse orientierte sich nicht nur im Berichterstattungsstil, sondern auch in der Organisation der redaktionellen Arbeitsweise an den großen „Vorbildern". Autark arbeitende Klein- und Außenredaktionen, in denen komplette Zeitungsteile gefertigt werden, sind unüblich. Dort, wo es sie gibt, werden die Grundprinzipien der Arbeitsteilung dennoch eingehalten (vgl. Murphy 1976, S. 104 f., 126 ff.). Insgesamt herrscht der „newsroom" mit zentralisierter Hierarchie und formalen Rollendifferenzierungen vor, in den die Außenreporter ihre Texte als „Rohmaterial" einsenden. Schon Johnstone (1976) hatte auf den Zusammenhang zwischen der Größe der Medienorganisation und dem Grad der Arbeitsteilung hingewiesen: Je größer die Redaktion, desto größer die Möglichkeiten zur Arbeitsteilung. Aufgrund ihrer zentralisier-

[70] Vgl. *Sage & Schreibe*, Heft 6/1997 (Titelthema).

ten Struktur arbeiten die Regionalzeitungen *Birmingham Evening Mail* und *Wolverhampton Express & Star* mit hohem Arbeitstempo – die eine bringt in 5 Druckdurchläufen 14, die andere in 12 Durchläufen 12 Ausgaben über den Tag verteilt heraus. Dies erfordert eine straffe Organisation des „newsrooms", in dem Arbeitsteilung und Kompetenzen klar geregelt sein müssen.

Die deutschen Redakteure haben mehr Entscheidungsfreiheit und Selbstverwirklichungsmöglichkeiten als ihre Kollegen in Birmingham und Wolverhampton. Die *Rhein-Zeitungs*-Redakteure sind es gewohnt, daß Recherchieren, Beschreiben, Kommentieren und Präsentieren in einer Hand liegen. Früher, als jeder *Rhein-Zeitung*sredakteur seine Seite „baute", hatte er die alleinige Entscheidung über Thema, Umfang, Aufmachung und Plazierung seiner Artikel. Er machte eigenständig seine ganze oder halbe Seite, redigierte und kürzte seine Beiträge selbst und fällte eigenständig alle mit der Zeitungsproduktion relevanten Entscheidungen. Heute bestimmt in der Schwerpunktredaktion der einzelne Redakteur noch immer weitgehend Umfang und Aufmachung seiner Artikel. Die Plazierungsentscheidung liegt jetzt jedoch bei den Tages-Producern. Die Redakteure kündigen in der Morgenkonferenz (oder später am Tage den Producern gegenüber) an, worüber sie schreiben werden und wieviele Zeilen sie voraussichtlich brauchen. Die Producer planen den entsprechenden Platz ein und halten ihn frei. Diesen Platz schreibt der Redakteur „zu", und zwar „auf Zeile". Braucht er mehr Platz, verhandelt er mit den Producern. Diese bemühen sich, das Zusätzliche (mehr Text oder ein begleitender Kommentar) unterzubringen. Ist dies aus Platzgründen nicht möglich, kürzt der Redakteur seinen Artikel selbst. Diese Verhandlungen verlaufen informell zwischen Tür und Angel mit einer Tasse Kaffee in der Hand. Entweder sagt der Redakteur zum Tages-Producer: „Ich brauche 80 Zeilen, bitte plan sie ein". Oder der Producer sagt zum Redakteur: „Du hast 80 Zeilen, bitte schreib sie voll". Wie der Redakteur seinen Platz füllt – mit oder ohne Foto, mit oder ohne Dachzeile, mit 28-Punkt oder 36-Punkt-Überschrift, etc. – ist seine Sache. Man spricht sich ab, um Kürzungen zu vermeiden. Zwar gibt es seit der Reform strengere Layout-Vorgaben, um eine größere Einheitlichkeit ins Blatt zu bekommen, aber die Freiräume sind immer noch beträchtlich. Nach denselben Prinzipien arbeitet die Nachrichtenredaktion im Koblenzer Mutterhaus. Die Entscheidungen darüber, was die Aufmacher der Titelseite und der übrigen beiden Politikseiten werden, entscheiden die Politikredakteure gleichberechtigt im Team. Nach der 15.30 Uhr-Konferenz setzen sie sich zusammen und planen auf der Basis der Nachrichtenlage die Seiten.

Themen und Plazierung werden festgelegt. „Wir machen alles im Team, das ist unser Prinzip", sagt ein Politikredakteur. Nachdem die Blockhöhen festgelegt sind, stellen die Politikredakteure auf der Grundlage der entsprechenden Agenturmeldungen die Artikel komplett fertig. Auch die Entscheidungen über die Kommentare (einer auf der Titelseite, zwei auf der zweiten Seite) werden kollegial getroffen.

Die Umstrukturierung der *Rhein-Zeitung* kann als Folge der Erkenntnis gewertet, daß das dezentrale, ganzheitliche Prinzip des Zeitungsmachens deutliche Schwächen hat. Aus Sicht der Chefredaktion führt es zu mangelnder Leitung und Kontrolle und zu einem inhomogenen Produkt. Versuche, die Organisation wie in Großbritannien zu zentralisieren und moderate Ansätze der Arbeitsteilung einzuführen, wurden von den deutschen Redakteuren als Einschränkung ihrer journalistischen Freiheit und Entscheidungsgewalt gewertet. Dies ist ein Hinweis darauf, daß unterschiedliche Organisations- und Redaktionsstrukturen in verschiedenen Ländern aufgrund unterschiedlicher Gewohnheiten und Mentalitäten verschieden bewertet werden. Bei den britischen Zeitungen läuft sämtliches Material zentral im „newsroom" zusammen. Hier werden, trotz großem Verbreitungsgebiet, alle Ausgaben gemacht. Um ein homogenes, von der ersten bis zur letzten Seite streng nach Nachrichtenwert strukturiertes Blatt zu machen, muß nach Überzeugung der britischen Zeitungsmacher das gesamte Angebot auf einen Tisch und zentral begutachtet werden. In Außenredaktionen autonom gestaltete Lokalteile, die einer Mantelausgabe nur beigelegt werden, gibt es in Großbritannien nicht. Dieses zentralisierte Redaktionskonzept erleichtert dem Chefredakteur seine Steuerungsfunktion – das „Schiff" ist wendiger.

12. Redaktionelle Arbeitsabläufe und redaktionelle Kontrolle bei britischen und deutschen Zeitungen

12.1 Arbeitsabläufe und Redaktionstechnik

In britischen Praxisbüchern zum Journalismus wird der redaktionelle Selektions- und Kontrollprozeß grundsätzlich als Flußdiagramm mit festgelegter Stationenfolge dargestellt. Diese Flußdiagramme werden als „filter system“, „flow system“ oder „sequence of copy flow“ bezeichnet.[1] Zur Veranschaulichung sind zwei dieser typischen Darstellungen in Schaubild 19 (im Anhang) wiedergegeben. Entsprechend der vielen Kontroll- und Weiterverarbeitungsstationen werden die Reportermeldungen in den Diagrammen als „raw copy“, als Rohmaterial bezeichnet. Jeder Artikel durchläuft, unabhängig von den Bedingungen im Einzelfall, dieselbe Stationenabfolge. Bei der Einführung der computergesteuerten Redaktionssysteme wurden die traditionellen, eingespielten Arbeitsabläufe von der Technik nachgebildet. Nun legt die Vernetzung der Redaktions-Terminals den Weg fest, den jeder Text vom „reporter“ bis zur Druckplatte zurücklegen muß. Der sogenannte „copy flow“ ist wesentliches Charakteristikum angelsächsischer Redaktionssysteme.

Eine festgelegte Stationenfolge mit Kontroll- und Bearbeitungsinstanzen hat sich, so Klaus von Prümmer, in Deutschland nicht etabliert.[2] Das angelsächsische „copy flow“-Prinzip ist in deutschen Redaktionen unüblich. Daher verlief auch die Einführung der neuen Technik anders. Die Einführung der Computersysteme erfolgte überall nach der Prämisse, daß die individuellen Wünsche und Gewohnheiten jedes Landes und jeder Redaktion bei der Installation berücksichtigt werden. Die meisten deutschen Zeitungen stellten zunächst nicht auf *Redaktionssysteme*, sondern auf *Satzsysteme*

[1] Vgl. beispielsweise die Darstellungen in Tunstall (1971, S. 29), Murphy (1976, S. 104 f. u. 126–129), Tremayne (1980, S. 123), Tunstall (1983, S. 189), Hetherington (1985, S. 47), Evans (1986, S. 4), Hodgson (1987, S. 20) Hodgson (1993, S. 22 u. 75).

[2] Die folgende Darstellung basiert auf einem Interview mit von Prümmer am 19.10.1994. Von Prümmer ist Director Information Systems bei der IFRA, dem Weltverband für Redaktions- und Zeitungstechnik mit Sitz in Darmstadt.

um.[3] Satzsysteme ermöglichen es dem Redakteur, einen von ihm geschriebenen Beitrag ohne Zwischenstationen sofort zum Belichten zu schicken. Bei der *Stuttgarter Zeitung*, die 1976 als erstes deutsches Unternehmen Computertechnik einsetzte, mußte jeder Redakteur sämtliche Satz- und Steuercodes zu seinem Artikel am Computer eingeben, um Satzbreite, Spaltenzahl, Schrifttyp, Schriftart, Dachzeile, Format der Überschrift und des Leads zu bestimmen. Mehr als in anderen Ländern sei der deutsche Journalist zum Drucker seiner eigenen Artikel geworden.[4] Machte er beim Auszeichnen Fehler, brach das gesamte System zusammen – und genau das passierte in Stuttgart. Es handelte sich in Stuttgart um ein IBM-System, ähnliche Systeme waren das Linotype System 5 und 6 sowie Cosy 2000 von Siemens. Zu den Zeitungen, die mit solchen Satzsystemen arbeiteten, zählt von Prümmer neben *Stuttgarter Zeitung* unter anderem *Augsburger Allgemeine, Nürnberger Nachrichten* und die *Hannoversche Allgemeine.* Diese Systeme hätten sich international nicht durchgesetzt. Kein deutsches System, so von Prüm-

[3] Klaus von Prümmer schildert die deutsche Entwicklung so: Deutsche Zeitungen arbeiteten seit Anfang des 20. Jahrhunderts mit Druckmaschinen der Firma Linotype, die auf diesem Gebiet Monopolanbieter war. Anders als in anderen Ländern waren Zeitungen in Deutschland häufig großen Druckereien nur angebunden, d. h. der Zeitungsverlag gehörte einer Druckerei – diese stand im Mittelpunkt. Als im Zuge drucktechnologischer Neuerungen deutsche Zeitungsdrukkereien ihren Maschinenpark von Bleisatz auf Fotosatz umstellten, blieben sie der Marke Linotype treu und installierten deren Satzsystem. Die Entscheidung darüber, wie dieses computergestützte Satzsystem en detail aussehen sollte, wurde – vereinfacht ausgedrückt – von den Technikern der Druckerei getroffen und auf deren Bedürfnisse abgestimmt. Als Computer daraufhin auch in den Redaktionsräumen Einzug hielten, war das computergestütze Satzsystem in der Drukkerei schon installiert und entsprechende Rationalisierungsmaßnahmen waren schon schrittweise eingeführt. Die Kassen waren leer und es erschien betriebswirtschaftlich nicht sinnvoll, nun auch noch komplett neue Redaktionssysteme einzuführen, wie man sie in Amerika hätte kaufen können. Statt dessen wurden die Redaktionscomputer an das Satzsystem angekoppelt. Diese Entwicklung führte zu der international einmaligen Erscheinung, daß deutsche Redakteure eigentlich mit *Satzsystemen* und nicht mit *Redaktionssystemen* arbeiten. Diese Satzsysteme ermöglichen es dem Journalisten beispielsweise, einen von ihm geschriebenen Artikel ohne Zwischenstationen sofort zum Belichten in die Drukkerei zu schicken, d. h. seitenfertig auszudrucken. Dies wurde auch gar nicht als problematisch angesehen – im Gegenteil, es wurde als ein Gewinn bei zusätzlicher Zeitersparnis angesehen.

[4] Auch nach den Worten des Chefredakteurs der *Emder Zeitung* machte die neue Technik einen „uralten Redaktionstraum" wahr: „Alles in eigener Regie!" (zit. n. Hienzsch 1990, S. 16 f.). Weischenberg (1995a, S. 66) betont ebenfalls die neuen Gestaltungsfreiräume: „… fast wie vor hundertfünfzig Jahren, als es die ‚Zeitung aus einer Hand' noch gab".

mer, sei in den USA verkauft worden. Sie seien im Ausland „unbrauchbar“ gewesen.[5]

Heute sind in vielen deutschen Zeitungen amerikanische Systeme im Einsatz, die jedoch zum Teil stark modifiziert wurden, um sie auf die deutschen Bedürfnisse zuzuschneiden. Das System mit den meisten Arbeitsplätzen in Deutschland ist Atex (USA). Atex ist so flexibel, daß man es auch als Redaktionssystem mit den Funktionen eines Satzsystems installieren kann. Genau dies, so von Prümmer, findet man bei vielen deutschen Zeitungen. Entsprechend habe der deutsche Redakteur die Filter- und Kontrollverfahren des „copy flow“ immer noch nicht kennengelernt. Das Atex-System werde in Deutschland ohne „copy flow“ installiert. Die Belegung der Tastatur sei völlig frei; sie spiegele wider, wie die jeweilige Zeitung mit dem System arbeiten will.

Die *Rhein-Zeitung* arbeitete zuerst mit dem „typisch deutschen Satzsystem“ Cosy 2000, mit dem laut von Prümmer keine angelsächsische Zeitung je gearbeitet hätte. 1990 stieg die *Rhein-Zeitung* auf ihr selbstentwickeltes Redaktionssystem *Cicero* um, das sie an 30 weitere deutsche Tageszeitungen verkaufte. Dies zeigt, daß *Cicero* den hergebrachten deutschen Redaktionsroutinen offensichtlich gut gerecht wird, was wiederum für eine gewisse Verallgemeinerbarkeit der im folgenden beschriebenen Arbeitsweise spricht. Das *Cicero*-System hat keinen „copy-flow“, also keine technisch festgelegte Stationenfolge, die ein Text innerhalb der Redaktion zwangsläufig durchlaufen muß. *Cicero* ist so angelegt, daß jeder der 140 *Rhein-Zeitungs*-Redakteure sämtliche Aufgaben, die zum täglichen Zeitungsmachen gehören, an seinem Terminal ausführen kann. „Universalität par excellence“ nennt das der Chef vom Dienst. Die *Rhein-Zeitung* sei vom Ganzheitlichkeitsprinzip überzeugt, alle Redakteure „machen Blatt“. Mit der Einführung des Redaktionssystem *Cicero*, das Ganzseitenumbruch erlaubt, wurden die Redakteure endgültig zum Chefredakteur ihrer Seiten.

[5] Eine Ausnahme ist P. Ink von MacIntosh, das die *Hannoversche Allgemeine* Anfang der 90er Jahre entwickelte und an das amerikanische Magazin *Time* verkaufte, selbst allerdings nicht damit arbeitet. Zu den deutschen Kunden zählen mittlerweile *Focus* und *Bild*.

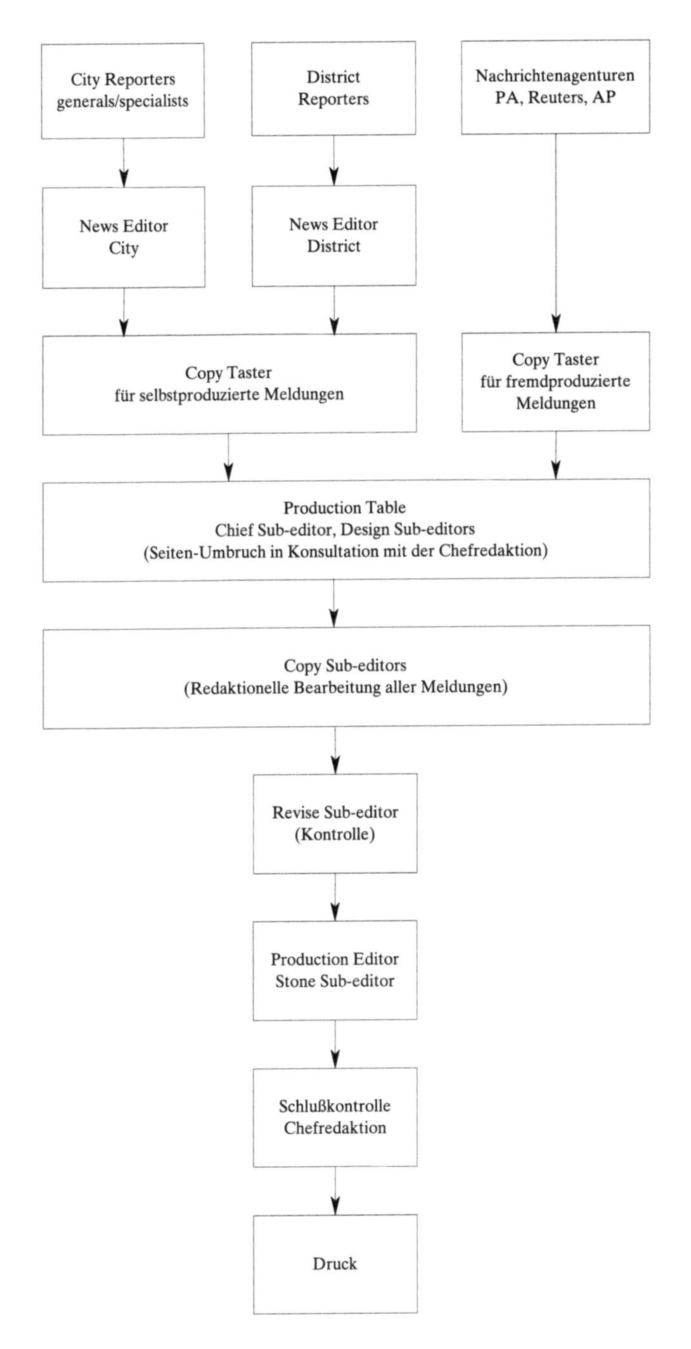

Schaubild 20: „Copy Flow“ bei den untersuchten britischen Regionalzeitungen

12.2 Arbeitsabläufe in britischen Redaktionen

12.2.1 Arbeitsabläufe bei Reportermeldungen

Nachrichtenmeldungen durchlaufen bei der *Birmingham Evening Mail* und dem *Wolverhampton Express & Star* eine Vielzahl von Stationen. Jede Station ist sozusagen mit einem anderen Spezialisten besetzt, der die Meldung gemäß seines begrenzten Aufgabengebietes bearbeitet. Diese Stationen sind in unterschiedlichen Abteilungen und auf unterschiedlichen Hierarchieebenen der Redaktion angesiedelt. Dieses systematische Verfahren wird als „news processing" bezeichnet. Es erfüllt im wesentlichen zwei Funktionen: Selektion und Kontrolle. Alle damit verbundenen Entscheidungen werden unabhängig vom Verfasser der Meldung getroffen. Diese Prozedur läuft bei jeder britischen Zeitung gleich ab, unabhängig von Größe und Erscheinungsweise.[6] Schaubild 20 stellt den redaktionellen Arbeitsablauf bei *Birmingham Evening Mail* und *Wolverhampton Express & Star* modellhaft dar.

Erste Station: Der Reporter
Der Ausgangspunkt jeder *selbstproduzierten* Meldung ist der News Desk. Dort wird dem „reporter" vom „News editor" (Nachrichtenressortleiter) ein Thema zugeteilt oder der „reporter" trägt selbst eine Idee vor, die der „News editor" genehmigen muß. Während die Berichterstattung des *Wolverhampton Express & Star* sehr vom Terminjournalismus bestimmt ist, werden die „reporters" der *Birmingham Evening Mail* zum eigenständigen Recherchieren gedrängt. Selbstrecherchierte Meldungen (also keine Pressemitteilungen, Einladungen oder ähnliches) würden bei der *Evening Mail* einen Anteil von 40 Prozent ausmachen, meint der „Head of news". Von seinen „special reporters" erwartet er, „self starters" zu sein, die sich selbständig um ihr Gebiet kümmern. Beim *Wolverhampton Express & Star* gelten eigenständige Recherchen als Ausnahmen, weil dadurch die obligatorischen „Hausarbeiten" liegen blieben, meint die dortige Chef-Reporterin.

Hat der „reporter" seine Meldung geschrieben, ist ihr weiterer Weg durch die Redaktionsinstanzen genau festgelegt. Beide Zeitungen arbeiten mit einem Redaktionssystem, das so vernetzt ist, daß keine Station übersprungen werden kann. Eine Meldung kann nicht eher in den Druck gelangen, bevor ein halbes Dutzend Kolle-

[6] Vgl. Tunstall (1971), Hetherington (1985), Hodgson (1987), Hodgson (1993), MacArthur (1991).

gen den Text zur Begutachtung auf ihrem Bildschirm hatten (Schaubild 20). Das Computersystem ist bei beiden Zeitungen – bildlich gesprochen – als eine Kette von Körben angeordnet[7] und nur die an den verschiedenen Stationen Verantwortlichen haben Zugriff zu ihrem jeweiligen Korb. Die technische Regelung des beschränkten Zugangs erzwingt die Befolgung der Regeln und führt zu einem hohen Grad der Routinierung und Standardisierung der redaktionellen Bearbeitung. Die durch das Computersystem festgelegte Stationenfolge lautet: „reporter" → „news editor" → „copy taster" → „chief sub-editor"/„design subs" → „copy sub-editor" → „revise sub-editor" → „production editor"/„stone sub". Daß dieses System, wie es für *Wolverhampton Express & Star* und *Birmingham Evening Mail* gilt und nachfolgend erläutert werden wird, keine Ausnahme ist, bestätigt Richard Wooldridge, „Editorial Director" der Westminster Press-Regionalzeitungsgruppe. In einem Beitrag für die *UK Press Gazette* erläutert er anschaulich (wenn auch leicht ironisch) das System der Arbeitsabläufe, wie es „for the past hundred years" in britischen Redaktionen gegolten habe: „First, copy starts with a ‚reporter', then it might go to a ‚chief reporter' or a news desk. The news desk might rewrite it or revise it or ask for more information. Then it would be sent to the ‚chief sub' or the ‚copy taster', who might then send it to a ‚layout man' to incorporate it into a page. Then it ends up in the hands of a ‚text sub-editor' who all to often sets about rewriting it again. (…) Back it goes to the ‚chief sub' or ‚revise sub' for a check and then at long last it will be despatched to the typesetter. So each story was often handled five, six or even seven times."[8] Vor allem der letzte Satz, daß jede Meldung „durch fünf, sechs oder sogar sieben Hände geht", ist aus deutscher Perspektive bemerkenswert, zumal Wooldridge über die Redaktionspraxis britischer *Lokalzeitungen* spricht.

Zweite Station: Der News Editor

Jede „reporter"-Meldung wird zuerst vom „News editor" begutachtet. Er schreibt Meldungen um, falls erforderlich. Der „News editor" der *Birmingham Evening Mail* sendet nach eigenen Worten vier bis fünfmal pro Woche eine Meldung an einen „reporter" zurück, weil relevante Informationen fehlen, häufiger, weil die „reporters" den Kernpunkt der Nachricht nicht erkannt haben. In der Re-

[7] Die Journalisten selbst sprechen vom „basket system", wenn sie das Redaktionssystem erläutern.

[8] So Richard Wooldridge in *UK Press Gazette* vom 21.3.1994, S. 17–19 („Team talk").

gel sendet er sie an die Verfasser zurück. Wenn der „News editor" jedoch den Eindruck hat, der „reporter" habe keine Ahnung von dem Thema, beauftragt er jemand anderen damit. Insgesamt hält er seine „reporters" jedoch „für erfahren genug, um eine ausgewogene Meldung zu verfassen". Unter Zeitdruck würde er allerdings auch schon mal eine unvollständige Meldung durchlassen, um in der nächsten Ausgabe (ca. eine Stunde später) die fehlenden Informationen nachzuliefern.

Der für die Außenreporter zuständige „District News editor" der *Birmingham Evening Mail* schreibt deutlich mehr um als die beiden „City News editors". Weil die „district reporters" weniger Zeit zum Schreiben hätten, da sie ständig unterwegs seien, und weil sie beim Schreiben auf den kleinen Laptop-Bildschirmen nie den kompletten Text vor sich sähen, seien ihre Beiträge weniger „gefeilt und auspoliert". Der „District News editor" ruft an einem normalen Tag bei etwa jeder zweiten Story den jeweiligen Außenreporter rief und fragte Details nach. Generell achten die „News editors" auf die Einhaltung des „house style", also zeitungseinheitliche Schreibkonventionen, sowie auf Genauigkeit, Vollständigkeit, Kürze und presserechtliche Unbedenklichkeit. Die Frage, ob ein Reporter seine Meldung an ihm vorbeileiten kann, verneint der „News editor" der *Birmingham Evening Mail* ausdrücklich: „Es gibt keine Möglichkeit, daß eine Meldung von den Reportern zu den Seitenplanern gerät, ohne daß der Nachrichtenchef sie gelesen hat."[9]

Dritte Station: Der Copy Taster

Die nächste Station ist der „copy taster". Er stellt als eine Art Schleusenwärter die entscheidende Verbindung zwischen „news department" und „sub-editing department" dar. Als „gatekeeper" entscheidet er, welche Meldungen zur Weiterverarbeitung zugelassen und welche aussortiert werden. Der *Wolverhampton Express & Star* hat zwei „copy tasters", einen für die selbstproduzierten Reportermeldungen, einen für die fremdproduzierten Agenturmeldungen. Bei der *Birmingham Evening Mail* kümmert sich der „copy taster" nur um die Agenturmeldungen, weil hier der „Executive Chief sub-editor" das „copy tasting" der Reportermeldungen übernimmt. Die „copy tasters" lesen das gesamte Angebot der verschiedenen Nachrichtenquellen und stellen eine Auswahlliste aller in Frage kommenden Meldungen zusammen, die dem „Chief sub-editor" die Seitenplanung erleichtert. Bedeutsam ist, daß nicht jede

[9] Er sagt: „There is no chance that a story can get from the reporters to the planners without being read by the News editor".

Meldung automatisch ins Blatt kommt, nur weil sie ein hauseigener „reporter" geschrieben hat. Selektiert wird auf der Grundlage der Meldungsqualität, des verfügbaren Gesamtangebots, des Lesermarktes und des Konzepts der Zeitung – strikt nach Nachrichtenwert, wie die „copy tasters" betonen. Der „copy taster" des *Wolverhampton Express & Star* weist täglich 20 bis 30 von insgesamt 350 Reportermeldungen mit der Bitte um Überarbeitung zurück. Der „copy taster" wählt grundsätzlich nur aus. Er schreibt und ändert nichts.

Vierte Station: Der Chief Sub-editor und die Page Planners
Die nächste Stufe ist der „Chief sub-editor", der für Layout und Page Planning verantwortlich ist. Hat der „copy taster" noch entschieden, welche Meldungen auf keinen Fall publiziert werden, fällt der „Chief sub-editor" in Abstimmung mit Vertretern der Chefredaktion die endgültige Entscheidung darüber, welche Meldungen ins Blatt kommen und welche Prominenz ihnen beigemessen wird. Die meisten großen Londoner Zeitungen trennen zwischen Production Table (an dem der „Chief sub-editor" mit seinen „page planners" sitzt) und „back bench" (an dem die Chefredaktion sitzt). Andere Zeitungen halten diese Aufspaltung für unpraktisch. Im Zusammenspiel der beiden fällt die Entscheidung über Publikation, Umfang, Aufmachung und Plazierung jeder Meldung.

Auf Grundlage des verfügbaren Reporter- und Agenturmaterials, aller Bilder und Anzeigen besprechen Vertreter der Chefredaktion mit den „Chief sub-editors" den Seitenspiegel. Alle damit verbundenen Entscheidungen werden unabhängig von den „reporters" in einer anderen Abteilung getroffen. Die „page planners" von *Birmingham Evening Mail* und *Wolverhampton Express & Star* entwerfen ein präzises Feinlayout auf Layout-Papierbögen im Zeitungsseitenformat. Sie zeichnen auf diesem „Seitenspiegel" die vorgesehenen Elemente (Überschriften, Texte, Fotos, Illustrationen) in ihrem Erscheinungsbild und Umfang an den gedachten Stellplätzen ein, nachdem sie dem Anzeigenspiegel Größe und Plazierung der Anzeigen entnommen hatten. Hierbei fällt beispielsweise die Entscheidung, eine 30-Zeilenmeldung zu einer dreizeiligen Bildunterschrift zusammenzukürzen, weil das Foto gut und der Artikel schlecht ist. Jeder „page planner" (oder „design sub-editor") ist für bestimmte Seiten zuständig. Nationale Boulevardzeitungen leisten sich – wie erwähnt – hochdotierte „splash subs", deren einzige Aufgabe die möglichst wirksame (sprich verkaufsfördernde) Gestaltung der Titelseite ist.

Zur Arbeitserleichterung versehen der „copy taster" (Agenturmaterial) und der „News editor" (Reportermaterial) jede Meldung mit Hinweisen. Diese Hinweise betreffen Seitenzahl (Titelseite, Innenseite, Vermischtes) oder Wertigkeit (Seitenaufmacher, Einspalter, Kurzmeldung) oder die Ausgabe (z.B. nur Nordausgabe). Der „News editor" der *Birmingham Evening Mail* vermerkt bei fünf bis sechs Meldungen, daß sie seiner Meinung nach als Aufmacher für die Titelseite geeignet sind. Ein weiteres Meldungsbündel kennzeichnet er als mögliche Seitenaufmacher für Innenseiten. Weitere Hinweise von ihm lauten „nicht kürzen", „vor Samstag", „Foto angefragt", „muß heute mit", „nur Westausgabe". Ähnliche Hinweise hat der „copy taster" seinen Agenturmeldungen gegeben. Welchen Stellenwert die Hinweise des „News editors" und „copy taster" haben, hängt vom Konzept der Zeitung und der Redaktionshierarchie ab. Informationsorientierte Blätter im Abonnementzeitungsstil, die aufgrund ihres größeren Formats mehr Platz haben und aufgrund ihres Konzepts weniger Wert auf Layout legen, messen diesen Hinweisen größere Bedeutung bei als kleinerformatige Blätter im layout-orientierten Boulevardzeitungsstil. Bei der *Birmingham Evening Mail* werden diese Hinweise vom „Chief sub-editor" und seinen „design subs"/„page planners" als hilfreich, aber unverbindlich angesehen. Auf der Basis des Gesamtmaterials wird entschieden, welcher Meldung welche Prominenz zukommt. Chefredakteur und Verleger des *Wolverhampton Express & Star* wollen eine möglichst hohe Zahl von Meldungen je Seite und eine möglichst hohe Zahl von Lokalausgaben. Wegen des enormen Zeitdrucks – zu zwölf Zeitpunkten werden zwölf verschiedene Ausgaben gedruckt – wird auf eine klare journalistische Schwerpunktsetzung weitgehend verzichtet. Die „design sub-editors" des *Wolverhampton Express & Star* bedauern das sehr. Ihre Arbeitszufriedenheit leidet unter dem hohen Arbeits- und Zeitdruck in der Zentralredaktion. Sie folgen den Hinweisen in 95 Prozent der Fälle. Einer sagt: „Wir reagieren nur noch auf die Bildschirm-Anweisungen. Das ist kein Journalismus mehr."[10]

Fünfte Station: Die Copy Sub-editors

Die nächste Stufe sind die „copy sub-editors". Sie erhalten die Meldungen von den „page plannern", nachdem Plazierung, Aufmachung und Länge festgelegt wurde. Jede Meldung durchläuft das Redaktionssystem als eigene Textdatei. Im Befehlsfeld der Datei finden die „copy subs" die Formatierungsanweisungen der „page planners", wie die Meldung im Seitenspiegel eingeplant ist. Unter

[10] Er sagt: „We are just responding to the screen. It's not journalism anymore".

der Überschrift „Die Aufgaben der sub-editors“ heißt es im *Newspapers handbook*: „Sie überprüfen jeden Beitrag auf Richtigkeit. Sie stellen die Meldung um, falls der Aufbau nicht klar genug ist, oder kürzen sie nötigenfalls.“ Der wichtigste Satz steht kurz dahinter: „Alle Reporter müssen akzeptieren, daß ihre Meldungen zerpflückt werden.“[11] Selbst wenn ein „sub-editor“ einen Artikel komplett umschreibt, steht sein Name nicht unter dem Artikel. Statt dessen erscheint nur der Name des ursprünglichen Verfassers.

Nach dem „News editor“ sind die „copy subs“ die zweite Instanz, wo Formulierungen geändert, Intros umgeschrieben und Text gekürzt wird. Ist der „News editor“ noch als Mentor der Interessen seiner „reporters“ aufgetreten, betrachten die „copy subs“ die Meldungen von einer unbeteiligten Warte. Zuerst überprüfen sie die Richtigkeit der Angaben. Auffällig bei der *Birmingham Evening Mail* ist, wie sich die „copy subs“ immer wieder bei den Kollegen rückvergewissern, wenn sie bei der Schreibweise eines Namens, der Rang und Funktion eines Politikers oder dem Zeitpunkt eines bestimmten Ereignisses unsicher sind. Es wird einfach laut in die Runde gefragt und einer weiß in der Regel die Antwort. Der Beobachter gewinnt den Eindruck, daß hier Leute sitzen, die die Stadt und Region gut kennen, über breites Hintergrundwissen verfügen und sehr sprachgewandt sind. Sie machen den Zeitdruck dafür verantwortlich, daß sie kaum ihren Platz verlassen, um in bereitstehenden Nachschlagewerken, Verzeichnissen oder Zeitungsarchiven Angaben zu überprüfen. Die „copy sub-editors“ der *Birmingham Evening Mail* weisen darauf hin, daß ihre Kollegen bei den nationalen Morgenzeitungen viel mehr Zeit hätten, die Artikel zu kontrollieren. Sie verbrächten den ganzen Tag damit, Dinge nachzuprüfen, umzuschreiben oder zu kürzen. „They don't believe a single thing,“ beschreibt einer deren kritische Arbeitseinstellung.[12]

Bei grundlegenden Zweifeln wenden sich die „copy sub-editors“ der *Birmingham Evening Mail* an den „News editor“. Solche Rückfragen sind jedoch selten: „Von uns wird erwartet, daß wir unseren Job hier am Bildschirm rasch und gründlich machen, für größere

[11] Keeble (1994, S. 5) schreibt: „They check the piece for accuracy (…). They may re-jig the story if a clearer structure is required, or reduce the length if necessary. (…) All reporters have to accept that their copy might be hacked about.“

[12] Als eine Zeitung mit besonders harten Kontrollinstanzen gilt die nationale *Daily Mail*, wo jede Reportermeldung auf Herz auf Nieren geprüft wird, bevor sie ins Blatt kommt. Nicht ohne Stolz erklärte einer ihrer langjährigen „reporters“: „The *Mail* is the toughest newspaper to work for.“ Hetherington berichtet von wahren Kreuzverhören, die sich die „reporters“ von den „News editors“ gefallen lassen müssen; vgl. Hetherington (1985, S. 132–136).

Nachrecherchen ist einfach keine Zeit", sagen sie. Das hätte der „News editor" schon vorher veranlassen müssen. Jeder „copy sub-editor" der *Birmingham Evening Mail* hat täglich 40 bis 50 Artikel zu bearbeiten. Der Zeitdruck wird als das größte Problem bei der Arbeit bezeichnet. Ein langjähriger „sub-editor" sagt: „Ich prüfe nur zwei- bis dreimal pro Tag etwas nach, weil keine Zeit ist. Ich muß mich auf die Reporter verlassen, daß die ihre Aufgabe gründlich machen."[13] Ein „copy sub" des *Wolverhampton Express & Star*, wo der Druck aufgrund der vielen zentral gefertigten Ausgaben noch größer ist, sagt: „Aus Zeitdruck müssen die beruflichen Standards schon mal kurzzeitig zurückgestellt werden."[14]

Falls nötig, kürzen die „copy subs" die Meldung auf die festgelegte Länge. Bei diesen Kürzungen darf keine relevante Information verloren gehen und der Sinn nicht entstellt werden. Gewichtung und Balance müssen erhalten bleiben. In seinem fünfbändigen Standardwerk *Editing and Design* lobt Evans (1972, S. 9) ausdrücklich die Fähigkeit der britischen „sub-editors" zum intelligenten Kürzen und Umschreiben „without losing a single relevant fact or straining a meaning". Dies grenzt er ausdrücklich von der amerikanischen Praxis ab, einfach die letzten Absätze ungelesen abzuschneiden. Der „Chief sub-editor" der *Sunday Times* berichtet, daß er nur sehr ungern amerikanische „copy editors" beschäftigt, weil sie ausgebildet seien, Reportermeldungen nicht zu verändern. Das sei in Großbritannien anders (vgl. MacArthur 1991, S. 121). Aufgrund ihrer Kenntnisse und Erfahrungen gelten die „copy subs" als letzte und wichtigste Instanz, von der Verstöße gegen das Presserecht erkannt werden. Um ihr presserechtliches Wissen zu schulen, bieten Gewerkschaften und Verbände Lehrgänge für „sub-editors" an. Vor allem Ehrverletzungen („libel") und Verstöße gegen die Prozeßberichterstattungsbeschränkungen („contempt of court") können sehr teuer werden. Abschließend formulieren sie eine Überschrift.

Sechste Station: Der Revise Sub-editor

Die nächste Instanz im Redaktionssystem ist der „revise sub-editor". Er stellt eine Kontrollinstanz dar. Er ruft die Meldungen an einem Apple MacIntosh in ihrem endgültigen Druckbild auf

[13] Er sagt: „I do check something only two or three times a day because there is no time. I have to rely on the reporters that they do their job properly."

[14] „Because of time pressure professional standards sometimes have to be shelved temporarily." Eine mangelhafte Reportermeldung wird von ihnen eher herausgeworfen als umgeschrieben, meint er.

(„soft-type set"), bevor sie zur Belichtung gehen. Er überprüft die Arbeit der „copy sub-editors", vor allem, ob sie die Anweisungen der „page planners" hinsichtlich Meldungslänge, Überschriftengröße, Schrifttyp etc. korrekt ausgeführt haben. Ferner überprüft er die Überschriften auf Rechtschreibfehler und ob sie dem Tenor des Artikels inhaltlich angemessen sind. Er liest das Intro jeder Meldung und vergleicht es mit der Aussage der Überschrift. Am 14. Juli 1992, einem durchschnittlichen Wochentag, hatte der „revise sub-editor" der *Birmingham Evening Mail* 336 Meldungen zu kontrollieren. Er räumte ein, daß aufgrund der Überbelastung seine Kontrollaufgabe leiden könnte. Er konnte sich nicht an einen größeren Fehler aus der Vergangenheit erinnern. Vom Ombudsmann war allerdings zu erfahren, daß die *Birmingham Evening Mail* in zwei Fällen wegen irreführenden Überschriften verklagt worden war. Während des Forschungsaufenthalts des Verfassers kümmerten sich die Hausjuristen gerade um die Fälle. Ein Fall, bei dem der „copy sub-editor" die Reportermeldung mißverstanden hatte, werde die Zeitung nach Einschätzung des Ombudsmannes viel Geld kosten. Diese Meldung berichtete von einem laufenden Gerichtsverfahren, in dem ein Zeuge aussagte, auf dem Gelände eines Birminghamer Juweliergeschäfts hätten sich rechtswidrige Dinge zugetragen. Die Überschrift des „copy sub-editors" besagte, der Juwelier hätte die Unrechtshandlungen begangen. Das war eindeutig falsch. Im Artikel hieß es korrekt, daß sich das Vergehen zwar auf dem Grundstück zugetragen hatten, von einer Mitwisserschaft oder Beteiligung des Juweliers war jedoch keine Rede. Der „copy sub" hatte – vermutlich unter Zeitdruck – die Meldung mißverstanden, der „revise sub-editor" hatte es auch nicht bemerkt. „It was bad", sagt der Ombudsmann. Seitdem hält er Überschriften für ein schwaches Glied in der Kette. Andererseits sei so etwas zuvor nie vorgekommen. „It was a sub-editor who misread the story."

Siebte Station: Production Editor und Stone sub-editor

Der „revise sub" ist die letzte Station im „newsroom", er sendet die fertigen Artikel zur Montage. Bei der *Birmingham Evening Mail* wurde zur Zeit des Forschungsaufenthalts noch mit Fotosatz gearbeitet. Die Texte werden hierbei auf Fotopapier belichtet und entwickelt und dann nach Maßgabe der Seitenspiegel (also der Layoutpläne der „page planners") am Leuchtisch auf Montagebögen geklebt und schließlich gedruckt. Dies geschah außerhalb des „newsrooms" im Vorraum der Rotation. Der *Wolverhampton Express & Star* arbeitete mit Lichtsatz, wobei der Umbruch am Ganzseitenbildschirm von speziellen Technikern mitten im „newsroom" erledigt wurde. Verantwortlich für die technische Seitenproduktion ist in beiden Fällen der „Production editor“ als verantwortlicher Schlußredakteur. Ihm zur Seite stand bei beiden Zeitungen der „stone sub“ (eine Bezeichnung noch aus der „Blei-Zeit“), der jede Seite nach dem Ausdruck akribisch korrekturliest und auf Fehler kontrolliert. Der „Production editor“ wacht über eventuelle technische Layoutfehler (weiße Löcher), widersprüchliche Überschriften oder gegenläufige Meldungen zu einem verwandten Thema.

Achte Station: Der Chefredakteur

Bei der *Birmingham Evening Mail* bekommt der Chefredakteur einen Korrekturabzug von jeder Seite. Ohne daß er oder ein beauftragter Vertreter nicht alle Seiten freigegeben hat, kann der Andruck nicht beginnen. Der „Production editor“ versorgt ihn mit einer Fotokopie jeder Seite, auf der der Chefredakteur mit Kugelschreiber Wörter, Formulierungen, Überschriften oder Layout-Dinge, die fehlerhaft sind oder ihm nicht gefallen, anstreicht. Die derart korrigierten Seiten gibt er dem „Executive Chief sub-editor“ und erklärt ihm, welche Änderungenfür die aktuelle Ausgabe vorgenommen werden müssen und welche bis zur nächsten Ausgabe (ca. eine Stunde später) Zeit haben. Der stellvertretende Chefredakteur der *Birmingham Evening Mail* liest ebenfalls ausführlich Korrektur, jedoch nicht nur den Nachrichtenteil, sondern auch andere Teile wie die Anzeigen und Folios (Datum, Seitenangaben, Hinweise, Ankündigungen, Wetter, etc). Der für diese Aufgaben verantwortliche stellvertretende Chefredakteur beim *Wolverhampton Express & Star* verzichtet auf diese persönliche Schlußkontrolle und vertraut seinen „sub-editors“.[15] Daß die Schlußkontrolle an andere delegiert wird, gibt es bei der *Birmingham Evening Mail* nur bei den Ressorts Sports und Business, wo die Ressortchefs diese Aufgabe übernehmen. Der „Feature editor“ muß dagegen alle Beiträge vom Chefredakteur absegnen lassen, weil es sich um meinungsbetonte Darstellungen handelt. Im Sport-, Business und Feature Ressort ist bei beiden Zeitungen der redaktionelle Prozeß etwas flexibler gestaltet. Hier sind „writers“ und „sub-editors“ unter einem Dach. Im Sport-Ressort von *Birmingham Evening Mail* und *Wolverhampton Express & Star* schreiben und redigieren einige Journalisten, aber niemals die eigenen Artikel.

[15] Keith Parker als erster Chefredakteur des *Wolverhampton Express & Star* hält sich aus dem redaktionellen Geschehen ganz heraus, liest die fertige Zeitung aufmerksam am Abend und weist auf Fehler am nächsten Tag in der Morgenkonferenz hin.

Fazit

Der hier beschriebene Prozeß dient der Selektion, Bewertung und Kontrolle aller hauseigenen Reportermeldungen. Der „reporter" hat keinen Einfluß darauf, was während dieses Weiterverarbeitungsprozesses („news processing") mit seinem Text geschieht. Tunstall schreibt hierzu treffend: „Falls ein Reporter einen Beitrag dem Nachrichtenressortleiter gibt und er steht am nächsten Morgen nicht im Blatt, kann er daraus nur folgern, daß der Beitrag irgendwo im Weiterverarbeitungsprozeß fallengelassen wurde."[16] Auf die Frage, ob es für den „reporter" nicht ein unbefriedigendes Gefühl sei, seine Meldung in so ein „schwarzes Loch" zu schicken, antwortete die Chef-Reporterin des *Wolverhampton Express & Star*: „Ich weiß nicht, wohin meine Meldung geht. Es interessiert mich nicht und es ist mir egal. Ich schreibe sie nur."[17]

Das Aufgabenverständnis des britischen „reporter" ist auf einen beschränkten Bereich fokussiert: das Recherchieren und Schreiben von Nachrichtenmeldungen. Er ist sich bewußt, daß mit dem Formulieren seines letzten Satzes der redaktionelle Prozeß nicht abgeschlossen ist, sondern eigentlich erst beginnt. Bezeichnend ist, daß er sich für die weitere Bearbeitung kaum interessiert und sich für die weiteren Prozeduren (Redigieren, Kontrollieren, Präsentieren) auch nicht für kompetent hält. Dies sind Aufgaben von Kollegen aus einer anderen Abteilungen und deren Arbeit wird von den „reporters" nicht als ungerechtfertigte Einmischung in ihre Beiträge gesehen. Der „Municipal reporter" der *Birmingham Evening Mail* sagt: „Es gibt kein Gefühl unter den Reportern, daß wir größere Mitsprache haben sollten, was mit unseren Meldungen geschieht, weil es nicht unsere Aufgabe ist. Ich versorge meinen Nachrichtenchef mit Meldungen. Und was er damit macht, ist seine Aufgabe, nicht meine. Ich berichte einfach nur die Fakten."[18] Es wird deut-

[16] Tunstall (1971, S. 34) schreibt: „If a reporter hands his copy in at the news desk, but does not see it in the paper next morning, all he will know is that it disappeared somewhere in the processing process." Die Praxis bei amerikanischen Zeitungen ist genauso. Gegenüber dem Feldforscher Mark Fishman verglich ein „reporter" diesen Prozeß mit einem Flipperautomaten: „It's like treating a pinball machine, you know. You shoot your story in [to the newsdesk] and the only thing that's going to get it out of there [to the composing room] is space and priority." Zit. n. Fishman (1980, S. 41).

[17] Sie sagt: „I have no idea where my story goes – and I am not interested and I don't care. I just write it."

[18] Er sagt: „There is no feeling among reporters that we should have a greater say in what's happening to our stories because it's not our job. I just provide my News editor with stories. And what he's doing with them is his job, not mine. I just report the facts."

lich, wie sehr sich das arbeitsteilige Organisationsprinzip britischer Zeitungsredaktionen im Bewußtsein der Journalisten niedergeschlagen hat.[19]

12.2.2 Arbeitsabläufe bei Agenturmeldungen

Beide Zeitungen haben die die Press Association (PA) abonniert, das britische Pendant zur Deutschen Presseagentur (dpa). Sie bietet ihren Abnehmern innerbritische Nachrichten. Durch eine Zusammenarbeit mit Reuters bietet PA auch internationale Nachrichten. Hierfür wählt die PA-Zentrale in London die wichtigsten internationalen Meldungen aus dem Reuters-Gesamtangebot aus und speist sie mit leichter zeitlicher Verzögerung in ihren Service ein. Diesen kombinierten Service nutzen sowohl *Birmingham Evening Mail* wie *Wolverhampton Express & Star*. Er ist billiger, als Reuters zusätzlich zu abonnieren.

Während deutsche Regionalzeitungen ihren politischen Mantelteil zu rund 90 Prozent mit Agenturmaterial bestreiten (vgl. Höhne 1992, S. 59f.), ist Agenturmaterial bei britischen Zeitungen verpönt und gilt als lästiges Pflichtprogramm. Der Schwerpunkt liegt auf selbstrecherchiertem Material. Das erkennt auch der „Editor-in-Chief" der Agentur PA. Er erklärt die sinkende Nachfrage der Regionalzeitungen so: „Chefredakteure ändern ihre Prioritäten und setzen mehr auf lokale Nachrichten und weitere Regionalausgaben. Sie verwenden weniger PA-Material, häufig nur zwei Spalten mit Kurzmeldungen."[20]

Bei nationalen Zeitungen macht Agenturmaterial nur einen sehr geringen Prozentsatz der Gesamtberichterstattung aus und „Exclusives" sind die einzig anerkannte journalistische Form. So stammten an einem typischen Dienstag im Januar 1984 von 31 politischen Beiträgen in der *Daily Mail* (ohne Kurzmeldungen) 28 von eigenen „reporters" und nur 3 von Agenturen (vgl. Hetherington 1985, S. 147). Beim *Wolverhampton Express & Star* beträgt laut hausinterner Statistik der Anteil der Agenturmeldungen an der Gesamtberichterstattung 24 Prozent. Eine vergleichbare Auszählung für die *Birmingham Evening Mail* gibt es nicht, der Anteil ist aber eher geringer, da der dortige Chefredakteur viel stärker auf lokale

[19] Bei den nationalen Zeitungen verläuft der hier beschriebene Prozeß genauso; vgl. MacArthur (1991, S. 116–153), Hetherington (1985, S. 116–185).

[20] Er sagt: „As Editors switch their priorities toward more local news and more district editions, they are using less PA, often only two columns of ‚news in brief' a night." Zit. n. „Silencing the Critics" in *UK Press Gazette* vom 12.8.1991, S. 16–17.

Eigenberichte setzt. Der generelle Trend, mehr auf selbstrecherchierte Meldungen zu setzen, ließ viele Regionalzeitungen nach Alternativen zum teuren PA-Service suchen. Vertragskündigungen und die Gründung der Konkurrenzagentur *UK News* haben PA in den neunziger Jahren in eine finanziell schwierige Situation gebracht. Die *Birmingham Evening Mail* zahlte 1992 für den PA-Dienst rund £ 4000 pro Woche, nutzte aber weniger als ein Zehntel des Angebots (vgl. McNair 1994, S. 183f.).

Birmingham Evening Mail und *Wolverhampton Express & Star* haben je einen „copy taster" für das einkommende Agenturmaterial. Die Arbeitsweise der „copy tasters" bei Reportermeldungen wurde bereits oben beschrieben, sie unterscheidet sich kaum für die Agenturmeldungen. Bei der *Birmingham Evening Mail* sendet der „copy taster" für jede Ausgabe dem „Chief sub-editor" eine aktualisierte Liste mit den acht bis zehn wichtigsten Agenturmeldungen, die er mit Prioritätshinweisen versieht. Der „copy taster" läßt die Agenturmeldungen ansonsten völlig unverändert. Bei der *Birmingham Evening Mail* ist die Seite 2 für nationale und internationale Nachrichten reserviert. Wichtige Agenturmeldungen, „die jeden betreffen" (Regierungsentscheidungen, Gesetze, die wirtschaftliche Lage, Human Interest-Stories), werden auch auf den übrigen Nachrichtenseiten plaziert. Zum Hauptaufmacher auf der Titelseite wird eine nationale Meldung nur im Falle eines wirklich herausragenden Ereignisses gemacht, ansonsten ist dieser Platz lokalen Themen vorbehalten. Bietet eine Agenturmeldung einen regionalen Aufhänger, weil darin eine Person, Firma oder Ortschaft aus der Umgebung vorkommt, leitet der „copy taster" sie an den News Desk weiter, wo ein „reporter" mit einem „Follow-up" beauftragt wird: Er soll die regionale Bedeutung ausrecherchieren und darstellen. Dies kommt häufig vor.

Der *Wolverhampton Express & Star* hat keine feste Seite für Auslandsmeldungen, er bevorzugt eine durchgehende Mischung lokaler, nationaler und internationaler Meldungen. Die Selektionskriterien der Agentur-„copy taster" von *Birmingham Evening Mail* und *Wolverhampton Express & Star* unterscheiden sich deutlich. Während die *Birmingham Evening Mail* internationale Meldungen als Pflichtübung ansieht und ihre Anzahl gering halten möchte, ist der *Wolverhampton Express & Star* bestrebt, die wichtigsten Meldungen der abendlichen Fernsehnachrichten ebenfalls groß im Blatt zu haben. Es komme nicht selten vor, so ein „sub-editor" der *Birmingham Evening Mail*, daß ein Agenturbericht beim *Wolverhampton Express & Star* zum dreispaltigen Seitenaufmacher, in der *Birmingham Evening Mail* jedoch zu einer Fünf-Zeilen-Meldung heruntergekürzt wird. Dahinter stehen unterschiedliche Ansichten über die Aufgabe einer lokalen Abendzeitung.

Sowohl die *Birmingham Evening Mail* als auch der *Wolverhampton Express & Star* haben ein Abkommen mit dem *London Evening Standard*, der erfolgreichen Abendzeitung aus der Hauptstadt mit einer Auflage von 500000 Exemplaren. Dieses Abkommen sieht vor, daß man sich täglich die besten selbstrecherchierten Meldungen zum Tausch anbietet. Der *Wolverhampton Express & Star* macht regen Gebrauch von dieser Möglichkeit, die *Birmingham Evening Mail* nur bei Meldungen mit Bezug zu Birmingham. In einem Fall wurden der *Evening Mail* Informationen über ein Londoner Haus zugefaxt, das die Polizei umstellt hatte, nachdem es ein Mann aus Birmingham mit einer Axt betreten hatte. In dem Haus wohnte seine Ex-Verlobte mit ihren beiden Kindern. Die Titelschlagzeile der *Birmingham Evening Mail* an jenem Abend lautete: „Two Dead in Siege Horror" (Zwei Tote bei Belagerungshorror).

Beide Zeitungen machen kaum Quellenangaben. Weder die *Birmingham Evening Mail* noch der *Wolverhampton Express & Star* kennzeichnen Agenturmaterial. Auch bei Meldungen der „general reporters" fehlen die Namen der Autoren. Nur „features" und Meinungskolumnen sind mit Namen versehen. Bei beiden Zeitungen ist die Autorenzeile ein Privileg, das nur höhergestellten Mitarbeitern zukommt, vor allem „specialists".[21] Die *Birmingham Evening Mail* geht mit der Quellenzuschreibung „staff reporter" recht großzügig um. Häufig handelt es sich hierbei um Agenturmeldungen. Die Etikettierung werde einzig aus Layout-Gründen dem Artikel vorangestellt, hieß es unschuldig: „It looks better."[22]

12.2.3 Arbeitsabläufe bei Meinungsbeiträgen

Bei Meinungsbeiträgen ist zwischen „news features", Meinungskolumnen und Leitartikeln zu unterscheiden. Alle werden vom Chefredakteur der *Birmingham Evening Mail* vor der Drucklegung gelesen. Der *Wolverhampton Express & Star* verzichtet weitgehend auf „news features" und Meinungskolumnen, hier kontrolliert der stellvertretende Chefredakteur den Leitartikel. Der „Feature editor" der *Birmingham Evening Mail* erklärt, „news features" gingen

[21] Laut Tunstall (1971, S. 37) ist die Namenzeile („by-line") eine Art Ehrenabzeichen, das „general reporters" nicht zukommt.

[22] Ähnliches gilt übrigens für die Lokalteile der *Rhein-Zeitung*, die großzügig mit dem Kürzel „Red." umgehen. So bekommen Meldungen, die auf einer Pressemitteilung beruhen, grundsätzlich die Quellenangabe „Red.".

in neun von zehn Fällen auf eine eigene Idee der „writers" (hauptsächlich Schreiberinnen) zurück. Häufig würde er jedoch Ideen zurückweisen. Er bespricht mit dem Chefredakteur täglich die Themen und die Seite(n), auf denen die „features" erscheinen sollen. In den vergangenen zwei Jahren hätte der Chefredakteur zwei Feature-Themen abgelehnt, die er selbst zuvor akzeptiert hatte.

Nachdem ein „feature" geschrieben ist, geht es zuerst zum „Feature editor", der Fehler korrigiert, Unebenheiten bereinigt und gegebenfalls Passagen umschreibt. Die nächste Station sind die „sub-editors", deren Arbeit sich von denen im Nachrichtenressort unterscheidet. Erstens kann bei „features" nicht ohne weiteres von hinten gekürzt werden, häufig enthält der letzte Abschnitt sogar die Pointe. Auch Kürzungen im Mittelteil werden zurückhaltender vorgenommen, weil Struktur und Aufbau einer bewußten Entscheidung folgen. Zweitens wird weniger umgeschrieben, weil sich im individuellen Stil der „features" das Profil einer Zeitung ausdrückt – viel mehr als in den Nachrichten. Es handelt sich eo ipso um eine persönliche, programmatische Darstellungsform. „Features" werden von den „sub-editors" vor allem auf Genauigkeit, Grammatik und presserechtliche Unbedenklichkeit überprüft. Der Stil des Verfassers wird jedoch beibehalten.[23] Die größere Zurückhaltung der „sub-editors" beim Redigieren wird durch eine größere Kreativität beim Layout kompensiert. Am Feature Desk wird sehr viel mehr mit großen Bildern, Graphiken, Rahmen, Überläufen, Schattierungen etc. gearbeitet. Dies entspricht dem größeren Freiraum, den die „feature writers" beim Schreiben ihrer Beiträge haben. Genauso verfährt das Feature-Ressort mit den von außen hereinkommenden Meinungskolumnen der Gastautoren. Deren Texte werden ebenfalls zuerst vom „Feature editor", dann vom Chefredakteur und schließlich von den „sub-editors" gelesen und bearbeitet. Die „großen" Kolumnisten der nationalen Zeitungen wurden vom *Economist* kritisiert, weil sie ihre Beiträge nur ungern redigieren ließen, wohingegen dies in den USA üblich sei.[24]

Die Leitartikler von *Birmingham Evening Mail* und *Wolverhampton Express & Star* präsentieren dem Chefredakteur täglich mehrere Vorschläge für einen längeren und einen kürzeren Kommentar. Nachdem der Chefredakteur die Entscheidung gefällt hat, schreiben sie ihre Kommentare und kürzen sie auf die festgelegte Spaltenlänge. Der „leader writer" der *Birmingham Evening Mail* sagt, das Kürzen dauere oft länger als das Schreiben, weil er es selbst

[23] Vgl. zu „features" auch Keeble (1994, S. 244–318) und Hodgson (1993, S. 120).
[24] Vgl. „The Pundits Weigh In" in *Economist* vom 9.1.1993, S. 79f.

machen müsse. Die nationalen Zeitungen in London können sich mehrere Leitartikler leisten, die ihre Kommentare gegenseitig redigieren. Der „leader writer" der *Birmingham Evening Mail* ist der einzige Redaktionsangehörige, der seine Texte selbst redigiert. Nachdem der Kommentar geschrieben ist, legt er ihn dem Chefredakteur zur Schlußkontrolle vor.

Quelle der Kommentarthemen ist die aktuelle Berichterstattung, vornehmlich die des eigenen Blattes. Der „leader writer" der *Birmingham Evening Mail* sagt: „Wir bemühen uns, vor allem lokale Meldungen zu kommentieren. Meine erste Ideenquelle ist die letzte *Evening Mail*-Ausgabe."[25] Selbstrecherchierte Themen der eigenen „reporters" bilden die wichtigste Grundlage. Der „leader writer" selbst recherchiert nicht: „Basis für meinen Kommentar ist die Nachrichtenmeldung, wie sie im Blatt stand. Ich verlasse mich darauf, daß der Beitrag korrekt war, weil ich keine Zeit habe, selbst aktiv zu werden."[26]

Den „reporters" sei nicht bewußt, daß jede ihrer Nachrichtenmeldungen die Grundlage für einen Leitartikel bilden könnte. Über den Einfluß seiner eigenen politischen Ansichten beim Abfassen des Kommentars sagt „leader writer" Peter Freeman: „Ein Leitartikel drückt immer, zumindest bis zu einem gewissen Grad, die Weltsicht von Peter Freeman aus. Aber ich glaube, daß Peter Freemans Sicht der Dinge mit der des durchschnittlichen Mannes auf der Straße übereinstimmt. Der Leitartikel drückt nicht die politische Überzeugung von Peter Freeman aus und hat es auch nie getan."[27]

[25] Er sagt: „If we possibly can, we like to comment on local stories. My first source is tonight's *Evening Mail*."

[26] Er sagt: „I would base my comment on the news report as it was in the paper. I would trust that the report was accurate because I don't have enough time to do anything else."

[27] Er sagt: „A leader always, at least to some extent, expresses Peter Freeman's view of the world. But I like to think that Peter Freeman's view of the world is the average man in the street's view of the world. It does not express Peter Freeman's politics and never has done."

12.3 Vergleich mit Deutschland: Unterschiede der redaktionellen Abläufe

12.3.1 Selektieren, Redigieren und Kontrollieren in der deutschen Redaktion

Im Gegensatz zu den Redaktionssystemen von *Birmingham Evening Mail* und *Wolverhampton Express & Star* beruht das *Cicero*-System der *Rhein-Zeitung*, das den in Deutschland gewohnten Redaktionsroutinen angepaßt ist, nicht auf dem „copy flow"-Prinzip.[28] Als der Verfasser im Dezember 1994 dem stellvertretenden Chefredakteur das britische Prinzip systematischer Selektion und Kontrolle anhand von Schaubild 20 (s. Kapitel 12.2.1) erläuterte, meinte dieser erstaunt: „Was die [Briten] an Stationen dazwischen haben, das haben wir gar nicht." Bei der *Rhein-Zeitung* kann jeder Redakteur von seinem Terminal aus Artikel und Seiten direkt ins Druckzentrum zum Belichten senden. Dies kann kein „reporter", kein „feature writer", kein Leitartikler der *Birmingham Evening Mail* oder des *Wolverhampton Express & Star.* Weil sich in Deutschland andere Redaktionsroutinen entwickelten, gibt es viele Berufsbilder gar nicht, die im britischen Selektions- und Kontrollprozeß eine zentrale Rolle spielen („copy taster", „sub-editors"). Ihre Einführung als eigenständige, spezialisierte Redaktionsberufe scheiterte am ganzheitlichen deutschen Arbeitsprinzip. Die Arbeitsabfolge bei der *Rhein-Zeitung* ist in Schaubild 21 graphisch dargestellt. An den einzelnen Stationen wird ganzheitlicher gearbeitet, zudem erlaubt das eingesetzte Redaktionssystem problemlos das Umgehen einzelner Stationen.

Bis zur Umstrukturierung der *Rhein-Zeitung* (also der Einführung von Schwerpunkt-Außenredaktionen mit Producern) galt: „Es gibt kein systematisches Gegenlesen". Ein Lokalredakteur erklärte: „Bis ich meinen Bericht fertig habe, ist es 18 Uhr und Herr ... [Redaktionsleiter] vielleicht schon zuhause. (...) Die Entscheidung, einen Kommentar zu schreiben, liegt allein bei mir und gegenlesen tut ihn im Regelfall auch niemand. Schon gar nicht in Koblenz. Ich habe noch nie erlebt, daß Koblenz einen Artikel gekippt oder geändert hätte – die wissen ja auch gar nicht, was hier los ist. Und Herrn ... [Redaktionsleiter] zuhause anrufen und ihm über Telefon einen Kommentar vorlesen – das würde man ja auch nicht machen." Der Redaktionsleiter, der auch selbst viel schreibt,

[28] Wie erwähnt, haben 30 deutsche Zeitungen das von der Rhein-Zeitung entwicklete *Cicero*-System gekauft.

bestätigte die Ausführungen seines Redakteurs. Er sagte: „Es findet kein Nachlesen meiner Sachen statt. Es gibt kein Kontrollorgan nach mir. Koblenz hat noch nie einen Artikel geändert. Höchstens wenn der [technische] Schlußdienst einen Rechtschreibfehler auf einer Seite findet, ändert er ihn natürlich." Der Redaktionsleiter einer anderen Lokalredaktion bestätigte: „Was wir schreiben, wird gedruckt. Das liest keiner mehr. Eine Kontrollinstanz in Koblenz gibt es nicht mehr. Der Schlußdienst [im Druckzentrum] achtet auf technische, nicht auf inhaltliche Sachen. Er hätte kaum die Möglichkeit, noch was zu ändern." Nach seinen Worten galt bis zur Umstrukturierung bei der *Rhein-Zeitung* der Grundsatz: „Texte von Redakteuren sind tabu." Sie seien es gewohnt gewesen, ihre Seiten zu machen. Mit dem neuem Konzept, die Seitengestaltung von rotierenden Producern in den Schwerpunktredaktionen übernehmen zu lassen, täten sich „manche alten Hasen noch schwer". Eine Redakteurin meinte dennoch, daß in anderen Außenredaktionen die Artikel vom Redaktionsleiter weiterhin tabu seien: „Da können Tippfehler drin sein, da geht keiner ran."

Durch das Fehlen der für britische Redaktionen charakteristischen Trennung in „reporters" und „sub-editors", die in einem bewußt antagonistischen Verhältnis zueinander stehen, konnte sich in Deutschland kein systematischer Kontroll- und Redigierprozeß entwickeln.[29] Dazu gehört eine gewisse Einschränkung der journalistischen Autonomie durch die Kontrolle der Redaktionsleitung und durch die Kollegen-Begutachtung. Für sie ist ein unsentimentaler Pragmatismus bei der Redaktionsarbeit erforderlich. Bei der *Rhein-Zeitung* gilt nach wie vor der Grundsatz: Jeder Redakteur kürzt seine Texte selbst. Kürzungen von Texten freier Mitarbeiter (und in der Zentrale Kürzungen von Agenturmaterial) waren schon immer üblich, aber Kürzungen von Texten hauseigener Redakteure wurden erst durch die Einführung der Producer ein Thema. Solche Kürzungen gab es vorher nur dann, wenn die „Rheinland-Pfalz"-Redakteure in Koblenz „starke Lokalgeschichten" für den Mantelteil übernehmen wollten, die Beitragslänge aber stark reduzierten. Diese Kürzungen waren ein wesentlicher Grund für das gespannte Verhältnis zwischen Außen- und Mantelredaktion. Um Konflikte wegen Kürzungen zu umgehen, gibt es Absprachen. So kündigt der Redakteur im Regelfall an: „Ich mache Euch einen Dreispalter mit 60 Zeilen" und der Producer plant sie so ein. Falls aus Layoutgründen dennoch leichte Kürzungen notwendig werden, informiert der Producer den Redakteur. Ein Redaktionsleiter sagte: „Ohne Rück-

[29] Ausnahmen werden in Kapitel 12.3.3 geschildert.

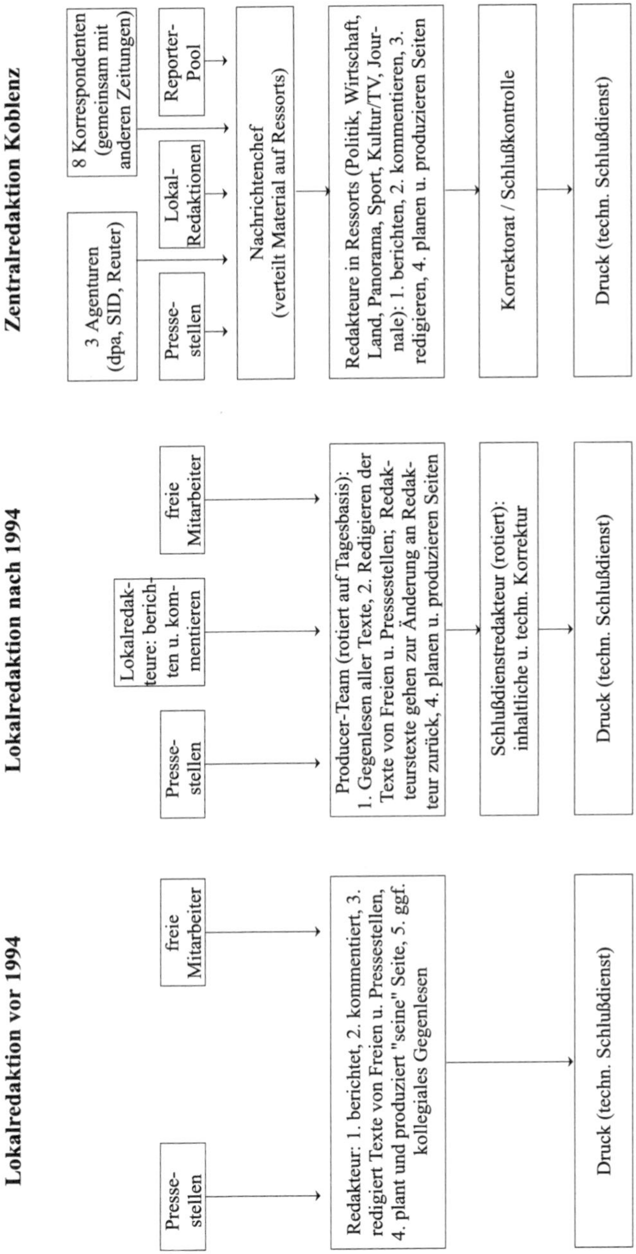

Lokalredaktion vor 1994

Presse-
stellen

freie
Mitarbeiter

Redakteur: 1. berichtet, 2. kommentiert, 3. redigiert Texte von Freien u. Pressestellen, 4. plant und produziert "seine" Seite, 5. ggf. kollegiales Gegenlesen

Druck (techn. Schlußdienst)

Lokalredaktion nach 1994

Presse-
stellen

Lokalredak-
teure: berich-
ten u. kom-
mentieren

freie
Mitarbeiter

Producer-Team (rotiert auf Tagesbasis): 1. Gegenlesen aller Texte, 2. Redigieren der Texte von Freien u. Pressestellen; Redakteurstexte gehen zur Änderung an Redakteur zurück, 4. planen u. produzieren Seiten

Schlußdienstredakteur (rotiert): inhaltliche u. techn. Korrektur

Druck (techn. Schlußdienst)

Zentralredaktion Koblenz

3 Agenturen
(dpa, SID, Reuter)

8 Korrespondenten
(gemeinsam mit
anderen Zeitungen)

Presse-
stellen

Lokal-
Redaktionen

Reporter-
Pool

Nachrichtenchef
(verteilt Material auf Ressorts)

Redakteure in Ressorts (Politik, Wirtschaft, Land, Panorama, Sport, Kultur/TV, Journale): 1. berichten, 2. kommentieren, 3. redigieren, 4. planen u. produzieren Seiten

Korrektorat / Schlußkontrolle

Druck (techn. Schlußdienst)

Schaubild 21: Arbeitsablauf bei deutscher Regionalzeitung
(ohne „Copy Flow“-Prinzip)

sprache beim Kürzen käme es zu Spannungen. Kleine Stilblüten werden von Producer stillschweigend geändert, bei grundsätzlichen Änderungen ist man bemüht, [mit dem freien Mitarbeiter, Redakteur oder Ortskorrespondenten] zu reden." Alle befragten Redakteure betonten beim Thema Kürzen und Redigieren, wie wichtig das Gespräch mit den Verfassern ist. „Man kann dem Kollegen ja nicht den ganzen Artikel umschreiben, das geht doch nicht", erklärte eine Redakteurin. Daher ändert oder kürzt der Producer normalerweise nicht selbst. Er bittet den Redakteur um Änderungen. Das gilt auch für Beiträge der Ortskorrespondenten, die als Alleinredakteure in sogenannten Korrespondentenbüros sitzen und komplette Artikel inklusive Überschrift in die Schwerpunktredaktionen schicken. „Wir kürzen schon mal fünf Zeilen von dem Artikel eines Ortskorrespondenten, aber es ist immer besser, wenn sie es selbst machen", erläutert eine Producerin. Unter Zeitdruck würden sie die aus Layoutgründen notwendigen Kürzungen auch schon mal selbst vornehmen, aber dann dem Ortskorrespondenten den Artikel zufaxen und an den Rand schreiben: „So o.k.?". Dieser faxt oder telefoniert dann zurück. Die Ortskorrespondenten erwarten, bei Kürzungen informiert zu werden. Selbst mit den Texten freier Mitarbeiter gehen die Außenredaktionen vorsichtig um. Im „Redaktionsleitfaden" einer großen Außenredaktion heißt es dazu, daß die Redakteure beim Umschreiben oder Kürzen von Texten neuer Mitarbeiter, die ihnen noch nicht so gut bekannt sind, „behutsam" umgehen sollen. Zum Hintergrund erklärte eine Redakteurin, daß man neue Mitarbeiter „nicht gleich vor den Kopf stoßen und ihnen den Artikel völlig umschreiben kann". Da müsse man halt ein bißchen großzügig sein und „nur die dicksten Klöpse" herausholen. Man rede lieber bei nächster Gelegenheit ausführlicher mit dem Mitarbeiter und erkläre ihm die Vorstellungen der Redaktion.

Das systematische Gegenlesen in den Außenredaktionen der *Rhein-Zeitung* wurde erst 1994 im Rahmen der Umstrukturierung eingeführt. Durch die Umwandlung der ehedem 31 Lokalredaktionen in 11 Schwerpunktredaktionen und 20 Ortskorrespondentenbüros wurde in den Schwerpunktredaktionen ein sogenannter Spätdienst eingeführt. Die Arbeitszeit des Spätdienstes, der von den Redakteuren abwechselnd wahrgenommen wird, ist von 15 bis 21 Uhr. Seine Aufgaben sind Schlußkorrektur aller Seiten und Einbauen später Aktualisierungen. Der Spätredakteur liest alle Artikel nach Rechtschreibfehlern, Verständnisschwierigkeiten und technischen Fehlern durch. Ein als Spätdienst eingesetzter Redakteur erklärte, er finde pro Seite drei bis fünf Fehler. Während Artikel früher häufig jungfräulich in Druck gingen, würden sie seit der

Umstrukturierung vom Producer und Spätdienst gelesen. Diese neu eingerichtete Arbeitsteilung funktioniert aber nur bei voller Besetzung der Schwerpunkt-Außenredaktionen. Wegen Personalmangel (Krankheit, Urlaub, Auswärtstermine) seien an mindestens zwei, drei Tagen im Monat aber nur zwei statt der üblichen sechs Redakteure in der Schwerpunktredaktion. Diese zwei müßten dann *alles* machen: schreiben, redigieren, produzieren, scannen, Schlußkontrolle. Sonntags werde der Lokalteil generell nur von zwei Redakteuren gemacht. „Wenn an solchen Tagen auch noch eine große Geschichte passiert, muß man neben dem eigentlichen Bericht noch eine Meldung für die Titelseite und einen verkürzten Bericht für die „Rheinland-Pfalz"-Seite schreiben und gegebenenfalls sogar noch einen für den Lokalteil der Nachbarausgabe, weil sich der Vorfall an der Kreisgrenze ereignet hatte. Das ist bei der Minimalbesetzung von zwei Redakteuren alles schon vorgekommen", so der Spätredakteur.

In der Nachrichtenredaktion der Koblenzer Mantelredaktion gibt es für die Politikseiten ebenfalls einen rotierenden Spätdienst, der bis 21 Uhr arbeitet und alle Artikel gegenliest. Er ist jedoch nur für die drei Politikseiten zuständig, nicht für Wirtschaft, Rheinland-Pfalz und Panorama. Der Anteil eigenrecherchierter Redakteurstexte ist im Mantel deutlich geringer als in den Lokalteilen. Eigene Beiträge der Nachrichtenredakteure sind eher selten, die Politikredakteure schreiben deutlich mehr Kommentare als Berichte. Um den Anteil von Originalbeiträgen zu erhöhen, wurde 1995 der Mobilpool eingerichtet. Die wichtigste Kontrollinstanz in der Koblenzer Mantelredaktion ist das Korrektorat, das seit 1992 „Qualitätskontrolle" heißt. Dort sitzen allerdings keine Redakteure, die professionell redigieren, sondern Teilzeitkräfte ohne journalistische Ausbildung, die ausschließlich auf Orthographie, Grammatik und Stil achten.[30] Ihre Arbeitszeit ist von ca. 17.30 bis 21.30 Uhr. Die beiden Kräfte bekommen Fotokopien jeder Seite, streichen mit Rotstift alle Fehler an und der Spätdienst bespricht die Fehler mit der Redaktionssekretärin. Die Sekretärin korrigiert sie, indem sie am Bildschirm die entsprechenden Artikel aufruft. Dies kann kaum mit dem professionellen Redigieren der britischen „sub-editors" verglichen werden – hier werden weder Überschriften geschrieben, noch Intros umgeschrieben oder Kürzungen vorgenommen. Auch in der Mantelredaktion redigiert jeder Redakteur seinen Beitrag

[30] Es handelt sich um drei Leute, von denen jeden Tag zwei anwesend sind. Darunter befinden sich ein pensionierter Studienrat und eine junge Mutter mit juristischem Staatsexamen.

selbst: Er versieht ihn mit einer Überschrift, schreibt bzw. kürzt ihn auf die erforderliche Länge. Eine systematische redaktionellen Kontrolle findet nicht statt. Die *technische* Kontrolle aller Seiten liegt beim Schlußdienst im Druckzentrum. Er korrigiert falsch gesetzte Anzeigen oder Fotos und behebt andere Layoutfehler, die sich durch unkorrekte Bedienung des Redaktionscomputersystems ergaben, auf dem Redakteursbildschirm aber nicht zu erkennen waren. Ebenso sind sie für die korrekte Gestaltung der unterschiedlichen Titelseiten der verschiedenen *Rhein-Zeitungs*-Lokalausgaben zuständig.

Als Fazit bleibt festzuhalten, daß den *Rhein-Zeitungs*-Redakteuren ist die Erfahrung systematischer Textkontrolle und mehrstufiger Weiterverarbeitung fremd ist. Beim britischen „copy flow“-Modell steht am Anfang das Rohmaterial der „reporters“ („raw copy“) und am Ende der „veredelte“ Artikel (s. Schaubild 19, Anhang). Daraus folgt, daß an der Gestaltung einer Zeitungsseite in Deutschland viel weniger Instanzen beteiligt sind als in Großbritannien. Würde man die Zahl der Redaktionsmitglieder vergleichen, die an einer Titelseite der *Birmingham Evening Mail* und der *Koblenzer Rhein-Zeitung* beteiligt sind, fiele der britische Wert deutlich höher aus. Die *Rhein-Zeitung* führte einige Prüfinstanzen ein, deren Aufgabe jedoch im *Gegenlesen*, nicht im systematischen *Redigieren* besteht. Sie dienen der Entlastung der Redakteure, indem Stilblüten und Rechtschreibfehler entfernt werden. Zum Redigieren im angelsächsischen Sinn gehört die Bewertung eines Textes aus einem anderen Blickwinkel (Leserinteresse, Faktengenauigkeit, Ausgewogenheit etc.), Kürzen auf Nachrichtenwert, Formulieren der Überschrift und gegebenenfalls Umschreiben des Intros – ausgeführt von anderen, darauf spezialisierten Redaktionsmitgliedern. In Deutschland gibt es weder diese Spezialisten, noch ihre Tätigkeitsprofile.

12.3.2 Konsequenzen: Redaktionelle Kontrolle aus Sicht der Journalisten

Das beschriebene Filter- und Prüfsystem ergibt sich unmittelbar aus den Organisationsprinzipien britischer Zeitungsredaktionen. Auch Patterson und Donsbach versuchten im Rahmen ihrer Journalistenbefragung, den unterschiedlichen Grad redaktioneller Kontrolle in verschiedenen Ländern zu messen. Damit wechseln wir wieder von der objektiven Strukturbeschreibung zur subjektiven Wahrnehmung der betroffenen Akteure. Zunächst fragten Patterson und Donsbach die Journalisten nach der Bedeutung verschiedener Beschränkungen bei der alltäglichen Arbeit. Unter den elf Vorgaben befanden sich auch „Druck von leitenden Redakteuren“ und „Druck von der Geschäftsleitung“ (erste Hälfte von Schaubild 22). Die Ergebnisse zeigen, daß deutsche Zeitungsredakteure Eingriffe der Verlags- und Redaktionsleitung besonders selten erleben. 69 bzw. 56 Prozent geben an, solchen Beschränkungen „überhaupt nicht“ zu unterliegen. In Großbritannien und den USA geben die Journalisten dagegen deutlich häufiger an, Einflüssen der Verlags- und Redaktionsleitung ausgesetzt zu sein.

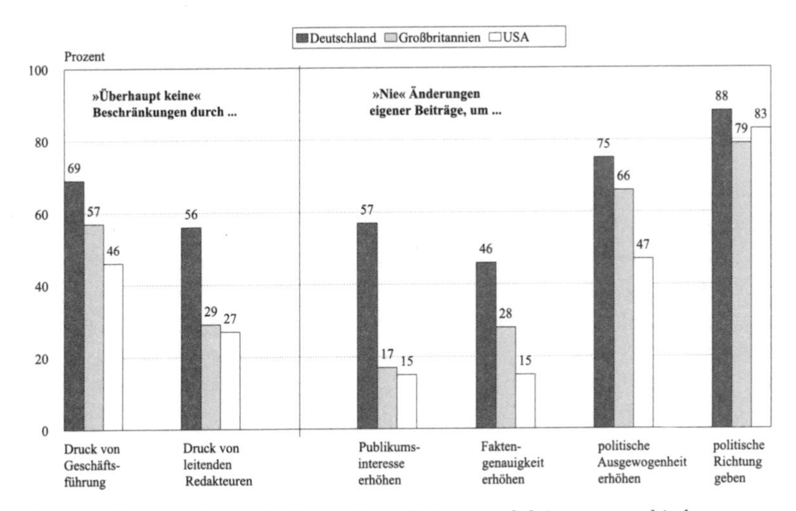

Schaubild 22: Redaktionelle Kontrolle in Zeitungsredaktionen verschiedener Länder

Frage 1: „Wie bedeutsam ist jede der nachfolgenden Beschränkungen für Ihre Arbeit?“ Frage 2: „Wie oft werden Beiträge, die Sie bearbeitet haben, von jemand anderem in der Redaktion geändert, um ...?“ Basis: 169 westdeutsche, 101 britische und 143 amerikanische Tageszeitungsjournalisten, Anfang 1991, Daten aus Gründen der Vergleichbarkeit gewichtet. Quelle: Donsbach & Wolling (1995, S. 434).

Während diese Frage auf Kontrolle durch Vorgesetzte abzielte, sollte mit einer Anschlußfrage redaktionelle Kontrolle durch Kollegen gemessen werden. Den Befragten wurden vier verschiedene Gründe angeboten, warum ihre Beiträge von anderen Personen in der Redaktion möglicherweise abgeändert werden. Der erste Grund lautete „um das Publikumsinteresse zu erhöhen“, der zweite „um die Genauigkeit der Fakten zu erhöhen“, der dritte „um die politische Ausgewogenheit zu verbessern“ und der vierte „um ihnen [den Meldungen] eine politische Richtung zu geben“ (zweite Hälfte von Schaubild 22). Patterson und Donsbach wollten wissen, wie häufig jede dieser Änderungen in der alltäglichen Arbeit vorkommt. Die Antworten bestätigen, daß die redaktionelle Kontrolle in Deutschland am geringsten ist. Die deutschen Zeitungsredakteure genießen insgesamt große Freiheiten bei ihrer Arbeit, ihre Beiträge werden am seltensten abgeändert. Das zeigt sich vor allem bei dem im angelsächsischen Raum so wichtigen Publikumsinteresse. Änderungen zur Erhöhung der Leseraufmerksamkeit sind in Großbritannien und den USA keinesfalls eine boulevardzeitungstypische Besonderheit. Auch Änderungen aus Gründen der Faktengenauigkeit und zur Verbesserung der Ausgewogenheit kommen in angelsächsischen Ländern deutlich häufiger vor als in Deutschland. Die Änderung von Beiträgen, um ihnen eine politische Richtung zu geben, kann als illegitime Einflußnahme bezeichnet werden. Solche Veränderungen kommen in allen Ländern am seltensten vor.[31]

Gegenlesen und Redigieren

In deutschen Redaktionen wird gegengelesen, in angelsächsischen professionell redigiert. Die Allensbacher Presse-Enquete ergab bereits 1969, daß die meisten deutschen Journalisten das Gegenlesen schätzen, weil es in schwierigen Situationen die eigene Unsicherheit reduziert und zu einer psychischen Entlastung von Verantwortung führt (vgl. Schulz 1979, S. 174). In den einzelnen Redaktionen wird es jedoch sehr unterschiedlich gehandhabt. Das Gegenlesen, wie es in Deutschland üblich ist, wird – wenn überhaupt – von einem Redakteurskollegen ausgeführt, der auf derselben Ebene der Hierarchie steht. Es ist ein kollegialer Akt, der auf Anfrage erledigt wird, um den Gegenüber vor Blamage zu schützen. Man tut dem Bittenden einen Gefallen. Bei Lokalzeitungen, so Klaus von Prümmer von der IFRA, werde das Gegenlesen häufig als lästig empfunden, da es sich um eine sehr hautnahe Angelegenheit handele, die durchaus heikel sein kann.[32] Man müsse sich mit dem Kollegen auseinandersetzen, was nicht unproblematisch sei und zu Konflikten führen könne, die das Arbeitsklima belasteten. Zudem sei es recht zeitaufwendig. Daher sei es eine Kann- oder Soll-Bestimmung, aber ausdrücklich kein Zwang. Die Einschätzung Prümmers deckt sich mit Befunden und Beobachtungen aus empirischen Studien. Ulrich Hienzsch (1990, S. 247), der sich mehr als hundert Tage in den Mantel- und Lokalressorts der *Westdeutsche Allgemeinen* aufhielt, berichtete über das Gegenlesen: „Mehr als ein Drittel aller Mitarbei-

[31] Vgl. hierzu ausführlicher Donsbach (1993a, S. 151–154) und Donsbach & Wolling (1995, S. 423–425).

[32] So Prümmer am 19.10.1994 im Interview mit dem Verfasser.

ter liest so gut wie nie gegen, d.h. üblicherweise werden die Beiträge von Kollegen nicht gegengecheckt und u.U. besprochen und kritisiert. Das typische ‚lies mal drüber' scheint in der modernen Zeitungsredaktion erheblich an Stellenwert verloren zu haben." Auch Otto Roegele (1985, S. 70) monierte, daß der Brauch des Gegenlesens kaum noch in Übung sei: „Sich als letzte Instanz zu wissen, keiner Überprüfung, keiner Kontrolle bedürftig – das ist gewiß kein Zeichen für geistige Souveränität."

Systematisches Redigieren ist mehr als Gegenlesen: Lead umschreiben, Text umarrangieren, Fehler und stilistische Unebenheiten korrigieren, die „richtige" Überschrift finden, etc. Diese Redigieraufgabe wird in Großbritannien von „sub-editors" (und den USA von „copy readers" oder „rewrite men") erledigt, weil der Verfasser des Textes dies nach angelsächsischer Überzeugung gar nicht oder zumindest nicht so gut kann wie ein Unbeteiligter. Der Chefredakteur des *Wolverhampton Express & Star* brachte es auf die prägnante Formulierung: „The reporter is too emotionally involved in the story; the sub-editor steps back and values it from a distance." Redigieren geschieht systematisch, Gegenlesen zufällig. Die Bedeutung des Redigierens für britische Zeitungen verdeutlicht der Chefredakteur der *Birmingham Evening Mail*. Er sagt, er würde eher den Andruck verschieben, als einen gerade fertiggestellten Beitrag ungelesen ins Blatt zu heben.

Unabhängige Begutachtung

Der zweite strukturelle Unterschied ist die unabhängige Begutachtung als *Selbstverständlichkeit*. Für die britischen „reporters" ist die Begutachtung durch die „sub-editors" eine selbstverständliche, wenn auch keine angenehme Erfahrung. Hier handelt es sich nicht um eine Besonderheit des Journalismus – sehr ähnliche Verfahren findet man vielmehr auch in der Wissenschaft, etwa bei britischen und amerikanischen Fachzeitschriften. Je strenger die Gutachter, desto höher das Prestige der Fachzeitschrift. Die Begutachtung durch Kollegen hat sich in Deutschland bis heute weder bei Fachzeitschriften, noch im Pressejournalismus allgemein durchgesetzt. So beruht der international unangefochtene Ruf des britischen Magazins *Nature* vor allem auf seinem Gutachtersystem, das von Chefredakteur John Maddox eingeführt wurde, einem ehemaligen Wissenschaftsjournalisten der Tageszeitung *The Guardian*. Jedes eingereichte Manuskript wird nicht nur von Fachredakteuren, sondern von mindestens drei unabhängigen Gutachtern, die auf dem betreffenden Gebiet forschen, auf Stichhaltigkeit und Bedeutung geprüft. Die äußerst strenge Auswahl – etwa 95 Prozent aller Manuskripte werden abgelehnt – verschafft Forschern, deren Ergebnisse in *Nature* erscheinen, ein besonderes Renommee. Die Auswahlkriterien von *Nature* würde jeder „copy taster“ einer britischen Tageszeitung ebenfalls unterschreiben können: Das Manuskript muß ein Orginalbeitrag sein; interessant und leicht verständlich geschrieben sein; ein überraschendes Ergebnis haben; und das Resultat so darstellen, daß ein Hauch von Genialität, Eleganz und Geschick zum Ausdruck kommt.[33]

Ablehnungsquoten von über 90 Prozent wären im Tagesjournalismus weder praktikabel noch wünschenswert. Die Qualität der Begutachtung durch die „sub-editors“ unterliegt in der tagesaktuellen Arbeit vielfältigen, pragmatischen Einschränkungen, zumal wenn 12 Ausgaben pro Tag erstellt werden müssen. Aber das Begutachtungsprinzip ist in den angelsächsischen Redaktionsstrukturen verankert, in den deutschen nicht. Änderungen an Reportermeldungen, um deren Faktengenauigkeit zu verbessern, kommen in den USA häufiger als in Großbritannien vor (Schaubild 22). Dies mag ein Hinweis auf die in amerikanischen Redaktionen zusätzlich existierenden „fact checkers“ sein, die beispielsweise die in einer Meldung zitierten Personen anrufen und nachfragen, ob die ihnen zugeschriebenen Äußerungen in der vorliegenden Form stimmen. Eine Übernahme für den Zeitungsjournalismus wurde in Großbritannien diskutiert, aber nicht realisiert (vgl. Snoddy 1992, S. 13, 166). „Fact checkers“ gibt es unter anderem bei den Magazinen *Time, Newsweek, Rolling Stone* und in ähnlicher Weise auch beim *Spiegel.*

12.3.3 Konflikte: Redaktionelle Kontrolle vs. journalistische Autonomie

In britischen Zeitungsredaktionen ist die redaktionelle Kontrolle intensiver und die Autonomie des einzelnen Journalisten geringer. Dies hat positive und negative Aspekte, sowohl für die Qualität des publizistischen Produkts als auch für das Selbstverständnis des Einzelnen. Positiv für das Produkt wirkt sich die Unterteilung in „reporters“ und „sub-editors“ aus, die die Grundlage redaktioneller Kontrolle darstellt. Den „structural conflict“ zwischen diesen beiden Gruppen nennt Tunstall (1971, S. 43 f.) einen Konflikt zwischen Quellenorientierung und Publikumsorientierung. Der „reporter“ denke beim Schreiben an seine Informationsquellen, die er auch morgen noch benötigt; der „sub-editor“ an die Leser, denen er ein

[33] Vgl. zum 1869 gegründeten Wochenmagazin *Nature* die Portäts in *Die Woche* vom 22.12.1995, S. 30 und in *Bild der Wissenschaft*, Heft 7/1997, S. 52–56.

möglichst attraktives Produkt bieten will. Dennoch hält Tunstall diesen Konflikt für „positively useful for the organization“ (ebd., S. 39). Er sei nützlich, um die subjektiven Einstellungen und Parteineigungen der einzelnen Redaktionsmitglieder zu kontrollieren. Ob die redaktionelle Kontrolle einen Einfluß darauf hat, inwieweit eigene Meinungen in die Berichterstattung einfließen, interessierte auch Patterson und Donsbach. Dazu befragten sie die Journalisten zuerst, ob es für ihre Arbeit eher typisch sei, „eine neutrale Darstellung eines Ereignisses [zu geben]“ oder „einen bestimmten Standpunkt zu vertreten“. Diese Angaben wurden korreliert mit Angaben über die Häufigkeit redaktioneller Änderungen ihrer Texte. Die Ergebnisse zeigen: In Großbritannien und den USA werden die Beiträge der Journalisten, die in ihren Nachrichtenmeldungen versuchen, den eigenen Standpunkt einfließen zu lassen, häufiger redigiert, „um die Ausgewogenheit zu verbessern“ als in Deutschland. Donsbach (1993a, S. 154) schreibt, daß „deutsche Journalisten auch dann keine Korrekturen in Richtung auf eine ausgewogenere Berichterstattung erfahren, wenn sie in ihren Nachrichten versuchen, den eigenen Standpunkt auszudrücken“. Er erklärt dies mit der politischen Übereinstimmung zwischen den Redakteuren und den redaktionellen Linien ihrer Blätter. Sie sei in Deutschland größer als in den Vergleichsländern.[34]

Um festzustellen, inwieweit Journalisten verschiedener Länder Nachrichtenentscheidungen abhängig von ihrer persönlichen Meinung treffen, schilderten Patterson und Donsbach im Fragebogen vier Nachrichtensituationen. Das Analysemodell hierfür übernahmen sie von Kepplinger, Brosius, Staab & Linke (1989).[35] Die Nachrichtenmeldungen behandelten kontroverse Themen, in denen sich jeweils zwei Konfliktparteien (Regierung gegen Opposition, Dritte

[34] Vgl. Donsbach & Wolling (1995, S. 428–431), Donsbach (1993a, S. 155–157).

[35] Kepplinger et. al. befragten im Juni 1984 insgesamt 213 Politik- und Wirtschaftsredakteure verschiedener deutscher Medien zu den Konflikten um die 35-Stunden-Woche, die Ausländerpolitik der Bundesregierung und die politischen Verhältnisse in Mittelamerika. In persönlichen Interviews wurden den Befragten zu jedem Konfliktthema Karten mit acht Meldungen vorgelegt, von denen – nach Expertenurteil – jeweils vier für die eine und vier für die andere Konfliktseite sprachen. Zuerst sollten die Befragten den Nachrichtenwert einschätzen (wie wichtig ihnen die Veröffentlichung jeder Meldung ist), dann die subjektive Instrumentalität (ob die Meldung für oder gegen eine Konfliktseite spricht) und schließlich ihre subjektive Konfliktsicht (welche Seite in den drei Konflikten er persönlich unterstützt). Die subjektive Konfliktsicht der Redakteure besaß einen mäßigen, aber hochsignifikanten Einfluß auf die Nachrichtenentscheidungen. Sie erklärte rund 15 Prozent der Entscheidungen (vgl. Kepplinger, Brosius, Staab & Linke 1989, S. 210 f.).

Welt gegen Industrieländer, etc.) gegenüberstanden.[36] Die Journalisten sollten die vier Meldungen lesen und folgende Fragen beantworten: Erstens sollte der Nachrichtenwert/die Publikationswürdigkeit bewertet werden, zweitens die Akzeptanz einer einseitigen Überschrift (zugunsten eines der Konfliktpartner), drittens sollten die Befragten entweder weitere Interviewpartner auswählen (sie vertraten jeweils Positionen zugunsten des einen oder anderen Konfliktpartners) oder zusätzliches Bildmaterial (die Fotos stützen ebenfalls eher den einen oder anderen Konfliktstandpunkt). Die persönliche Meinung der befragten Journalisten zu den vier Konflikten wurde an anderer Stelle des Fragebogens gemessen.[37] Durch das statistische Zusammenführen der eigenen Meinung und der getroffenen Nachrichtenentscheidungen kann man prüfen, wie subjektiv die Journalisten bei der Nachrichtengebung verfahren. Schaubild 23 zeigt die Ergebnisse.

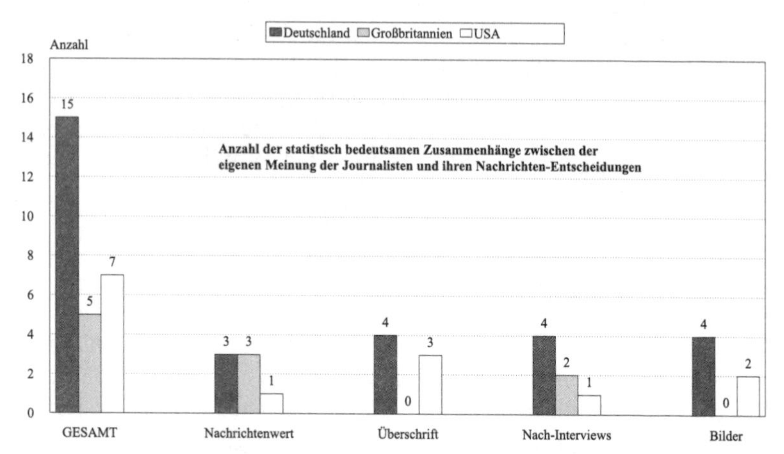

Schaubild 23: *Subjektivität bei der Nachrichtengebung in verschiedenen Ländern*

Basis: 297 westdeutsche, 216 britische und 278 amerikanische Journalisten Anfang 1991, Daten aus Gründen der Vergleichbarkeit auf jeweils N = 300 gewichtet. Quelle: Donsbach (1993c, S. 79).

[36] Die kontroversen Themen betrafen Maßnahmen zur Bekämpfung der Arbeitslosigkeit, Gründe für Informationsunterdrückung durch Regierungen, Ursachen für Schuldenlast der Entwicklungsländer, Kosten für Umweltschutzmaßnahmen.

[37] Die persönliche Konfliktsicht jedes befragten Journalisten wurde auf zweifache Weise ermittelt: über den eigenen Standpunkt zu den vier Themen und über die Selbsteinstufung auf dem politischen Links-Rechts-Spektrum. Diese beiden unabhängigen Variablen (eigener Konfliktstandpunkt, politische Selbsteinschät-

Die mit Abstand meisten statistischen Zusammenhänge („signifikante Korrelationen") zwischen eigener Meinung und beruflicher Entscheidung finden sich bei den deutschen Befragten. Sie haben häufiger als die britischen und amerikanischen Journalisten die Nachrichten so ausgewählt und bearbeitet, wie es ihrer persönlichen Konfliktsicht entspricht bzw. wie es ihrem Standpunkt nützt. Aufgrund methodischer Mängel im Design müssen die Ergebnisse jedoch mit Vorsicht interpretiert werden.[38] Sie scheinen weniger auf grundsätzlich unterschiedliche „Berufskulturen" im angelsächsischen und deutschen Journalismus hinzuweisen (so Donsbach 1992, 1993a,b,c), als vielmehr darauf, daß die fehlende Erfahrung einer systematischen redaktionellen Kontrolle bei deutschen Journalisten zu einem schwächer ausgeprägten Bewußtsein für die Trennung von professioneller Nachrichtenentscheidung und persönlicher Meinung geführt hat. Daher könnte ein Effekt größerer redaktioneller Kontrolle darin liegen, Einflüsse journalistischer Subjektivität wirkungsvoll zu mindern. Die weitmaschigen, deutschen Redaktionsstrukturen lassen es vermutlich leichter zu, die subjektiven Ansichten der Redakteure in die Berichterstattung einfliessen zu lassen.[39]

Britische Erfahrungen

Britische Reporter kritisieren das hohe Maß redaktioneller Kontrolle jedoch bisweilen als kontroproduktiv. Als ein „Verbrechen" bezeichnet es der „Municipal reporter" der *Birmingham Evening Mail*, wenn ein „sub-editor" beim Umschreiben einen Fehler in

zung) wurde mit den zwölf abhängigen (drei Entscheidungen bei vier Nachrichten) korreliert. Die Anzahl der signifikanten Korrelationen von den insgesamt 24 Beziehungen (eindeutig interpretierbar waren davon 22 Beziehungen) stellt nach Donsbach ein Maß dafür dar, wie sehr die Journalisten jedes Landes ihre subjektive Realitätssicht in berufliche Entscheidungen einfließen lassen. Vgl. Donsbach (1992, S. 56–59), Donsbach (1993b, S. 301–303), Donsbach (1993c, S. 78–80), Donsbach (1995, S. 24 f.).

[38] Das von Kepplinger übernommene Analysemodell eignet sich nicht sehr gut für schriftliche Befragungen. Das erste methodische Problem liegt darin, daß der Befragte zunächst alle Fragen zu den vier Nachrichtensituationen lesen und damit den Zweck der Fragen durchschauen kann. Konsistenzeffekte sind nicht auszuschließen. Das zweite Problem liegt darin, daß bei schriftlichen Fragebögen die unabhängige Variable (persönliche Meinung zu den Konflikten) nicht kontrolliert *vor* den anderen Variablen erhoben werden konnte. Dies wäre aber zentral für Donsbachs Argumentation. Schließlich verliert das Design aus einem dritten Grund an Beweiskraft: Das ursprüngliche Karten-Sortierverfahren mußte durch ein Rating-Verfahren ersetzt werden, das der realen Arbeitssituation weniger gut entspricht.

[39] Vgl. Donsbach (1992, S. 56–59), Donsbach (1993b, S. 301–303), Donsbach (1993c, S. 78–80), Donsbach (1995, S. 24 f.).

den Artikel einbaut, insbesondere dann, wenn der „News editor“ die Meldung zuvor schon umgeschrieben hatte. Er ereifert sich: „Diese sub-editors … Sie behaupten zwar, alles zu überprüfen, aber wenn sie unter Zeitdruck etwas verändern, bauen sie häufig Fehler ein. Oder sie schreiben ein Intro um, das zuvor bereits der Nachrichtenchef umgeschrieben hatte. Der wird dann richtig wütend, vor allem, wenn der sub-editor dabei einen Fehler einbaut.“[40] Als ein Problem bezeichnet der „reporter“ die Überschriften – und zwar vor allem dann, wenn bei Nachrichtenflaute ein an sich solider Artikel zur Sensationsmeldung der Titelseite („splash“) aufgeblasen wird. Über die Probleme, die er dann draußen mit seinen Quellen bekommt, berichtet er: „Das größte Problem sind Überschriften. Die Aufgabe der sub-editors ist die Formulierung von Schlagzeilen, die die Leute zum Kauf des Blattes veranlaßt, aber manchmal übertreiben sie es. Häufig beschweren sich die Leute über die Überschriften meiner Artikel. Sie sehen meine Autorenzeile und glauben, auch die Überschrift sei von mir. Sie vestehen nicht, daß dies von jemand anderem gemacht wird.“[41]

Als typisches Beispiel schildert der „reporter“ einen drei Monate zurückliegenden Fall: Der Stadtrat von Birmingham beschloß, einem sozial schwachen Stadtteil mit hohem Ausländeranteil ein Förderprogramm zur Verbesserung der Infrastruktur zu gewähren: 75 Prozent der Investitionen für Schulen, Kindergärten, Jugendtreffs, Krankenhäuser etc. würde die Stadt übernehmen. Er fand heraus, daß die lokale Behörde umgerechnet 200 000 Mark von diesem Geld für die Zusammenstellung und den Druck eines Buches mit asiatischen Kinderreimen ausgegeben hatte. Auf der Grundlage seiner Recherchen schrieb er eine Meldung, in der er gegenüberstellte, wofür die Fördergelder eigentlich gedacht waren, wofür Geld ausgegeben wurde und wofür noch nicht. Ein grundsolider Artikel, wie der „reporter“ betonte. Die Besatzung am Production Table beschloß, diesen Artikel als Aufmacher für die Titelseite zu nehmen und die „copy sub-editors“ gaben ihm eine marktschreieri-

[40] Er sagt: „These subs – they may claim to check everything but often when they are in a rush they re-write something and include mistakes. Or they re-write an intro that had already been changed by the News editor and then the news editor might get really angry, particularly if the sub puts a mistake in his intro.“

[41] Er sagt: „The biggest problem are headlines. Their [the sub-editors'] job is to think up an headline that makes people buy the paper and read the story, but sometimes they overdo it. I often get in trouble with the headline they put on my stories because people complain about them. They see the byline ‚By David Bell‘ and think it is my headline. They don't realize that that's done by someone else.“

sche Überschrift. Dafür modifizierten sie den Refrain aus einem alten *britischen* Kinderreim, der heute als rassistisch gilt. Die Politiker im Stadtrat waren außer sich, so der „reporter“, nicht wegen des Artikels, sondern wegen der geschmacklichen Entgleisung in der Überschrift.[42] Dieses drastische Beispiel zeigt die ausgeprägte Publikumsorientierung britischer Zeitungen, vor der sich auch Qualitätszeitungen nicht verschließen können – vor allem dann nicht, wenn sie in einem erbitterten Konkurrenzverhältnis stehen.

Die starke redaktionelle Kontrolle in Großbritannien wirkt sich auch auf das Selbstverständnis der Redaktionsmitglieder aus. Sie beschränkt die journalistische Autonomie, die Identifikation mit dem Produkt und damit auch die Verantwortung des Einzelnen. Dies zeigt sich besonders deutlich bei den nationalen Boulevardzeitungen Großbritanniens, die in den achtziger Jahren ausgesprochen parteilich wurden. Tunstall hatte in *Journalists at work* (1971) festgestellt, daß die Durchsetzung einer einheitlichen politischen Grundhaltung durch den Prozeß redaktioneller Kontrolle garantiert wird. Diese übten die leitenden „sub-editors“ und die Chefredaktion bei der Weiterverarbeitung der Reportermeldungen aus. Tunstall schreibt: „Die Nachrichtenweiterverarbeitung wird von leitenden Redakteuren kontrolliert, dabei können Beiträge ‚auf Linie‘ gebracht werden. Allerdings hat jeder Reporter durch Erfahrung und Beobachtung eine recht gute Vorstellung davon entwikkelt, wie ‚stories‘ bei seiner Zeitung beschaffen sein müssen.“[43]

Der zweite wirksame Sozialisationsmechanismus ist, so Tunstall, die von Breed (1955) bereits ausführlich beschriebene und analysierte Kollegenorientierung, bei der vor allem Neulinge aufmerksam studieren, wie und was die älteren Redaktionskollegen schreiben. Daran anknüpfend beschrieb Mark Hollingworth am Beispiel

[42] Es muß in diesem Zusammenhang betont werden, daß Überschriften im britischen Journalismus einen unvergleichlich höheren Stellenwert haben als im deutschen. Selbst das grundseriöse Nachrichtenmagazin *Economist* läßt keine Gelegenheit ungenutzt, seine Artikel mit Überschriften zu würzen, die entweder ein Wortspiel enthalten oder so formuliert sind, daß sie auf ein berühmtes Zitat anspielen. Das „punning“ (Wortspielen) ist geradezu ein intellektueller Nationalsport der Briten. Deutsche Journalisten können diese Sprachartistik und diesen Sprachwitz nur neidvoll zur Kenntnis nehmen – eine gute Überschrift kommt im englischen wie ein blitzschneller Florettstich daher. Die meisten deutschen Journalisten betrachten Wortspiele allerdings immer noch mißbilligend als Kalauer, wollen sie sogar ganz aus der Zeitung heraushalten.

[43] Tunstall (1971, S. 46) schreibt im Original: „Senior executives control the processing, where changes can be made to align stories with policy; but any gathering journalist … has by experience and observation a fairly specific idea as to what sorts of stories will by used by that paper.“

verschiedener Themen aus den achtziger Jahren, wie die politische Linie einer Zeitung durch das „System redaktioneller Arbeitsabläufe“ hergestellt wird, auf das der einzelne „reporter“ gar keinen Einfluß habe. Es sei in Großbritannien überhaupt nicht notwendig, einen „reporter“ zu beauftragen, einem Artikel eine bestimmte politische Richtung zu geben. Dies geschehe im Verlauf eines mehrstufigen, arbeitsteiligen Bearbeitungsprozesses – häufig sogar ohne Wissen des Reporters (Hollingsworth 1986, S. 27). Er illustriert dies mit den Erfahrungen des langjährigen Fleet Street-Journalisten Jad Adams, der für mehrere große Boulevardzeitungen arbeitete. So wurde der Grundtenor einer Meldung, die Adams als „reporter“ des *London Evening Standard* schrieb, im Verlaufe des Weiterverarbeitungsprozesses ohne sein Wissen um 180 Grad gewendet. Das Intro wurde neu geschrieben und eine dem neuen Tenor entsprechende Überschrift formuliert. Der so umgearbeitete Artikel erschien auf der Titelseite unter Nennung von zwei Autoren: Neben Adams' Namen war der des „Überarbeiters“ angegeben (ebd.). An diesem Beispiel werde deutlich, so Hollingsworth, warum britische Journalisten die Verantwortung für Einseitigkeit und Parteilichkeit einer Zeitung nicht bei sich, sondern bei der Redaktionsleitung suchten: „Journalisten machen entweder sub-editors oder das Management verantwortlich, wenn sie wegen politischer Einseitigkeit beschuldigt werden. Sie sehen sich selbst nur Zahnräder im Getriebe einer komplexen Maschinerie.“[44]

Das distanzierte Selbstverständnis wird noch gefördert durch den häufigen Arbeitsplatzwechsel von Londons „reporters“. Das Umherspringen zwischen Zeitungen mit unterschiedlichen redaktionellen Linien sei für die „reporters“ kein Problem, da sie mit Meinungsäußerung und der politischen Richtung eines Blattes nichts zu tun hätten. Adams erläutert: „Reporter sind zwischen Zeitungen austauschbar, weil sie nicht die Ursache der Einseitigkeit sind. Die Öffentlichkeit sieht es als eine Art Verrat an, wenn linksstehende Journalisten für rechtsgerichtete Blätter arbeiten. Die Öffentlichkeit versteht nicht, daß der Reporter das Beste macht, was er kann, unabhängig vom politischen Charakter der Zeitung.“[45]

[44] Hollingsworth (1986, S. 29) schreibt: „Journalists blame either sub-editors oder management when they are accused of political bias. They see themselves as mere individual cogs in a complex machine.“

[45] „Reporters are interchangeable between papers because they are not the source of bias. The public sees it as a sign of apostasy when left-wing journalists work on right-wing papers. The public does not understand that the reporter does the best of his or her ability, regardless of the political character of the paper.“ Zit. n. Hollingsworth (1986, S. 29).

Für Qualitäts- und Regionalzeitungen gibt es diese politisch motivierten Umschreibepraktiken jedoch kaum. Ein „sub-editor" der Qualitätszeitung *Daily Telegraph* hält die Vorstellung, daß Meldungen aus politischen Motiven systematisch umgeschrieben würden, für stark übertrieben. Er sagt: „Ich wurde noch nie gebeten, einem Artikel eine Tendenz zu verleihen, höchstens ihm Tendenz zu nehmen."[46] Auch „reporters" von *Birmingham Evening Mail* und *Wolverhampton Express & Star* gaben an, daß Änderungen, um einer Meldung eine politische Tendenz zu geben, noch nicht vorgekommen seien. Die Chef-Reporterin des *Wolverhampton Express & Star* sagt: „Es gibt keine Restriktionen. Wir schreiben hier harte Nachrichten, alles basiert auf Nachrichtenwert. Falls ein Beitrag gut ist, kommt er ins Blatt. Geschmack ist die einzige Beschränkung."[47]

Änderungen an Reportermeldungen, um ihnen „eine politische Richtung zu geben", kommen in allen Ländern nur selten vor (s. Schaubild 22, S. 433). Dennoch scheinen sie in Großbritannien etwas häufiger zu sein. Sechs Prozent der britischen Journalisten gaben an, sie kämen „gelegentlich" oder „oft" vor. In Deutschland und den USA sagten dies nur jeweils zwei Prozent (vgl. Donsbach 1993a, S. 153). In einer anderen Befragung gaben 44 Prozent der britischen Journalisten an, unlautere Veränderungen ihrer Berichte („improper managerial interference with stories") selbst erlebt zu haben, 45 Prozent gaben an, davon gehört zu haben.[48] Weder die von Hollingsworth geschilderten Einzelfälle, noch die Selbstauskünfte der befragten Journalisten sollten überbewertet werden. Sie geben jedoch einen Hinweis darauf, wozu enorm starke redaktionelle Kontrolle führen kann. Daher sollte – in Anlehnung an Curran (1990a, S. 131) – bei der redaktionellen Kontrolle zwischen „offenen" und „geschlossenen" Medienorganisationen unterschieden werden. „Offene" Organisationen (die meisten britischen Zeitungen) nutzen redaktionelle Kontrolle als Filter- und Qualitätssicherungsinstrument, „geschlossene" (parteiliche Boulevardzeitungen) gebrauchen sie als Instrument zur Steuerung des Outputs.

[46] „I have never been asked to bias a story, only ‚de-bias' them." Zit. n. Hollingsworth (1986, S. 28). Unter den britischen Qualitätszeitungen ist die redaktionelle Kontrolle bei *Daily Telegraph* und *The Times* am höchsten; vgl. Tunstall (1996, S. 163).

[47] Sie sagt: „There are no restrictions. We are dealing with hard news, everything is based on news values. Taste is the only restricting factor. If a story is good it goes into the paper."

[48] Vgl. Delano & Henningham (1995), 726 Befragte, Telefoninterviews.

Deutsche Erfahrungen
Obwohl redaktionelle Kontrolle als Filter- und Qualitätssicherungsinstrument in Deutschland eine Seltenheit ist, gibt es zwei Blätter, die sie als Instrument zur Steuerung des Outputs nutzen wird: *Spiegel* und *Bild*. Beide Blätter lehnen sich an angelsächsische Modelle an. Den redaktionellen Bearbeitungsprozeß der *Bild*-Zeitung hat 1977 erstmals Günter Wallraff beschrieben. Danach muß jeder *Bild*-Redakteur vormittags seine Geschichte (oder Geschichtenidee) dem Büroleiter der Außenredaktion vortragen. Der Büroleiter, genannt Nachrichtenführer, ist „das erste Sieb, mit dem die Geschichte auf ihre Zeitungs-Tauglichkeit prüft wurde". Der Büroleiter teilt daraufhin der Hamburger Zentralredaktion sein Angebot telefonisch mit. Sie ist das zweite „Sieb". Die Mittagskonferenz in Hamburg ist das dritte, die abendliche Seitengestaltung am Umbruchtisch das vierte „Sieb" (Wallraff 1982, S. 24–26). An diesem Procedere hat sich seither nicht viel verändert. Michael Sontheimer beschrieb 1995 die *Bild*-Arbeitsweise so: „Artikel für die Bundesausgabe durchlaufen meist die folgenden Stationen: Der Reporter recherchiert, zusammen mit dem ‚Bundesmann' schreibt er die Geschichte. Der Außenchef redigiert. In Hamburg geht die Nachrichtenredaktion über den Text, dann noch der Seitenredakteur und die Chefredaktion."[49] Viele Falschmeldungen seien weniger gewissenlosen Erfindern anzulasten als der komplizierten Mechanik der Maschine *Bild*, erklärt Sontheimer. Er zitiert einen ehemaligen Redakteur mit den Worten: „Ein Text geht durch so viele Hände und die Kollegen, die ihn bearbeiten, sind immer weiter von den Ereignissen entfernt." Damit werden hier Fehler genau jenen Kontrollmechanismen zugeschrieben, die sie nach Auffassung britischer Journalisten effektiv verhindern. Der Grund liegt darin, daß der Verarbeitungsprozeß einseitig auf die Erhöhung des Leserinteresses ausgerichtet ist, unter Vernachlässigung der anderen Aspekte redaktionelle Kontrolle.

Daß auch die redaktionelle Organisation des *Spiegel* von der Arbeitsweise anderer deutscher Zeitungen abweicht, betonte erstmals Dieter Just. Er wies auf die „Existenz zweier Systeme", der Redaktion und der Dokumentationsabteilung, hin. „Nach und nach hat sich die Dokumentationsabteilung zu einer mächtigen Kontrollinstanz der redaktionellen Arbeit entwickelt" (Just 1967, S. 46). Innerhalb des Kontrollsystems durchläuft ein *Spiegel*-Manuskript insgesamt fünf Instanzen: zunächst der Ressortleiter des Fachressorts,

[49] Michael Sontheimer: „Ein hartes Blatt" in *Spiegel* special, Heft 1/1995 (Themenheft: Die Journalisten), S. 38–43, hier S. 41.

dann der Sachbearbeiter der Dokumentationsabteilung, anschließend Chefredaktion und ggf. Herausgeber, schließlich Korrektorat und abschließend die technische Schlußkontrolle im Produktionsressort (ebd., S. 59f.). Die anschaulichste Darstellung, wie beim *Spiegel* „Texte durch den Redaktionswolf gedreht werden", stammt von Erich Kuby. Er schreibt über die intensive redaktionelle Kontrolle: „Um es auf den Punkt zu bringen: Der *Spiegel* ist das einzige Presseerzeugnis in der Bundesrepublik, dessen Erfolgsrezept von seinen Mitarbeitern eine Selbstpreisgabe erfordert, für die nicht einmal mehr die Begriffsklitterung radikaler Kompromiß – zugunsten des *Spiegel* – anwendbar erscheint" (Kuby 1986, S. 48). Es sei das besondere Erfolgsrezept des *Spiegel*, den Redakteuren nur begrenzte journalistische Autonomie zuzustehen. Alle hätten sich dem Blattkonzept unterzuordnen: „Die Wahrheit ist, daß von den 213 in der Redaktion tätigen Journalisten kein Dutzend, nämlich nur jene, die unter ihrem Namen schreiben dürfen, eine bescheidene Möglichkeit haben, in ihren Texten eine persönliche Handschrift zu zeigen, alle übrigen aber einer formalen Disziplin unterworfen sind, die uns erlaubte zu sagen, sie seien in ein Korsett eingezwängt, womit wir wahrscheinlich einen zu schwachen Ausdruck benützt haben, Zwangsjacke wäre dem Sachverhalt angemessener" (ebd., S. 52). Auch Hans-Jürgen Jakobs und Uwe Müller vertreten die These, daß die journalistische Arbeitsteilung beim *Spiegel* wie in keinem anderem deutschen Blatt vorangeschritten sei. An die Stelle einzelner Autoren sei „ein hochkomplexer Apparat gerückt, der unablässig normierte *Spiegel*-Stücke ausspuckt". Sie zitieren einen ehemaligen *Spiegel*-Redakteur mit dem Worten: „Hätte Henry Ford sein Fließband für ein Nachrichtenmagazin erfunden, wäre sehr wahrscheinlich der *Spiegel* dabei herausgekommen" (Jakobs & Müller 1990, S. 20). Sowohl über den *Spiegel*, als auch über die *Bild*-Zeitung ist dasselbe gesagt worden, was Hollingsworth auch über große britische Blätter sagte: In diesen Redaktionsorganisationen ist jedes Rädchen auswechselbar und sofort ersetzbar.[50] Die geringere journalistische Autonomie wird durch die Zahlung von Spitzengehältern kompensiert.

[50] Jakobs & Müller (1990, S. 21) schreiben, beim *Spiegel* seien bis auf Augstein „alle anderen Rädchen dieser Maschine auswechselbar". Auch bei Just (1967, S. 49) heißt es: „Verlagsdirektor Becker hält denn wohl auch den Apparat für wichtiger als den einzelnen Redakteur, wenn er meint, alle Mitarbeiter bis auf Rudolf Augstein seien austauschbar." Sontheimer schreibt über die *Bild*-Redakteure: „Jeder merkt sofort, daß er nur ein kleines Rädchen in einer gigantischen Maschine ist; sofort ersetzbar"; in *Spiegel* special, Heft 1/1995 (Themenheft: Die Journalisten), S. 40.

12.4 Zwischenbilanz: Einflußfaktoren der Institutionssphäre

Zum dritten Mal nach Kapitel 3.4 und 9.6 ist eine Zwischenbilanz erforderlich, die die Einzelbefunde in den Kontext unseres journalismustheoretischen Modells (s. Schaubild 1, Kapitel 1.2) einbettet. Wir haben nun die strukturellen Bedingungen und Beschränkungen der Organisationsebene im britischen und deutschen Journalismus kennengelernt. Einerseits prägen sie das Handeln der einzelnen Akteure, andererseits konstituieren sie den spezifischen Charakter des Handlungssystems Journalismus. Zu dieser Ebene, die wir als *Institutionssphäre* bezeichnen, zählen der Grad der Arbeitsteilung und der Zuschnitt der redaktionellen Tätigkeitsprofile (Kapitel 10), Fragen der Organisation, Hierarchie und Kompetenzverteilung mitsamt ihrer Auswirkungen auf die Redaktionsmitglieder (Kapitel 11) sowie die Struktur redaktioneller Arbeitsabläufe und Kontrolle mitsamt ihrer Auswirkungen auf die journalistische Autonomie und Arbeitszufriedenheit (Kapitel 12). Wie lassen sich diese Einzelfaktoren in das bisherige Bild einpassen, in welcher Verbindung stehen sie zur *Gesellschafts-* und *Medienstruktursphäre*? Die britischen und amerikanischen Presseoffiziere achteten beim Wiederaufbau der deutschen Presse vor allem darauf, keine nationalsozialistisch belasteten Journalisten und Verleger publizistisch tätig werden zu lassen. Für die inneren Redaktionsstrukturen und praktischen Arbeitsabbläufe der Zeitungen interessierten sie sich dagegen nicht. So lernten die deutschen Redakteure zwar angelsächsische Berichterstattungsprinzipien, nicht aber Organisationsprinzipien kennen. Zudem waren vor allem die Amerikaner bemüht, die Kontrollphase möglichst kurz zu halten und den Deutschen zügig ihre Presse wieder zu überantworten.

Angelsächsische Zeitungsredaktionen sind modellhaft durch zwei zentrale *Organisationsprinzipien* und zwei zentrale *Arbeitsprinzipien* gekennzeichnet. Die beiden Organisationsprinzipien lauten *Arbeitsteilung* und zentralisierter *„newsroom"*. Sie bilden die Voraussetzung für die konsequente Umsetzung der Arbeitsprinzipien *Trennung von Nachricht und Meinung* und *redaktionelle Kontrolle* (siehe auch Esser 1998). Da sich die angelsächsischen Presseoffiziere für das Endprodukt, nicht aber die Redaktionsstrukturen interessierten, führte dies dazu, daß sich die Trennung von Nachricht und Meinung zwar bald im Druckbild der deutschen Zeitungen niederschlug, nicht aber in der Organisationsstruktur. Die Trennung von Nachricht und Kommentar ist im angelsächsischen Zeitungsmodell das Ergebnis von zwei getrennt ablaufenden redaktionellen Prozessen. Für die Nachrichtengebung sind „reporter" zuständig, für Meinungsartikel dagegen „leader writers", „commentators", „columnists" und zum Teil „feature writers". Die Arbeit des Feature Ressort gehört nach angelsächsischem Verständnis eher zu den meinungsbetonten Darstellungsformen, nach deutschem Verständnis eher zum Reporterhandwerk der Nachrichtenabteilung. In Anlehnung an Kepplinger (1992, S. 60) ließe sich modellhaft formulieren, daß die „Positions-Trennung" zwischen Berichterstattern und Kommentatoren die Voraussetzung für die „Form-Trennung" in wertfreie Nachrichten und wertenden Kommentar darstellt. Dies wiederum ermöglichte die „Rollen-Trennung" zwischen dem Berichterstatter mit privaten Ansichten einerseits und beruflichen Aufgaben andererseits. Weil die „Positions-Trennung" in Deutschland nie so verwirklicht wurde wie in den angelsächsischen Ländern, blieb Berichterstattung und Kommentierung häufig in einer Hand. Überspitzt könnte man die Trennung von Nachricht und Meinung in deutschen Zeitungen als aufgesetzt bezeichnen, weil der Verfasser der Nachrichtenmeldung und des dazugehörigen Kommentars oft ein und dieselbe Person ist. In solchen Fällen besteht die Trennung von Nachricht und Meinung nur pro forma: Sie wird von den Redakteuren aufgrund individueller Anstrengungen *nach außen* mehr oder weniger klar befolgt, ergibt sich aber nicht zwangsläufig aus den *redaktionsinternen* Arbeitsabläufen, da in Deutschland jeder Redakteur das Recht zur Kommentierung hat.

Organisationsstrukturen und Arbeitsroutinen britischer Redaktionen sind weder modern, noch einem planvollen, systematisch durchkalkuliertem Konzept nachempfunden. Genau wie die deutschen Routinen entwickelten sie sich historisch – halb zufällig, halb überlegt. Die Gründe dafür, warum es in Großbritannien die Arbeitsteilung in „reporters", „sub-editors" und „commentators" gibt, in Deutschland hingegen nicht, lassen sich angeben. In den angelsächsischen Ländern entstand das Berufsbild des Informationen recherchierenden „reporter" Mitte des 19. Jahrhunderts. In Großbritannien entwickelte er sich aus dem Stenographen im Parlament, das sich im Mutterland der Demokratie bereits 1772 den Presseberichterstattern öffnete. Zum Inbegriff des Journalisten wurde der „reporter" um die Jahrhundertwende, als sich die Presse durch den Siegeszug der überparteilichen Massenblätter entpolitisierte und der Wert der Information und der Informationsbeschaffung stieg. In Deutschland erschien – wie dargestellt – den Journalisten der Unparteilichkeitsanspruch der neuen Massenblätter (Generalanzeiger) suspekt: Wurden sie hier nicht schon wieder gezwungen, ihre Überzeugungen zu verleugnen und nur einfache Zuträgertätigkeiten auszuführen? Daher blieb der „reporter" in Deutschland eine Randfigur, während er im modernen britischen und amerikanischen Journalismus eine zentrale Rolle einnahm. Zu Beginn des 20. Jahrhunderts galt der Reporter in Deutschland allenfalls als „eine notwendige Begleiterscheinung der modernen Massenpresse“, nicht aber als Träger eines neuen journalistischen Selbstverständnisses. Deutsche Redakteure sahen sich als „Lieferanten von Ansichten“.[51] Auf den hohen Akademikeranteil unter Deutschlands Journalisten im 19. Jahrhundert hatte erstmals Brunöhler (1933) hingewiesen. Zur Reportertätigkeit, also zum Recherchieren und Zusammentragen, seien „die sogen. hochanständigen Charaktere nicht immer zu gebrauchen“, schrieb 1902 das Branchenblatt *Der Zeitungs-Verlag*.[52] Nicht der Reporterbericht, sondern der umfassende Bildung ausstrahlende Leitartikel bildete in Deutschland den Maßstab journalistischer Qualität. Requate (1995, S. 399) schreibt, daß sich deutsche Redakteure der Jahrhundertwende „nach unten“ von den Reportern abzugrenzen versuchten und auf der anderen Seite die Grenze zum Schriftstellerberuf möglichst zu verwischen trachteten. „Auf diese Weise“, so Requate, „wurde jedoch gerade der journalistische Tätigkeitsbereich marginalisiert, der in England und den USA das Profil des Berufes wesentlich prägte und die Stärke der Presse ausmachte“. Mit diesem ganzheitlichen, eher schriftstellerischen, parteilichen Selbstverständnis „verwarf man in Deutschland das angelsächsische Modell und orientierte sich statt dessen eher an dem angeblichen ‚Dorado der Journalistik‘ in Frankreich“. In Deutschland entwickelte sich deshalb ein anderes Verständnis vom Tätigkeitsprofil des Reporters als in Großbritannien und den USA (s. Kapitel 10.3.3).

Wie der „reporter“ entstand auch der „sub-editor“ in Großbritannien Mitte des 19. Jahrhunderts als festes, redaktionelles Tätigkeitsprofil. Weil der deutsche Redakteur aufgrund seines ganzheitlichen Tätigkeitsverständnisses Texte schrieb, redigierte und präsentierte, ist ihm bis heute die Erfahrung institutionalisierter redaktionelle Kontrolle unbekannt. Während die Aufgabe des Kommentierens in Großbritannien zuerst bei den „hochgeborenen Gentlemen“, später bei Spezialisten verblieb, übernahm der deutsche Redakteur auch diese Aufgabe. Damit verblieb nichts mehr für eine nach Arbeitsteilung strukturierte Redaktionsorganisation.

Das zweite Arbeitsprinzip angelsächsischer Zeitungsredaktionen, die redaktionelle Kontrolle, ergibt sich direkt aus der Grenz-

[51] Zitate aus den Fachzeitschriften *Der Zeitungs-Verlag* und *Die Redaktion* des Jahres 1902, zit. n. Requate (1995, S. 397).

[52] *ZV*, Bd. 5, 1902, Sp. 514; zit. n. Requate (1995, S. 397)

ziehung zwischen „news gatherers“ und „news processors“. Während die „reporters“ mit dem Recherchieren und Schreiben betraut sind, obliegt den „sub-editors“ Selektion, Kontrolle, Präsentation. Gegenlesen und Redigieren ist dort keine Gefälligkeit unter Kollegen, sondern ein systematischer, routinisierter, mehrstufiger Kontrollmechanismus, den kein Text umgeht. Dieses komplexe „copy flow“-Prinzip hat sich selbst bei kleinen britischen Zeitungen durchgesetzt, weil die Organisationsstruktur der großen Londoner Zeitungen für sie zum beispielgebenden Modell wurde. Der redaktionellen Kontrolle steht der höhere Autonomiegrad deutscher Journalisten gegenüber, der sich in einer höheren Entscheidungsgewalt, einem ganzheitlicheren Tätigkeitsprofil im Fehlen einer systematischen Textkontrolle niederschlägt.

Die unterschiedlichen Formen der redaktionellen Arbeitsorganisation wirken sich nicht meßbar auf die Berufszufriedenheit aus. 82 Prozent der britischen Journalisten gaben 1995 an, mit Arbeit und Beruf „sehr“ oder „ziemlich zufrieden“ zu sein. Damit liegen sie gleichauf mit den deutschen Zufriedenheitswerten.[53] Dies ist aus weiteren Gründen bemerkenswert: Die britischen Journalisten verdienen im Durchschnitt weniger als ihre deutschen Kollegen (s. Kapitel 4.1, 7.3, 9.2). Ihre arbeitsrechtliche Absicherung ist schwächer ist als in Deutschland. Auch haben sie keine vergleichbaren Ansprüche auf publizistische oder personelle Mitbestimmung. Die britischen Journalistengewerkschaften hatten sich an einer Mitbestimmungsdiskussion nie beteiligt (s. Kapitel 7 und 8).

Diese Befunde zeigen auch, daß ein in der deutschen Kommunikationswissenschaft intensiv diskutiertes Problem in Großbritanniens gar keins ist. Donsbach warf den deutschen Journalisten vor, sich statt an ihrem Publikum an ihren Kollegen zu orientieren. Die Kollegen übernähmen die Rolle einer Kontroll- und Beurteilungsinstanz für die eigene Arbeit, der einzelne übernehme deren Normen und Standards. Die Kollegen würden zum Ersatz für eine nicht vorhandene Orientierung am Publikum. Diese Abschottung vom Publikum, die mangelnde Orientierung am Leser, sei dysfunktional für das Kommunikationssystem und ein Hindernis für die Erfüllung der gesellschaftlichen Aufgaben der Massenmedien (Donsbach 1982, S. 265–268). Donsbachs Journalismuskritik, aus der hier nur ein Argument referiert wurde, hat unter anderem Weischenberg (1989) energisch wiedersprochen. Aber bedeutet Kollegen- und

[53] Vgl. zu den britischen Daten Delano & Henningham (1995) und zu den deutschen Daten Weischenberg, Löffelholz & Scholl (1994a, S. 159) sowie Schneider, Schönbach & Stürzebecher (1993b, S. 366).

Publikumsorientierung tatsächlich einen Widerspruch? Nach deutscher Ansicht ja, nach britischer nicht. Der „reporter" orientiert sich beim Schreiben an den Standards der Kollegen, die für die weiteren Stufen des redaktionellen Prozesses („copy flow") zuständig sind. Der „sub-editor" orientiert sich beim Redigieren an den Wünschen des Publikums, die die Zeitung kaufen und möglichst viele Artikel lesen sollen (s. Kapitel 11.1.2). Die angelsächsische Arbeitsteilung löst den deutschen Widerspruch auf. Ob aus diesem Blickwinkel eine intensive Kollegenorientierung[54] tatsächlich so negativ zu bewerten ist, erscheint fraglich. Die institutionalisierte Orientierung am Berufskollegen ist eher als Ausdruck von Professionalität zu betrachten als die Orientierung an subjektiven Vorstellungen vom Publikum (vgl. Kepplinger & Köcher 1990, S. 292 f.).

Im Zusammenhang mit der Einführung computergestützter Redaktionstechnik werden sowohl in Großbritannien wie in Deutschland die traditionellen Arbeits- und Organisationsprinzipien teilweise hinterfragt. Noch arbeiten viele deutsche Zeitungen mit spezifisch deutschen Systemen oder setzen die international gängigen in abgewandelter Form ein. Mittel- bis langfristig ist jedoch mit einer technikinduzierten Angleichung der redaktionellen Arbeitsabläufe zu rechnen. Vermutlich werden sich die Deutschen stärker in angelsächsischer Richtung bewegen als umgekehrt. Die Einführung des „Producer" spricht dafür. Auch das „traditional Fleet Street system" ist nach Tunstall (1996, S. 161 f.) durch die neue Technik in gewisser Hinsicht aufgeweicht, in anderer jedoch gestärkt worden. So hätte die redaktionelle Kontrolle und Hierarchisierung der Redaktionsarbeit eher noch zugenommen. Dafür sei nicht nur die neue Technik, sondern auch der verschärfte Wettbewerb verantwortlich. Beide verlangten schnelleres Entscheidungshandeln. Ebenso habe der Fortfall der Journalistengewerkschaften als organisierte Interessenvertretung der Redaktionsmitglieder die top-down-Hierarchie gefestigt. Chefredakteur und Management hätten wieder eine deutlich stärkere Position (vgl. Tunstall 1996, S. 116 f., 145 f.). Einzelne britische Zeitungen experimentieren jedoch auch mit einem ganzheitlicheren Technikeinsatz.

[54] Für die Donsbach vielsagenderweise vor allem Belege in der britischen und amerikanischen Literatur gefunden hat: Er zitiert Tunstall (1970, 1971), Johnstone (1976), Stark (1962), Gieber (1960), Breed (1955).

IV. Folgerungen für Subjektsphäre und Journalismussystem

13. Schlußdiskussion

13.1 Qualitätsperspektive: Was kann der deutsche vom britischen Journalismus lernen

Gemäß der ersten Zielsetzung dieser Arbeit wurde das Handlungsfeld des britischen und deutschen Pressejournalismus ausführlich beschrieben und aus vergleichender Perspektive analysiert. Sowohl die Unterschiede, als auch Parallelen und Angleichungstendenzen wurden dargestellt und erklärt (vgl. Zusammenfassungen am Ende der Kapitel 2 bis 12). Einen besonderen Schwerpunkt widmete die Arbeit der *Institutionssphäre.* Dies hat einen theoretischen und einen praktischen Grund: In theoretischer Hinsicht wird dieser Forschungsbereich – von Manfred Rühl abgesehen – völlig vernachlässigt, obwohl alle bisherigen Befunde dafür sprechen, daß gerade von der Organisationsebene die größten Zwänge, die unmittelbarsten Normsetzungen sowie die wirksamsten Handlungskontrollen ausgehen. Auf diesen Aspekt wird zurückzukommen sein. Der zweite Grund für den herausgehobenen Stellenwert der *Institutionssphäre* ist stärker praxisorientiert: Von ihr gehen – vor allem aus international vergleichender Perspektive – wichtige Impulse für Fragen des Redaktionsmanagements und Strategien zur publizistischen Qualitätsverbesserung aus. Die zweite Zielsetzung der Arbeit besteht darin, die relevanten Einflußfaktoren zu identifizieren, die dem britischen und deutschen Journalismus seine nationale und kulturelle Identität verleihen. Dies wurde in den Zusammenfassungen auf Schalen-Ebene bereits vorbereitet (s. Kapitel 3.4, 9.6, 12.4) und verdient im folgenden eine tiefergehende Behandlung aus erweitertem Blickwinkel (s. Kapitel 13.2 bis 13.6). Bevor wir uns mit den identitätsstiftenden Faktoren des britischen und deutschen Journalismus befassen, wenden wir uns jedoch zunächst der Qualitätsperspektive und damit der Frage zu: Was kann der deutsche vom britischen Journalismus lernen?

In Großbritannien und Deutschland bildeten sich unter verschiedenen Systembedingungen unterschiedliche Journalismusmodelle heraus. Sowohl die äußeren Arbeitsbedingungen (*Gesellschafts-* und *Medienstruktursphäre*), als auch die redaktionsinternen Arbeitsweisen *(Institutionssphäre)* weichen voneinander ab. Daraus entwickelten sich unterschiedliche professionelle und ethische Standards und Rollenselbstverständnisse. Wie gut die Presse beider Länder ihre Funktion erfüllt, hängt von den Maßstäben der jeweiligen Gesellschaft ab. Auch Fragen publizistischer Qualitätsverbesserung lassen sich nur unter Berücksichtigung des journalistischen Gesamtsystems diskutieren (Ruß-Mohl 1994a). Es gibt zwar Stimmen, die Qualitätssicherung als eine rein innerredaktionelle Aufgabe betrachten (vgl. Pfeifer 1993), Ruß-Mohl hält sie allerdings erst im Verbund mit den außerredaktionellen Bedingungen für erfolgreich. Er identifiziert zwei innerredaktionelle und vier außerredaktionelle Strukturmerkmale zur publizistischen Qualitätssicherung:[1]

- Arbeitsorganisation der Redakteure
- redaktionelles Management der Redaktionsleitung
- Ausbildungseinrichtungen
- berufsständische Organisationen und Verbände
- Kontroll- und Selbstkontrollgremien
- Medienfachzeitschriften, Medienjournalismus

Die beiden innerredaktionellen Qualitätssicherungsstrukturen gehören zur *Institutionssphäre* und die vier außerredaktionellen zur *Medienstruktursphäre.* Wenden wir uns zuerst den innerredaktionellen Strukturen zu. Lernen kann der deutsche Journalismus zuerst einmal, daß die Redaktionsstrukturen von denen angelsächsischer Länder abweichen. Das zeigt, daß sich journalistisches Handeln unterschiedlich regeln und strukturieren läßt. Die in Deutschland geltenden Routinen sind weder die einzig möglichen, noch

[1] Ruß-Mohl (1995, S. 132) schreibt: „Bei der publizistischen Qualitätssicherung im engeren Sinn handelt es sich um institutionelle Vorkehrungen, die in der Redaktion getroffen werden müssen, um individuelle Fehlleistungen zu reduzieren oder sie wenigstens ex post zu korrigieren (z. B. Verfahren der Personalauswahl, Gegenlesen, Korrekturspalten). Insoweit ist Qualitätssicherung eine Frage der Personalpolitik und der Arbeitsorganisation und damit eine Aufgabe des redaktionellen Managements, um die sich die Redaktionsleitung kümmern sollte. Im umfassenderen Sinn ist Qualitätssicherung allerdings nicht nur Aufgabe der einzelnen Redaktion, sondern auch der Ausbildungseinrichtungen, der berufsständischen Organisationen und Verbände, der Kontroll- und Selbstkontrollgremien (Medien-, Rundfunk-, Presseräte) sowie der Medienfachzeitschriften – mithin aller Institutionen und Initiativen, die den gesellschaften sowie den zunftinternen Diskurs über journalistische Berufsnormen und über Medienkritik in Gang halten.“

notwendigerweise die besten. Sie ließen sich auch anders organisieren, wahrscheinlich sogar optimieren. Die Optimierung von Prozessen setzt das Wissen um Alternativen voraus. Ebenfalls sind hinreichende Informationen über die Bedingungsfaktoren, unter denen die Alternativverfahren erfolgreich eingesetzt werden können, notwendig. Die Entscheidung darüber, ob der deutsche Journalismus bestimmte Routinen und Strukturen übernehmen sollte, hängt deshalb ausschließlich davon ab, ob sie sich in das bestehende deutsche Journalismussystem sinnvoll und funktional integrieren lassen. Sie hängt nicht davon ab, ob sie in Großbritannien erfolgreich oder erfolglos sind.

Die klare Rollenverteilung (insbesondere das Tätigkeitsprofil des „reporter") hat maßgeblich dazu beigetragen, daß der angelsächsische Journalismus als Recherchejournalismus, der deutsche dagegen – zu Recht oder Unrecht – immer noch als Agentur- und Bewertungsjournalismus gilt. Ein weiteres wesentliches Prinzip des angelsächsischen Journalismus ist die institutionalisierte redaktionelle Kontrolle. Sie war vermutlich ein Grund dafür, daß sich bei britischen und amerikanischen Journalisten ein anderes Rollenselbstverständnis entwickelte als bei deutschen. Redaktionelle Kontrolle wird in Deutschland leicht mißverstanden. „Beim Wort Kontrolle aber schrecken [deutsche] Journalisten zusammen", schreibt Hasso Reschenberg (1991, S. 292), ein Protagonist in der Debatte um publizistische Qualitätsverbesserung. „Sie verstehen Zensur. Das aber ist damit nicht gemeint", so Reschenberg weiter. Eine systematische Qualitätssicherung finde im deutschen Journalismus nicht statt. „Man begnügt sich mit kollegialem Gegenlesen von Eigenbeiträgen." Hauptproblem sei, so Reschenberg weiter, daß vielen Redakteuren alles, „was nach Reglementierung, Standardisierung und Kontrolle riecht, ein Greuel [ist]. Sie fühlen sich in ihrer kreativen Freiheit beschnitten, verkennend, daß systematische, also quasi-individuelle Redaktionsarbeit den qualifizierten Redakteur vom Zwang wiederkehrender Routinen befreit und ihm Raum gibt für mehr schöpferisches Handeln. Die systematische Qualitätssicherung kommt nicht nur dem Blatt, sondern auch der eigenen journalistischen Arbeit zugute."

Innerredaktionelle Qualitätssicherung ist immer eine Frage der Arbeitsorganisation (Ruß-Mohl 1995, S. 132). Aus diesem Blickwinkel haben die britischen Redaktionsstrukturen Vorteile und Nachteile.

Vorteil 1: Ein zentralisierter „newsroom" mit „reporters", deren einzige Aufgabe im Recherchieren und Schreiben besteht, läßt die Chefredaktion mit einem Blick erkennen, wenn ihre Berichterstattung zu reaktiv, zu passiv wird, wenn sie zu sehr im Griff von Öffentlichkeitsarbeit und Public Relations gerät, wenn die Zeitung den Kontakt mit den Lesern zu verlieren droht. Diese Gefahren drohen dann, wenn die „reporters“ nur in der Redaktion arbeiten und das Haus kaum noch verlassen. Dies ist ein untrügliches Zeichen dafür, daß die Recherche vor Ort leidet. Aufgrund ihres komplexen Tätigkeitsfeldes sind deutsche Redakteure viel stärker an den Schreibtisch gefesselt und viel mehr dieser Gefahr ausgesetzt.

Vorteil 2: Jedes Redaktionsmitglied kann sich auf diejenigen Tätigkeiten konzentrieren, die es beherrschen und schätzen gelernt hat. „Career moves“ nach oben oder in benachbarte Abteilungen sind selbstverständlich möglich. Die Organisation schützt den einzelnen vor der Übernahme zusätzlicher Tätigkeiten – ein Aspekt, der die deutschen Redakteure mit der Einführung neuer Redaktionssysteme (Ganzseitenumbruch am Bildschirm) besorgte und belastete. Anfang der achtziger Jahre beklagte sich die Hälfte der deutschen, aber nur ein Fünftel der britischen Journalisten über Belastungen durch Arbeiten, die nicht zu ihrer eigentlichen Tätigkeit gehören. Aufgrund dieser Mehrbelastungen ist für 30 Prozent der deutschen, aber nur fünf Prozent der britischen Journalisten der Zeitdruck ein großes Problem (vgl. Köcher 1985, S. 198f.). Viele der ganzheitlich arbeitenden Redakteure wurden durch die Übernahme ehemals technischer Tätigkeiten in ihrem Zeitbudget so stark beschnitten, daß für Recherche vor Ort nun überhaupt keine Zeit mehr blieb. Für die britischen „reporters“ hat sich durch die Einführung der neuen Technik hingegen kaum etwas geändert, da diese zusätzlichen Tätigkeiten von den „sub-editors“ aufgefangen wurden.

Vorteil 3: Für die Chefredaktion ist es wichtig, daß ihr Medienunternehmen wendig ist, leicht manövrieren und schnell auf Veränderungen reagieren kann. Die Organisation redaktioneller Arbeit, insbesondere im tagesaktuellen Journalismus, ist jedoch mit einem grundsätzlichen Dilemma verbunden (Ruß-Mohl 1995, S. 124): Journalismus ist einerseits eine Tätigkeit, die unter großem Zeitdruck und damit hochgradig routinisiert erfolgen muß. Dies spricht eher für straffe Organisationsformen mit klaren Kompetenzabgrenzungen und Weisungsbefugnissen. Redaktionsarbeit ist andererseits durch einen extrem kurzen, nur wenige Stunden dauernden Produktzyklus gekennzeichnet, der Improvisation, Ideenreichtum, Kreativität und rasch zu mobilisierende Reserven erfordert. Dies spricht eher für eine flache Hierarchie ohne Ranggefälle, die Freiräume läßt und Nischen schafft. Britische Zeitungen setzen bislang ganz auf das dort traditionelle „Einliniensystem“ mit klarer Kompetenz- und Aufgabenverteilung. Wichtigstes Ziel ist die Erstellung eines möglichst homogenen Produkts mit klarem Profil. Die in Deutschland häufig zu beobachtende Erscheinung, daß Mantel und Lokalteil einer Regionalzeitung separate Produkte sind oder daß bei großen Zeitungen *(Frankfurter Allgemeine, Die Zeit)* einzelne Ressorts, Fürstentümern gleich, ein Eigenleben entfalten, gibt es in Großbritannien kaum.

Vorteil 4: Die angelsächsische Organisationsstruktur scheint wirksamer in der Lage zu sein, die subjektiven Sichtweisen der Journalisten aus der Nachrichtenberichterstattung herauszuhalten. Während Meinungsjournalismus in Deutschland vermutlich häufiger auf *personal bias* zurückzuführen ist, wird man ihn in Großbritannien oder den USA eher auf *organizational bias* zurückführen können (s. Kapitel 13.4).

Neben den beschriebenen vier Vorteilen haben die britischen Redaktionsstrukturen aber auch Nachteile. Nachteil 1: Britische Redaktionen benötigen aufgrund der Arbeitsteilung mehr Personal. Jeder Beitrag durchläuft bis zu sieben Stationen, an denen der Text bewertet, kontrolliert, ergänzt, weiterverarbeitet, layoutet wird. Dies kann zu einer Vergeudung von Zeit und Manpower im Produktionsprozeß führen. Weil der „copy flow“ fest vorgegeben ist, liegt in diesem Prozeß auch eine Gefahr der Starrheit und Schablonisierung. Gerade bei Zeitungen mit 50 Prozent „sub-editors“ stellt sich die Frage, ob bei diesem System das Potential an Kreativität der Redaktionsmitglieder optimal ausgenutzt wird. Die Regelung, einem Teil der Journalisten viel Kreativität zuzugestehen anstatt allen ein bißchen, kann auch Vorteile haben, wird jedoch von einigen in jüngster Zeit als Nachteil betrachtet.

Nachteil 2: Indem jeder Beitrag durch soviele Hände geht, werden wesentliche Entscheidungen weit weg vom Verfasser des Beitrages und von den Beteiligten des beschriebenen Ereignisses getroffen. Im Laufe der mehrstufigen, unabhängigen Begutachtung werden die Entscheidungen in der Regel ohne Rücksprache mit dem Reporter und ohne direkte Kenntnis der Sachlage getroffen. Während auch diese Praxis Vorteile haben kann, wird sie von einigen neuerdings kritisch gesehen. Einzelne Zeitungen begannen daher in den neunziger Jahren Experimente mit „multi-functional teams“, also universell arbeitenden Kleinteams. Die Verantwortlichen erhoffen sich effizientere Abläufe, stärkere Produktidentifikation der Beteiligten, die Beendigung des „Krieges“ zwischen „sub-editors“ und „reporters“ und eine verbesserte, tiefgründigere Bearbeitung von Themen (s. Kapitel 11.3.4).

Publizistische Qualitätssicherung funktioniert nur im Netzwerk, wenn also inner- und außerredaktionelle Strukturen zusammenwirken. Nach Ruß-Mohl (1994a, S. 304) sind gerade die Bedingungen der *Medienstruktursphäre* „eine wichtige, ja unabdingbare Voraussetzung, um qualitativ hochwertige Medienberichterstattung anbieten zu können". Zu diesen externen Qualitätssicherungsfaktoren zählt er Presseräte und Ombudsleute, Journalistengewerkschaften und Berufsverbände, Ausbildungs- und Fortbildungseinrichtungen, Auszeichnungen, Medienjournalismus und Medienforschung (Ruß-Mohl 1994a, S. 121–268). Hier können wir jedoch mehr von britischen Versäumnissen als Errungenschaften lernen. Wettbewerbsdruck und Boulevardisierung entwickelten in den vergangenen Jahrzehnten einen so dominanten Einfluß, daß die Qualitätssicherungsinstanzen der *Medienstruktursphäre* entweder zurückgedrängt wurden oder sich kaum entwickeln konnten. Zurückgedrängt wurde, wie bereits erläutert, die Glaubwürdigkeit der freiwilligen Presseselbstkontrolle sowie die Bedeutung der Journalistengewerkschaften und der geregelten Journalistenausbildung. Möglichkeiten zur beruflichen Weiterbildung waren erstmals 1995 ein großes Thema im Branchenmagazin *UK Press Gazette* (vom 24.4.1995). Kommerzielle Kursanbieter machen beispielsweise mit neuer Redaktionscomputertechnik bekannt, die NUJ veranstaltet ihre Kurse aus Kostengründen jedoch gänzlich ohne Technik. Im Regelfall zahlen die Arbeitgeber für diese Kurse. Angesichts der langen Rezession, der wirtschaftlich schwierigen Lage der Lokalpresse und der ruinösen Preiskämpfe in London sind viele Verleger jedoch zögerlich mit solchen Ausgaben. Etablierte Einrichtungen und Programme wie in den USA fehlen bislang. Auch das Auszeichnen hervorragender journalistischer Leistungen wird in Großbritannien weniger kultiviert und taugt daher nur eingeschränkt als Ansporn zur kollegialen Qualitätsverbesserung. Die aus den USA bekannte „inflationäre Vermehrung der Journalistenpreise" (Ruß-Mohl 1994a, S. 177 ff.) ist wohl in erster Linie darauf zurückzuführen, daß sich die Amerikaner als eine kompetitive Gesellschaft verstehen. Die britische Gesellschaft ist traditionell kaum konkurrenzorientiert (daher auch ihre Ressentiments gegen Unternehmer wie Murdoch und den von ihm focierten Wettbewerb), deshalb gibt es nur zwei maßgebliche Journalistenpreise – vom Branchenmagazin *UK Press Gazette* und vom TV-Magazin *What the papers say.*[2] In Deutschland gibt es mitt-

[2] Die *UK Press Gazette* zeichnet jedes Jahr fünf Regionalzeitungen aus (Evening Newspaper of the Year unter 50 000 Auflage, Evening Newspaper of the Year über 50 000 Auflage, Morning or Sunday Newspaper of the Year, Weekly Newspaper of the Year, Free Newspaper of the Year), während sich die Preise von

lerweile eine ganze Reihe namhafter Journalistenpreise (u. a. Theodor Wolff-, Fritz Sänger-, Egon Erwin Kisch-, Adolf Grimme-, Kurt Magnus-, Hanns Joachim Friedrich-, Axel Springer- und Wächterpreis). Auffallend ist, daß er für fast alle Preisträger einen Karrieresprung bedeutete. Einige wie der Siebenpfeifferpreis wollen ausdrücklich medienethisches Verhalten loben.[3]

Beim Medienjournalismus hinkte Großbritannien lange hinter den USA her, pflegte ihn jedoch schon früher als Deutschland. Als erste Zeitung führte 1984 der *Guardian* eine regelmäßige Medienseite ein, auf der er die britische Presse- und Rundfunkentwicklung kritisch begleitet. In den Folgejahren führten sämtliche Qualitätszeitungen „media editors“ oder „media correspondents“ ein (vgl. Fiddick 1993). Die mittlerweile mehrseitige *Media Guardian*-Beilage genießt das höchste Renommee, nicht zuletzt aufgrund des umfangreichen Stellenmarkts. Der *Independent* hat mittlerweile ebenfalls eine eigenständige, wöchentliche Medienbeilage, die übrigen Tageszeitungen regelmäßige Medienseiten. Daneben gibt es das medienkritische Fernsehmagazin *Hard News* und das informative Branchenblatt *UK Press Gazette.* Aus der britischen Erfahrung lassen sich weitere Lehren ziehen. Um es drastisch zu formulieren: Es geht auch ohne die in Deutschland kultivierte Tarifpartnerschaft. In der britischen Presse zählt nur das individuelle Leistungsprinzip. Tarifverträge und kollektiv ausgehandelte Sozialleistungen wurden zurückgedrängt, um die Ertragslage der Unternehmen zu verbessern. Daß es in Deutschland zu einer vergleichbar radikalen Zäsur in den Arbeitsbeziehungen kommt, ist unwahrscheinlich, weil deutsche Gewerkschaften nie in britischer Manier ihre Machtstellung rücksichtlos mißbrauchten und bei den Arbeitgebern Rachebedürfnisse entfachten. Allerdings nehmen auch in Deutschland die Stimmen derjenigen zu, die eine Totalrevision des Wohlstandsmodells der siebziger Jahre befürworten und Großbritannien und die USA als Vorbild preisen – auch für die Presse. Hinweise für die Aufkündigung der Sozialpartnerschaft ist die Austrittswelle von Zeitungsunternehmen aus dem BDZV und schließlich die Kündigung des Manteltarifverrags durch den Arbeitgeberverband (s. Kapitel 7.8 und 8.3). Immer mehr deutsche Verleger wollen frei von tarifpolitischen Bindungen flexiblere Lösungen bei der Regelung der finanziellen und sozialpolitischen Arbeitsbedingungen durchzusetzen. Auch hier spielen individuelle Arbeitsverträge eine Schlüsselrolle.

What the papers say an nationale Zeitungen richten (u. a. Newspaper of the Year, Scoop of the Year, Columnist of the Year).

[3] Vgl. *Journalist,* Heft 11/1997, S. 12–21 („Ausgezeichnet“).

Die Parallen zur britischen Argumentation sind augenfällig. Die deutschen Journalistengewerkschaften müssen diese Entwicklung – vor allem vor dem Hintergrund der britischen Erfahrungen – als ernstes Warnsignal empfinden.

Deutsche Journalistenausbilder können von Großbritannien lernen, daß man die Praxisausbildung (Volontariat) stärker formalisieren kann. Ob dies durch Zwischen- und Abschlußprüfungen wie beim NCTJ-Modell oder durch systematische Bewertungen der Leistungen am Arbeitsplatz wie beim NVQ-Modell geschehen könnte, bliebe zu diskutieren. Auch die Einführung eines nach bundeseinheitlichen Bewertungsmaßstäben ausgestellten, benoteten Abschlußzeugnisses wäre zumindest eine Diskussion wert. Es könnte bei Stellenbewerbungen die Kandidatenauswahl erleichtern. Schließlich kann der *Deutsche Presserat* vom britischen Selbstkontrollorgan lernen, wie wirksame Öffentlichkeitsarbeit und Leseraufklärung aussehen kann, wie man einen Pressekodex konkret und praxisnah formuliert, wie man ihn durch Aufnahme in die Arbeitsverträge verbindlicher macht und wie man das Kontrollorgan durch eine Mehrheit aus presseunabhängigen Mitgliedern glaubwürdiger macht. Möchte der *Deutsche Presserat* den britischen weiterhin als sein Vorbild bezeichnen, muß er substantielle Reformschritte nachholen. Hier erscheint vor allem die Berücksichtigung der „gestuften Verantwortung" im Kodex und die Aufnahme von Laien zentral. Im internationalen Vergleich ist die deutsche Regelung, nach der ausschließlich Pressevertreter im Selbstkontrollorgan sitzen, eine Ausnahme.

13.2 Rekurs auf das journalismustheoretische Modell

Die zweite Zielsetzung dieser Arbeit besteht darin, die relevanten Einflußfaktoren zu identifizieren, die dem britischen und deutschen Journalismus seine nationale und kulturelle Identität verleihen. Dies soll auf der Grundlage des in Kapitel 1.2 entwickelten Modells geschehen. Wie in Schaubild 1 (S. 27) dargestellt, ist es durch mehrere Ebenen bzw. Schalen charakterisiert. Weder die inneren Schalen, noch die äußere Schale, die das gesellschaftliche Teilsystem Journalismus sozusagen umgrenzt, wird hierbei als „geschlossen" verstanden. Dementsprechend wurden die Schalen treffender als „Orientierungshorizonte" bezeichnet. Von ihnen gehen *handlungsprägende* Einflüsse und Beschränkungen auf die Akteure im Systeminnern aus, wobei die Akteure dennoch *handlungsfähig* bleiben. Demnach unterscheidet sich die Arbeit von verschiedenen jüngeren, rein systemtheoretischen Arbeiten zum Journalismus in zwei Punkten: Sie operiert mit einem *offenen* Systembegriff und berücksichtigt innerhalb des Systems *Akteure* als intentional handelnde Personen. Dies wird dem Untersuchungsgegenstand besser gerecht (s. Kapitel 1.2). Im Rahmen dieser Konzeption sind in Schaubild 1 die wesentlichen Wirkkräfte dargestellt, die innerhalb des journalistischen Handlungssystems effektiv sind. Sie lassen sich thesenhaft wie folgt formulieren:

1. die Faktoren der äußeren Schalen prägen das Selbstverständnis und journalistische Handeln der Medienakteure im Innern;
2. die Faktoren der äußeren Schalen behindern, daß sich subjektive Werte und Motive ungefiltert in den Medieninhalten niederschlagen können;
3. die Faktoren auf den verschiedenen Schalen-Ebenen beeinflussen sich in einem komplexen Prozeß wechselseitig – und auch andere gesellschaftliche Teilsysteme.

Die Analyse dieser Prozesse hilft einerseits, die identitätsstiftenden Einflußkräfte des britischen und deutschen Journalismus zu erkennen, andererseits den Stellenwert der *Subjektsphäre* präziser zu fassen. Schließlich beziehen sich die ersten beiden dieser Prozesse direkt auf die *Subjektsphäre.* Während der erste (Prägung des journalistisches Handelns und Selbstverständnisses) hauptsächlich mit den Faktoren der *Gesellschafts-* und *Medienstruktursphäre* erklärt werden kann, verlangt der zweite (Relevanz der politischen Ansichten und persönlichen Werte) die Berücksichtigung der *Institutionssphäre.* Zusammenfassend betrachtet und auf die grundlegenden Konzepte zurückgeführt ergeben sich so die zentralen Unterschiede zwischen britischem und deutschem Journalismus.

13.3 Identitätsstiftende Einflußkräfte der Gesellschafts- und Medienstruktursphäre

Auf der *Subjektebene* haben wir im Laufe der Arbeit unterschiedliche Einstellungen und Einschätzungen britischer und deutscher Journalisten zu folgenden Themen kennengelernt: Rechercheverhalten, Anwendung umstrittener Informationsbeschaffungsmethoden, Selbstbeschreibung der journalistischen Aufgabe, Umgang mit Politikern, Prominenten und Normalbürgern sowie Bereitschaft zur Anerkennung bzw. Mißachtung ethischer Grundsätze. Diese Einstellungsunterschiede lassen sich auf vier grundlegende Konzepte zurückführen, die die britische und deutsche Journalismus-Mentalität mitbestimmen: der Öffentlichkeitsbegriff, das Verhältnis

Presse-Staat, das Verhältnis zu Werten, die Rechts- und Wettbewerbsposition. Die ersten drei Konzepte entstammen der *Gesellschafts-*, das vierte der *Medienstruktursphäre.* Alle vier hängen untereinander vielfältig zusammen und werden hier nur zum Zwecke der Analyse getrennt behandelt.

13.3.1 Öffentlichkeitsbegriff

In Großbritannien und Deutschland herrscht ein unterschiedlicher Öffentlichkeitsbegriff. Während sich die übrigen europäischen Staaten eine Verfassung gegeben haben, vertraut Großbritannien auf ein unkodifiziertes Normensystem. In seiner geschichtlichen Entwicklung setzte Großbritannien weniger auf eine systematische Ausgestaltung von Recht und Gesetz, um das Zusammenleben der Gemeinschaft zur regeln, sondern auf „Sozialtechniken", die nur im Bewußtsein der Bürger existieren (Gelfert 1995, S. 92f., 167f.). Zu diesen Sozialtechniken zählt beispielsweise eine ausgeprägte Kompromiß- und Vermittlungsbereitschaft, aber auch ein spezifisches Öffentlichkeitsverständnis. In einem Land, dessen Rechtsphilosophie alles erlaubt, was nicht ausdrücklich verboten ist, konnte öffentliche Meinung, öffentliche Moral und Publizität einen großen Stellenwert gewinnen. Bei der Schilderung der britischen „reporter"-Rolle (Kapitel 10.2.2) wurde bereits deutlich, daß Engländer die öffentliche Bloßstellung als Mittel der sozialen Integration nahezu ohne Einschränkung akzeptieren – und „reporters" sich dies hoch anrechnen. Es herrscht die Vorstellung, daß die Medien im Dienste der Gesellschaft Individuen anprangern dürfen und sollen. Die Presse hat nach britischer Vorstellung die Aufgabe, Übeltäter durch Berichterstattung öffentlich zur Rechenschaft zu ziehen. Publizität wird ausdrücklich als Teil der Strafe angesehen („punishment by publicity").[4] Was in Deutschland bereits als Denunziation

[4] Die *Daily Mail* veröffentlichte beispielsweise am 14.2.1997 die Fotos und Adressen von fünf jugendlichen Angeklagten, die in einem High Court-Prozeß verdächtigt wurden, den 18jährigen farbigen Studenten Stephen Lawrence erstochen zu haben. Weil die Angeklagten jede Aussage verweigerten und der genaue Tathergang unklar blieb, fand die Jury sie nur des „unlawful killing" für schuldig. Weil keinem Individuum die Tat direkt nachzuweisen war, dürften die Angeklagten nach englischem Recht nicht öffentlich identifiziert werden. Die *Daily Mail* titelte dennoch am nächsten Tag in großen Lettern: „Mörder". Sie bezichtigte alle fünf der jungen Männer des Mordes, brachte große Fotos von ihnen und nannte ihren vollen Namen. Das Blatt erklärte weiter, die Angeklagten sollten gegen diese Art der Veröffentlichung klagen, dann müßten sie aber ihr Schweigen brechen und in einem öffentlichen Prozeß beweisen, daß die Bezeichnung

oder Verletzung der Persönlichkeit gilt, wird von Briten nicht so wahrgenommen. Dies zeigte auch die vergleichende Analyse britischer und deutscher Presseratsbeschwerden (s. Kapitel 6.5). Briten beschweren sich viel seltener als Deutsche über Verletzungen ihrer Privatsphäre, obwohl die Briten dazu aufgrund fehlender Persönlichkeitsschutzrechte viel mehr Anlaß hätten. Sie gewähren der Presse einen größeren Handlungsraum und definieren ihre Persönlichkeitssphäre enger als die Deutschen. Die britische Presse hat damit eine noch weitgehendere „öffentliche Aufgabe" als die deutsche, ohne daß dies offiziell beurkundet wäre oder verfassungsrechtliche Sonderrechte damit verbunden wären. Die britischen Journalisten nehmen diese Rolle jedoch für sich in Anspruch.

Die traditionelle Geringschätzung der nüchternen Faktenberichterstattung in Deutschland schlug sich im unterentwickelten Berufsbild des Reporters nieder (s. Kapitel 10.3.3). Das Bedürfnis, Fakten als erster zu recherchieren und vor der Öffentlicheit exklusiv auszubreiten, ist in Deutschland weniger entwickelt als in Großbritannien. „An die Stelle der Darstellung von Fakten und ihrer Analyse tritt die moralische Wertung", schreibt Hans-Peter Riese (1984, S. 188). Dies sei in Deutschland „wie in keinem anderen Land üblich", so der langjährige Korrespondent des Deutschlandfunks weiter. „Nimmt man etwa den Parteispendenskandal, so haben tatsächlich ganz wenige Zeitungen und Zeitschriften die Fakten recherchiert, die dann von der Mehrheit der anderen Medien nur kommentiert worden sind". So hilft das unterschiedliche Öffentlichkeitsverständnis auch den unterschiedlich ausgeprägten Recherche- und Investigativgeist in beiden Ländern zu verstehen (s. Kapitel 3.2).

13.3.2 Verhältnis Presse – Staat

Der zweite grundlegende Unterschied liegt im Verhältnis Staat – Presse. Briten neigen zum höflichen Understatement, weil ihnen Größe peinlich ist. Seit 1066 ist ihr Land nicht mehr von fremden Mächten besetzt worden. Aus eigener Kraft wurde es zum Mutterland des Parlamentarismus, der Demokratie, des „common sense", des „fair play" und „sense of compromise" – und zum Mutterland der Pressefreiheit. Die britische Presse blickt selbstbewußt auf eine

„Mörder" unrichtig sei. Keiner klagte. Viele Chefredakteure lobten die *Daily Mail* für diese Anprangerung und sogar Innenminister Michael Howard zeigte Verständnis (vgl. *Guardian* vom 15.2.1997, „How the right to silence unleashed the *Mail*'s moral ire").

lange Tradition zurück, in deren Verlauf sie großes gesellschaftliches Ansehen als unabhängiger „Fourth Estate“ erwarb. (Daß dieses Image nicht ganz der Realität entsprach, zeigte Kapitel 2). Sie sieht ihre Freiheit als eine schrittweise erkämpfte Errungenschaft „von unten“, nicht als eine wohlfahrtsstaatliche Gewähr „von oben“. Deutschland gilt dagegen hinsichtlich Bürger- und Pressefreiheit als „verspätete Nation“. Zudem empfanden es viele Deutsche nach dem Zweiten Weltkrieg als Hypothek, die Demokratie von den westlichen Alliierten zunächst nur „verliehen“ bekommen zu haben. Weder das Grundgesetz, noch die Organisation der Medien sind deutsche Eigenleistungen.

Anders als die deutsche hatte die britische Presse nie Grund zu dem Gefühl, dem Staat etwas zu schulden. Wie alle britischen Bürger wollen auch die Pressevertreter in erster Linie vom Staat in Ruhe gelassen und nur in zweiter Linie von ihm geschützt werden. England wurde nach der „Glorious Revolution“ eine konsolidierte Gesellschaft von Bürgern, die sich einen schwachen Staat leisten konnte. Der Staat ist für den Engländer eine notwendige Einrichtung, bei der man allerdings darauf achten muß, daß er sich nicht verselbständigt. Dem Staat gegenüber ist man mißtrauisch und möchte ihn nicht mit allzu viel Macht ausgestattet sehen. Die Briten kennen kein Einwohnermeldeamt und keinen Personalausweis. Schon bewaffnete Polizisten werden mit Argwohn betrachtet. Das Heer muß jedes Jahr vom Parlament neu bewilligt werden, weil eine stehende Armee aufsässig werden und die Libertät gefährden könnte. In der Presse drängen Journalisten- und Verlegerverbände massiv darauf, daß sich der Staat auch aus diesem Bereich grundsätzlich heraushält.[5]

Im Kontrast zur britischen Skepsis steht in Deutschland die hohe Erwartungshaltung gegenüber dem Staat. Der deutsche Staatsbegriff entwickelte sich in der Aufklärung: Als aufklärerische Intellektuelle im 18. Jahrhundert nach Alternativen zum absolutistischen deutschen Herrschaftssystem suchten, waren „nur die Gedanken frei“. Es entwickelte sich eine spekulative Sehnsucht nach einem idealisierten Staat, nach einem Alles-Ordner, der die territoriale Zersplitterung aufheben, für geistige und politische Freiheit und

[5] Die meisten britischen Zeitungen, so Jürgen Krönig in *Die Zeit* (21.3.1997, S. 55), sind Parteien und Politikern gegenüber feindlich eingestellt. „Sie sind keine neutralen Vermittler von Informationen, sondern Akteure, die ihre eigenen politischen Ziele verfolgen und darum übertreiben, gelegentlich täuschen oder sogar Sachverhalte verdrehen. … Die überbordende Macht des Vierten Standes zwingt die Politiker und ihre Berater dazu, ausgefeilte Gegenstrategien zu entwickeln“.

für Machtkontrolle des Herrschers sorgen sollte. Die Idee des Staates wurde quasi metaphysisch überhöht. So entstand bei Denkern wie Fichte, Schiller, Hegel und Ruge die Idee des „göttlichen, heiligen Staates“. Die Deutschen erwarten seither vom Staat letztinstanzliche Fürsorge und die Regelung weiter Teile des sozialen und öffentlichen Lebens. *The Times* schrieb im Juni 1889: „So natürlich für die Engländer in ihrer Inselheimat die freie Entfaltung der Persönlichkeit ist, so ist dies für die Deutschen eine strenge, zentralisierende, allumfassende, staatliche Kontrolle. … Selbsthilfe und spontane Entwicklung passen besser zu den Engländern. Der Deutsche ist an amtliche Kontrolle, amtliche Verzögerung und polizeiliche Überwachung von der Wiege bis zur Bahre gewöhnt“.[6] Der Gedanke, daß der Staat und seine Bürokratie eine Gesamtverantwortung für das Gemeinwohl der Bevölkerung hat, ist dem britischen Denken fremd. Nicht der starke Wohlfahrtsstaat, sondern Spontanität und Selbstorganisation prägten die britische Gesellschaft. Weder der Staat, noch andere Institutionen werden moralisch oder ideologisch überhöht. Ganz anders die Einstellung in Deutschland: „Es ist ein alter deutscher Fehler“, so Pross (1980, S. 105), „von den Kabinetten, den Schulen, dem Staat zuviel zu verlangen und der Gesellschaft zuwenig zuzutrauen“. So erklärt er sowohl die Adenauer-Begeisterung seiner politischen Freunde wie auch den Adenauer-Kampf seiner publizistischen Gegner mit der romantischen, deutschen Neigung, von den Regenten „moralische Vorbildlichkeit“ zu verlangen. Dies könne man höchstens vom Parlament, und dort besteht sie im fairen Austragen von Gegensätzen.[7]

Die strenge Trennung zwischen Staat und Presse in Großbritannien hat zur Folge, daß die Verhältnisse in den Medien ausschließlich den Medienakteuren vorbehalten bleiben. Auf die Idee der deutschen Journalistengewerkschaften, vom Staat ein Gesetz zur Regelung der Kompetenzen in Zeitungsunternehmen zu fordern, sind die britischen nie gekommen. Sogar der Unfall von Princess Diana, die im Augenblick ihres Todes noch von Paparazzis „abge-

[6] Zit. n. Windhoff-Héritier (1993, S. 103). Vgl. zu dem ganzen Komplex Koselleck (1990), Windhoff-Héritier (1993), Gelfert (1995), Kielinger (1997).

[7] Vielsagenderweise genießen deutsche Politiker einen „besonderen Ehrenschutz“, während für britische noch nicht einmal ein allgemeines Persönlichkeitsschutzrecht zur Verfügung steht. § 187a StGB schützt deutsche Politiker besser gegen üble Nachrede als Normalbürger. Mit diesem etwas patriarchalischen Paragraphen wurde, so Pross, das Majestätsverbrechen in die Gegenwart gerettet. Hierin sieht der Jurist Georg Nolte einen Grund für die Selbstbeschränkung deutscher Journalisten bei ihrem Umgang mit Repräsentanten des Staates (vgl. Kapitel 3.3).

schossen" wurde, wird von britischen Pressevertretern nicht als Anlaß zur Einführung eines Persönlichkeitsschutzrechts akzeptiert. Andererseits schuldet der Staat auch der Presse nichts. Die geltenden Grenzen sind eng, Grenzüberschreitungen werden hart bestraft. Innerhalb der Grenzen tobt sich die Presse rücksichtslos aus. Der Staat schreckt nicht davor zurück, zur Disziplinierung der Presse die Einführung harscher Pressegesetze anzudrohen (s. Kapitel 6.3). Die Drohung gehört zum Spiel. Am Ende wurde die freiwillige Selbstkontrolle gestärkt, denn Pressegesetze – so die Regierung – vertrügen sich nicht mit dem britischen Verständnis von Pressefreiheit. Trotz der gegenseitigen Aversion wissen beide, daß sie aufeinander angewiesen sind. Die Journalisten sind daher pragmatisch genug, hinter den Kulissen – für die Öffentlichkeit unsichtbar – mit der politischen Maschinerie im Rahmen des Lobby-Systems eng zusammenzuarbeiten (s. Kapitel 3.2).

In Deutschland fehlt ein Pendant zum Lobby-System ebenso wie die übertriebene Neigung offizieller Stellen zu Informationstabus und Nachrichtensperren. Insbesondere die vielen presserechtlichen Privilegien erklären die geringere Aggressivität deutscher Journalisten: Sie sind bei der Materialbeschaffung in einer deutlich günstigeren Position als ihre britischen Kollegen und sehen daher weniger Anlaß zu skrupellosem Verhalten. Weil es in Deutschland seltener vorkommt, daß Journalisten die Anwendung harter Recherchemethoden vor sich und anderen rechtfertigen müssen, bestand nach 1945 kein konkreter Anhaltspunkt für die Herausbildung eines Legitimationsmusters der Presse als Vierter Gewalt.[8] Für die deutsche Presse ist der Handlungsspielraum weit, wird aber nicht ausgeschöpft. Das hat die beiden *Spiegel*-Redakteure Jochen Bölsche und Hans Werner Kilz (1988, S. 150) zu der Feststellung veranlaßt: „Höchste Richter billigen dem Journalismus ungleich mehr Rechte zu, als viele Journalisten selber für sich beanspruchen." Weil die deutsche Presse ein anderes Verhältnis zum Staat und ein anderes Öffentlichkeitsverständnis hat, werden von ihr sowohl Politiker wie Privatpersonen rücksichtsvoller behandelt als von der britischen (s. Kapitel 3.2 und 6).

[8] Vor 1945 hatte es sich aufgrund der fehlenden Distanz zum Staat nicht herausbilden können (s. Kapitel 2).

13.3.3 *Verhältnis zu Werten*

Auch das Verhältnis zu Werten und anderen Absolutsetzungen unterscheidet sich in beiden Ländern. Wesentlicher Charakterzug der Briten ist ihre ausgeprägte Kompromißbereitschaft, der sie es verdanken, daß ihre Geschichte fast tausend Jahre ohne tiefe Brüche verlief. Als erfolgreichstes Beispiel des „sense of compromise" gilt die Gründung der Anglikanischen Kirche. Elisabeth I. stellte den religiösen Frieden zwischen römischen Katholizismus und radikalem Protestantismus dadurch her, daß sie die undogmatische „Church of England" zur Staatsreligion erklärte. England blieb damit das Schicksal erspart, das Deutschland im Dreißigjährigen Krieg erleiden mußte. Solche pragmatischen Strategien der Problemlösung unterstreichen auch den ausgeprägten Sinn fürs Praktische der Engländer. Über Jahrhunderte hinweg gaben sie dem Biegen gegenüber dem Brechen und dem Kompromiß gegenüber dem rigorosen Prinzip den Vorrang. Deutsches Denken ist hingegen in der Philosophie vom Totalitätsbegriff, in der Politik vom Staatsbegriff, in der Ästhetik vom Erhabenen und in der Literatur vom Tragischen bestimmt (Gelfert 1995, S. 160). In Großbritannien dagegen sind die tiefsitzende Scheu vor jedem Totalitätsanspruch, sei es seitens des Staates oder einer Wahrheitsdoktrin, und der Respekt vor der Individualität des Einzelnen unverändert typische Merkmale des Denkens. Daher scheint das britische Volk auch wie kaum ein anderes immun gegen Ideologien zu sein.

Der Respekt vor der Individualität, das empirische Interesse am Einzelfall und die tiefe Abneigung gegenüber strengen Systematiken schlug sich auch im britischen Presserecht und Presserat deutlich nieder. Während der Deutsche immer nach der grundsätzlichen Klärung sucht, beurteilt der Brite den Einzelfall. Dementsprechend stehen sich das legalistische, durchsystematisierte deutsche Recht (z. B. im BGB) und das britische Fallrecht *(case law)* diametral gegenüber. In Großbritannien benötigt desweiteren ein Richter kein Jura-Studium und Laien-Juries spielen eine tragende Rolle. Dies wäre mit der organisierten Gründlichkeit der Deutschen nur schwer zu vereinbaren. Wie in der vorliegenden Arbeit mehrfach angeklungen, begnügen sich die Briten bei ihrer Suche nach pragmatischen Kompromissen allerdings häufig mit dem „muddling through", dem Durchwurschteln, das von Karl Popper philosophisch als „piecemeal engineering" bezeichnet wurde (Gelfert 1995, S. 88 f.). Dieser Hintergrund hilft zu verstehen, warum die Briten bis heute kein näher spezifiziertes Presserecht haben, nie die Idee eines Presserechtsrahmengesetzes aufgekommen ist und sich der *Press Council* bis 1990 weigerte, einen abstrakten Kodex mit absoluten Verhaltensnormen zu erstellen. Vieles wird absichtlich im Vagen belassen, um einen genügend großen Spielraum für individuelle Einzelfall-Lösungen zu erhalten. Margaret Thatcher wollte mit ihrem kompromißlosen Kurs das „muddling through“ in vielen Bereichen der englischen Gesellschaft beenden. Für ihre unbritische Konsequenz und unbedingte Entschiedenheit wurde sie bewundert und gehaßt. Die deutschlandfeindliche Mrs. Thatcher zeigte ironischerweise sehr deutsche Charakterzüge.[9]

Briten tun sich schwer mit konsequentem Verhalten und der Anerkennung absoluter Werte. Das gilt auch für presseethische Normen wie Objektivität, Wahrheit, Unparteilichkeit, Neutralität, Aufklärung, Anspruch. Ernsthafte ethische Debatten scheitern in Großbritannien daran, daß die Beteiligten früh von der urbritischen *opt-out*-Klausel, dem Humor, Gebrauch machen. Humor ist das temporäre Ausweichen aus der bitteren Konsequenz. Das Grundprinzip des englischen Humors besteht in der vollkommenen Respektlosigkeit gegenüber traditionellen Werten, im absichtlichen Sturz des Erhabenen ins Lächerliche. Satire und Humor sind für England so typisch wie romantische Innerlichkeit und Sehnsucht nach dem Erhabenen in Deutschland. Englischer Humor ist nicht gemütlich wie der deutsche, sondern bisweilen brutal und erbarmungslos. Einerseits macht sich in ihm ein egalitärer Geist Luft, der jeden daran erinnert, daß niemand über den Werten steht. Andererseits dient er als soziales Schmiermittel, um den vielen Individualisten und Exzentrikern das Zusammenleben zu erleichtern und Spannungen auszugleichen (Gelfert 1995, S. 62 ff.; Kielinger 1997, S. 245 f.). Auch in der britischen Presse ist Humor außerordentlich wichtig. Im Gegensatz zu den nüchternen bis belehrend-selbstgefälligen deutschen Zeitungen sind britische regelrecht witzig. Insbesondere die „sub-editors“ haben die Aufgabe, beim Redigieren und Überschriftenschreiben humorvolle oder ironische Akzente zu setzen. Die Liebe für Wortspiele im britischen Journalismus, die in Deutschland mißbilligend als Kalauer bezeichnet werden, wurde bereits angesprochen (s. Fußnote 42, S. 441). Wer den englischen Humor nicht versteht, versteht auch die englischen Boulevardzeitungen nicht. Die „tabloids“ werden nicht zur politischen Unterrichtung, sondern zur Unterhaltung gele-

[9] Während ihr energischer Kurs gegenüber Europa und den Gewerkschaften viel Unterstützung im Volk fand, wollte es denselben Kurs bei der Einführung der „poll tax“ nicht akzeptieren. Thatcher scheiterte, weil sie mit mit ihrer Radikalkur zur wirtschaftlichen und gesellschaftlichen Erneuerung den Nachkriegskonsensus der britischen Gesellschaft aufkündigte; vgl. Butler, Adonis & Travers (1994), Kastendiek (1992).

sen. Das wissen die Macher dieser Blätter. Geschmacksverletzungen gibt es bei ihnen immer dann, wenn der englische Humor unter scharfem Konkurrenzdruck überbeansprucht wird (indem beispielsweise der *Daily Mirror* während der Fußball-Europameisterschaft 1996 Deutschland den Krieg erklärt).[10] Diese Blätter gehen jedoch mit den Deutschen genauso hart um wie mit den Franzosen und ihren eigenen Politikern und Monarchen. Die Deutschen sind nur deshalb ein so beliebtes Ziel beim publizistischen „foreigner bashing" (Fremden-prügeln), weil sie so empfindlich reagieren. Seit der Wiedervereinung hat sich die Deutschland-Skepsis britischer Zeitungen jedoch spürbar vergrößert.[11]

Deutschland hat mehr Normen, Regeln und Gesetze und die Journalisten verhalten sich auch normenbewußter. Großbritannien hat noch nicht einmal eine schriftliche Verfassung. Die Briten fahren am liebsten Kreisverkehr, wenn sie an einen Straßenknoten gelangen. Die Deutschen schwören auf die Ampel-Kreuzung als verläßlichste Form der Regulierung. Rot und Grün paßt besser zum deutschen Bedürfnis nach Recht und Ordnung, der Kreisverkehr besser zur freiwilligen Zurückhaltung und Freiheit des Denkens – mit allem Risiko. Und fließende Lösungen erhöhen vor allem dann das Risiko, wenn die britische Tradition des *restraint*, der Zurückhaltung, angesichts veränderter äußerer Bedingungen zunehmend der Rücksichtslosigkeit Platz macht (vgl. hierzu auch Kielinger 1997, S. 246).

13.3.4 Dynamik durch Gesetzes- und Wettbewerbsdruck

Weil die Freiheiten der britischen Presse nicht schriftlich garantiert sind und für Journalisten dieselben Rechte und Pflichten gelten wie für alle anderen Bürger, ist der Bewegungsraum der britischen Pres-

[10] Dies hatte massive Proteste vom britischen Parlament, britischen Presserat (300 Leserbeschwerden gingen innerhalb weniger Tage ein) und vielen Journalistenkollegen ausgelöst. Auf der *Mirror*-Titelseite hieß es „Achtung Surrender – For you Fritz, ze Euro 96 is over. *Mirror* declares football war on Germany", bei der *Sun* „Let's Blitz Fritz" und beim *Daily Star* „Herr we go – bring on the Krauts". Ein 17jähriger russischer Schüler, Andrei Mokhort, wurde in Sussex mit fünf Messerstichen in Brust und Rücken attackiert, weil man ihn für einen Deutschen hielt. In London wurden Fahrer deutscher Autos angegriffen, die Wagen zum Teil in Brand gesteckt. Deutschen Geschäften wurden in London die Scheiben eingeschlagen. Dies löste auf der Insel große Entrüstung aus. Vgl. *Sunday Times* und *Observer* vom 30.6.1996.

[11] Vgl. *Die Zeit* vom 28.6.1996 („Die englische Presse schürt die Angst vor Deutschland – Mit ihrer Meinungsmache gegen die Deutschen soll der Widerstand gegen Europa gestärkt werden").

se geringer als der deutschen. Aufgrund ihrer nichtprivilegierten Rechtsposition gelten für die britische Presse auch diejenigen Beschränkungen bei der alltäglichen Arbeit, die gar nicht mit Blick auf die Presse erlassen wurden. Die Journalisten sind daher gezwungen, jeden Tag aufs Neue ihren Handlungsspielraum zu verteidigen. Dies tun sie direkt an der Demarkationslinie, an der Grenze des Vertretbaren. Der investigative Impetus der britischen Presse beruft sich auf den Anspruch als „Fourth Estate", wird jedoch durch vielfältige Informationsbeschränkungen staatlicher und offizieller Stellen eingedämmt, zum Teil sogar abgeblockt. Dies verleitet die Presse, vor allem die Boulevardzeitungen, zu energischen Gegenmaßnahmen. Dabei nutzt sie das Fehlen eines effektiven Persönlichkeitsschutzes aus. Wenn über die politischen Verfehlungen der Parlamentarier nur schwer Informationen zu erlangen sind, konzentriert man sich auf ihre privaten. Ein großer Teil der britischen Leserschaft, die aufgrund ihrer Mentalität stark an „human-interest stories" interessiert ist, nimmt solche Berichte dankbar auf. Gerade der Boulevardpresse scheint unter Konkurrenzdruck alles gerechtfertigt zu sein, was die Auflage steigert. Dies hat dazu geführt, daß der investigative Journalismus in Großbritannien seit den siebziger Jahren vermehrt durch „muckraking"-Tendenzen geprägt ist. Der „Ausnahmezustand", in einem Land zu arbeiten, wo die Rechte und Freiheiten der Presse nicht verfassungsrechtlich garantiert sind, ist den britischen Journalisten nicht ohne Stolz bewußt.[12] Sie versäumen es nicht, Öffentlichkeit und Politik immer wieder auf diesen angeblichen Nachteil hinzuweisen. Zwar halten nur acht Prozent der britischen Journalisten die Pressefreiheit gegenwärtig für gering, allerdings fürchten 49 Prozent ein Sinken in der Zukunft (Delano & Henningham 1995). Als größte Gefahr für die Pressefreiheit sehen sie den Staat und seine Geheimhaltungsvorschriften, gefolgt von den „libel laws" (Köcher 1985, S. 192). Der regelmäßige Vorwurf an die britische Regierung, nur eine „half free press" zuzulassen, ist geschickte Rhetorik. Er erfüllt zwei Funktionen: Einerseits soll die Regierung von der Verabschiedung presserelevanter Gesetze abgehalten werden, andererseits fördert er Zusammengehörigkeitsgefühl und Korpsgeist unter Großbritanniens Journalisten. Dieses Selbstbild, gegenüber Staat, Regierung und anderen mächtigen Gruppen in einer schwächeren Position als Kollegen anderer

[12] Israel und Australien teilen diesen Status mit Großbritannien. In Israel wird allerdings an einer Verfassung gearbeitet, in Australien erkannte das höchste Gericht (High Court) in jüngsten Entscheidungen mehrfach Pressefreiheit als einen Grundwert an; vgl. Lahav (1985), Coliver (1993), Henningham (1996).

Länder zu sein, förderte eine gewisse aggressive Grundstimmung, die sich auch in den Antworten bei Journalistenbefragungen niederschlägt (s. Kapitel 3.2).

Neben der Rechtslage kommt den Wettbewerbsbedingungen ein prägender Einfluß zu. Der Herausgeber der *British Journalism Review*, Godfrey Hodgson, meint, daß die Gesetzeslage dem Zustand der britischen Presse in den vergangenen zwanzig Jahren weniger geschadet hat als der Konkurrenzdruck (Hodgson 1995). Im Gegensatz zu Deutschland dominieren in Großbritannien die nationalen Zeitungen, die zudem alle in der Hauptstadt London herausgegeben werden: 70 Prozent der täglich gekauften Zeitungen sind nationale, nur 30 Prozent sind Regionalzeitungen. In Deutschland ist das Verhältnis genau umgekehrt. Hier dominieren Regionalzeitungen, die Hälfte erscheint in Monopolstellung. Nicht zuletzt aufgrund ihres Abonnentenvertriebs gilt ihre Marktstellung als stabil. In Großbritannien gibt es dagegen keinen Abonnementvertrieb im deutschen Sinne, Zeitungen müssen sich am Kiosk über die Titelseite verkaufen, ihr Auflagetrend ist sinkend. Die ruhigeren deutschen Verhältnisse förderten einen eher unaufgeregten, statischen Berichterstattungsstil und hemmten Experimentierungsfreude und Modernisierungsbereitschaft.[13] Daher wirken deutsche Zeitungen

[13] Während beispielweise *The Times, Independent* oder *Daily Telegraph* – ironischerweise mit in Deutschland entwickelter Drucktechnik – schon Ende der achtziger Jahre zum Farbdruck übergingen, blieben *Frankfurter Allgemeine, Süddeutsche* oder *Welt* unverändert schwarzweiß. Auch bei der Politikberichterstattung haben deutsche Zeitungen bislang kaum auf die angelsächsische Entwicklung reagiert. Während die Agenturdienste bei den Londoner Zeitungen fast nur als „back up“ genutzt werden, füllen selbst führende deutsche Zeitungen ganze Seiten mit ihnen. Auf vielen deutschen Titelseiten dominiert, was Wolf Schneider „verknöcherten Journalismus“ nennt: Eine Wiederholung der Abendnachrichten, anstatt das zu bieten, was das Fernsehen nicht liefern kann – Analysen, Features, Hintergründe. „Man trifft auf Chefredakteure“, so Schneider, „die solches Gehumpel als Tugend preisen. Doch bröckeln diesen Zeitungen ja die jungen Leser weg. Und so werden die bisher unbedrohten Blätter eines Tages entweder ihre Stärken gegenüber dem Fernsehen ins Schaufenster – also auf die Seite 1 – stellen, oder sich unter ihrem Kalk begraben lassen müssen.“ Seine Forderung, Analysen auf die Titelseite zu heben, hat nichts mit der deutschen Tradition des Leitartikels auf der Titelseite zu tun. Analysen bestehen nach Schneider aus 40 Prozent Information, 40 Prozent Interpretation und 20 Prozent starken Meinungen. Der Leitartikel dagegen meint und belehrt zu 100 Prozent. Die Analyse, die interpretiert, ohne den analysierten Gegenstand mit den Wertvorstellungen des Autors zu beheiligen, gilt unter angelsächsischen Qualitätszeitungen als *das* Erfolgskonzept gegen die Konkurrenz des Fernsehens. Agenturmeldungen, zumal auf der Titelseite, sind bei ihnen aufgrund der Konkurrenzsituation schon lange verpönt. Vgl. Schneider in *Medium Magazin*, Heft 2/1995, S. 18–21 („Haltungsfehler“).

auf britische Beobachter immer etwas selbstgerecht und muffig. Der ehemalige Deutschlandkorrespondent des *Independent*, Steve Crawnshaw, amüsierte sich über deutsche Blätter, „die sich oft wie Amtsmitteilungen lesen – ohne human touch". Dagegen seien in der britischen Presse mittlerweile alle Genres erlaubt, solange dadurch die Auflage steigt, meint der Qualitätszeitungsjournalist pragmatisch.[14] „Keine andere Stadt der Welt", so Tunstall, „hat eine so lange Geschichte ununterbrochener Konkurrenz im politischen Journalismus wie London."[15] Der Vorsitzende der *Press Complaints Commission*, Lord Wakeham, nennt die britische Presse „the most competitive and dynamic in the world".[16] Vor allem Großverleger Rupert Murdoch trug zu einem tiefen Wandel im britischen Journalismus bei (s. Kapitel 4.4, 6.2). Murdoch ist – wie Thatcher – ein gänzlich unbritischer Charakter, der – wie Thatcher – für staatliche Deregulierung, schonungslosen Wettbewerb und Schumpeters Prinzip der schöpferischen Zerstörung steht. Er dominiert den britischen Medienmarkt wie kein zweiter, muß sich jedoch mit dem Vorwurf auseinandersetzen, einen allgemeinen Niveauverlust eingeleitet zu haben. Dieser Vorwurf wurde ihm erstmals 1971 von dem satirischen Wochenblatt *Private Eye* erhoben, das ihm den Spitznamen „Dirty Digger" gab, der ihm heute noch anhaftet. Seine Berichterstattungsmethoden bezeichnete *Private Eye* damals schon als geschmacklos, ordinär und persönlichkeitsverletzend.[17] Ein solch schonungsloser Konkurrenz- und Wettbewerbsdruck zeichnet sich in Deutschland allenfalls im Privatfernsehen ab, nicht jedoch im Tageszeitungsjournalismus.

13.4 Identitätsstiftende Einflußkräfte der Institutionssphäre

Im folgenden sollen diejenigen Faktoren der *Institutionssphäre* beleuchtet werden, die beeinflussen, ob und wie sich subjektive Werte und Motive der Akteure in den Medieninhalten niederschlagen können. Auch hier ist der Zusammenhang zur *Subjektsphäre* ein-

[14] So Crawnshaw in *Medium Magazin*, Heft 6/1996, S. 44–46 („Ideen statt Schreibe").

[15] Tunstall (1996, S. 234) schreibt: „No other city in the world has such a long and uninterrupted history of such competitive political journalism."

[16] Lord Wakeham: „Away from Damocles – Placing the regulation of the press beyond the boundaries of political controversy". Vortrag gehalten am 23.10.1995 an der Nottingham Trent University (Harold Macmillan-Gedächtnisrede), Sonderdruck der *Press Complaints Commission*.

[17] Vgl. Shawcross (1993, S. 154 ff.), McNair (1994, S. 144 ff.).

deutig. Kapitel 12.4 faßte bereits die Kernbefunde der vergleichenden Organisationsanalyse zusammen. Daran knüpt die weitere Darstellung an, indem sie die beiden grundlegenden Konzepte der *Institutionssphäre* erläutert, die für das Verständnis der britischen und deutschen Journalismus-Mentalität wesentlich sind: Verständnis von Parteilichkeit und von Meinung.

13.4.1 Verständnis von Parteilichkeit

Weniger die individuellen Anlagen der deutschen und britischen Journalisten unterscheiden sich als vielmehr die Strukturen, in denen sie arbeiten. So ist es beispielsweise keineswegs eine deutsche Besonderheit, wenn die parteipolitische Präferenz der deutschen Journalisten leicht ins linke Spektrum verschoben ist. Auch in Großbritannien haben die Journalisten liberalere politische Einstellungen als der Durchschnitt der Bevölkerung (s. Schaubild 24). Übereinstimmende Daten auch aus anderen Ländern[18] legen die Vermutung nahe, daß es sich hierbei um eine für intellektuelle Berufe international typische Linkstendenz handelt. „In vielen Ländern sind die linken Neigungen der Journalisten ein Klischee, aber ein wahres", bilanziert Zetterberg (1992, S. 72) und führt dies auf den ausgeprägten Egalitarismus in dieser Berufsgruppe zurück. Allerdings sei es „falsch", zwischen parteipolitischer Einstellung und beruflichem Handeln eine direkte Kausalbeziehung herzustellen (S. 73f.). Dennoch ist aus system- und organisationstheoretischer Perspektive zu fragen, ob es die redaktionellen Strukturen eines Landes leichter erlauben, daß sich die subjektiven Ansichten und Einstellungen der Akteure in der Berichterstattung niederschlagen können als die anderer Länder. Die Befunde zur *Institutionssphäre* legen nahe, daß die angelsächsischen Redaktionsstrukturen wirksamer in der Lage sind, die persönlichen Sichtweisen der Redaktionsmitglieder aus der Nachrichtenberichterstattung herauszuhalten (s. Kapitel 12.3).

[18] Vgl. beispielsweise Donsbach (1990a) über 22 Länder, Weaver & Wilhoit (1986, 1996) über die USA und Henningham (1996) über Australien. Die Linkstendenz britischer und deutscher Journalisten wird auch durch die jüngeren Erhebungen von Delano & Henningham (1995) und Weischenberg, Löffelholz & Scholl (1994a) nachhaltig unterstrichen.

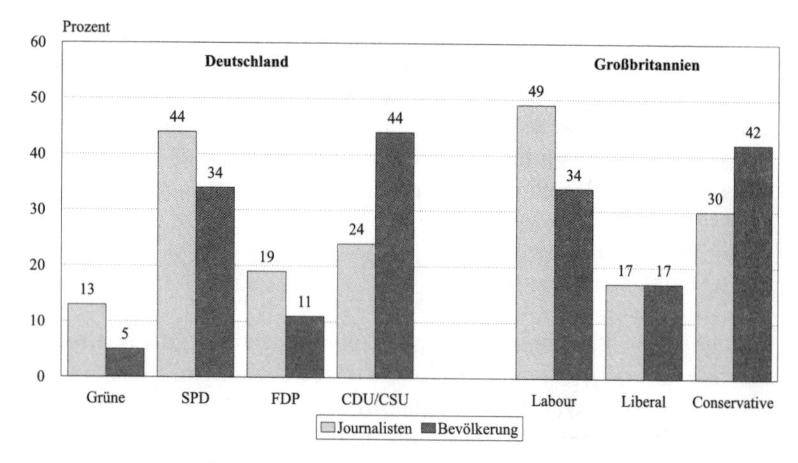

Schaubild 24: Parteiorientierung von Journalisten und Bevölkerung in Deutschland und Großbritannien

Frage an 297 westdeutsche und 216 britische Journalisten Anfang 1991: „Im großen und ganzen: Stehen Sie einer der folgenden Parteien näher als den anderen?" Daten auf N = 300 gewichtet, berücksichtigt wurden nur diejenigen, die eine konkrete Parteiangabe machten. 23 % der deutschen und 29 % der britischen Journalisten gaben an, keiner Partei nahezustehen. Bevölkerungsdaten stammen von deutscher Bundestagswahl im Dezember 1990 und britischer Unterhauswahl im April 1992. Journalistendaten von Donsbach, persönliche Kommunikation.

Zum Gesamtverständnis erscheint es sinnvoll, zwischen zwei Arten von Parteilichkeit zu unterscheiden: *personal bias* und *organizational bias*.[19] *Personal bias* ist das Ergebnis subjektiver Werte und Überzeugungen, die den einzelnen Journalisten bei der Nachrichtenauswahl, beim Nachrichtenschreiben und bei redaktionellen Entscheidungen beeinflussen. Die Wahrscheinlichkeit, daß sich *personal bias* in der Berichterstattung niederschlägt, ist um so größer, je mehr gestalterische Freiheit die Redaktionsmitglieder genießen. Sie ist um so geringer, je größer die redaktionelle Kontrolle ist. Redaktionelle Kontrolle wird dabei nicht als einmalige Inspektion an einer bestimmten Stelle in der Redaktion verstanden, sondern als ein kontinuierlicher, produktionsbegleitender Vorgang, den die Redaktionsmitglieder im Laufe ihres beruflichen Sozialisationsprozesses internalisieren.

Organizational bias ist die von Verlagsleitung und Chefredaktion festgelegte politische Grundhaltung. Sichtbarster Ausdruck sind die in angelsächsischen Ländern üblichen „endorsements" zur Wahl.

[19] Diese Unterscheidung ist Hirsch (1977) entlehnt.

Die meisten Redaktionsmitglieder haben mit dem *organizational bias* nichts zu tun. Nur sehr wenige Journalisten bringen den *organizational bias* zum Ausdruck. Dies ist von der Zustimmung bzw. dem Auftrag der Organisation (des Verlegers, der Chefredaktion) abhängig und nur an bestimmte Berufsrollen (klassischerweise die „leader writers") gebunden. Ein weiterer Weg, neben den Leitartikeln den *organizational bias* zum Ausdruck zu bringen, besteht in der Nachrichtenauswahl, Präsentation, Gewichtung und Kontrolle der Reporterberichte. Dafür sind die „chief sub-editors" mit Vertretern der Chefredaktion an der „back bench" verantwortlich. Die redaktionelle Kontrolle erlaubt es der Chefredaktion in erster Linie, die subjektiven Ansichten einzelnen Journalisten *(personal bias)* wirksam auszuschalten. Am größten ist in Großbritannien die redaktionelle Kontrolle bei den nationalen Boulevardzeitungen,[20] die seit den siebziger Jahren eine ausgeprägte Parteilichkeit entwikkelten. Auf die Tatsache, daß diese Parteilichkeit nicht von den schreibenden Reportern stammt, ist wiederholt hingewiesen worden. Aus historischer Perspektive hat Philip Elliott in seiner Arbeit *Professional ideology and organisational change* auf diesen zentralen Punkt hingewiesen: „Kommerzieller Journalismus für Massenpublika hat die leidenschaftlichen Überzeugungen des engagierten Journalisten erlöschen lassen. (...) Die Ansichten des einzelnen Journalisten sind weniger bedeutsam wie die des Verlegers und der Organisationsleitung."[21]

Anthony Bevins, der zuerst für die Boulevardzeitungen *Sunday Express, Sun* und *Daily Mail* arbeitete, bevor er zu den Qualitätszeitungen *The Times, Independent* und schließlich *Observer* kam, beschreibt die für deutsche Verhältnisse scharfe Trennung zwischen individuellen Überzeugungen und institutionellen Zielen als Folge der starken redaktionellen Kontrolle anschaulich: „Es ist verrückt anzunehmen, daß sich Einzelne gegen das System auflehnen, die vorherbestimmte Ausrichtung ihrer Zeitung ignorieren und ihrem subjektiven Nachrichtensinn folgen könnten – und überleben würden. Andersdenkende Reporter, die sich nicht an die Regeln halten, erleiden das berufliche Aus. Sie werden von Kollegen und Vorgeset-

[20] Vgl. u.a. Tunstall (1971, S. 30ff.), Tunstall (1977, S. 297ff.), Elliott (1978b, S. 151ff.), Baistow (1985, S. 42ff.), Hetherington (1985, S. 116ff.), Hollingsworth (1986, S. 28). Aber auch bei den Qualitätszeitungen *The Times* und *Daily Telegraph* ist sie vergleichsweise groß; vgl. Tunstall (1996, S. 161–163).

[21] Elliott (1978a, S. 189, 191) schreibt im Original: „Commercial journalism for mass markets has phased out the passionate conviction of the committed journalist. (...) The point of view of the individual journalist is less significant than that of the proprietor and the employing organisation."

zen schikaniert, ihre Artikel verschinden systematisch in der Schublade und ihnen droht die empfindlichste Strafe innerhalb der Branche: ihre Beiträge erscheinen ohne Namen. (…) Es ist viel einfacher, den Wünschen der Chefredaktion nachzugeben.“[22] Die Folge ist, daß sich viele Journalisten von der Grundhaltung ihres Blattes distanzieren und Verantwortung für eventuelle Einseitigkeit ablehnen. Reporter betonen, daß sie ihren Job bestmöglich ausführen, „unabhängig von der politischen Linie des Blattes“ (Hollingsworth 1986, S. 29). Während sich die redaktionelle Kontrolle (die sich mehr im Bewußtsein der Redaktionsmitglieder als in tatsächlicher Überwachung ausdrückt) bei Regional- und Qualitätszeitungen auf die Ausschaltung von *personal bias* beschränkt, nutzen die nationalen Boulevardzeitungen ihre weit schärfere redaktionelle Kontrolle zusätzlich dazu, vor allem während des Wahlkampfes massiv den *organizational bias* auszudrücken.

Diese Erkenntnisse helfen, das hohe Maß politischer Dissonanz im britischen Journalismus zu verstehen. Obwohl die meisten britischen Journalisten eher links stehen, war das publizistische Spektrum bis 1997 klar nach rechts verschoben (s. Kapitel 4.5). Mit der Kenntnis der redaktionellen Strukturen wird klar, warum sich die politischen Einstellungen der Journalisten nicht in der Berichterstattung niederschlagen. Diese Strukturen dämmen den Einfluß des *personal bias* auf die Nachrichtengebung ein. So weist Hetherington darauf hin, daß die „reporters“ des *Labour*-nahen *Daily Mirror* keinesfalls alle *Labour* wählen und die „reporters“ der konservativen *Daily Mail* keineswegs alle *Conservative* wählen. Er schreibt, die Reporter beider Blätter „haben absorbiert, was die Zeitung von ihnen erwartet, und die Nachrichtenchefs beider Redaktionen wollen generell keine politisch einseitigen Meldungen“. Meinungsbeiträge würden „nicht von Reportern, sondern von leitenden Redakteuren verfaßt“ (Hetherington 1985, S. 140). Ebenso wie es für viele britische Journalisten üblich ist, für eine Zeitung zu arbeiten, die nicht ihrer politischen Grundhaltung entspricht, so ist es für viele britische Leser üblich, eine Zeitung zu lesen, die nicht ihrer politischen Grundhaltung Ausdruck verleiht. Das scheint für die pragmatischen Briten kein großes Problem zu sein, denn ihr

[22] Bevins (1990, S. 15) schreibt im Original: „It is daft to suggest that individuals can buck the system, ignore the pre-set taste of their newspapers, use their own news-sense in reporting the truth of any event, and survive. Dissident reporters who do not deliver the goods suffer professional death. They are ridden by news-desks and backbench executives, they have their stories spiked on a systematic basis, they face the worst form of newspaper punishment: by-line deprivation. (…) It is much easier to pander to what the editors want …“.

Wahlsystem beschert ihnen regelmäßig ähnliche Erfahrungen. Sie halten hartnäckig am Mehrheitswahlrecht fest, obwohl sie wissen, daß dadurch der Fall eintreten kann (und auch schon eingetreten ist), daß sie von einer Partei regiert werden können, die weniger Wählerstimmen als die Oppositionspartei erhalten hat.[23] In der deutschen Presse findet sich dagegen eine stärkere politische Übereinstimmung zwischen den Redakteuren und den redaktionellen Linien ihrer Blätter (so Donsbach & Wolling 1995, S. 430f.). Die redaktionelle Kontrolle ist geringer.

Die bisherigen Erkenntnisse helfen allerdings nicht die Ergebnisse mehrerer amerikanischer Untersuchungen zu erklären, wonach auch dort die individuellen Rollenvorstellungen und politischen Überzeugungen einen Einfluß auf die Art der Berichterstattung besitzen (z.B. Flegel & Chaffee 1971; Rothman & Lichter 1982; Lichter, Rothman & Lichter 1986) – obwohl die Rollen- und Positionstrennung sowie die Formalisierung der Arbeitsabläufe in den USA noch differenzierter ist als in Großbritannien. Dies deutet darauf hin, daß auch ein hoher Grad an Funktionsdifferenzierung den Einfluß individueller Überzeugungen nicht vollständig eliminieren kann. Eine Antwort könnte darin bestehen, daß das „Meinungsmäßige" im Journalismus ein genuiner und folglich nicht eliminierbarer Bestandteil beruflichen Handelns ist. Ob dies auch für die echten Professionen (Richter, Anwälte, Ärzte) gilt oder etwas Journalismus-spezifisches ist, kann hier nicht beantwortet werden.

13.4.2 Verständnis von Meinung

Die unterschiedlichen Bedingungen der *Institutionssphäre* helfen ebenfalls, die besondere Rolle der Meinung in Großbritannien zu verstehen. Hier ist als erstes das Prinzp der Trennung von Nachricht und Meinung zu nennen, die sowohl in der journalistischen Tradition wie der redaktionellen Organisation verankert ist. Unabhängig von aktuellen Verwischungstendenzen ist diese Trennungsnorm als ein Grundzug journalistischen Arbeitens im Bewußtsein der Medienakteure etabliert. Der zweite Aspekt liegt in der Trennung von subjektiver Überzeugung und öffentlichem Argument. Dies wird

[23] Diesen Fall gab es beispielsweise 1951 und 1974. Margaret Thatchers *Conservative Party* erhielt bei den drei Wahlen 1979, 1983 und 1987 jeweils nur rund 43 Prozent der Stimmen, konnte aber mit satten, absoluten Mehrheiten der Sitze regieren. Als Parlamentsabgeordneter ist gewählt, wer in einem Wahlkreis die einfache Mehrheit der Stimmen erhält – selbst wenn er nur von 35 Prozent tatsächlich gewählt wurde. Dann erwarten die Wahlkreisbürger von dem Gewählten aber auch, daß er sich für den ganzen Wahlkreis verantwortlich fühlt.

besonders deutlich bei den Meinungskolumnisten, deren Bedeutung in Großbritannien enorm gestiegen ist.[24] Die Absicht von Meinungskolumnen liegt weniger in der aufrichtigen Mitteilung der eigenen Meinung als in der Provokation der Leser. Diese sollen mit möglichst unkonventionellen Ansichten über einen aktuellen Sachverhalt konfrontiert werden. „Columnists' views are maverick and eccentric", so Tunstall (1996, S. 281). Die Argumente würden herausgedonnert, der tödliche Stoß erfolge im letzten Absatz (S. 293). Je mehr Leserzuschriften eine Kolumne auslöst, als desto erfolgreicher gilt sie – gleichgültig, ob es sich um begeisterte Zustimmung oder schroffe Ablehnung handelt. Hiermit ist auch der dritte Aspekt angesprochen, der Wechsel der öffentlichen Argumente im Dienste der Unterhaltung. Das konsequente Vertreten eines bestimmten politischen Standpunktes gilt in Großbritannien eher als Schwäche denn als Stärke. Meinungen besitzen in Großbritanniens Zeitungen damit einen eher spielerischen Charakter, den sie in Deutschland nicht haben. Es erklärt die Leichtigkeit, mit der „reporters" von Meinungen, die in anderen Teilen ihrer Zeitungen geäußert werden, Abstand nehmen. Sie geben von ihrer Persönlichkeit nichts auf. Es mag aber auch den höheren Anteil der „Zyniker" unter den britischen Journalisten erklären.[25]

Vor diesem Hintergrund wird auch verständlich, warum Tunstall (1996, S. 243) das wesentliche Motiv für die Parteilichkeit der Boulevardzeitungen in der puren Lust am Ausspielen publizistischer Macht sieht. Man darf nicht vergessen, daß die andere Seite des sportlichen *Fair Play* die Lust am Kampf ist. Parteilichkeit ist Teil eines strategischen Machtspiels: Die Unterstützung für einen Politiker oder eine Partei kann ein Blatt genauso schnell wieder entziehen, wie es sie zuvor gewährt hatte. Solche Spiele können sich nur in einer stabil verwurzelten Demokratie entwickeln, deren Grundfeste so schnell nicht erschüttert werden können. In der jungen Bundesrepublik waren erstens die Fundamente für solche Spiele lange nicht fest genug, zweitens würde das Spielerische daran nicht erkannt werden.

[24] Siehe die Ausführungen zum britischen Kolumnisten in Kapitel 10.2.3. Auf ihre gewachsene Bedeutung weist ausführlich Tunstall (1996, S. 172–183, 281–296) hin.

[25] Laut Köcher (1985, S. 45) bezeichnen sich 45 Prozent der britischen, aber nur 14 Prozent der deutschen Journalisten als zynisch. Delano & Henningham (1995) ermittelten einen Anteil von 61 Prozent der britischen Journalisten, die sich als zynisch bezeichnen.

13.5 Wechselbeziehungen

Die Einflußfaktoren auf den verschiedenen Schalenebenen wirken nicht isoliert, sondern bedingen sich gegenseitig. Die vielfältige Verflechtung der Einzelfaktoren innerhalb und zwischen den Ebenen konstituiert das spezifische Gepräge, in dem die britischen und deutschen Medienakteure handeln. Ebenso macht sie die unverwechselbare Identität des jeweiligen Journalismus-Systems aus. So bewirkten die aktuellen Entwicklungen der *Medienstruktursphäre* in Großbritannien und Deutschland, daß einige Traditonen der *Gesellschaftssphäre* zurückgedrängt, andere verstärkt wurden (s. Kapitel 3.4 und 9.6). Zurückgedrängt wurde in Großbritannien die ursprüngliche Bedeutung der reinen Nachricht, des strikten Neutralitätsideals, der Regionalpresse, der Gewerkschaften, des Ausbildungssystems und des peer-group-feeling der Fleet Street[26]. Verschärft hat sich indessen die Bedeutung der Verkaufs- und human-interest-Orientierung, der Konkurrenz und der Haßliebe zu den beiden wichtigsten nationalen Institutionen: Westminster und Buckingham Palast.[27] In Deutschland wurde – zumindest im Westen – der staatliche Lenkungsanspruch und die Neigung zur Gesinnungspublizistik zurückgedrängt; gestärkt wurde u. a. die Bedeutung des Objektivitätsideals sowie die äußere und innere Pressefreiheit. Viele Traditionen leben jedoch mehr oder minder stark weiter. In beiden Ländern wirkten sich die Bedingungen der *Medienstruktursphäre* auch auf die *Institutionssphäre* aus – Tätigkeitsprofile erweiterten sich durch den Einsatz moderner Redaktions- und Drucktechnik; Arbeitsteilung und Kontrollprozesse sind trotz gewisser Angleichungstendenzen in Großbritannien größer (s. Kapitel 12.4).

Die Einflußbeziehungen innerhalb unseres Modells verlaufen nicht nur von „außen“ nach „innen“, sondern auch von „innen“ nach „außen“. So beeinflußten beispielsweise die Journalistengewerkschaften nicht nur das Verhalten einzelner Akteure, sondern

[26] Bis Mitte der achtziger Jahre arbeiteten, aßen und tranken alle Londoner Zeitungsjournalisten in und um Fleet Street. Zehn Jahre später, ausgelöst durch Murdochs Umzug nach Wapping, ist dort kein einziges Medienunternehmen mehr zu finden (s. Kapitel 4.4).

[27] Britische Regierung und Königshaus hatten beide sehr große Probleme, sich auf die veränderten medialen Bedingungen (enorme Ausweitung der auf sie angesetzten „special correspondents“ und des Konkurrenz- und Exklusivitätsdrucks) seit den siebziger Jahren einzustellen. Auch wenn die meisten Journalisten persönlich nichts gegen John Major oder Queen Elisabeth haben, begriffen sie doch: Crises sell newspapers.

einzelne Akteure auch das Schicksal von Gewerkschaften (z.B. Verleger Murdoch; s. Kapitel 8). Nimmt man eine Metaebene ein und betrachtet den Journalismus als ein gesellschaftliches Teilsystem, das mit anderen Teilsystemen (Politik, Recht, Ökonomie, Sport, Wissenschaft, etc.) vielfach vernetzt ist, lassen sich die Einflüsse von „innen" nach „außen" auch anders interpretieren: Das Teilsystem Journalismus verändert durch seine Leistungen die Bedingungen und Strukturen anderer Teilsysteme. So spricht in Großbritannien einiges dafür, daß die Presse Wahlausgänge beeinflußt hat. Zwei Tage nach dem knappen und überraschenden Wahlsieg von John Major 1992 reklamierte Großbritanniens auflagenstärkste Tageszeitung *Sun* für sich, erst durch ihre massive Schlußkampagne den Ausschlag für Major gegeben zu haben: „It's the *Sun* wot won it" (s. Kapitel 4.6). Auch das Verhalten der Mitglieder des britischen Königshauses wird massiv durch die Presse beeinflußt (s. Kapitel 6). Sowohl in Großbritannien wie in Deutschland gibt es viele Beispiele dafür, daß als Reaktion auf Presseberichte (z.B. von *Sunday Times* und *Spiegel*) parlamentarische Untersuchungsausschüsse eingerichtet wurden oder Politiker ihren Rücktritt einreichten (s. Kapitel 3.2). Aber das Journalismus-System hat nicht nur Auswirkungen auf das Politik-System, sondern auch auf die Systeme Recht und Ökonomie. In den siebziger Jahren bewirkte die *Sunday Times* mit ihrer Enthüllung des Thalidomid-Skandals, daß der Contempt of Court Act – ein sehr wichtiges Gesetz für die Berichterstattung über Strafverfahren – geändert wurde, weil er gegen Artikel 10 (Meinungsfreiheit) der Europäischen Konvention der Menschenrechte verstieß (s. Kapitel 5.6). In Deutschland wurde als Reaktion auf die Durchsuchung der *Spiegel*-Redaktionsräume im Oktober 1962 die deutsche Sonderregelung des „publizistischen Landesverrates" eingeführt, nach der Journalisten beim unbeabsichtigen Offenbaren von Staatsgeheimnissen nicht wegen Landesverrats bestraft werden können (§ 95 StGB; s. Kapitel 5.4). Hinsichtlich der Ökonomie läßt sich ganz pauschal feststellen, daß es ohne Massenmedien kaum Werbung gäbe. Gerade in Einzeitungskreisen ohne Wettbewerb bestimmt die Monopolzeitung weitgehend die Bedingungen, die die Wirtschaft akzeptieren muß, will sie in diesem Medium werben. Andere Wirkungen auf die Ökonomie liegen in Kommunikationsschäden, die die Presse durch Negativberichterstattung über ein Unternehmen oder eine Branche herbeiführen kann. Hier ließen sich aus deutscher Sicht die Fälle Birkel-Nudeln und Fisch-Nematoden (vgl. Kepplinger 1992, S. 151 ff.) nennen sowie der Bankrott der Mody-Bank nach einem *Focus*-Bericht (vgl. *Journalist*, Heft 9/1997, S. 37).

Formal gesprochen macht es gerade die hochgradige Konfundierung der Einflußvariablen so schwierig, sich dem Journalismus mit undifferenzierten, monokausalen Denkmodellen zu nähern. Die bisherigen Ausführungen sollten einen Beitrag dazu leisten, trotz der Komplexität die grundlegenden, charakteristischen Einflußkräfte des britischen und deutschen Journalismus zu erkennen.

13.6 Fazit: Die Freiheit, die sie meinen

Betrachtet man den britischen und den deutschen Journalismus, so läßt sich nicht sagen, daß einer „besser" ist oder einer von beiden „Recht" hat. Beide müssen aus ihrer Tradition, aus ihren gesellschaftlichen Bedingungen, aus ihrem System heraus verstanden und beurteilt werden. Es ist jedoch ein Leitmotiv erkennbar, das sich durch die gesamte Arbeit zieht, die einzelnen Kapitel und Modell-Schalen miteinander verbindet und dennoch den grundlegenden Unterschied zwischen beiden journalistischen Mentalitäten benennt: der Freiheitsgedanke. Das Verständnis von journalistischer Freiheit unterscheidet sich in beiden Ländern grundlegend. Die Briten verteidigen den Journalismus seit Jahrhunderten gegenüber dem Staat, gegen Informationsbeschränkungen, presseskeptische Richter und Politiker. Sie verteidigen die Freiheit des Systems, in dem sie sich bloß als produzierender Teil sehen. Im Mittelpunkt steht weniger ihre individuelle Arbeit und mehr das Endprodukt, die Zeitung als Institution. Die Freiheit, für die britische Journalisten kämpfen, ist die Reduzierung von Berichterstattungsbeschränkungen und eine verbesserte rechtliche Absicherung der Pressefreiheit. Journalismus ist – überspitzt gesagt – nicht das, was ein einzelner Mensch macht, sondern was das Medium im verbleibenden Handlungsspielraum zuwege bringt. Um in diesem rauhen, privilegienlosen Klima effektiv zu sein, muß die Zeitung wie ein geöltes System arbeiten. Meinung wird nicht unkontrolliert zur individuellen Selbstverwirklichung, sondern kontrolliert zur Profilierung des Produkts eingesetzt, durchaus unter Marktgesichtspunkten.

In Deutschland sind die Voraussetzungen völlig anders. Die Freiheit der Presse ist außerordentlich gut abgesichert, im internationalen Vergleich sind die Berichterstattungsbeschränkungen minimal. Der Freiraum ist sogar so groß, daß die Journalisten ihn – wie sie freimütig eingestehen – gar nicht ganz ausnutzen. Ihre britischen Kollegen nehmen sich dagegen sehr viel mehr Freiheiten heraus, sei es aus einem echten oder bloß kultivierten Bedrohungsempfinden heraus. Geht es den britischen Journalisten um die äußere Pressefreiheit, kämpfen die deutschen für die innere. Sie verteidigen die Freiheit des Einzelnen, die Individualität des Redakteurs. Sie begreifen – anders als in Großbritannien – ihre Arbeit nicht als Rohstoff, der erst von den weiteren Verarbeitungsinstanzen veredelt wird. Vielmehr ist alles wertvoll, auch die Beiträge von Volontären. Jede fremde Veränderung ihrer Werke wird als Affront empfunden. Sie kämpfen für die möglichst uneingeschränkte Freiheit ihres Arbeits- und Kompetenzbereiches und verteidigen sie gegen Eingriffe des „Redaktionsapparates". Sie halten am ganzheitlichen Arbeitsprinzip fest und sehen im arbeitsteiligen Prinzip einen Verlust an beruflicher Autonomie, Selbstverwirklichungsmöglichkeit, eben individueller Freiheit. Kaum ein Beruf ist so innig mit Freiheit verbunden, wie der Journalismus. Aber die Freiheit, die Briten und Deutsche meinen, ist nicht dieselbe.

14. Literatur

Anmerkung: Einzelverweise aus nichtwissenschaftlichen Quellen (z. B. englische und deutsche Tages- und Wochenzeitungen oder Branchenblätter wie die *UK Press Gazette* oder der deutsche *Journalist*) erscheinen nur in den Fußnoten und sind im Literaturverzeichnis nicht aufgeführt.

Ahrens, Rüdiger (1994). Zwischen Tradition und Erneuerung: Bildungssystem und berufliche Ausbildung. In Hans Kastendiek, Karl Rohe & Angelika Volle (Hg.), *Länderbericht Großbritannien. Geschichte, Politik, Wirtschaft, Gesellschaft.* Bonn: Bundeszentrale für politische Bildung, S. 438–455.

Ainsworth, Lesley & Daniel Weston (1995). Newspaper and UK media ownership controls. *Media Law & Practice*, 16:1, S. 2–9.

Aitchison, James (1988). *Writing for the press.* London: Hutchison.

Almond, Gabriel & Sidney Verba (1965). *The civic culture. Political attitudes and democracy in five nations.* Boston: Little, Brown and Company.

Alternative White Paper (1994). *Media freedom and media regulation.* Positionspapier der Association of British Editors, Guild of British Newspaper Editors und International Press Institute. Bloomsbury House, 74–77 Great Russell St, London WC1B 3DA (nicht im Buchhandel).

Altschull, J. Herbert (1984). *Agents of power. The role of the news media in human affairs.* New York: Longman.

Altschull, J. Herbert (1990). *From Milton to McLuhan. The ideas behind American journalism.* New York: Longman.

Arbeitsgemeinschaft für Kommunikationsforschung (1977). *Journalismus als Beruf.* Unveröffentlichter Forschungsbericht. München: AfK.

Arntzen, Helmut (1977) (Hg.). *Der Spiegel 28/1972: Analyse, Interpretation, Kritik.* München: Fink.

Article 19 World Report (1991). *Information, freedom and censorship.* London: Library Association.

Ascherson, Neal (1978). Newspapers and internal democracy. In James Curran (Hg.), *The British press: A manifesto.* London: Macmillan, S. 124–137.

Ascherson, Neal (1987). Etwas Ungermanisches. In Jochen Bölsche (Hg.), *Waterkantgate. Die Kieler Affäre. Eine Spiegel-Dokumentation.* Göttingen: Steidl, S. 17–19 (erstmals in *Observer* vom 18.10.1987).

Ascherson, Neal & Hans-Wolfgang Wolter (1977). Journalistenausbildung in Großbritannien. In Hans-Dietrich Fischer & Otto B. Roegele (Hg.), *Ausbildung für Kommunikationsberufe in Europa. Praktiken und Perspektiven.* Düsseldorf: Droste, S. 77–88.

Asquith, Ivon (1978). The structure, ownership and control of the press, 1780–1855. In George Boyce, James Curran & Pauline Wingate (Hg.), *Newspaper history from the seventeenth century to the present day.* London: Constable, S. 98–116.

Augustin, Dirk (1994). *Die Gründe für den Verzicht der sozialliberalen Koalition auf ein Presserechtsrahmengesetz*. Magisterarbeit. Universität Mainz: Institut für Publizistik.

Baerns, Barbara (1985). *Öffentlichkeitsarbeit oder Journalismus? Zum Einfluß im Mediensystem*. Köln: Verlag Wissenschaft und Politik.

Bainbridge, Cyril (1984). *One hundred years of journalism. Social aspects of the press*. London: Macmillan.

Baistow, Tom (1985). *Fourth-rate estate. An anatomy of Fleet Street*. London: Comedia.

Bammé, Arno, Ernst Kotzmann & Hasso Reschenberg (1993) (Hg.). *Publizistische Qualität. Probleme und Perspektiven ihrer Bewertung*. München: Profil.

Bantz, Charles, Suzanne McCorkle & Roberta A. Baade (1980). The news factory. *Communication Research*, 7, S. 45–68.

Barth, Henrike & Wolfgang Donsbach (1992). Aktivität und Passivität von Journalisten gegenüber Public Relations. Fallstudie am Beispiel von Pressekonferenzen zu Umweltthemen. *Publizistik*, 37, S. 151–165.

Basse, Dieter (1991). *Wolff's Telegraphisches Bureau 1849–1933. Agenturpublizistik zwischen Politik und Wirtschaft*. München: Saur.

Baum, Achim (1994). *Journalistisches Handeln. Eine kommunikationstheoretisch begründete Kritik der Journalismusforschung*. Opladen: Westdeutscher Verlag.

Baylen, J. O. (1992). The British press 1861–1918. In Dennis Griffiths (Hg.), *Encyclopaedia of the British press 1422–1992*. London: Macmillan, S. 33–46.

Becker, Lee B. (1987). *The training and hiring of journalists*. Norwood: Ablex Publishing.

Beloff, Nora (1976). *Freedom under Foot: The battle over the closed shop in British journalism*. London: Temple Smith.

Belsey, Andrew & Ruth Chadwick (1992) (Hg.). *Ethical issues in journalism and the media*. London: Routledge.

Belsey, Andrew & Ruth Chadwick (1995). Ethics as a vehicle for media quality. *European Journal of Communication*, 10:4, S. 461–473.

Bentele, Günter (1982). Objektivität in den Massenmedien – Versuch einer historischen und systematischen Begriffsklärung. In Günter Bentele & Robert Ruoff (Hg.), *Wie objektiv sind unsere Medien?* Frankfurt: Fischer, S. 111–155.

Bentele, Günter (1988). Wie objektiv können Journalisten sein? In Lutz Erbring, Stephan Russ-Mohl, Berthold Seewald & Bernd Sösemann (Hg.), *Medien ohne Moral. Variationen über Journalismus und Ethik*. Berlin: Argon, S. 196–225.

Benzinger, Josef-Paul (1980). *Lokalpresse und Macht in der Gemeinde. Publizistische Alleinstellung von Tageszeitungen in lokalen Räumen*. Nürnberg: Verlag der Nürnberger Forschungsvereinigung.

Berkowitz, Dan (1992). Non-routine news and newswork: Exploring a what-a-story. *Journal of Communication*, 42:1, S. 82–94.

Bermes, Jürgen (1991). *Der Streit um die Presse-Selbstkontrolle: Der Deutsche Presserat. Eine Untersuchung zur Arbeit und Reform des Selbstkontrollorgans der bundesdeutschen Presse*. Baden-Baden: Nomos.

Bermes, Jürgen (1989). Ohne Biß auch mit dritten Zähnen: Deutscher Presserat nach der Reform. *die feder*, Heft 10, S. 43–47.

Bernstein, Carl & Bob Woodward (1974). *All the president's men*. New York: Simon & Schuster.

Berridge, Virgina (1978). Popular sunday papers and mid-Victorian society. In George Boyce, James Curran & Pauline Wingate (Hg.), *Newspaper history from the seventeenth century to the present day*. London: Constable, S. 247–264.

Bevins, Anthony (1990). The crippling of the scribes. *British Journalism Review*, 1:2, S. 13–17.
Bielstein, Klaus (1988). *Gewerkschaften, Neo-Konservatismus und ökonomischer Strukturwandel. Zur Strategie und Taktik der Gewerkschaften in Großbritannien*. Bochum: Brockmeyer.
Bishop, Robert L. (1983). The decline of national newspapers in the UK. *Gazette*, 31, S. 205–212.
Blöbaum, Bernd (1994). *Journalismus als soziales System. Geschichte, Ausdifferenzierung und Verselbständigung*. Opladen: Westdeutscher Verlag.
Böckelmann, Frank (1993). *Journalismus als Beruf. Bilanz der Kommunikatorforschung im deutschsprachigen Raum 1945 bis 1990*. Konstanz: Universitätsverlag.
Bölsche, Jochen & Hans Werner Kilz (1988). Rufschädigung im demokratischen Auftrag. Investigativer Journalismus am Beispiel Barschel, Flick und Neue Heimat. In Heinz Ludwig Arnold (Hg.), *Vom Verlust der Scham und dem allmählichen Verschwinden der Demokratie*. Göttingen: Steidl, S. 135–150.
Boldt, Hans (1978). Parlament, parlamentarische Regierung, Parlamentarismus. In Otto Brunner, Werner Conze & Reinhart Koselleck (Hg.), *Geschichtliche Grundbegriffe. Historisches Lexikon zur politisch-sozialen Sprache in Deutschland*. Band 4. Stuttgart: Klett-Cotta, S. 649–676.
Bohrer, Karl Heinz (1982). *Ein bißchen Lust am Untergang. Englische Ansichten*. Frankfurt: Suhrkamp.
Bonnenberg, Katharina (1994). *Arbeitsorganisation einer amerikanischen Tageszeitung am Beispiel des Seattle Post-Intelligencer*. Magisterarbeit. Universität Mainz: Institut für Publizistik.
Bornkamm, Joachim (1980). *Pressefreiheit und Fairneß des Strafverfahrens. Die Grenzen der Berichterstattung über schwebende Strafverfahren im englischen, amerikanischen und deutschen Recht*. Baden-Baden: Nomos.
Bortz, Jürgen & Nicola Döring (1995). *Forschungsmethoden und Evaluation*. Berlin: Springer.
Boston, Ray (1988). W. T. Stead and democracy by journalism. In Joel H. Wiener (Hg.), *Papers for the millions. The new journalism in Britain, 1850s to 1914*. New York: Greenwood Press, S. 91–106.
Boventer, Hermann (1988) (Hg). *Medien und Moral. Ungeschriebene Regeln des Journalismus*. Konstanz: UVK.
Boventer, Hermann (1993 (Hg.). *Medien und Demokratie. Nähe und Distanz zur Politik*. Konstanz: UVK.
Boventer, Hermann (1994). Muckrakers: Investigativer Journalismus zwischen Anspruch und Wirklichkeit. In Wolfgang Wunden (Hg.), *Öffentlichkeit und Kommunikationskultur. Beiträge zur Medienethik (Band 2)*. Stuttgart: Steinkopf, S. 215–230.
Bower, Tom (1991). *Maxwell: The outsider*. London: Mandarin.
Bower, Tom (1996). *Mawell: The final verdict*. London: Harper-Collins.
Bowers, John & Simon Honeyball (1990). *Textbook on labour law*. London: Blackstone.
Boyce, George (1978). The fourth estate: The reappraisal of a concept. In George Boyce, James Curran & Pauline Wingate (Hg.), *Newspaper history from the seventeenth century to the present day*. London: Constable, S. 19–40.
Branahl, Udo (1994). Der Kampf um innere Pressefreiheit. Welchen Stellenwert haben Redaktionsstatute und innerredaktionelle Mitbestimmung heute? In Sybille Reiter & Stephan Ruß-Mohl (Hg.), *Zukunft oder Ende des Journalis-*

mus? Publizistische Qualitätssicherung, Medienmanagement, Redaktionelles Marketing. Gütersloh: Bertelsmann Stiftung, S. 142–154.
Branahl, Udo (1996). *Medienrecht. Eine Einführung*. Zweite, überarbeitete Auflage. Opladen: Westdeutscher Verlag.
Braun, Yvonne (1997). Journalistische Kultur auf der Anklagebank. Rahmenbedingungen für Court TV in Großbritannien, USA und Deutschland. In Marcel Machill (Hg.), *Journalistische Kultur. Rahmenbedingungen im internationalen Vergleich*. Opladen: Westdeutscher Verlag, S. 25–52.
Brawand, Leo (1987). *Die Spiegel-Story. Wie alles anfing*. Düsseldorf: Econ.
Brazier, Rodney (1994). It is a constitutional issue: Fitness for ministerial office in the 1990s. *Public Law*, Heft Autumn, S. 431–451.
Breed, Warren (1955). Social control in the newsroom: A functional analysis. *Social Forces*, 33, S. 326–335. Deutsch übersetzt in Jörg Aufermann, Hans Bohrmann & Rolf Sülzer (Hg.), *Gesellschaftliche Kommunikation und Information. Forschungsrichtungen und Problemstellungen. Ein Arbeitsbuch zur Massenkommunikation*. Frankfurt: Atheäum Fischer, 1973, S. 356–378.
Brendon, Piers (1983). *The life and death of the press barons*. New York: Atheneum.
Bresser, Klaus (1992). *Was nun? Über Fernsehen, Moral und Journalisten*. Hamburg: Luchterhand.
Brodzky, Vivian (1966) (Hg.). *Fleet Street – The inside story of journalism*. London: MacDonald.
Brown, Lucy (1985). *Victorian news and newspapers*. Oxford: Clarendon Press.
Brumm, Dieter (1980). Sturmgeschütz der Demokratie? „Der Spiegel“. In Michael Wolf Thomas (Hg.), *Porträts der deutschen Presse. Politik und Profit*. Berlin: Spiess, S. 183–200.
Brunöhler, Kurt (1933). *Die Redakteure der mittleren und größeren Zeitungen im heutigen Reichsgebiet 1800 bis 1848*. Leipzig: Dissertation.
Buchwald, Manfred (1992). Ist Ethik eine journalistische Handlungsmaxime? In Michael Haller & Helmut Holzhey (Hg.), *Medien-Ethik. Beschreibungen, Analysen, Konzepte*. Opladen: Westdeutscher Verlag, S. 178–187.
Burnet, David (1992). Freedom of speech, the media and the law. In Andrew Belsey & Ruth Chadwick (Hg.), *Ethical issues in journalism and the media*. London: Routledge, S. 49–61.
Butler, David (1989). *The British general elections since 1945*. Oxford: Basil Blackwell.
Butler, David, Andrew Adonis & Tony Travers (1994). *Failure in British government*. Oxford: Oxford University Press.
Butler, David & Gareth Butler (1994). *British political facts*. Siebte, aktualisierte Auflage. London: Macmillan.
Brynin, Malcolm (1988). Aufstieg und Niedergang der britischen Presse. *Media Perspektiven*, Heft 6, S. 347–357.
Cater, Douglass (1959). *The fourth branch of government*. Boston: Houghton Mifflin Company.
Chalaby, Jean K. (1996). Journalism as an anglo-american invention. A comparison of the development of French and Anglo-American journalism, 1830–1920s. *European Journal of Communication*, 11, S. 303–326.
Chippindale, Peter & Chris Horrie (1990). *Stick it up your punter*. London: Heinemann.
Christian, Harry (1980). Journalists’ occupational ideologies and press commercialisation. In Harry Christian (Hg.), *The sociology of journalism and the press* (Sociological Review Monograph, 29). Keele: University of Keele, S. 259–306.

Cleverley, Graham (1976). *The Fleet Street disaster. British national newspapers as a case study in mismanagement.* London: Constable.
Clother, Henry (1995). Training at crossroads. *British Journalism Review*, 6:2, S. 56–59.
Coliver, Sandra (1993). Comparative analysis of press law in European and other democracies. In Article 19 (Hg.), *Press Law and Practice. A comparative study of press freedom in European and other democracies.* London: International centre against censorship, S. 255–290.
Collins COBUILD English Language Dictionary (1987). London: Collins.
Cox, Celina (1978). Political caricature and the freedom of the press in early nineteenth-century England. In George Boyce, James Curran & Pauline Wingate (Hg.), *Newspaper history from the seventeenth century to the present day.* London: Constable, S. 227–246.
Crewe, Ivor (1993). The Thatcher legacy. In Anthony King et al. (Hg.), *Britain at the polls 1992.* London: Chatham House Publishers, S. 1–28.
Crewe, Ivor & Brian Gosschalk (1994) (Hg.). *Political communications: The general election campaign of 1992.* Cambridge: Cambridge University Press.
Crone, Tom (1991). *Law and the media. An everyday guide for professionals.* Zweite Auflage. Oxford: Butterworth-Heinemann.
Crozier, Michael (1988). *The making of The Independent.* London: Gordon Fraser Gallery.
Curran, James (1978) (Hg.). *The British press: A manifesto.* London: Macmillan.
Curran, James (1990a). Culturalist perspectives of news organizations: A reappraisal and a case study. In Marjorie Ferguson (Hg.), *Public communication: The new imperatives. Future directions for media research.* London: Sage, S. 114–134.
Curran, James (1990b). The new revisionism in mass communication research: A reappraisal. *European Journal of Communication*, 5, S. 135–164.
Curran, James (1991). Mass media and democracy: A reappraisal. In James Curran & Michael Gurevitch (Hg.), *Mass media and society.* London: Edward Arnold, S. 82–117.
Curran, James, Angus Douglas & Garry Whannel (1980). The political economy of the human-interest story. In Anthony Smith (Hg.), *Newspapers and democracy. International essays on a changing medium.* Cambridge: MIT Press, S. 288–347.
Curran, James & Jean Seaton (1991). *Power without responsibility. The press and broadcasting in Britain.* Vierte, aktualisierte und überarbeitete Auflage. London: Routledge.
Curtice, John & Holli A. Semetko (1994). Does it matter what the papers say? In Anthony Heath, Roger Jowell & John Curtice (Hg.), *Labour's last chance? The 1992 election and beyond.* Aldershot: Dartmouth, S. 43–63.
Curtice, John (1997). Is the Sun shining on Tony Blair? The electoral influence of British newspapers. *Harvard International Journal of Press/Politics*, 2:2, S. 9–26.
Daly, Macdonald (1992). What Labour could do about the tabloids. *British Journalism Review*, 3:4, S. 29–33.
Davies, Nick (1992). *Death of a tycoon. An insider's account of the fall of Robert Maxwell.* New York: St. Martin's Press.
Davies, Russel (1996). *Foreign Body: The secret life of Robert Maxwell.* London: Bloomsbury.
Delano, Anthony & John Henningham (1995). *The news breed: British journa-*

lists in the 1990s. Report of the School of Media of the London College of Printing (ISBN 0–902612–07–7). London: London Institute.
Delmer, Sefton (1963). *Die Deutschen und ich*. Hamburg: Nannen.
Deutscher Presserat (1990). *Schwarz-Weiß-Buch. Spruchpraxis des Deutschen Presserates*. Bonn: Tragerverein des Deutschen Presserates.
Deutsches Fremdwörterbuch (1913, 1974–1988). Begonnen von Hans Schulz, fortgeführt von Otto Basler, weitergeführt im Institut für deutsche Sprache. 5 Bände. Berlin: Walter de Gruyter.
Diamond, B. I. (1988). A precursor of the New Journalism: Frederick Greenwood of the Pall Mall Gazette. In Joel H. Wiener (Hg.), *Papers for the millions. The new journalism in Britain, 1850s to 1914*. New York: Greenwood Press, S. 25–46.
Doehring, Karl (1974). Zusammenfassender Bericht über die Gestaltung der Pressefreiheit und der inneren Struktur von Presseunternehmen in Frankreich, Großbritannien, der Schweiz und den USA. In Karl Doehring, Kay Hailbronner, Georg Ress, Hartmut Schiedermair & Helmut Steinberger (Hg.), *Pressefreiheit und innere Struktur von Presseunternehmen in westlichen Demokratien*. Berlin: Duncker & Humblot, S. 7–34.
Döring, Herbert (1993). *Großbritannien: Regierung, Gesellschaft und politische Kultur*. Opladen: Leske + Budrich.
Döring, Herbert (1994). Bürger und Politik – die „Civic Culture" im Wandel. In Hans Kastendiek, Karl Rohe & Angelika Volle (Hg.), *Länderbericht Großbritannien. Geschichte, Politik, Wirtschaft, Gesellschaft*. Bonn: Bundeszentrale für politische Bildung, S. 155–169.
Doig, Alan (1992). Retreat of the investigators. *British Journalism Review*, 3:4, S. 44–50.
Doig, Alan & John Wilson (1995). Untangling the thread of sleaze: The slide into Nolan. *Parliamentary Affairs*, 48, S. 563–578.
Donsbach, Wolfgang (1982). *Legitimationsprobleme des Journalismus. Gesellschaftliche Rolle der Massenmedien und berufliche Einstellungen von Journalisten*. Freiburg: Alber.
Donsbach, Wolfgang (1987). Journalismusforschung in der Bundesrepublik: Offene Fragen trotz ‚Forschungsboom'. In Jürgen Wilke (Hg.), *Zwischenbilanz der Journalistenausbildung*. München: Ölschläger, S. 105–142.
Donsbach, Wolfgang (1990a). Journalistikstudenten im internationalen Vergleich. *Publizistik*, 35, S. 408–427.
Donsbach, Wolfgang (1990b). *Role perceptions and professional norms of journalists in a comparative perspective*. Paper presented at the Annual Conference of the American Association for Public Opinion Reseach (AAPOR), Lancaster, Pennsylvania., May 16–20.
Donsbach, Wolfgang (1991). *Medienwirkung trotz Selektion. Einflußfaktoren auf die Zuwendung zu Zeitungsinhalten*. Köln: Böhlau.
Donsbach, Wolfgang (1992). Instrumente der Qualitätsmessung – Internationale Entwicklung. In: Bürger fragen Journalisten (Hg.), *Pressefreiheit und Pressewahrheit. Kritik und Selbstkritik im Journalismus*. Erlangen: TM Verlag, S. 43–68.
Donsbach, Wolfgang (1993a). Redaktionelle Kontrolle im Journalismus: Ein internationaler Vergleich. In Walter A. Mahle (Hg.), *Journalisten in Deutschland. Nationale und internationale Vergleiche und Perspektiven*. München: Ölschläger, S. 143–160.
Donsbach, Wolfgang (1993b). Journalismus versus journalism – Ein Vergleich zum Verständnis von Medien und Politik in Deutschland und in den USA. In

Wolfgang Donsbach, Otfried Jarren, Hans Mathias Kepplinger & Barbara Pfetsch (Hg.), *Beziehungsspiele – Medien und Politik in der öffentlichen Diskussion. Fallstudien und Analysen*. Gütersloh: Bertelsmann, S. 283–315.

Donsbach, Wolfgang (1993c). Das Verhältnis von Journalismus und Politik im internationalen Vergleich. In: Bürger fragen Journalisten (Hg.), *Medien in Europa*. Erlangen: TM Verlag, S. 67–82.

Donsbach, Wolfgang (1994). Journalist. In Elisabeth Noelle-Neumann, Winfried Schulz & Jürgen Wilke (Hg.), *Fischer-Lexikon Publizistik Massenkommunikation*. Dritte, vollständig überarbeitete Neuausgabe. Frankfurt: Fischer, S. 64–91.

Donsbach, Wolfgang (1995). Medien und Politik. Ein internationaler Vergleich. In Klaus Armingeon & Roger Blum (Hg.), *Das öffentliche Theater. Politik und Medien in der Demokratie*. Bern: Verlag Paul Haupt, S. 17–40.

Donsbach, Wolfgang & Bettina Klett (1993). Subjective objectivity. How journalists in four countries define a key term of their profession. *Gazette*, 51, S. 53–83.

Donsbach, Wolfgang & Thomas E. Patterson (1992). *Journalists' roles and newsroom practices: A cross-national comparison*. Paper presented to the 42nd Confercence of the International Communication Association (ICA), Miami, Florida, May 21–25.

Donsbach, Wolfgang & Jens Wolling (1995). Redaktionelle Kontrolle in der regionalen und überregionalen Tagespresse. In Beate Schneider, Kurt Reumann & Peter Schiwy (Hg.), *Publizistik. Beiträge zur Medienentwicklung*. Festschrift für Walter Schütz. Konstanz: UVK, S. 421–437.

Dovifat, Emil (1925). *Journalismus und journalistische Berufsausbildung in England* (Broschüre, 20 S.). Berlin: Verlag für Presse, Wirtschaft und Politik.

Dovifat, Emil (1927). *Der amerikanische Journalismus. Mit einer Darstellung der journalistischen Berufsbildung*. Stuttgart: Deutsche Verlagsanstalt.

Dovifat, Emil (1960). *Handbuch der Auslandspresse*. Bonn: Athenäum / Westdeutscher Verlag.

Dovifat, Emil (1976). *Zeitungslehre II*. Sechste, neubearbeitete Auflage von Jürgen Wilke. Berlin: de Gruyter.

Doyle, Gillian (1995). Debatte um Medienverflechtungen in Großbritannien. *Media Perspektiven*, Heft 3, S. 141–148.

Doyle, Gillian (1996). Deregulierung für den Multimediamarkt. *Media Perspektiven*, Heft 3, S. 164–170.

Dunleavy, Patrick, Stuart Weir & Gita Subrahmanyam (1995). Sleaze in Britain: Media influences, public response and constitutional significance. *Parliamentary Affairs*, 48, S. 602–616.

Dunn, John, J. O. Urmson & A. J. Ayer (1992). *The British empiricists: Locke, Berkeley, Hume*. Oxford: Oxford University Press.

Dygutsch-Lorenz, Ilse (1971). *Die Rundfunkredaktion als Organisationsproblem. Ausgewählte Organisationseinheiten in Beschreibung und Analyse*. Düsseldorf: Bertelsmann.

Ebert, Alexander (1995). Ansprüche an das Qualitätsprodukt Zeitung. *M Menschen machen Medien*, Heft 2, S. 20–22.

Ecclestone, Jacob (1992). National Union of Journalists. In Dennis Griffiths (Hg.). *Encyclopaedia of the British press 1422–1992*. London: Macmillan, S. 655–656.

Edelstein, Alex S. (1982). *Comparative communication research*. Beverly Hills: Sage.

Ehmig, Simone Christine (1991). Parteilichkeit oder Politikverdrossenheit. Die

Darstellung von Motiven und Emotionen deutscher Politiker im „Spiegel“. *Publizistik*, 36, S. 183–200.
Elliott, Philip (1978a). Professional ideology and organisational change: The journalist since 1800. In George Boyce, James Curran & Pauline Wingate (Hg.), *Newspaper history from the seventeenth century to the present Day*. London: Constable, S. 172–191.
Elliott, Philip (1978b). All the world's a stage, or what's wrong with the national press. In James Curran (Hg.), *The British press: A manifesto*. London: Macmillan, S. 141–170.
Engwall, Lars (1981). *Newspapers as organizations*. Aldershot: Gower.
Enzensberger, Hans Magnus (1962). Die Sprache des *Spiegel*. In ders., *Einzelheiten*. Frankfurt: Suhrkamp, S. 62–83. [Erstdruck in *Der Spiegel* vom 6. März 1957]
Epstein, Jay Edward (1973). *News from nowhere. Television and the news*. New York: Random House.
Erbring, Lutz, Stephan Ruß-Mohl, Berthold Seewald & Bernd Sösemann (1988) (Hg.). *Medien ohne Moral. Variationen über Journalismus und Ethik*. Berlin: Argon
Erbring, Lutz (1988). Journalistische Berufsnormen in amerikanischen und deutschen Nachrichten. In Lutz Erbring, Stephan Russ-Mohl, Berthold Seewald & Bernd Sösemann (Hg.), *Medien ohne Moral. Variationen über Journalismus und Ethik*. Berlin: Argon, S. 73–104.
Erbring, Lutz (1989). Nachrichten zwischen Professionalität und Manipulation. Journalistische Berufsnormen und politische Kultur. In Max Kaase & Winfried Schulz (Hg.), *Massenkommunikation. Theorien, Methoden, Befunde*. Opladen: Westdeutscher Verlag, S. 301–313.
Erdmann, Georg & Bruno Fritsch (1990). *Zeitungsvielfalt im Vergleich. Das Angebot an Tageszeitungen in Europa*. Mainz: Hase & Koehler.
Ernst, Joseph (1988). *The structure of political communication in the United Kingdom, the United States and the Federal Republik of Germany. A comparative media study of The Economist, Time and Der Spiegel*. Frankfurt: Lang.
Esser, Frank (1997). Journalistische Kultur in Großbritannien und Deutschland. Eine Analyse aus vergleichender Perspektive. In Marcel Machill (Hg.), *Journalistische Kultur. Rahmenbedingungen im internationalen Vergleich*. Opladen: Westdeutscher Verlag, S. 111-116.
Esser, Frank (1998). Editorial structures and work principles in British and German newsrooms. *European Journal of Communication*, 13 (im Druck).
Ettema, James S., D. Charles Whitney & Daniel B. Wackman (1987). Professional mass communicators. In Charles R. Berger & Steven H. Chaffee (Hg.), *Handbook of communication science*. Newbury Park: Sage, S. 747–780.
Evans, Harold (1983). *Good Times, bad Times*. London: Weidenfeld & Nicolson. [Zweite Auflage mit neuem Vorwort 1994 bei Phoenix erschienen.]
Evans, Harold (1972). *Editing and design. Book I: Newsman's English*. Neuauflage. London: Heinemann.
Evans, Harold (1972–73). *Editing and design. A five-volume manual of English, typography and layout*. London: Heinemann.
Feldhaus, Bettina J. (1993). Journalism training in the European Community – attempt at a typology. In Gerd G. Kopper (Hg.), *Innovation in journalism training. A European perspective* (European Journalism Review Series Nr. 1). Berlin: Vistas, S. 27–32.
Feldman, David (1993). *Civil liberties and human rights in England and Wales*. Oxford: Clarendon Press.

Fellinger, Erich (1993). *Begründungszusammenhänge von Aussagen in den Massenmedien: eine vergleichende Inhaltsanalyse deutscher und amerikanischer Zeitungen*. Magisterarbeit. Universität Mainz: Institut für Publizistik.
Fiddick, Peter (1993). Monitoring the media. *British Journalism Review*, 4:2, S. 44–48.
Fischer, Heinz-Dietrich (1978). *Reeducations- und Pressepolitik unter britischem Besatzungsstatus. Die Zonenzeitung Die Welt 1946–1950: Konzeption, Artikulation und Rezeption*. Düsseldorf: Droste.
Fischer, Heinz-Dietrich, Rosvita Molenfeld, Ingo Petzke & Hans-Wolfgang Wolter (1975). *Innere Pressefreiheit in Europa. Komparative Studie zur Situation in England, Frankreich, Schweden*. Baden Baden: Nomos.
Fishman, Mark (1978). Crime waves as ideology. *Social Problems*, 25, S. 531–543.
Fishman, Mark (1980). *Manufacturing the news*. Austin: University of Texas Press.
Flegel, Ruth C. & Steven H. Chaffee (1971). Influences of editors, readers, and personal opinions on reporters. *Journalism Quarterly*, 48, S. 645–651.
Franklin, Bob (1992). How local papers hold the ring. *British Journalism Review*, 3:4, S. 14–20.
Franklin, Bob (1994). *Packaging politics. Political communication in Britain's media democracy*. London: Edward Arnold.
Franklin, Bob (1995). Have you read ...? Political communication scholarship in Britain. *Political Communication*, 12, S. 223–242.
Franklin, Bob (1996). Keeping it ‚bright, light and trite': Changing newspaper reporting of Parliament. *Parliamentary Affairs*, 49, S. 299–315.
Franklin, Bob & David Murphy (1991). *What news? The market, politics and the local press*. London: Routledge.
Free Communications Group (1974). Newsroom democracy. In Anthony Smith (Hg.), *The British press since the war*. Newton Abbot: David & Charles, S. 290–294.
Frei, Norbert (1989). Die Presse. In Wolfgang Benz (Hg.), *Die Geschichte der Bundesrepublik Deutschland. Band 4: Kultur*. Frankfurt: Fischer, S. 370–416.
Frei, Norbert & Johannes Schmitz (1989). *Journalismus im Dritten Reich*. München: Beck.
French, David & Michael Richards (1994). Theory, practice and market forces in Britain. In David French & Michael Richards (Hg.), *Media education across Europe*. London: Routledge, S. 82–102.
Friedrichs, Jürgen (1980). *Methoden der empirischen Sozialforschung*. Dreizehnte Auflage. Opladen: Westdeutscher Verlag.
Fröhlich, Romy & Christina Holtz-Bacha (1993). Structures of inhomogeneity – Dilemmas of journalism training in Europe. In Gerd G. Kopper (Hg.), *Innovation in journalism training. A European perspective* (European Journalism Review Series Nr. 1). Berlin: Vistas, S. 13–25.
Fröhlich, Romy & Christina Holtz-Bacha (1997). Journalistenausbildung in Europa. In Gerd G. Kopper (Hg.), *Europäische Öffentlichkeit: Entwicklungen von Strukturen und Theorien*. Berlin: Vistas, S. 149–182.
Gabriel, Oscar W. (1994). Politische Einstellungen und politische Kultur. In Oscar W. Gabriel & Frank Brettschneider (Hg.), *Die EU-Staaten im Vergleich. Strukturen, Prozesse, Politikinhalte*. Zweite, überarbeitete Auflage. Opladen: Westdeutscher Verlag, S. 96–133.
Galliner, Peter (1981). Ownership, management and editors in Europe. *IPI Report*, Heft November, S. 12–16.

Gans, Herbert J. (1979). *Deciding what's news. A study of CBS evening news, NBC nightly news, Newsweek and Time.* New York: Pantheon.
Gaunt, Philip (1988). The training of journalists in France, Britain and the U. S. *Journalism Quarterly*, 65, S. 582–588.
Gaunt, Philip (1990). *Choosing the news. The profit factor in news selection.* New York: Greenwood Press.
Gaunt, Philip (1992). *Making the newsmakers. International handbook on journalism training.* Westport: Greenwood Press.
Gelfert, Hans-Dieter (1995). *Typisch englisch. Wie die Briten wurden, was sie sind.* München: Beck.
Gentz, Friedrich von (1838). Die Pressefreiheit in England. In Jürgen Wilke (Hg.) (1984), *Pressefreiheit.* Darmstadt: Wissenschaftliche Buchgesellschaft, S. 142–193.
Gerhards, Jürgen (1994). Politische Öffentlichkeit. Ein system- und akteurstheoretischer Bestimmungsversuch. In Friedhelm Neidhardt (Hg.), *Öffentlichkeit, öffentliche Meinung, soziale Bewegungen.* Opladen: Westdeutscher Verlag, S. 77–105.
Gershon, Richard A. (1996). *News Corporation Ltd. A case study in transnational media ownership.* Paper presented at the 46th Annual Conference of the International Communication Association in Chicago, Illinois, Mai 23–27.
Gershon, Richard A. (1997). *The transnational media corporation. Global messages and free market competition.* Hillsdale: Erlbaum, S. 192–211.
Gieber, Walter (1960). How the gatekeepers view their local civil liberties news. *Journalism Quarterly*, 37, S. 199–205.
Gilbert, Paul (1992). The oxygen of publicity: terrorism and reporting restrictions. In Andrew Belsey & Ruth Chadwick (Hg.), *Ethical issues in journalism and the media.* London: Routledge, S. 137–153.
Glaser, B. G. & Anselm L. Strauss (1967). *The discovery of grounded theory.* Chicago: Aldine Publishing.
Görke, Alexander & Matthias Kohring (1996). Unterschiede, die Unterschiede machen. Neuere Theorieentwürfe zu Publizistik, Massenmedien und Journalismus. *Publizistik*, 41, S. 15–31.
Golding, Peter (1997). Sind Journalisten geboren oder gemacht? Die widersprüchliche Geschichte von Lehre und Strukturentwicklung im Mediensektor Großbritanniens. In Gerg G. Kopper (Hg.), *Europäische Öffentlichkeit. Entwicklung von Strukturen und Theorie.* Berlin: Vistas, S. 79–96.
Goodbody, John (1988). The Star: Its role in the rise of the New Journalism. In Joel H. Wiener (Hg.), *Papers for the millions. The new journalism in Britain, 1850s to 1914.* New York: Greenwood Press, S. 143–163.
Goodhart, David & Patrick Wintour (1986). *Eddie Shay and the newspaper revolution.* London: Coronet.
Glasgow University Media Group (1976). *Bad news.* London: Routledge & Kegan Paul.
Glasgow University Media Group (1980). *More bad news.* London: Routledge & Kegan Paul.
Glasgow University Media Group (1986). *War and peace news.* Milton Keynes: Open University Press.
Glasgow University Media Group (1993). *Getting the message. News, truth and power.* London: Routledge.
Glover, Stephen (1993). *Paper Dreams.* London: Jonathan Cape.
Green, Anne (1994). Sozioökonomischer und sozialgeographischer Überblick. In Hans Kastendiek, Karl Rohe & Angelika Volle (Hg.), *Länderbericht Groß-*

britannien. Geschichte, Politik, Wirtschaft, Gesellschaft. Bonn: Bundeszentrale für politische Bildung, S. 85–108.
Greenslade, Roy (1992). *Maxwell's fall.* London: Simon & Schuster.
Greenslade, Roy (1995). A job too many for Wakeham. *British Journalism Review,* 6:2, S. 19–25.
Greiwe, Ulrich (1994). *Augstein. Ein gewisses Doppelleben.* Berlin: Brandenburgisches Verlagshaus.
Grether, Thomas (1989). Reporter bei großen Zeitungen und Zeitschriften in der Bundesrepublik Deutschland. Eine Berufsbildstudie dargestellt anhand ausgewählter Mitarbeiter von *Stern, Spiegel, Zeit, Geo, Welt, Süddeutscher Zeitung* und *Frankfurter Rundschau.* Diplomarbeit. Universität München: Institut für Kommunikationswissenschaft.
Griffiths, Dennis (1992) (Hg.). *Encyclopaedia of the British press 1422–1992.* London: Macmillan.
Gross, Johannes (1995). *Begründung der Berliner Republik. Deutschland am Ende des 20. Jahrhunderts.* Stuttgart: Deutsche Verlagsanstalt.
Grote-Seifert, Heike (1994). *Das englische Arbeitskampfrecht unter besonderer Berücksichtigung der Entwicklung seit 1979. Vergleichende Analyse der Rechtslage in Deutschland und England* (Zivilrechtliche Schriften, Band 5). Frankfurt: Lang.
Groth, Otto (1928). *Die Zeitung. Ein System der Zeitungskunde (Journalistik).* Erster Band. Mannheim: Bensheimer.
Groth, Otto (1929). *Die Zeitung. Ein System der Zeitungskunde (Journalistik).* Zweiter Band. Mannheim: Bensheimer.
Habe, Hans (1965). Wunder, Segen und Fluch der deutschen Presse. In Helmut Hammerschmidt (Hg.), *Zwanzig Jahre danach. Eine deutsche Bilanz 1945–1965.* München: Kurt Desch, S. 338–359.
Hachmeister, Lutz (1987). *Theoretische Publizistik. Studien zur Geschichte der Kommunikationswissenschaft in Deutschland.* Berlin: Spiess.
Händel, Heinrich & Daniel A. Gossel (1994). *Großbritannien.* Dritte, neubearbeitete und erweiterte Auflage. München: Beck.
Hagen, Lutz (1992). Die opportunen Zeugen. Konstruktionsmechanismen von Bias in der Zeitungsberichterstattung über die Volkszählungsdiskussion. *Publizistik,* 37, S. 444–460.
Haller, Michael (1983). *Recherieren. Ein Handbuch für* Journalisten. München: Ölschläger.
Haller, Michael (1987). *Die Reportage. Ein Handbuch für* Journalisten. München: Ölschläger.
Haller, Michael (1991). *Das Interview. Ein Handbuch für Journalisten.* München: Ölschläger.
Haller, Michael (1998). *Die Theorie und die Praxis.* Vortrag auf dem Workshop „Theorien des Journalismus. Bestandsaufnahme und Perspektiven“ der DGPuK-Fachgruppe „Journalistik und Journalismusforschung“ am 16.–17.1.1998 in Dortmund/Witten.
Haller, Michael & Helmut Holzhey (1992). *Medien-Ethik. Beschreibungen, Analysen, Konzepte.* Opladen: Westdeutscher Verlag.
Hanlin, Bruce (1992). Owners, editors and journalists. In Andrew Belsey & Ruth Chadwick (Hg.), *Ethical issues in journalism and the media.* London: Routledge, S. 33–48.
Harris, Robert (1986). *Selling Hitler. The extraordinay story of the con job of the century.* New York: Pantheon.
Harrop, Martin (1986). The press and post-war elections. In Ivor Crewe & Mar-

tin Harrop (Hg.), *Political communications. The general election campaign of 1983*. Cambridge: Cambridge University Press, S. 138–149.
Harrop, Martin (1987). The voters. In Jean Seaton & Ben Pimlott (Hg.), *The media in British politics*. Aldershot: Avebury, S. 45–63.
Harrop, Martin (1988). Press. In David Butler & Dennis Kavanagh (Hg.), *The British general election of 1987*. London: Macmillan, S. 163–188.
Harrop, Martin & Margaret Scammell (1992). A tabloid war. In David Butler & Dennis Kavanagh (Hg.), *The British general election of 1992*. London: Macmillan, S. 180–210.
Hart, David J. (1980). Changing relationships between publishers and journalists. An overview. In Anthony Smith (Hg.), *Newspapers and democracy. International essays on a changing medium*. Cambridge: MIT Press, S. 268–287.
Hart, Jim A. (1966). Foreign news in US and English daily newspapers: A comparison. *Journalism Quarterly*, 43, S. 443–448.
Hartmann, Charles J. (1995). The emergence of a statutory right to privacy tort in England. *Media Law & Practice*, 16:1, S. 10–20.
Hauenschild, Almut (1966). *Aus gut unterrichteten Kreisen*. Düsseldorf.
Head, Andrew (1995). Alive and well in the provinces. *British Journalism Review*, 6:2, S. 66–70.
Henningham, John (1996). Australian journalists' professional and ethical values. *Journalism Quarterly*, 73, S. 206–218.
Henningham, John & Anthony Delano (1994). Talk about journalism …? Sorry, no comment. *British Journalism Review*, 5:3, S. 58–62.
Herles, Helmut (1984). *Fürchtet Euch nicht. Von Kanzlern und Komödianten, von Parlamentariern und Vaganten, von Menschen und Leuten im Staatstheater Bonn*. Pfullingen.
Hesse, Walter (1981). Begriff des Redakteurs und neuer Manteltarifvertrag. *Archiv für Presserecht*, 4, S. 473–477.
Hesse, Walter, Burkhard Schaffeld & Heinz-Uwe Rübenach (1988). *Arbeitsrecht der Pressejournalisten*. Stuttgart: Schäffer.
Hetherington, Alastair (1985). *News, newspapers and television*. London: Macmillan.
Hetherington, Alastair (1988). *News in the regions*. London: Macmillan.
Hienzsch, Ulrich (1990). *Journalismus als Restgröße. Redaktionelle Rationalisierung und publizistischer Leistungsverlust*. Wiesbaden: Deutscher Universitätsverlag.
Hird, Christopher (1995). Rebuffed in Britain. *Index on Censorship*, Heft 4, S. 163–166.
Hirsch, Paul M. (1977). Occupational, organizational, and institutional models in mass media research: Toward an integrated framework. In Paul Hirsch, Peter Miller & F. Gerald Kline (Hg.), *Strategies for communication research*. Beverly Hills: Sage, S. 13–42.
Hirschberger, Johannes (1981). *Geschichte der Philosophie. Band 2: Neuzeit und Gegenwart*. Elfte, verbesserte Auflage. Freiburg: Herder.
Hodgson, F. W. (1987). *Modern newspaper editing and production*. London: Heinemann.
Hodgson, F. W. (1993). *Modern newspaper practice. A primer on the press*. Dritte Auflage. Oxford: Focal Press.
Hodgson, Godfrey (1995). A matter of prejudice. *Index of Censorship*, Heft 2, S. 71–73.
Höhne, Hansjoachim (1992). Meinungsfreiheit durch viele Quellen. Nachrichtenagenturen in Deutschland. *Publizistik*, 37, S. 50–63.

Hoffmann-Riem, Wolfgang (1979). *Innere Pressefreiheit als politische Aufgabe. Über die Bedingungen und Möglichkeiten arbeitsteiliger Aufgabenwahrnehmung in der Presse.* Neuwied, Darmstadt: Luchterhand.
Hollingsworth, Mark (1986). *The press and political dissent: A question of censorship.* London: Pluto Press.
Holmes, Deborah (1986). *Governing the press. Media freedom in the U. S. and Great Britain.* Boulder: Westview.
Holtz-Bacha, Christina (1986). *Mitspracherecht für Journalisten – Redaktionsstatute.* Köln: Hayit.
Holtz-Bacha, Christina (1996). Massenmedien und Wahlen. Zum Stand der deutschen Forschung – Befunde und Desiderata. In Christina Holtz-Bacha & Lynda Lee Kaid (Hg.), *Wahlen und Wahlkampf in den Medien. Untersuchungen aus dem Wahljahr 1994.* Opladen: Westdeutscher Verlag, S. 9–44.
Hummel, Roman (1990). *Die Computerisierung des Zeitungsmachens. Auswirkungen auf Journalisten, graphische Facharbeiter, Verlagsangestellte und Printunternehmen.* Wien: Verlag des österreichischen Gewerkschaftsbundes.
Humphreys, Peter J. (1990). *Media and media policy in West Germany. The press and broadcasting since 1945.* New York: Berg.
Hurwitz, Harold (1972). *Die Stunde Null der deutschen Presse. Die amerikanische Pressepolitik in Deutschland 1945–1949.* Köln: Verlag Wissen und Politik.
Hurwitz, Harold (1978). Antikommunismus und amerikanische Demokratisierungsvorhaben im Nachkriegsdeutschland. *Aus Politik und Zeitgeschichte* (Beilage zur Wochenzeitung *Das Parlament*), Heft B 29, S. 29–46.
Hurwitz, Leon, Barbara Green & Hans E. Segal (1976/77). International press reactions to the resignation and pardon of Richard M. Nixon. A content analysis of four elite newspapers. *Comparative Politics*, 9, S. 107–123.
Hutton, Will (1995). *The state we're in.* London: Vintage.
IFJ (1989). *Press freedom under attack in Britain.* Special report by Mia Doornaert and Sven Egil Omdal, International Federation of Journalists (IFJ). Brüssel: IFJ.
Index on Censorship (1988, September). Themenheft „Britain".
Ingham, Bernhard (1994). The Lobby system: Lubricant or spanner? *Parliamentary Affairs*, 47, S. 549–565.
Isaaman, Gerald (1994). Must local papers continue to languish? *British Journalism Review,* 5:1, S. 39–42.
Iyengar, Shanto & Richard Reeves (1997) (Hg.). *Do the media govern? Politicians, voters, and reporters in America.* Thousand Oaks: Sage.
Jacobs, Eric (1980). *Stop press: The inside story of the Times dispute.* London: André Deutsch.
Jäckel, Michael & Jochen Peter (1997). Cultural studies aus kommunikationswissenschaftlicher Perspektive. *Rundfunk und Fernsehen*, 45, S. 46–68.
Jakobs, Hans-Jürgen & Uwe Müller (1990). *Augstein, Springer & Co. Deutsche Mediendynastien.* Zürich: Orell Füssli.
Jarren, Otfried, Thorsten Grothe & Christoph Rybarczyk (1993). Medien und Politik – eine Problemskizze. In Wolfgang Donsbach, Otfried Jarren, Hans Mathias Kepplinger & Barbara Pfetsch (Hg.), *Beziehungsspiele – Medien und Politik in der öffentlichen Diskussion. Fallstudien und Analysen.* Gütersloh: Bertelsmann, S. 9–44.
Jenkins, Simon (1979). *Newspapers, the power and the money.* London: Faber & Faber.
Jenkins, Simon (1986). *The market for glory.* London: Faber & Faber.
Jones, Kennedy (1919). *Fleet Street and Downing Street.* London: Hutchinson.

Jones, Aled (1992). The British press 1919–1945. In Dennis Griffiths (Hg.), *Encyclopaedia of the British press 1422–1992*. London: Macmillan, S. 47–55.

Jonscher, Norbert (1995). *Lokale Publizistik. Theorie und Praxis der örtlichen Berichterstattung. Eine Lehrbuch.* Opladen: Westdeutscher Verlag.

Johnstone, John W. C. (1976). Organizational constraints on newswork. *Journalism Quarterly*, 53, S. 5–13.

Jürgensen, Kurt (1997). Die britische Besatzungspolitik 1945–1949. Zur Frage nach einer Konzeption in der britischen Deutschlandpolitik. *Aus Politik und Zeitgeschichte* (Beilage zur Wochenzeitung *Das Parlament*), Heft B 6, S. 15–29.

Just, Dieter (1967). *Der Spiegel. Arbeitsweise, Inhalt, Wirkung.* Hannover: Verlag für Literatur und Zeitgeschehen.

Kaase, Max (1989). Fernsehen, gesellschaftlicher Wandel und politischer Prozeß. In Max Kaase & Winfried Schulz (Hg.), *Massenkommunikation. Theorien, Methoden, Befunde.* Opladen: Westdeutscher Verlag, S. 97–117.

Kampelman, Max (1978). The power of the press. *Policy Review*, Fall, S. 7–41.

Karpen, Ulrich (1993). Germany. In Article 19 (Hg.), *Press Law and Practice. A comparative study of press freedom in European and other democracies.* London: International centre against censorship, S. 78–97.

Kastendiek, Hans (1992). Vom Nachkriegskonsens zum Thatcherismus. In Hans-Georg Wehling (Hg.), *Großbritannien.* Stuttgart: Kohlhammer, S. 100–121.

Kastendiek, Hans (1994). „Collective bargaining“ und gewerkschaftliche Interessenvertretung. In Hans Kastendiek, Karl Rohe & Angelika Volle (Hg.), *Länderbericht Großbritannien. Geschichte, Politik, Wirtschaft, Gesellschaft.* Bonn: Bundeszentrale für politische Bildung, S. 280–297.

Kastendiek, Hans, Karl Rohe & Angelika Volle (1994) (Hg.), *Länderbericht Großbritannien. Geschichte, Politik, Wirtschaft, Gesellschaft.* Bonn: Bundeszentrale für politische Bildung.

Kavanagh, Dennis (1990). *Thatcherism and British politics. The end of consensus?* Zweite Auflage. Oxford: Oxford University Press.

Keeble, Richard (1994). *The newspapers handbook.* London: Routledge.

Kepplinger, Hans Mathias (1989a). Theorien der Nachrichtenauswahl als Theorien der Realität. *Aus Politik und Zeitgeschichte* (Beilage zur Wochenzeitung *Das Parlament*), Heft B 15, S. 3–16.

Kepplinger, Hans Mathias (1989b). Voluntaristische Grundlagen der Politikberichterstattung. In Frank E. Böckelmann (Hg.), *Medienmacht und Politik. Mediatisierte Politik und politischer Wertewandel.* Berlin: Spiess, S. 59–83.

Kepplinger, Hans Mathias (1989c). *Künstliche Horizonte. Folgen, Darstellung und Akzeptanz von Technik in der Bundesrepublik.* Frankfurt: Campus.

Kepplinger, Hans Mathias (1991): *Journalismus als Beruf im internationalen Vergleich: Tätigkeitsprofile, Organisationsstrukturen und Arbeitsabläufe.* Universität Mainz: Institut für Publizistik (unveröffentlichtes Manuskript).

Kepplinger, Hans Mathias (1992). *Ereignismanagement. Wirklichkeit und Massenmedien.* Zürich: Edition Interfrom.

Kepplinger, Hans Mathias (1994). Publizistische Konflikte. Begriffe, Ansätze, Ergebnisse. In Friedhelm Neidhardt (Hg.), *Öffentlichkeit, öffentliche Meinung, soziale Bewegungen.* Opladen: Westdeutscher Verlag, S. 214–233.

Kepplinger, Hans Mathias & Hans-Bernd Brosius (1990). Der Einfluß der Parteibindung und der Fernsehbrichterstattung auf die Wahlabsichten der Bevölkerung. In Max Kaase & Hans-Dieter Klingemann (Hg.), *Wahlen und Wähler. Analysen aus Anlaß der Bundestagswahl 1987.* Opladen: Westdeutscher Verlag, S. 675–686.

Kepplinger, Hans Mathias, Hans-Bernd Brosius & Stefan Dahlem (1994). *Wie*

das Fernsehen Wahlen beeinflußt. Theoretische Modelle und empirische Analysen. München: Reinhard Fischer.
Kepplinger, Hans Mathias, Hans-Bernd Brosius, Joachim Friedrich Staab & Günter Linke (1989). Instrumentelle Aktualisierung. Grundlagen einer Theorie publizistischer Konflikte. In Max Kaase & Winfried Schulz (Hg.), *Massenkommunikation. Theorien, Methoden, Befunde*. Opladen: Westdeutscher Verlag, S. 199–220.
Kepplinger, Hans Mathias, Peter Eps, Frank Esser & Dietmar Gattwinkel (1993). Am Pranger. Der Fall Späth und der Fall Stolpe. In Wolfgang Donsbach, Otfried Jarren, Hans Mathias Kepplinger & Barbara Pfetsch (Hg.), *Beziehungsspiele – Medien und Politik in der öffentlichen Diskussion. Fallstudien und Analysen*. Gütersloh: Bertelsmann, S. 159–220.
Kepplinger, Hans Mathias & Renate Köcher (1990). Professionalism in the Media World? *European Journal of Communication*, 5, S. 285–311.
Kern, Horst (1982). *Empirische Sozialforschung. Ursprünge, Ansätze, Entwicklungslinien*. München: Beck.
Kielinger, Thomas (1997). *Die Kreuzung und der Kreisverkehr. Deutsche und Briten im Zentrum der europäischen Geschichte*. Bonn: Bouvier.
Kieslich, Günter (1963). Zum Aufbau des Zeitungswesens in der Bundesrepublik Deutschland nach 1945. *Publizistik*, 8, S. 274–281.
King, Anthony (1986). Sex, money and power. In Richard Hodder-Williams & James Caeser (Hg.), *Politics in Britain and the United States. Comparative perspectives*. Durham: Duke University Press, S. 173–202.
King, Anthony et al. (1993a) (Hg.). *Britain at the polls 1992*. London: Chatham House Publishers.
King, Anthony (1993b). The implications of one-party government. In Anthony King et al. (Hg.), *Britain at the polls 1992*. London: Chatham House Publishers, S. 223–248.
Kingsford-Smith, Dimity & Dawn Oliver (1990). *Economical with the truth. The law and the media in a democratic society*. Oxford: ESC Publishing Ltd.
Kisch, Egon Erwin (1935). Reportage als Kunstform und Kampfform. Rede auf dem Internationalen Schriftstellerkongreß für die Verteidigung der Kultur in Paris im Juni 1935. Wiederabgedruckt bei Theodor Karst (Hg.), *Reportagen*. Stuttgart: Reclam 1976, S. 163–166.
Klein, Ulrike (1996). *Presse und kollektives Erinnern: 50 Jahre D-Day. Eine inhaltsanalytische Untersuchung der internationalen Berichterstattung zur Landung der Alliierten in der Normandie*. Bochum: Brockmeyer.
Klug, Francesca & Keir Starmer (1997). Incorporating through the back door? *Public Law*, Summer, S. 223–233.
Knox-Peebles, Brian (1991). Schwere Zeiten für die britische Presse – zyklische Rezession oder anhaltende Flaute? *Zeitungstechnik*, März, S. 82–85.
Koch, Michael (1991). *Zur Einführung eines Grundrechtskataloges im Vereinten Königreich von Großbritannien und Nordirland*. Berlin: Duncker & Humblot.
Koch, Ursula E. (1981). Zwischen den Fronten. *Journalist*, Heft 6, S. 41–55.
Köcher, Renate (1985). *Spürhund und Missionar. Eine vergleichende Untersuchung über Berufsethik und Aufgabenverständnis britischer und deutscher Journalisten*. München: Dissertation.
Köcher, Renate (1986). Bloodhounds or missionaries: Role definitions of German and British journalists. *European Journal of Communication*, 1, S. 43–64.
Köcher, Renate (1992a). Die Sünden der Meinungsmacher. *Die Politische Meinung*, August, S. 4–14.
Köcher, Renate (1992b). Selbstverständnis des deutschen Journalismus. In Bür-

ger fragen Journalisten (Hg.), *Pressefreiheit und Pressewahrheit. Kritik und Selbstkritik im Journalismus*. Erlangen: TM Verlag, S. 11–28.
Köcher, Renate (1992c). Zum Aufgabenverständnis ostdeutscher Journalisten. In Walter A. Mahle (Hg.), *Pressemarkt Ost. Nationale und internationale Perspektiven*. München: Ölschläger, S. 115–117.
Köhler, Bernd F. (1989). *Die Bundes-Pressekonferenz. Annäherung an eine Unbekannte*. Universität Mannheim: Dissertation.
Köpf, Peter (1995). *Schreiben nach jeder Richtung. Goebbels Propagandisten in der westdeutschen Nachkriegspresse*. Berlin: Christoph Links-Verlag.
Körber, Esther-Beate & Rudolf Stöber (1994). Geschichte des journalistischen Berufs. In Otfried Jarren (Hg.), *Medien und Journalismus 1. Eine Einführung*. Opladen: Westdeutscher Verlag, S. 213–225.
Kohl, Helmut (1985). Press law in the Federal Republic of Germany. In Pnina Lahav (Hg.), *Press law in modern democracies. A comparative study*. New York: Longman, S. 185–228.
Koller, Barbara (1981). *Lokalredaktion und Autonomie. Eine Untersuchung in Außenredaktionen regionaler Tageszeitungen*. Nürnberg: Verlag der Nürnberger Forschungsvereinigung.
Koselleck, Reinhart (1990). ‚Staat' im Zeitalter revolutionärer Bewegung. In Otto Brunner, Werner Conze & Reinhart Koselleck (Hg.), *Geschichtliche Grundbegriffe. Historisches Lexikon zur politisch-sozialen Sprache in Deutschland*. Band 6. Stuttgart: Klett-Cotta, S. 25–64.
Koss, Stephen (1981). *The rise and fall of the political press in Britain. Vol. 1, The nineteenth century*. London: Hamish Hamilton.
Koss, Stephen (1984). *The rise and fall of the political press in Britain. Vol. 2, The twentieth century*. London: Hamish Hamilton.
Koszyk, Kurt (1966). *Deutsche Presse im 19. Jahrhundert. Geschichte der deutschen Presse, Teil II*. Berlin: Colloquium Verlag.
Koszyk, Kurt (1972). *Deutsche Presse 1914–1945. Geschichte der deutschen Presse, Teil III*. Berlin: Colloquium Verlag.
Koszyk, Kurt (1978). „Umerziehung" der Deutschen aus britischer Sicht. *Aus Politik und Zeitgeschichte* (Beilage zur Wochenzeitung *Das Parlament*), Heft B 29, S. 3–12.
Koszyk, Kurt (1986). *Pressepolitik für Deutsche 1945–1949. Geschichte der deutschen Presse, Teil IV*. Berlin: Colloquium Verlag.
Koszyk, Kurt (1988). Die deutsche Presse 1945–1949. In Hans Wagner (Hg.), *Idee und Wirklichkeit des Journalismus*. Festschrift für Heinz Starkulla. München: Olzog, S. 61–74.
Koszyk, Kurt (1995). Stationen deutsch-englischer Medienbeziehungen. Eine Gedankenskizze. In Lutz Erbring (Hg.), *Kommunikationsraum Europa*. München: Ölschläger, S. 303–312.
Kriele, Martin (1994a). Ehrenschutz und Meinungsfreiheit. *Neue Juristische Wochenschrift*, Heft 30, S. 1897–1905.
Kriele, Martin (1994b). Bürger ohne Ehrenschutz. *Die politische Meinung*, August, S. 49–57.
Kuby, Erich (1987). *Der Spiegel im Spiegel. Das deutsche Nachrichtenmagazin kritisch analysiert*. München: Heyne.
Kull, Edgar (1995). „Freedom within the media". Von deutschen Anfängen zu europäischen Weiterungen. *Archiv für Presserecht*, 3, S. 551–559.
Kunczik, Michael (1988). *Journalismus als Beruf*. Köln: Böhlau.
Lafontaine, Oskar (1993). Pressefreiheit und die Verantwortung von Politik und Zeitung. *Journalist*, Heft 7, S. 47–57.

Lahav, Pnina (1985). An outline for a general theory of press law in democracy. In Pnina Lahav (Hg.), *Press law in modern democracies. A comparative study.* New York: Longman, S. 339–360.
Lang, Kurt, Hans Mathias Kepplinger, Gladys E. Lang & Simone C. Ehmig (1989). *Journalistenbefragung „Historische Ereignisse I"*, Herbst 1989. Universität Mainz: Institut für Publizistik (unveröffentlicht).
Langenbucher, Wolfgang R. (1993). Autonomer Journalismus. Unvorsichtige Annäherung an ein (Un)-Thema der heutigen Publizistik- und Kommunikationswissenschaft. In Walter A. Mahle (Hg.), *Journalisten in Deutschland. Nationale und internationale Vergleiche und Perspektiven.* München: Ölschläger, S. 127–135.
Langenbucher, Wolfgang R. & Günther Neufeldt (1988). Heißt Journalismus vermitteln? Berufsbilder im Wandel. In Hans Wagner (Hg.), *Idee und Wirklichkeit des Journalismus.* Festschrift für Heinz Starkulla. München: Olzog, S. 257–272.
La Roche, Walther (1991). *Einführung in den Praktischen Journalismus.* Zwölfte, neubearbeitete Auflage. München: List.
Leapman, Michael (1992). *Treacherous estate. The press after Fleet Street.* London: Hodder & Stoughton.
Lee, Alan (1976). *The origins of the popular press in England, 1855–1914.* London: Croom Helm.
Lee, Alan (1978). The structure, ownership and control of the press, 1855–1914. In George Boyce, James Curran & Pauline Wingate (Hg.), *Newspaper history from the seventeenth century to the present day.* London: Constable, S. 117–129.
Lewis, Anthony (1974). An American criticism of the parliamentary lobby system. In Anthony Smith (Hg.), *The British press since the war.* Newton Abbot: David & Charles, S. 267–269.
Lewis, Barbara (1995). Adrift on the Isle of Dogs. *British Journalism Review*, 6:1, S. 56–59.
Lichter, S. Robert, Stanley Rothman & Linda S. Lichter (1986). *The media elite. America's new powerbrokers.* Bethesda: Adler & Adler.
Liedtke, Rüdiger (1982). *Die verschenkte Presse. Die Geschichte der Lizensierung von Zeitungen nach 1945.* Berlin: Elefanten Presse.
Linklater, Magnus (1993). An insight into Insight. *British Journalism Review*, 4:2, S. 17–20.
Linton, David & Ray Boston (1995). *The twentieth century newspaper press in Britain: An annotated bibliography.* London: Cassell.
Linton, Martin (1994). *Money and votes.* London: Institute for Public Policy Research (nicht im Buchhandel).
Linton, Martin (1995). *Was it the Sun wot won it?* Oxford: Oxford University Press (nicht im Buchhandel).
Littlejohn, Richard (1994). *Sun*-set at Wapping. *British Journalism Review*, 5:1, S. 9–11.
Löffler, Martin & Reinhart Ricker (1994). *Handbuch des Presserechts.* Dritte, neubearbeitete Auflage. München: Beck.
Lowe, Nigel & Brenda Sufrin(1996). *The law of contempt.* Dritte Auflage. Oxford: Butterworths.
Ludwig, Alexander (1984). Die Bedeutung der neuen Weltinformationsordnung und ihre Bewertung in vier Tageszeitungen. *Publizistik*, 29, S. 287–302.
Luhmann, Niklas (1996). *Die Realität der Massenmedien.* Zweite Auflage. Opladen: Westdeutscher Verlag.
MacArthur, Brian (1989). The national press. In Ivor Crewe & Martin Harrop

(Hg.), *Political communications. The general election campaign of 1987.* Cambridge: Cambridge University Press, S. 95–107.
MacArthur, Brian (1991). *Deadline sunday. A life in the week of The Sunday Times.* London: Hodder & Stoughton.
MacArthur, Brian (1992). *Sun*-shine for the Tories. *British Journalism Review*, 3:2, S. 74–77.
MacArthur, Brian (1993). From soundbites to news snacks. *British Journalism Review*, 4:2, S. 67–68).
Mahle, Walter A. (1984). *Großbritannien – Ein Modell für die Bundesrepublik.* Band I der Reihe Kommerzielles Fernsehen in der Medienkonkurrenz. Berlin: Spiess.
Marcinkowski, Frank (1993). *Publizistik als autopoietisches System. Politik und Massenmedien.* Opladen: Westdeutscher Verlag.
Mast, Claudia (1984). *Der Redakteur am Bildschirm. Auswirkungen moderner Technologien auf Arbeit und Berufsbild des Journalisten.* Konstanz: Universitätsverlag Konstanz.
Mast, Claudia (1991) (Hg.). *Journalismus für die Praxis. Ein Leitfaden für die Redaktionsarbeit.* Hohenheim: Universität Hohenheim.
Mast, Claudia (1994) (Hg.). *ABC des Journalismus. Ein Leitfaden für die Redaktionsarbeit.* Siebte, völlig neue Ausgabe. München: Ölschlager.
Marsh, David (1992). *The new politics of British trade unionism. Union power and the Thatcher legacy.* London: Macmillan.
Marwick, Arthur (1994). Mentalitätsstrukturen und soziokulturelle Verhaltensmuster. In Hans Kastendiek, Karl Rohe & Angelika Volle (Hg.), *Länderbericht Großbritannien. Geschichte, Politik, Wirtschaft, Gesellschaft.* Bonn: Bundeszentrale für politische Bildung, S. 109–138.
Mauhs, Angela (1989). Der Einfluß der Medien auf das Strafverfahren. Tagungsbericht. *Zeitschrift für Urheber- und Medienrecht*, Heft 7, S. 346–350.
McCombs, Maxwell E. (1992). Explorers and surveyors. Expanding strategies for Agenda Setting research. *Journalism Quarterly*, 69, S. 813–824.
McCrystal, Cal (1995). Should we stop the muckspreading? *British Journalism Review*, 6:2, S. 26–31.
McLeod, Jack M. & Searle E. Hawley (1964). Professionalization among newsmen. *Journalism Quarterly*, 41, S. 529–539.
McManus, Jason (1992). Cracks in the crusade. *British Journalism Review*, 3:2, S. 36–41.
McNair, Brian (1996). *News and journalism in the UK. A textbook.* Zweite, erweiterte Auflage. London: Routledge.
McQuail, Denis (1977). *Analysis of newspaper content.* Royal Commission on the Press, Research Series 4. London: Her Majesty's Stationery Office, Cmnd. 6810–4.
McQuail, Denis (1992). *Media performance. Mass communication and the public interest.* London: Sage.
McQuail, Denis (1994). *Mass communication theory. An introduction.* Dritte Auflage. Londin: Sage.
Medienbericht (1994). *Bericht der Bundesregierung über die Lage der Medien in der Bundesrepublik Deutschland.* Bonn: Presse- und Informationsamt der Bundesregierung.
Meissner, Michael (1992). *Zeitungsgestaltung. Typographie, Satz und Druck, Layout und Umbruch.* München: List.
Melvern, Linda (1986). *The end of the Street.* London: Methuen.
Meyer, Claus Heinrich (1980). Wissen ist Ohnmacht: Journalismus in Bonn. In

Wolfgang R. Langenbucher (Hg.), *Journalismus & Journalismus. Plädoyers für Recherche und Zivilcourage.* München: Ölschläger, S. 47–50.
Meyn, Hermann (1985). *Massenmedien in der Bundesrepublik Deutschland.* Berlin: Colloquium.
Meyn, Hermann (1992). *Massenmedien in der Bundesrepublik Deutschland. Alte und neue Bundesländer.* Überarbeitete Neuauflage. Berlin: Colloquium.
Michel, Lutz (1990). Von Freiwilligen und Flanellträgern. Betriebliche und schulische Journalistenausbildung in der Bundesrepublik. In Siegfried Weischenberg (Hg.), *Journalismus & Kompetenz. Qualifizierung und Rekrutierung für Medienberufe.* Opladen: Westdeutscher Verlag, S. 70–105.
Miller, William (1991). *Media and voters.* London: Clarendon Press.
Milton, John (1644). Areopagitica. A speech of Mr. John Milton for the liberty of unlincensed printing to the parliament of England. In deutscher Übersetzung abgedruckt in Jürgen Wilke (Hg.), *Pressefreiheit.* Darmstadt: Wissenschaftliche Buchgesellschaft, 1984, S. 57–113.
Morgan, Kenneth (1987). The editor's what he was – if he was. *IPI Report*, Heft November, S. 24–25.
MORI (1989). *Public attitudes to the press.* Survey for *The Times* by Peter Hutton, Director of Market and Opinion Research International. 28.–30. November, 19 Seiten. London(nicht im Buchhandel).
MORI (1992). *Public attitudes to the press.* Survey for *News of the World* by Peter Hutton, Director of Market and Opinion Research International. 21. August, 15 Seiten. London (nicht im Buchhandel).
Mortimore, Roger (1995). Public perceptions of sleaze in Britain. *Parliamentary Affairs*, 48, S. 579–589.
Morrison, David E. & Howard Tumber (1988). *Journalists at war. The dynamics of news reporting during the Falklands conflict.* London: Sage.
Mowbray, Alastair R. (1991). Newspaper ombudsmen: the British experience. *Media Law & Practice*, 12:3, S. 91–95.
Müller, Christiane (1988). *Die Strategische Verteidigungsinitiative (SDI) in der deutschen und amerikanischen Presse.* Magisterarbeit. Universität Mainz: Institut für Publizistik.
Muller, Claude (1988). *Der Einfluß des Reaktorunfalles von Tschernobyl auf die Darstellung der Kernenergie in der Presse der Bundesrepublik Deutschland und Frankreichs.* Magisterarbeit. Universität Mainz: Institut für Publizistik.
Müller, Hans Dieter (1968). *Der Springer-Konzern. Eine kritische Studie.* München: Piper.
Müller, Renate (1994). *Journalismus. Einstieg, Praxis, Chancen.* Frankfurt: Eichborn.
Müller-Schöll, Ulrich & Stephan Ruß-Mohl (1994). Journalismus und Ethik. In Otfried Jarren (Hg.), *Medien und Journalismus 1. Eine Einführung.* Opladen: Westdeutscher Verlag, S. 274–294.
Münch, Richard (1986). *Die Kultur der Moderne. Band 1: Ihre Grundlagen und ihre Entwicklung in England und Amerika.* Frankfurt: Suhrkamp.
Munro, Colin (1997). Self-regulation in the media. *Public Law*, Spring, S. 6–17.
Murdock, Graham (1980). Class, power, and the press: Problems of conceptualisation and evidence. In Harry Christian (Hg.), *The sociology of journalism and the press* (Sociological Review Monograph, 29). Keele: University of Keele, S. 37–70.
Murphy, David (1976). *The silent watchdog. The press in local politics.* London: Constable.

Muzik, Michael (1996). *Presse und Journalismus in Japan. Yomiuri Shimbun – die auflagenstärkste Zeitung der Welt*. Köln: Böhlau.

Neverla, Irene & Ingeborg Susie Walch (1994). Entscheidungsstrukturen in Printmedienunternehmen. In Peter A. Bruck (Hg.), *Print unter Druck. Zeitungsverlage auf Innovationskurs – Verlagsmanagement im internationalen Vergleich*. München: R. Fischer, S. 293–386.

Negrine, Ralph (1989). *Politics and the mass media in Britain*. London: Routledge.

Negrine, Ralph (1993). *The organisation of British journalism and specialist correspondents: A study of newspaper reporting*. Discussion papers in mass communications, No. MC93/1. Leicester: Centre for Mass Communication Research, University of Leicester.

Neuberger, Christoph (1996). *Journalismus als Problembearbeitung. Objektivität und Relevanz in der öffentlichen Kommunikation*. Konstanz: UVK Medien.

Neumann, Lothar F. & Klaus Schaper (1984). *Die Sozialordnung der Bundesrepublik Deutschland*. Dritte, aktualisierte Auflage. Bonn: Bundeszentrale für politische Bildung.

Neumann, Sieglinde (1997). *Redaktionsmanagement in den USA: Fallbeispiel „Seattle Times"*. München: Saur.

Newton, Kenneth (1993). *Caring and competence: The long, long campaign*. In Anthony King et al. (Hg.), *Britain at the polls 1992*. London: Chatham House Publishers, S. 129–170.

Nicol, Andrew & Caroline Bowman (1993). United Kingdom. In Article 19 (Hg.), *Press law and practice. A comparative study of press freedom in European and other democracies*. London: International Centre against Censorship, S. 167–191.

Neil, Andrew (1996). *Full disclosure*. London: Macmillan.

Nissen, Peter & Walter Menningen (1977). Der Einfluß der Gatekeeper auf die Themenstruktur der Öffentlichkeit. *Publizistik*, 22, S. 159–180.

Nipperdey, Thomas (1990). *Deutsche Geschichte 1866–1918. Bd. 1: Arbeitswelt und Bürgergeist*. München: Beck.

Niedhart, Gottfried (1992). Gegenwärtige Vergangenheit. Geschichte als Identifikation und Erblast in der britischen Politik. In Hans-Georg Wehling (Hg.), *Großbritannien*. Stuttgart: Kohlhammer, S. 27–36.

Noelle-Neumann, Elisabeth (1977a). Das doppelte Meinungsklima. Der Einfluß des Fernsehens im Wahlkampf 1976. *Politische Vierteljahresschrift*, 18, S. 408–451.

Noelle-Neumann, Elisabeth (1977b). *Umfragen zur Inneren Pressefreiheit*. Düsseldorf: Droste.

Noelle-Neumann, Elisabeth (1980a). *Die Schweigespirale. Öffentliche Meinung – unsere soziale Haut*. München: Piper.

Noelle-Neumann, Elisabeth (1980b). *Wahlentscheidung in der Fernsehdemokratie*. Freiburg: Ploetz.

Noelle-Neumann, Elisabeth (1994). Wirkungen der Massenmedien auf die Meinungsbildung. In Elisabeth Noelle-Neumann, Winfried Schulz & Jürgen Wilke (Hg.), *Fischer-Lexikon Publizistik Massenkommunikation*. Dritte, vollständig überarbeitete Neuausgabe. Frankfurt: Fischer, S. 518–571.

Nolte, Georg (1992). *Beleidigungsschutz in der freiheitlichen Demokratie. Eine vergleichende Untersuchung zur Rechtslage in der Bundesrepublik Deutschland, in den Vereinigten Staaten von Amerika sowie nach der Europäischen Menschenrechtskonvention*. Berlin: Springer.

Northmore, David (1990). *Freedom of information handbook*. London: Bloomsbury.
Northmore, David (1994a). Probe shock: Investigative journalism. In Richard Keeble, *The newspapers handbook*. London: Routledge, S. 319–336.
Northmore, David (1994b). Knowing where to look. *British Journalism Review*, 5:1, S. 47–51.
Nothelle, Andreas (1985). Freie Presse und faires Strafverfahren – ein Fall für den Gesetzgeber? Zur Problematik der Übernahme angelsächsischer Rechtsinstitute. *Archiv für Presserecht*, Heft 1, S. 18–22.
Oakland, John (1991). *British civilization. An introduction*. Zweite Auflage. London: Routledge.
Oakley, Chris (1994). From green corduroy to media millionaire. *British Journalism Review*, 5:2, S. 6–9.
Oliver, Dawn (1995). The committee on standards in public life: Regulating the conduct of members of parliament. *Parliamentary Affairs*, 48, S. 590–601.
Paletz, David L. & Robert M. Entman (1981). *Media, power, politics*. New York: Free Press.
Palmer, Stephanie (1992). Protecting journalists' sources: Section 10, Contempt of Court Act 1981. *Public Law*, Heft Spring, S. 61–72.
Patterson, Thomas E. (1994). *Out of order*. Zweite, erweiterte Taschenbuchauflage. New York: Vintage.
Patterson, Thomas E. & Wolfgang Donsbach (1996). News decisions: Journalists as partisan actors. *Political Communication*, 13, S. 455–468.
Pfeifer, Hans-Wolfgang (1993). Sicherung journalistischer Qualität verlangt ein Qualitätsmanagement. Verantwortung liegt bei der Redaktion, nicht bei externen Einrichtungen. In *Redaktion 1994* (Almanach für Journalisten, hgg. von der Initiative Tageszeitung). Bonn: Bundeszentrale für politische Bildung, S. 37–41.
Pilger, John (1989). *Heroes*. Zweite, vollständig überarbeitete Auflage. London: Pan.
Plessner, Helmuth (1959). *Die verspätete Nation. Über die politische Verführbarkeit bürgerlichen Geistes*. Stuttgart: Kohlhammer.
Pollock, John Crothers & Christopher L. Guidette (1980). Mass media, crisis and political change: A cross national approach. *Communication Yearbook*, 4, S. 309–324
Ponting, Clive (1990). *Secrecy in Britain*. Oxford: Blackwell.
Press Council (1953–1990). *The press and the people*. Annual reports / Jahresberichte. London: The Press Council.
Prichard, Craig (1993). The cuddlies and junkies wrestle for the regionals. *British Journalism Review*, 4:4, S. 55–58.
Pritchard, David & Florian Sauvageau (1997). Les 2 solitudes du journalisme canadien. *L'actualité*, 1. Juni, S. 46–47. Ausführlicher in David Weaver (Hg.), *The global journalist*. Cresskill, NJ: Hampton Press (im Druck).
Prinz, Matthias (1995). Wie weit darf der Persönlichkeitsschutz gehen? *Medien Dialog*, Heft 3, S. 18–24.
Prinz, Matthias (1996). Geldentschädigung bei Persönlichkeitsverletzungen durch Medien. *Neue Juristische Wochenschrift*, Heft 165, S. 953–958.
Privacy and Media Intrusion: The Government's Response (1995). London: Her Majesty's Stationery Office, Cm. 2918.
Projektteam Lokaljournalisten (1981) (Hg.). *ABC des Journalismus*. München: Ölschläger.

Pross, Harry (1980). *Politik und Publizistik in Deutschland seit 1945. Zeitbedingte Positionen*. München: Piper.
Pürer, Heinz (1991) (Hg.). *Praktischer Journalismus in Zeitung, Radio und Fernsehen*. München: Ölschläger.
Pürer, Heinz (1992). Ethik in Journalismus und Massenkommunikation. Versuch einer Theorien-Synopse. *Publizistik*, 37, S. 304–321.
Pürer, Heinz & Johannes Raabe (1996). *Medien in Deutschland. Band 1: Presse*. Zweite, korrigierte Auflage. Konstanz: UVK.
Radice, Giles (1995). *The new Germans*. London: Michael Joseph.
Radunski, Peter (1983). Strategische Überlegungen zum Fernsehwahlkampf. In Winfried Schulz & Klaus Schönbach (Hg.), *Massenmedien und Wahlen. Mass media and elections: International research perspectives*. München: Ölschläger, S. 131–145.
Rager, Günther, Helga Haase & Bernd Weber (1994) (Hg.). *Zeile für Zeile – Qualität in der Zeitung*. Münster: Lit Verlag.
Ray, Garrett W. (1993). Local weeklies under siege. *British Journalism Review*, 4:1, S. 42–47.
Redelfs, Manfred (1996). *Investigative reporting in den USA. Strukturen eines Journalismus der Machtkontrolle*. Opladen: Westdeutscher Verlag.
Reed, Jane (1992). Ethel to Elysium: ‚Drop dead'. *British Journalism Review*, 3:1, S. 10–15.
Report of the Committee on Privacy and Related Matters (1990). By Sir David Calcutt et al. (Calcutt I). London: Her Majesty's Stationery Office, Cm. 1102.
Requate, Jörg (1995). *Journalismus als Beruf: Entstehung und Entwicklung des Journalistenberufs im 19. Jahrhundert. Deutschland im internationalen Vergleich*. Göttingen: Vandenhoeck & Ruprecht.
Reschenberg, Hasso (1991). Führungsziel Qualität. Zur publizistischen Qualitätssicherung bei Zeitschriften. In Claudia Mast (Hg.), *Journalismus für die Praxis. Ein Leitfaden für die Redaktionsarbeit*. Hohenheim: Universität Hohenheim, S. 291–294.
Review of Press Self-Regulation (1993). By Sir David Calcutt (Calcutt II). London: Her Majesty's Stationery Office, Cm. 2135.
Riehl-Heyse, Herbert (1989). *Bestellte Wahrheiten. Anmerkungen zur Freiheit eines Journalistenmenschen*. München: Kindler.
Riese, Hans-Peter (1984). *Der Griff nach der Vierten Gewalt. Zur Situation der Medien in der Bundesrepublik*. Köln: Bund.
Rhodes, Peter (1992). *The loaded hour. The history of the Express & Star*. Hanley Swan: S. P. A. Ltd.
Ridley, F. F. & Robert Alan Doig (1996). *Sleaze: Politicians, private interests and public relations*. Oxford: Oxford University Press.
Riley, John W. & Matilda W. Riley (1959). Mass communication and the social system. In Robert K. Merton, Leonhard Broom & Leonhard S. Cottrell (Hg.), *Sociology today. Problems and prospects*. New York: Basic Books, S. 537–578.
Roach, John (1960). Education and the press. In *The New Cambridge Modern History, Vol. 10: The zen*ith of European power *1830–70*. Cambridge: Cambridge University Press, S. 104–133.
Robertson, Geoffrey & Andrew Nicol (1992). *Media law*. Dritte, neubearbeitete Auflage. Harmondsworth: Penguin.
Robinson, Gertrude Joch (1970). Foreign news selection is non-linear in Yugoslavia's Tanjug agency. *Journalism Quarterly*, 47, S. 340–351.
Robinson, Gertrude Joch (1973). Fünfundzwanzig Jahre „Gatekeeper"-Forschung: Eine kritische Rückschau und Bewertung. In Jörg Aufermann, Hans

Bohrmann & Rolf Sülzer (Hg.), *Gesellschaftliche Kommunikation und Information. Forschungsrichtungen und Problemstellungen. Ein Arbeitsbuch zur Massenkommunikation, Bd. 1.* Frankfurt: Atheäum Fischer, S. 344–355.

Roegele, Otto B. (1985). Was weiß man vom Journalisten und vom Verleger? In Bundeszentrale für politische Bildung (Hg.), *Die Presse in der deutschen Medienlandschaft.* Bonn: Bundeszentrale für politische Bildung, S. 67–73.

Röper, Horst (1989). Daten zur Konzentration der Tagespresse in der Bundesrepublik Deutschland im I. Quartal 1989. *Media Perspektiven*, Heft 6, S. 325–338.

Röper, Horst (1997). Zeitungsmarkt 1997: Leichte Steigerung der Konzentration. *Media Perspektiven*, Heft 7, S. 367–377.

Rohe, Karl (1994). Parteien und Parteiensysteme. In Hans Kastendiek, Karl Rohe & Angelika Volle (Hg.), *Länderbericht Großbritannien. Geschichte, Politik, Wirtschaft, Gesellschaft.* Bonn: Bundeszentrale für politische Bildung, S. 213–229.

Rohland, Hans Friedrich von (1989). *Political communication networks. Media and political elite interactions in France and the Federal Republic of Germany.* Dissertation. Florenz: European University Institute.

Rose, Richard (1989). *Politics in England. Persistance and Change.* Fünfte, aktualisiterte Auflage. London: Macmillan.

Roshcoe, Bernhard (1975). *Newsmaking.* Chicago: University of Chicago Press.

Rossmann, Torsten (1993). Öffentlichkeitsarbeit und ihr Einfluß auf die Medien. Das Beispiel Greenpeace. *Media Perspektiven*, Heft 2, S. 85–94.

Roth, Erwin (1984). *Sozialwissenschaftliche Methoden. Lehr- und Handbuch für Forschung und Praxis.* München: Oldenbourg.

Rothman, Stanley (1979). The mass media in post-industrial society. In Seymour Martin Lipset (Hg.), *The third century.* Chicago: University of Chicago Press, S. 345–388.

Rothman, Stanley (1992). The development of the mass media. In Stanley Rothman (Hg.), *The mass media in liberal democratic societies.* New York: Paragon, S. 37–73.

Rothman, Stanley & S. Robert Lichter (1982). The nuclear energy debate: Scientists, the media and the public. *Public Opinion*, 5, S. 47–52

Royal Commission on the Press (1949). Report. London: Her Majesty's Stationery Office, Cmd. 7700.

Royal Commission on the Press (1962). Report. London: Her Majesty's Stationery Office, Cmd. 1811.

Royal Commission on the Press (1977). Final report. London: Her Majesty's Stationery Office, Cmnd. 6810.

Rübenach, Heinz-Peter (1994). Arbeitnehmermitbestimmung auf europäischer Ebene. In *Zeitungen '94*, Jahrbuch des Bundesverbandes Deutscher Zeitungsverleger. Bonn: ZV Zeitungsverlag Service GmbH, S. 264–279.

Rückel, Roland R. (1969). Informationsfluß und redaktioneller Entscheidungsprozeß. *Publizistik*, 14, S. 398–410.

Rühl, Manfred (1979). *Die Zeitungsredaktion als organisiertes soziales System.* Zweite, überarbeitete und erweiterte Auflage (erstmals 1969). Freiburg/ Schweiz: Universitätsverlag.

Rühl, Manfred (1980). *Journalismus und Gesellschaft.* Mainz: Hase & Köhler.

Rühl, Manfred (1989). Organisatorischer Journalismus. Tendenzen der Redaktionsforschung. In Max Kaase & Winfried Schulz (Hg.), *Massenkommunikation. Theorien, Methoden, Befunde.* Opladen: Westdeutscher Verlag, S. 253–269.

Rühl, Manfred & Ulrich Saxer (1981). 25 Jahre Deutscher Presserat. Ein Anlaß für Überlegungen zu einer kommunikationswissenschaftlichen Ethik des Journalismus und der Massenkommunikation. *Publizistik*, 26, S. 471–507.

Ruß-Mohl, Stephan (1992a). Am eigenen Schopfe ... Qualitätssicherung im Journalismus – Grundfragen, Ansätze, Näherungsversuche. *Publizistik*, 37, S. 83–96.

Ruß-Mohl, Stephan (1992b). *Zeitungsumbruch. Wie sich Amerikas Presse revolutioniert.* Berlin: Argon.

Ruß-Mohl, Stephan (1993). Netzwerke – Die freiheitliche Antwort auf die Herausforderung journalistischer Qualitätssicherung. In Arno Bammé, Ernst Kotzmann & Hasso Reschenberg (Hg.), *Publizistische Qualität. Probleme und Perspektiven ihrer Bewertung*. München: Profil, S. 185–206.

Ruß-Mohl, Stephan (1994a). *Der I-Faktor. Qualitätssicherung im amerikanischen Journalismus – Modell für Europa?* Osnabrück: Edition Interfrom.

Ruß-Mohl, Stephan (1994b). Anything goes? Ein Stolperstein und sieben Thesen der Qualitätssicherung zur publizistischen Vielfaltssicherung. In Sybille Reiter & Stephan Ruß-Mohl (Hg.), *Zukunft oder Ende des Journalismus? Publizistische Qualitätssicherung, Medienmanagement, Redaktionelles Marketing*. Gütersloh: Bertelsmann Stiftung, S. 20–28.

Ruß-Mohl, Stephan (1995). Redaktionelles Marketing und Management. In Otfried Jarren (Hg.), *Medien und Journalismus 2*. Opladen: Westdeutscher Verlag, S. 103–138.

Ruß-Mohl, Stephan (1997). Arrivederci Luhmann? Vorwärts zu Schumpeter! In Hermann Fünfgeld & Claudia Mast (Hg.), *Massenkommunikation. Ergebnisse und Perspektiven*. Opladen: Westdeutscher Verlag, S. 193–211.

Sack, Robert D. (1995). Goodwin vs. United Kingdom: An American view of protection for journalists' confidential sources under UK and European law. *Media Law & Practice*, 16:3, S. 86–95.

Sampson, Anthony (1992). *The essential anatomy of Britain. Democracy in crisis.* London: Hodder & Stoughton.

Sampson, Anthony (1996). The crisis and the heart of our media. *British Journalism Review*, 7:3, S. 42–51.

Saxer, Ulrich (1992). Strukturelle Möglichkeiten und Grenzen von Medien- und Journalismusethik. In Michael Haller & Helmut Holzhey (Hg.), *Medien-Ethik. Beschreibungen, Analysen, Konzepte*. Opladen: Westdeutscher Verlag, S. 104–128.

Scammell, Margaret (1995). *Designer Politics. How elections are won*. London: Macmillan.

Schalck, Harry (1988). Fleet Street in the 1880s: The New Journalism. In In Joel H. Wiener (Hg.), *Papers for the millions. The new journalism in Britain, 1850s to 1914*. New York: Greenwood Press, S. 73–87.

Schauer, Hans (1997). Nationale und europäische Identität. Die unterschiedlichen Auffassungen in Deutschland, Frankreich und Großbritannien. *Aus Politik und Zeitgeschichte* (Beilage zur Wochenzeitung *Das Parlament*), Heft B 10, S. 3–13.

Schiedermair, Hartmut (1974). Das Grundrecht der Pressefreiheit und die publizistische Kompetenzabgrenzung im Recht Großbritanniens. In Karl Doehring, Kay Hailbronner, Georg Ress, Hartmut Schiedermair & Helmut Steinberger (Hg.), *Pressefreiheit und innere Struktur von Presseunternehmen in westlichen Demokratien*. Berlin: Duncker & Humblot, S. 170–208.

Schiller, Dan (1979). An historical approach to objectivity and professionialism in American news reporting. *Journal of Communication*, 29:4, S. 46–57.

Schiller, Dan (1981). *Objectivity and the news.* Philadelphia: University of Pennsylvania Press.

Schlesinger, Philip (1978). *Putting ‚reality' together: BBC news.* London: Constable.

Schlesinger, Philip (1980). Between sociology and journalism. In Harry Christian (Hg.), *The sociology of journalism and the press* (Sociological Review Monograph, 29). Keele: University of Keele, S. 341–369.

Schlüter, Hans-Joachim (1991). *ABC für Volotärsausbilder. Lehrbeispiele und praktische Übungen.* Zweite, überarbeitete Auflage. München: Ölschläger.

Schmidt, Siegfried J. (1994). *Kognitive Autonomie und soziale Orientierung. Konstruktivistische Anmerkungen zum Zusammenhang von Kognition, Kommunikation, Medien und Kultur.* Frankfurt: Suhrkamp.

Schmidt-Steinhauser, Burkhard (1994). *Geltung und Anwendung von Europäischem Gemeinschaftsrecht im Vereinten Königreich.* Baden-Baden: Nomos.

Schneider, Beate, Klaus Schönbach & Dieter Stürzebecher (1993a). Westdeutsche Journalisten im Vergleich: jung, professionell und mit Spaß an der Arbeit. *Publizistik*, 38, S. 5–30.

Schneider, Beate, Klaus Schönbach & Dieter Stürzebecher (1993b). Journalisten im vereinigten Deutschland. Strukturen, Arbeitsweisen und Einstellungen im Ost-West-Vergleich. *Publizistik*, 38, S. 353–382.

Schneider, Beate, Klaus Schönbach & Dieter Stürzebecher (1994). Ergebnisse einer Repräsentativbefragung zur Struktur, sozialen Lage und zu den Einstellungen von Journalisten in den neuen Bundesländern. In Frank Böckelmann, Claudia Mast & Beate Schneider (Hg.), *Journalismus in den neuen Ländern. Ein Berufsstand zwischen Aufbruch und Abwicklung.* Konstanz: UVK, S. 145–230.

Schneider, Franz (1966). *Pressefreiheit und politische Öffentlichkeit. Studien zur politischen Geschichte Deutschlands bis 1848.* Neuwied: Luchterhand.

Schneider, Sigrid (1990). Ein Wegweiser durchs Labyrinth. Die hochschulgebundene Journalistenausbildung in der Bundesrepublik. In Siegfried Weischenberg (Hg.), *Journalismus & Kompetenz. Qualifizierung und Rekrutierung für Medienberufe.* Opladen: Westdeutscher Verlag, S. 43–70.

Schnell, Rainer, Paul B. Hill & Elke Esser (1992). *Methoden der empirischen Sozialforschung.* Dritte, überarbeitete und erweiterte Auflage. München: Oldenbourg.

Schimank, Uwe (1985). Der mangelnde Akteurbezug systemtheoretischer Erklärungen gesellschaftlicher Differenzierung – Ein Diskussionsvorschlag. *Zeitschrift für Soziologie*, 14, S. 421–434.

Schimank, Uwe (1988). Gesellschaftliche Teilsysteme als Akteurfiktionen. *Kölner Zeitschrift für Soziologie und Sozialpsychologie*, 40, S. 619–639.

Schimank, Uwe (1996). Deutsche Auseinandersetzung mit Luhmann: „Akteurzentrierter Institutionalismus" und gesellschaftliche Differenzierung. In ders., *Theorien gesellschaftlicher Differenzierung.* Opladen: Leske + Budrich, S. 241–267.

Schönbach, Klaus (1977). *Trennung von Nachricht und Meinung. Empirische Untersuchung eines journalistischen Qualitätskriteriums.* Freiburg: Alber.

Schönbach, Klaus (1983). *Das unterschätzte Medium. Politische Wirkungen von Presse und Fernsehen im Vergleich.* München: K. G. Saur.

Schönbach, Klaus & Wolfgang Eichhorn (1992). *Medienwirkung und ihre Ursachen. Wie wichtig sind Zeitungsberichte und Leseinteressen?* Konstanz: Universitätsverlag.

Schönbach, Klaus & Holli A. Semetko (1994). Medienberichterstattung und Parteienwerbung im Bundestagswahlkampf 1990. Ergebnisse aus Inhaltsanalysen und Befragungen. *Media Perspektiven*, Heft 7, S. 328–339.

Schönbach, Klaus, Dieter Stürzebecher & Beate Schneider (1994). Oberlehrer und Missionare? Das Selbstverständnis deutscher Journalisten. In Friedhelm Neidhardt (Hg.), *Öffentlichkeit, öffentliche Meinung, soziale Bewegungen*. Opladen: Westdeutscher Verlag, S. 139–161.

Schoenbaum, David (1968). *Ein Abgrund von Landesverrat. Die Affäre um den „Spiegel"*. Wien: Molden.

Scholl, Arnim (1993). Ist der Ost-West-Vergleich im Journalismus obsolet geworden? In Walter A. Mahle (Hg.), *Journalisten in Deutschland. Nationale und internationale Perspektiven*. München: Ölschläger, S. 81–88.

Scholl, Arnim (1997a). Autonomie und Informationsverhalten im Journalismus. In Günter Bentele & Michael Haller (Hg.), *Aktuelle Entstehung von Öffentlichkeit. Akteure, Strukturen, Veränderungen*. Konstanz: UVK Medien, S. 127–140.

Scholl, Arnim (1997b). *Journalismus als Gegenstand empirischer Forschung: Ein Definitionsvorschlag. Publizistik*, 42, S. 468–486.

Scholl, Armin (1998). *Thesen und Statements zur Podiumsdiskussion „ Systemtheoretische Perspektiven"*. Vortragspapier auf der Tagung „ Theorien des Journalismus – Bestandsaufnahme und Perspektiven" der DGPuK-Fachgruppe „Journalistik und Journalismusforschung" am 16.–17. Januar 1998 in Dortmund/Witten.

Schröder, Hans-Christoph (1994). Die Geschichte Englands. Ein Überblick. In Hans Kastendiek, Karl Rohe & Angelika Volle (Hg.), *Länderbericht Großbritannien. Geschichte, Politik, Wirtschaft, Gesellschaft*. Bonn: Bundeszentrale für politische Bildung, S. 15–67.

Schröter, Detlef (1992). *Qualität im Journalismus. Testfall: Unternehmensberichterstattung in Printmedien*. München: Publicom Medienverlag.

Schröter, Detlef (1995). *Qualität und Journalismus. Theoretische und praktische Grundlagen journalistischen Handelns*. München: Fischer.

Schudson, Michael (1978). *Discovering the news. A social history of American newspapers*. New York: Basic Books.

Schudson, Michael (1992). Watergate: A study in mythology. *Columbia Journalism Review*, Heft May/June, S. 28–33.

Schudson, Michael (1996). *The power of news*. Zweite Auflage. Cambridge: Harvard University Press.

Schütte, Georg (1996). Entwicklung und Perspektiven des Informationsjournalismus – ein internationaler Vergleich. In Peter Ludes (Hg.), *Informationskontexte für Massenmedien. Theorien und Trends*. Opladen: Westdeutscher Verlag, S. 351–365.

Schütz, Walter J. (1986). Lizenzpresse – Basis der heutigen Zeitungslandschaft. *BPS-Report*, 5, Baden-Baden: Nomos, o. S.

Schütz, Walter J. (1996a). Deutsche Tagespresse 1995. *Media Perspektiven*, 6, S. 324–336.

Schütz, Walter J. (1996b). Redaktionelle und verlegerische Struktur der deutschen Tagespresse. *Media Perspektiven*, Heft 6, S. 337–350.

Schulenberg, Matthias (1989). Das strafprozessuale Zeugnisverweigerungsrecht im deutsch-amerikanischen Vergleich. *Zeitschrift für Urheber- und Medienrecht*, Heft 5, S. 212–221.

Schulz, Rüdiger (1974). *Entscheidungsstrukturen der Redaktionsarbeit. Eine vergleichende empirische Analyse des redaktionellen Entscheidungshandeln bei regionalen Abonnementzeitungen unter besonderer Berücksichtigung der Ein-*

flußbeziehungen zwischen Verleger und Redaktion. Universität Mainz: Dissertation.
Schulz, Rüdiger (1979). Einer gegen alle? Das Entscheidungsverhalten von Verlegern und Chefredakteuren. In Hans Mathias Kepplinger (Hg.), *Angepaßte Außenseiter. Was Journalisten denken und wie sie arbeiten*. Freiburg: Alber, S. 166–188.
Schulze, Volker (1994) (Hg.). *Wege zum Journalismus. Ein Ratgeber für die Praxis*. Achte, erweiterte und aktualisierte Auflage. Bonn: ZV-Zeitungsverlag.
Schumpeter, Joseph Alois (1942). *Capitalism, socialism and democracy*. New York: Harper & Brothers.
Schumicht, Claudia (1993). *Der Maastrichter Gipfel im Spiegel der Presseberichterstattung. Eine international vergleichend angelegte Inhaltsanalyse ausgewählter Qualitätszeitungen*. Magisterarbeit. Universität Mainz: Institut für Publizistik.
Self, Charles C. (1990). The flight from Fleet Street: Causes and consequences. *Gazette*, 45, S. 49–64.
Semetko, Holli A., Jay G. Blumler, Michael Gurevitch, David Weaver, Steve Barkin & G. Cleveland Wilhoit (1991). *The formation of campaign agendas: A comparative analysis of party and media roles in recent American and British elections*. Hillsdale: Erlbaum.
Semetko, Holli A., Margaret Scammell & Tom Nossiter (1994). The media's coverage of the campaign. In Anthony Heath, Roger Jowell & John Curtice (Hg.), *Labour's last chance? The 1992 election and beyond*. Aldershot: Dartmouth, S. 25–42.
Semetko, Holli A. & Klaus Schönbach (1994). *Germany's „unity election". Voters and the media*. Cresskill, NJ: Hampton Press.
Seymour-Ure, Colin (1974). *The political impact of the mass media*. London: Constable.
Seymour-Ure, Colin (1996). *The British press and broadcasting since 1945*. Zweite, überarbeitete Auflage. Oxford: Basil Blackwell.
Seymour-Ure, Colin (1994a). The media in postwar British politics. *Parliamentary Affairs*, 47, S. 530–547.
Seymour-Ure, Colin (1994b). Mass media. In Dennis Kavannagh & Anthony Seldon (Hg.), *The Major effect*. London: Macmillan, S. 399–417.
Shawcross, William (1993). *Murdoch*. Zweite, erweiterte Taschenbuchauflage. London: Pan.
Shell, Donald (1997). Constitutional reform: The Constitution Unit reports. *Public Law*, Spring, S. 66–74.
Shoemaker, Pamela J. & Stephen D. Reese (1991). *Mediating the message. Theories of influences on mass media content*. New York: Longman.
Sigal, Leon V. (1973). *Reporters and officials. The organization and politics of newsmaking*. Lexington: D. C. Heath.
Sigel, Beat (1981). *Über die Grundrechte, insbesondere die Pressefreiheit, in der Schweiz und in Großbritannien* (Zürcher Studien zum öffentlichen Recht, Bd. 27). Zürich: Schulthess Polygraphischer Verlag.
Sigelman, Lee (1973). Reporting the news: An organizational analysis. *American Journal of Sociology*, 79, S. 132–151.
Sloan, William David (1991). *Perspectives on mass communication history*. Hillsdale: Erlbaum.
Smith, Anthony (1978). The long road to objectivity and back again: The kinds of truth we get in journalism. In George Boyce, James Curran & Pauline Wingate

(Hg.), *Newspaper history from the seventeenth century to the present day*. London: Constable, S. 153–171.

Smith, Anthony (1980). *Goodbye Gutenberg. The newspaper revolution of the 1980s*. Oxford: Oxford University Press.

Smith, Nicole (1997). Policing the constitution. *Public law*, Summer, S. 234–244.

Smith, Trevor (1995). Political sleaze in Britain: Causes, concerns and cures. *Parliamentary Affairs*, 48, S. 550–561.

Snoddy, Raymond (1992). *The good, the bad and the unacceptable. The hard news about the British press*. London: Faber and Faber.

Sontheimer, Kurt (1990). *Deutschlands politische Kultur*. München: Piper.

Sontheimer, Kurt (1993). *Grundzüge des politischen Systems in der neuen Bundesrepublik Deutschland*. 15., völlig neuüberarbeitete Neuausgabe. München: Piper.

Spaemann, Robert (1977). *Zur Kritik der politischen Utopie*. Stuttgart: Klett-Cotta.

Spaemann, Robert (1982). Wer hat wofür Verantwortung? Zum Streit um deontologische und teleologische Ethik. *Herder-Korrespondenz*, 36, S. 403–408.

Spangenberg, Peter (1993). Stabilität und Entgrenzung von Wirklichkeiten. Systemtheoretische Überlegungen zu Funktion und Leistung der Massenmedien. In Siegfried J. Schmidt (Hg.), *Literaturwissenschaft und Systemtheorie. Positionen, Kontroversen, Perspektiven*. Opladen: Westdeutscher Verlag, S. 66–100.

Sparks, Colin (1987). The readership of the British quality press. *Media, Culture & Society*, 9, S. 427–455.

Sparks, Colin (1988). The popular press and political democracy. *Media, Culture & Society*, 10, S. 209–223.

Sparks, Colin (1992). The press, the market, and democracy. *Journal of Communication*, 42:1, S. 36–51.

Sparks, Colin (1995). Concentration and market entry in the UK national daily press. *European Journal of Communication*, 10, S. 179–206.

Sparks, Colin & Slavko Splichal (1989). Journalistic education and professional socialisation. Summary of a survey study in 22 countries. *Gazette*, 43, S. 31–52.

Splichal, Slavko & Colin Sparks (1994). *Journalists for the 21st century. Tendencies of professionalization among first-year students in 22 countries*. Norwood: Ablex.

Staab, Joachim Friedrich (1990). *Nachrichtenwert-Theorie. Formale Struktur und empirischer Gehalt*. Freiburg: Alber.

Stark, Rodney W. (1962). Policy and the pros: An organizational analysis of a metropolitan newspaper. *Berkeley Journal of Sociology*, 7, S. 11–31.

Startt, James D. (1988). Good journalism in the era of the New Journalism: The British press, 1902–1914. In Joel H. Wiener (Hg.), *Papers for the millions. The new journalism in Britain, 1850s to 1914*. New York: Greenwood Press, S. 275–298.

Steffen, Erich (1997). Schmerzensgeld bei Persönlichkeitsverletzungen durch Medien. Ein Plädoyer gegen formelhafte Berechnungsmethoden bei der Geldentschädigung. *Neue Juristische Wochenschrift*, Heft 1, S. 10–14.

Steffens, Manfred (1969). *Das Geschäft mit der Nachricht. Agenturen, Redaktionen, Journalisten*. Hamburg: Hoffmann und Campe.

Steg, Thomas (1992). *Redakteure und Rationalisierung. Betriebliche Strategien bei der Einführung rechnergesteuerter Redaktionssysteme in Tageszeitungsredaktionen. Eine Fallstudie in drei norddeutschen Zeitungsverlagen*. Frankfurt: Haag + Herchen.

Stephenson, Hugh (1992). *Why British journalists do not think about ethics.* Vortrag am Centre of Journalism der City University, London, 4. Februar 1992.

Stephenson, Hugh & Pierre Mory (1990). *Journalism training in Europe.* Report for the European Journalism Training Association (EJTA). Brüssel: Commission of the European Communities.

Stepp, Carl Sessions (1989). *Editing for today's newsroom. New perspectives for a changing profession.* Hillsdale: Erlbaum.

Störig, Hans Joachim (1997). *Kleine Weltgeschichte der Philosophie.* Erweiterte Neuausgabe. Frankfurt: Fischer.

Stolz, Hans Georg (1987). *Die redaktionellen Linien ausgewählter Publikationsorgane.* Magisterarbeit. Universität Mainz: Institut für Publizistik.

Strauss, Anselm L. & Juliet Corbin (1996). *Grounded theory: Grundlagen qualitativer Sozialforschung.* Weinheim: Beltz.

Supperstone, Michael (1985). Press law in the United Kingdom. In Pnina Lahav (Hg.), *Press law in modern democracies. A comparative study.* New York: Longman, S. 9–78.

Sweerts-Sporck, Peter (1994). Persönlichkeitsschutz: Ufert die Pressefreiheit aus? Anmerkungen zu einer Tagungsdiskussion. *Medien Kritik*, Heft 46, S. 9–10.

Taylor, Frederick Winslow (1977). *Die Grundsätze wissenschaftlicher Betriebsführung.* Neu herausgegeben und eingeleitet von Walter Volpert und Richard Vahrenkamp. Weinheim und Basel: Beltz (Original: The principles of scientific management, 1911)

Taylor, Sally J. (1991). *Shock! Horror! The tabloids in action.* London: Bantam Press.

Tench, Dan & Jennifer McDermott (1996). The radical change in assessment of libel awards by juries: Elton John v MGN Limited. *Communications Law* (ehemals *Media Law & Practice*), 1:1, S. 17–18.

Thatcher, Margaret (1993). *The Downing Street Years.* Bd. 1. London: Harper Collins Publishers.

Thomson, David (1968). The transformation of social life. In The New Cambridge Modern History, Vol. 12: *The shifting balance of world forces, 1898–1945.* Zweite überarbeitete Auflage. Cambridge: Cambridge University Press, S. 10–36.

Tremayne, Charles N. (1980). The social organisation of newspaper houses. In Harry Christian (Hg.), *The sociology of journalism and the press* (Sociological Review Monograph, 29). Keele: University of Keele, S. 121–140.

Tuchman, Gaye (1972). Objectivity as strategic ritual. An examination of newsmen's notions of objectivity. *American Journal of Sociology*, 77, S. 660–678.

Tuchman, Gaye (1973). Making news by doing work: Routinizing the unexpected. *American Journal of Sociology*, 79, S. 110–131.

Tuchman, Gaye (1977). The exception proves the rule: The study of routine news practices. In Paul Hirsch, Peter V. Miller & F. Gerald Kline (Hg.), *Strategies for communication research.* Beverly Hills: Sage, S. 43–62.

Tuchman, Gaye (1978). *Making news: A study in the construction of reality.* New York: Free Press.

Tulloch, John (1990). United Kingdom. In Kaarle Nordenstreng (Hg.), *Reports on journalism education in Europe.* Tampere/Finnland: University of Tampere, Department of Journalism and Mass Communication, S. 47–54.

Tunstall, Jeremy (1970). *The Westminster lobby correspondents.* London: Routledge & Kegan Paul.

Tunstall, Jeremy (1971). *Journalists at work. Specialist correspondents: Their news organizations, news sources, and competitor-colleagues*. London: Constable.

Tunstall, Jeremy (1972). News organisation goals and specialist newsgathering journalists. In Denis MacQuail (Hg.), *Sociology of mass communication*. London: Collier- Macmillan, S. 259–280.

Tunstall, Jeremy (1977). ‚Editorial sovereignty' in the British press: Its past and present. In Oliver Boyd-Barrett, Colin Seymour-Ure & Jeremy Tunstall (Hg.), *Studies on the press*. (Royal Commission on the Press, Working Paper 3.) London: Her Majesty's Stationery Office, Cmnd. 6810–3, S. 249–341.

Tunstall, Jeremy (1983). *The media in Britain*. London: Constable.

Tunstall, Jeremy (1992a). The United Kingdom. In Bernt Stubbe Ostergaard (Hg.), *The media in Western Europe. The Euromedia handbook*. London: Sage, S. 238–255.

Tunstall, Jeremy (1992b). Europe as world news leader. *Journal of Communication*, 42:3, S. 84–99.

Tunstall, Jeremy (1996). *Newspaper power. The new national press in Britain*. Oxford: Oxford University Press.

Tunstall, Jeremy & Michael Palmer (1991). *Media moguls*. London: Routledge.

UK Position Paper. Assises européennes de la presse – Human resources workshop (1991). Konferenzpapier der britischen Verlegerverbände Newspaper Society, Newspapers Publishers Association, Periodical Publishers Association und Guild of British Newspaper Editors. Luxembourg, Assises européennes de la presse, 2.- 4. July.

Underwood, Christopher (1992). Institute of Journalists. In Dennis Griffiths (Hg.). *Encyclopaedia of the British press 1422–1992*. London: Macmillan, S. 647–648.

Vulliamy, Ed & David Leigh (1997). *Sleaze: The corruption of parliament*. London: Fourth Estate.

Wadham, John (1997). Bringing rights home. Labour's plans to incorporate the European Convention on Human Rights into UK law. *Public Law*, Spring, S. 75–79.

Wagner, Hans (1989). *Medientabus und Kommunikationsverbote. Die manipulierte Wirklichkeit*. München: Olzog.

Wagner, Hans (1993). Kommunikationswissenschaft – ein Fach auf dem Weg zur Sozialwissenschaft. Eine wissenschaftsgeschichtliche Besinnungspause. *Publizistik*, 38, S. 491–526.

Wagner, Joachim (1987). *Strafprozeßführung über Medien*. Baden-Baden: Nomos.

Wallisch, Gianluca (1995). *Journalistische Qualität. Defintionen, Modelle, Kritik*. Konstanz: UVK Medien/Ölschläger.

Wallraff, Günter (1982). *Der Aufmacher. Der Mann, der bei Bild Hans Esser war*. Veränderte und erweiterte Neuauflage, erstmals 1977. Köln: Kiepenheuer & Witsch.

Weaver, David H. G. & G. Cleveland Wilhoit (1986). *The American journalist. A portrait of U. S. newspeople and their work*. Bloomington: Indiana University Press.

Weaver, David H. G. & G. Cleveland Wilhoit (1996). *The American journalist in the 1990s. US news people at the end of an era*. Mahwah: Lawrence Erlbaum.

Weaver, Russell L. & Geoffrey Bennett (1993). New York Times Co v Sullivan: the ‚actual malice'-standard and editorial decisionmaking. *Media Law & Practice*, 14:1, S. 2–16.

Weber, Max (1919). *Politik als Beruf*. Berlin: Duncker & Humblot.

Weinberg, Arthur & Linda Weinberg (1964) (Hg.). *The muckrakers. The era in journalism, that moved America to reform – the most significant magazine articles*. New York: Capricorn.
Weischenberg, Siegfried (1978). *Die elektronische Revolution. Publizistische Folgen der neuen Technik*. München: Saur.
Weischenberg, Siegfried (1981). Zwischen Taylorisierung und professioneller Orientierung. Perspektiven künftigen Kommunikatorhandelns. *Rundfunk und Fernsehen*, 29, S. 151–167.
Weischenberg, Siegfried (1982). *Journalismus in der Computergesellschaft. Informatisierung, Medientechnik und die Rolle der Berufskommunikatoren*. München: Saur.
Weischenberg, Siegfried (1988). *Nachrichtenschreiben. Journalistische Praxis zum Studium und Selbststudium*. Opladen: Westdeutscher Verlag.
Weischenberg, Siegfried (1989). Der enttarnte Elefant. Journalismus in der Bundesrepublik – und die Forschung, die sich ihm widmet. *Media Perspektiven*, Heft 4, S. 227–239.
Weischenberg, Siegfried (1990a). Das „Paradigma Journalistik". *Publizistik*, 35, S. 45–61.
Weischenberg, Siegfried (1990b). Das „Prinzip Echternach". In Siegfried Weischenberg (Hg.), *Journalismus & Kompetenz. Qualifizierung und Rekrutierung für Medienberufe*. Opladen: Westdeutscher Verlag, S. 11–41.
Weischenberg, Siegfried (1992). *Journalistik. Theorie und Praxis aktueller Medienkommunikation. Band 1: Mediensysteme, Medienethik, Medieninstitutionen*. Opladen: Westdeutscher Verlag.
Weischenberg, Siegfried (1994a). Journalismus als soziales System. In Klaus Merten, Siegfried J. Schmidt & Siegfried Weischenberg (Hg.), *Die Wirklichkeit der Massenmedien. Eine Einführung in die Kommunikationswissenschaft*. Opladen: Westdeutscher Verlag, S. 427–454.
Weischenberg, Siegfried (1994b). Die Moral der Medien und der Charme der Moral. Reflexionen zur journalistischen Ethik – nach Barschel und der Wiedervereinigung. In Günter Bentele & Kurt R. Hesse (Hg.), *Publizistik in der Gesellschaft. Festschrift für Manfred Rühl*. Konstanz: Unversitätsverlag, S. 161–188.
Weischenberg, Siegfried (1995a). *Journalistik. Theorie und Praxis aktueller Medienkommunikation. Band 2: Medientechnik, Medienfunktionen, Medienakteure*. Opladen: Westdeutscher Verlag.
Weischenberg, Siegfried (1995b). Enthüllungsjournalismus. Politische Notwendigkeit und ethische Problematik. In Klaus Armingeon & Roger Blum (Hg.), *Das öffentliche Theater. Politik und Medien in der Demokratie*. Bern: Verlag Paul Haupt, S. 111–130.
Weischenberg, Siegfried, Klaus-Dieter Altmeppen & Martin Löffelholz (1994). *Die Zukunft des Journalismus. Technologische, ökonomische und redaktionelle Trends*. Opladen: Westdeutscher Verlag.
Weischenberg, Siegfried & Peter Herrig (1985). *Handbuch des Bildschirm-Journalisten. Elektronische Redaktionssysteme: Grundlagen, Funktionsweisen, Konsequenzen*. München: Ölschläger.
Weischenberg, Siegfried, Martin Löffelholz & Armin Scholl (1993). Journalismus in Deutschland. Design und erste Befunde der Kommunikatorstudie. *Media Perspektiven*, Heft 1, S. 21–33.
Weischenberg, Siegfried, Martin Löffelholz & Armin Scholl (1994a). Merkmale und Einstellungen von Journalisten. *Media Perspektiven*, Heft 4, S. 154–167.
Weischenberg, Siegfried, Martin Löffelholz & Armin Scholl (1994b). Journali-

sten in Deutschland: Was sie denken, wie sie arbeiten. *Sage & Schreibe* special (Themenheft Journalismus in Deutschland), April.

Wendt, Bernd-Jürgen (1988). Englands Gewerkschaften sind anders. In Bundeszentrale für politische Bildung (Hg.), *Großbritannien und Deutschland. Nachbarn in Europa*. Bonn: Bundeszentrale für politische Bildung, S. 121–130.

Wetzel, Hans-Wolfgang (1982). Kulturkampf-Gesetzgebung und Sozialistengesetz 1870/71–1890. In Heinz-Dietrich Fischer (Hg.), *Deutsche Kommunikationskontrolle des 15. bis 20. Jahrhunderts*. München: Saur, S. 131–152.

White, David M. (1950). The „Gatekeeper". A case study in the selection of news. *Journalism Quarterly*, 27, S. 383–390. Wiederabdruck in Lewis Anthony Dexter & David Manning White (Hg.), *People, society and, mass communication*. New York: Free Press, 1964, S. 160–172.

Wiener, Joel H. (1988). How new was the New Journalism? In Joel H. Wiener (Hg.), *Papers for the millions. The New Journalism in Britain, 1850s to 1914*. New York: Greenwood Press, S. 47–71.

Wilke, Jürgen (1983). Leitideen in der Begründung der Pressefreiheit. *Publizistik*, 28, S. 512–524.

Wilke, Jürgen (1984). Einleitung. In Jürgen Wilke (Hg.), *Pressefreiheit*. Darmstadt: Wissenschaftliche Buchgesellschaft, S. 1–55.

Wilke, Jürgen (1987). Journalistische Berufsethik in der Journalistenausbildung. In Jürgen Wilke (Hg.), *Zwischenbilanz der Journalistenausbildung*. München: Ölschläger, S. 233–252. Wiederabgedruckt in Jürgen Wilke (Hg.), *Ethik der Massenmedien*. Wien: Braunmüller, 1996, S. 1–12.

Wilke, Jürgen (1990). Regionalisierung und Internationalisierung des Mediensystems. *Aus Politik und Zeitgeschichte* (Beilage zur Wochenzeitung *Das Parlament*), Heft B 26, S. 3–19.

Wilke, Jürgen (1993a). Umbrüche im deutschen Journalismus. In Walter A. Mahle (Hg.), *Journalisten in Deutschland. Nationale und internationale Vergleiche und Perspektiven*. München: Ölschläger, S. 137–142.

Wilke, Jürgen (1993b) (Hg.), Agenturen im Nachrichtenmarkt. Köln: Böhlau.

Wilke, Jürgen (1994a). Lang war der Weg zur Öffentlichkeit: Die wechselvolle Geschichte der Parlamentsberichterstattung. *Das Parlament* (Themenschwerpunkt Massenmedien), Nr. 41 vom 14. Oktober, S. 8.

Wilke, Jürgen (1994b). Presse. In Elisabeth Noelle-Neumann, Winfried Schulz & Jürgen Wilke (Hg.), *Fischer-Lexikon Publizistik Massenkommunikation*. Dritte, vollständig überarbeitete Neuausgabe. Frankfurt: Fischer, S. 382–417.

Wilke, Jürgen (1995a). Die Entdeckung von Meinungs- und Pressefreiheit als Menschenrechte im Deutschland des späten 18. Jahrhunderts. In Otto Dann & Diethelm Klippel (Hg.), *Naturrecht, Spätaufklärung, Revolution*. Hamburg: Felix Meiner Verlag, S. 121–139.

Wilke, Jürgen (1995b). Krise der Professionalisierung. Zur Situation der Journalistenausbildung in den USA. *Publizistik*, 40, S. 490–491.

Wilke, Jürgen & Elisabeth Noelle-Neumann (1994). Pressegeschichte. In Elisabeth Noelle-Neumann, Winfried Schulz & Jürgen Wilke (Hg.), *Fischer-Lexikon Publizistik Massenkommunikation*. Dritte, vollständig überarbeitete Neuausgabe. Frankfurt: Fischer, S. 417–452.

Wilke, Jürgen & Bernhard Rosenberger (1991). *Die Nachrichten-Macher. Eine Untersuchung zu Strukturen und Arbeitsweisen von Nachrichtenagenturen am Beispiel von AP und dpa*. Köln: Böhlau.

Williams, Granville (1994). *Britain's media: How they are related. Media ownership and democracy*. London: Campaign for Press & Broadcast Freedom

Wilson, A. N. (1995). *Aufstieg und Fall des Hauses Windsor*. Hamburg: Rowohlt.

Windhoff-Héritier, Adrienne (1993). Wohlfahrtsstaatliche Intervention im internationalen Vergleich: Deutschland – Großbritannien. *Leviathan*, Heft 1, S. 103–126.
Winsbury, Rex (1976). *New technology and the journalist.* London: Thomson Foundation Publication.
Winsbury, Rex (1977). Technologie und Presse in den USA: Werden die Journalisten zu reinen Technikern und „Abschreibern" degradiert? *ZV + ZV*, 21, S. 890–892.
Wintour, Charles (1989). *The rise and fall of Fleet Street.* London: Hutchinson.
Wocker, Karl-Heinz (1971). *Jenseits von Eton. England auf dem Weg in die Gegenwart.* Köln: Kiepenheuer & Witsch.
Worcester, Robert M. (1992). The media in the general election. *British Journalism Review*, 3:3, S. 16–25.
Woods, Oliver & James Bishop (1983). *The story of The Times.* London: Michael Joseph.
Wright, Claudia S. (1992). *Die Darstellung der Gentechnik in der Presse der USA: eine vergleichende Analyse.* Magisterarbeit. Universität Mainz: Institut für Publizistik.
Wuchtel, Kurt (1986). *Grundkurs: Geschichte der Philosophie.* Bern, Stuttgart: Haupt.
Wunden, Wolfgang (1989) (Hg.). *Medien zwischen Markt und Moral. Beiträge zur Medienethik (Band 1).* Stuttgart: Steinkopf.
Wunden, Wolfgang (1994) (Hg.). *Öffentlichkeit und Kommunikationskultur. Beiträge zur Medienethik (Band 2).* Stuttgart: Steinkopf.
Wunden, Wolfgang (1996) (Hg.). *Wahrheit als Medienqualität. Beiträge zur Medienethik (Band 3).* Frankfurt: Gemeinschaftswerk der Evangelischen Publizistik.
Young, Hugo (1976). *The Crossman affair.* London: Hamish Hamilton.
Zeitungen '95 und '96. Jahrbücher des Bundesverbandes Deutscher Zeitungsverleger. Bonn: ZV Zeitungsverlag Service GmbH.
Zetterberg, Hans L. (1992). Medien, Ideologie und die Schweigespirale. In Jürgen Wilke (Hg.), *Öffentliche Meinung. Theorie, Methoden, Befunde.* Freiburg: Alber, S. 51–75.
Ziegesar, Detlef von (1993). *Großbritannien ohne Krone?* Darmstadt: Wissenschaftliche Buchgesellschaft.
Zillmann, Dolf & Jennings Bryant (1985) (Hg.). *Selective exposure to communication.* Hillsdale: Erlbaum.
Zschunke, Peter (1994). *Agenturjournalismus. Nachrichtenschreiben im Sekundentakt.* München: Ölschläger.

15. Anhang

A1 Pressekodex des Deutschen Presserates

Publizistische Grundsätze (Pressekodex)

Vom Deutschen Presserat
in Zusammenarbeit mit den Presseverbänden beschlossen
und Bundespräsident D. Dr. Dr. Gustav W. Heinemann
am 12. Dezember 1973 in Bonn überreicht

in der Fassung vom 14. Februar 1996

Die im Grundgesetz der Bundesrepublik verbürgte Pressefreiheit schließt die Unabhängigkeit und Freiheit der Information, der Meinungsäußerung und der Kritik ein. Verleger, Herausgeber und Journalisten müssen sich bei ihrer Arbeit der Verantwortung gegenüber der Öffentlichkeit und ihrer Verpflichtung für das Ansehen der Presse bewußt sein. Sie nehmen ihre publizistische Aufgabe nach bestem Wissen und Gewissen, unbeeinflußt von persönlichen Interessen und sachfremden Beweggründen wahr.

Die publizistischen Grundsätze konkretisieren die Berufsethik der Presse. Sie umfaßt die Pflicht, im Rahmen der Verfassung und der verfassungskonformen Gesetze das Ansehen der Presse zu wahren und für die Freiheit der Presse einzustehen.

Die Berufsethik räumt jedem das Recht ein, sich über die Presse zu beschweren. Beschwerden sind begründet, wenn die Berufsethik verletzt wird.

---

1. **Die Achtung vor der Wahrheit, die Wahrung der Menschenwürde und die wahrhaftige Unterrichtung der Öffentlichkeit sind oberste Gebote der Presse.**

2. **Zur Veröffentlichung bestimmte Nachrichten und Informationen in Wort und Bild sind mit der nach den Umständen gebotenen Sorgfalt auf ihren Wahrheitsgehalt zu prüfen. Ihr Sinn darf durch Bearbeitung, Überschrift oder Bildbeschriftung weder entstellt noch verfälscht werden. Dokumente müssen sinngetreu wiedergegeben werden. Unbestätigte Meldungen, Gerüchte und Vermutungen sind als solche erkennbar zu machen.**

Symbolfotos müssen als solche kenntlich sein oder erkennbar gemacht werden.

3. Veröffentlichte Nachrichten oder Behauptungen, die sich nachträglich als falsch erweisen, hat das Publikationsorgan, das sie gebracht hat, unverzüglich von sich aus in angemessener Weise richtigzustellen

4. Bei der Beschaffung von Nachrichten, Informationsmaterial und Bildern dürfen keine unlauteren Methoden angewandt werden.

5. Die vereinbarte Vertraulichkeit ist grundsätzlich zu wahren.

6. Jede in der Presse tätige Person wahrt das Ansehen und die Glaubwürdigkeit der Medien sowie das Berufsgeheimnis, macht vom Zeugnisverweigerungsrecht Gebrauch und gibt Informanten ohne deren ausdrückliche Zustimmung nicht preis.

7. Die Verantwortung der Presse gegenüber der Öffentlichkeit gebietet, daß redaktionelle Veröffentlichungen nicht durch private oder geschäftliche Interessen Dritter beeinflußt werden. Verleger und Redakteure wehren derartige Versuche ab und achten auf eine klare Trennung zwischen redaktionellem Text und Veröffentlichungen zu werblichen Zwecken.

8. Die Presse achtet das Privatleben und die Intimsphäre des Menschen. Berührt jedoch das private Verhalten öffentliche Interessen, so kann es im Einzelfall in der Presse erörtert werden. Dabei ist zu prüfen, ob durch eine Veröffentlichung Persönlichkeitsrechte Unbeteiligter verletzt werden.

9. Es widerspricht journalistischem Anstand, unbegründete Behauptungen und Beschuldigungen, insbesondere ehrverletzender Natur, zu veröffentlichen.

10. Veröffentlichungen in Wort und Bild, die das sittliche oder religiöse Empfinden einer Personengruppe nach Form und Inhalt wesentlich verletzen können, sind mit der Verantwortung der Presse nicht zu vereinbaren.

11. Die Presse verzichtet auf eine unangemessen sensationelle Darstellung von Gewalt und Brutalität. Der Schutz der Jugend ist in der Berichterstattung zu berücksichtigen.

12. Niemand darf wegen seines Geschlechts oder seiner Zugehörigkeit zu einer rassischen, ethnischen, religiösen, sozialen oder nationalen Gruppe diskriminiert werden.

13. Die Berichterstattung über schwebende Ermittlungs- und Gerichtsverfahren muß frei von Vorurteilen erfolgen. Die Presse vermeidet deshalb vor Beginn und während der Dauer eines solchen Verfahrens in Darstellung und Überschrift jede präjudizierende Stellungnahme. Ein Verdächtigter darf vor einem gerichtlichen Urteil nicht als Schuldiger hingestellt werden. Über Entscheidungen von Gerichten soll nicht ohne schwerwiegende Rechtfertigungsgründe vor deren Bekanntgabe berichtet werden.

14. Bei Berichten über medizinische Themen ist eine unangemessen sensationelle Darstellung zu vermeiden, die unbegründete Befürchtungen oder Hoffnungen beim Leser erwecken könnte. Forschungsergebnisse, die sich in einem frühen Stadium befinden, sollten nicht als abgeschlossen oder nahezu abgeschlossen dargestellt werden.

15. Die Annahme und Gewährung von Vorteilen jeder Art, die geeignet sein könnten, die Entscheidungsfreiheit von Verlag und Redaktion zu beeinträchtigen, sind mit dem Ansehen, der Unabhängigkeit und der Aufgabe der Presse unvereinbar. Wer sich für die Verbreitung oder Unterdrückung von Nachrichten bestechen läßt, handelt unehrenhaft und berufswidrig.

16. Es entspricht fairer Berichterstattung, vom Deutschen Presserat öffentlich ausgesprochene Rügen abzudrucken, insbesondere in den betroffenen Publikationsorganen.

A2 Code of Practice der britischen Press Complaints Commission

Code of Practice

The Press Complaints Commission is charged with enforcing the following Code of Practice which was framed by the newspaper and periodical industry and ratified by the Press Complaints Commission. All members of the press have a duty to maintain the highest professional and ethical standards. In doing so, they should have regard to the provisions of this Code of Practice and to safeguarding the public's right to know. Editors are responsible for the actions of journalists employed by their publications. They should also satisfy themselves as far as possible that material accepted from non-staff members was obtained in accordance with this Code. While recognising that this involves a substantial element of self-restraint by editors and journalists, it is designed to be acceptable in the context of a system of self-regulation. The Code applies in the spirit as well as in the letter. It is the responsibility of editors to co-operate as swiftly as possible in PCC enquiries. Any publication which is criticised by the PCC under one of the following Clauses is duty bound to print the adjudication which follows in full and with due prominence.

1. Accuracy

i) Newspapers and periodicals should take care not to publish inaccurate, misleading or distorted material.

ii) Whenever it is recognised that a significant inaccuracy, misleading statement or distorted report has been published, it should be corrected promptly and with due prominence.

iii) An apology should be published whenever appropriate.

iv) A newspaper or periodical should always report fairly and accurately the outcome of an action for defamation to which it has been a party.

2. Opportunity to reply

A fair opportunity for reply to inaccuracies should be given to individuals or organisations when reasonably called for.

3. Comment, conjecture and fact

Newspapers, whilst free to be partisan, should distinguish clearly between comment, conjecture and fact.

4. Privacy

(i) Intrusions and enquiries into an individual's private life without his or her consent, including the use of long-lens photography to take pictures of people on private property without their consent, are only acceptable when it can be shown that these are, or are reasonably believed to be, in the public interest.

(ii) Publication of material obtained under (i) above is only justified when the facts show that the public interest is served.

Note - Private property is defined as (i) any private residence, together with its garden and outbuildings, but excluding any adjacent fields or parkland and the surrounding parts of the property within the unaided view of passers-by, (ii) hotel bedrooms (but not other areas in a hotel) and (iii) those parts of a hospital or nursing home where patients are treated or accommodated.

5. Listening devices

Unless justified by the public interest, journalists should not obtain or publish material obtained by using clandestine listening devices or by intercepting private telephone conversations.

6. Hospitals

i) Journalists or photographers making enquiries at hospitals or similar institutions should identify themselves to a responsible executive and obtain permission before entering non-public areas.

(ii) The restrictions on intruding into privacy are particularly relevant to enquiries about individuals in hospitals or similar institutions.

7. Misrepresentation

i) Journalists should not generally obtain or seek to obtain information or pictures through misrepresentation or subterfuge.

ii) Unless in the public interest, documents or photographs should be removed only with the express consent of the owner.

iii) Subterfuge can be justified only in the public interest and only when material cannot be obtained by any other means.

8. Harassment

i) Journalists should neither obtain nor seek to obtain information or pictures through intimidation or harassment.

ii) Unless their enquiries are in the public interest, journalists should not photograph individuals on private property (as defined in the note to Clause 4) without their consent; should not persist in telephoning or questioning individuals after having been asked to desist; should not remain on their property after having been asked to leave and should not follow them.

iii) It is the responsibility of editors to ensure that these requirements are carried out.

9. Payment for articles

(i) Payment or offers of payment for stories or information should not be made directly or through agents to witnesses or potential witnesses in current criminal proceedings except where the material concerned ought to be published in the public interest and there is an overriding need to make or promise to make a payment for this to be done. Journalists must take every possible step to ensure that no financial dealings have influence on the evidence that those witnesses may give.

(An editor authorising such a payment must be prepared to demonstrate that there is a legitimate public interest at stake involving matters that the public has a right to know. The payment or, where accepted, the offer of payment to any witness who is actually cited to give evidence should be disclosed to the prosecution and defence and the witness should be advised of this.)

(ii) Payment or offers of payment for stories, pictures or information, should not be made directly or through agents to convicted or confessed criminals or to their associates - who may include family, friends and colleagues - except where the material concerned ought to be published in the public interest and payment is necessary for this to be done.

10. Intrusion into grief or shock

In cases involving personal grief or shock, enquiries should be carried out and approaches made with sympathy and discretion.

11. Innocent relatives and friends

Unless it is contrary to the public's right to know, the press should avoid identifying relatives or friends of persons convicted or accused of crime.

12. Interviewing or photographing children

i) Journalists should not normally interview or photograph children under the age of 16 on subjects involving the welfare of the child or of any other child, in the absence of or without the consent of a parent or other adult who is responsible for the children.

ii) Children should not be approached or photographed while at school without the permission of the school authorities.

13. Children in sex cases

1. The press should not, even where the law does not prohibit it, identify children under the age of 16 who are involved in cases concerning sexual offences, whether as victims or as witnesses or defendants.
2. In any press report of a case involving a sexual offence against a child -

i) The adult should be identified.
ii) The word "incest" should be avoided where a child victim might be identified.
iii) The offence should be described as "serious offences against young children" or similar appropriate wording.
iv) The child should not be identified.
v) Care should be taken that nothing in the report implies the relationship between the accused and the child.

14. Victims of sexual assault

The press should not identify victims of sexual assault or publish material likely to contribute to such identification unless there is adequate justification and, by law, they are free to do so.

15. Discrimination

i) The press should avoid prejudicial or pejorative reference to a person's race, colour, religion, sex or sexual orientation or to any physical or mental illness or disability.
ii) It should avoid publishing details of a person's race, colour, religion, sex or sexual orientation unless these are directly relevant to the story.

16. Financial journalism

i) Even where the law does not prohibit it, journalists should not use for their own profit financial information they receive in advance of its general publication, nor should they pass such information to others.
ii) They should not write about shares or securities in whose performance they know that they or their close families have a significant financial interest without disclosing the interest to the editor or financial editor.
iii) They should not buy or sell, either directly or through nominees or agents, shares or securities about which they have written recently or about which they intend to write in the near future.

17. Confidential sources

Journalists have a moral obligation to protect confidential sources of information.

18. The public interest

Clauses 4,5,7,8 and 9 create exceptions which may be covered by invoking the public interest. For the purpose of this Code that is most easily defined as -

i) Detecting or exposing crime or a serious misdemeanour.
ii) Protecting public health and safety.
iii) Preventing the public from being misled by some statement or action of an individual or organisation.

In any cases raising issues beyond these three definitions the Press Complaints Commission will require a full explanation by the editor of the publication involved, seeking to demonstrate how the public interest was served.

Comments or suggestions regarding the content of the Code may be sent to the Secretary, Code of Practice Committee, Merchants House Buildings, 30 George Square, Glasgow G2 1EG.

A3 Tabelle 11: Parteilichkeit nationaler Tageszeitungen bei Parlamentswahlwn 1945–1997. Auflage in Mio. und Parteiunterstützung laut Leitartikel („endorsement“)

Tabelle 11: Parteilichkeit nationaler Tageszeitungen bei Parlamentswahlen 1945–1997. Auflage in Mio. und Parteiunterstützung lt. Leitartikel („endorsement")

	1945	1950	1951	1955	1959	1964	1966	1970
BOULEVARD								
Daily Express	3,30 Con	4,10 Con	4,17 Con	4,04 Con	4,05 Con	4,20 Con	3,99 Con	3,67 Con
Daily Mail	1,70 Con	2,22 Con	2,27 Con	2,07 Con	2,07 Con	2,40 Con	2,46 Con	1,94 Con
Daily Sketch	0,90 Con	0,78 Con	0,79 Con	0,95 Con	1,16 Con	0,85 Con	0,84 Con	0,85 Con
News Chronicle	1,55 Lib	1,53 Lib	1,51 Lib	1,25 Lib	1,21 Lib			
Daily Herald*	1,85 Lab	2,03 Lab	2,00 Lab	1,76 Lab	1,47 Lab	1,30 Lab	1,27 Lab	
Sun								1,51 Lab
Daily Mirror	2,40 Lab	4,60 Lab	4,51 Lab	4,73 Lab	4,50 Lab	5,08 Lab	5,02 Lab	4,85 Lab
Daily Star								
Today								
QUALITÄT								
Daily Telegraph	0,81 Con	0,98 Con	1,00 Con	1,06 Con	1,18 Con	1,32 Con	1,34 Con	1,39 Con
The Times	0,20 –	0,26 Con	0,23 Con	0,22 Con	0,25 Con	0,26 Con	0,25 Con/Lib	0,41 Con/Lib
The Guardian	0,08 Lib	0,14 Lib	0,4 Lib/Con	0,16 Lib/Con	0,18 Lab/Lib	0,28 Lib	0,27 Lab/Lib	0,30 Lab/Lib
Financial Times**						0,15 Con	0,15 –	0,17 –
The Independent								
Anteil an Gesamt-Auflage								
pro Conservative %	52	50	52	52	54	57	55	57
pro Labour %	35	40	39	40	38	42	42	43
pro Liberals %	13	10	10	9	9	–	3	55
Wahlergebnisse								
für Conservative %	40	43	48	50	49	43	42	46
für Labour %	48	46	49	46	44	44	48	43
für Liberals %	9	9	2	3	6	11	8	7

Zur Bedeutung der verwendeten Symbole: – Kein Endorsement abgegeben. * Gegründet als Labour-Parteizeitung, 1969 am Rande des Bankrotts von Murdoch gekauft und als pro-Conservative Sun neugegründet. ** Galt bis 1964 nicht als vollwertige Tageszeitung. Quellen: Seymour-Ure (1996, S. 218–219) und britische Tages- und Fachpresse (für 1997).

1974	1974	1979	1983	1987	1992	1997
3,29 Con	3,26 Con	2,46 Con	1,94 Con	1,70 Con	1,52 Con	1,22 Con
1,73 Con	1,76 Con	1,97 Con	1,83 Con	1,76 Con	1,67 Con	2,15 Con
2,97 Con	3,15 Gr. Koal.	3,94 Con	4,16 Con	3,99 Con	3,57 Con	3,82 Lab
4,29 Lab	4,26 Lab	3,78 Lab	3,27 Lab	3,12 Lab	2,90 Lab	3,05 Lab
	0,88 –	1,31 Con	1,29 Con	0,81 – (Con)	0,65 Lab	
			0,31 Lib	0,53 Con		
1,42 Con	1,42 Con	1,36 Con	1,28 Con	1,15 Con	1,03 Con	1,13 Con
0,35 Con/Lib	0,35 Con/Lib	Drucker-Streik	0,32 Con	0,44 Con	0,39 Con0,76 –	
0,35 Con/Lab/Lib	0,36 Lib	0,28 Lab	0,42 nicht Con	0,49 Lab	0,43 Lab	0,43 Lab
0,20 Con	0,20 Con	0,21 Con	0,25 Con	0,28 Con	0,29 Lab	0,32 Lab
	0,29 –	0,39 –	0,26 Lab			
71	69	67	78	74	70	33
32	50	27	22	26	27	62
26	–	–	2	–	–	
38	36	44	42	42	42	31
37	39	37	28	31	34	44
19	18	14	25	23	18	17

A4 Schaubild 19: Darstellungen des „Copy Flow"-Prinzips in britischen Journalistik-Lehrbüchern

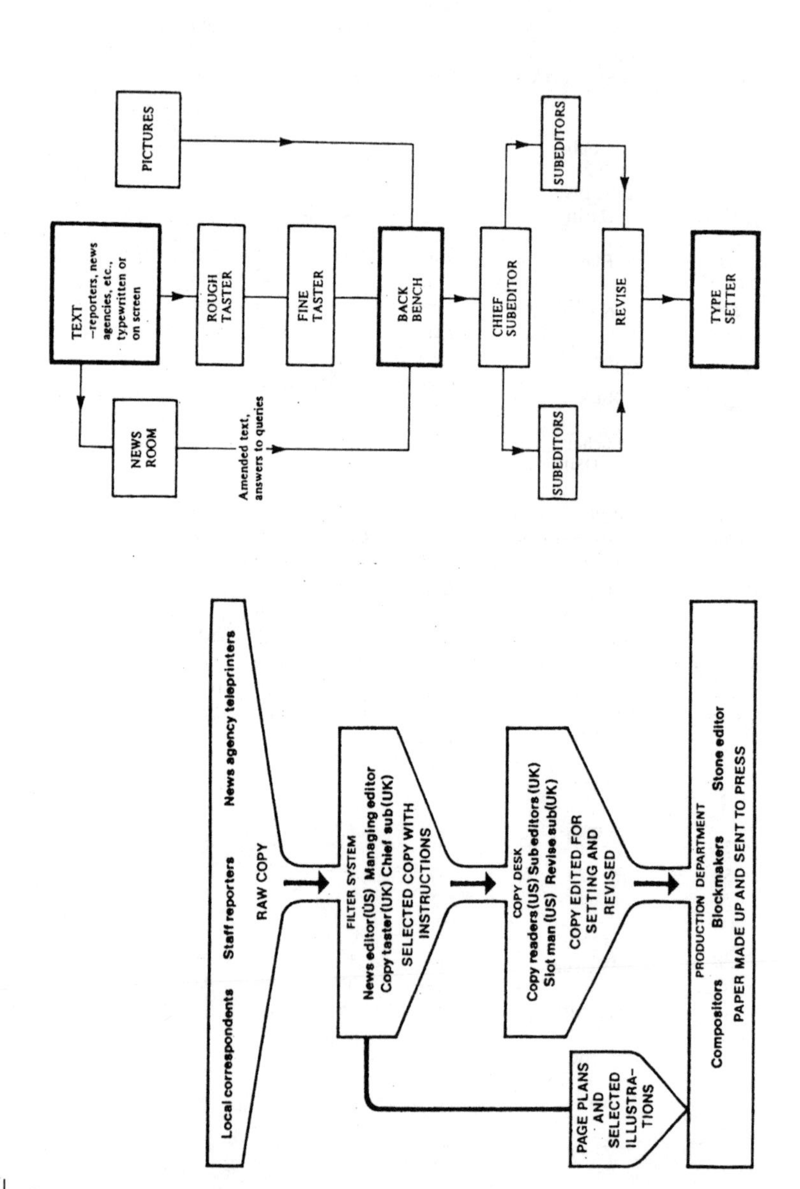

Quelle: Journalismuslehrbücher von Evans (1972, S. 4) und Hodgson (1987, S. 20)

Register